# LANGENSCHEIDTS
# SCHULWÖRTERBUCH
# ENGLISCH

## ENGLISCH-DEUTSCH
## DEUTSCH-ENGLISCH

Neubearbeitet
von der
LANGENSCHEIDT-REDAKTION

# LANGENSCHEIDT
BERLIN · MÜNCHEN · WIEN · ZÜRICH

# Inhaltsverzeichnis

*2. Neubearbeitung 1970*

| *Auflage:* | 18. 17. 16. | *Letzte Zahlen* |
|---|---|---|
| *Jahr:* | 1981 80 79 78 77 | *maßgeblich* |

*Copyright 1953, © 1969, 1970 Langenscheidt KG, Berlin und München*
*Druck: Graph. Betriebe Langenscheidt, Berchtesgaden/Obb.*
*Printed in Germany · ISBN 3-468-13120-8*

# Vorwort

Dieses Schulwörterbuch ist ein modernes und handliches Nachschlagewerk, das für den Gebrauch in der Sekundarstufe I bestimmt ist, also für den Bereich der Hauptschule, Realschule (Mittelschule) sowie für die Unter- und Mittelstufe des Gymnasiums.

Beide Teile dieses Wörterbuchs wurden völlig neu bearbeitet, um den heutigen schulischen Bedürfnissen noch besser zu entsprechen. Gleichzeitig wurden auch viele Neuwörter (Neologismen) aus den verschiedensten Lebensbereichen neu in das Schulwörterbuch aufgenommen, z.B. *heart transplant, non-violence*; *Gesamtschule, Mehrwertsteuer, Wankelmotor*.

Die dem Schüler immer wieder Schwierigkeiten bereitenden Stammformen der unregelmäßigen Verben werden jetzt als separate Stichwörter gegeben; die Liste der unregelmäßigen Verben im Anhang wurde erweitert. Für die internationale Lautschrift (IPA) wurde die zwölfte Auflage des *English Pronouncing Dictionary* von Daniel Jones benutzt. Das amerikanische Englisch ist seiner Bedeutung entsprechend im Wörterverzeichnis und in einer Übersicht (Seite 10) berücksichtigt worden.

Auch die Anhänge „Eigennamen" und „Abkürzungen" wurden völlig überarbeitet und erweitert. Ein weiterer Anhang bietet zusätzliche Informationen über das für Lernende schwierige Kapitel der englischen Präpositionen und ihrer Anwendung. Zahlwörter sowie britische und amerikanische Maße und Gewichte sind eine gewiß gerngesehene Ergänzung.

Mit seinen über 35 000 Stichwörtern und einem Vielfachen an Übersetzungen, Anwendungsbeispielen und Redewendungen hat „Langenscheidts Schulwörterbuch Englisch" seit langer Zeit einen festen Platz unter den englischen Nachschlagewerken in der Schule. Wir hoffen, daß die vorliegende Neubearbeitung dem Buch noch weitere Freunde zuführt.

# Hinweise
# für die Benutzung des Wörterbuches

**1. Anordnung.** Das Wörterbuch ist alphabetisch geordnet und verzeichnet auch die unregelmäßigen Formen der englischen Substantive und Verben an ihrer alphabetischen Stelle.

Britische und amerikanische Eigennamen und Abkürzungen sind in besonderen Verzeichnissen auf den Seiten 561—572 zusammengestellt.

**2. Aussprache.** Die Aussprache der englischen Stichwörter steht in eckigen Klammern und wird durch die Symbole der International Phonetic Association wiedergegeben (s. Seite 8—9). Die Aussprache zusammengesetzter Wörter wird dann nicht gegeben, wenn jeder Bestandteil als selbständiges Stichwort mit Aussprache an alphabetischer Stelle aufgeführt ist.

**3.** Zusätze in **Kursivschrift** dienen zur genaueren Kennzeichnung der einzelnen Bedeutungen; z. B. *abate Mißstand* abstellen; *Abbild Ebenbild:* image; *abbürsten Staub etc.:* brush off; *dicht Nebel, Regen etc.:* dense.

**4. Sachgebiet.** Das Sachgebiet, dem ein Stichwort oder einige seiner Bedeutungen angehören, wird durch bildliche Zeichen, Abkürzungen (s. Seite 5—7) oder ausgeschriebene Hinweise kenntlich gemacht. Steht die bildliche oder abgekürzte Sachgebietsbezeichnung unmittelbar hinter dem Stichwort, bezieht sie sich auf alle folgenden Übersetzungen. Steht sie innerhalb eines Artikels vor einer Übersetzung, so gilt sie nur für diese. Im deutsch-englischen Teil

bezieht sich jede bildliche oder abgekürzte Sachgebietsbezeichnung mit einem Doppelpunkt auf alle folgenden Übersetzungen. Ein F vor dem deutschen oder englischen Teil eines Beispielsatzes zeigt an, daß nur dieser betreffende Teil umgangssprachlich gebraucht wird. Ein F: vor dem deutschen Teil hingegen zeigt, daß Beispiel und Übersetzung derselben sprachlichen Ebene angehören. Bildliche Sachgebietsbezeichnungen stehen meist zwischen dem Beispielsatz und seiner Übersetzung.

**5.** Das **Semikolon** trennt zwei wesentlich voneinander verschiedene Bedeutungen.

**6. Grammatische Hinweise.** Die Bezeichnung der Wortarten (Adjektiv, Verb etc.) im englisch-deutschen Teil wurde nur in Zweifelsfällen gegeben, im deutsch-englischen Teil dagegen vollständig durchgeführt. Arabische Ziffern unterscheiden die einzelnen Wortarten.

a) Der Zusatz (~*ally*) bei einem englischen Adjektiv bedeutet, daß das Adverb durch Anhängung von ...*ally* an das Stichwort gebildet wird: *automatic* ... (~*ally*) = *automatically*.

b) Der Hinweis [*irr.*] bei einem englischen Verb zeigt an, daß es unregelmäßig konjugiert wird und daß seine Stammformen in der Liste der unregelmäßigen Verben im Anhang aufgeführt sind (s. Seite 573 bis 574). Hinweise wie [*irr.* (*fall*)] zeigen an, daß das Stichwort ebenso konjugiert wird wie das in der Liste der unregelmäßigen Verben aufgeführte Grundverb *fall*.

# Zeichen und Abkürzungen,
## die im Wörterbuch verwendet werden

## 1. Zeichen

Die Tilde (~, ⌂, ~⌂) dient innerhalb eines Stichwortartikels als Wiederholungszeichen. Die fette Tilde (~) vertritt dabei entweder das ganze Stichwort oder den vor dem senkrechten Strich (|) stehenden Teil des Stichwortes. Die magere Tilde (~) vertritt: a) das unmittelbar vorausgehende Stichwort, das selbst schon mit Hilfe der fetten Tilde gebildet sein kann; b) in der Aussprachebezeichnung die ganze Aussprache des unmittelbar vorhergehenden Stichwortes einschließlich des Betonungsakzentes, oder den Teil des Stich-

wortes, der unverändert bleibt, wobei meist der jeweils letzte gemeinsame Laut wiederholt wird.

Wenn sich der Anfangsbuchstabe ändert (groß zu klein oder umgekehrt), steht statt der einfachen Tilde das Zeichen ⌂ oder ⌂.

Beispiele: *abandon* [ə'bændən], ~*ment* [~mənt = ə'bændənmənt]; *certi|ficate*, ~*fication*, ~*fy*, ~*tude*. *Drama*, ~*tiker*, ⌂*tisch*; *Haus|flur*, ~*frau*; *fassen*: *sich kurz* ~.

□    nach einem englischen Adjektiv bedeutet, daß das Adverb regelmäßig, d. h. durch Anhängung von ...*ly* an das Adjektiv oder durch Verwandlung von ...*le* in ...*ly* oder ...*y* in ...*ily* gebildet wird, z. B.:

     *rich* □ = *richly*;
     *acceptable* □ = *acceptably*;
     *happy* □ = *happily*.

F    familiär, *familiar*; Umgangssprache, *colloquial usage*.

P    populär, Sprache des (ungebildeten) Volkes, *low colloquialism*.

V    vulgär, *vulgar*.

†    veraltet, *archaic*.

✵    selten, rare, little used.

⚏    wissenschaftlich, *scientific term*.

⚘    Botanik, *botany*.

⊕    Technik, *engineering*; Handwerk, *handicraft*.

⚒    Bergbau, *mining*.

⚔    militärisch, *military term*.

⚓    Schiffahrt, *nautical term*.

✝    Handelswesen, *commercial term*.

🚋    Eisenbahn, *railway, railroad*.

✈    Flugwesen, *aviation*.

✆    Postwesen, *postal affairs*.

♪    Musik, *musical term*.

⌂    Architektur, *architecture*.

⚡    Elektrotechnik, *electrical engineering*.

⚖    Rechtswissenschaft, *legal term*.

𝔸    Mathematik, *mathematics*.

✎    Landwirtschaft, *farming*.

♈    Chemie, *chemistry*.

🞰    Medizin, *medicine*.

# 6

## 2. Abkürzungen

| | | | |
|---|---|---|---|
| *a.* | *also*, auch. | *Ggs.* | *Gegensatz, antonym.* |
| *abbr.* | *abbreviation*, Abkürzung. | *gr.* | *grammar*, Grammatik. |
| *acc.* | *accusative (case)*, Akkusativ. | | |
| *adj.* | *adjective*, Adjektiv. | *h* | *haben, have.* |
| *adv.* | *adverb*, Adverb. | *hist.* | *history*, Geschichte. |
| *allg.* | allgemein, *commonly.* | *hunt.* | *hunting*, Jagdwesen. |
| *Am.* | *American English*, amerikanisches Englisch. | *ichth.* | *ichthyology*, Ichthyologie. |
| *anat.* | *anatomy*, Anatomie. | *impers.* | *impersonal*, unpersönlich. |
| *appr.* | *approximately*, etwa. | *indef.* | *indefinite*, Indefinit... |
| *art.* | *article*, Artikel. | *inf.* | *infinitive (mood)*, Infinitiv. |
| *ast.* | *astronomy*, Astronomie. | *int.* | *interjection*, Interjektion. |
| *attr.* | *attributively*, attributiv. | *interr.* | *interrogative*, Interrogativ... |
| | | *iro.* | *ironically*, ironisch. |
| *biol.* | *biology*, Biologie. | *irr.* | *irregular*, unregelmäßig. |
| *Brt.* | *British English*, britisches Englisch. | *j., j., j.* | jemand, *someone.* |
| *b.s.* | *bad sense*, in schlechtem Sinne. | *j-m, j-m, j-m* jemandem, *to someone.* | |
| *bsd.* | besonders, *especially.* | *j-n, j-n, j-n* jemanden, *someone.* | |
| | | *j-s, j-s, j-s* jemandes, *someone's.* | |
| *cj.* | *conjunction*, Konjunktion. | *konkr.* | konkret, *concretely.* |
| *co.* | *comic(al)*, scherzhaft. | *ling.* | *linguistics*, Linguistik. |
| *coll.* | *collectively*, als Sammelwort. | *lit.* | *literary*, nur in der Schriftsprache vorkommend. |
| *comp.* | *comparative*, Komparativ. | | |
| *contp.* | *contemptuously*, verächtlich. | *m* | *masculine*, männlich. |
| *dat.* | *dative (case)*, Dativ. | *m-e, m-e, m-e* meine, *my.* | |
| *dem.* | *demonstrative*, Demonstrativ... | *m-r* | meiner, *of my, to my.* |
| | | *metall.* | *metallurgy*, Metallurgie. |
| | | *meteor.* | *meteorology*, Meteorologie. |
| *ea.* | einander, *one another, each other.* | *min.* | *mineralogy*, Mineralogie. |
| *eccl.* | *ecclesiastical*, kirchlich. | *mot.* | *motoring*, Kraftfahrwesen. |
| *e-e, e-e, e-e* eine, *a (an).* | | *mount.* | *mountaineering*, Bergsteigerei. |
| *e-m, e-m, e-m* einem, *to a (an).* | | *mst* | meistens, *mostly, usually.* |
| *e-n, e-n, e-n* einen, *a (an).* | | *myth.* | *mythology*, Mythologie. |
| *engS.* | in engerem Sinne, *more strictly taken.* | *n* | *neuter*, sächlich. |
| *e-r, e-r, e-r* einer, *of a (an), to a (an).* | | *nom.* | *nominative (case)*, Nominativ. |
| *e-s, e-s, e-s* eines, *of a (an).* | | *npr.* | *proper name*, Eigenname. |
| *et., et., et.* etwas, *something.* | | | |
| *etc.* | *et cetera, and so on*, und so weiter. | *od.* | oder, *or.* |
| | | *opt.* | *optics*, Optik. |
| *f* | *feminine*, weiblich. | *orn.* | *ornithology*, Ornithologie. |
| *fig.* | *figuratively*, bildlich. | *o.s., o.s. oneself*, sich. | |
| *frz.* | französisch, *French.* | *östr.* | österreichisch, *Austrian.* |
| *gen.* | *genitive (case)*, Genitiv. | *P.* | Person, *person.* |
| *geogr.* | *geography*, Geographie. | *p.* | *person*, Person. |
| *geol.* | *geology*, Geologie. | *paint.* | *painting*, Malerei. |
| *geom.* | *geometry*, Geometrie. | *parl.* | *parliamentary term*, parlamentarischer Ausdruck. |
| *ger.* | *gerund*, Gerundium. | *pass.* | *passive voice*, Passiv. |

| | | | |
|---|---|---|---|
| *pers.* | *personal,* Personal... | *s-r, s-r, s-r* | seiner, *of his, of one's,* |
| *pharm.* | *pharmacy,* Pharmazie. | | *to his, to one's.* |
| *phls.* | *philosophy,* Philosophie. | *s-s, s-s, s-s* | seines, *of his, of one's.* |
| *phot.* | *photography,* Photographie. | *s.th., s.th., s.th.* | *something,* etwas. |
| *phys.* | *physics,* Physik. | *subj.* | *subjunctive (mood),* Konjunktiv. |
| *physiol.* | *physiology,* Physiologie. | | |
| *pl.* | *plural,* Plural. | *sup.* | *superlative,* Superlativ. |
| *poet.* | *poetry,* Dichtung. | *surv.* | *surveying,* Landvermessung. |
| *pol.* | *politics,* Politik. | | |
| *poss.* | *possessive,* Possessiv... | *tel.* | *telegraphy,* Telegraphie. |
| *p.p.* | *past participle,* Partizip Perfekt. | *teleph.* | *telephony,* Fernsprechwesen. |
| | | *thea.* | *theat\|re, Am. -er,* Theater. |
| *p.pr.* | *present participle,* Partizip Präsens. | *typ.* | *typography,* Typographie. |
| *pred.* | *predicative,* prädikativ. | *u., u.* | und, *and.* |
| *pres.* | *present,* Präsens. | *univ.* | *university,* Hochschulwesen, Studentensprache. |
| *pret.* | *preterit(e),* Präteritum. | | |
| *pron.* | *pronoun,* Pronomen. | *v/aux.* | *auxiliary verb,* Hilfsverb. |
| *prov.* | *provincialism,* Provinzialismus. | *vb.* | *verb,* Verb. |
| | | *vet.* | *veterinary medicine,* Veterinärmedizin. |
| *prp.* | *preposition,* Präposition. | | |
| *psych.* | *psychology,* Psychologie. | *vgl.* | vergleiche, *confer.* |
| | | *v/i.* | *verb intransitive,* intransitives Verb. |
| *refl.* | *reflexive,* reflexiv. | *v/refl.* | *verb reflexive,* reflexives Verb. |
| *rel.* | *relative,* Relativ... | | |
| *rhet.* | *rhetoric,* Rhetorik. | *v/t.* | *verb transitive,* transitives Verb. |
| *S., S.* | Sache, *thing.* | | |
| *s.* | siehe, *see, refer to.* | *weitS.* | in weiterem Sinne, *more widely taken.* |
| *schott.* | schottisch, *Scotch.* | | |
| *s-e, s-e, s-e* | seine, *his, one's.* | | |
| *sg.* | *singular,* Singular. | *z.B.* | zum Beispiel, *for example.* |
| *sl.* | *slang,* Slang. | *zo.* | *zoology,* Zoologie. |
| *s-m, s-m, s-m* | seinem, *to his, to one's.* | *zs., zs., zs.* | zusammen, *together.* |
| *s-n, s-n, s-n* | seinen, *his, one's.* | *Zssg(n)* | Zusammensetzung(en), *compound word(s).* |
| *s.o., s.o., s.o.* | someone, jemand(en). | | |

# Die phonetischen Zeichen der International Phonetic Association

## im englisch-deutschen Teil

### A. Vokale und Diphthonge

[ɑ:] reines langes a wie in Vater, kam, Schwan: *far* [fɑ:], *father* ['fɑ:ðə].

[ʌ] kommt im Deutschen nicht vor. Kurzes dunkles a, bei dem die Lippen nicht gerundet sind. Vorn und offen gebildet: *butter* ['bʌtə], *come* [kʌm], *colour* ['kʌlə], *blood* [blʌd], *flourish* ['flʌriʃ], *twopence* ['tʌpəns].

[æ] heller, ziemlich offener, nicht zu kurzer Laut. Raum zwischen Zunge und Gaumen noch größer als bei ä in Ähre: *fat* [fæt], *man* [mæn].

[ɛə] nicht zu offenes halblanges ä; im Englischen nur vor r, das als ein dem ä nachhallendes ə erscheint: *bare* [bɛə], *pair* [pɛə], *there* [ðɛə].

[ai] Bestandteile: helles, zwischen ɑ: und æ liegendes a und schwächeres offenes i. Die Zunge hebt sich halbwegs zur i-Stellung: *I* [ai], *lie* [lai], *dry* [drai].

[au] Bestandteile: helles, zwischen ɑ: und æ liegendes a und schwächeres offenes u: *house* [haus], *now* [nau].

[ei] halboffenes e, nach i auslautend, indem die Zunge sich halbwegs zur i-Stellung hebt: *date* [deit], *play* [plei], *obey* [ə'bei].

[e] halboffenes kurzes e, etwas geschlossener als das e in Bett: *bed* [bed], *less* [les].

[ə] flüchtiger Gleitlaut, ähnlich dem deutschen flüchtig gesprochenen e in Gelage: *about* [ə'baut], *butter* ['bʌtə], *nation* ['neiʃən], *connect* [kə'nekt].

[i:] langes i wie in lieb, Bibel, aber etwas offener einsetzend als im Deutschen; wird in Südengland doppellautig gesprochen, indem sich die Zunge allmählich zur i-Stellung hebt: *scene* [si:n], *sea* [si:], *feet* [fi:t], *ceiling* ['si:liŋ].

[i] kurzes offenes i wie in bin, mit: *big* [big], *city* ['siti].

[iə] halboffenes halblanges i mit nachhallendem ə: *here* [hiə], *hear* [hiə], *inferior* [in'fiəriə].

[ou] halboffenes langes o, in schwaches u auslautend; keine Rundung der Lippen, kein Heben der Zunge: *note* [nout], *boat* [bout], *below* [bi'lou].

[ɔ:] offener langer, zwischen a und o schwebender Laut: *fall* [fɔ:l], *nought* [nɔ:t], *or* [ɔ:], *before* [bi'fɔ:].

[ɔ] offener kurzer, zwischen a und o schwebender Laut, offener als das o in Motto: *god* [gɔd], *not* [nɔt], *wash* [wɔʃ], *hobby* ['hɔbi].

[ə:] im Deutschen fehlender Laut; offenes langes ö, etwa wie gedehnt gesprochenes ö in öffnen, Mörder; kein Vorstülpen oder Runden der Lippen, kein Heben der Zunge: *word* [wə:d], *girl* [gə:l], *learn* [lə:n], *murmur* ['mə:mə].

[ɔi] Bestandteile: offenes o und schwächeres offenes i. Die Zunge hebt sich halbwegs zur i-Stellung: *voice* [vɔis], *boy* [bɔi], *annoy* [ə'nɔi].

[u:] langes u wie in Buch, doch ohne Lippenrundung; vielfach diphthongisch als halboffenes langes u mit nachhallendem geschlossenen u: *fool* [fu:l], *shoe* [ʃu:], *you* [ju:], *rule* [ru:l], *canoe* [kə'nu:].

[uə] halboffenes halblanges u mit nachhallendem ə: *poor* [puə], *sure* [ʃuə], *allure* [ə'ljuə].

[u] flüchtiges u: *put* [put], *look* [luk], *full* [ful].

Die **Länge eines Vokals** wird durch [ː] bezeichnet, z.B. *ask* [ɑːsk], *astir* [əˈstəː].

Vereinzelt werden auch die folgenden französischen Nasallaute gebraucht: [ã] wie in frz. *blanc*, [õ] wie in frz. *bonbon* und [ɛ̃] wie in frz. *vin*.

## B. Konsonanten

[r] nur vor Vokalen gesprochen. Völlig verschieden vom deutschen Zungenspitzen- oder Zäpfchen-r. Die Zungenspitze bildet mit der oberen Zahnwulst eine Enge, durch die der Ausatmungsstrom mit Stimmton hindurchgetrieben wird, ohne den Laut zu rollen. Am Ende eines Wortes wird r nur bei Bindung mit dem Anlautvokal des folgenden Wortes gesprochen: *rose* [rouz], *pride* [praid], *there is* [ˈðɛərˈiz].

[ʒ] stimmhaftes sch wie g in Genie, j in Journal: *azure* [ˈæʒə], *jazz* [dʒæz], *jeep* [dʒiːp], *large* [lɑːdʒ].

[ʃ] stimmloses sch wie im Deutschen Schnee, rasch: *shake* [ʃeik], *washing* [ˈwɔʃiŋ], *lash* [læʃ].

[θ] im Deutschen nicht vorhandener stimmloser Lispellaut; durch Anlegen der Zunge an die oberen Schneidezähne hervorgebracht: *thin* [θin], *path* [pɑːθ], *method* [ˈmeθəd].

[ð] derselbe Laut wie θ, nur stimmhaft, d.h. mit Stimmton: *there*

[ðɛə], *breathe* [briːð], *father* [ˈfɑːðə].

[s] stimmloser Zischlaut, entsprechend dem deutschen ß in Spaß, reißen: *see* [siː], *hats* [hæts], *decide* [diˈsaid].

[z] stimmhafter Zischlaut wie im Deutschen sausen: *zeal* [ziːl], *rise* [raiz], *horizon* [həˈraizn].

[ŋ] wird wie der deutsche Nasenlaut in fangen, singen gebildet: *ring* [riŋ], *singer* [ˈsiŋə].

[ŋk] derselbe Laut mit nachfolgendem k wie im Deutschen senken, Wink: *ink* [iŋk], *tinker* [ˈtiŋkə].

[w] flüchtiges, mit Lippe an Lippe gesprochenes w, aus der Mundstellung für u: gebildet: *will* [wil], *swear* [swɛə], *queen* [kwiːn].

[f] stimmloser Lippenlaut wie im Deutschen flott, Pfeife: *fat* [fæt], *tough* [tʌf], *effort* [ˈefət].

[v] stimmhafter Lippenlaut wie im Deutschen Vase, Ventil: *vein* [vein], *velvet* [ˈvelvit].

[j] flüchtiger zwischen j und i schwebender Laut: *onion* [ˈʌnjən], *yes* [jes], *filial* [ˈfiljəl].

Die **Betonung der englischen Wörter** wird durch das Zeichen [ˈ] vor der zu betonenden Silbe angegeben, z.B. *onion* [ˈʌnjən]. Sind zwei Silben eines Wortes mit Tonzeichen versehen, so sind beide gleichmäßig zu betonen, z.B. *unsound* [ˈʌnˈsaund].

Um Raum zu sparen, werden die Endung -ed* und das Plural -s** der englischen Stichwörter an dieser Stelle einmal mit Lautschrift gegeben; sie erscheinen dann aber im Wörterverzeichnis ohne Lautschrift, sofern keine Ausnahmen vorliegen:

* [-d] nach Vokalen und stimmhaften Konsonanten; [-t] nach stimmlosen Konsonanten; [-id] nach auslautendem d und t.

** [-z] nach Vokalen und stimmhaften Konsonanten; [-s] nach stimmlosen Konsonanten.

## Das englische Alphabet

a [ei], b [biː], c [siː], d [diː], e [iː], f [ef], g [dʒiː], h [eitʃ], i [ai], j [dʒei], k [kei], l [el], m [em], n [en], o [ou], p [piː], q [kjuː], r [ɑː], s [es], t [tiː], u [juː], v [viː], w [ˈdʌbljuː], x [eks], y [wai], z [zed].

# Die amerikanische Rechtschreibung

weicht von der britischen hauptsächlich in folgenden Punkten ab:

1. Für **...our** tritt **...or** ein, z.B. hon*or* = honour, lab*or* = labour.

2. **...re** wird zu **...er**, z.B. cent*er* = centre, theat*er* = theatre, meag*er* = meagre; ausgenommen sind ogre und die Wörter auf ...cre, z.B. massac*re*, nac*re*.

3. Statt **...ce** steht **...se**, z.B. defen*se* = defence, licen*se* = licence.

4. Bei sämtlichen Ableitungen der Verben auf **...l** und **...p** unterbleibt die Verdoppelung des Endkonsonanten, also travel — trave*l*ed — trave*l*ing — trave*l*er, worship — worshi*p*ed — worshi*p*ing — worshi*p*er. Auch in einigen anderen Wörtern wird Doppelkonsonant durch einfachen ersetzt, z.B. wa*g*on = waggon, woo*l*en = woollen.

5. Stummes e wird in gewissen Fällen weggelassen, z.B. abrid*g*ment = abridgement, acknowled*g*ment = acknowledgement, jud*g*ment = judgement, a*x* = axe, good-by = good-bye.

6. Bei einigen Wörtern mit der Vorsilbe **en...** gibt es auch noch die Schreibung **in...**, z.B. *in*close = enclose, *in*snare = ensnare.

7. Der Schreibung æ und œ wird oft diejenige mit e vorgezogen, z.B. an*e*mia = anæmia, diarrh*e*a = diarrhœa.

8. Aus dem Französischen stammende stumme Endsilben werden gern weggelassen, z.B. catalog = catalo*gue*, program = program*me*, prolog = prolo*gue*.

9. Einzelfälle sind: st*a*nch = staunch, m*o*ld = mould, m*o*lt = moult, gray = grey, pl*o*w = plough, ski*l*ful = skilful, ti*r*e = tyre.

# Die amerikanische Aussprache

weicht hauptsächlich in folgenden Punkten von der britischen ab:

1. ɑ: wird zu (gedehntem) æ(:) in Wörtern wie *ask* [æ(:)sk = ɑ:sk], *castle* [kæ(:)sl = kɑ:sl], *grass* [græ(:)s = grɑ:s], *past* [pæ(:)st = pɑ:st] etc.; ebenso in *branch* [bræ(:)ntʃ = brɑ:ntʃ], *can't* [kæ(:)nt = kɑ:nt], *dance* [dæ(:)ns = dɑ:ns] etc.

2. ɔ wird zu ɑ in Wörtern wie *common* ['kɑmən = 'kɔmən], *not* [nɑt = nɔt], *on* [ɑn = ɔn], *rock* [rɑk = rɔk], *bond* [bɑnd = bɔnd] und vielen anderen.

3. ju: wird zu u:, z.B. *due* [du: = dju:], *duke* [du:k = dju:k], *new* [nu: = nju:].

4. r zwischen vorhergehendem Vokal und folgendem Konsonanten wird stimmhaft gesprochen, indem die Zungenspitze gegen den harten Gaumen zurückgezogen wird, z.B. *clerk* [klɑ:rk = klɑ:k], *hard* [hɑ:rd = hɑ:d]; ebenso im Auslaut, z.B. *far* [fɑ:r = fɑ:], *her* [hə:r = hə:].

5. Anlautendes p, t, k in unbetonter Silbe (nach betonter Silbe) wird zu b, d, g abgeschwächt, z.B. in *property, water, second*.

6. Der Unterschied zwischen stark- und schwachbetonten Silben ist viel weniger ausgeprägt; längere Wörter haben einen deutlichen Nebenton, z.B. *dictionary* ['dikʃə'neri = 'dikʃənri], *ceremony* ['serə'mouni = 'seriməni], *inventory* ['inven'touri = 'invəntri], *secretary* ['sekrə'teri = 'sekrətri].

7. Vor, oft auch nach nasalen Konsonanten (m, n, ŋ) sind Vokale und Diphthonge nasal gefärbt, z.B. *stand, time, small*.

# Zahlwörter

## Grundzahlen

| | |
|---|---|
| 0 | null *nought, zero, cipher* |
| 1 | eins *one* |
| 2 | zwei *two* |
| 3 | drei *three* |
| 4 | vier *four* |
| 5 | fünf *five* |
| 6 | sechs *six* |
| 7 | sieben *seven* |
| 8 | acht *eight* |
| 9 | neun *nine* |
| 10 | zehn *ten* |
| 11 | elf *eleven* |
| 12 | zwölf *twelve* |
| 13 | dreizehn *thirteen* |
| 14 | vierzehn *fourteen* |
| 15 | fünfzehn *fifteen* |
| 16 | sechzehn *sixteen* |
| 17 | siebzehn *seventeen* |
| 18 | achtzehn *eighteen* |
| 19 | neunzehn *nineteen* |
| 20 | zwanzig *twenty* |
| 21 | einundzwanzig *twenty-one* |
| 22 | zweiundzwanzig *twenty-two* |
| 23 | dreiundzwanzig *twenty-three* |
| 30 | dreißig *thirty* |
| 31 | einunddreißig *thirty-one* |
| 40 | vierzig *forty* |
| 41 | einundvierzig *forty-one* |
| 50 | fünfzig *fifty* |
| 51 | einundfünfzig *fifty-one* |
| 60 | sechzig *sixty* |
| 61 | einundsechzig *sixty-one* |
| 70 | siebzig *seventy* |
| 71 | einundsiebzig *seventy-one* |
| 80 | achtzig *eighty* |
| 81 | einundachtzig *eighty-one* |
| 90 | neunzig *ninety* |
| 91 | einundneunzig *ninety-one* |
| 100 | hundert *a od. one hundred* |
| 101 | hundert(und)eins *a hundred and one* |
| 200 | zweihundert *two hundred* |
| 300 | dreihundert *three hundred* |
| 572 | fünfhundert(und)zweiundsiebzig *five hundred and seventy-two* |
| 1000 | tausend *a od. one thousand* |
| 1972 | neunzehnhundertzweiundsiebzig *nineteen hundred and seventy-two* |
| 2000 | zweitausend *two thousand* |
| 1 000 000 | eine Million *a od. one million* |
| 2 000 000 | zwei Millionen *two million* |
| 1 000 000 000 | eine Milliarde *a od. one milliard (Am. billion)* |

## Ordnungszahlen

| | |
|---|---|
| 1. | erste *first* |
| 2. | zweite *second* |
| 3. | dritte *third* |
| 4. | vierte *fourth* |
| 5. | fünfte *fifth* |
| 6. | sechste *sixth* |
| 7. | siebente *seventh* |
| 8. | achte *eighth* |
| 9. | neunte *ninth* |
| 10. | zehnte *tenth* |
| 11. | elfte *eleventh* |
| 12. | zwölfte *twelfth* |
| 13. | dreizehnte *thirteenth* |
| 14. | vierzehnte *fourteenth* |
| 15. | fünfzehnte *fifteenth* |
| 16. | sechzehnte *sixteenth* |
| 17. | siebzehnte *seventeenth* |
| 18. | achtzehnte *eighteenth* |
| 19. | neunzehnte *nineteenth* |
| 20. | zwanzigste *twentieth* |
| 21. | einundzwanzigste *twenty-first* |
| 22. | zweiundzwanzigste *twenty-second* |
| 23. | dreiundzwanzigste *twenty-third* |
| 30. | dreißigste *thirtieth* |
| 31. | einunddreißigste *thirty-first* |
| 40. | vierzigste *fortieth* |
| 41. | einundvierzigste *forty-first* |

50. fünfzigste *fiftieth*
51. einundfünfzigste *fifty-first*
60. sechzigste *sixtieth*
61. einundsechzigste *sixty-first*
70. siebzigste *seventieth*
71. einundsiebzigste *seventy-first*
80. achtzigste *eightieth*
81. einundachtzigste *eighty-first*
90. neunzigste *ninetieth*
100. hundertste (*one*) *hundredth*
101. hundert(und)erste *hundred and first*
200. zweihundertste *two hundredth*

300. dreihundertste *three hundredth*
572. fünfhundert(und)zweiundsiebzigste *five hundred and seventy-second*
1000. tausendste (*one*) *thousandth*
1970. neunzehnhundert(und)siebzigste *nineteen hundred and seventieth*
2000. zweitausendste *two thousandth*
1000000. millionste (*one*) *millionth*
2000000. zweimillionste *two millionth*

# Bruchzahlen und andere Zahlenwerte

$^1/_2$ halb *one* od. *a half*
$1^1/_2$ anderthalb *one and a half*
$2^1/_2$ zweieinhalb *two and a half*
$^1/_2$ Meile *half a mile*
$^1/_3$ ein Drittel *one* od. *a third*
$^2/_3$ zwei Drittel *two thirds*
$^1/_4$ ein Viertel *one fourth, one* od. *a quarter*
$^3/_4$ drei Viertel *three fourths, three quarters*
$1^1/_4$ ein und eine viertel Stunde *one hour and a quarter*
$^1/_5$ ein Fünftel *one* od. *a fifth*
$3^4/_5$ drei vier Fünftel *three and four fifths*
0,4 null Komma vier *point four (.4)*
2,5 zwei Komma fünf *two point five (2.5)*
einfach *single*
    zweifach *double, twofold*
    dreifach *threefold, treble, triple*

vierfach *fourfold, quadruple*
fünffach *fivefold, quintuple*
einmal *once*
    zweimal *twice*
    drei-, vier-, fünfmal *three, four, five times*
    zweimal soviel(e) *twice as much* od. *many*
    noch einmal *once more*
erstens, zweitens, drittens *firstly, secondly, thirdly, in the first (second, third) place*
$2 \times 3 = 6$ zwei mal drei ist od. macht sechs *twice three are* od. *make six.*
$7 + 8 = 15$ sieben plus acht ist fünfzehn *seven and eight are fifteen.*
$10 - 3 = 7$ zehn minus drei ist sieben *ten minus three are seven.*
$20 : 5 = 4$ zwanzig dividiert durch fünf ist vier *twenty divided by five make four.*

# Britische und amerikanische Maße und Gewichte

## 1. Längenmaße

**1 inch (in.)** = 2,54 cm

**1 foot (ft)**
= 12 inches = 30,48 cm

**1 yard (yd)**
= 3 feet = 91,439 cm

**1 perch (p.)**
= 5 1/2 yards = 5,029 m

**1 mile (m.)**
= 1,760 yards = 1,609 km

## 2. Nautische Maße

**1 fathom (f., fm)**
= 6 feet = 1,829 m

**1 nautical mile**
= 6,080 feet = 1853,18 m

## 3. Flächenmaße

**1 square inch (sq. in.)**
= 6,452 cm²

**1 square foot (sq. ft)**
= 144 square inches
= 929,029 cm²

**1 square yard (sq. yd)**
= 9 square feet = 8361,26 cm²

**1 square perch (sq. p.)**
= 30 1/4 square yards = 25,293 m²

**1 rood**
= 40 square perches = 10,117 a

**1 acre (a.)** = 4 roods = 40,47 a

**1 square mile**
= 640 acres = 258,998 ha

## 4. Raummaße

**1 cubic inch (cu. in.)**
= 16,387 cm³

**1 cubic foot (cu. ft)**
= 1,728 cubic inches = 0,028 m³

**1 cubic yard (cu. yd)**
= 27 cubic feet = 0,765 m³

**1 register ton (reg. ton)**
= 100 cubic feet = 2,832 m³

## 5. Hohlmaße
### Trocken- und Flüssigkeitsmaße

**1 British** *od.* **imperial gill (gl, gi.)**
= 0,142 l

**1 British** *od.* **imperial pint (pt)**
= 4 gills = 0,568 l

**1 British** *od.* **imperial quart (qt)**
= 2 pints = 1,136 l

**1 British** *od.* **imperial gallon (imp. gal.)**
= 4 imperial quarts = 4,546 l

### Trockenmaße

**1 British** *od.* **imperial peck (pk)**
= 2 imperial gallons = 9,092 l

**1 Brit.** *od.* **imp. bushel (bu., bus.)**
= 8 imperial gallons = 36,366 l

**1 Brit.** *od.* **imp. quarter (qr)**
= 8 imperial bushels = 290,935 l

## Flüssigkeitsmaß

**1 Brit. *od*. imp. barrel (bbl, bl)**
= 36 imperial gallons = 163,656 l

\*

**1 U.S. dry pint** = 0,551 l

**1 U.S. dry quart**
= 2 dry pints = 1,101 l

**1 U.S. dry gallon**
= 4 dry quarts = 4,405 l

**1 U.S. peck**
= 2 dry gallons = 8,809 l

**1 U.S. bushel**
= 8 dry gallons = 35,238 l

**1 U.S. gill** = 0,118 l

**1 U.S. liquid pint**
= 4 gills = 0,473 l

**1 U.S. liquid quart**
= 2 liquid pints = 0,946 l

**1 U.S. liquid gallon**
= 8 liquid pints = 3,785 l

**1 U.S. barrel**
= 31½ liquid gallons = 119,228 l

**1 U.S. barrel petroleum**
= 42 liquid gallons = 158,97 l

## 6. Handelsgewichte

**1 grain (gr.)** = 0,065 g

**1 dram (dr.)**
= 27.344 grains = 1,772 g

**1 ounce (oz.)**
= 16 drams = 28,35 g

**1 pound (lb.)**
= 16 ounces = 453,592 g

**1 quarter (qr)**
= 28 pounds = 12,701 kg
(*U.S.A.* 25 pounds
= 11,339 kg)

**1 hundredweight (cwt.)**
= 112 pounds
= 50,802 kg (*U.S.A.* 100 pounds
= 45,359 kg)

**1 ton (t.)**
(*a.* long ton) = 20 hundred-
weights = 1016,05 kg (*U.S.A.*,
*a.* short ton, = 907,185 kg)

**1 stone (st.)** = 14 pounds = 6,35 kg

## 7. Feingewichte

**1 grain** = 0,065 g

**1 pennyweight (dwt.)**
= 24 grains = 1,555 g

**1 ounce**
= 20 pennyweights = 31,103 g

**1 pound** = 12 ounces = 373,242 g

# Englisch-Deutsches Wörterverzeichnis

## A

**a** [ei, ə] *Artikel*: ein(e); per, pro, je; *all of a size* alle gleich groß; *twice a week* zweimal wöchentlich.

**A 1** F [ei'wʌn] Ia, prima.

**aback** [ə'bæk] rückwärts; *taken ~ fig.* überrascht, verblüfft, bestürzt.

**abandon** [ə'bændən] auf-, preisgeben; verlassen; überlassen; **~ed** verworfen; **~ment** [~nmənt] Auf-, Preisgabe *f*; Unbeherrschtheit *f*.

**abase** [ə'beis] erniedrigen, demütigen; **~ment** [~smənt] Erniedrigung *f*.

**abash** [ə'bæʃ] beschämen, verlegen machen; **~ment** [~ʃmənt] Verlegenheit *f*.

**abate** [ə'beit] *v/t.* verringern; *Mißstand* abstellen; *v/i.* abnehmen, nachlassen; **~ment** [~tmənt] Verminderung *f*; Abschaffung *f*.

**abattoir** [æbətwa:] Schlachthaus *n*.

**abb|ess** ['æbis] Äbtissin *f*; **~ey** ['æbi] Abtei *f*; **~ot** ['æbət] Abt *m*.

**abbreviat|e** [ə'bri:vieit] (ab)kürzen; **~ion** [əbri:vi'eiʃən] Abkürzung *f*.

**ABC** ['eibi:'si:] Abc *n*, Alphabet *n*.

**ABC weapons** *pl.* ABC-Waffen *f/pl.*

**abdicat|e** ['æbdikeit] entsagen (*dat.*); abdanken; **~ion** [æbdi'keiʃən] Verzicht *m*; Abdankung *f*.

**abdomen** ['æbdəmen] Unterleib *m*, Bauch *m*.

**abduct** [æb'dʌkt] entführen.

**aberration** [æbə'reiʃən] Abweichung *f*; *fig.* Verirrung *f*.

**abet** [ə'bet] aufhetzen; anstiften; unterstützen; **~tor** [~tə] Anstifter *m*; (Helfers)Helfer *m*.

**abeyance** [ə'beiəns] Unentschiedenheit *f*; *in ~* ⚖ in der Schwebe.

**abhor** [əb'hɔ:] verabscheuen; **~rence** [əb'hɔrəns] Abscheu *m* (*of* vor *dat.*); **~rent** [~nt] zuwider (*to dat.*); abstoßend.

**abide** [ə'baid] [*irr.*] *v/i.* bleiben (*by* bei); *v/t.* erwarten; (*v*)ertragen.

**ability** [ə'biliti] Fähigkeit *f*.

**abject** □ ['æbdʒekt] verächtlich, gemein.

**abjure** [əb'dʒuə] abschwören; entsagen (*dat.*).

**able** □ ['eibl] fähig, geschickt; *be ~* imstande sein, können; **~-bodied** kräftig.

**abnegat|e** ['æbnigeit] ableugnen; verzichten auf (*acc.*); **~ion** [æbni-'geiʃən] Ableugnung *f*; Verzicht *m*.

**abnormal** □ [æb'nɔ:məl] abnorm.

**aboard** [ə'bɔ:d] ⚓ an Bord (*gen.*); *all ~!* Am. 🚌 *etc.* einsteigen!

**abode** [ə'boud] **1.** *pret. u. p.p. von abide*; **2.** Aufenthalt *m*; Wohnung *f*.

**aboli|sh** [ə'bɔliʃ] abschaffen, aufheben; **~tion** [æbə'liʃən] Abschaffung *f*, Aufhebung *f*; **~tionist** [~nist] Gegner *m* der Sklaverei.

**A-bomb** ['eibɔm] = *atomic bomb*.

**abomina|ble** □ [ə'bɔminəbl] abscheulich; **~te** [~neit] verabscheuen; **~tion** [əbɔmi'neiʃən] Abscheu *m*.

**aboriginal** □ [æbə'ridʒənl] einheimisch; Ur...

**abortion** ⚕ [ə'bɔ:ʃən] Fehlgeburt *f*; Abtreibung *f*.

**abortive** □ [ə'bɔ:tiv] vorzeitig; erfolglos, fehlgeschlagen; verkümmert.

**abound** [ə'baund] reichlich vorhanden sein; Überfluß haben (*in* an *dat.*).

**about** [ə'baut] **1.** *prp.* um (...herum); bei; im Begriff; über (*acc.*); *I had no money ~ me* ich hatte kein Geld bei mir; *what are you ~?* was macht ihr da?; **2.** *adv.* herum, umher; in der Nähe; etwa; ungefähr; um, gegen; *bring ~* zustande bringen.

**above** [ə'bʌv] **1.** *prp.* über; *fig.* erhaben über; *~ all* vor allem; *~ ground fig.* am Leben; **2.** *adv.* oben; darüber; **3.** *adj.* obig.

**abreact** [æbri'ækt] abreagieren.

**abreast** [ə'brest] nebeneinander.

**abridg|e** [ə'bridʒ] (ver)kürzen; **~(e)ment** [~dʒmənt] (Ver)Kürzung *f*; Auszug *m*.

**abroad** [ə'brɔ:d] im (ins) Ausland; überall(hin); *there is a report ~* es geht das Gerücht; *all* ~ ganz im Irrtum.

**abrogate** ['æbrougeit] aufheben.

**abrupt** □ [ə'brʌpt] jäh; zs.-hanglos; schroff.

**abscess** ♠ ['æbsis] Geschwür *n*.

**abscond** [əb'skɔnd] sich davonmachen.

**absence** ['æbsəns] Abwesenheit *f*; Mangel *m*; ~ *of mind* Zerstreutheit *f*.

**absent** 1. ['æbsənt] abwesend; nicht vorhanden; 2. [æb'sent]: ~ *o.s.* fernbleiben; **~-minded** □ ['æbsənt'maindid] zerstreut, geistesabwesend.

**absolut|e** □ ['æbsəluːt] absolut; unumschränkt; vollkommen; unvermischt; unbedingt; **~ion** [æbsə-'luːʃən] Lossprechung *f*.

**absolve** [əb'zɔlv] frei-, lossprechen.

**absorb** [əb'sɔːb] aufsaugen; *fig.* ganz in Anspruch nehmen.

**absorption** [əb'sɔːpʃən] Aufsaugung *f*; *fig.* Vertieftsein *n*.

**abstain** [əb'stein] sich enthalten.

**abstemious** □ [æb'stiːmjəs] enthaltsam; mäßig.

**abstention** [æb'stenʃən] Enthaltung *f*.

**abstinen|ce** ['æbstinəns] Enthaltsamkeit *f*; **~t** □ [~nt] enthaltsam.

**abstract** 1. □ ['æbstrækt] abstrakt; 2. [~] Auszug *m*; *gr.* Abstraktum *n*; 3. [æb'strækt] abstrahieren; ablenken; entwenden; *Inhalt* kurz zs.-fassen; **~ed** □ zerstreut; **~ion** [~kʃən] Abstraktion *f*; (abstrakter) Begriff.

**abstruse** □ [æb'struːs] *fig.* dunkel, schwer verständlich; tiefgründig.

**absurd** [əb'səːd] absurd, sinnwidrig; lächerlich.

**abundan|ce** [ə'bʌndəns] Überfluß *m*; Fülle *f*; Überschwang *m*; **~t** □ [~nt] reich(lich).

**abus|e** 1. [ə'bjuːs] Mißbrauch *m*; Beschimpfung *f*; 2. [~uːz] mißbrauchen; beschimpfen; **~ive** □ [~uːsiv] schimpfend; Schimpf...

**abut** [ə'bʌt] (an)grenzen (*upon* an).

**abyss** [ə'bis] Abgrund *m*.

**academic|(al** □ [ækə'demik(əl)] akademisch; **~ian** [əkædə'miʃən] Akademiemitglied *n*.

**academy** [ə'kædəmi] Akademie *f*.

**accede** [æk'siːd]: ~ *to* beitreten (*dat.*); *Amt* antreten; *Thron* besteigen.

**accelerat|e** [æk'seləreit] beschleunigen; *fig.* ankurbeln; **~or** [ək'seləreitə] Gaspedal *n*.

**accent** 1. ['æksənt] Akzent *m* (*a. gr.*); 2. [æk'sent] *v/t.* akzentuieren, betonen; **~uate** [~tjueit] akzentuieren, betonen.

**accept** [ək'sept] annehmen; ✝ akzeptieren; hinnehmen; **~able** □ [~təbl] annehmbar; **~ance** [~əns] Annahme *f*; ✝ Akzept *n*.

**access** ['ækses] Zugang *m*; ♠ Anfall *m*; *easy of* ~ zugänglich; ~ *road* Zufahrtsstraße *f*; **~ary** [æk'sesəri] Mitwisser(in), Mitschuldige(r *m*) *f*; = *accessory* 2; **~ible** □ [~səbl] zugänglich; **~ion** [~eʃən] Antritt *m* (*to gen.*); Eintritt *m* (*to* in *acc.*); ~ *to the throne* Thronbesteigung *f*.

**accessory** [æk'sesəri] 1. □ zusätzlich; 2. Zubehörteil *n*.

**accident** ['æksidənt] Zufall *m*; Un(glücks)fall *m*; **~al** □ [æksi'dentl] zufällig; nebensächlich.

**acclaim** [ə'kleim] *j-m* zujubeln.

**acclamation** [æklə'meiʃən] Zuruf *m*.

**acclimatize** [ə'klaimətaiz] akklimatisieren, eingewöhnen.

**acclivity** [ə'kliviti] Steigung *f*; Böschung *f*.

**accommodat|e** [ə'kɔmədeit] anpassen; unterbringen; *Streit* schlichten; versorgen; *j-m* aushelfen (*with* mit *Geld*); **~ion** [əkɔmə'deiʃən] Anpassung *f*; Aushilfe *f*; Bequemlichkeit *f*; Unterkunft *f*; Beilegung *f*; *seating* ~ Sitzgelegenheit *f*; ~ *train Am.* Personenzug *m*.

**accompan|iment** [ə'kʌmpənimənt] Begleitung *f*; **~y** [ə'kʌmpəni] begleiten; *accompanied with* verbunden mit.

**accomplice** [ə'kɔmplis] Komplice *m*.

**accomplish** [ə'kɔmpliʃ] vollenden; ausführen; **~ed** vollendet, perfekt; **~ment** [~ʃmənt] Vollendung *f*; Ausführung *f*; Tat *f*, Leistung *f*; Talent *n*.

**accord** [ə'kɔːd] 1. Übereinstimmung *f*; *with one* ~ einstimmig; 2. *v/i.* übereinstimmen; *v/t.* gewähren; **~ance** [~dəns] Übereinstimmung *f*; **~ant** □ [~nt] übereinstimmend; **~ing** [~diŋ]: ~ *to* gemäß (*dat.*); **~ingly** [~nli] demgemäß.

**accost** [ə'kɔst] *j-n bsd. auf der Straße* ansprechen.

**account** [ə'kaunt] **1.** Rechnung *f*; Berechnung *f*; ✝ Konto *n*; Rechenschaft *f*; Bericht *m*; *of no* ~ ohne Bedeutung; *on no* ~ auf keinen Fall; *on* ~ *of* wegen; *take into* ~, *take* ~ *of* in Betracht ziehen, berücksichtigen; *turn to* ~ ausnutzen; *keep* ~s die Bücher führen; *call to* ~ zur Rechenschaft ziehen; *give a good* ~ *of o.s.* sich bewähren; *make* ~ *of* Wert auf et. (*acc.*) legen; **2.** *v/i.*: ~ *for* Rechenschaft über et. (*acc.*) ablegen; (sich) erklären; *be much* ~ed *of* hoch geachtet sein; *v/t.* ansehen als; **~able** □ [~təbl] verantwortlich; erklärlich; **~ant** [~ənt] Buchhalter *m*; *chartered* ~, *Am. certified public* ~ vereidigter Bücherrevisor; **~ing** [~tiŋ] Buchführung *f*.

**accredit** [ə'kredit] beglaubigen.

**accrue** [ə'kru:] erwachsen (*from* aus).

**accumulat|e** [ə'kju:mjuleit] (sich) (an)häufen; ansammeln; **~ion** [əkju:mju'leiʃən] Anhäufung *f*.

**accura|cy** ['ækjurəsi] Genauigkeit *f*; **~te** □ [~rit] genau; richtig.

**accurs|ed** [ə'kə:sid], **~t** [~st] verflucht, verwünscht.

**accus|ation** [ækju(:)'zeiʃən] Anklage *f*, Beschuldigung *f*; **~ative** *gr.* [ə'kju:zətiv] *a.* ~ *case* Akkusativ *m*; **~e** [ə'kju:z] anklagen, beschuldigen; **~er** [~zə] Kläger(in).

**accustom** [ə'kʌstəm] gewöhnen (*to* an *acc.*); **~ed** gewohnt, üblich; gewöhnt (*to* an *acc.*, *zu inf.*).

**ace** [eis] As *n* (*a. fig.*); ~ *in the hole Am.* F *fig.* Trumpf *m* in Reserve; *within an* ~ um ein Haar.

**acerbity** [ə'sə:biti] Herbheit *f*.

**acet|ic** [ə'si:tik] essigsauer; **~ify** [ə'setifai] säuern.

**ache** [eik] **1.** schmerzen; sich sehnen (*for* nach; *to do* zu tun); **2.** anhaltende Schmerzen *m/pl.*

**achieve** [ə'tʃi:v] ausführen; erreichen; **~ment** [~vmənt] Ausführung *f*; Leistung *f*.

**acid** ['æsid] **1.** sauer; **2.** Säure *f*; **~ity** [ə'siditi] Säure *f*.

**acknowledg|e** [ək'nɔlidʒ] anerkennen; zugeben; ✝ bestätigen; **~(e)ment** [~dʒmənt] Anerkennung *f*; Bestätigung *f*; Eingeständnis *n*.

**acme** ['ækmi] Gipfel *m*; ✠ Krisis *f*.

**acorn** ♀ ['eikɔ:n] Eichel *f*.

**acoustics** [ə'ku:stiks] *pl.* Akustik *f*.

**acquaint** [ə'kweint] bekannt machen; *j-m mitteilen*; *be* ~ed *with* kennen; **~ance** [~təns] Bekanntschaft *f*; Bekannte(r *m*) *f*.

**acquiesce** [ækwi'es] (*in*) hinnehmen (*acc.*); einwilligen (in *acc.*).

**acquire** [ə'kwaiə] erwerben; **~ment** [~əmənt] Fertigkeit *f*.

**acquisition** [ækwi'ziʃən] Erwerbung *f*; Errungenschaft *f*.

**acquit** [ə'kwit] freisprechen; ~ *o.s. of Pflicht* erfüllen; ~ *o.s. well* s-e Sache gut machen; **~tal** [~tl] Freisprechung *f*, Freispruch *m*; **~tance** [~təns] Tilgung *f*.

**acre** ['eikə] Morgen *m* (4047 *qm*).

**acrid** ['ækrid] scharf, beißend.

**across** [ə'krɔs] **1.** *adv.* hin-, herüber; (quer) durch; drüben; überkreuz; **2.** *prp.* (quer) über (*acc.*); jenseits (*gen.*), über (*dat.*); *come* ~, *run* ~ stoßen auf (*acc.*).

**act** [ækt] **1.** *v/i.* handeln; sich benehmen; wirken; funktionieren; *thea.* spielen; *v/t. thea.* spielen; **2.** Handlung *f*, Tat *f*; *thea.* Akt *m*; Gesetz *n*; Beschluß *m*; Urkunde *f*, Vertrag *m*; **~ing** ['æktiŋ] **1.** Handeln *n*; *thea.* Spiel(en) *n*; **2.** tätig, amtierend.

**action** ['ækʃən] Handlung *f* (*a. thea.*); Tätigkeit *f*; Tat *f*; Wirkung *f*; Klage *f*, Prozeß *m*; Gang *m* (*Pferd etc.*); Gefecht *n*; Mechanismus *m*; *take* ~ Schritte unternehmen.

**activ|e** □ ['æktiv] aktiv; tätig; rührig, wirksam; ✝ lebhaft; **~ity** [æk'tiviti] Tätigkeit *f*; Betriebsamkeit *f*; *bsd.* ✝ Lebhaftigkeit *f*.

**act|or** ['æktə] Schauspieler *m*; **~ress** ['æktris] Schauspielerin *f*.

**actual** □ ['æktjuəl] wirklich, tatsächlich, eigentlich.

**actuate** ['æktjueit] in Gang bringen.

**acute** □ [ə'kju:t] spitz; scharf(sinnig); brennend (*Frage*); ✠ akut.

**ad** F [æd] = *advertisement*.

**adamant** *fig.* ['ædəmənt] unerbittlich.

**adapt** [ə'dæpt] anpassen (*to*, *for dat.*); *Text* bearbeiten (*from* nach); zurechtmachen; **~ation** [ædæp'teiʃən] Anpassung *f*, Bearbeitung *f*.

**add** [æd] *v/t.* hinzufügen; addieren;

*v/i.:* ~ *to* vermehren; hinzukommen zu.

**addict** ['ædikt] Süchtige(r *m*) *f*; **~ed** [ə'diktid] ergeben (*to dat.*); ~ *to* e-m *Laster* verfallen.

**addition** [ə'diʃən] Hinzufügen *n*; Zusatz *m*; An-, Ausbau *m*; Addition *f*; *in* ~ außerdem; *in* ~ *to* außer, zu; **~al** [~nl] zusätzlich.

**address** [ə'dres] 1. *Worte* richten (*to* an *acc.*); sprechen zu; 2. Adresse *f*; Ansprache *f*; Anstand *m*, Manieren *f/pl.*; *pay one's* ~*es to a lady* e-r *Dame* den Hof machen; **~ee** [ædre'si:] Adressat *m*, Empfänger *m*.

**adept** ['ædept] 1. erfahren; geschickt; 2. Eingeweihte(r *m*) *f*; Kenner *m*.

**adequa**|**cy** ['ædikwəsi] Angemessenheit *f*; **~te** □ [~kwit] angemessen.

**adhere** [əd'hiə] (*to*) haften (an *dat.*); *fig.* festhalten (an *dat.*); **~nce** [~rəns] Anhaften *n*, Festhalten *n*; **~nt** [~nt] Anhänger(in).

**adhesion** [əd'hi:ʒən] = *adherence*; *fig.* Einwilligung *f*.

**adhesive** [əd'hi:siv] 1. □ klebend; ~ *plaster*, ~ *tape* Heftpflaster *n*; 2. Klebstoff *m*.

**adjacent** □ [ə'dʒeisənt] (*to*) anliegend (*dat.*); anstoßend (an *acc.*); benachbart.

**adjective** *gr.* ['ædʒiktiv] Adjektiv *n*, Eigenschaftswort *n*.

**adjoin** [ə'dʒɔin] angrenzen an (*acc.*).

**adjourn** [ə'dʒə:n] aufschieben; (*v/i.* sich) vertagen; **~ment** [~nmənt] Aufschub *m*; Vertagung *f*.

**adjudge** [ə'dʒʌdʒ] zuerkennen; verurteilen.

**adjust** [ə'dʒʌst] in Ordnung bringen; anpassen; *Streit* schlichten; *Mechanismus u. fig.* einstellen (*to* auf *acc.*); **~ment** [~tmənt] Anordnung *f*; Einstellung *f*; Schlichtung *f*.

**administ**|**er** [əd'ministə] verwalten; spenden; *⚕* verabfolgen; ~ *justice* Recht sprechen; **~ration** [ədminis-'treiʃən] Verwaltung *f*; Regierung *f*; *bsd. Am.* Amtsperiode *f* e-s *Präsidenten*; **~rative** [əd'ministrətiv] Verwaltungs...; **~rator** [~reitə] Verwalter *m*.

**admir**|**able** □ ['ædmərəbl] bewundernswert; (vor)trefflich; **~ation** [ædmə'reiʃən] Bewunderung *f*; **~e** [əd'maiə] bewundern; verehren.

**admiss**|**ible** □ [əd'misəbl] zulässig; **~ion** [~iʃən] Zulassung *f*; F Eintritt(sgeld *n*) *m*; Eingeständnis *n*.

**admit** [əd'mit] *v/t.* (her)einlassen (*to, into* in *acc.*), eintreten lassen; zulassen (*to* zu); zugeben; **~tance** [~təns] Einlaß *m*, Zutritt *m*.

**admixture** [əd'mikstʃə] Beimischung *f*, Zusatz *m*.

**admon**|**ish** [əd'mɔniʃ] ermahnen; warnen (*of, against vor dat.*); **~ition** [ædmə'niʃən] Ermahnung *f*, Warnung *f*.

**ado** [ə'du:] Getue ~*n*; Lärm *m*; Mühe *f*.

**adolescen**|**ce** [ædou'lesns] Adoleszenz *f*, Reifezeit *f*; **~t** [~nt] 1. jugendlich, heranwachsend; 2. Jugendliche(r *m*) *f*.

**adopt** [ə'dɔpt] adoptieren; sich aneignen; *Weg* wählen; **~ion** [~pʃən] Annahme *f*.

**ador**|**able** □ [ə'dɔ:rəbl] verehrungswürdig; **~ation** [ædɔ:'reiʃən] Anbetung *f*; **~e** [ə'dɔ:] anbeten.

**adorn** [ə'dɔ:n] schmücken, zieren; **~ment** [~mənt] Schmuck *m*.

**adroit** □ [ə'drɔit] gewandt.

**adult** ['ædʌlt] 1. erwachsen; 2. Erwachsene(r *m*) *f*.

**adulter**|**ate** [ə'dʌltəreit] (ver)fälschen; **~er** [~rə] Ehebrecher *m*; **~ess** [~ris] Ehebrecherin *f*; **~ous** □ [~rəs] ehebrecherisch; **~y** [~ri] Ehebruch *m*.

**advance** [əd'va:ns] 1. *v/i.* vorrücken, vorgehen; steigen; *Fortschritte* machen; *v/t.* vorrücken; vorbringen; vorausbezahlen; vorschießen; (be)fördern; *Preis* erhöhen; beschleunigen; 2. Vorrücken *n*; Fortschritt *m*; Angebot *n*; Vorschuß *m*; Erhöhung *f*; *in* ~ *im* voraus; **~d** vor-, fortgeschritten; ~ *in years* in vorgerücktem Alter; **~ment** [~smənt] Förderung *f*; Fortschritt *m*.

**advantage** [əd'va:ntidʒ] Vorteil *m*; Überlegenheit *f*; Gewinn *m*; *take* ~ *of* ausnutzen; **~ous** □ [ædvən'teidʒəs] vorteilhaft.

**adventur**|**e** [əd'ventʃə] Abenteuer *n*, Wagnis *n*; Spekulation *f*; **~er** [~rə] Abenteurer *m*; Spekulant *m*; **~ous** □ [~rəs] abenteuerlich; wagemutig.

**adverb** *gr.* ['ædvə:b] Adverb *n*, Umstandswort *n*.

**advers**|**ary** ['ædvəsəri] Gegner *m*, Feind *m*; **~e** □ ['ædvə:s] widrig;

feindlich; ungünstig, nachteilig (*to* für); **~ity** [əd'və:siti] Unglück *n*.

**advertis|e** ['ædvətaiz] ankündigen; inserieren; Reklame machen (für); **~ement** [əd'və:tismənt] Ankündigung *f*, Inserat *n*; Reklame *f*; **~ing** ['ædvətaizin] Reklame *f*, Werbung *f*; **~ agency** Annoncenbüro *n*; **~ designer** Reklamezeichner *m*; **~ film** Reklamefilm *m*; **~ screen** **~** Filmreklame *f*.

**advice** [əd'vais] Rat(schlag) *m*; (*mst pl.*) Nachricht *f*, Meldung *f*; *take medical* **~** e-n Arzt zu Rate ziehen.

**advis|able** □ [əd'vaizəbl] ratsam; **~e** [əd'vaiz] *v/t.* j-n beraten; j-m raten; ✝ benachrichtigen, avisieren; *v/i.* (sich) beraten; **~er** [~zə] Ratgeber(in).

**advocate 1.** ['ædvəkit] Anwalt *m*; Fürsprecher *m*; **2.** [~keit] verteidigen, befürworten.

**aerial** ['ɛəriəl] **1.** □ luftig; Luft...; **~ view** Luftaufnahme *f*; **2.** *Radio, Fernsehen*: Antenne *f*.

**aero|...** [ɛərou] Luft...; **~cab** *Am.* F ['ɛərəkæb] Lufttaxi *n* (*Hubschrauber als Zubringer*); **~drome** [~ədroum] Flugplatz *m*; **~naut** [~ɔnɔ:t] Luftschiffer *m*; **~nautics** [ɛərə'nɔ:tiks] *pl.* Luftfahrt *f*; **~plane** ['ɛərəplein] Flugzeug *n*; **~stat** ['ɛəroustæt] Luftballon *m*.

**aesthetic** [i:s'θetik] ästhetisch; **~s** *sg.* Ästhetik *f*.

**afar** [ə'fɑ:] fern, weit (weg).

**affable** □ ['æfəbl] leutselig.

**affair** [ə'fɛə] Geschäft *n*; Angelegenheit *f*; Sache *f*; F Ding *n*; Liebschaft *f*.

**affect** [ə'fekt] (ein- *od.* sich auswirken auf (*acc.*); (be)rühren; *Gesundheit* angreifen; gern mögen; vortäuschen, nachahmen; **~ation** [æfek'teiʃən] Vorliebe *f*; Ziererei *f*; Verstellung *f*; **~ed** □ gerührt; befallen (*von Krankheit*); angegriffen (*Augen etc.*); geziert, affektiert; **~ion** [~kʃən] Gemütszustand *m*; (Zu)Neigung *f*; Erkrankung *f*; **~ionate** □ [~ʃnit] liebevoll.

**affidavit** [æfi'deivit] *schriftliche* beeidigte Erklärung.

**affiliate** [ə'filieit] *als Mitglied* aufnehmen; angliedern; **~d company** Tochtergesellschaft *f*.

**affinity** [ə'finiti] *fig.* (geistige) Verwandtschaft; ✿ Affinität *f*.

**affirm** [ə'fə:m] bejahen; behaupten; bestätigen; **~ation** [æfə:'meiʃən] Behauptung *f*; Bestätigung *f*; **~ative** [ə'fə:mətiv] **1.** □ bejahend; **2.:** *answer in the* **~** bejahen.

**affix** [ə'fiks] (*to*) anheften (an *acc.*); befestigen (an *dat.*); *Siegel* aufdrücken (*dat.*); bei-, zufügen (*dat.*).

**afflict** [ə'flikt] betrüben; plagen; **~ion** [~kʃən] Betrübnis *f*; Leiden *n*.

**affluen|ce** ['æfluəns] Überfluß *m*; Wohlstand *m*; **~t** [~nt] **1.** □ reich (-lich); **~ society** Wohlstandsgesellschaft *f*; **2.** Nebenfluß *m*.

**afford** [ə'fɔ:d] liefern; erschwingen; *I can* **~** *it* ich kann es mir leisten.

**affront** [ə'frʌnt] **1.** beleidigen; trotzen (*dat.*); **2.** Beleidigung *f*.

**afield** [ə'fi:ld] im Felde; (weit) weg.

**afloat** [ə'flout] ✆ *u. fig.* flott; schwimmend; auf See; umlaufend; *set* **~** flottmachen; *fig.* in Umlauf setzen.

**afraid** [ə'freid] bange; *be* **~** *of* sich fürchten *od.* Angst haben vor (*dat.*).

**afresh** [ə'freʃ] von neuem.

**African** ['æfrikən] **1.** afrikanisch; **2.** Afrikaner(in); *Am. a.* Neger(in).

**after** ['ɑ:ftə] **1.** *adv.* hinterher; nachher; **2.** *prp.* nach; hinter (... her); **~ all** schließlich (doch); **3.** *cj.* nachdem; **4.** *adj.* später; Nach...; **~crop** Nachernte *f*; **~glow** Abendrot *n*; **~math** [~mæθ] Nachwirkung(en *pl.*) *f*, Folgen *f/pl.*; **~noon** [~'nu:n] Nachmittag *m*; **~season** Nachsaison *f*; **~taste** Nachgeschmack *m*; **~thought** nachträglicher Einfall; **~wards** [~əwədz] nachher; später.

**again** [ə'gen] wieder(um); ferner; dagegen; **~ and ~** immer wieder; *as much* **~** noch einmal soviel.

**against** [ə'genst] gegen; *räumlich:* gegen; an, vor (*dat. od. acc.*); *fig.* in Erwartung (*gen.*), für; *as* **~** verglichen mit.

**age** [eidʒ] **1.** (Lebens)Alter *n*; Zeit (-alter *n*) *f*; Menschenalter *n*; (*old*) **~** Greisenalter *n*; *of* **~** mündig; *over* **~** zu alt; *under* **~** unmündig; *wait for* **~s** F e-e Ewigkeit warten; **2.** alt werden *od.* machen; **~d** ['eidʒid] alt; [eidʒd]: **~** *twenty* 20 Jahre alt.

**agency** ['eidʒənsi] Tätigkeit *f*; Vermittlung *f*; Agentur *f*, Büro *n*.

2*

**agenda** [ə'dʒendə] Tagesordnung f.
**agent** ['eidʒənt] Handelnde(r m) f;
Agent m; wirkende Kraft, Agens n.
**age-worn** ['eidʒwɔ:n] altersschwach.
**agglomerate** [ə'glɔmɔreit] (sich)
zs.-ballen; (sich) (an)häufen.
**agglutinate** [ə'glu:tineit] zs.-, an-,
verkleben.
**aggrandize** [ə'grændaiz] vergrößern; erhöhen.
**aggravate** ['ægrɔveit] erschweren;
verschlimmern; F ärgern.
**aggregate 1.** [ə'grigeit] (sich) anhäufen; vereinigen (to mit); sich
belaufen auf (acc.); **2.** □ [~git] ge-
häuft; gesamt; **3.** [~] Anhäufung f;
Aggregat n.
**aggress|ion** [ə'greʃən] Angriff m;
**~or** [~esə] Angreifer m.
**aggrieve** [ə'gri:v] kränken; schädigen. [setzt.]
**aghast** [ə'gɑ:st] entgeistert, ent-
**agil|e** □ ['ædʒail] flink, behend;
**~ity** [ə'dʒiliti] Behendigkeit f.
**agitat|e** ['ædʒiteit] v/t. bewegen,
schütteln; fig. erregen; erörtern;
v/i. agitieren; **~ion** [ædʒi'teiʃən]
Bewegung f, Erschütterung f;
Aufregung f, Agitation f; **~or**
['ædʒiteitə] Agitator m, Aufwiegler
m.
**ago** [ə'gou]: a year ~ vor e-m Jahr.
**agonize** ['ægənaiz] (sich) quälen.
**agony** ['ægəni] Qual f, Pein f; Ringen n; Todeskampf m.
**agree** [ə'gri:] v/i. übereinstimmen;
sich vertragen; einig werden (on,
upon über acc.); übereinkommen;
~ to zustimmen (dat.); einverstanden sein mit; **~able** □ [ə'griəbl]
(to) angenehm (für); übereinstimmend (mit); **~ment** [ə'gri:mənt]
Übereinstimmung f; Vereinbarung
f, Abkommen n; Vertrag m.
**agricultur|al** [ægri'kʌltərəl] land-
wirtschaftlich; **~e** ['ægrikʌltʃə]
Landwirtschaft f; **~ist** [ægri'kʌl-
tʃərist] Landwirt m.
**aground** ⚓ [ə'graund] gestrandet;
run ~ stranden, auflaufen.
**ague** ✵ ['eigju:] Wechselfieber n;
Schüttelfrost m.
**ahead** [ə'hed] vorwärts; voraus;
vorn; straight ~ geradeaus.
**aid** [eid] **1.** helfen (dat.; in bei et.);
fördern; **2.** Hilfe f, Unterstützung f.
**ail** [eil] v/i. kränkeln; v/t. schmerzen, weh(e) tun (dat.); what ~s

him? was fehlt ihm?; **~ing** ['eiliŋ]
leidend; **~ment** ['eilmənt] Leiden n.
**aim** [eim] **1.** v/i. zielen (at auf acc.);
~ at fig. streben nach; ~ to do bsd.
Am. beabsichtigen od. versuchen zu
tun, tun wollen; v/t. ~ at Waffe etc.
richten auf od. gegen (acc.); **2.** Ziel
n; Absicht f; **~less** □ ['eimlis] ziellos.
**air¹** [ɛə] **1.** Luft f; Luftzug m; by ~
auf dem Luftwege; in der ~ im
Freien; be in the ~ fig. in der Luft
liegen; ungewiß sein; on the ~ im
Rundfunk (senden); be on (off) the ~
in (außer) Betrieb sein (Sender);
put on the ~ im Rundfunk senden;
**2.** (aus)lüften; fig. an die Öffentlichkeit bringen; erörtern.
**air²** [~] Miene f; Aussehen n; give
o.s. ~s vornehm tun.
**air³** ♪ [~] Arie f, Weise f, Melodie f.
**air|-base** ✕ ['ɛəbeis] Luftstütz-
punkt m; **~-bed** Luftmatratze f;
**~-borne** ✕ in der Luft (Flugzeug);
✕ Luftlande...; **~-brake** Druck-
luftbremse f; **~-conditioned** an
Klimaanlage; **~-craft** Flugzeug
(-e pl.) n; **~-field** ✕ Flugplatz m;
**~ force** ✕ Luftwaffe f; **~ hostess**
✕ Stewardess f; **~-jacket**
Schwimmweste f; **~-lift** Luft-
brücke f; **~ liner** ✕ Verkehrsflugzeug n; **~ mail** Luftpost f; **~-man** ✕
['ɛəmən] Flieger m; **~-plane** Am.
Flugzeug n; **~-pocket** ✕ Luft-
loch n; **~-port** ✕ Flughafen m; **~
raid** ✕ Luftangriff m; **~-raid precautions** pl. Luftschutz m; **~-raid
shelter** Luftschutzraum m; **~-
route** ✕ Luftweg m; **~-tight** luft-
dicht; ~ case sl. todsicherer Fall;
**~-tube** Luftschlauch m; **~ umbrella** ✕ Luftsicherung f; **~-way**
✕ Luftverkehrslinie f.
**airy** □ ['ɛəri] luftig; leicht(fertig).
**aisle** △ [ail] Seitenschiff n; Gang m.
**ajar** [ə'dʒɑ:] halb offen, angelehnt.
**akin** [ə'kin] verwandt (to mit).
**alacrity** [ə'lækriti] Munterkeit f;
Bereitwilligkeit f, Eifer m.
**alarm** [ə'lɑ:m] **1.** Alarm(zeichen n)
m; Angst f; **2.** alarmieren, beunruhigen; **~-clock** Wecker m.
**albuminous** [æl'bju:minəs] eiweiß-
artig, -haltig.
**alcohol** ['ælkəhɔl] Alkohol m; **~ic**
[ælkə'hɔlik] alkoholisch; **~ism** ['æl-
kəhɔlizəm] Alkoholvergiftung f.

**alternate**

**alcove** ['ælkouv] Nische f; Laube f.
**alderman** ['ɔːldəmən] Stadtrat m.
**ale** [eil] Ale n (Art engl. Bier).
**alert** [ə'ləːt] 1. □ wachsam; munter;
2. Alarm(bereitschaft f) m; on the ~
auf der Hut; in Alarmbereitschaft.
**alibi** ['ælibai] Alibi n; Am. F Entschuldigung f; Ausrede f.
**alien** ['eiljən] 1. fremd, ausländisch;
2. Ausländer(in); ~able [~nəbl]
veräußerlich; ~ate [~neit] veräußern; fig. entfremden (from dat.).
~ist [~nist] Irrenarzt m, Psychiater
m.
**alight** [ə'lait] 1. brennend; erhellt;
2. ab-, aussteigen; ✈ niedergehen,
landen; sich niederlassen.
**align** [ə'lain] (sich) ausrichten (with
nach); ~ o.s. with sich anschließen an (acc.).
**alike** [ə'laik] 1. adj. gleich, ähnlich;
2. adv. gleich; ebenso.
**aliment** ['ælimənt] Nahrung f;
~ary ['æli'mentəri] nahrhaft; ~
canal Verdauungskanal m.
**alimony** ⚖ ['æliməni] Unterhalt m.
**alive** [ə'laiv] lebendig; in Kraft,
gültig; empfänglich (to für); lebhaft; belebt (with von).
**all** [ɔːl] 1. adj. all; ganz; jede(r, -s);
for ~ that dessenungeachtet, trotzdem; 2. pron. alles; alle pl.; at ~
gar, überhaupt; not at ~ durchaus
nicht; for ~ (that) I care meinetwegen; for ~ I know soviel ich weiß;
3. adv. ganz, völlig; ~ at once auf
einmal; ~ the better desto besser;
~ but beinahe, fast; ~ in Am. F fertig, ganz erledigt; ~ right (alles) in
Ordnung.
**all-American** [ɔːlə'merikən] rein
amerikanisch; die ganzen USA vertretend.
**allay** [ə'lei] beruhigen; lindern.
**alleg|ation** [æle'geiʃən] unerwiesene
Behauptung; ~e [ə'ledʒ] behaupten;
~ed angeblich.
**allegiance** [ə'liːdʒəns] Lehnspflicht
f; (Untertanen)Treue f.
**alleviate** [ə'liːvieit] erleichtern, lindern.
**alley** ['æli] Allee f; Gäßchen n;
Gang m; bsd. Am. schmale Zufahrtsstraße.
**alliance** [ə'laiəns] Bündnis n.
**allocat|e** ['æləkeit] zuteilen, anweisen; ~ion [ælə'keiʃən] Zuteilung f.

**allot** [ə'lɔt] zuweisen; ~ment [~t-
mənt] Zuteilung f; Los n; Parzelle f.
**allow** [ə'lau] erlauben; bewilligen,
gewähren; zugeben; ab-, anrechnen; vergüten; ~ for berücksichtigen; ~able □ [ə'lauəbl] erlaubt, zulässig; ~ance [~əns] Erlaubnis f;
Bewilligung f; Taschengeld n; Zuschuß m; Vergütung f; Nachsicht f;
make ~ for s.th. et. in Betracht
ziehen.
**alloy** 1. ['æləi] Legierung f; 2. [ə'lɔi]
legieren; fig. verunedeln.
**all-red** ['ɔːl'red] rein britisch.
**all-round** ['ɔːl'raund] zu allem
brauchbar; vielseitig.
**all-star** Am. ['ɔːl'staː] Sport u. thea.:
aus den besten (Schau)Spielern
bestehend.
**allude** [ə'luːd] anspielen (to auf
acc.).
**allure** [ə'ljuə] (an-, ver)locken; ~
ment [~əmənt] Verlockung f.
**allusion** [ə'luːʒən] Anspielung f.
**ally** 1. [ə'lai] (sich) vereinigen, verbünden (to, with mit); 2. ['ælai]
Verbündete(r m) f, Bundesgenosse
m; the Allies pl. die Alliierten pl.
**almanac** ['ɔːlmənæk] Almanach m.
**almighty** [ɔːl'maiti] 1. □ allmächtig; 2. ♀ Allmächtige(r) m.
**almond** ♀ ['aːmənd] Mandel f.
**almoner** ['aːmənə] Krankenhausfürsorger(in).
**almost** [ɔːl'moust] fast, beinahe.
**alms** [aːmz] sg. u. pl. Almosen n;
~-house ['aːmzhaus] Armenhaus n.
**aloft** [ə'lɔft] (hoch) (dr)oben.
**alone** [ə'loun] allein; let od. leave ~
in Ruhe od. bleiben lassen; let ~ ...
abgesehen von ...
**along** [ə'lɔŋ] 1. adv. weiter, vorwärts, her; mit, bei (sich); all ~ die
ganze Zeit; ~ with zs. mit; get ~
with you! F scher dich weg!; 2. prp.
entlang, längs; ~side [~ŋ'said] Seite
an Seite; neben.
**aloof** [ə'luːf] fern; weitab; stand ~
abseits stehen.
**aloud** [ə'laud] laut; hörbar.
**alp** [ælp] Alp(e) f; ~s pl. Alpen pl.
**already** [ɔːl'redi] bereits, schon.
**also** ['ɔːlsou] auch; ferner.
**altar** ['ɔːltə] Altar m.
**alter** ['ɔːltə] (sich) (ver)ändern; ab-,
umändern; ~ation [ɔːltə'reiʃən]
Änderung f (to an dat.).
**alternat|e** 1. ['ɔːltəːneit] abwech-

**alternation**

seln (lassen); *alternating current* $\not\epsilon$ Wechselstrom *m*; 2. □ [ɔ:l'tɔ:nit] abwechselnd; 3. [~] *Am.* Stellvertreter *m*; ~ion [ɔ:ltɔ:'neiʃən] Abwechslung *f*; Wechsel *m*; ~ive [ɔ:l'tɔ:nətiv] 1. □ nur eine Wahl zwischen zwei Möglichkeiten lassend; 2. Alternative *f*; Wahl *f*; Möglichkeit *f*.

**although** [ɔ:l'ðou] obgleich.

**altitude** ['æltitju:d] Höhe *f*.

**altogether** [ɔ:ltə'geðə] im ganzen (genommen), alles in allem; gänzlich. [nium *n*.]

**aluminium** [ælju'minjəm] Aluminium [

**aluminum** *Am.* [ə'lu:minəm] = *aluminium*.

**always** ['ɔ:lwəz] immer, stets.

**am** [æm; *im Satz* əm] *1. sg. pres. von be.*

**amalgamate** [ə'mælgəmeit] amalgamieren; (sich) verschmelzen.

**amass** [ə'mæs] (an-, auf)häufen.

**amateur** ['æmətə:] Amateur *m*; Liebhaber *m*; Dilettant *m*.

**amaz|e** [ə'meiz] in Staunen setzen, verblüffen; ~ement [~zmənt] Staunen *n*, Verblüffung *f*; ~ing □ [~ziŋ] erstaunlich, verblüffend.

**ambassador** [æm'bæsədə] Botschafter *m*, Gesandte(r) *m*.

**amber** ['æmbə] Bernstein *m*.

**ambigu|ity** [æmbi'gju(:)iti] Zwei-, Vieldeutigkeit *f*; ~ous □ [æm-'bigjuəs] zwei-, vieldeutig; doppelsinnig.

**ambitio|n** [æm'biʃən] Ehrgeiz *m*; Streben *n* (of nach); ~us □ [~ʃəs] ehrgeizig; begierig (of, for nach).

**amble** ['æmbl] 1. Paßgang *m*; 2. im Paßgang gehen *od.* reiten; schlendern.

**ambulance** ['æmbjuləns] Feldlazarett *n*; Krankenwagen *m*; ~ station Sanitätswache *f*, Unfallstation *f*.

**ambus|cade** [æmbəs'keid], ~h ['æmbuʃ] 1. Hinterhalt *m*; *be od.* lie *in ambush for s.o.* j-m auflauern; 2. auflauern (*dat.*); überfallen.

**ameliorate** [ə'mi:ljəreit] *v/t.* verbessern; *v/i.* besser werden.

**amend** [ə'mend] (sich) (ver)bessern; berichtigen; *Gesetz* (ab)ändern; ~ment [~dmənt] Besserung *f*; ✝ Berichtigung *f*; *parl.* Abänderungsantrag *m*; *Am.* Zusatzartikel *m* zur Verfassung der USA; ~s *sg.* (Schaden)Ersatz *m*.

**amenity** [ə'mi:niti] Annehmlichkeit *f*; Anmut *f*; *amenities pl.* angenehmes Wesen.

**American** [ə'merikən] 1. amerikanisch; ~ *cloth* Wachstuch *n*; ~ *plan Hotelzimmervermietung mit voller Verpflegung*; 2. Amerikaner(in); ~ism [~nizəm] Amerikanismus *m*; ~ize [~naiz] (sich) amerikanisieren.

**amiable** □ ['eimjəbl] liebenswürdig, freundlich.

**amicable** □ ['æmikəbl] freundschaftlich; gütlich.

**amid(st)** [ə'mid(st)] inmitten (*gen.*); (mitten) unter; mitten in (*dat.*).

**amiss** [ə'mis] verkehrt; übel; ungelegen; *take* ~ übelnehmen.

**amity** ['æmiti] Freundschaft *f*.

**ammonia** [ə'mounjə] Ammoniak *n*.

**ammunition** [æmju'niʃən] Munition *f*.

**amnesty** ['æmnesti] 1. Amnestie *f* (*Straferlaß*); 2. begnadigen.

**among(st)** [ə'mʌŋ(st)] (mitten) unter, zwischen. [in *acc.*).]

**amorous** □ ['æmərəs] verliebt (of)

**amount** [ə'maunt] 1. (to) sich belaufen (auf *acc.*); hinauslaufen (auf *acc.*); 2. Betrag *m*, (Gesamt-) Summe *f*; Menge *f*; Bedeutung *f*, Wert *m*.

**amour** [ə'muə] Liebschaft *f*; ~-propre Selbstachtung *f*; Eitelkeit *f*.

**ample** □ ['æmpl] weit, groß; geräumig; reichlich.

**ampli|fication** [æmplifi'keiʃən] Erweiterung *f*; *rhet.* weitere Ausführung *f*; *phys.* Verstärkung *f*; ~fier ['æmplifaiə] *Radio:* Verstärker *m*; ~fy [~fai] erweitern; verstärken; weiter ausführen; ~tude [~itju:d] Umfang *m*, Weite *f*, Fülle *f*.

**amputate** ['æmpjuteit] amputieren.

**amuse** [ə'mju:z] amüsieren; unterhalten; belustigen; ~ment [~zmənt] Unterhaltung *f*; Zeitvertreib *m*.

**an** [æn, ən] *Artikel:* ein(e).

**an(a)emia** [ə'ni:mjə] Blutarmut *f*.

**an(a)esthetic** [ænis'θetik] 1. betäubend, Narkose...; 2. Betäubungsmittel *n*.

**analog|ous** □ [ə'næləgəs] analog, ähnlich; ~y [~ədʒi] Ähnlichkeit *f*, Analogie *f*.

seln (lassen); *alternating current* ⚡ Wechselstrom *m*; 2. □ [ɔ:l'tɔ:nit] abwechselnd; 3. [~] *Am.* Stellvertreter *m*; ~ion [ɔ:ltɔ:'neiʃən] Abwechslung *f*; Wechsel *m*; ~ive [ɔ:l'tɔ:nətiv] 1. □ nur eine Wahl zwischen zwei Möglichkeiten lassend; 2. Alternative *f*; Wahl *f*; Möglichkeit *f*.

analys|e ['ænəlaiz] analysieren; zer-
legen; ~is [ə'næləsis] Analyse f.

anarchy ['ænəki] Anarchie f, Ge-
setzlosigkeit f; Zügellosigkeit f.

anatom|ize [ə'nætəmaiz] zerglie-
dern; ~y [~mi] Anatomie f; Zer-
gliederung f, Analyse f.

ancest|or ['ænsistə] Vorfahr m, Ahn
m; ~ral [æn'sestrəl] angestammt;
~ress ['ænsistris] Ahne f; ~ry
[~ri] Abstammung f; Ahnen m/pl.

anchor ['æŋkə] 1. Anker m; at ~
vor Anker; 2. (ver)ankern; ~age
[~əridʒ] Ankerplatz m.

anchovy ['æntʃəvi] Sardelle f.

ancient ['einʃənt] 1. alt, antik;
uralt; 2. the ~s pl. hist. die Alten,
die antiken Klassiker.

and [ænd, ənd] und.

anew [ə'nju:] von neuem.

angel ['eindʒəl] Engel m; ~ic(al □)
[æn'dʒelik(əl)] engelgleich.

anger ['æŋgə] 1. Zorn m, Ärger m
(at über acc.); 2. erzürnen, ärgern.

angina ⚕ [æn'dʒainə] Angina f,
Halsentzündung f.

angle ['æŋgl] 1. Winkel m; fig.
Standpunkt m; 2. angeln (for nach).

Anglican ['æŋglikən] 1. angli-
kanisch; Am. a. englisch; 2. Angli-
kaner(in).

Anglo-Saxon ['æŋglou'sæksən]
1. Angelsachse m; 2. angelsäch-
sisch.

angry ['æŋgri] zornig, böse (a. ⚕)
(with s.o., at s.th. über, auf acc.).

anguish ['æŋgwiʃ] Pein f, (Seelen-)
Qual f, Schmerz m.

angular □ ['æŋgjulə] winkelig;
Winkel...; fig. eckig.

animadver|sion [ænimæd'və:ʃən]
Verweis m, Tadel m; ~t [~ə:t]
tadeln, kritisieren.

animal ['æniməl] 1. Tier n;
2. tierisch.

animat|e ['ænimeit] beleben; be-
seelen; aufmuntern; ~ion [æni-
'meiʃən] Leben n (und Treiben n),
Lebhaftigkeit f, Munterkeit f.

animosity [æni'mɔsiti] Feindseligkeit f.

ankle ['æŋkl] Fußknöchel m.

annals ['ænlz] pl. Jahrbücher n/pl.

annex 1. [ə'neks] anhängen; annek-
tieren; 2. ['æneks] Anhang m; Anbau m; ~ation [ænek'seiʃən] An-
nexion f, Aneignung f; Einverlei-
bung f.

annihilate [ə'naiəleit] vernichten;
= annul.

anniversary [æni'və:səri] Jahrestag
m; Jahresfeier f.

annotat|e ['ænouteit] mit Anmer-
kungen versehen; kommentieren;
~ion [ænou'teiʃən] Kommentieren
n; Anmerkung f.

announce [ə'nauns] ankündigen;
ansagen; ~ment [~smənt] An-
kündigung f; Ansage f; Radio:
Durchsage f; Anzeige f; ~r [~sə]
Radio: Ansager m.

annoy [ə'nɔi] ärgern; belästigen;
~ance [ə'nɔiəns] Störung f; Plage
f; Ärgernis n.

annual ['ænjuəl] 1. □ jährlich;
Jahres...; 2. einjährige Pflanze;
Jahrbuch n.                [Rente f.]

annuity [ə'nju(:)iti] (Jahres-)]

annul [ə'nʌl] für ungültig erklären,
annullieren; ~ment [~lmənt] Aufhebung f.

anodyne ⚕ ['ænoudain] 1. schmerz-
stillend; 2. schmerzstillendes Mittel.

anoint [ə'nɔint] salben.

anomalous □ [ə'nɔmələs] anomal,
unregelmäßig, regelwidrig.

anonymous □ [ə'nɔniməs] anonym,
ungenannt.

another [ə'nʌðə] ein anderer; ein
zweiter; noch ein.

answer ['ɑ:nsə] 1. v/t. et. beant-
worten; j-m antworten; entsprechen
(dat.); Zweck erfüllen; dem Steuer
gehorchen; e-r Vorladung Folge
leisten; ~ the bell od. door (die Haustür) aufmachen; v/i. antworten
(to s.o. j-m; to a question auf e-e
Frage); entsprechen (to dat.); Erfolg haben; sich lohnen; ~ for einstehen für; bürgen für; 2. Antwort
f (to auf acc.); ~able □ [~ərəbl]
verantwortlich.

ant [ænt] Ameise f.

antagonis|m [æn'tægənizəm] Wi-
derstreit m; Widerstand m; Feindschaft f; ~t [~ist] Gegner(in).

antagonize [æn'tægənaiz] ankämpfen gegen; sich j-n zum Feind
machen.

antecedent [ænti'si:dənt] 1. □ vorhergehend; früher (to als); 2. Vor-
hergehende(s) n.

anterior [æn'tiəriə] vorhergehend;
früher (to als); vorder.

ante-room ['æntirum] Vorzimmer
n.

**anthem** ['ænθəm] Hymne f.

**anti|...** ['ænti] Gegen...; gegen ... eingestellt *od.* wirkend; **~aircraft** Fliegerabwehr...; **~biotic** [ˌʌibai-'ɔtik] Antibiotikum *n.*

**antic** ['æntik] Posse f.; **~s** *pl.* Mätzchen *n/pl.*; (tolle) Sprünge *m/pl.*

**anticipat|e** [æn'tisipeit] vorwegnehmen; zuvorkommen (*dat.*); voraussehen, ahnen; erwarten; **~ion** [ˌætisi'peiʃən] Vorwegnahme f; Zuvorkommen *n;* Voraussicht f; Erwartung f; *in* **~** im voraus.

**antidote** ['æntidout] Gegengift *n.*

**antipathy** [æn'tipəθi] Abneigung f.

**antiqua|ry** ['æntikwəri] Altertumsforscher *m;* Antiquitätensammler *m,* -händler *m;* **~ted** [ˌʌkweitid] veraltet, überlebt.

**antique** [æn'ti:k] **1.** □ antik, alt (-modisch); **2.** alter Kunstgegenstand; **~ity** [æn'tikwiti] Altertum *n;* Vorzeit f.

**antiseptic** [ˌænti'septik] **1.** antiseptisch; **2.** antiseptisches Mittel.

**antlers** ['æntləz] *pl.* Geweih *n.*

**anvil** ['ænvil] Amboß *m.*

**anxiety** [æŋ'zaiəti] Angst f; *fig.* Sorge f (*for* um); ☞ Beklemmung f.

**anxious** □ ['æŋkʃəs] ängstlich, besorgt (*about* um, wegen); begierig, gespannt (*for auf acc.*); bemüht (*for* um).

**any** ['eni] **1.** *pron.* (irgend)einer; einige *pl.;* (irgend)welcher; (irgend) etwas; jeder (beliebige); *not* **~** keiner; **2.** *adv.* irgend(wie); **~body** (irgend) jemand; jeder; **~how** irgendwie; jedenfalls; **~one** = anybody; **~thing** (irgend) etwas, alles; **~** *but* alles andere als; **~way** = anyhow; ohnehin; **~where** irgendwo(hin); überall.

**apart** [ə'pɑ:t] einzeln; getrennt; für sich; beiseite; **~** *from* abgesehen von.

**apartheid** *pol.* [ə'pɑ:theit] Apartheid f, Rassentrennung(spolitik) f.

**apartment** [ə'pɑ:tmənt] Zimmer *n, Am. a.* Wohnung f; **~s** *pl.* Wohnung f; **~** *house Am.* Mietshaus *n.*

**apathetic** [æpə'θetik] apathisch, gleichgültig.

**ape** [eip] **1.** Affe *m;* **2.** nachäffen.

**aperient** [ə'piəriənt] Abführmittel *n.*

**aperture** ['æpətjuə] Öffnung f.

**apiary** ['eipjəri] Bienenhaus *n.*

**apiculture** ['eipikʌltʃə] Bienenzucht f.

**apiece** [ə'pi:s] (für) das Stück; je.

**apish** □ ['eipiʃ] affig; äffisch.

**apolog|etic** [əpɔlə'dʒetik] (**~ally**) verteidigend; rechtfertigend; entschuldigend; **~ize** [ə'pɔlədʒaiz] sich entschuldigen (*for* wegen; *to* bei); **~y** [ˌdʒi] Entschuldigung f; Rechtfertigung f; F Notbehelf *m.*

**apoplexy** ['æpəpleksi] Schlag(anfall) *m.*

**apostate** [ə'pɔstit] Abtrünnige(r *m*) f.

**apostle** [ə'pɔsl] Apostel *m.*

**apostroph|e** [ə'pɔstrəfi] Anrede f; Apostroph *m;* **~ize** [ˌfaiz] anreden, sich wenden an (*acc.*).

**appal** [ə'pɔ:l] erschrecken.

**apparatus** [æpə'reitəs] Apparat *m,* Vorrichtung f, Gerät *n.*

**apparel** [ə'pærəl] **1.** Kleidung f; **2.** (be)kleiden.

**appar|ent** □ [ə'pærənt] anscheinend; offenbar; **~ition** [æpə'riʃən] Erscheinung f; Gespenst *n.*

**appeal** [ə'pi:l] **1.** (*to*) ☞ appellieren (an *acc.*); sich berufen (auf *e-n Zeugen*); sich wenden (an *acc.*); wirken (auf *acc.*); Anklang finden (bei); **~** *to the country parl.* Neuwahlen ausschreiben; **2.** ☞ Revision f, Berufung(sklage) f; ☞ Rechtsmittel *n; fig.* Appell *m* (*to an acc.*); Wirkung f, Reiz *m;* **~** *for mercy* ☞ Gnadengesuch *n;* **~ing** □ [ˌliŋ] flehend; ansprechend.

**appear** [ə'piə] (er)scheinen; sich zeigen; öffentlich auftreten; **~ance** [ˌərəns] Erscheinen *n,* Auftreten *n;* Äußere(s) *n,* Erscheinung f; Anschein *m;* **~s** *pl.* äußerer Schein; *to od. by all* **~s** vor allem Anschein nach.

**appease** [ə'pi:z] beruhigen; beschwichtigen; stillen; mildern; beilegen.

**appellant** [ə'pelənt] **1.** appellierend; **2.** Appellant(in), Berufungskläger (-in).

**append** [ə'pend] anhängen; hinzu-, beifügen; **~age** [ˌdidʒ] Anhang *m;* Anhängsel *n;* Zubehör *n, m;* **~icitis** [əpendi'saitis] Blinddarmentzündung f; **~ix** [ə'pendiks] Anhang *m; a. vermiform ~* ☞ Wurmfortsatz *m,* Blinddarm *m.*

**appertain** [æpə'tein] gehören (*to* zu).

**appetite** ['æpitait] (*for*) Appetit *m* (auf *acc.*); *fig.* Verlangen *n* (nach).

**appetizing** ['æpitaiziŋ] appetit-anregend.

**applaud** [ə'plɔ:d] applaudieren, Beifall spenden; loben.

**applause** [ə'plɔ:z] Applaus m, Beifall m.

**apple** ['æpl] Apfel m; **~-cart** Apfelkarren m; *upset s.o.'s* ~ F j-s Pläne über den Haufen werfen; **~-pie** gedeckter Apfelkuchen; *in* ~ *order* F in schönster Ordnung; **~sauce** Apfelmus n; *Am. sl.* Schmus m, Quatsch m.

**appliance** [ə'plaiəns] Vorrichtung f; Gerät n; Mittel n.

**applica|ble** ['æplikəbl] anwendbar (*to* auf *acc.*); **~nt** [~ənt] Bittsteller (-in); Bewerber(in) (*for* um); **~tion** [æpli'keiʃən] (*to*) Anlegung f (auf *acc.*); Anwendung f (auf *acc.*); Bedeutung f (für); Gesuch n (*for* um); Bewerbung f.

**apply** [ə'plai] v/t. (*to*) (auf)legen (auf *acc.*); anwenden (auf *acc.*); verwenden (für); ~ *o.s. to* sich widmen (*dat.*); v/i. (*to*) passen, sich anwenden lassen (auf *acc.*); gelten (für); sich wenden (an *acc.*); (*for*) sich bewerben (um); nachsuchen (um).

**appoint** [ə'pɔint] bestimmen; festsetzen; verabreden; ernennen (*s.o. governor* j-n zum ...); berufen (*to* auf *e-n Posten*); *well* ~*ed* gut eingerichtet; **~ment** [~mənt] Bestimmung f; Stelldichein n; Verabredung f; Ernennung f, Berufung f; Stelle f; ~*s pl.* Ausstattung f, Einrichtung f.

**apportion** [ə'pɔ:ʃən] ver-, zuteilen; **~ment** [~mənt] Verteilung f.

**apprais|al** [ə'preizəl] Abschätzung f; ~**e** [ə'preiz] abschätzen, taxieren.

**apprecia|ble** □ [ə'pri:ʃəbl] (ab-)schätzbar; merkbar; ~**te** [~ʃieit] v/t. schätzen; würdigen; dankbar sein für; v/i. im Werte steigen; ~**tion** [əpri:ʃi'eiʃən] Schätzung f, Würdigung f; Verständnis n (*of* für); Einsicht f; Dankbarkeit f; Aufwertung f.

**apprehen|d** [æpri'hend] ergreifen; fassen, begreifen; befürchten; ~**sion** [~nʃən] Ergreifung f, Festnahme f; Fassungskraft f, Auffassung f; Besorgnis f; ~**sive** □ [~nsiv] schnell begreifend (*of* acc.); ängstlich; besorgt (*of, for* um, wegen; *that* daß).

**apprentice** [ə'prentis] **1.** Lehrling m; **2.** in die Lehre geben (*to* dat.); **~ship** [~iʃip] Lehrzeit f; Lehre f.

**approach** [ə'proutʃ] **1.** v/i. näherkommen, sich nähern; v/t. sich nähern (*dat.*), herangehen *od.* herantreten an (*acc.*); **2.** Annäherung f; *fig.* Herangehen n; Methode f; Zutritt m; Auffahrt f.

**approbation** [æprə'beiʃən] Billigung f, Beifall m.

**appropriat|e 1.** [ə'prouprieit] sich aneignen; verwenden; *parl.* bewilligen; **2.** □ [~iit] (*to*) angemessen (*dat.*); passend (für); eigen (*dat.*); **~ion** [əprouprі'eiʃən] Aneignung f; Verwendung f.

**approv|al** [ə'pru:vəl] Billigung f, Beifall m; ~**e** [~u:v] billigen, anerkennen; (~ *o.s.* sich) erweisen als; ~**ed** □ bewährt.

**approximate 1.** [ə'prɔksimeit] sich nähern; **2.** □ [~mit] annähernd; ungefähr; nahe.

**apricot** ['eiprikɔt] Aprikose f.

**April** ['eiprəl] April m.

**apron** ['eiprən] Schürze f; **~-string** Schürzenband n; *be tied to one's wife's (mother's)* ~*s fig.* unterm Pantoffel stehen (der Mutter am Rockzipfel hängen).

**apt** □ [æpt] geeignet, passend; begabt; ~ *to* geneigt zu; **~itude** ['æptitju:d], **~ness** ['æptnis] Neigung f (*to* zu); Befähigung f.

**aquatic** [ə'kwætik] Wasserpflanze f; ~*s pl.* Wassersport m.

**aque|duct** ['ækwidʌkt] Aquädukt m, Wasserleitung f; **~ous** □ ['eikwiəs] wässerig.

**aquiline** ['ækwilain] Adler...; gebogen; ~ *nose* Adlernase f.

**Arab** ['ærəb] Araber(in); ~**ic** [~bik] **1.** arabisch; **2.** Arabisch n.

**arable** ['ærəbl] pflügbar; Acker...

**arbit|er** ['a:bitə] Schiedsrichter m; *fig.* Gebieter m; **~rariness** [~trərinis] Willkür f; **~rary** □ [~trəri] willkürlich; eigenmächtig; **~rate** [~reit] entscheiden, schlichten; **~ration** [a:bi'treiʃən] Schiedsspruch m; Entscheidung f; **~rator** ᵗᵗₛ ['a:bitreitə] Schiedsrichter m.

**arbo(u)r** ['a:bə] Laube f.

**arc** *ast.*, Å *etc.* [a:k] (⚡ Licht-) Bogen m; **~ade** [a:'keid] Arkade f; Bogen-, Laubengang m.

**arch¹** [ɑ:tʃ] **1.** Bogen *m*; Gewölbe *n*; **2.** (sich) wölben; überwölben.

**arch²** [⌣] **1.** erst; schlimmst; Haupt...; Erz...

**arch³** □ [⌣] schelmisch.

**archaic** [ɑ:ˈkeiik] (⌣*ally*) veraltet.

**archangel** [ˈɑ:keindʒəl] Erzengel *m*.

**archbishop** [ˈɑ:tʃˈbiʃəp] Erzbischof *m*.

**archer** [ˈɑ:tʃə] Bogenschütze *m*; **⌣y** [⌣əri] Bogenschießen *n*.

**architect** [ˈɑ:kitekt] Architekt *m*; Urheber(in), Schöpfer(in); **⌣onic** [ɑ:kitekˈtɔnik] (⌣*ally*) architektonisch; *fig.* aufbauend; **⌣ure** [ˈɑ:kitektʃə] Architektur *f*, Baukunst *f*.

**archives** [ˈɑ:kaivz] *pl.* Archiv *n*.

**archway** [ˈɑ:tʃwei] Bogengang *m*.

**arc|-lamp** [ˈɑ:klæmp], **⌣-light** ∲ Bogenlampe *f*.

**arctic** [ˈɑ:ktik] **1.** arktisch, nördlich; Nord..., Polar...; **2.** *Am.* wasserdichter Überschuh.

**arden|cy** [ˈɑ:dənsi] Hitze *f*, Glut *f*; Innigkeit *f*; **⌣t** □ [⌣nt] *mst fig.* heiß, glühend; *fig.* feurig; eifrig.

**ardo(u)r** [ˈɑ:də] *fig.* Glut *f*; Eifer *m*.

**arduous** □ [ˈɑ:djuəs] mühsam; zäh.

**are** [ɑ:; *im Satz a*] *pres. pl. u. 2. sg. von* be.

**area** [ˈɛəriə] Areal *n*; (Boden-)Fläche *f*; Flächenraum *m*; Gegend *f*; Gebiet *n*; Bereich *m*.

**Argentine** [ˈɑ:dʒəntain] **1.** argentinisch; **2.** Argentinier(in); *the* ⌣ Argentinien *n*.

**argue** [ˈɑ:gju:] *v/t.* erörtern; beweisen; begründen; einwenden; ⌣ *s.o. into* j-n zu et. bereden; *v/i.* streiten; Einwendungen machen.

**argument** [ˈɑ:gjumənt] Beweis (-grund) *m*; Streit(frage *f*) *m*; Erörterung *f*; Thema *n*; **⌣ation** [ɑ:gjumenˈteiʃən] Beweisführung *f*.

**arid** [ˈærid] dürr, trocken (*a. fig.*).

**arise** [əˈraiz] [*irr.*] sich erheben (*a. fig.*); ent-, erstehen (*from* aus); **⌣n** [əˈrizn] *p.p. von* arise.

**aristocra|cy** [ærisˈtɔkrəsi] Aristokratie *f* (*a. fig.*), Adel *m*; **⌣t** [ˈæristəkræt] Aristokrat(in); **⌣tic(al** □) [æristəˈkrætik(əl)] aristokratisch.

**arithmetic** [əˈriθmətik] Rechnen *n*.

**ark** [ɑ:k] Arche *f*.

**arm¹** [ɑ:m] Arm *m*; Armlehne *f*; *keep s.o. at* ⌣'s *length* sich j-n vom Leibe halten; *infant in* ⌣s Säugling *m*.

**arm²** [⌣] **1.** Waffe *f* (*mst pl.*); Waffengattung *f*; *be (all) up in* ⌣s in vollem Aufruhr sein; *in* Harnisch geraten; **2.** (sich) (be)waffnen; (aus)rüsten; ⊕ armieren.

**armada** [ɑ:ˈmɑ:də] Kriegsflotte *f*.

**arma|ment** [ˈɑ:məmənt] (Kriegsaus)Rüstung *f*; Kriegsmacht *f*; ⌣*race* Wettrüsten *n*; **⌣ture** [ˈɑ:mətjuə] Rüstung *f*; △, *phys.* Armatur *f*.

**armchair** [ˈɑ:mˈtʃɛə] Lehnstuhl *m*, Sessel *m*.

**armistice** [ˈɑ:mistis] Waffenstillstand *m* (*a. fig.*).

**armo(u)r** [ˈɑ:mə] **1.** ✕ Rüstung *f*, Panzer *m* (*a. fig.*, *zo.*); **2.** panzern; ⌣*ed car* Panzerwagen *m*; **⌣y** [ˈɑ:məri] Rüstkammer *f* (*a. fig.*); *Am.* Rüstungsbetrieb *m*, Waffenfabrik *f*.

**armpit** [ˈɑ:mpit] Achselhöhle *f*.

**army** [ˈɑ:mi] Heer *n*, Armee *f*; *fig.* Menge *f*; ⌣ *chaplain* Militärgeistliche(r) *m*.

**arose** [əˈrouz] *pret. von* arise.

**around** [əˈraund] **1.** *adv.* rund(her)um (*Am.* F herum; **2.** *prp.* um ... her(um); *bsd. Am.* F ungefähr, etwa (*bei Zahlenangaben*).

**arouse** [əˈrauz] aufwecken; *fig.* aufrütteln; erregen.

**arraign** [əˈrein] vor Gericht stellen, anklagen; *fig.* rügen.

**arrange** [əˈreindʒ] (an)ordnen, *bsd.* ♪ einrichten; festsetzen; *Streit* schlichten; vereinbaren; erledigen; **⌣ment** [⌣dʒmənt] Anordnung *f*; Disposition *f*; Übereinkommen *n*; Vorkehrung *f*; ♪ Arrangement *n*.

**array** [əˈrei] **1.** (Schlacht)Ordnung *f*; *fig.* Aufgebot *n*; **2.** ordnen, aufstellen; aufbieten; kleiden, putzen.

**arrear** [əˈriə] *mst pl.* Rückstand *m*, *bsd.* Schulden *f/pl.*

**arrest** [əˈrest] **1.** Verhaftung *f*; Haft *f*; Beschlagnahme *f*; **2.** verhaften; beschlagnahmen; anhalten; hemmen.

**arriv|al** [əˈraivəl] Ankunft *f*; Auftreten *n*; Ankömmling *m*; ⌣*s pl.* angekommene Personen *f/pl.*, Züge *m/pl.*, Schiffe *n/pl.*; **⌣e** [əˈraiv] (an-)kommen, eintreffen; erscheinen; eintreten (*Ereignis*); ⌣ *at* erreichen (*acc.*).

**arroga|nce** [ˈærəgəns] Anmaßung *f*; Überheblichkeit *f*; **⌣nt** □ [⌣nt] anmaßend; überheblich; **⌣te** [ˈærougeit] sich *et.* anmaßen.

**arrow** ['ærou] Pfeil *m*; **~-head** Pfeilspitze *f*; **~y** ['æroui] pfeilartig.
**arsenal** ['ɑ:sinl] Zeughaus *n*.
**arsenic** ['ɑ:snik] Arsen(ik) *n*.
**arson** ⚖ ['ɑ:sn] Brandstiftung *f*.
**art** [ɑ:t] Kunst *f*; *fig*. List *f*; Kniff *m*; *~s pl*. Geisteswissenschaften *f/pl*.; *Faculty of* ≈*s* philosophische Fakultät *f*.
**arter|ial** [ɑ:'tiəriəl] Pulsader...; *~ road* Hauptstraße *f*; **~y** ['ɑ:təri] Arterie *f*, Pulsader *f*; *fig*. Verkehrsader *f*.
**artful** □ ['ɑ:tful] schlau, verschmitzt.
**article** ['ɑ:tikl] Artikel *m*; *fig*. Punkt *m*; *~d to* in der Lehre bei.
**articulat|e 1.** [ɑ:'tikjuleit] deutlich (aus)sprechen; *Knochen* zs.-fügen; **2.** □ [~lit] deutlich; gegliedert; **~ion** [ɑ:tikju'leiʃən] deutliche Aussprache; *anat*. Gelenkfügung *f*.
**artific|e** ['ɑ:tifis] Kunstgriff *m*, List *f*; **~ial** □ [ɑ:ti'fiʃəl] künstlich; Kunst...; *~ person* ⚖ juristische Person.
**artillery** [ɑ:'tiləri] Artillerie *f*; **~-man** Artillerist *m*.
**artisan** [ɑ:ti'zæn] Handwerker *m*.
**artist** ['ɑ:tist] Künstler(in); **~e** [ɑ:'ti:st] Artist(in); **~ic(al)** □ [ɑ:'tistik(əl)] künstlerisch; Kunst...
**artless** ['ɑ:tlis] ungekünstelt, schlicht; arglos.
**as** [æz, əz] **1.** *adv*. so; (ebenso) wie; (*in der Eigenschaft*) als; *~ big ~* so groß wie; *~ well* ebensogut; auch; *~ well ~* sowohl... als auch; **2.** *cj*. (so-) wie; ebenso; (*zu der Zeit*) als, während; da, weil, indem; sofern; *~ it were* sozusagen; *such ~ to* derart, daß; *~ for*, *~ to* was (an)betrifft; *~ from* von ... an.
**ascend** [ə'send] *v/i*. (auf-, empor-, hinauf)steigen; *zeitlich*: zurückgehen (*to* bis zu); *v/t*. be-, ersteigen; hinaufsteigen; *Fluß etc*. hinauffahren; **~ancy**, **~ency** [~dənsi] Überlegenheit *f*, Einfluß *m*; Herrschaft *f*.
**ascension** [ə'senʃən] Aufsteigen *n* (*bsd. ast.*); *Am. a*. Aufstieg *m* (*e-s Ballons etc*.); ≈ (*Day*) Himmelfahrt(stag *m*) *f*.
**ascent** [ə'sent] Aufstieg *m*; Besteigung *f*; Steigung *f*; Aufgang *m*.
**ascertain** [æsə'tein] ermitteln.
**ascetic** [ə'setik] (*~ally*) asketisch.
**ascribe** [əs'kraib] zuschreiben.
**aseptic** ⚕ [æ'septik] **1.** aseptisch; **2.** aseptisches Mittel.
**ash**[1] [æʃ] ♀ Esche *f*; Eschenholz *n*.
**ash**[2] [~], *mst pl*. **~es** ['æʃiz] Asche *f*; *Ash Wednesday* Aschermittwoch *m*.
**ashamed** [ə'ʃeimd] beschämt; *be ~ of* sich *e-r Sache od. j-s* schämen.
**ash can** *Am*. ['æʃkæn] = *dust-bin*.
**ashen** ['æʃn] Aschen...; aschfahl.
**ashore** [ə'ʃɔ:] am *od*. ans Ufer *oa*. Land; *run ~*, *be driven ~* stranden.
**ash|-pan** ['æʃpæn] Asch(en)kasten *m*; **~-tray** Asch(en)becher *m*.
**ashy** ['æʃi] aschig; aschgrau.
**Asiatic** [eiʃi'ætik] **1.** asiatisch; **2.** Asiat(in).
**aside** [ə'said] **1.** beiseite (*a. thea*.); abseits; seitwärts; *~ from Am*. abgesehen von; **2.** *thea*. Aparte *n*.
**ask** [ɑ:sk] *v/t*. fragen (*s.th*. nach et.); verlangen (*of*, *from s.o*. von j-m); bitten (*s.o.* [*for*] *s.th*. j. um et.; *that* darum, daß); erbitten; *~* (*s.o.*) *a question* (j-m) e-e Frage stellen; *v/i*.: *~ for* bitten um, fragen nach; *he ~ed for it od. for trouble* er wollte es ja so haben; *to be had for the ~ing* umsonst zu haben.
**askance** [əs'kæns], **askew** [əs'kju:] von der Seite, seitwärts; schief.
**asleep** [ə'sli:p] schlafend; in den Schlaf; eingeschlafen; *be ~* schlafen; *fall ~* einschlafen.
**asparagus** ♀ [əs'pærəgəs] Spargel *m*.
**aspect** ['æspekt] Äußere *n*; Aussicht *f*, Lage *f*; Aspekt *m*, Seite *f*, Gesichtspunkt *m*.
**asperity** [æs'periti] Rauheit *f*; Unebenheit *f*; *fig*. Schroffheit *f*.
**asphalt** ['æsfælt] **1.** Asphalt *m*; **2.** asphaltieren.
**aspic** ['æspik] Aspik *m*, Sülze *f*.
**aspir|ant** [əs'paiərənt] Bewerber (-in); **~ate** *ling*. ['æspəreit] aspirieren; **~ation** [æspə'reiʃən] Aspiration *f*; Bestrebung *f*; **~e** [əs'paiə] streben, trachten (*to*, *after*, *at* nach).
**ass** [æs] Esel *m*.
**assail** [ə'seil] angreifen, überfallen (*a. fig*.); befallen (*Zweifel etc*.); **~ant** [~lənt] Angreifer(in).
**assassin** [ə'sæsin] (Meuchel)Mörder(in); **~ate** [~neit] (meuchlings) ermorden; **~ation** [əsæsi'neiʃən] Meuchelmord *m*.
**assault** [ə'sɔ:lt] **1.** Angriff *m* (*a. fig*.); **2.** anfallen; ⚖ tätlich an-

greifen *od.* beleidigen; ✂ be-
stürmen (*a. fig.*).

**assay** [ə'sei] **1.** (Erz-, Metall-)
Probe *f*; **2.** *v/t.* untersuchen; *v/i.*
*Am.* Edelmetall enthalten.

**assembl|age** [ə'semblidʒ] (An-)
Sammlung *f*; ⊕ Montage *f*; **~e**
[ə'sembl] (sich) versammeln; zs.-
berufen; ⊕ montieren; **~y** [⸗li]
Versammlung *f*; Gesellschaft *f*; ⊕
Montage *f*; **~ line** ⊕ Fließband *n*;
**~ man** *pol.* Abgeordnete(r) *m*.

**assent** [ə'sent] **1.** Zustimmung *f*;
**2.** (*to*) zustimmen (*dat.*); billigen.

**assert** [ə'sə:t] (sich) behaupten;
**~ion** [ə'sə:ʃən] Behauptung *f*; Erklärung *f*; Geltendmachung *f*.

**assess** [ə'ses] besteuern; zur Steuer
veranlagen (*at* mit); **~able** □ [⸗səbl]
steuerpflichtig; **~ment** [⸗smənt]
(Steuer)Veranlagung *f*; Steuer *f*.

**asset** ['æset] ✝ Aktivposten *m*; *fig.*
Gut *n*, Gewinn *m*; **~s** *pl.* Vermögen
*n*; ✝ Aktiva *pl.*; ⚖ Konkursmasse *f*.

**asseverate** [ə'sevəreit] beteuern.

**assiduous** □ [ə'sidjuəs] emsig,
fleißig; aufmerksam.

**assign** [ə'sain] an-, zuweisen; bestimmen; zuschreiben; **~ation**
[æsig'neiʃən] Verabredung *f*, Stelldichein *n*; **~ment** [ə'sainmənt]
An-, Zuweisung *f*; *bsd. Am.* Auftrag *m*; ⚖ Übertragung *f*.

**assimilat|e** [ə'simileit] (sich) an-
gleichen (*to*, *with dat.*); **~ion**
[əsimi'leiʃən] Assimilation *f*, Angleichung *f*.

**assist** [ə'sist] *j-m* beistehen, helfen;
unterstützen; **~ance** [⸗təns] Beistand *m*; Hilfe *f*; **~ant** [⸗nt] **1.** be-
hilflich; **2.** Assistent(in).

**assize** ⚖ [ə'saiz] (Schwur)Ge-
richtssitzung *f*; **~s** *pl. periodisches*
Geschworenengericht.

**associa|te 1.** [ə'souʃieit] (sich) zu-
gesellen (*with dat.*), (sich) vereinigen; Umgang haben (*with
mit*); **2.** [⸗ʃiit] verbunden; **3.**
[⸗] (Amts)Genosse *m*; Teilhaber *m*;
**~tion** [əsousi'eiʃən] Vereinigung *f*,
Verbindung *f*; *Handels- etc.* Gesellschaft *f*; Genossenschaft *f*;
Verein *m*.

**assort** [ə'sə:t] *v/t.* sortieren, zs.-
stellen; *v/i.* passen (*with* zu);
**~ment** [⸗tmənt] Sortieren *n*; ✝
Sortiment *n*, Auswahl *f*.

**assum|e** [ə'sju:m] annehmen; vor-

geben; übernehmen; **~ption**
[ə'sʌmpʃən] Annahme *f*; Übernahme *f*; *eccl.* ♀ (*Day*) Mariä
Himmelfahrt *f*.

**assur|ance** [ə'ʃuərəns] Zu-, Ver-
sicherung *f*; Zuversicht *f*; Sicherheit *f*, Gewißheit *f*; Selbstsicher-
heit *f*; Dreistigkeit *f*; **~e** [ə'ʃuə]
(*Leben* ver)sichern; sicherstellen;
**~ed 1.** (*adv.* **~edly** [⸗əridli]) sicher;
dreist; **2.** Versicherte(r *m*) *f*.

**asthma** ['æsmə] Asthma *n*.

**astir** [ə'stə:] auf (den Beinen); in
Bewegung, rege.

**astonish** [əs'tɔniʃ] in Erstaunen
setzen; verwundern; befremden;
*be* **~ed** erstaunt sein (*at* über *acc.*);
**~ing** □ [⸗ʃiŋ] erstaunlich; **~ment**
[⸗mənt] (Er)Staunen *n*; Verwunderung *f*.

**astound** [əs'taund] verblüffen.

**astray** [əs'trei] vom (rechten) Wege
ab (*a. fig.*); irre; *go* **~** sich verlaufen,
fehlgehen.

**astride** [əs'traid] mit gespreizten
Beinen; rittlings (*of auf dat.*).

**astringent** ❡ [əs'trindʒənt] **1.**
zs.-ziehend; **2.** zs.-ziehendes Mittel.

**astro|logy** [əs'trɔlədʒi] Astrologie
*f*; **~naut** ['æstrənɔ:t] Astronaut *m*,
Raumfahrer *m*; **~nomer** [əs'trɔ-
nəmə] Astronom *m*; **~nomy** [⸗mi]
Astronomie *f*.

**astute** □ [əs'tju:t] scharfsinnig;
schlau; **~ness** [⸗tnis] Scharfsinn *m*.

**asunder** [ə'sʌndə] auseinander;
entzwei.

**asylum** [ə'sailəm] Asyl *n*.

**at** [æt; *unbetont* ət] *prp.* an; auf; aus;
bei; für; in; mit; nach; über; um;
von; vor; zu; **~** *school* in der
Schule; **~** *the age of* im Alter von.

**ate** [et] *pret. von* eat 1.

**atheism** ['eiθiizəm] Atheismus *m*.

**athlet|e** ['æθli:t] (*bsd.* Leicht-)
Athlet *m*; **~ic(al** □) [æθ'letik(əl)]
athletisch; **~ics** *pl.* (*bsd.* Leicht-)
Athletik *f*.

**Atlantic** [ət'læntik] **1.** atlantisch;
**2.** *a.* **~** *Ocean* Atlantik *m*.

**atmospher|e** ['ætməsfiə] Atmo-
sphäre *f* (*a. fig.*); **~ic(al** □) [ætmɔs-
'ferik(əl)] atmosphärisch.

**atom** Ⓤ ['ætəm] Atom *n* (*a. fig.*);
**~ic** [ə'tɔmik] atomartig, Atom...;
atomistisch; **~** *age* Atomzeitalter
*n*; **~** (*a.* **atom**) *bomb* Atombombe *f*;
**~** *pile* Atomreaktor *m*; **~ic-**

**powered** durch Atomkraft betrieben; **~ize** ['ætəmaiz] in Atome auflösen; atomisieren; **~izer** [~zə] Zerstäuber m.

**atone** [ə'toun] **~** for büßen für et.; **~ment** [~nmənt] Buße f; Sühne f.

**atroci|ous** □ [ə'trouʃəs] scheußlich; gräßlich; grausam; **~ty** [ə'trɔsiti] Scheußlichkeit f, Gräßlichkeit f; Grausamkeit f.

**attach** [ə'tætʃ] v/t. (to) anheften (an, acc.), befestigen (an dat.); Wert, Wichtigkeit etc. beilegen (dat.); ɪᵗᵃ j-n verhaften; et. beschlagnahmen; **~ o.s. to** sich anschließen an (acc.); **~ed:** **~ to** gehörig zu; j-m zugetan, ergeben; **~ment** [~ʃmənt] Befestigung f; Bindung f (to, for an acc.); Anhänglichkeit f (an acc.), Neigung f (zu); Anhängsel n (to gen.); ɪᵗᵃ Verhaftung f; Beschlagnahme f.

**attack** [ə'tæk] **1.** angreifen (a. fig.); befallen (Krankheit); Arbeit in Angriff nehmen; **2.** Angriff m; ⚔ Anfall m; Inangriffnahme f.

**attain** [ə'tein] v/t. Ziel erreichen; v/i. **~ to** gelangen zu; **~ment** [~nmənt] Erreichung f; fig. Aneignung f; **~s** pl. Kenntnisse f/pl.; Fertigkeiten f/pl.

**attempt** [ə'tempt] **1.** versuchen; **2.** Versuch m; Attentat n.

**attend** [ə'tend] v/t. begleiten; bedienen; pflegen; ⚕ behandeln; j-m aufwarten; beiwohnen (dat.); Vorlesung etc. besuchen; v/i. achten, hören (to auf acc.); anwesend sein (at bei); **~ to** erledigen; **~ance** [~dəns] Begleitung f; Aufwartung f; Pflege f; ⚕ Behandlung f; Gefolge n; Anwesenheit f (at bei); Besuch m (der Schule etc.); Besucher(zahl f) m/pl.; Publikum n; **be in ~** zu Diensten stehen; **~ant** [~nt] **1.** begleitend (on, upon acc.); anwesend (at bei); **2.** Diener(in); Begleiter(in); Wärter(in); Besucher(in) (at gen.); ⊕ Bedienungsmann m; **~s** pl. Dienerschaft f.

**attent|ion** [ə'tenʃən] Aufmerksamkeit f (a. fig.); **~!** ⚔ Achtung!; **~ive** □ [~ntiv] aufmerksam.

**attest** [ə'test] bezeugen; beglaubigen; bsd. ⚔ vereidigen.

**attic** ['ætik] Dachstube f. [dung f.]

**attire** [ə'taiə] **1.** kleiden; **2.** Kleiⱶ

**attitude** ['ætitju:d] (Ein)Stellung f; Haltung f; fig. Stellungnahme f.

**attorney** [ə'tə:ni] Bevollmächtigte(r) m; Am. Rechtsanwalt m; **power of ~** Vollmacht f; ⚖ General **~** Generalstaats- od. Kronanwalt m, Am. Justizminister m.

**attract** [ə'trækt] anziehen, Aufmerksamkeit erregen; fig. reizen; **~ion** [~kʃən] Anziehung(skraft) f; fig. Reiz m; Zugartikel m; thea. Zugstück n; **~ive** □ [~ktiv] anziehend; reizvoll; zugkräftig; **~iveness** [~vnis] Reiz m.

**attribute 1.** [ə'tribju(:)t] beimessen, zuschreiben; zurückführen (to auf acc.); **2.** ['ætribju:t] Attribut n (a. gr.), Eigenschaft f, Merkmal n.

**attune** [ə'tju:n] (ab)stimmen.

**auburn** ['ɔ:bən] kastanienbraun.

**auction** ['ɔ:kʃən] **1.** Auktion f; sell **by ~**, put up for **~** versteigern; **2.** mst **~** off versteigern; **~eer** [ɔ:kʃə'niə] Auktionator m.

**audaci|ous** □ [ɔ:'deiʃəs] kühn; unverschämt; **~ty** [ɔ:'dæsiti] Kühnheit f; Unverschämtheit f.

**audible** □ ['ɔ:dəbl] hörbar; Hör...

**audience** ['ɔ:djəns] Publikum n, Zuhörerschaft f; Leserkreis m; Audienz f; Gehör n; **give ~ to** Gehör schenken (dat.).

**audit** ['ɔ:dit] **1.** Rechnungsprüfung f; **2.** Rechnungen prüfen; **~or** [~tə] Hörer m; Rechnungs-, Buchprüfer m; **~orium** [ɔ:di'tɔ:riəm] Hörsaal m; Am. Vortrags-, Konzertsaal m.

**auger** ⊕ ['ɔ:gə] großer Bohrer.

**aught** [ɔ:t] (irgend) etwas; **for ~ I care** meinetwegen; **for ~ I know** soviel ich weiß.

**augment** [ɔ:g'ment] vergrößern; **~ation** [ɔ:gmen'teiʃən] Vermehrung f, Vergrößerung f; Zusatz m.

**augur** ['ɔ:gə] **1.** Augur m; **2.** weissagen, voraussagen (well Gutes, ill Übles); **~y** ['ɔ:gjuri] Prophezeiung f; An-, Vorzeichen n; Vorahnung f.

**August¹** ['ɔ:gəst] Monat August m.

**august²** □ [ɔ:'gʌst] erhaben.

**aunt** [ɑ:nt] Tante f.

**auspic|e** ['ɔ:spis] Vorzeichen n; **~s** pl. Auspizien pl.; Schirmherrschaft f; **~ious** □ [ɔ:'spiʃəs] günstig.

**auster|e** □ [ɔs'tiə] streng; herb; hart; einfach; **~ity** [ɔs'teriti] Strenge f; Härte f; Einfachheit f.

**Australian** [ɔs'treiljən] **1.** australisch; **2.** Australier(in).

**Austrian** ['ɔstriən] **1.** österreichisch; **2.** Österreicher(in).

**authentic** [ɔː'θentik] (~ally) authentisch; zuverlässig; echt.

**author** ['ɔːθə] Urheber(in); Autor (-in); Verfasser(in); **~itative** □ [ɔː'θɔritətiv] maßgebend; gebieterisch; zuverlässig; **~ity** [ɔː'θɔriti] Autorität f; (Amts)Gewalt f, Vollmacht f; Einfluß m (over auf acc.); Ansehen n; Glaubwürdigkeit f; Quelle f; Fachmann m; Behörde f (mst pl.); on the ~ of auf j-s Zeugnis hin; **~ize** ['ɔːθəraiz] j-n autorisieren, bevollmächtigen; et. gutheißen; **~ship** ['ɔːθəʃip] Urheberschaft f.

**autocar** ['ɔːtoukɑː] Kraftwagen m.

**autocra|cy** [ɔː'tɔkrəsi] Autokratie f; **~tic(al)** □ [ɔːtə'krætik(əl)] autokratisch, despotisch.

**autogiro** ✈ ['ɔːtou'dʒaiərou] Autogiro n, Tragschrauber m.

**autograph** ['ɔːtəɡrɑːf] Autogramm n. [Restaurant n.]

**automat** ['ɔːtəmæt] Automaten-|

**automat|ic** [ɔːtə'mætik] (~ally) **1.** automatisch; ~ machine (Verkaufs)Automat m; **2.** Am. Selbstladepistole f, -gewehr n; **~ion** [~'meiʃən] Automation f; **~on** fig. [ɔː'tɔmətən] Roboter m.

**automobile** bsd. Am. ['ɔːtəməbiːl] Automobil n.

**autonomy** [ɔː'tɔnəmi] Autonomie f.

**autumn** ['ɔːtəm] Herbst m; **~al** □ [ɔː'tʌmnəl] herbstlich; Herbst...

**auxiliary** [ɔːg'ziljəri] helfend; Hilfs...

**avail** [ə'veil] **1.** nützen, helfen; ~ o.s. of sich e-r S. bedienen; **2.** Nutzen m; of no ~ nutzlos; **~able** □ [~ləbl] benutzbar; verfügbar; pred. erhältlich, vorhanden; gültig.

**avalanche** [ævəlɑːnʃ] Lawine f.

**avaric|e** ['ævəris] Geiz m; Habsucht f; **~ious** □ [ævə'riʃəs] geizig; habgierig.

**avenge** [ə'vendʒ] rächen, et. ahnden; **~r** [~dʒə] Rächer(in).

**avenue** ['ævinjuː] Allee f; Prachtstraße f; fig. Weg m, Straße f.

**aver** [ə'vɜː] behaupten.

**average** ['ævəridʒ] **1.** Durchschnitt m; ♽ Havarie f; **2.** □ durchschnittlich; Durchschnitts...; **3.** durchschnittlich schätzen (at auf acc.); durchschnittlich betragen od. arbeiten etc.

**avers|e** □ [ə'vɜːs] abgeneigt (to, from dat.); widerwillig; **~ion** [ə'vɜːʃən] Widerwille m.

**avert** [ə'vɜːt] abwenden (a. fig.).

**aviat|ion** ✈ [eivi'eiʃən] Fliegen n; Flugwesen n; Luftfahrt f; **~or** ['eivieitə] Flieger m.

**avid** □ ['ævid] gierig (of nach; for auf acc.).

**avoid** [ə'vɔid] (ver)meiden; j-m ausweichen; ⚖ anfechten; ungültig machen; **~ance** [~dəns] Vermeidung f.

**avouch** [ə'vautʃ] verbürgen, bestätigen; = avow.

**avow** [ə'vau] bekennen, (ein)gestehen; anerkennen; **~al** [ə'vauəl] Bekenntnis n, (Ein)Geständnis n; **~edly** [ə'vauidli] eingestandenermaßen.

**await** [ə'weit] erwarten (a. fig.).

**awake** [ə'weik] **1.** wach, munter; be ~ to sich e-r S. bewußt sein; **2.** [irr.] v/t. (mst ~n [~kən]) (er)wecken; v/i. erwachen; gewahr werden (to s.th. et.).

**award** [ə'wɔːd] **1.** Urteil n, Spruch m; Belohnung f; Preis m; **2.** zuerkennen, Orden etc. verleihen.

**aware** [ə'wɛə]: be ~ wissen (of von od. acc.), sich bewußt sein (of gen.); become ~ of et. gewahr werden, merken.

**away** [ə'wei] (hin)weg; fort; immer weiter, darauflos; ~ back Am. f (schon) damals, weit zurück.

**awe** [ɔː] **1.** Ehrfurcht f, Scheu f (of vor dat.); **2.** (Ehr)Furcht einflößen (dat.).

**awful** □ ['ɔːful] ehrfurchtgebietend; furchtbar; F fig. schrecklich.

**awhile** [ə'wail] e-e Weile.

**awkward** □ ['ɔːkwəd] ungeschickt, unbeholfen; linkisch; unangenehm; dumm, ungünstig, unpraktisch.

**awl** [ɔːl] Ahle f, Pfriem m.

**awning** ['ɔːniŋ] Plane f; Markise f.

**awoke** [ə'wouk] pret. u. p.p. von awake 2.

**awry** [ə'rai] schief; fig. verkehrt.

**ax(e)** [æks] Axt f, Beil n.

**axis** ['æksis], pl. **axes** ['æksiːz] Achse f.

**axle** ⊕ ['æksl] a. **~-tree** (Rad-)Achse f, Welle f.

**ay(e)** [ai] Ja n; parl. Jastimme f; the ~s have it die Mehrheit ist dafür.

**azure** ['æʒə] azurn, azurblau.

# B

**babble** ['bæbl] **1.** stammeln; (nach-) plappern; schwatzen; plätschern (*Bach*); **2.** Geplapper *n*; Geschwätz *n*.

**baboon** *zo.* [bə'bu:n] Pavian *m*.

**baby** ['beibi] **1.** Säugling *m*, kleines Kind, Baby *n*; *Am. sl.* Süße *f* (*Mädchen*); **2.** Baby...; Kinder...; klein; **~hood** [‿ihud] *frühe* Kindheit.

**bachelor** ['bætʃələ] Junggeselle *m*; *univ.* Bakkalaureus *m* (*Grad*).

**back** [bæk] **1.** Rücken *m*; Rückseite *f*; Rücklehne *f*; Hinterende *n*; *Fußball:* Verteidiger *m*; **2.** *adj.* Hinter..., Rück...; hinter; rückwärtig; entlegen; rückläufig; rückständig; **3.** *adv.* zurück; **4.** *v/t.* mit e-m Rücken versehen; unterstützen; hinten anstoßen an (*acc.*); zurückbewegen; wetten *od.* setzen auf (*acc.*); ✝ indossieren; *v/i.* sich rückwärts bewegen, zurückgehen *od.* zurückfahren; **~ alley** *Am.* finstere Seitengasse; **~bite** ['bækbait] [*irr.* (*bite*)] verleumden; **~bone** Rückgrat *n*; **~er** ['bækə] Unterstützer (-in); ✝ Indossierer *m*; Wetter(in); **~-fire** *mot.* Frühzündung *f*; **~-ground** Hintergrund *m*; **~ number** alte Nummer (e-r *Zeitung*); **~-pedal** rückwärtstreten (*Radfahren*); **~ling brake** Rücktrittbremse *f*; **~side** Hinter-, Rückseite *f*; **~-slapper** *Am.* [‿slæpə] plump vertraulicher Mensch; **~slide** [*irr.* (*slide*)] rückfällig werden; **~stairs** Hintertreppe *f*; **~stop** *Am. Baseball:* Gitter *n hinter dem Fänger; Schießstand:* Kugelfang *m*; **~-stroke** Rückenschwimmen *n*; **~-talk** *Am.* freche Antworten; **~-track** *Am.* F *fig.* e-n Rückzieher machen; **~ward** ['bækwəd] **1.** *adj.* Rück(wärts)...; langsam; zurückgeblieben, rückständig; zurückhaltend; **2.** *adv.* (*a.* **~wards** [‿dz]) rückwärts, zurück; **~water** Stauwasser *n*; **~woods** *pl.* weit abgelegene Waldgebiete; *fig.* Provinz *f*; **~woodsman** Hinterwäldler *m*.

**bacon** ['beikən] Speck *m*.

**bacteri|ologist** [bæktiəri'ɔlədʒist] Bakteriologe *m*; **~um** [bæk'tiə-riəm], *pl.* **~a** [‿iə] Bakterie *f*.

**bad** ☐ [bæd] schlecht, böse, schlimm; falsch (*Münze*); faul (*Schuld*); *he is* **~ly off** er ist übel dran; **~ly wounded** schwerverwundet; *want* **~ly** F dringend brauchen; *be in* **~ with** *Am.* F in Ungnade bei.

**bade** [beid] *pret. von* bid **1.**

**badge** [bædʒ] Ab-, Kennzeichen *n*.

**badger** ['bædʒə] **1.** *zo.* Dachs *m*; **2.** hetzen, plagen, quälen.

**badlands** *Am.* ['bædlændz] *pl.* Ödland *n*.

**badness** ['bædnis] schlechte Beschaffenheit; Schlechtigkeit *f*.

**baffle** ['bæfl] *j-n* verwirren; *Plan etc.* vereiteln, durchkreuzen.

**bag** [bæg] **1.** Beutel *m*, Sack *m*; Tüte *f*; Tasche *f*; **~ and baggage** mit Sack und Pack; **2.** in e-n Beutel *etc.* tun, einsacken; *hunt.* zur Strecke bringen; (sich) bauschen.

**baggage** *Am.* ['bægidʒ] (Reise-) Gepäck *n*; **~ car** *Am.* 🚃 Gepäckwagen *m*; **~ check** *Am.* Gepäckschein *m*.

**bagpipe** ['bægpaip] Dudelsack *m*.

**bail** [beil] **1.** Bürge *m*; Bürgschaft *f*; Kaution *f*; *admit to* **~** ⚖ gegen Bürgschaft freilassen; **2.** bürgen für; **~ out** *j-n* freibürgen; ✈ mit dem Fallschirm abspringen.

**bailiff** ['beilif] Gerichtsdiener *m*; (Guts)Verwalter *m*; Amtmann *m*.

**bait** [beit] **1.** Köder *m*; *fig.* Lockung *f*; **2.** *v/t. Falle etc.* beködern; *hunt.* hetzen; *fig.* quälen; reizen; *v/i.* rasten; einkehren.

**bak|e** [beik] **1.** backen; braten; *Ziegel* brennen; (aus)dörren; **2.** *Am.* gesellige Zusammenkunft; **~er** ['beikə] Bäcker *m*; **~ery** [‿əri] Bäckerei *f*; **~ing-powder** [‿kiŋpaudə] Backpulver *n*.

**balance** ['bæləns] **1.** Waage *f*; Gleichgewicht *n* (*a. fig.*); Harmonie *f*; ✝ Bilanz *f*; Saldo *m*, Überschuß *m*; Restbetrag *m*; F Rest *m*; **~ a wheel** Unruh(e) *f der Uhr*; **~ of power** *pol.* Kräftegleichgewicht *n*; **~ of trade** (Außen-) Handelsbilanz *f*; **2.** *v/t.* (ab-, er)wägen; im Gleichgewicht halten; ausgleichen; ✝ bilanzieren; saldieren; *v/i.* balancieren; sich ausgleichen.

**balcony** ['bælkəni] Balkon *m*.

**bald** [bɔ:ld] kahl; *fig.* nackt; dürftig.

**bale** † [beil] Ballen *m*.

**baleful** □ ['beilful] verderblich; unheilvoll.

**balk** [bɔ:k] **1.** (Furchen)Rain *m*; Balken *m*; Hemmnis *n*; **2.** *v/t.* (ver-)hindern; enttäuschen; vereiteln; *v/i.* stutzen, scheuen.

**ball**¹ [bɔ:l] **1.** Ball *m*; Kugel *f*; (Hand-, Fuß)Ballen *m*; Knäuel *m*, *n*; Kloß *m*; *Sport*: Wurf *m*; keep the ～ *rolling* das Gespräch in Gang halten; *play* ～ *Am.* F mitmachen; **2.** (sich) (zs.-)ballen.

**ball**² [～] Ball *m*, Tanzgesellschaft *f*.

**ballad** ['bæləd] Ballade *f*; Lied *n*.

**ballast** ['bæləst] **1.** Ballast *m*; 🚆 Schotter *m*, Bettung *f*; **2.** mit Ballast beladen; 🚆 beschottern, betten.

**ball-bearing(s** *pl.*) ⊕ ['bɔ:l-'beəriŋ(z)] Kugellager *n*.

**ballet** ['bælei] Ballett *n*.

**balloon** [bə'lu:n] **1.** Ballon *m*; **2.** im Ballon aufsteigen; sich blähen; **～ist** [～nist] Ballonfahrer *m*.

**ballot** ['bælət] **1.** Wahlzettel *m*; (geheime) Wahl; **2.** (geheim) abstimmen; ～ *for* losen um; **～-box** Wahlurne *f*.

**ball(-point) pen** ['bɔ:l(point)pen] Kugelschreiber *m*.

**ball-room** ['bɔ:lrum] Ballsaal *m*.

**balm** [ba:m] Balsam *m*; *fig.* Trost *m*.

**balmy** □ ['ba:mi] balsamisch (*a. fig.*).

**baloney** *Am. sl.* [bə'louni] Quatsch *m*.

**balsam** ['bɔ:lsəm] Balsam *m*.

**balustrade** [bæləs'treid] Balustrade *f*, Brüstung *f*; Geländer *n*.

**bamboo** [bæm'bu:] Bambus *m*.

**bamboozle** F [bæm'bu:zl] beschwindeln.

**ban** [bæn] **1.** Bann *m*; Acht *f*; (amtliches) Verbot; **2.** verbieten.

**banal** [bə'nɑ:l] banal, abgedroschen.

**banana** [bə'nɑ:nə] Banane *f*.

**band** [bænd] **1.** Band *n*; Streifen *m*; Schar *f*; ♪ Kapelle *f*; **2.** zs.-binden; ～ *o.s.* sich zs.-tun *od.* zs.-rotten.

**bandage** ['bændidʒ] **1.** Binde *f*; Verband *m*; **2.** bandagieren; verbinden.

**bandbox** ['bændbɔks] Hutschachtel *f*.

**bandit** ['bændit] Bandit *m*.

**band|-master** ['bændmɑ:stə] Kapellmeister *m*; **～stand** Musikpavillon *m*; **～wagon** *Am.* Wagen *m* mit Musikkapelle; *jump on the* ～ sich der erfolgversprechenden Sache anschließen.

**bandy** ['bændi] *Worte etc.* wechseln; **～-legged** säbelbeinig.

**bane** [bein] Ruin *m*; **～ful** □ ['beinful] verderblich.

**bang** [bæŋ] **1.** Knall *m*; Ponyfrisur *f*; **2.** dröhnend (zu)schlagen; **～-up** *Am. sl.* ['bæŋ'ʌp] Klasse, prima.

**banish** ['bæniʃ] verbannen; **～ment** [～ʃmənt] Verbannung *f*.

**banisters** ['bænistəz] *pl.* Treppengeländer *n*.

**bank** [bæŋk] **1.** Damm *m*; Ufer *n*; (Spiel-, Sand-, Wolken- *etc.*)Bank *f*; ～ *of issue* Notenbank *f*; **2.** *v/t.* eindämmen; † *Geld* auf die Bank legen; ✈ in die Kurve bringen; *v/i.* Bankgeschäfte machen; ein Bankkonto haben; ✈ in die Kurve gehen; ～ *on* sich verlassen auf (*acc.*); **～bill** ['bæŋkbil] Bankwechsel *m*; *Am.* ～ banknote; **～er** [～kə] Bankier *m*; **～ing** [～kiŋ] Bankgeschäft *n*; Bankwesen *n*; *attr.* Bank...; **～note** Banknote *f*; Kassenschein *m*; **～rate** Diskontsatz *m*; **～rupt** [～krəpt] **1.** Bankrotteur *m*; **2.** bankrott; **3.** bankrott machen; **～ruptcy** [～tsi] Bankrott *m*, Konkurs *m*.

**banner** ['bænə] Banner *n*; Fahne *f*.

**banns** [bænz] *pl.* Aufgebot *n*.

**banquet** ['bæŋkwit] **1.** Festmahl *n*; **2.** *v/t.* festlich bewirten; *v/i.* tafeln.

**banter** ['bæntə] necken, hänseln.

**baptism** ['bæptizəm] Taufe *f*.

**baptist** ['bæptist] Täufer *m*.

**baptize** [bæp'taiz] taufen.

**bar** [bɑ:] **1.** Stange *f*; Stab *m*; Barren *m*; Riegel *m*; Schranke *f*; Sandbank *f*; *fig.* Hindernis *n*; ✠ Spange *f*; ♪ Takt(strich) *m*; (Gerichts)Schranke *f*; *fig.* Urteil *n*; Anwaltschaft *f*; Bar *f im Hotel etc.*; **2.** verriegeln; (ver-, ab)sperren; verwehren; einsperren; (ver)hindern; ausschließen.

**barb** [bɑ:b] Widerhaken *m*; **～ed** *wire* Stacheldraht *m*.

**barbar|ian** [bɑ:'beəriən] **1.** barbarisch; **2.** Barbar(in); **～ous** □ ['bɑ:bərəs] barbarisch; roh; grausam.

**barbecue** ['bɑːbikjuː] **1.** großer Bratrost; *Am.* Essen *n* (*im Freien*), bei dem Tiere ganz gebraten werden; **2.** im ganzen braten.

**barber** ['bɑːbə] (Herren)Friseur *m.*

**bare** [beə] **1.** nackt, bloß; kahl; bar, leer; arm, entblößt; **2.** entblößen; **~faced** □ ['beəfeist] frech; **~foot**, **~footed** barfuß; **~headed** barhäuptig; **~ly** ['beəli] kaum.

**bargain** ['bɑːgin] **1.** Geschäft *n*; Handel *m*, Kauf *m*; vorteilhafter Kauf; *a* (*dead*) ~ spottbillig; *it's a* ~! F abgemacht!; *into the* ~ obendrein; **2.** handeln, übereinkommen.

**barge** [bɑːdʒ] Flußboot *n*, Lastkahn *m*; Hausboot *n*; **~man** ['bɑːdʒmən] Kahnführer *m.*

**bark**[1] [bɑːk] **1.** Borke *f*, Rinde *f*; **2.** abrinden; *Haut* abschürfen.

**bark**[2] [~] **1.** bellen; **2.** Bellen *n.*

**bar-keeper** ['bɑːkiːpə] Barbesitzer *m*; Barkellner *m.*

**barley** ['bɑːli] Gerste *f*; Graupe *f.*

**barn** [bɑːn] Scheune *f*; *bsd. Am.* (Vieh)Stall *m*; **~storm** *Am. pol.* ['bɑːnstɔːm] herumreisen u. (Wahl-) Reden halten.

**barometer** [bə'rɔmitə] Barometer *n.*

**baron** ['bærən] Baron *m*, Freiherr *m*; **~ess** [~nis] Baronin *f.*

**barrack(s** *pl.*) ['bærək(s)] (Miets-) Kaserne *f.*

**barrage** ['bærɑːʒ] Staudamm *m.*

**barrel** ['bærəl] **1.** Faß *n*, Tonne *f*; *Gewehr- etc.* Lauf *m*; ⊕ Trommel *f*; Walze *f*; **2.** in Fässer füllen; **~organ** ♪ Drehorgel *f.*

**barren** □ ['bærən] unfruchtbar; dürr, trocken; tot (*Kapital*).

**barricade** [bæri'keid] **1.** Barrikade *f*; **2.** verbarrikadieren; sperren.

**barrier** ['bæriə] Schranke *f* (*a. fig.*); Barriere *f*, Sperre *f*; Hindernis *n.*

**barrister** ['bæristə] (plädierender) Rechtsanwalt, Barrister *m.*

**barrow**[1] ['bærou] Trage *f*; Karre *f.*

**barrow**[2] [~] Hügelgrab *n*, Tumulus *m.*

**barter** ['bɑːtə] **1.** Tausch(handel) *m*; **2.** tauschen (*for gegen*); F schachern.

**base**[1] □ [beis] gemein; unecht.

**base**[2] [~] **1.** Basis *f*; Grundlage *f*; Fundament *n*; Fuß *m*; ⚓ Base *f*; Stützpunkt *m*; **2.** gründen, stützen.

**base|ball** ['beisbɔːl] Baseball *m*; **~born** von niedriger Abkunft;

unehelich; **~less** ['beislis] grundlos; **~ment** ['beismənt] Fundament *n*; Kellergeschoß *n.*

**baseness** ['beisnis] Gemeinheit *f.*

**bashful** □ ['bæʃful] schüchtern.

**basic** ['beisik] (~*ally*) grundlegend; Grund...; ⚓ basisch.

**basin** ['beisn] Becken *n*; Schüssel *f*; Tal-, Wasser-, Hafenbecken *n.*

**bas|is** ['beisis], *pl.* **~es** ['beisiːz] Basis *f*; Grundlage *f*; ⚓ Stützpunkt *m.*

**bask** [bɑːsk] sich sonnen (*a. fig.*).

**basket** ['bɑːskit] Korb *m*; **~ball** Korbball(spiel *n*) *m*; **~dinner**, **~supper** *Am.* Picknick *n.*

**bass** ♪ [beis] Baß *m.*

**basso** ♪ ['bæsou] Baß(sänger) *m.*

**bastard** ['bæstəd] **1.** □ unehelich; unecht; Bastard...; **2.** Bastard *m.*

**baste**[1] [beist] *Braten* begießen; durchprügeln.

**baste**[2] [~] lose nähen, (an)heften.

**bat**[1] [bæt] Fledermaus *f*; *as blind as a* ~ stockblind.

**bat**[2] [~] *Sport:* **1.** Schlagholz *n*; Schläger *m*; **2.** *den Ball* schlagen.

**batch** [bætʃ] Schub *m Brote* (*a. fig.*); Stoß *m Briefe etc.* (*a. fig.*).

**bate** [beit] verringern; verhalten.

**bath** [bɑːθ] **1.** Bad *n*; ⚖ *chair* Rollstuhl *m*; **2.** baden.

**bathe** [beið] baden.

**bathing** ['beiðiŋ] Baden *n*, Bad *n*; *attr.* Bade...; **~suit** Badeanzug *m.*

**bath|robe** *Am.* ['bɑːθroub] Bademantel *m*; **~room** Badezimmer *n*; **~sheet** Badelaken *n*; **~towel** Badetuch *n*; **~tub** Badewanne *f.*

**batiste** ✝ [bæ'tiːst] Batist *m.*

**baton** ['bætən] Stab *m*; Taktstock *m.*

**battalion** ⚔ [bə'tæljən] Bataillon *n.*

**batten** ['bætn] **1.** Latte *f*; **2.** sich mästen.

**batter** ['bætə] **1.** *Sport:* Schläger *m*; Rührteig *m*; **2.** heftig schlagen; verbeulen; ~ *down od. in* Tür einschlagen; ~ [~əri] Schlägerei *f*; Batterie *f*; ⚡ Akku *m*; *fig.* Satz *m*; *assault and* ~, ⚖ tätlicher Angriff.

**battle** ['bætl] **1.** Schlacht *f* (*of bei*); **2.** streiten, kämpfen; **~ax(e)** Streitaxt *f*; F Xanthippe *f*; **~field** Schlachtfeld *n*; **~ments** [~lmənts] *pl.* Zinnen *f*/*pl.*; **~plane** ⚔ Kriegsflugzeug *n*; **~ship** ⚔ Schlachtschiff *n.*

**Bavarian** [bə'veəriən] **1.** bay(e)-risch; **2.** Bayer(in).

**bawdy** ['bɔ:di] unzüchtig.

**bawl** [bɔ:l] brüllen; johlen, grölen; ~ out auf-, losbrüllen.

**bay**¹ [bei] **1.** rotbraun; **2.** Braune(r) m (*Pferd*).

**bay**² [~] Bai f, Bucht f; Erker m.

**bay**³ [~] Lorbeer m.

**bay**⁴ [~] **1.** bellen, anschlagen; **2.** stand at ~ sich verzweifelt wehren; *bring to* ~ *Wild etc.* stellen.

**bayonet** ✕ ['beiənit] **1.** Bajonett n; **2.** mit dem Bajonett niederstoßen.

**bayou** Am. ['baiu:] sumpfiger Nebenarm.

**bay window** ['bei'windou] Erkerfenster n; Am. sl. Vorbau m (*Bauch*).

**baza(a)r** [bə'za:] Basar m.

**be** [bi:, bi] [*irr.*] **1.** v/i. sein; *there is od. are* es gibt; *here you are again!* da haben wir's wieder!; ~ *about* beschäftigt sein mit; ~ *at* s.th. et. vorhaben; ~ *off* aus sein; sich fortmachen; **2.** v/aux.: ~ *reading* beim Lesen sein, gerade lesen; *I am to inform you* ich soll Ihnen mitteilen; **3.** v/aux. mit p.p. zur Bildung des Passivs: werden.

**beach** [bi:tʃ] **1.** Strand m; **2.** ⚓ auf den Strand setzen od. ziehen; **~comber** ['bi:tʃkoumə] fig. Nichtstuer m.

**beacon** ['bi:kən] Blinklicht n; Leuchtfeuer n, Leuchtturm m.

**bead** [bi:d] Perle f; Tropfen m; *Visier*-Korn n; ~s pl. a. Rosenkranz m.

**beak** [bi:k] Schnabel m; Tülle f.

**beaker** ['bi:kə] Becher(glas n) m.

**beam** [bi:m] **1.** Balken m; Waagebalken m; Strahl m; Glanz m; *Radio:* Richtstrahl m; **2.** (aus-)strahlen.

**bean** [bi:n] Bohne f; Am. sl. Birne f (*Kopf*); *full of* ~s F lebensprühend.

**bear**¹ [beə] Bär m; ✝ sl. Baissier m.

**bear**² [~] [*irr.*] v/t. tragen; hervorbringen, gebären; *Liebe etc.* hegen; ertragen; ~ *down* überwältigen; ~ *out* unterstützen, bestätigen; v/i. tragen; fruchtbar od. trächtig sein; leiden, dulden; ~ *up* standhalten, fest bleiben; ~ (*up*)*on* einwirken auf (*acc.*); *bring to* ~ zur Anwendung bringen, einwirken lassen, *Druck etc.* ausüben.

**beard** [biəd] **1.** Bart m; ♀ Granne f; **2.** v/t. j-m entgegentreten, trotzen.

**bearer** ['beərə] Träger(in); Überbringer(in), *Wechsel*-Inhaber(in).

**bearing** ['beəriŋ] (Er)Tragen n; Betragen n; Beziehung f; Richtung f.

**beast** [bi:st] Vieh n, Tier n; Bestie f; **~ly** ['bi:stli] viehisch; scheußlich.

**beat** [bi:t] **1.** [*irr.*] v/t. schlagen; prügeln; besiegen; Am. F j-m zuvorkommen; übertreffen; Am. F betrügen; ~ *it!* Am. sl. hau ab!; ~ *the band* Am. F wichtig od. großartig sein; ~ *a retreat* den Rückzug antreten; ~ *one's way* Am. F sich durchschlagen; ~ *up* auftreiben; v/i. schlagen; ~ *about the bush* wie die Katze um den heißen Brei herumgehen; **2.** Schlag m; ♪ Takt(schlag) m; Pulsschlag m; Runde f, Revier n e-s *Schutzmannes etc.*; Am. sensationelle Erstmeldung e-r *Zeitung*; **3.** F baff, verblüfft; **~en** ['bi:tn] p.p. von beat 1; (aus)getreten (*Weg*).

**beatitude** [bi(:)'ætitju:d] (Glück-)Seligkeit f.

**beatnik** ['bi:tnik] Beatnik m, junger Antikonformist und Bohemien.

**beau** [bou] Stutzer m; Anbeter m.

**beautiful** □ ['bju:təful] schön.

**beautify** ['bju:tifai] verschönern.

**beauty** ['bju:ti] Schönheit f; *Sleeping* ♀ Dornrös-chen n; ~ *parlo(u)r*, ~ *shop* Schönheitssalon m.

**beaver** ['bi:və] Biber m; Biberpelz m.

**becalm** [bi'ka:m] beruhigen.

**became** [bi'keim] *pret. von* become.

**because** [bi'kɔz] weil; ~ *of* wegen.

**beckon** ['bekən] (*j-m* zu)winken.

**becom|e** [bi'kʌm] [*irr.*] v/i. werden (*of* aus); v/t. anstehen, ziemen (*dat.*); sich schicken für; kleiden (*Hut etc.*); **~ing** □ [~miŋ] passend; schicklich; kleidsam.

**bed** [bed] **1.** Bett n; Lager n e-s *Tieres*; ♂ Beet n; Unterlage f; **2.** betten.

**bed-clothes** ['bedklouðz] pl. Bettwäsche f.

**bedding** ['bediŋ] Bettzeug n; Streu f.

**bedevil** [bi'devl] behexen; quälen.

**bedlam** ['bedləm] Tollhaus n.

**bed|rid(den)** ['bedrid(n)] bettlägerig; **~room** Schlafzimmer n; **~spread** Bett-, Tagesdecke f;

**belt**

**~stead** Bettstelle *f*; **~time** Schlafenszeit *f*.

**bee** [bi:] *zo.* Biene *f*; *Am.* nachbarliches Treffen; Wettbewerb *m*; *have a ~ in one's bonnet* F e-e fixe Idee haben.

**beech** ♀ [bi:tʃ] Buche *f*; **~nut** Buchecker *f*.

**beef** [bi:f] **1.** Rindfleisch *n*; **2.** *Am.* F nörgeln; **~ tea** Fleischbrühe *f*; **~y** ['bi:fi] fleischig; kräftig.

**bee|hive** ['bi:haiv] Bienenkorb *m*, -stock *m*; **~keeper** Bienenzüchter *m*; **~line** kürzester Weg; *make a ~ for Am.* schnurstracks losgehen auf (*acc.*).

**been** [bi:n, bin] *p.p. von* be.

**beer** [biə] Bier *n*; *small ~* Dünnbier *n*. [Bete *f.*\]

**beet** ♀ [bi:t] (Runkel)Rübe *f*;\

**beetle**[1] ['bi:tl] Käfer *m*.

**beetle**[2] [~] **1.** überhängend; buschig (*Brauen*); **2.** *v/i.* überhängen.

**beetroot** ['bi:tru:t] rote Rübe.

**befall** [bi'fɔ:l] [*irr.* (*fall*)] *v/t.* zustoßen (*dat.*); *v/i.* sich ereignen.

**befit** [bi'fit] sich schicken für.

**before** [bi'fɔ:] **1.** *adv. Raum:* vorn, voran; *Zeit:* vorher, früher; schon (früher); **2.** *cj.* bevor, ehe, bis; **3.** *prp.* vor; **~hand** vorher, zuvor; voraus (*with dat.*).

**befriend** [bi'frend] sich *j-m* freundlich erweisen.

**beg** [beg] *v/t. et.* erbetteln; erbitten (*of von*); *j-n* bitten; *~ the question* um den Kern der Frage herumgehen; *v/i.* betteln; bitten; betteln gehen; sich gestatten.

**began** [bi'gæn] *pret. von* begin.

**beget** [bi'get] [*irr.*] (er)zeugen.

**beggar** ['begə] **1.** Bettler(in); F Kerl *m*; **2.** zum Bettler machen; *fig.* übertreffen; *it ~s all description* es spottet jeder Beschreibung.

**begin** [bi'gin] [*irr.*] beginnen (*at* bei, mit); **~ner** [~nə] Anfänger(in); **~ning** [~niŋ] Beginn *m*, Anfang *m*.

**begone** [bi'gɔn] fort!, F pack dich!

**begot** [bi'gɔt] *pret. von* beget; **~ten** [~tn] **1.** *p.p. von* beget; **2.** *adj.* erzeugt.

**begrudge** [bi'grʌdʒ] mißgönnen.

**beguile** [bi'gail] täuschen; betrügen (*of, out of* um); *Zeit* vertreiben.

**begun** [bi'gʌn] *p.p. von* begin.

**behalf** [bi'hɑ:f]: *on od. in ~ of* im Namen von; um ... (*gen.*) willen.

**behav|e** [bi'heiv] sich benehmen; **~io(u)r** [~vjə] Benehmen *n*, Betragen *n*.

**behead** [bi'hed] enthaupten.

**behind** [bi'haind] **1.** *adv.* hinten, dahinter; zurück; **2.** *prp.* hinter; **~hand** zurück, im Rückstand.

**behold** [bi'hould] [*irr.* (*hold*)] **1.** erblicken; **2.** siehe (da)!; **~en** [~dən] verpflichtet, verbunden.

**behoof** [bi'hu:f]: *to (for, on) (the) ~ of* in *j-s* Interesse, um *j-s* willen.

**behoove** *Am.* [bi'hu:v] = behove.

**behove** [bi'houv]: *it ~s s.o. to inf.* es ist *j-s* Pflicht, zu *inf.*

**being** ['bi:iŋ] (Da)Sein *n*; Wesen *n*; *in ~* lebend; wirklich (vorhanden).

**belabo(u)r** [bi'leibə] verbleuen.

**belated** [bi'leitid] verspätet.

**belch** [beltʃ] **1.** rülpsen; ausspeien; **2.** Rülpsen *n*; Ausbruch *m*.

**beleaguer** [bi'li:gə] belagern.

**belfry** ['belfri] Glockenturm *m*, -stuhl *m*. [2. Belgier(in).\]

**Belgian** ['beldʒən] **1.** belgisch;\

**belie** [bi'lai] Lügen strafen.

**belief** [bi'li:f] Glaube *m* (*in an acc.*).

**believable** [bi'li:vəbl] glaubhaft.

**believe** [bi'li:v] glauben (*in an acc.*); **~r** [~və] Gläubige(r *m*) *f*.

**belittle** *fig.* [bi'litl] verkleinern.

**bell** [bel] Glocke *f*; Klingel *f*; **~boy** *Am.* ['belbɔi] Hotelpage *m*.

**belle** [bel] Schöne *f*, Schönheit *f*.

**belles-lettres** ['bel'letr] *pl.* Belletristik *f*, schöne Literatur.

**bellhop** *Am. sl.* ['belhɔp] Hotelpage *m*.

**bellied** ['belid] bauchig.

**belligerent** [bi'lidʒərənt] **1.** kriegführend; **2.** kriegführendes Land.

**bellow** ['belou] **1.** brüllen; **2.** Gebrüll *n*; **~s** *pl.* Blasebalg *m*.

**belly** ['beli] **1.** Bauch *m*; **2.** (sich) bauchen; (an)schwellen.

**belong** [bi'lɔŋ] (an)gehören; *~ to* gehören *dat. od.* zu; sich gehören für; *j-m* gebühren; **~ings** [~ŋiŋz] *pl.* Habseligkeiten *f/pl.*

**beloved** [bi'lʌvd] **1.** geliebt; **2.** Geliebte(r *m*) *f*.

**below** [bi'lou] **1.** *adv.* unten; **2.** *prp.* unter.

**belt** [belt] **1.** Gürtel *m*; ⚔ Koppel *n*; Zone *f*, Bezirk *m*; ⊕ Treibriemen *m*; **2.** umgürten; *~ out Am.* F herausschmettern, loslegen (*singen*).

3*

**bemoan** [bi'moun] betrauern, beklagen.

**bench** [bentʃ] Bank *f*; Richterbank *f*; Gerichtshof *m*; Arbeitstisch *m*.

**bend** [bend] 1. Biegung *f*, Kurve *f*; ⚓ Seemannsknoten *m*; 2. [*irr.*] (sich) biegen; *Geist etc.* richten (*to*, *on* auf *acc.*); (sich) beugen; sich neigen (*to* vor *dat.*).

**beneath** [bi'ni:θ] = *below*.

**benediction** [beni'dikʃən] Segen *m*.

**benefact|ion** [beni'fækʃən] Wohltat *f*; **~or** ['benifæktə] Wohltäter *m*.

**beneficen|ce** [bi'nefisəns] Wohltätigkeit *f*; **~t** □ [**~**nt] wohltätig.

**beneficial** □ [beni'fiʃəl] wohltuend; zuträglich; nützlich.

**benefit** ['benifit] 1. Wohltat *f*; Nutzen *m*, Vorteil *m*; Wohltätigkeitsveranstaltung *f*; (Wohlfahrts-) Unterstützung *f*; 2. nützen; begünstigen; Nutzen ziehen.

**benevolen|ce** [bi'nevələns] Wohlwollen *n*; **~t** □ [**~**nt] wohlwollend; gütig, mildherzig.

**benign** □ [bi'nain] freundlich, gütig; zuträglich; 🞧 gutartig.

**bent** [bent] 1. *pret. u. p.p. von* bend 2; **~** *on* versessen auf (*acc.*); 2. Hang *m*; Neigung *f*.

**benzene** 🜩 ['benzi:n] Benzol *n*.

**benzine** 🜩 ['benzi:n] Benzin *n*.

**bequeath** [bi'kwi:ð] vermachen.

**bequest** [bi'kwest] Vermächtnis *n*.

**bereave** [bi'ri:v] [*irr.*] berauben; **bereft** [bi'reft] *pret. u. p.p. von* bereave.

**beret** ['berei] Baskenmütze *f*.

**berry** ['beri] Beere *f*.

**berth** [bə:θ] 1. ⚓ Ankergrund *m*; Koje *f*; *fig.* (gute) Stelle *f*; 2. vor Anker gehen.

**beseech** [bi'si:tʃ] [*irr.*] ersuchen; bitten; um *et.* bitten; flehen.

**beset** [bi'set] [*irr.* (set)] umgeben; bedrängen; verfolgen.

**beside** *prp.* [bi'said] neben; weitab von; **~** *o.s.* außer sich (*with* vor); **~** *the point*, **~** *the question* nicht zur Sache gehörig; **~s** [**~**dz] 1. *adv.* außerdem; 2. *prp.* abgesehen von, außer.

**besiege** [bi'si:dʒ] belagern.

**besmear** [bi'smiə] beschmieren.

**besom** ['bi:zəm] (Reisig)Besen *m*.

**besought** [bi'sɔ:t] *pret. u. p.p. von* beseech.

**bespatter** [bi'spætə] (be)spritzen.

**bespeak** [bi'spi:k] [*irr.* (speak)] vorbestellen; verraten, (an)zeigen; *bespoke tailor* Maßschneider *m*.

**best** [best] 1. *adj.* best; höchst; größt, meist; **~** *man* Brautführer *m*; 2. *adv.* am besten, aufs beste; 3. Beste(r *m*, -s *n*) *f*, Besten *pl.*; *to the* **~** *of* ... nach bestem ...; *make the* **~** *of* tun, was man kann, mit; *at* **~** im besten Falle.

**bestial** □ ['bestjəl] tierisch, viehisch.

**bestow** [bi'stou] geben, schenken, verleihen (*on*, *upon dat.*).

**bet** [bet] 1. Wette *f*; 2. [*irr.*] wetten; *you* **~** F sicherlich.

**betake** [bi'teik] [*irr.* (take)]: **~** *o.s. to* sich begeben nach; *fig.* s-e Zuflucht nehmen zu.

**bethink** [bi'θiŋk] [*irr.* (think)]: **~** *o.s.* sich besinnen (*of* auf *acc.*); **~** *o.s. to inf.* sich in den Kopf setzen zu *inf.*

**betimes** [bi'taimz] beizeiten.

**betray** [bi'trei] verraten (*a. fig.*); verleiten; **~er** [**~**eiə] Verräter(in).

**betrothal** [bi'trouðəl] Verlobung *f*.

**better** ['betə] 1. *adj.* besser; *he is* **~** es geht ihm besser; 2. Bessere(s) *n*; **~s** *pl.* Höherstehenden *pl.*, Vorgesetzten *pl.*; *get the* **~** *of* die Oberhand gewinnen über (*acc.*); überwinden; 3. *adv.* besser; mehr; *so much the* **~** desto besser; *you had* **~** *go* es wäre besser, wenn du gingest; 4. *v/t.* (ver)bessern; *v/i.* sich bessern; **~ment** [**~**əmənt] Verbesserung *f*.

**between** [bi'twi:n] (*a.* **betwixt** [bi'twikst]) 1. *adv.* dazwischen; 2. *prp.* zwischen, unter.

**bevel** ['bevəl] schräg, schief.

**beverage** ['bevəridʒ] Getränk *n*.

**bevy** ['bevi] Schwarm *m*; Schar *f*.

**bewail** [bi'weil] be-, wehklagen.

**beware** [bi'wɛə] sich hüten (*of* vor).

**bewilder** [bi'wildə] irremachen; verwirren; bestürzt machen; **~ment** [**~**əmənt] Verwirrung *f*; Bestürzung *f*.

**bewitch** [bi'witʃ] bezaubern, behexen.

**beyond** [bi'jɔnd] 1. *adv.* darüber hinaus; 2. *prp.* jenseits, über (... hinaus); mehr als; außer.

**bi...** [bai] zwei ...

**bias** ['baiəs] 1. *adj. u. adv.* schief, schräg; 2. Neigung *f*; Vorurteil *n*; 3. beeinflussen; **~ed** befangen.

**bib** [bib] (Sabber)Lätzchen *n*.

**Bible** ['baibl] Bibel *f*.

**biblical** □ ['biblikəl] biblisch; Bibel...

**bibliography** [bibli'ɔgrəfi] Bibliographie *f*.

**bicarbonate** ⌒ [bai'kɑːbənit] doppeltkohlensaures Natron.

**biceps** ['baiseps] Bizeps *m*.

**bicker** ['bikə] (sich) zanken; flakkern; plätschern; prasseln.

**bicycle** ['baisikl] **1.** Fahrrad *n*; **2.** radfahren, radeln.

**bid** [bid] **1.** [*irr.*] gebieten, befehlen; (ent)bieten; *Karten:* reizen; ~ *fair* versprechen; ~ *farewell* Lebewohl sagen; **2.** Gebot *n*, Angebot *n*; **~den** ['bidn] *p.p. von* bid 1.

**bide** [baid] [*irr.*]: ~ *one's time* den rechten Augenblick abwarten.

**biennial** [bai'eniəl] zweijährig.

**bier** [biə] (Toten)Bahre *f*.

**big** [big] groß; erwachsen; schwanger; F wichtig(tuerisch); ~ *business* Großunternehmertum *n*; ~ *shot* F hohes Tier; ~ *stick Am.* Macht (-entfaltung) *f*; *talk* ~ den Mund vollnehmen.

**bigamy** ['bigəmi] Doppelehe *f*.

**bigot** ['bigət] Frömmler(in); blinder Anhänger; **~ry** [~tri] Frömmelei *f*.

**bigwig** F ['bigwig] hohes Tier (*P.*).

**bike** F [baik] (Fahr)Rad *n*.

**bilateral** □ [bai'lætərəl] zweiseitig.

**bile** [bail] Galle *f* (*a. fig.*).

**bilious** □ ['biljəs] gallig (*a. fig.*).

**bill**[1] [bil] Schnabel *m*; Spitze *f*.

**bill**[2] [~] **1.** Rechnung *f*; Gesetzentwurf *m*; Klageschrift *f*; *a.* ~ *of exchange* Wechsel *m*; Zettel *m*; *Am.* Banknote *f*; ~ *of fare* Speisekarte *f*; ~ *of lading* Seefrachtbrief *m*, Konnossement *n*; ~ *of sale* Kaufvertrag *m*; ♀ *of Rights englische* Freiheitsurkunde (*1689*); *Am.* die ersten 10 Zusatzartikel zur Verfassung der USA; **2.** (durch Anschlag) ankündigen.

**billboard** *Am.* ['bil'bɔːd] Anschlagbrett *n*.

**billfold** *Am.* ['bilfould] Brieftasche *f* für Papiergeld.

**billiards** ['biljədz] *pl. od. sg.* Billiard(spiel) *n*.

**billion** ['biljən] Billion *f*; *Am.* Milliarde *f*.

**billow** ['bilou] **1.** Woge *f* (*a. fig.*); **2.** wogen; **~y** [~oui] wogend.

**billy** *Am.* ['bili] (Gummi)Knüppel *m*.

**bin** [bin] Kasten *m*, Behälter *m*.

**bind** [baind] [*irr.*] *v/t.* (an-, ein-, um-, auf-, fest-, ver)binden; verpflichten; *Handel* abschließen; *Saum* einfassen; *v/i.* binden; **~er** ['baində] Binder *m*; Binde *f*; **~ing** [~diŋ] **1.** bindend; **2.** Binden *n*; Einband *m*; Einfassung *f*.

**binocular** [bi'nɔkjulə] *mst* ~*s pl.* Feldstecher *m*, Fern-, Opernglas *n*.

**biography** [bai'ɔgrəfi] Biographie *f*.

**biology** [bai'ɔlədʒi] Biologie *f*.

**biped** *zo.* ['baiped] Zweifüßer *m*.

**birch** [bəːtʃ] **1.** ♀ Birke *f*; (Birken-) Rute *f*; **2.** mit der Rute züchtigen.

**bird** [bəːd] Vogel *m*; **~'s-eye** ['bəːdzai]: ~ *view* Vogelperspektive *f*.

**birth** [bəːθ] Geburt *f*; Ursprung *m*; Entstehung *f*; Herkunft *f*; *bring to* ~ entstehen lassen, veranlassen; *give* ~ *to* gebären, zur Welt bringen; ~ *control* Geburtenregelung *f*; **~day** ['bəːθdei] Geburtstag *m*; **~place** Geburtsort *m*.

**biscuit** ['biskit] Zwieback *m*; Keks *m, n*; Biskuit *n* (*Porzellan*).

**bishop** ['biʃəp] Bischof *m*; Läufer *m im Schach*; **~ric** [~prik] Bistum *n*.

**bison** *zo.* ['baisn] Wisent *m*.

**bit** [bit] **1.** Bißchen *n*, Stückchen *n*; Gebiß *n am Zaum*; *Schlüssel*-Bart *m*; *a* (*little*) ~ ein (kleines) bißchen; **2.** zäumen; zügeln; **3.** *pret. von* bite 2.

**bitch** [bitʃ] Hündin *f*; V Hure *f*.

**bite** [bait] **1.** Beißen *n*; Biß *m*; Bissen *m*; ⊕ Fassen *n*; **2.** [*irr.*] (an)beißen; brennen (*Pfeffer*); schneiden (*Kälte*); ⊕ fassen; *fig.* verletzen.

**bitten** ['bitn] *p.p. von* bite 2.

**bitter** ['bitə] **1.** □ bitter; streng; *fig.* verbittert; **2.** ~*s pl.* Magenbitter *m*.

**biz** F [biz] Geschäft *n*.

**blab** F [blæb] (aus)schwatzen.

**black** [blæk] **1.** □ schwarz; dunkel; finster; ~ *eye* blaues Auge; **2.** schwärzen; wichsen; ~ *out* verdunkeln; **3.** Schwarz *n*; Schwärze *f*; Schwarze(r *m*) *f* (*Neger*). **~amoor** ['blækəmuə] Neger *m*; **~berry** Brombeere *f*; **~bird** Amsel *f*; **~board** Wandtafel *f*; **~en** [~kən] *v/t.* schwärzen; *fig.* anschwärzen; *v/i.* schwarz werden; **~guard**

**blackhead**

38

['blæga:d] **1.** Lump *m*, Schuft *m*; **2.** □ schuftig; **~head** ☞ Mitesser *m*; **~ing** [~kiŋ] Schuhwichse *f*; **~ish** □ [~iʃ] schwärzlich; **~jack 1.** *bsd. Am.* Totschläger *m* (*Instrument*); **2.** niederknüppeln; **~leg** Betrüger *m*; **~letter** *typ.* Fraktur *f*; **~mail 1.** Erpressung *f*; **2.** *j-n* erpressen; **~ market** schwarzer Markt; **~ness** [~knis] Schwärze *f*; **~out** Verdunkelung *f*; **~ pudding** Blutwurst *f*; **~smith** Grobschmied *m*.

**bladder** *anat.* ['blædə] Blase *f*.

**blade** [bleid] Blatt *n*, ⚘ Halm *m*; Säge-, Schulter- *etc.* Blatt *n*; Propellerflügel *m*; Klinge *f*.

**blame** [bleim] **1.** Tadel *m*; Schuld *f*; **2.** tadeln; *be to ~ for* schuld sein an (*dat.*); **~ful** ['bleimful] tadelnswert; **~less** [~mlis] tadellos.

**blanch** [blɑ:ntʃ] bleichen; erbleichen (lassen); *~ over* beschönigen.

**bland** □ [blænd] mild, sanft.

**blank** [blæŋk] **1.** □ blank; leer; unausgefüllt; unbeschrieben; ✝ Blanko-; *~ cartridge* ✕ Platzpatrone *f*; **2.** Weiße *m*; Leere *f*, leerer Raum; Lücke *f*; unbeschriebenes Blatt, Formular *n*; Niete *f*.

**blanket** ['blæŋkit] **1.** Wolldecke *f*; *wet ~ fig.* Dämpfer *m*; Spielverderber *m*; **2.** (mit e-r Wolldecke) zudecken; **3.** *Am.* umfassend, Gesamt...

**blare** [blɛə] schmettern; grölen.

**blasphem|e** [blæs'fi:m] lästern (*against* über *acc.*); **~y** ['blæsfimi] Gotteslästerung *f*.

**blast** [blɑ:st] **1.** Windstoß *m*; Ton *m* e-s *Blasinstruments*; ⊕ Gebläse (-luft *f*) *n*; Luftdruck *m* e-r *Explosion*; ⚘ Meltau *m*; **2.** (in die Luft) sprengen; zerstören (*a. fig.*); *~ (it)!* verdammt; **~furnace** ['blɑ:st'fə:nis] Hochofen *m*.

**blatant** □ ['bleitənt] lärmend.

**blather** *Am.* ['blæðə] schwätzen.

**blaze** [bleiz] **1.** Flamme(n *pl.*) *f*; Feuer *n*; *~s pl. sl.* Teufel *m*, Hölle *f*; heller Schein; *fig.* Ausbruch *m*; *go to ~s!* zum Teufel mit dir!; **2.** *v/i.* brennen, flammen, lodern, leuchten; *v/t. ~ abroad* ausposaunen; **~r** ['bleizə] Blazer *m*.

**blazon** ['bleizn] Wappen(kunde *f*) *n*.

**bleach** [bli:tʃ] bleichen; **~er** ['bli:tʃe] Bleicher(in); *mst ~s pl. Am.* nichtüberdachte Zuschauerplätze.

**bleak** □ [bli:k] öde, kahl; rauh; *fig.* trüb, freudlos, finster.

**blear** [bliə] **1.** trüb; **2.** trüben; **~-eyed** ['bliəraid] triefäugig.

**bleat** [bli:t] **1.** Blöken *n*; **2.** blöken.

**bleb** [bleb] Bläs-chen *n*, Pustel *f*.

**bled** [bled] *pret. u. p.p. von* **bleed**.

**bleed** [bli:d] [*irr.*] *v/i.* bluten; *v/t.* zur Ader lassen; *fig.* schröpfen; **~ing** ['bli:diŋ] **1.** Bluten *n*; Aderlaß *m*; **2.** *sl.* verflixt.

**blemish** ['blemiʃ] **1.** Fehler *m*; Makel *m*, Schande *f*; **2.** verunstalten; brandmarken.

**blench** [blentʃ] *v/i.* zurückschrecken; *v/t.* die Augen schließen vor.

**blend** [blend] **1.** [*irr.*] (sich) (ver-)mischen; *Wein etc.* verschneiden; **2.** Mischung *f*; ✝ Verschnitt *m*.

**blent** [blent] *pret. u. p.p. von* **blend 1**.

**bless** [bles] segnen; preisen; beglücken; *~ me!* herrje!; **~ed** □ [*pret. u. p.p.* blest; *adj.* 'blesid] glückselig; gesegnet; **~ing** [~siŋ] Segen *m*.

**blew** [blu:] *pret. von* **blow²** u. **blow³ 1**.

**blight** [blait] **1.** ⚘ Mehltau *m*; *fig.* Gifthauch *m*; **2.** vernichten.

**blind** □ [blaind] **1.** blind (*fig. to* gegen); geheim; nicht erkennbar; *~ alley* Sackgasse *f*; *~ly fig.* blindlings; **2.** Blende *f*; Fenster-Vorhang *m*, Jalousie *f*; *Am.* Versteck *n*; Vorwand *m*; **3.** blenden; verblenden (*to* gegen); abblenden; **~fold** ['blaindfould] **1.** blindlings; **2.** *j-m* die Augen verbinden; **~worm** Blindschleiche *f*.

**blink** [bliŋk] **1.** Blinzeln *n*; Schimmer *m*; **2.** *v/i.* blinzeln; blinken; schimmern; *v/t.* absichtlich übersehen; **~er** ['bliŋkə] Scheuklappe *f*.

**bliss** [blis] Seligkeit *f*, Wonne *f*.

**blister** ['blistə] **1.** Blase *f* (*auf der Haut, im Lack*); Zugpflaster *n*; **2.** Blasen bekommen *od.* ziehen (*auf dat.*).

**blithe** □ *mst poet.* [blaið] lustig.

**blizzard** ['blizəd] Schneesturm *m*.

**bloat** [blout] aufblasen; aufschwellen; **~er** ['bloutə] Bückling *m*.

**block** [blɔk] **1.** (*Häuser-, Schreibetc.*)Block *m*; Klotz *m*; Druckstock *m*; Verstopfung *f*, Stockung *f*; **2.** formen; verhindern; *~ in entwer-*

fen, skizzieren; *mst* ~ *up* (ab-, ver-) sperren; blockieren.

**blockade** [blɔ'keid] **1.** Blockade *f*; **2.** blockieren.

**block|head** ['blɔkhed] Dummkopf *m*; ~ **letters** Druckschrift *f*.

**blond(e** *f)* [blɔnd] **1.** blond; **2.** Blondine *f*.

**blood** [blʌd] Blut *n*; *fig.* Blut *n*; Abstammung *f*; *in cold* ~ kalten Blutes, kaltblütig; ~**curdling** ['blʌdkə:dliŋ] haarsträubend; ~**horse** Vollblutpferd *n*; ~**shed** Blutvergießen *n*; ~**shot** blutunterlaufen; ~**thirsty** blutdürstig; ~**vessel** Blutgefäß *n*; ~**y** [´] ['blʌdi] blutig; ~ blutdürstig.

**bloom** [blu:m] **1.** Blüte *f*; Reif *m auf Früchten*; *fig.* Schmelz *m*; **2.** (er-)blühen (*a. fig.*).

**blossom** ['blɔsəm] **1.** Blüte *f*; **2.** blühen.

**blot** [blɔt] **1.** Klecks *m*; *fig.* Makel *m*; **2.** *v/t.* beklecksen, beflecken; (ab-)löschen; ausstreichen; *v/i.* klecksen.

**blotch** [blɔtʃ] Pustel *f*; Fleck *m*.

**blotter** ['blɔtə] Löscher *m*; *Am.* Protokollbuch *n.* [Löschpapier *n*.\]

**blotting-paper** ['blɔtiŋpeipə]\]

**blouse** [blauz] Bluse *f*.

**blow¹** [blou] Schlag *m*, Stoß *m*.

**blow²** [´] [*irr.*] blühen.

**blow³** [´] **1.** [*irr.*] *v/i.* blasen; wehen; schnaufen; ~ *up* in die Luft fliegen; *v/t.* (weg- *etc.*)blasen; wehen; *≠* durchbrennen; ~ *one's nose* sich die Nase putzen; ~ *up* sprengen; **2.** Blasen *n*, Wehen *n*; ~**er** ['blouə] Bläser *m*.

**blown** [bloun] *p.p. von blow²* und *blow³* **¹**.

**blow|-out** *mot.* ['blouaut] Reifenpanne *f*; ~**pipe** Gebläsebrenner *m*.

**bludgeon** ['blʌdʒən] Knüppel *m*.

**blue** [blu:] **1.** □ blau; F trüb, schwermütig; **2.** Blau *n*; **3.** blau färben; blauen; ~**bird** ['blu:bə:d] amerikanische Singdrossel; ~ **laws** *Am.* strenge (puritanische) Gesetze; ~**s** [blu:z] *pl.* Trübsinn *m*; *♪* Blues *m.*

**bluff** [blʌf] **1.** □ schroff; steil; derb; **2.** Steilufer *n*; Irreführung *f*; **3.** bluffen, irreführen.

**bluish** ['blu:iʃ] bläulich.

**blunder** ['blʌndə] **1.** Fehler *m*, Schnitzer *m*; **2.** e-n Fehler machen; stolpern; stümpern; verpfuschen.

**blunt** [blʌnt] **1.** □ stumpf (*a. fig.*); plump, grob, derb; **2.** abstumpfen.

**blur** [blə:] **1.** Fleck(en) *m*; *fig.* Verschwommenheit *f*; **2.** *v/t.* beflecken; verwischen; *Sinn* trüben.

**blush** [blʌʃ] **1.** Schamröte *f*; Erröten *n*; flüchtiger Blick; **2.** erröten; (sich) röten.

**bluster** ['blʌstə] **1.** Brausen *n*, Getöse *n*; Prahlerei *f*; **2.** brausen; prahlen.

**boar** [bɔ:] Eber *m*; *hunt.* Keiler *m*.

**board** [bɔ:d] **1.** (Anschlag)Brett *n*; Konferenztisch *m*; Ausschuß *m*; Gremium *n*; Behörde *f*; Verpflegung *f*; Pappe *f*; *on* ~ *a train Am.* in e-m Zug; ² *of Trade* Handelsministerium *n*; **2.** *v/t.* dielen, verschalen; beköstigen; an Bord gehen; *♂* entern; *bsd. Am.* einsteigen in (*ein Fahr- od. Flugzeug*); *v/i.* in Kost sein; ~**er** ['bɔ:də] Kostgänger(in); Internatsschüler(in); ~**ing-house** ['bɔ:diŋhaus] Pension *f*; ~**ing-school** ['bɔ:diŋsku:l] Internatsschule *f*; ~**walk** *bsd. Am.* Strandpromenade *f*.

**boast** [boust] **1.** Prahlerei *f*; **2.** (*of, about*) sich rühmen (*gen.*), prahlen (mit); ~**ful** □ ['boustful] prahlerisch.

**boat** [bout] Boot *n*; Schiff *n*; ~**ing** ['boutiŋ] Bootfahrt *f*.

**bob** [bɔb] **1.** Quaste *f*; Ruck *m*; Knicks *m*; Schopf *m*; *sl.* Schilling *m*; [²] *v/t.* *Haar* stutzen; ~**bed hair** Bubikopf *m*; *v/i.* springen, tanzen; knicksen.

**bobbin** ['bɔbin] Spule *f* (*a. ≠*).

**bobble** *Am.* F ['bɔbl] Fehler *m*.

**bobby** *sl.* ['bɔbi] Schupo *m*, Polizist *m*.

**bobsleigh** ['bɔbslei] Bob(sleigh) *m* (*Rennschlitten*).

**bode¹** [boud] prophezeien.

**bode²** [´] *pret. von bide.*

**bodice** ['bɔdis] Mieder *n*; Taille *f*.

**bodily** ['bɔdili] körperlich.

**body** ['bɔdi] Körper *m*, Leib *m*; Leichnam *m*; Körperschaft *f*; Hauptteil *m*; *mot.* Karosserie *f*; *✕* Truppenkörper *m*; ~**-guard** Leibwache *f*.

**Boer** ['bouə] Bure *m*; *attr.* Buren...

**bog** [bɔg] **1.** Sumpf *m*, Moor *n*; **2.** im Schlamm versenken.

**boggle** ['bɔgl] stutzen; pfuschen.

**bogus** ['bougəs] falsch; Schwindel...

**boil**                                                                40

**boil** [bɔil] **1.** kochen, sieden; (sich)
kondensieren; **2.** Sieden *n*; Beule *f*,
Geschwür *n*; **~er** ['bɔilə] (Dampf-)
Kessel *m*.

**boisterous** □ ['bɔistərəs] ungestüm; heftig, laut; lärmend.

**bold** □ [bould] kühn; keck, dreist;
steil; *typ.* fett; *make* ~ *sich* erküh-
nen; **~ness** ['bouldnis] Kühnheit *f*;
Keckheit *f*, Dreistigkeit *f*.

**bolster** ['boulstə] **1.** Kopfkeil *m*;
Unterlage *f*; **2.** polstern; (unter-)
stützen.

**bolt** [boult] **1.** Bolzen *m*; Riegel *m*;
Blitz(strahl) *m*; Ausreißen *n*; **2.** *adv.*
~ *upright* kerzengerade; **3.** *v/t.* verriegeln; F hinunterschlingen; sieben; *v/i.* eilen; durchgehen (*Pferd*);
*Am. pol.* abtrünnig werden; **~er**
['boultə] Ausreißer(in).

**bomb** [bɔm] **1.** Bombe *f*; **2.** mit
Bomben belegen.

**bombard** [bɔm'ba:d] bombardieren.

**bombastic** [bɔm'bæstik] schwülstig.

**bomb-proof** ['bɔmpru:f] bombensicher.

**bond** [bɔnd] Band *n*; Fessel *f*;
Bündnis *n*; Schuldschein *m*; ✝
Obligation *f*; *in* ~ ✝ unter Zoll-
verschluß; **~age** ['bɔndidʒ] Hörig-
keit *f*; Knechtschaft *f*; **~(s)man**
[~d(z)mən] Leibeigene(r) *m*.

**bone** [boun] **1.** Knochen *m*; Gräte *f*;
*~s pl. a.* Gebeine *n/pl.*; ~ *of contention* Zankapfel *m*; *make no ~s about*
F nicht lange fackeln mit; **2.** die
Knochen auslösen (aus); aus-, ent-
gräten.

**bonfire** ['bɔnfaiə] Freudenfeuer *n*.

**bonnet** ['bɔnit] Haube *f*, Schute(n-
hut *m*) *f*; ⊕ (Motor)Haube *f*.

**bonus** ✝ ['bounəs] Prämie *f*; Gratifikation *f*; Zulage *f*.

**bony** ['bouni] knöchern; knochig.

**boob** *Am.* [bu:b] Dummkopf *m*.

**booby** ['bu:bi] Tölpel *m*.

**book** [buk] **1.** Buch *n*; Heft *n*; Liste
*f*; Block *m*; **2.** buchen; eintragen;
*Fahrkarte etc.* lösen; *e-n Platz etc.*
bestellen; *Gepäck* aufgeben; **~-
burner** *Am.* F ['bukbə:nə] intole-
ranter Mensch; **~case** Bücher-
schrank *m*; **~ing-clerk** ['bu-
kiŋkla:k] Schalterbeamt|e(r) *m*, -in *f*;
**~ing-office** ['bukiŋfis] Fahrkar-
tenausgabe *f*, -schalter *m*; *thea.*
Kasse *f*; **~ish** □ [~iʃ] gelehrt; **~-**

**keeping** Buchführung *f*; **~let**
['buklit] Büchlein *n*; Broschüre *f*;
**~seller** Buchhändler *m*.

**boom¹** [bu:m] **1.** ✝ Aufschwung *m*,
Hochkonjunktur *f*, Hausse *f*; Re-
klamerummel *m*; **2.** in die Höhe
treiben *od.* gehen; für *et.* Reklame
machen.

**boom²** [~] brummen; dröhnen.

**boon¹** [bu:n] Segen *m*, Wohltat *f*.

**boon²** [~] freundlich, munter.

**boor** *fig.* [buə] Bauer *m*, Lümmel
*m*; **~ish** □ ['buəriʃ] bäuerisch, lüm-
mel-, flegelhaft.

**boost** [bu:st] heben; verstärken
(*a. ⚡*); Reklame machen.

**boot¹** [bu:t]: *to* ~ obendrein.

**boot²** [~] Stiefel *m*; Kofferraum *m*;
**~black** *Am.* ['bu:tblæk] = *shoeblack*; **~ee** ['bu:ti] *Damen-*Halb-
stiefel *m*.

**booth** [bu:ð] (Markt- *etc.*)Bude *f*;
Wahlzelle *f*; *Am.* Fernsprechzelle *f*.

**boot|lace** ['bu:tleis] Schnürsenkel
*m*; **~legger** *Am.* [~legə] Alkoholschmuggler *m*.

**booty** ['bu:ti] Beute *f*, Raub *m*.

**border** ['bɔ:də] **1.** Rand *m*, Saum *m*;
Grenze *f*; Einfassung *f*; Rabatte *f*;
**2.** einfassen; grenzen (*upon an acc.*).

**bore¹** [bɔ:] **1.** Bohrloch *n*; Kaliber *n*;
*fig.* langweiliger Mensch; Plage *f*;
**2.** bohren; langweilen; belästigen.

**bore²** [~] *pret. von bear²*.

**born** [bɔ:n] *p.p. von bear²* gebären.

**borne** [bɔ:n] *p.p. von bear²* tragen.

**borough** ['bʌrə] Stadt(teil *m*) *f*;
*Am. a.* Wahlbezirk *m* von New York
City; *municipal* ~ Stadtgemeinde *f*.

**borrow** ['bɔrou] borgen, entleihen.

**bosom** ['buzəm] Busen *m*; *fig.*
Schoß *m*.

**boss** F [bɔs] **1.** Boss *m*, Chef *m*; *bsd.*
*Am. pol.* (Partei)Bonze *m*; **2.** leiten; **~y** *Am.* F ['bɔsi] tyrannisch,
herrisch.

**botany** ['bɔtəni] Botanik *f*.

**botch** [bɔtʃ] **1.** Flicken *m*; Flickwerk *n*; **2.** flicken; verpfuschen.

**both** [bouθ] beide(s); ~ ... *and* sowohl ... als (auch).

**bother** F ['bɔðə] **1.** Plage *f*; **2.** (sich)
plagen, (sich) quälen.

**bottle** ['bɔtl] **1.** Flasche *f*; **2.** auf
Flaschen ziehen.

**bottom** ['bɔtəm] **1.** Boden *m*, Grund
*m*; Grundfläche *f*, Fuß *m*, Ende *n*;
F Hintern *m*; *fig.* Wesen *n*, Kern *m*;

*at the* ~ ganz unten; *fig.* im Grunde; **2.** grundlegend, Grund...

**bough** [bau] Ast *m*, Zweig *m*.

**bought** [bɔːt] *pret. u. p.p von* buy.

**boulder** ['bouldə] Geröllblock *m*.

**bounce** [bauns] **1.** Sprung *m*, Rückprall *m*; F Aufschneiderei *f*; Auftrieb *m*; **2.** (hoch)springen; F aufschneiden; **~r** ['baunsə] F Mordskerl *m*; *Am. sl.* Rausschmeißer *m*.

**bound**¹ [baund] **1.** *pret. u. p.p von* bind; **2.** *adj.* verpflichtet; bestimmt, unterwegs (*for* nach).

**bound**² [~] **1.** Grenze *f*, Schranke *f*; **2.** begrenzen; beschränken.

**bound**³ [~] **1.** Sprung *m*; **2.** (hoch)springen; an-, abprallen.

**boundary** ['baundəri] Grenze *f*.

**boundless** □ ['baundlis] grenzenlos.

**bount|eous** □ ['bauntiəs], **~iful** □ [~iful] freigebig; reichlich.

**bounty** ['baunti] Freigebigkeit *f*; Spende *f*; ✝ Prämie *f*.

**bouquet** ['bukei] Bukett *n*, Strauß *m*; Blume *f des Weines*.

**bout** [baut] *Fecht-*Gang *m*; *Tanz-*Tour *f*; ✠ Anfall *m*; Kraftprobe *f*.

**bow**¹ [bau] **1.** Verbeugung *f*; **2.** *v/i.* sich (ver)beugen; *v/t.* biegen; beugen.

**bow**² ⚓ [~] Bug *m*.

**bow**³ [bou] **1.** Bogen *m*; Schleife *f*; **2.** geigen.

**bowdlerize** ['baudləraiz] *Text* von anstößigen Stellen reinigen.

**bowels** ['bauəlz] *pl.* Eingeweide *n*; *das* Innere; *fig.* Herz *n*.

**bower** ['bauə] Laube *f*.

**bowl**¹ [boul] Schale *f*, Schüssel *f*; *Pfeifen-*Kopf *m*.

**bowl**² [~] **1.** Kugel *f*; ~s *pl.* Bowling *n*; **2.** *v/t. Ball etc.* werfen; *v/i.* rollen; kegeln.

**box**¹ [bɔks] Buchsbaum *m*; Büchse *f*, Schachtel *f*, Kasten *m*; Koffer *m*; ⊕ Gehäuse *n*; *thea.* Loge *f*; *Am.* Abteilung *f*; **2.** in Kästen *etc.* tun.

**box**² [~] **1.** boxen; **2.**: ~ *on the ear* Ohrfeige *f*.

**Boxing-Day** ['bɔksiŋdei] zweiter Weihnachtsfeiertag.

**box|-keeper** ['bɔkskiːpə] Logenschließer(in); **~-office** Theaterkasse *f*.

**boy** [bɔi] Junge *m*, junger Mann; Bursche *m* (*a. Diener*); **~friend** Freund *m*; ~ *scout* Pfadfinder *m*; **~hood** ['bɔihud] Knabenalter *n*;

**~ish** □ ['bɔiiʃ] knabenhaft; kindisch.

**brace** [breis] **1.** ⊕ Strebe *f*; Stützbalken *m*; Klammer *f*; Paar *n* (*Wild, Geflügel*); ~s *pl.* Hosenträger *m/pl.*; **2.** absteifen; verankern; (an)spannen; *fig.* stärken.

**bracelet** ['breislit] Armband *n*.

**bracket** ['brækit] **1.** △ Konsole *f*; Winkelstütze *f*; *typ.* Klammer *f*; *Leuchter-*Arm *m*; *lower income* ~ niedrige Einkommensstufe; **2.** einklammern; *fig.* gleichstellen.

**brackish** ['brækiʃ] brackig, salzig.

**brag** [bræg] **1.** Prahlerei *f*; **2.** prahlen.     [**2.** □ prahlerisch.]

**braggart** ['brægət] **1.** Prahler *m*;}

**braid** [breid] **1.** *Haar-*Flechte *f*; Borte *f*; Tresse *f*; **2.** flechten; mit Borte besetzen.

**brain** [brein] **1.** Gehirn *n*; Kopf *m* (*fig. mst* ~s = *Verstand*); **2.** *j-m* den Schädel einschlagen; **~-pan** ['breinpæn] Hirnschale *f*; ~(s) *trust Am.* [~n(z)trʌst] Expertenrat *m* (*mst pol.*); **~-wave** F Geistesblitz *m*.

**brake** [breik] **1.** ⊕ Bremse *f*; **2.** bremsen; **~(s)man** ['breik(s)mən] Bremser *m*; *Am.* Schaffner *m*.

**bramble** ['bræmbl] Brombeerstrauch *m*.

**bran** [bræn] Kleie *f*.

**branch** [brɑːntʃ] **1.** Zweig *m*; Fach *n*; Linie *f des Stammbaumes*; Zweigstelle *f*; **2.** sich ver-, abzweigen.

**brand** [brænd] **1.** (*Feuer*)Brand *m*; Brandmal *n*; Marke *f*; Sorte *f*; **2.** einbrennen; brandmarken.

**brandish** ['brændiʃ] schwingen.

**bran(d)-new** ['bræn(d)'njuː] nagelneu.

**brandy** ['brændi] Kognak *m*; Weinbrand *m*.

**brass** [brɑːs] Messing *n*; F Unverschämtheit *f*; ~ *band* Blechblaskapelle *f*; ~ *knuckles pl. Am.* Schlagring *m*.

**brassière** ['bræsiə] Büstenhalter *m*.

**brave** [breiv] **1.** tapfer; prächtig; **2.** trotzen; mutig begegnen (*dat.*); **~ry** ['breivəri] Tapferkeit *f*; Pracht *f*.

**brawl** [brɔːl] **1.** Krakeel *m*, Krawall *m*; **2.** krakeelen, Krawall machen.

**brawny** ['brɔːni] muskulös.

**bray**¹ [brei] **1.** Eselsschrei *m*; **2.** schreien; schmettern; dröhnen.

**bray**² [~] (zer)stoßen, zerreiben.

**brazen** □ ['breizn] bronzen; metallisch; *a.* ~**-faced** unverschämt.

**Brazilian** [brə'ziljən] **1.** brasilianisch; **2.** Brasilianer(in).

**breach** [bri:tʃ] **1.** Bruch *m*; *fig.* Verletzung *f*; ⚔ Bresche *f*; **2.** e-e Bresche schlagen in (*acc.*).

**bread** [bred] Brot *n*; *know which side one's* ~ *is buttered* s-n Vorteil (er)kennen.

**breadth** [bredθ] Breite *f*, Weite *f*, Größe *f des Geistes*; Tuch-Bahn *f*.

**break** [breik] **1.** Bruch *m*; Lücke *f*; Pause *f*; Absatz *m*; ✝ Am. (Preis-)Rückgang *m*; Tages-Anbruch *m*; *a bad* ~ F e-e Dummheit; Pech *n*; *a lucky* ~ Glück *n*; **2.** [*irr.*] *v/t.* (zer)brechen; unterbrechen; übertreten; *Tier* abrichten; *Bank* sprengen; *Brief* erbrechen; *Tür* aufbrechen; abbrechen; *Vorrat* anbrechen; *Nachricht* schonend mitteilen; ruinieren; ~ *up* zerbrechen; auflösen; *v/i.* (zer)brechen; aus-, los-, an-, auf-, hervorbrechen; umschlagen (*Wetter*); ~ *away* sich losreißen; ~ *down* zs.-brechen; steckenbleiben; versagen; ~**able** ['breikəbl] zerbrechlich; ~**age** [~kidʒ] (*a.* ✝ *Waren*)Bruch *m*; ~**down** Zs.-bruch *m*; Maschinenschaden *m*; *mot.* Panne *f*. ~**fast** ['brekfəst] **1.** Frühstück *n*; **2.** frühstücken; ~**up** ['breik'ʌp] Verfall *m*; Auflösung *f*; Schulschluß *m*; ~**water** ['~kwɔːtə] Wellenbrecher *m*.

**breast** [brest] Brust *f*; Busen *m*; Herz *n*; *make a clean* ~ *of s.th.* et. offen gestehen; ~**stroke** ['breststrouk] Brustschwimmen *n*.

**breath** [breθ] Atem(zug) *m*; Hauch *m*; *waste one's* ~ s-e Worte verschwenden; ~**e** [bri:ð] *v/i.* atmen; *fig.* leben; *v/t.* (aus-, ein)atmen; hauchen; flüstern; ~**less** □ ['breθlis] atemlos.

**bred** [bred] *pret. u. p.p. von* **breed** 2.

**breeches** ['britʃiz] *pl.* Knie-, Reithosen *f/pl.*

**breed** [bri:d] **1.** Zucht *f*; Rasse *f*; Herkunft *f*; Am. Mischling *m* bsd. *weiß-indianisch*; **2.** [*irr.*] *v/t.* erzeugen; auf-, erziehen; züchten; *v/i.* sich fortpflanzen; ~**er** ['bri:də] Erzeuger(in); Züchter(in); ~**ing** [~diŋ]

Erziehung *f*; Bildung *f*; (Tier-)Zucht *f*.

**breez**|**e** [bri:z] Brise *f*; ~**y** ['bri:zi] windig, luftig; frisch, flott.

**brethren** ['breðrin] *pl.* Brüder *m/pl.*

**brevity** ['breviti] Kürze *f*.

**brew** [bru:] **1.** *v/t. u. v/i.* brauen; zubereiten; *fig.* anzetteln; **2.** Gebräu *n*; ~**ery** ['bruəri] Brauerei *f*.

**briar** ['braiə] = *brier*.

**brib**|**e** [braib] **1.** Bestechung(sgeld *n*, -geschenk *n*) *f*; **2.** bestechen; ~**ery** ['braibəri] Bestechung *f*.

**brick** [brik] **1.** Ziegel(stein) *m*; *drop a* ~ *sl.* ins Fettnäpfchen treten; **2.** mauern; ~**layer** ['brikleiə] Maurer *m*; ~**works** *sg.* Ziegelei *f*.

**bridal** □ ['braidl] bräutlich; Braut-...; ~ *procession* Brautzug *m*.

**bride** [braid] Braut *f*, Neuvermählte *f*; ~**groom** ['braidgrum] Bräutigam *m*, Neuvermählte(r) *m*; ~**smaid** [~dzmeid] Brautjungfer *f*.

**bridge** [bridʒ] **1.** Brücke *f*; **2.** e-e Brücke schlagen über (*acc.*); *fig.* überbrücken.

**bridle** ['braidl] **1.** Zaum *m*; Zügel *m*; **2.** *v/t.* (auf)zäumen; zügeln; *v/i.* *a.* ~ *up* den Kopf zurückwerfen; ~**path**, ~**road** Reitweg *m*.

**brief** [bri:f] **1.** □ kurz, bündig; **2.** ⚖ schriftliche Instruktion; *hold a* ~ *for* einstehen für; ~**case** ['bri:fkeis] Aktenmappe *f*.

**brier** ['braiə] Dorn-, Hagebuttenstrauch *m*, wilde Rose.

**brigade** ⚔ [bri'geid] Brigade *f*.

**bright** □ [brait] hell, glänzend, klar; lebhaft; gescheit; ~**en** ['braitn] *v/t.* auf-, erhellen; polieren; aufheitern; *v/i.* sich aufhellen; ~**ness** [~nis] Helligkeit *f*; Glanz *m*; Klarheit *f*; Heiterkeit *f*; Aufgewecktheit *f*.

**brillian**|**ce**, ~**cy** ['briljəns, ~si] Glanz *m*; ~**t** [~nt] **1.** □ glänzend; prächtig; **2.** Brillant *m*.

**brim** [brim] **1.** Rand *m*; Krempe *f*; **2.** bis zum Rande füllen *od.* voll sein; ~**full**, ~**ful** ['brim'ful] ganz voll; ~**stone** ✝ ['brimstən] Schwefel *m*.

**brindle(d)** ['brindl(d)] scheckig.

**brine** [brain] Salzwasser *n*, Sole *f*.

**bring** [briŋ] [*irr.*] bringen; *j.* veranlassen; *Klage* erheben; *Grund etc.* vorbringen; ~ *about*, ~ *to pass* zustande bringen; ~ *down* *Preis* herabsetzen; ~ *forth* hervorbringen; ge-

43 **buffet**

bären; ~ home to j. überzeugen; ~ round wieder zu sich bringen; ~ up auf-, erziehen.

**brink** [briŋk] Rand m.

**brisk** □ [brisk] lebhaft, munter, frisch; flink; belebend.

**bristl|e** ['brisl] 1. Borste f; 2. (sich) sträuben; hochfahren, zornig werden; ~ with fig. starren von; ~ed, ~y [‿li] gesträubt; struppig.

**British** ['britiʃ] britisch; the ~ pl. die Briten pl.; ~er bsd. Am. [‿ʃə] Einwohner(in) Großbritanniens.

**brittle** ['britl] zerbrechlich, spröde.

**broach** [broutʃ] Faß anzapfen; vorbringen; Thema anschneiden.

**broad** □ [brɔːd] breit; weit; hell (Tag); deutlich (Wink etc.); derb (Witz); allgemein; weitherzig, liberal; ~cast [‿brɔːdkɑːst] 1. weitverbreitet; 2. [irr. (cast)] weit verbreiten; Radio: senden; 3. Rundfunk (-sendung f) m; ~cloth feiner Wollstoff; ~-minded großzügig.

**brocade** ✝ [brəˈkeid] Brokat m.

**broil** [brɔil] 1. Lärm m, Streit m; 2. auf dem Rost braten; fig. schmoren.

**broke** [brouk] 1. pret. von break 2; 2. sl. pleite, ohne e-n Pfennig; ~n ['broukən] 1. p.p. von break 2; 2.: ~ health zerrüttete Gesundheit.

**broker** ['broukə] Altwarenhändler m; Zwangsversteigerer m; Makler m.

**bronc(h)o** Am. ['broŋkou] (halb-)wildes Pferd; ~-buster [‿oubʌstə] Zureiter m.

**bronze** [bronz] 1. Bronze f; 2. bronzen, Bronze...; 3. bronzieren.

**brooch** [broutʃ] Brosche f; Spange f.

**brood** [bruːd] 1. Brut f; attr. Zucht...; 2. brüten (a. fig.); ~er Am. ['bruːdə] Brutkasten m.

**brook** [bruk] Bach m.

**broom** [brum] Besen m; ~stick ['brumstik] Besenstiel m.

**broth** [brɔθ] Fleischbrühe f.

**brothel** ['brɔθl] Bordell n.

**brother** ['brʌðə] Bruder m; ~(s) and sister(s) Geschwister pl.; ~hood [‿hud] Bruderschaft f; ~-in-law [‿rinlɔː] Schwager m; ~ly [‿əli] brüderlich.

**brought** [brɔːt] pret. u. p.p. von bring.

**brow** [brau] (Augen)Braue f; Stirn f; Rand m e-s Steilhanges; ~beat

['braubiːt] [irr. (beat)] einschüchtern; tyrannisieren.

**brown** [braun] 1. braun; 2. Braun n; 3. (sich) bräunen.

**browse** [brauz] 1. Grasen n; fig. Schmökern n; 2. grasen, weiden; fig. schmökern.

**bruise** [bruːz] 1. Quetschung f; 2. (zer)quetschen.

**brunt** [brʌnt] Hauptstoß m, (volle) Wucht; das Schwerste.

**brush** [brʌʃ] 1. Bürste f; Pinsel m; Fuchs-Rute f; Scharmützel n; Unterholz n; 2. v/t. (ab-, aus)bürsten; streifen; j. abbürsten; ~ up wieder aufbürsten, fig. auffrischen; v/i. bürsten; (davon)stürzen; ~ against s.o. j. streifen; ~wood [‿brʌʃwud] Gestrüpp n, Unterholz n.

**brusque** □ [brusk] brüsk, barsch.

**Brussels sprouts** ♀ ['brʌsl'sprauts] pl. Rosenkohl m.

**brut|al** □ ['bruːtl] viehisch; roh, gemein; ~ality [bruːˈtæliti] Brutalität f, Roheit f; ~e [bruːt] 1. tierisch; unvernünftig; gefühllos; 2. Vieh n; F Untier n, Scheusal n.

**bubble** ['bʌbl] 1. Blase f; Schwindel m; 2. sieden; sprudeln.

**buccaneer** [bʌkəˈniə] Seeräuber m.

**buck** [bʌk] 1. zo. Bock m; Stutzer m; Am. sl. Dollar m; 2. v/i. bocken; ~ for Am. sich bemühen um; ~ up F sich zs.-reißen; v/t. Am. F sich stemmen gegen; Am. F die Oberhand gewinnen wollen über et.

**bucket** ['bʌkit] Eimer m, Kübel m.

**buckle** ['bʌkl] 1. Schnalle f; 2. v/t. (an-, auf-, um-, zu)schnallen; v/i. ⊕ sich (ver)biegen; ~ to a task sich ernsthaft an eine Aufgabe machen.

**buck|shot** hunt. ['bʌkʃɔt] Rehposten m; ~skin Wildleder n.

**bud** [bʌd] 1. Knospe f; fig. Keim m; 2. v/t. ✎ veredeln; v/i. knospen.

**buddy** Am. F ['bʌdi] Kamerad m.

**budge** [bʌdʒ] (sich) bewegen.

**budget** ['bʌdʒit] Vorrat m; Staatshaushalt m; draft ~ Haushaltsplan m.

**buff** [bʌf] 1. Ochsenleder n; Lederfarbe f; 2. lederfarben.

**buffalo** zo. ['bʌfəlou] Büffel m.

**buffer** 🚃 ['bʌfə] Puffer m; Prellbock m.

**buffet**[1] ['bʌfit] 1. Puff m, Stoß m, Schlag m; 2. puffen, schlagen; kämpfen.

**buffet**² [⌣] Büfett *n*; Anrichte *f*.

**buffet**³ [`bufei] Büfett *n*, Theke *f*; Tisch *m* mit Speisen u. Getränken) Erfrischungsraum *m*.

**buffoon** [bʌ`fuːn] Possenreißer *m*.

**bug** [bʌg] Wanze *f*; *Am.* Insekt *n*, Käfer *m*; *Am. sl.* Defekt *m*, Fehler *m*; *big* ⌣ *sl.* hohes Tier.

**bugle** [`bjuːgl] Wald-, Signalhorn *n*.

**build** [bild] **1.** [*irr.*] bauen; errichten; **2.** Bauart *f*; Schnitt *m*; **⌣er** [`bildə] Erbauer *m*, Baumeister *m*; **⌣ing** [⌣diŋ] Erbauen *n*; Bau *m*, Gebäude *n*; *attr.* Bau...

**built** [bilt] *pret. u. p.p. von build* 1.

**bulb** [bʌlb] ♀ Zwiebel *f*, Knolle *f*; (Glüh)Birne *f*.

**bulge** [bʌldʒ] **1.** (Aus)Bauchung *f*; Anschwellung *f*; **2.** sich (aus)bauchen; (an)schwellen; hervorquellen.

**bulk** [bʌlk] Umfang *m*; Masse *f*; Hauptteil *m*; ♣ Ladung *f*; *in* ⌣ *lose*; *in großer Menge*; ⌣y [`bʌlki] umfangreich; unhandlich; ♣ sperrig.

**bull**¹ [bul] **1.** Bulle *m*, Stier *m*; † *sl.* Haussier *m*; **2.** † *die Kurse treiben.*

**bull**² [⌣] päpstliche Bulle.

**bulldog** [`buldɔg] Bulldogge *f*.

**bulldoze** *Am.* F [`buldouz] terrorisieren; **⌣r** ⊕ [⌣zə] Bulldozer *m*, Planierraupe *f*.

**bullet** [`bulit] Kugel *f*, Geschoß *n*.

**bulletin** [`bulitin] Tagesbericht *m*; ⌣ *board Am.* Schwarzes Brett.

**bullion** [`buljən] Gold-, Silberbarren *m*; Gold-, Silberlitze *f*.

**bully** [`buli] **1.** Maulheld *m*; Tyrann *m*; **2.** prahlerisch; *Am.* F prima; **3.** einschüchtern; tyrannisieren.

**bulwark** *mst fig.* [`bulwək] Bollwerk *n*.

**bum** *Am.* F [bʌm] **1.** Nichtstuer *m*, Vagabund *m*; **2.** *v/t.* nassauern.

**bumble-bee** [`bʌmblbiː] Hummel *f*.

**bump** [bʌmp] **1.** Schlag *m*; Beule *f*; *fig.* Sinn *m* (*of für*); **2.** (zs.-)stoßen; holpern; *Rudern:* überholen.

**bumper** [`bʌmpə] volles Glas (*Wein*); F *et.* Riesiges; *mot.* Stoßstange *f*; ⌣ *crop* Rekordernte *f*; ⌣ *house thea.* volles Haus.

**bun** [bʌn] Rosinenbrötchen *n*; Haar-Knoten *m*.

**bunch** [bʌntʃ] **1.** Bund *n*; Büschel *n*; Haufen *m*; ⌣ *of grapes* Weintraube *f*; **2.** (zs.-)bündeln; bauschen.

**bundle** [`bʌndl] **1.** Bündel *n*, Bund *n*; **2.** *v/t.* ⌣ *up* (zs.-)bündeln.

**bung** [bʌŋ] Spund *m*.

**bungalow** [`bʌŋgəlou] Bungalow *m* (*einstöckiges Haus*).

**bungle** [`bʌŋgl] **1.** Pfuscherei *f*; **2.** (ver)pfuschen.

**bunion** ❦ [`bʌnjən] entzündeter Fußballen.

**bunk**¹ *Am. sl.* [bʌŋk] Quatsch *m*.

**bunk**² [⌣] Schlafkoje *f*.

**bunny** [`bʌni] Kaninchen *n*.

**buoy** ♣ [bɔi] **1.** Boje *f*; **2.** *Fahrwasser betonnen*; *mst* ⌣ *up fig.* aufrechterhalten; **⌣ant** □ [`bɔiənt] schwimmfähig; hebend; spannkräftig; *fig.* heiter.

**burden** [`bəːdn] **1.** Last *f*; Bürde *f*; ♣ Ladung *f*; ♣ Tragfähigkeit *f*; **2.** beladen; belasten; **⌣some** [⌣nsəm] lästig; drückend.

**bureau** [bjuə`rou] Büro *n*, Geschäftszimmer *n*; Schreibpult *n*; *Am.* Kommode *f*; **⌣cracy** [⌣`rɔkrəsi] Bürokratie *f*.

**burg** *Am.* F [bəːg] Stadt *f*.

**burgess** [`bəːdʒis] Bürger *m*.

**burglar** [`bəːglə] Einbrecher *m*; **⌣y** [⌣əri] Einbruch(sdiebstahl) *m*.

**burial** [`beriəl] Begräbnis *n*.

**burlesque** [bəː`lesk] **1.** possenhaft; **2.** Burleske *f*, Posse *f*; **3.** parodieren.

**burly** [`bəːli] stämmig, kräftig.

**burn** [bəːn] **1.** Brandwunde *f*; Brandmal *n*; **2.** [*irr.*] (ver-, an-) brennen; **⌣er** [`bəːnə] Brenner *m*.

**burnish** [`bəːniʃ] polieren, glätten.

**burnt** [bəːnt] *pret. u. p.p. von burn* 2.

**burrow** [`bʌrou] **1.** Höhle *f*, Bau *m*; **2.** (sich ein-, ver)graben.

**burst** [bəːst] **1.** Bersten *n*; Krach *m*; Riß *m*; Ausbruch *m*; **2.** [*irr.*] *v/i.* bersten, platzen; zerspringen; explodieren; ⌣ *from* sich losreißen von; ⌣ *forth*, ⌣ *out* hervorbrechen; ⌣ *into tears* in Tränen ausbrechen; *v/t.* (zer)sprengen.

**bury** [`beri] be-, vergraben; beerdigen; verbergen.

**bus** F [bʌs] (Omni)Bus *m*; ⌣ *boy Am.* Kellnergehilfe *m*.

**bush** [buʃ] Busch *m*; Gebüsch *n*.

**bushel** [`buʃl] Scheffel *m* (*36,37 Liter*).

**bushy** [`buʃi] buschig.

**business** [`biznis] Geschäft *n*; Beschäftigung *f*; Beruf *m*; Angelegenheit *f*; Aufgabe *f*; † Handel *m*;

~ of the day Tagesordnung f; on ~ geschäftlich; have no ~ to inf. nicht befugt sein zu inf.; mind one's own ~ sich um s-e eigenen Angelegenheiten kümmern; ~ **hours** pl. Geschäftszeit f; **~-like** geschäftsmäßig; sachlich; **~man** Geschäftsmann m; ~ **tour**, ~ **trip** Geschäftsreise f.

**bust**[1] [bʌst] Büste f.

**bust**[2] Am. F [~] Bankrott m.

**bustle** ['bʌsl] **1.** Geschäftigkeit f; geschäftiges Treiben; **2.** v/i. (umher)wirtschaften; hasten; v/t. hetzen, jagen.

**busy** □ ['bizi] **1.** beschäftigt; geschäftig; fleißig (at bei, an dat.); lebhaft; Am. teleph. besetzt; **2.** (mst ~ o.s. sich) beschäftigen (with, in, at, about, ger. mit).

**but** [bʌt, bət] **1.** cj. aber, jedoch, sondern; a. ~ that wenn nicht; indessen; **2.** prp. außer; the last ~ one der vorletzte; the next ~ one der übernächste; ~ for wenn ... nicht ... gewesen wäre; ohne; **3.** nach Negation: der (die od. das) nicht; there is no one ~ knows es gibt niemand, der nicht wüßte; **4.** adv. nur; ~ just soeben, eben erst; ~ now erst jetzt; all ~ fast, nahe daran; nothing ~ nur; I cannot ~ inf. ich kann nur inf.

**butcher** ['butʃə] **1.** Schlächter m, Fleischer m, Metzger m; fig. Mörder m; **2.** (fig. ab-, hin)schlachten; **~y** [~əri] Schlächterei f; Schlachthaus n.

**butler** ['bʌtlə] Butler m; Kellermeister m.

**butt** [bʌt] **1.** Stoß m; a. ~ end (dickes) Ende e-s Baumes etc.; Stummel m, Kippe f; Gewehr-Kolben m; Schießstand m; (End)Ziel n; fig. Zielscheibe f; **2.** (mit dem Kopf) stoßen.

**butter** ['bʌtə] **1.** Butter f; F Schmeichelei f; **2.** mit Butter bestreichen;

**~cup** Butterblume f; **~-fingered** tolpatschig; **~fly** Schmetterling m; **~y** [~əri] **1.** butter(art)ig; Butter...; **2.** Speisekammer f.

**buttocks** ['bʌtəks] pl. Gesäß n.

**button** ['bʌtn] **1.** Knopf m; Knospe f; **2.** an-, zuknöpfen.

**buttress** ['bʌtris] **1.** Strebepfeiler m; fig. Stütze f; **2.** (unter)stützen.

**buxom** ['bʌksəm] drall, stramm.

**buy** [bai] [irr.] v/t. (an-, ein)kaufen (from bei); **~er** ['baiə] (Ein)Käufer (-in).

**buzz** [bʌz] **1.** Gesumm n; Geflüster n; ~ **saw** Am. Kreissäge f; **2.** v/i. summen; surren; ~ **about** herumschwirren, herumeilen.

**buzzard** ['bʌzəd] Bussard m.

**by** [bai] **1.** prp. Raum: bei; an, neben; Richtung: durch, über; an (dat.) entlang od. vorbei; Zeit: an, bei; spätestens bis, bis zu; Urheber, Ursache: von, durch (bsd. beim pass.); Mittel, Werkzeug: durch, mit; Art u. Weise: bei; Schwur: bei; Maß: um, bei; Richtschnur: gemäß, bei; ~ the dozen dutzendweise; ~ o.s. allein; ~ land zu Lande; ~ rail per Bahn; day ~ day Tag für Tag; ~ twos zu zweien; **2.** adv. dabei; vorbei; beiseite; ~ and ~ nächstens, bald; hard ~ nach und nach; ~ the ~ nebenbei bemerkt; ~ and large Am. im großen und ganzen; **3.** adj. Neben...; Seiten...; **~-election** ['baiilekʃən] Nachwahl f; **~gone** vergangen; **~-law** Ortsstatut n; ~s pl. Satzung f, Statuten n/pl.; **~-line** Am. Verfasserangabe f zu e-m Artikel; **~-name** Bei-, Spitzname m; **~-pass** Umgehungsstraße f; **~-path** Seitenpfad m; **~-product** Nebenprodukt n; **~-road** Seitenweg m; **~stander** Zuschauer m; **~-street** Neben-, Seitenstraße f; **~way** Seitenweg m; **~-word** Sprichwort n; Inbegriff m; be a ~ for sprichwörtlich bekannt sein wegen.

# C

**cab** [kæb] Droschke f, Mietwagen m, Taxi n; 🚂 Führerstand m.
**cabbage** ♀ ['kæbidʒ] Kohl m.
**cabin** ['kæbin] **1.** Hütte f; ⚓ Kabine f, Kajüte f; Kammer f; **2.** einpferchen; **~-boy** Schiffsjunge m; **~ cruiser** ⚓ Kabinenkreuzer m.
**cabinet** ['kæbinit] Kabinett n, Ministerrat m; Schrank m, Vitrine f; (Radio)Gehäuse n; **~ council** Kabinettssitzung f; **~-maker** Kunsttischler m.
**cable** ['keibl] **1.** Kabel n; ⚓ Ankertau n; **2.** tel. kabeln; **~-car** Kabine f, Gondel f; Drahtseilbahn f; **~-gram** [ˌ~græm] Kabeltelegramm n.
**cabman** ['kæbmən] Droschkenkutscher m, Taxifahrer m.
**caboose** [kə'buːs] ⚓ Kombüse f; Am. 🚂 Eisenbahnwagen m am Güterzug.
**cab-stand** ['kæbstænd] Taxi-, Droschkenstand m.
**cacao** ♀ [kə'kɑːou] Kakaobaum m, -bohne f.
**cackle** ['kækl] **1.** Gegacker n, Geschnatter n; **2.** gackern, schnattern.
**cad** F [kæd] Prolet m; Kerl m.
**cadaverous** □ [kə'dævərəs] leichenhaft; leichenblaß.
**cadence** ♪ ['keidəns] Kadenz f; Tonfall m; Rhythmus m.
**cadet** [kə'det] Kadett m.
**café** ['kæfei] Café n.
**cafeteria** bsd. Am. [kæfi'tiəriə] Restaurant n mit Selbstbedienung.
**cage** [keidʒ] **1.** Käfig m; Kriegsgefangenenlager n; ⚒ Förderkorb m; **2.** einsperren.
**cagey** □ bsd. Am. F ['keidʒi] gerissen, raffiniert.
**cajole** [kə'dʒoul] j-m schmeicheln; j-n beschwatzen.
**cake** [keik] **1.** Kuchen m; Tafel f Schokolade, Riegel m Seife etc.; **2.** zs.-backen.
**calami|tous** □ [kə'læmitəs] elend; katastrophal; **~ty** [ˌ~ti] Elend n, Unglück n; Katastrophe f.
**calcify** ['kælsifai] (sich) verkalken.
**calculat|e** ['kælkjuleit] v/t. kalkulieren; be-, aus-, errechnen; v/i. rechnen; (on, upon auf acc.); Am. F vermuten; **~ion** [kælkju'leiʃən]

Kalkulation f, Berechnung f; Voranschlag m; Überlegung f.
**caldron** ['kɔːldrən] Kessel m.
**calendar** ['kælində] **1.** Kalender m; Liste f; **2.** registrieren.
**calf** [kɑːf], pl. **calves** [kɑːvz] Kalb n; Wade f; a. **~-leather** ['kɑːfleðə] Kalbleder n; **~-skin** Kalbfell n.
**calibre** ['kælibə] Kaliber n.
**calico** † ['kælikou] Kaliko m.
**call** [kɔːl] **1.** Ruf m; teleph. Anruf m, Gespräch n; fig. Berufung f (to in ein Amt; auf e-n Lehrstuhl); Aufruf m; Aufforderung f; Signal n; Forderung f; Besuch m; Nachfrage f (for nach); Kündigung f v. Geldern; on ~ † auf Abruf; **2.** v/t. (herbei)rufen; (an)rufen; (ein)berufen; Am. Baseball: Spiel abbrechen; fig. berufen (to in ein Amt); nennen; wecken; Aufmerksamkeit lenken (to auf acc.); be ~ed heißen; ~ s.o. names j. beschimpfen, beleidigen; ~ down bsd. Am. F anpfeifen; ~ in Geld kündigen; ~ over Namen verlesen; ~ up aufrufen; teleph. anrufen; v/i. rufen; teleph. anrufen; vorsprechen (at an e-m Ort; on s.o. bei j-m); ~ at a port e-n Hafen anlaufen; ~ for rufen nach; erfordern; abholen; to be (left till) ~ed for postlagernd; ~ on sich an j. wenden (for wegen); j. berufen, auffordern (to inf. zu); **~-box** ['kɔːlbɔks] Fernsprechzelle f; **~er** ['kɔːlə] teleph. Anrufer(in); Besucher(in).
**calling** ['kɔːliŋ] Rufen n; Berufung f; Beruf m; **~ card** Am. Visitenkarte f.
**call-office** ['kɔːlɔfis] Fernsprechstelle f.
**callous** □ ['kæləs] schwielig; fig. dickfellig; herzlos.
**callow** ['kælou] nackt (ungefiedert); fig. unerfahren.
**calm** [kɑːm] **1.** □ still, ruhig; **2.** (Wind)Stille f, Ruhe f; **3.** (~ down sich) beruhigen; besänftigen.
**calori|c** phys. [kə'lɔrik] Wärme f; **~e** phys. ['kælɔri] Wärmeeinheit f.
**column|iate** [kə'lʌmnieit] verleumden; **~iation** [kəlʌmni'eiʃən], **~y** ['kæləmni] Verleumdung f.
**calve** [kɑːv] kalben; **~s** [kɑːvz] pl. von calf.

**cambric** ✝ ['keimbrik] Batist *m*.

**came** [keim] *pret. von* come.

**camel** *zo.*, ⚓ ['kæməl] Kamel *m*.

**camera** ['kæmərə] Kamera *f*; *in* ~ ⚏ unter Ausschluß der Öffentlichkeit.

**camomile** ♀ ['kæməmail] Kamille *f*.

**camouflage** ⚔ ['kæmuflɑːʒ] 1. Tarnung *f*; 2. tarnen.

**camp** [kæmp] 1. Lager *n*; ⚔ Feldlager *n*; ~ *bed* Feldbett *n*; 2. lagern; ~ *out* zelten.

**campaign** [kæm'pein] 1. Feldzug *m*; 2. e-n Feldzug mitmachen *od.* führen.

**camphor** ['kæmfə] Kampfer *m*.

**campus** *Am.* ['kæmpəs] Universitätsgelände *n*.

**can**[1] [kæn] [*irr.*] *v/aux.* können, fähig sein zu; dürfen.

**can**[2] [~] 1. Kanne *f*; *Am.* Büchse *f*; 2. *Am.* in Büchsen konservieren.

**Canadian** [kə'neidjən] 1. kanadisch; 2. Kanadier(in).

**canal** [kə'næl] Kanal *m* (*a.* ⚕).

**canard** [kæ'nɑːd] (Zeitungs)Ente *f*.

**canary** [kə'neəri] Kanarienvogel *m*.

**cancel** ['kænsəl] (durch)streichen; entwerten; absagen; *a.* ~ *out* fig. aufheben; *be* ~(*e*)*d* ausfallen.

**cancer** *ast.*, ✳ ['kænsə] Krebs *m*; ~**ous** [~ərəs] krebsartig.

**candid** ['kændid] aufrichtig, offen.

**candidate** ['kændidit] Kandidat *m* (*for* für), Bewerber *m* (*for* um).

**candied** ['kændid] kandiert.

**candle** ['kændl] Licht *n*, Kerze *f*; *burn the* ~ *at both ends* mit s-n Kräften Raubbau treiben; ~**stick** Leuchter *m*.

**cando(u)r** ['kændə] Aufrichtigkeit *f*.

**candy** ['kændi] 1. Kandis(zucker) *m*; *Am.* Süßigkeiten *f/pl.*; 2. *v/t.* kandieren.

**cane** [kein] 1. ♀ Rohr *n*; (Rohr-) Stock *m*; 2. prügeln.

**canine** ['keinain] Hunde...

**canker** ['kæŋkə] ✳ Mundkrebs *m*; ♀ Brand *m*.

**canned** *Am.* [kænd] Büchsen...

**cannery** *Am.* ['kænəri] Konservenfabrik *f*.

**cannibal** ['kænibəl] Kannibale *m*.

**cannon** ['kænən] Kanone *f*.

**cannot** ['kænət] nicht können *etc.*; *s.* can[1].

**canoe** [kə'nuː] Kanu *n*; Paddelboot *n*.

**canon** ['kænən] Kanon *m*; Regel *f*; Richtschnur *f*; ~**ize** [~naiz] heiligsprechen.

**canopy** ['kænəpi] Baldachin *m*; fig. Dach *n*; 🏛 Überdachung *f*.

**cant**[1] [kænt] 1. Schrägung *f*; Stoß *m*; 2. kippen; kanten.

**cant**[2] [~] 1. Zunftsprache *f*; Gewäsch *n*; scheinheiliges Gerede; 2. zunftmäßig *od.* scheinheilig reden.

**can't** F [kɑːnt] = cannot.

**cantankerous** F □ [kən'tæŋkərəs] zänkisch, mürrisch.

**canteen** [kæn'tiːn] ⚔ Feldflasche *f*; Kantine *f*, ⚔ Kochgeschirr *n*; Besteckkasten *m*.

**canton** 1. ['kæntən] Bezirk *m*; 2. ⚔ [kæn'tuːn] (sich) einquartieren.

**canvas** ['kænvəs] Segeltuch *n*, Zelt (-*e pl.*) *n*; Zeltbahn *f*; Segel *n/pl.*; *paint.* Leinwand *f*; Gemälde *n*.

**canvass** [~] 1. (Stimmen)Werbung *f*; *Am. a.* Wahlnachprüfung *f*; 2. *v/t.* erörtern; *v/i.* (Stimmen, *a.* Kunden) werben.

**caoutchouc** ['kautʃuk] Kautschuk *m*.

**cap** [kæp] 1. Kappe *f*; Mütze *f*; Haube *f*; ⚙ Aufsatz *m*; Zündhütchen *n*; *set one's* ~ *at* sich e-n Mann angeln (*Frau*); 2. mit e-r Kappe *etc.* bedecken; fig. krönen; F übertreffen; die Mütze abnehmen.

**capab|ility** [keipə'biliti] Fähigkeit *f*; ~**le** □ ['keipəbl] fähig (*of* zu).

**capaci|ous** □ [kə'peiʃəs] geräumig; ~**ty** [kə'pæsiti] Inhalt *m*; Aufnahmefähigkeit *f*; *geistige* (*od.* ⊕ Leistungs)Fähigkeit *f* (*for ger.* zu *inf.*); Stellung *f*; *in my* ~ *as* in meiner Eigenschaft als.

**cape**[1] [keip] Kap *n*, Vorgebirge *n*.

**cape**[2] [~] Cape *n*, Umhang *m*.

**caper** ['keipə] 1. Kapriole *f*, Luftsprung *m*; *cut* ~*s* = 2. Kapriolen *od.* Sprünge machen.

**capital** ['kæpitl] 1. □ Kapital...; todeswürdig, Todes...; hauptsächlich, Haupt...; vortrefflich; ~ *crime* Kapitalverbrechen *n*; ~ *punishment* Todesstrafe *f*; 2. Hauptstadt *f*; Kapital *n*; *mst* ~ *letter* große Großbuchstabe *m*; ~**ism** [~təlizəm] Kapitalismus *m*; ~**ize** [kə'pitəlaiz] kapitalisieren.

**capitulate** 48

capitulate [kə'pitjuleit] kapitulieren (to vor *dat.*).

capric|e [kə'pri:s] Laune *f*; **~ious** □ [~ʃəs] kapriziös, launisch.

Capricorn *ast.* ['kæprikɔ:n] Steinbock *m*.

capsize [kæp'saiz] *v/i.* kentern; *v/t.* zum Kentern bringen.

capsule ['kæpsju:l] Kapsel *f*.

captain ['kæptin] Führer *m*; Feldherr *m*; ⚓ Kapitän *m*; ✕ Hauptmann *m*.

caption ['kæpʃən] 1. Überschrift *f*; Titel *m*; *Film*: Untertitel *m*; 2. *v/t. Am.* mit Überschrift *etc.* versehen.

captious □ ['kæpʃəs] spitzfindig.

captiv|ate ['kæptiveit] *fig.* gefangennehmen, fesseln; **~e** ['kæptiv] 1. gefangen, gefesselt; 2. Gefangene(r *m*) *f*; **~ity** [kæp'tiviti] Gefangenschaft *f*.

capture ['kæptʃə] 1. Eroberung *f*; Gefangennahme *f*; 2. (ein)fangen; erobern; erbeuten; ⚓ kapern.

car [ka:] Auto *n*; (Eisenbahn-, Straßenbahn)Wagen *m*; Ballonkorb *m*; *Luftschiff*-Gondel *f*; Kabine *f e-s Aufzugs*.

caramel ['kærəmel] Karamel *m*; Karamelle *f*.

caravan ['kærəvæn] Karawane *f*; Wohnwagen *m*.

caraway ♀ ['kærəwei] Kümmel *m*.

carbine ['ka:bain] Karabiner *m*.

carbohydrate 🔬 ['ka:bou'haidreit] Kohle(n)hydrat *n*.

carbon ['ka:bən] 🔬 Kohlenstoff *m*; **~ copy** *Brief*-Durchschlag *m*; **~ paper** Kohlepapier *n*.

carburet(t)or *mot.* ['ka:bjuretə] Vergaser *m*.

car|case, *mst* **~cass** ['ka:kəs] (Tier-)Kadaver *m*; *Fleischerei*: Rumpf *m*.

card [ka:d] Karte *f*; **have a ~ up one's sleeve** et. in petto haben; **~board** ['ka:dbɔ:d] Kartonpapier *n*; Pappe *f*; **~ box** Pappkarton *m*.

cardigan ['ka:digən] Wolljacke *f*.

cardinal □ ['ka:dinl] 1. Haupt...; hochrot; **~ number** Grundzahl *f*; 2. Kardinal *m*.

card-index ['ka:dindeks] Kartei *f*.

card-sharper ['ka:dʃa:pə] Falschspieler *m*.

care [kɛə] 1. Sorge *f*; Sorgfalt *f*; Obhut *f*, Pflege *f*; *medical ~* ärztliche Behandlung; **~ of** (*abbr.* c/o) ... per Adresse, bei ...; **take ~ of**

acht(geb)en auf (*acc.*); **with ~!** Vorsicht!; 2. Lust haben (*to inf.* zu); **~ for** sorgen für; sich kümmern um; sich etwas machen aus; **I don't ~!** F meinetwegen!; **I couldn't ~ less** F es ist mir völlig egal; **well ~d-for** gepflegt.

career [kə'riə] 1. Karriere *f*; Laufbahn *f*; 2. rasen.

carefree ['kɛəfri:] sorgenfrei.

careful □ ['kɛəful] besorgt (*for* um), achtsam (*of* auf *acc.*); vorsichtig; sorgfältig; **~ness** [~lnis] Sorgsamkeit *f*; Vorsicht *f*; Sorgfalt *f*.

careless □ ['kɛəlis] sorglos; nachlässig; unachtsam; leichtsinnig; **~ness** [~snis] Sorglosigkeit *f*; Nachlässigkeit *f*.

caress [kə'res] 1. Liebkosung *f*; 2. liebkosen; *fig.* schmeicheln.

caretaker ['kɛəteikə] Wärter(in); (Haus)Verwalter(in).

care-worn ['kɛəwɔ:n] abgehärmt.

carfare *Am.* ['ka:fɛə] Fahrgeld *n*.

cargo ⚓ ['ka:gou] Ladung *f*.

caricature [kærikə'tjuə] 1. Karikatur *f*; 2. karikieren.

carmine ['ka:main] Karmin(rot) *n*.

carn|al □ ['ka:nl] fleischlich; sinnlich; **~ation** [ka:'neiʃən] 1. Fleischton *m*; ♀ Nelke *f*; 2. blaßrot.

carnival ['ka:nivəl] Karneval *m*.

carnivorous [ka:'nivərəs] fleischfressend.

carol □ ['kærəl] 1. Weihnachtslied *n*; 2. Weihnachtslieder singen.

carous|e [kə'rauz] 1. *a.* **~al** [~'zəl] (Trink)Gelage *n*; 2. zechen.

carp [ka:p] Karpfen *m*.

carpent|er ['ka:pintə] Zimmermann *m*; **~ry** [~tri] Zimmerhandwerk *n*; Zimmermannsarbeit *f*.

carpet ['ka:pit] 1. Teppich *m*; **bring on the ~** aufs Tapet bringen; 2. mit e-m Teppich belegen; **~-bag** Reisetasche *f*; **~-bagger** [~tbægə] politischer Abenteurer.

carriage ['kæridʒ] Beförderung *f*, Transport *m*; Fracht *f*; Wagen *m*; Fuhr-, Frachtlohn *m*; Haltung *f*; Benehmen *n*; **~-drive** Anfahrt *f* (*vor e-m Hause*); **~-free**, **~-paid** frachtfrei; **~-way** Fahrbahn *f*.

carrier ['kæriə] Fuhrmann *m*; Spediteur *m*; Träger *m*; Gepäckträger *m*; **~-pigeon** Brieftaube *f*.

carrion ['kæriən] Aas *n*; *attr.* Aas...

carrot ['kærət] Mohrrübe *f*.

**carry** ['kæri] **1.** *v/t. wohin* bringen, führen, tragen (*a. v/i.*), fahren, befördern; (*bei sich*) haben; *Ansicht* durchsetzen; *Gewinn, Preis* davontragen; *Zahlen* übertragen; *Ernte, Zinsen* tragen; *Mauer etc.* weiterführen; *Benehmen* fortsetzen; *Antrag, Kandidaten* durchbringen; ⚔ erobern; *be carried* angenommen werden (*Antrag*); durchkommen (*Kandidat*); ∼ *the day* den Sieg davontragen; ∼ *forward od. over* ✝ übertragen; ∼ *on* fortsetzen, weiterführen; *Geschäft etc.* betreiben; ∼ *out od. through* durchführen; **2.** Trag-, Schußweite *f*.

**cart** [kɑːt] **1.** Karren *m*; Wagen *m*; *put the* ∼ *before the horse fig.* das Pferd beim Schwanz aufzäumen; **2.** karren, fahren; **∼age** ['kɑːtidʒ] Fahren *n*; Fuhrlohn *m*.

**carter** ['kɑːtə] Fuhrmann *m*.

**cartilage** ['kɑːtilidʒ] Knorpel *m*.

**carton** ['kɑːtən] Karton *m*.

**cartoon** [kɑː'tuːn] *paint.* Karton *m*; ⊕ Musterzeichnung *f*; Karikatur *f*; Zeichentrickfilm *m*; **∼ist** [∼nist] Karikaturist *m*.

**cartridge** ['kɑːtridʒ] Patrone *f*; **∼-paper** Zeichenpapier *n*.

**cart-wheel** ['kɑːtwiːl] Wagenrad *n*; *Am.* Silberdollar *m*; *turn* ∼*s* radschlagen.

**carve** [kɑːv] *Fleisch* vorschneiden, zerlegen; schnitzen; meißeln; **∼r** ['kɑːvə] (Bild)Schnitzer *m*; Vorschneider *m*; Vorlegemesser *n*.

**carving** ['kɑːviŋ] Schnitzerei *f*.

**cascade** [kæs'keid] Wasserfall *m*.

**case¹** [keis] Behälter *m*; Kiste *f*; Etui *n*; Gehäuse *n*; Schachtel *f*; Fach *n*; *typ.* Setzkasten *m*; **2.** (ein-)stecken; ver-, umkleiden.

**case²** [∼] Fall *m* (*a. gr.*, ⚕, ⚖); *gr.* Kasus *m*; ⚕ *a.* Kranke(r *m*) *f*; *Am.* F komischer Kauz; ⚖ Schriftsatz *m*; Hauptargument *n*; Sache *f*, Angelegenheit *f*.

**case-harden** ⊕ ['keishɑːdn] hartgießen; **∼ed** *fig.* hartgesotten.

**case-history** ['keishistəri] Vorgeschichte *f*; Krankengeschichte *f*.

**casement** ['keismənt] Fensterflügel *m*; ∼ *window* Flügelfenster *n*.

**cash** [kæʃ] **1.** Bargeld *n*, Kasse *f*; ∼ *down, for* ∼ gegen bar; ∼ *on delivery* Lieferung *f* gegen bar; (per) Nachnahme *f*; ∼ *register* Re-

gistrierkasse *f*; **2.** einkassieren, einlösen; **∼book** ['kæʃbuk] Kassabuch *n*; **∼ier** [kæˈʃiə] Kassierer(in).

**casing** ['keisiŋ] Überzug *m*, Gehäuse *n*, Futteral *n*; ⚔ Verkleidung *f*.

**cask** [kɑːsk] Faß *n*.

**casket** ['kɑːskit] Kassette *f*; *Am.* Sarg *m*.

**casserole** ['kæsəroul] Kasserolle *f*.

**cassock** *eccl.* ['kæsək] Soutane *f*.

**cast** [kɑːst] **1.** Wurf *m*; ⊕ Guß (-form *f*) *m*; Abguß *m*, Abdruck *m*; Schattierung *f*, Anflug *m*; Form *f*, Art *f*; ⚓ Auswerfen *n von Senkblei etc.*; *thea.* (Rollen)Besetzung *f*; **2.** [*irr.*] *v/t.* (ab-, aus-, hin-, um-, weg)werfen; *zo. Haut etc.* abwerfen; *Zähne etc.* verlieren; verwerfen; gestalten; ⊕ gießen; *a.* ∼ *up* aus-, zs.-rechnen; *thea. Rolle* besetzen; *Rolle* übertragen (*to dat.*); *be* ∼ *in a lawsuit* ⚖ e-n Prozeß verlieren; ∼ *lots* losen (*for* um); ∼ *in one's lot with s.o.* j-s Los teilen; *be* ∼ *down* niedergeschlagen sein; *v/i.* sich gießen lassen; ⊕ sich (ver)werfen; ∼ *about for* sinnen auf (*acc.*); sich *et.* überlegen.

**castanet** [kæstəˈnet] Kastagnette *f*.

**castaway** [kɑːstəweei] **1.** verworfen, ⚓ schiffbrüchig; **2.** Verworfene(r *m*) *f*; Schiffbrüchige(r *m*) *f*.

**caste** [kɑːst] Kaste *f* (*a. fig.*).

**castigate** ['kæstigeit] züchtigen; *fig.* geißeln.

**cast iron** [kɑːstˈaiən] Gußeisen *n*; **cast-iron** gußeisern.

**castle** ['kɑːsl] Burg *f*, Schloß *n*; *Schach:* Turm *m*.

**castor¹** ['kɑːstə]: ∼ *oil* Rizinusöl *n*.

**castor²** [∼] Laufrolle *f unter Möbeln*; (Salz-, Zucker- *etc.*) Streuer *m*.

**castrate** [kæsˈtreit] kastrieren.

**cast steel** ['kɑːststiːl] Gußstahl *m*; **cast-steel** aus Gußstahl.

**casual** □ ['kæʒjuəl] zufällig; gelegentlich; F lässig; **∼ty** [∼lti] Unfall *m*; ⚔ Verlust *m*.

**cat** [kæt] Katze *f*; ∼ *burglar* Fassadenkletterer *m*.

**catalo|gue**, *Am.* **∼g** ['kætələg] **1.** Katalog *m*; *Am. univ.* Vorlesungsverzeichnis *n*; **2.** katalogisieren.

**catapult** ['kætəpʌlt] Schleuder *f*; ✈ Katapult *m*, *n*.

**cataract** ['kætərækt] Katarakt *m*, Wasserfall *m*; ⚕ grauer Star.

# catarrh

**catarrh** [kə'tɑ:] Katarrh *m*; Schnupfen *m*.

**catastrophe** [kə'tæstrəfi] Katastrophe *f*.

**catch** [kætʃ] **1.** Fang *m*; Beute *f*, *fig.* Vorteil *m*; ♪ Rundgesang *m*; Kniff *m*; ⊕ Haken *m*, Griff *m*, Klinke *f*; **2.** [*irr.*] *v/t.* fassen, F kriegen; fangen, ergreifen; ertappen; *Blick etc.* auffangen; *Zug etc.* erreichen; bekommen; sich *Krankheit* zuziehen, holen; *fig.* erfassen; ~ (*a*) *cold* sich erkälten; ~ *s.o.'s eye* j-m ins Auge fallen; ~ *up* auffangen; F *j.* unterbrechen; einholen; **3.** *v/i.* sich verfangen, hängenbleiben; fassen, einschnappen (*Schloß etc.*); ~ *on* F Anklang finden; *Am.* F kapieren; ~ *up with j.* einholen; ~*all* ['kætʃɔ:l] *Am.* Platz *m od.* Behälter *m* für alles mögliche (*a. fig. u. attr.*); ~*er* [~ʃə] Fänger(in); ~*ing* [~ʃiŋ] packend; *g* ansteckend; ~*line* Schlagzeile *f*; ~*word* Schlagwort *n*; Stichwort *n*.

**catechism** ['kætikizəm] Katechismus *m*.

**categor|ical** □ [kæti'gɔrikəl] kategorisch; ~*y* ['kætigəri] Kategorie *f*.

**cater** ['keitə]: ~ *for* Lebensmittel liefern für; *fig.* sorgen für; ~*ing* [~əriŋ] Verpflegung *f*.

**caterpillar** ['kætəpilə] *zo.* Raupe *f*.

**catgut** ['kætgʌt] Darmsaite *f*.

**cathedral** [kə'θi:drəl] Dom *m*, Kathedrale *f*.

**Catholic** ['kæθəlik] **1.** katholisch; **2.** Katholik(in).

**catkin** ♀ ['kætkin] Kätzchen *n*.

**cattish** *fig.* ['kætiʃ] falsch.

**cattle** ['kætl] Vieh *n*; ~*breeding* Viehzucht *f*; ~*plague* *vet.* Rinderpest *f*.

**caught** [kɔ:t] *pret. u. p.p. von* *catch* **2.**

**ca(u)ldron** ['kɔ:ldrən] Kessel *m*.

**cauliflower** ♀ ['kɔliflauə] Blumenkohl *m*.

**caulk** ⚓ [kɔ:k] kalfatern (*abdichten*).

**caus|al** □ ['kɔ:zəl] ursächlich; ~*e* [kɔ:z] **1.** Ursache *f*, Grund *m*; ☆ Klage(grund *m*) *f*; Prozeß *m*; Angelegenheit *f*, Sache *f*; **2.** verursachen, veranlassen, ~*eless* □ ['kɔ:zlis] grundlos.

**causeway** ['kɔ:zwei] Damm *m*.

**caustic** ⚕ ['kɔ:stik] (~*ally*) ätzend; *fig.* beißend, scharf.

**caution** ['kɔ:ʃən] **1.** Vorsicht *f*; Warnung *f*; Verwarnung *f*; ~*money* Kaution *f*; **2.** warnen; verwarnen.

**cautious** □ ['kɔ:ʃəs] behutsam, vorsichtig; ~*ness* [~snis] Behutsamkeit *f*, Vorsicht *f*.

**cavalry** ✕ ['kævəlri] Reiterei *f*.

**cave** [keiv] **1.** Höhle *f*; **2.** *v/i.* ~ *in* einstürzen; klein beigeben.

**cavern** ['kævən] Höhle *f*; ~*ous* *fig.* [~nəs] hohl.

**cavil** ['kævil] **1.** Krittelei *f*; **2.** kritteln (*at, about* an *dat.*).

**cavity** ['kæviti] Höhle *f*; Loch *n*.

**cavort** *Am.* F [kə'vɔ:t] sich aufbäumen, umherspringen.

**caw** [kɔ:] **1.** krächzen; **2.** Krächzen *n*.

**cayuse** *Am.* F ['kaiju:s] kleines (Indianer)Pferd.

**cease** [si:s] *v/i.* (*from*) aufhören (mit), ablassen (von); *v/t.* aufhören mit; ~*less* □ ['si:slis] unaufhörlich.

**cede** [si:d] abtreten, überlassen.

**ceiling** ['si:liŋ] *Zimmer*-Decke *f*; *fig.* Höchstgrenze *f*; ~ *price* Höchstpreis *m*.

**celebrat|e** ['selibreit] feiern; ~*ed* gefeiert, berühmt (*for wegen*); ~*ion* [seli'breiʃən] Feier *f*.

**celebrity** [si'lebriti] Berühmtheit *f*.

**celerity** [si'leriti] Geschwindigkeit *f*.

**celery** ♀ ['seləri] Sellerie *m*, *f*.

**celestial** □ [si'lestjəl] himmlisch.

**celibacy** ['selibəsi] Ehelosigkeit *f*.

**cell** [sel] *allg.* Zelle *f*; ✝ Element *n*.

**cellar** ['selə] Keller *m*.

**cement** [si'ment] **1.** Zement *m*; Kitt *m*; **2.** zementieren; (ver)kitten.

**cemetery** ['semitri] Friedhof *m*.

**censor** ['sensə] **1.** Zensor *m*; **2.** zensieren; ~*ious* □ [sen'sɔ:riəs] kritisch; kritt(e)lig; ~*ship* ['sensəʃip] Zensur *f*; Zensoramt *n*.

**censure** ['senʃə] **1.** Tadel *m*; Verweis *m*; **2.** tadeln.

**census** ['sensəs] Volkszählung *f*.

**cent** [sent] Hundert *n*; *Am.* Cent *m* = ¹/₁₀₀ Dollar; *per* ~ Prozent *n*.

**centenary** [sen'ti:nəri] Hundertjahrfeier *f*.

**centennial** [sen'tenjəl] **1.** hundertjährig; **2.** hundertjähriges Jubiläum.

**centi|grade** ['sentigreid]: *10 degrees* ~ *10* Grad Celsius; ~*metre*, *Am.*

**~meter** Zentimeter n, m; **~pede** zo. [ˌipiːd] Hundertfüßer m.

**central** □ ['sentrəl] zentral; **~ heating** Zentralheizung f; **~ office**, ⚡ **~ station** Zentrale f; **~ize** [ˌlaiz] zentralisieren.

**cent|re**, Am. **~er** ['sentə] **1.** Zentrum n, Mittelpunkt m; **2.** zentral; **3.** (sich) konzentrieren; zentralisieren; zentrieren.

**century** ['sentʃuri] Jahrhundert n.

**cereal** ['siəriəl] **1.** Getreide...; **2.** Getreide(pflanze f) n; Hafer-, Weizenflocken f/pl.; Corn-flakes pl.

**cerebral** anat. ['seribrəl] Gehirn...

**ceremon|ial** [seri'mounjəl] **1.** a. **~ious** [ˌjəs] zeremoniell; förmlich; **2.** Zeremoniell n; **~y** ['seriməni] Zeremonie f; Feierlichkeit f; Förmlichkeit(en pl.) f.

**certain** □ ['səːtn] sicher, gewiß; zuverlässig; bestimmt; gewisse(r, -s); **~ty** [ˌnti] Sicherheit f, Gewißheit f; Zuverlässigkeit f.

**certi|ficate** [sə'tifikit] Zeugnis n, Schein m; **~ of birth** Geburtsurkunde f; **medical ~** ärztliches Attest; **2.** [ˌkeit] bescheinigen; **~fication** [səːtifiˈkeiʃən] Bescheinigung f; **~fy** ['səːtifai] et. bescheinigen; bezeugen; **~tude** [ˌitjuːd] Gewißheit f.

**cessation** [se'seiʃən] Aufhören n.

**cession** ['seʃən] Abtretung f.

**cesspool** ['sespuːl] Senkgrube f.

**chafe** [tʃeif] v/t. reiben; wundreiben; erzürnen; v/i. sich scheuern; sich wundreiben; toben.

**chaff** [tʃɑːf] **1.** Spreu f; Häcksel n; F Neckerei f; **2.** zu Häcksel schneiden; F necken.

**chaffer** ['tʃæfə] feilschen.

**chaffinch** ['tʃæfintʃ] Buchfink m.

**chagrin** ['ʃægrin] **1.** Ärger m; **2.** ärgern.

**chain** [tʃein] **1.** Kette f; fig. Fessel f; **~ store** bsd. Am. Kettenladen m, Zweiggeschäft n; **2.** (an)ketten; fig. fesseln.

**chair** [tʃɛə] Stuhl m; Lehrstuhl m; Vorsitz m; **be in the ~** den Vorsitz führen; **~man** ['tʃɛəmən] Vorsitzende(r) m; Präsident m.

**chalice** ['tʃælis] Kelch m.

**chalk** [tʃɔːk] **1.** Kreide f; **2.** mit Kreide (be)zeichnen; mst **~ up** ankreiden; **~ out** entwerfen.

**challenge** ['tʃælindʒ] **1.** Heraus-

forderung f; ✕ Anruf m; bsd. ⚖ Ablehnung f; **2.** herausfordern; anrufen; ablehnen; anzweifeln.

**chamber** ['tʃeimbə] parl., zo., ⊕, Am. Kammer f; **~s** pl. Geschäftsräume m/pl.; **~maid** Zimmermädchen n.

**chamois** ['ʃæmwɑː] **1.** Gemse f; a. **~-leather** [oft a. 'ʃæmileðə] Wildleder n; **2.** chamois (gelbbraun).

**champagne** [ʃæm'pein] Champagner m.

**champion** ['tʃæmpjən] **1.** Vorkämpfer m, Verfechter m; Verteidiger m; Sport: Meister m; **2.** verteidigen; kämpfen für; fig. stützen; **3.** großartig; **~ship** Meisterschaft f.

**chance** [tʃɑːns] **1.** Zufall m; Schicksal n; Glück(sfall m) n; Chance f; Aussicht f (of auf acc.); (günstige) Gelegenheit; Möglichkeit f; **by ~** zufällig; **take a ~**, **take one's ~** es darauf ankommen lassen; **2.** zufällig; gelegentlich; **3.** v/i. geschehen; sich ereignen; **~ upon** stoßen auf (acc.); v/t. F wagen.

**chancellor** ['tʃɑːnsələ] Kanzler m.

**chancery** ['tʃɑːnsəri] Kanzleigericht n; fig. **in ~** in der Klemme.

**chandelier** [ʃændi'liə] Lüster m.

**chandler** ['tʃɑːndlə] Krämer m.

**change** [tʃeindʒ] **1.** Veränderung f, Wechsel m, Abwechs(e)lung f; Tausch m; Wechselgeld n; Kleingeld n; **2.** v/t. (ver)ändern; (aus-) wechseln, (aus-, ver)tauschen (for gegen); **~ trains** umsteigen; v/i. sich ändern, wechseln; sich umziehen; **~able** □ ['tʃeindʒəbl] veränderlich; **~less** [ˌdʒlis] unveränderlich; **~ling** [ˌliŋ] Wechselbalg m; **~over** Umstellung f.

**channel** ['tʃænl] **1.** Kanal m; Flußbett n; Rinne f; fig. Weg m; **2.** furchen; aushöhlen.

**chant** [tʃɑːnt] **1.** (Kirchen)Gesang m; fig. Singsang m; **2.** singen.

**chaos** ['keiɔs] Chaos n.

**chap**¹ [tʃæp] **1.** Riß m, Sprung m; **2.** rissig machen od. werden.

**chap**² F [tʃæp] Bursche m, Kerl m, Junge m.

**chap**³ [ˌ] Kinnbacken m; **~s** pl. Maul n; ⊕ Backen f/pl.

**chapel** ['tʃæpəl] Kapelle f; Gottesdienst m.

**chaplain** ['tʃæplin] Kaplan m.

**chapter** ['tʃæptə] Kapitel *n; Am.* Orts-, Untergruppe *f* e-r *Vereinigung.*

**char** [tʃɑ:] verkohlen.

**character** ['kæriktə] Charakter *m*; Merkmal *n*; Schrift(zeichen *n*) *f*; Sinnesart *f*; Persönlichkeit *f*; Original *n; thea., Roman:* Person *f*; Rang *m*, Würde *f*; (*bsd. guter*) Ruf; Zeugnis *n*; **⁓istic** [kæriktə'ristik] **1.** (⁓*ally*) charakteristisch (*of* für); **2.** Kennzeichen *n*; **⁓ize** ['kæriktə-raiz] charakterisieren.

**charcoal** ['tʃɑ:koul] Holzkohle *f*.

**charge** [tʃɑ:dʒ] **1.** Ladung *f; fig.* Last *f* (*on* für); Verwahrung *f*, Obhut *f*; Schützling *m*; Mündel *m*, *f*, *n*; Amt *n*, Stelle *f*; Auftrag *m*; Befehl *m*; Angriff *m*; Ermahnung *f*; Beschuldigung *f*, Anklage *f*; Preis *m*, Forderung *f*; **⁓s** *pl.* ✝ Kosten *pl.*; *be in* ⁓ *of* et. in Verwahrung haben; *mit et.* beauftragt sein; *für et.* sorgen; **2.** *v/t.* laden; beladen; belasten; beauftragen; *j-m et.* einschärfen, befehlen; ermahnen; beschuldigen, anklagen (*with gen.*); zuschreiben (*on, upon dat.*); fordern, verlangen; an-, berechnen, in Rechnung stellen (*to dat.*); angreifen (*a. v/i.*); behaupten.

**chariot** *poet. od. hist.* ['tʃæriət] Streit-, Triumphwagen *m*.

**charitable** □ ['tʃæritəbl] mild(tätig), wohltätig.

**charity** ['tʃæriti] Nächstenliebe *f*; Wohltätigkeit *f*; Güte *f*; Nachsicht *f*; milde Gabe.

**charlatan** ['ʃɑ:lətən] Marktschreier *m*.

**charm** [tʃɑ:m] **1.** Zauber *m; fig.* Reiz *m*; **2.** bezaubern; *fig.* entzücken; **⁓ing** □ ['tʃɑ:miŋ] bezaubernd.

**chart** [tʃɑ:t] **1.** ⚓ Seekarte *f*, Tabelle *f*; **2.** auf e-r Karte einzeichnen.

**charter** ['tʃɑ:tə] **1.** Urkunde *f*; Freibrief *m*; Patent *n*; Frachtvertrag *m*; **2.** privilegieren; ⚓, 🗲 chartern, mieten.

**charwoman** ['tʃɑ:wumən] Putz-, Reinemachefrau *f*.

**chary** □ ['tʃɛəri] vorsichtig.

**chase** [tʃeis] **1.** Jagd *f*; Verfolgung *f*; gejagtes Wild; **2.** jagen, hetzen; Jagd machen auf (*acc.*).

**chasm** ['kæzəm] Kluft *f* (*a. fig.*), Lücke *f*.

**chaste** □ [tʃeist] rein, keusch, unschuldig; schlicht (*Stil*).

**chastise** [tʃæs'taiz] züchtigen.

**chastity** ['tʃæstiti] Keuschheit *f*.

**chat** [tʃæt] **1.** Geplauder *n*, Plauderei *f*; **2.** plaudern.

**chattels** ['tʃætlz] *pl. mst goods and* ⁓ Hab *n* und Gut *n*; Vermögen *n*.

**chatter** ['tʃætə] **1.** plappern; schnattern; klappern; **2.** Geplapper *n*; **⁓box** F Plaudertasche *f*; **⁓er** [⁓ərə] Schwätzer(in).

**chatty** ['tʃæti] gesprächig.

**chauffeur** ['ʃoufə] Chauffeur *m*.

**chaw** *sl.* [tʃɔ:] kauen; ⁓ *up Am. mst fig.* fix und fertig machen.

**cheap** □ [tʃi:p] billig; *fig.* gemein; **⁓en** ['tʃi:pən] (sich) verbilligen; *fig.* herabsetzen.

**cheat** [tʃi:t] **1.** Betrug *m*, Schwindel *m*; Betrüger(in); **2.** betrügen.

**check** [tʃek] **1.** Schach(stellung *f*) *n*; Hemmnis *n* (*on* für); Zwang *m*, Aufsicht *f*; Kontrolle *f* (*on gen.*); Kontrollmarke *f; Am.* (Gepäck-) Schein *m; Am.* ✝ = cheque; *Am.* Rechnung *f im Restaurant*; kariertes Stoff; **2.** *v/i.* an-, innehalten; *Am.* e-n Scheck ausstellen; ⁓ *in Am.* (in e-m Hotel) absteigen; ⁓ *out Am.* das Hotel (*nach Bezahlung der Rechnung*) verlassen; *v/t.* hemmen, kontrollieren; nachprüfen; *Kleider* in der Garderobe abgeben; *Am.* *Gepäck* aufgeben; **⁓er** ['tʃekə] Aufsichtsbeamte(r) *m*; **⁓s** *pl. Am.* Damespiel *n*; **⁓ing-room** [⁓kiŋrum] *Am.* Gepäckaufbewahrung *f*; **⁓mate 1.** Schachmatt *n*; **2.** matt setzen; **⁓up** *Am.* scharfe Kontrolle.

**cheek** [tʃi:k] Backe *f*, Wange *f*; F Unverschämtheit *f*; **cheeky** □ ['tʃi:ki] frech.

**cheer** [tʃiə] **1.** Stimmung *f*, Fröhlichkeit *f*; Hoch(ruf *m n*); Beifall(sruf) *m*; Speisen *f/pl.*, Mahl *n*; *three* ⁓*s!* dreimal hoch!; **2.** *v/t. a.* ⁓ *up* aufheitern; *mit Beifall begrüßen; a.* ⁓ *on* anspornen; *v/i.* hoch rufen; jauchzen; *a.* ⁓ *up Mut* fassen; **⁓ful** □ ['tʃiəful] heiter; **⁓io** F [⁓əri'ou] mach's gut!, tschüs!; prosit!; **⁓less** □ [⁓əlis] freudlos; **⁓y** □ [⁓əri] heiter, froh.

**cheese** [tʃi:z] Käse *m*.

**chef** [ʃef] Küchenchef *m*.

**chemical** ['kemikəl] **1.** □ chemisch; **2.** ⁓*s pl.* Chemikalien *pl.*

**chemise** [ʃi'mi:z] (Frauen)Hemd *n*.

**chemist** ['kemist] Chemiker(in); Apotheker *m*; Drogist *m*; **~ry** [~tri] Chemie *f*.

**cheque** † [tʃek] Scheck *m*; crossed ~ Verrechnungsscheck *m*.

**chequer** ['tʃekə] **1.** *mst* ~s *pl*. Karomuster *n*; **2.** karieren; **~ed** gewürfelt; *fig.* bunt.

**cherish** ['tʃeriʃ] hegen, pflegen.

**cherry** ['tʃeri] Kirsche *f*.

**chess** [tʃes] Schach(spiel) *n*; **~board** ['tʃesbɔ:d] Schachbrett *n*; **~man** Schachfigur *f*.

**chest** [tʃest] Kiste *f*, Lade *f*; *anat.* Brustkasten *m*; ~ of drawers Kommode *f*.

**chestnut** ['tʃesnʌt] **1.** ⚘ Kastanie *f*; F alter Witz; **2.** kastanienbraun.

**chevy** F ['tʃevi] **1.** Hetzjagd *f*; Barlaufspiel *n*; **2.** hetzen, jagen.

**chew** [tʃu:] kauen; sinnen; ~ the fat *od.* rag *Am. sl.* die Sache durchkauen; **~ing-gum** ['tʃu(:)iŋgʌm] Kaugummi *m*.

**chicane** [ʃi'kein] **1.** Schikane *f*; **2.** schikanieren.

**chicken** ['tʃikin] Hühnchen *n*, Küken *n*; **~-hearted** furchtsam, feige; **~-pox** ✻ [~nppks] Windpocken *f/pl*.

**chid** [tʃid] *pret. u. p.p. von* chide; **~den** ['tʃidn] *p.p. von* chide.

**chide** *lit.* [tʃaid] [*irr.*] schelten.

**chief** [tʃi:f] **1.** ◻ oberst; Ober..., Haupt...; hauptsächlich; ~ clerk Bürovorsteher *m*; **2.** Oberhaupt *n*, Chef *m*; Häuptling *m*; ...-in-Ober...; **~tain** ['tʃi:ftən] Häuptling *m*.

**chilblain** ['tʃilblein] Frostbeule *f*.

**child** [tʃaild] Kind *n*; from a ~ von Kindheit an; with ~ schwanger; **~birth** ['tʃaildbə:θ] Niederkunft *f*; **~hood** [~dhud] Kindheit *f*; **~ish** ◻ [~diʃ] kindlich; kindisch; **~like** kindlich; **~ren** ['tʃildrən] *pl. v.* child.

**chill** [tʃil] **1.** eisig, frostig; **2.** Frost *m*, Kälte *f*; ✻ Fieberfrost *m*; Erkältung *f*; **3.** *v/t.* erkalten lassen; abkühlen; *v/i.* erkalten; erstarren; **~y** ['tʃili] kalt, frostig.

**chime** [tʃaim] **1.** Glockenspiel *n*; Geläut *n*; *fig.* Einklang *m*; **2.** läuten; *fig.* harmonieren, übereinstimmen.

**chimney** ['tʃimni] Schornstein *m*; Rauchfang *m*; Lampen-Zylinder *m*; **~-sweep(er)** Schornsteinfeger *m*.

**chin** [tʃin] **1.** Kinn *n*; take it on the ~ *Am.* F es standhaft ertragen; **2.:** ~ *o.s. Am.* e-n Klimmzug machen.

**china** ['tʃainə] Porzellan *n*.

**Chinese** ['tʃai'ni:z] **1.** chinesisch; **2.** Chinese(n *pl.*) *m*, Chinesin *f*.

**chink** [tʃiŋk] Ritz *m*, Spalt *m*.

**chip** [tʃip] **1.** Schnitzel *n*, Stückchen *n*; Span *m*; *Glas- etc.* Splitter *m*; Spielmarke *f*; have a ~ on one's shoulder *Am.* F aggressiv sein; ~s *pl.* Pommes frites *pl.*; **2.** *v/t.* schnitzeln; an-, abschlagen; *v/i.* abbröckeln; **~muck** ['tʃipmʌk], **~munk** [~ʌŋk] nordamerikanisches gestreiftes Eichhörnchen.

**chirp** [tʃə:p] **1.** zirpen; zwitschern; **2.** Gezirp *n*.

**chisel** ['tʃizl] **1.** Meißel *m*; **2.** meißeln; *sl.* (be)mogeln.

**chit-chat** ['tʃittʃæt] Geplauder *n*.

**chivalr|ous** ◻ ['ʃivəlrəs] ritterlich; **~y** [~ri] Ritterschaft *f*, Rittertum *n*; Ritterlichkeit *f*.

**chive** ⚘ ['tʃaiv] Schnittlauch *m*.

**chlor|ine** ['klɔ:ri:n] Chlor *n*; **~oform** ['klɔrəfɔ:m] **1.** Chloroform *n*; **2.** chloroformieren.

**chocolate** ['tʃɔkəlit] Schokolade *f*.

**choice** [tʃɔis] **1.** Wahl *f*; Auswahl *f*; **2.** ◻ auserlesen, vorzüglich.

**choir** ['kwaiə] Chor *m*.

**choke** [tʃouk] **1.** *v/t.* (er)würgen, (*a. v/i.*) ersticken; ⚡ (ab)drosseln; (ver)stopfen; *mst* ~ down hinunterwürgen; **2.** Erstickungsanfall *m*; ⊕ Würgung *f*; *mot.* Choke *m*, Starterklappe *f*.

**choose** [tʃu:z] [*irr.*] (aus)wählen; ~ to *inf.* vorziehen zu *inf.*

**chop** [tʃɔp] **1.** Hieb *m*; Kotelett *n*; ~s *pl.* Maul *n*, Rachen *m*; ⊕ Backen *f/pl.*; **2.** *v/t.* hauen, hacken; zerhacken; austauschen; *v/i.* wechseln; **~per** ['tʃɔpə] Hackmesser *n*; **~py** [~pi] unstet; unruhig (*See*); böig (*Wind*).

**choral** ◻ ['kɔ:rəl] chormäßig; Chor...; **~(e)** ♪ [kɔ'ra:l] Choral *m*.

**chord** [kɔ:d] Saite *f*; Akkord *m*.

**chore** *Am.* [tʃɔ:] Hausarbeit *f* (*mst pl.*).

**chorus** ['kɔrəs] **1.** Chor *m*; Kehrreim *m*; **2.** im Chor singen *od.* sprechen.

**chose** [tʃouz] *pret. von* choose; **~n** ['tʃouzn] *p.p. von* choose.

**chow** *Am. sl.* [tʃau] Essen *n*.

**Christ** [kraist] Christus *m*.

**christen** ['krisn] taufen; **~ing** [~niŋ] Taufe *f*; *attr*. Tauf...

**Christian** ['kristjən] **1.** ☐ christlich; **~** *name* Vor-, Taufname *m*; **2.** Christ(in), **~ity** [kristi'æniti] Christentum *n*.

**Christmas** ['krisməs] Weihnachten *n*.

**chromium** ['kroumjəm] Chrom *n* (*Metall*); **~-plated** verchromt.

**chronic** ['krɔnik] (*~ally*) chronisch (*mst* ⚕), dauernd; *sl*. ekelhaft; **~le** [~kl] **1.** Chronik *f*; **2.** aufzeichnen.

**chronolog|ical** ☐ [krɔnə'lɔdʒikəl] chronologisch; **~y** [krə'nɔlədʒi] Zeitrechnung *f*; Zeitfolge *f*.

**chubby** F ['tʃʌbi] rundlich; pausbäckig; plump (*a. fig.*).

**chuck**[1] [tʃʌk] **1.** Glucken *n*; *my ~!* mein Täubchen!; **2.** glucken.

**chuck**[2] F [~] **1.** schmeißen; **2.** (Hinaus)Wurf *m*.

**chuckle** ['tʃʌkl] kichern, glucksen.

**chum** F [tʃʌm] **1.** (Stuben)Kamerad *m*; **2.** zs.-wohnen.

**chump** F [tʃʌmp] Holzklotz *m*.

**chunk** F [tʃʌnk] Klotz *m*.

**church** [tʃəːtʃ] Kirche *f*; *attr*. Kirch(en)...; **~** *service* Gottesdienst *m*; **~warden** ['tʃəːtʃ'wɔːdn] Kirchenvorsteher *m*; **~yard** Kirchhof *m*.

**churl** [tʃəːl] Grobian *m*; Flegel *m*; **~ish** ☐ ['tʃəːliʃ] grob, flegelhaft.

**churn** [tʃəːn] **1.** Butterfaß *n*; **2.** buttern; aufwühlen.

**chute** [ʃuːt] Stromschnelle *f*; Gleit-, Rutschbahn *f*; Fallschirm *m*.

**cider** ['saidə] Apfelmost *m*.

**cigar** [si'gɑː] Zigarre *f*.

**cigarette** [sigə'ret] Zigarette *f*; **~-case** Zigarettenetui *n*.

**cigar-holder** [si'gɑːhouldə] Zigarrenspitze *f*.

**cilia** ['siliə] *pl*. (Augen)Wimpern *f*/*pl*.

**cinch** *Am*. *sl*. [sintʃ] sichere Sache.

**cincture** ['siŋktʃə] Gürtel *m*, Gurt *m*.

**cinder** ['sində] Schlacke *f*; **~s** *pl*. Asche *f*; **℥ella** [sində'relə] Aschenbrödel *n*; **~-path** *Sport*: Aschenbahn *f*.

**cine-camera** ['sini'kæmərə] Filmkamera *f*.

**cinema** ['sinəmə] Kino *n*; Film *m*.

**cinnamon** ['sinəmən] Zimt *m*.

**cipher** ['saifə] **1.** Ziffer *f*; Null *f* (*a. fig.*); Geheimschrift *f*, Chiffre *f*; **2.** chiffrieren; (aus)rechnen.

**circle** ['səːkl] **1.** Kreis *m*; *Bekannten- etc*. Kreis *m*; Kreislauf *m*; *thea*. Rang *m*; Ring *m*; **2.** (um)kreisen.

**circuit** ['səːkit] Kreislauf *m*; ⚡ Stromkreis *m*; Rundreise *f*; Gerichtsbezirk *m*; ✈ Rundflug *m*; short ~ ⚡ Kurzschluß *m*; **~ous** ☐ [sə(ː)'kju(ː)itəs] weitschweifig; Um...

**circular** ['səːkjulə] **1.** ☐ kreisförmig; Kreis...; **~** *letter* Rundschreiben *n*; **~** *note* † Kreditbrief *m*; **2.** Rundschreiben *n*; Laufzettel *m*.

**circulat|e** ['səːkjuleit] *v/i*. umlaufen, zirkulieren; *v/t*. in Umlauf setzen; **~ing** [~tiŋ]: *~* *library* Leihbücherei *f*; **~ion** [səːkju'leiʃən] Zirkulation *f*, Kreislauf *m*; *fig*. Umlauf *m*; Verbreitung *f*; *Zeitungs*-Auflage *f*.

**circum|...** ['səːkəm] (her)um; **~ference** [sə'kʌmfərəns] (Kreis-) Umfang *m*, Peripherie *f*; **~jacent** [səːkəm'dʒeisənt] umliegend; **~location** [~mlə'kju:ʃən] Umständlichkeit *f*; Weitschweifigkeit *f*; **~navigate** [~m'nævigeit] umschiffen; **~scribe** ['səːkəmskraib] ⚪ umschreiben; *fig*. begrenzen; **~spect** ☐ [~spekt] um-, vorsichtig; **~stance** [~stəns] Umstand *m* (*~s* *pl*. *a*. Verhältnisse *n*/*pl*.); Einzelheit *f*; Umständlichkeit *f*; **~stantial** ☐ [səːkəm'stænʃəl] umständlich; *~* *evidence* ⚖ Indizienbeweis *m*; **~vent** [~m'vent] überlisten; vereiteln.

**circus** ['səːkəs] Zirkus *m*; (runder) Platz.

**cistern** ['sistən] Wasserbehälter *m*.

**cit|ation** [sai'teiʃən] Vorladung *f*; Anführung *f*, Zitat *n*; *Am*. öffentliche Ehrung; **~e** [sait] ⚖ vorladen; anführen; zitieren.

**citizen** ['sitizn] (Staats)Bürger(in); Städter(in), **~ship** [~nʃip] Bürgerrecht *n*, Staatsangehörigkeit *f*.

**citron** ['sitrən] Zitrone *f*.

**city** ['siti] **1.** Stadt *f*; *the* ℥ die City, das Geschäftsviertel; **2.** städtisch, Stadt...; ℥ *article* Börsen-, Handelsbericht *m*; *~* *editor* *Am*. Lokalredakteur *m*; *~* *hall* *Am*. Rathaus *n*; *~* *manager* *Am*. Oberstadtdirektor *m*.

**civic** ['sivik] (staats)bürgerlich; städtisch; ~s *sg.* Staatsbürgerkunde *f.*

**civil** □ ['sivl] bürgerlich, Bürger...; zivil; ⚖ zivilrechtlich; höflich; ⚯ *Servant* Verwaltungsbeamt|e(r) *m*, -in *f*; ⚯ *Service* Staatsdienst *m*; **~ian** ✕ [si'viljən] Zivilist *m*; **~ity** [~liti] Höflichkeit *f*; **~ization** [sivilai'zeiʃən] Zivilisation *f*, Kultur *f*; **~ize** ['sivilaiz] zivilisieren.

**clad** [klæd] **1.** *pret. u. p.p. von clothe;* **2.** *adj.* gekleidet.

**claim** [kleim] **1.** Anspruch *m*; Anrecht *n* (to auf *acc.*); Forderung *f*; *Am.* Parzelle *f*; **2.** beanspruchen; fordern; sich berufen auf (*acc.*); ~ to be sich ausgeben für; **~ant** ['kleimənt] Beanspruchende(r *m*) *f*; ⚖ Kläger *m.*

**clairvoyant(e)** [klɛə'vɔiənt] Hellseher(in).

**clamber** ['klæmbə] klettern.

**clammy** □ ['klæmi] feuchtkalt, klamm.

**clamo(u)r** ['klæmə] **1.** Geschrei *n*, Lärm *m*; **2.** schreien (*for* nach).

**clamp** ⊕ [klæmp] **1.** Klammer *f*; **2.** verklammern; befestigen.

**clan** [klæn] Clan *m*, Sippe *f* (*a. fig.*).

**clandestine** □ [klæn'destin] heimlich; Geheim...

**clang** [klæŋ] **1.** Klang *m*, Geklirr *n*; **2.** schallen; klirren (lassen).

**clank** [klæŋk] **1.** Gerassel *n*, Geklirr *n*; **2.** rasseln, klirren (mit).

**clap** [klæp] **1.** Klatschen *n*; Schlag *m*, Klaps *m*; **2.** schlagen (mit); klatschen; **~board** *Am.* ['klæpbɔːd] Schaltbrett *n*; **~trap** Effekthascherei *f.*

**claret** ['klærət] roter Bordeaux; *allg.* Rotwein *m*; Weinrot *n*; *sl.* Blut *n.*

**clarify** ['klærifai] *v/t.* (ab)klären; *fig.* erklären; *v/i.* sich klären.

**clarity** ['klæriti] Klarheit *f.*

**clash** [klæʃ] **1.** Geklirr *n*; Zs.-stoß *m*; Widerstreit *m*; **2.** klirren (mit); zs.-stoßen.

**clasp** [klɑːsp] **1.** Haken *m*, Klammer *f*; Schnalle *f*; Spange *f*; *fig.* Umklammerung *f*; Umarmung *f*; **2.** *v/t.* an-, zuhaken; *fig.* umklammern; umfassen; *v/i.* festhalten; **~-knife** ['klɑːsp'naif] Taschenmesser *n.*

**class** [klɑːs] **1.** Klasse *f*; Stand *m*; (Unterrichts)Stunde *f*; Kurs *m*;

*Am. univ.* Jahrgang *m*; **2.** (in Klassen) einteilen, einordnen.

**classic** ['klæsik] Klassiker *m*; **~s** *pl.* die alten Sprachen; **~(al** □) [~k(əl)] klassisch.

**classi|fication** [klæsifi'keiʃən] Klassifizierung *f*, Einteilung *f*; **~fy** ['klæsifai] klassifizieren, einstufen.

**clatter** ['klætə] **1.** Geklapper *n*; **2.** klappern (mit); *fig.* schwatzen.

**clause** [klɔːz] Klausel *f*, Bestimmung *f*; *gr.* (Neben)Satz *m.*

**claw** [klɔː] **1.** Klaue *f*, Kralle *f*, Pfote *f*; *Krebs-*Schere *f*; **2.** (zer)kratzen; (um)krallen.

**clay** [klei] Ton *m*; *fig.* Erde *f.*

**clean** [kliːn] **1.** *adj.* □ rein; sauber; **2.** *adv.* rein, völlig; **3.** reinigen (of von); sich waschen lassen (*Stoff etc.*); ~ up aufräumen; **~er** ['kliːnə] Reiniger *m*; *mst* ~s *pl.* (chemische) Reinigung; **~ing** [~niŋ] Reinigung *f*; **~liness** ['klenlinis] Reinlichkeit *f*; **~ly 1.** *adv.* ['kliːnli] rein; sauber; **2.** *adj.* ['klenli] reinlich; **~se** [klenz] reinigen; säubern.

**clear** [kliə] **1.** □ klar; hell; rein; *fig.* rein (*from* von); frei (*of* von); ganz, voll; ✝ rein, netto; **2.** *v/t.* er-, aufhellen; (auf)klären; reinigen (*of, from* von); *Wald* lichten, roden; wegräumen (*a.* ~ *away od.* off); *Hindernis* nehmen; *Rechnung* bezahlen; ✝ (aus)klarieren; verzollen; ⚖ freisprechen; befreien; rechtfertigen (*from* von); *v/i. a.* ~ up sich aufhellen; sich verziehen; **~ance** ['kliərəns] Aufklärung *f*; Freilegung *f*; Räumung *f*; ✝ Abrechnung *f*, ⚓, ✝ Verzollung *f*; **~ing** [~riŋ] Aufklärung *f*; Lichtung *f*, Rodung *f*; ✝ Ab-, Verrechnung *f*; ⚯ *House* Ab-, Verrechnungsstelle *f.*

**cleave**[1] [kliːv] [*irr.*] (sich) spalten; *Wasser, Luft* (zer)teilen.

**cleave**[2] [~] *fig.* festhalten (*to an dat.*); treu bleiben (*dat.*).

**cleaver** ['kliːvə] Hackmesser *n.*

**clef** ♪ [klef] Schlüssel *m.*

**cleft** [kleft] **1.** Spalte *f*; Sprung *m*, Riß *m*; **2.** *pret. u. p.p. von cleave*[1].

**clemen|cy** ['klemənsi] Milde *f*; **~t** □ [~nt] mild.

**clench** [klentʃ] *Lippen etc.* fest zs.-pressen; *Zähne* zs.-beißen; *Faust* ballen; festhalten.

**clergy** ['klə:dʒi] Geistlichkeit *f*; ~man Geistliche(r) *m*.

**clerical** ['klerikəl] **1.** □ geistlich; Schreib(er)...; **2.** Geistliche(r) *m*.

**clerk** [kla:k] Schreiber(in); Büroangestellte(r *m*) *f*; Sekretär(in); ♥ kaufmännische(r) Angestellte(r); *Am.* Verkäufer(in); Küster *m*.

**clever** □ ['klevə] gescheit; geschickt.

**clew** [klu:] Knäuel *m, n*; = *clue.*

**click** [klik] **1.** Knacken *n*; ⊕ Sperrhaken *m*, -klinke *f*; **2.** knacken; zu-, einschnappen; klappen.

**client** ['klaiənt] Klient(in); Kund|e *m*, -in *f*; ~èle [kli:ã:n'teil] Kundschaft *f*.

**cliff** [klif] Klippe *f*; Felsen *m*.

**climate** ['klaimit] Klima *n*.

**climax** ['klaimæks] **1.** *rhet.* Steigerung *f*; Gipfel *m*, Höhepunkt *m*; **2.** (sich) steigern.

**climb** [klaim] (er)klettern, (er)klimmen, (er)steigen; ~er ['klaimə] Kletterer *m*, Bergsteiger(in); *fig.* Streber(in); ♣ Kletterpflanze *f*; ~ing [~miŋ] Klettern *n*; *attr.* Kletter...

**clinch** [klintʃ] **1.** ⊕ Vernietung *f*; Festhalten *n*; *Boxen:* Umklammerung *f*; **2.** *v/t.* vernieten; festmachen; *s. clench*; *v/i.* festhalten.

**cling** [kliŋ] [*irr.*] (*to*) festhalten (an *dat.*), sich klammern (an *acc.*); sich (an)schmiegen (an *acc.*); j-m anhängen.

**clinic** ['klinik] Klinik *f*; klinisches Praktikum; ~al □ [~kəl] klinisch.

**clink** [kliŋk] **1.** Geklirr *n*; **2.** klingen, klirren (lassen); klimpern mit; ~er ['kliŋkə] Klinker(stein) *m*.

**clip¹** [klip] **1.** Schur *f*; *at one* ~ *Am.* F auf einmal; **2.** ab-, aus-, beschneiden; *Schafe etc.* scheren.

**clip²** [~] Klammer *f*; Spange *f*.

**clipp|er** ['klipə]: (*a. pair of*) ~s *pl.* Haarschneide-, Schermaschine *f*; Klipper *m*; ⚓ Schnellsegler *m*; ✈ Verkehrsflugzeug *n*; ~ings [~piŋz] *pl.* Abfälle *m/pl.*; *Zeitungs- etc.* Ausschnitte *m/pl.*

**cloak** [klouk] **1.** Mantel *m*; **2.** *fig.* bemänteln, verhüllen; ~room ['kloukrum] Garderobe(nraum *m*) *f*; Toilette *f*; ⚓ Gepäckabgabe *f*.

**clock** [klɔk] *Schlag-, Wand-*Uhr *f*; ~wise ['klɔkwaiz] im Uhrzeigersinn; ~work Uhrwerk *n*; *like* ~ wie am Schnürchen.

**clod** [klɔd] Erdklumpen *m*; *a.* ~hopper (Bauern)Tölpel *m*.

**clog** [klɔg] **1.** Klotz *m*; Holzschuh *m*, Pantine *f*; **2.** belasten; hemmen; (sich) verstopfen.

**cloister** ['klɔistə] Kreuzgang *m*; Kloster *n*.

**close 1.** □ [klous] geschlossen; verborgen; verschwiegen; knapp, eng; begrenzt; nah, eng; bündig; dicht; gedrängt; schwül; knickerig; genau; fest (*Griff*); ~ *by*, ~ *to* dicht bei; ~ *fight*, ~ *quarters pl.* Handgemenge *n*, Nahkampf *m*; ~(*ed*) *season*, ~ *time hunt.* Schonzeit *f*; ~ *sail* ~ *to the wind fig.* sich hart an der Grenze des Erlaubten bewegen; **2.** [klouz] Schluß *m*; Abschluß *m*; [klous] Einfriedung *f*; Hof *m*; **3.** [klouz] *v/t.* (ab-, ein-, ver-, zu-) schließen; beschließen; *v/i.* (sich) schließen; abschließen; handgemein werden; ~ *in* hereinbrechen (*Nacht*); kürzer werden (*Tage*); ~ *on* (*prp.*) sich schließen um, umfassen; ~ness ['klousnis] Genauigkeit *f*, Geschlossenheit *f*.

**closet** ['klɔzit] **1.** Kabinett *n*; (Wand)Schrank *m*; = *water-*~; **2.**: *be* ~*ed with* mit *j-m* e-e geheime Beratung haben.

**close-up** ['klousʌp] *Film:* Großaufnahme *f*.

**closure** ['klouʒə] Verschluß *m*; *parl.* (Antrag *m* auf) Schluß *m* e-r *Debatte*.

**clot** [klɔt] **1.** Klümpchen *n*; **2.** zu Klümpchen gerinnen (lassen).

**cloth** [klɔθ] Stoff *m*, Tuch *n*; Tischtuch *n*; Kleidung *f*, *Amts-*Tracht *f*; *the* ~ F der geistliche Stand; *lay the* ~ den Tisch decken; ~*-binding* Leineneinband *m*; ~*-bound* in Leinen gebunden.

**clothe** [klouð] [*irr.*] (an-, be)kleiden; einkleiden.

**clothes** [klouðz] *pl.* Kleider *n/pl.*; Kleidung *f*; Anzug *m*; Wäsche *f*; ~-basket ['klouðzba:skit] Waschkorb *m*; ~-line Wäscheleine *f*; ~-peg Kleiderhaken *m*; Wäscheklammer *f*; ~pin *bsd. Am.* Wäscheklammer *f*; ~-press Kleider-, Wäscheschrank *m*.

**clothier** ['klouðiə] Tuch-, Kleiderhändler *m*.

**clothing** ['klouðiŋ] Kleidung *f*.

**cloud** [klaud] **1.** Wolke *f* (*a. fig.*);

**coffee-pot**

Trübung *f*; Schatten *m*; **2.** (sich) be-, umwölken (*a. fig.*); **~burst** ['klaudbə:st] Wolkenbruch *m*; **~less** □ [~dlis] wolkenlos; **~y** □ [~di] wolkig; Wolken...; trüb; unklar.

**clout** [klaut] Lappen *m*; F Kopfnuß *f*.

**clove**¹ [klouv] (Gewürz)Nelke *f*.

**clove**² [~] *pret. von cleave*¹; **~n** ['klouvn] **1.** *p.p. von cleave*¹; **2.** *adj.* gespalten.

**clover** ♀ ['klouvə] Klee *m*.

**clown** [klaun] Hanswurst *m*; Tölpel *m*; **~ish** □ ['klauniʃ] bäurisch; plump; clownhaft.

**cloy** [kloi] übersättigen, überladen.

**club** [klʌb] **1.** Keule *f*; (Gummi-)Knüppel *m*; Klub *m*; **~s** *pl. Karten*: Kreuz *n*; **2.** *v/t.* mit e-r Keule schlagen; *v/i.* sich zs.-tun; **~foot** ['klʌbfut] Klumpfuß *m*.

**clue** [klu:] Anhaltspunkt *m*, Fingerzeig *m*.

**clump** [klʌmp] **1.** Klumpen *m*; *Baum*-Gruppe *f*; **2.** trampeln; zs.-drängen.

**clumsy** □ ['klʌmzi] unbeholfen, ungeschickt; plump.

**clung** [klʌŋ] *pret. u. p.p. von cling.*

**cluster** ['klʌstə] **1.** Traube *f*; Büschel *n*; Haufen *m*; **2.** büschelweise wachsen; (sich) zs.-drängen.

**clutch** [klʌtʃ] **1.** Griff *m*; ⊕ Kupplung *f*; Klaue *f*; **2.** (er)greifen.

**clutter** ['klʌtə] **1.** Wirrwarr *m*; **2.** durch-ea.-rennen; durch-ea.-bringen.

**coach** [koutʃ] **1.** Kutsche *f*; 🚌 Wagen *m*; Reisebus *m*; Einpauker *m*; Trainer *m*; **2.** in e-r Kutsche fahren; (ein)pauken, trainieren; **~man** ['koutʃmən] Kutscher *m*.

**coagulate** [kou'ægjuleit] gerinnen (lassen).

**coal** [koul] **1.** (Stein)Kohle *f*; carry **~s** *to Newcastle* Eulen nach Athen tragen; **2.** ♣ (be)kohlen.

**coalesce** [kouə'les] zs.-wachsen; sich vereinigen.

**coalition** [kouə'liʃən] Verbindung *f*; Bund *m*, Koalition *f*.

**coal-pit** ['koulpit] Kohlengrube *f*.

**coarse** □ [kɔ:s] grob; ungeschliffen.

**coast** [koust] **1.** Küste *f*; *bsd. Am.* Rodelbahn *f*; **2.** die Küste entlangfahren; im Freilauf fahren; rodeln; **~er** ['koustə] *Am.* Rodelschlitten *m*; ♣ Küstenfahrer *m*.

**coat** [kout] **1.** Jackett *n*, Jacke *f*, Rock *m*; Mantel *m*; Pelz *m*, Gefieder *n*; Überzug *m*; **~** *of arms* Wappen(schild *m, n*) *n*; **2.** überziehen; anstreichen; **~hanger** ['kouthæŋə] Kleiderbügel *m*; **~ing** ['koutiŋ] Überzug *m*; Anstrich *m*; Mantelstoff *m*.

**coax** [kouks] schmeicheln (*dat.*); beschwatzen (*into* zu).

**cob** [kɔb] kleines starkes Pferd; Schwan *m*; *Am.* Maiskolben *m*.

**cobbler** ['kɔblə] Schuhmacher *m*; Stümper *m*.

**cobweb** ['kɔbweb] Spinn(en)gewebe *n*.

**cock** [kɔk] **1.** Hahn *m*; Anführer *m*; Heuhaufen *m*; **2.** *a.* **~** *up* aufrichten; *Gewehrhahn* spannen.

**cockade** [kɔ'keid] Kokarde *f*.

**cockatoo** [kɔkə'tu:] Kakadu *m*.

**cockboat** ♣ ['kɔkbout] Jolle *f*.

**cockchafer** ['kɔktʃeifə] Maikäfer *m*.

**cock|-eyed** *sl.* ['kɔkaid] schieläugig; *Am.* blau (*betrunken*); **~-horse** Steckenpferd *n*.

**cockney** ['kɔkni] waschechter Londoner.

**cockpit** ['kɔkpit] Kampfplatz *m* für Hähne; ♣ Raumdeck *n*; 🛩 Führerraum *m*, Kanzel *f*.

**cockroach** *zo.* ['kɔkroutʃ] Schabe *f*.

**cock|sure** F ['kɔk'ʃuə] absolut sicher; überheblich; **~tail** Cocktail *m*; **~y** □ F ['kɔki] selbstbewußt; frech.

**coco** ['koukou] Kokospalme *f*.

**cocoa** ['koukou] Kakao *m*.

**coco-nut** ['koukənʌt] Kokosnuß *f*.

**cocoon** [kə'ku:n] *Seiden-*Kokon *m*.

**cod** [kɔd] Kabeljau *m*.

**coddle** ['kɔdl] verhätscheln.

**code** [koud] **1.** Gesetzbuch *n*; Kodex *m*; *Telegramm-, Signal-*Schlüssel *m*; **2.** chiffrieren.

**codger** F ['kɔdʒə] komischer Kauz.

**cod-liver** ['kɔdlivə]: **~** *oil* Lebertran *m*.

**co-ed** *Am.* F ['kou'ed] Schülerin *f* e-r Koedukationsschule, *allg.* Studentin *f*.

**coerce** [kou'ə:s] (er)zwingen; **~ion** [kou'ə:ʃən] Zwang *m*.

**coeval** □ [kou'i:vəl] gleichzeitig; gleichalt(e)rig.

**coexist** ['kouig'zist] gleichzeitig bestehen.

**coffee** ['kɔfi] Kaffee *m*; **~-pot** Kaf-

feekanne *f*; **~-room** Speisesaal *m*
e-s Hotels; **~-set** Kaffeeservice *n*.

**coffer** ['kɔfə] (Geld)Kasten *m*.

**coffin** ['kɔfin] Sarg *m*.

**cogent** □ ['koudʒənt] zwingend.

**cogitate** ['kɔdʒiteit] *v/i.* nachdenken; *v/t.* (er)sinnen.

**cognate** ['kɔgneit] verwandt.

**cognition** [kɔg'niʃən] Erkenntnis *f*.

**cognizable** ['kɔgnizəbl] erkennbar.

**coheir** ['kou'ɛə] Miterbe *m*.

**coheren|ce** [kou'hiərəns] Zs.-hang
*m*; **~t** □ [~nt] zs.-hängend.

**cohesi|on** [kou'hi:ʒən] Kohäsion *f*;
**~ve** [~i:siv] (fest) zs.-hängend.

**coiff|eur** [kwa:'fɔ:] Friseur *m*; **~ure**
[~'fjuə] Frisur *f*.

**coil** [kɔil] **1.** a. **~ up** aufwickeln;
(sich) zs.-rollen; **2.** Rolle *f*, Spirale
*f*; Wicklung *f*; ⚡ Spule *f*; Windung
*f*; ⊕ (Rohr)Schlange *f*.

**coin** [kɔin] **1.** Münze *f*; **2.** prägen
(a. fig.); münzen; **~age** ['kɔinidʒ]
Prägung *f*; Geld *n*, Münze *f*.

**coincide** [kouin'said] zs.-treffen;
übereinstimmen; **~nce** [kou'insi-
dəns] Zs.-treffen *n*; fig. Übereinstimmung *f*.

**coke** [kouk] Koks *m* (a. sl. = Kokain); Am. F Coca-Cola *n*, *f*.

**cold** [kould] **1.** □ kalt; **2.** Kälte *f*,
Frost *m*; Erkältung *f*; **~ness**
['kouldnis] Kälte *f*.

**coleslaw** Am. ['koulslɔ:] Kraut-
salat *m*.

**colic** ⚕ ['kɔlik] Kolik *f*.

**collaborat|e** [kə'læbəreit] zs.-ar-
beiten; **~ion** [kəlæbə'reiʃən] Zs.-,
Mitarbeit *f*; in ~ gemeinsam.

**collapse** [kə'læps] **1.** zs.-, einfallen;
zs.-brechen; Zs.-bruch *m*; **~ible**
[~səbl] zs.-klappbar.

**collar** ['kɔlə] **1.** Kragen *m*; Halsband
*n*; Kum(me)t *n*; ⊕ Lager *n*; **2.** beim
Kragen packen; Fleisch zs.-rollen;
**~-bone** Schlüsselbein *n*; **~-stud**
Kragenknopf *m*.

**collate** [kɔ'leit] Texte vergleichen.

**collateral** [kɔ'lætərəl] **1.** □ parallel
laufend; Seiten..., Neben...; indirekt; **2.** Seitenverwandte(r *m*) *f*.

**colleague** ['kɔli:g] Kolleg|e *m*, -in *f*.

**collect|e** eccl. ['kɔlekt] Kollekte *f*;
**2.** *v/t.* ['kɔlekt] (ein)sammeln; Gedanken etc. sammeln; einkassieren;
abholen; *v/i.* sich (ver)sammeln;
**~ed** □ fig. gefaßt; **~ion** [~kʃən]
Sammlung *f*; Einziehung *f*; **~ive**

[~ktiv] gesammelt; Sammel...; ~
bargaining Tarifverhandlungen
*f/pl.*; **~ively** [~vli] insgesamt; zs.-
fassend; **~or** [~tə] Sammler *m*;
Steuereinnehmer *m*; 🚋 Fahrkarten-
abnehmer *m*; ⚡ Stromabnehmer
*m*.

**college** ['kɔlidʒ] College *n* (Teil e-r
Universität); höhere Schule od.
Lehranstalt *f*; Hochschule *f*; Aka-
demie *f*; Kollegium *n*.

**collide** [kə'laid] zs.-stoßen.

**collie** ['kɔli] Collie *m*, schottischer
Schäferhund.

**collier** ['kɔliə] Bergmann *m*; ⚓
Kohlenschiff *n*; **~y** ['kɔljəri] Kohlengrube *f*.

**collision** [kə'liʒən] Zs.-stoß *m*.

**colloquial** □ [kə'loukwiəl] umgangssprachlich, familiär.

**colloquy** ['kɔləkwi] Gespräch *n*.

**colon** typ. ['koulən] Doppelpunkt *m*.

**colonel** ✕ ['kɔ:nl] Oberst *m*.

**coloni|al** [kə'lounjəl] Kolonial...;
**~alism** pol. [~lizəm] Kolonialismus
*m*; **~ze** ['kɔlənaiz] kolonisieren;
(sich) ansiedeln; besiedeln.

**colony** ['kɔləni] Kolonie *f*; Sied-
lung *f*.

**colossal** □ [kə'lɔsl] kolossal.

**colo(u)r** ['kʌlə] **1.** Farbe *f*; fig.
Färbung *f*, Anschein *m*; Vorwand
*m*; ~s pl. ✕ Fahne *f*, Flagge *f*; **2.** *v/t.*
färben; anstreichen; fig. beschöni-
gen; *v/i.* sich (ver)färben; erröten;
**~-bar** Rassenschranke *f*; **~ed** gefärbt, farbig; ~ man Farbige(r) *m*;
**~ful** [~əful] farbenreich, -freu-
dig; lebhaft; **~ing** [~əriŋ] Färbung
*f*; Farbton *m*; fig. Beschönigung *f*;
**~less** □ [~əlis] farblos; **~ line** bsd.
Am. Rassenschranke *f*.

**colt** [koult] Hengstfüllen *n*; fig.
Neuling *m*.

**column** ['kɔləm] Säule *f*; typ. Spalte
*f*; ✕ Kolonne *f*; **~ist** Am. [~mnist]
Kolumnist *m*.

**comb** [koum] **1.** Kamm *m*; ⊕
Hechel *f*; **2.** *v/t.* kämmen; striegeln;
Flachs hecheln.

**combat** ['kɔmbət] **1.** Kampf *m*;
single ~ Zweikampf *m*; **2.** (be-)
kämpfen; **~ant** [~tənt] Kämpfer *m*.

**combin|ation** [kɔmbi'neiʃən] Ver-
bindung *f*; mst ~s pl. Hemdhose *f*;
**~e** [kəm'bain] (sich) verbinden,
vereinigen.

**combust|ible** [kəm'bʌstəbl] **1.**

brennbar; **2.** ~*s pl.* Brennmaterial *n*; *mot.* Betriebsstoff *m*; ~**ion** [~tʃən] Verbrennung *f.*

**come** [kʌm] [*irr.*] kommen; to ~ künftig, kommend; ~ *about* sich zutragen; ~ *across* auf *j. od. et.* stoßen; ~ *at* erreichen; ~ *by* vorbeikommen; zu *et.* kommen; ~ *down* herunterkommen (*a. fig.*); *Am.* F erkranken (*with an dat.*); ~ *for* abholen; ~ *off* davonkommen; losgehen (*Knopf*), ausfallen (*Haare etc.*); stattfinden; ~ *round* vorbeikommen (*bsd. zu Besuch*); wiederkehren; F zu sich kommen; *fig.* einlenken; ~ *to adv.* dazukommen; **⚓** beidrehen; *prp.* betragen; ~ *up to* entsprechen (*dat.*); es *j-m* gleichtun; *Stand, Maß* erreichen; ~**-back** ['kʌmbæk] Wiederkehr *f*, Comeback *n*; *Am. sl.* schlagfertige Antwort.

**comedian** [kə'mi:djən] Schauspieler(in); Komiker(in); Lustspieldichter *m.*

**comedy** ['kɒmidi] Lustspiel *n.*

**comeliness** ['kʌmlinis] Anmut *f.*

**comfort** ['kʌmfət] **1.** Bequemlichkeit *f*; Behaglichkeit *f*; Trost *m*; *fig.* Beistand *m*; Erquickung *f*; **2.** trösten; erquicken; beleben; ~**able** □ [~təbl] behaglich; bequem; tröstlich; ~**er** [~tə] Tröster *m*; *fig.* wollenes Halstuch; Schnuller *m*; *Am.* Steppdecke *f*; ~**less** [~tlis] unbehaglich; trostlos; ~ **station** *Am.* Bedürfnisanstalt *f.*

**comic(al** □) ['kɒmik(əl)] komisch; lustig, drollig.

**coming** ['kʌmiŋ] **1.** kommend; künftig; **2.** Kommen *n.*

**comma** ['kɒmə] Komma *n.*

**command** [kə'mɑːnd] **1.** Herrschaft *f*, Beherrschung *f* (*a. fig.*); Befehl *m*; ✗ Kommando *n*; *be* (*have*) *at* ~ zur Verfügung stehen (haben); **2.** befehlen; ✗ kommandieren; verfügen über (*acc.*); beherrschen; ~**er** [~də] Kommandeur *m*, Befehlshaber *m*; **⚓** Fregattenkapitän *m*; ~**er-in-chief** [~ərin-'tʃiːf] Oberbefehlshaber *m*; ~**ment** [~dmənt] Gebot *n.*

**commemorat|e** [kə'meməreit] gedenken (*gen.*), feiern; ~**ion** [kəmemə'reiʃən] Gedächtnisfeier *f.*

**commence** [kə'mens] anfangen, beginnen; ~**ment** [~smənt] Anfang *m.*

**commend** [kə'mend] empfehlen; loben; anvertrauen.

**commensurable** □ [kə'menʃərəbl] vergleichbar (*with, to* mit).

**comment** ['kɒment] **1.** Kommentar *m*; Erläuterung *f*; An-, Bemerkung *f*; **2.** (*upon*) erläutern (*acc.*); sich auslassen (über *acc.*); ~**ary** ['kɒməntəri] Kommentar *m*; ~**ator** ['kɒmenteitə] Kommentator *m*; *Radio:* Berichterstatter *m.*

**commerc|e** ['kɒmə(:)s] Handel *m*; Verkehr *m*; ~**ial** □ [kə'mɜ:ʃəl] **1.** kaufmännisch; Handels..., Geschäfts...; gewerbsmäßig; ~ *traveller* Handlungsreisende(r) *m*; **2.** *bsd. Am. Radio, Fernsehen:* kommerzielle (Werbe)Sendung.

**commiseration** [kəmizə'reiʃən] Mitleid *n* (*for* mit).

**commissary** ['kɒmisəri] Kommissar *m*; ✗ Intendanturbeamte(r) *m.*

**commission** [kə'miʃən] **1.** Auftrag *m*; Übertragung *f von Macht etc.*; Begehung *f e-s Verbrechens*; Provision *f*; Kommission *f*; (Offiziers-)Patent *n*; **2.** beauftragen; bevollmächtigen; ✗ ausrüsten; **⚓** in Dienst stellen; ~**er** [~ʃnə] Bevollmächtigte(r *m*) *f*; Kommissar *m.*

**commit** [kə'mit] anvertrauen; übergeben, überweisen; *Tat* begehen; bloßstellen; ~ (*o.s.* sich) verpflichten; ~ (*to prison*) in Untersuchungshaft nehmen; ~**ment** [~tmənt], ~**tal** [~tl] Überweisung *f*; Verpflichtung *f*; Verübung *f*; ~**tee** [~ti] Ausschuß *m*, Komitee *n.*

**commodity** [kə'mɒditi] Ware *f* (*mst pl.*), Gebrauchsartikel *m.*

**common** ['kɒmən] **1.** □ (all)gemein; gewöhnlich; gemeinschaftlich; öffentlich; gemein (*niedrig*); ♀ *Council* Gemeinderat *m*; **2.** Gemeindewiese *f*; *in* ~ gemeinsam; *in* ~ *with fig.* genau wie; ~**er** [~nə] Bürger *m*, Gemeine(r) *m*; Mitglied *n* des Unterhauses; ~ *law* Gewohnheitsrecht *n*; ♀ **Market** Gemeinsamer Markt; ~**place 1.** Gemeinplatz *m*; **2.** gewöhnlich, F abgedroschen; ~**s** *pl.* das gemeine Volk; Gemeinschaftsverpflegung *f*; (*mst House of*) ♀ Unterhaus *n*; ~ **sense** gesunder Menschenverstand; ~**wealth** [~nwelθ] Gemeinwesen *n*, Staat *m*; *bsd.* Republik *f*; *the British* ♀ das Commonwealth.

# commotion

**commotion** [kə'mouʃən] Erschütterung f; Aufruhr m; Aufregung f.

**communal** □ ['kɔmjunl] gemeinschaftlich; Gemeinde...

**commune 1.** [kə'mju:n] sich vertraulich besprechen; **2.** ['kɔmju:n] Gemeinde f.

**communicat|e** [kə'mju:nikeit] v/t mitteilen; v/i. das Abendmahl nehmen, kommunizieren; in Verbindung stehen; **~ion** [kəmju:ni'keiʃən] Mitteilung f; Verbindung f; **~ive** [kə'mju:nikətiv] gesprächig.

**communion** [kə'mju:njən] Gemeinschaft f; eccl. Kommunion f, Abendmahl n.

**communis|m** ['kɔmjunizəm] Kommunismus m; **~t** [~ist] **1.** Kommunist(in); **2.** kommunistisch.

**community** [kə'mju:niti] Gemeinschaft f; Gemeinde f; Staat m.

**commut|ation** [kɔmju(:)'teiʃən] Vertauschung f; Umwandlung f; Ablösung f; Strafmilderung f; **~** ticket Am. Zeitkarte f; **~e** [kə'mju:t] ablösen; Strafe (mildernd) umwandeln; Am. pendeln im Arbeitsverkehr.

**compact 1.** ['kɔmpækt] Vertrag m; **2.** [kəm'pækt] adj. dicht, fest; knapp, bündig; v/t. fest verbinden.

**companion** [kəm'pænjən] Gefährt|e m, -in f; Gesellschafter(in); **~able** [~nəbl] gesellig; **~ship** [~nʃip] Gesellschaft f.

**company** ['kʌmpəni] Gesellschaft f; Kompanie f; Handelsgesellschaft f; Genossenschaft f; ♣ Mannschaft f; thea. Truppe f; have ~ Gäste haben; keep ~ with verkehren mit.

**compar|able** □ ['kɔmpərəbl] vergleichbar; **~ative** [kəm'pærətiv] **1.** □ vergleichend; verhältnismäßig; **2.** a. ~ degree gr. Komparativ m; **~e** [~'pɛə] **1.:** beyond ~, without ~, past ~ unvergleichlich; **2.** v/t. vergleichen; gleichstellen (to mit); v/i. sich vergleichen (lassen); **~ison** [~'pærisn] Vergleich(ung f) m.

**compartment** [kəm'pɑ:tmənt] Abteilung f; ♣ Fach n; ♣ Abteil n.

**compass** ['kʌmpəs] **1.** Bereich m; ♪ Umfang m; Kompaß m; oft pair of ~es pl. Zirkel m; **2.** herumgehen um; einschließen; erreichen; planen.

**compassion** [kəm'pæʃən] Mitleid n; **~ate** □ [~nit] mitleidig.

**compatible** □ [kəm'pætəbl] vereinbar, verträglich; schicklich.

**compatriot** [kəm'pætriət] Landsmann m.

**compel** [kəm'pel] (er)zwingen.

**compensat|e** ['kɔmpenseit] j-n entschädigen; et. ersetzen; ausgleichen; **~ion** [kɔmpen'seiʃən] Ersatz m; Ausgleich(ung f) m; Entschädigung f; Am. Vergütung f (Gehalt).

**compère** ['kɔmpɛə] **1.** Conférencier m; **2.** ansagen (bei).

**compete** [kəm'pi:t] sich mitbewerben (for um); konkurrieren.

**competen|ce, ~cy** ['kɔmpitəns, ~si] Befugnis f, Zuständigkeit f; Auskommen n; **~t** □ [~nt] hinreichend; (leistungs)fähig; fachkundig; berechtigt, zuständig.

**competit|ion** [kɔmpi'tiʃən] Mitbewerbung f; Wettbewerb m; ♣ Konkurrenz f; **~ive** [kəm'petitiv] wetteifernd; **~or** [~tə] Mitbewerber (-in); Konkurrent(in).

**compile** [kəm'pail] zs.-tragen, zs.-stellen (from aus); sammeln.

**complacen|ce, ~cy** [kəm'pleisns, ~si] Selbstzufriedenheit f.

**complain** [kəm'plein] (sich be-) klagen; **~ant** [~nənt] Kläger(in); **~t** [~nt] Klage f, Beschwerde f; ♣ Leiden n.

**complaisan|ce** [kəm'pleizəns] Gefälligkeit f; Entgegenkommen n; **~t** □ [~nt] gefällig; entgegenkommend.

**complement 1.** ['kɔmplimənt] Ergänzung f; volle Anzahl; **2.** [~ment] ergänzen.

**complet|e** [kəm'pli:t] **1.** □ vollständig, ganz; vollkommen; **2.** vervollständigen; vervollkommnen; abschließen; **~ion** [~i:ʃən] Vervollständigung f; Abschluß m; Erfüllung f.

**complex** ['kɔmpleks] **1.** □ zs.-gesetzt; fig. kompliziert; **2.** Gesamtheit f, Komplex m; **~ion** [kəm'plekʃən] Aussehen n; Charakter m, Zug m; Gesichtsfarbe f, Teint m; **~ity** [~ksiti] Kompliziertheit f.

**complian|ce** [kəm'plaiəns] Einwilligung f; Einverständnis n; in ~ with gemäß; **~t** □ [~nt] gefällig.

**complicate** ['kɔmplikeit] komplizieren, erschweren.

**complicity** [kəm'plisiti] Mitschuld f (in an dat.).

**compliment 1.** ['kɔmplimənt] Kompliment n; Schmeichelei f; Gruß m; **2.** [⁓ment] v/t. (on) beglückwünschen (zu); j-m Komplimente machen (über acc.); **⁓ary** [kɔmpli'mentəri] höflich.

**comply** [kəm'plai] sich fügen; nachkommen, entsprechen (with dat.).

**component** [kəm'pounənt] **1.** Bestandteil m; **2.** zs.-setzend.

**compos|e** [kəm'pouz] zs.-setzen; komponieren; verfassen; ordnen; beruhigen; typ. setzen; **⁓ed** □ ruhig, gesetzt; **⁓er** [⁓zə] Komponist(in); Verfasser(in); **⁓ition** [kɔmpə'ziʃən] Zs.-setzung f; Abfassung f; Komposition f; (Schrift-) Satz m; Aufsatz m; ♦ Vergleich m; **⁓t** ['kɔmpɔst] Kompost m; **⁓ure** [kəm'pouʒə] Fassung f, Gemütsruhe f.

**compound 1.** ['kɔmpaund] zs.-gesetzt; ⁓ interest Zinseszinsen m/pl.; **2.** Zs.-setzung f, Verbindung f; **3.** [kəm'paund] zs.-setzen; Streit beilegen; v/i. sich einigen.

**comprehend** [kɔmpri'hend] umfassen; begreifen, verstehen.

**comprehen|sible** □ [kɔmpri'hensəbl] verständlich; **⁓sion** [⁓ʃən] Verständnis n; Fassungskraft f; Umfang m; **⁓sive** □ [⁓nsiv] umfassend.

**compress** [kəm'pres] zs.-drücken; **⁓ed air** Druckluft f; **⁓ion** [⁓eʃən] phys. Verdichtung f; ⊕ Druck m.

**comprise** [kəm'praiz] in sich fassen, einschließen, enthalten.

**compromise** ['kɔmprəmaiz] **1.** Kompromiß m, n; **2.** v/t. Streit beilegen; bloßstellen; v/i. e-n Kompromiß schließen.

**compuls|ion** [kəm'pʌlʃən] Zwang m; **⁓ory** [⁓lsəri] obligatorisch; Zwangs...; Pflicht...

**compunction** [kəm'pʌŋkʃən] Gewissensbisse m/pl.; Reue f; Bedenken n.

**comput|ation** [kɔmpju(:)'teiʃən] (Be)Rechnung f; **⁓e** [kəm'pju:t] (be-, er)rechnen; schätzen; **⁓er** [⁓tə] Computer m.

**comrade** [kɔmrid] Kamerad m.

**con¹** abbr. [kɔn] = contra.

**con²** Am. sl. [⁓] **1.:** ⁓ man = confidence man; **2.** 'reinlegen (betrügen).

**conceal** [kən'si:l] verbergen; fig. verhehlen, verheimlichen, verschweigen.

**concede** [kən'si:d] zugestehen; einräumen; gewähren, nachgeben.

**conceit** [kən'si:t] Einbildung f; spitzfindiger Gedanke; übertriebenes sprachliches Bild; **⁓ed** □ eingebildet (of auf acc.).

**conceiv|able** □ [kən'si:vəbl] denkbar; begreiflich; **⁓e** [kən'si:v] v/i. empfangen (schwanger werden); sich denken (of acc.); v/t. Kind empfangen; sich denken; aussinnen.

**concentrate** ['kɔnsentreit] (sich) zs.-ziehen, (sich) konzentrieren.

**conception** [kən'sepʃən] Begreifen n; Vorstellung f, Begriff m, Idee f; biol. Empfängnis f.

**concern** [kən'sə:n] **1.** Angelegenheit f; Interesse n; Sorge f; Beziehung f (with zu); ♦ Geschäft n, (industrielles) Unternehmen n; **2.** betreffen, angehen, interessieren; ⁓ o.s. about od. for sich kümmern um; be ⁓ed in Betracht kommen; **⁓ed** □ interessiert, beteiligt (in an dat.); bekümmert; **⁓ing** prp. [⁓niŋ] betreffend, über, wegen, hinsichtlich.

**concert 1.** ['kɔnsət] Konzert n; **2.** [⁓sə(:)t] Einverständnis n; **3.** [kən'sə:t] sich einigen, verabreden; **⁓ed** gemeinsam; ♪ mehrstimmig.

**concession** [kən'seʃən] Zugeständnis n; Erlaubnis f.   [räumend.]

**concessive** □ [kən'sesiv] ein-)

**conciliat|e** [kən'silieit] aus-, versöhnen; ausgleichen; **⁓or** [⁓tə] Vermittler m; **⁓ory** [⁓iətəri] versöhnlich, vermittelnd.

**concise** □ [kən'sais] kurz, bündig, knapp; **⁓ness** [⁓snis] Kürze f.

**conclude** [kən'klu:d] schließen, beschließen; abschließen; folgern; sich entscheiden; to be ⁓d Schluß folgt.

**conclusi|on** [kən'klu:ʒən] Schluß m, Ende n; Abschluß m; Folgerung f; Beschluß m; **⁓ve** □ [⁓u:siv] schlüssig; endgültig.

**concoct** [kən'kɔkt] zs.-brauen; fig. aussinnen; **⁓ion** [⁓kʃən] Gebräu n; fig. Erfindung f.

**concord** ['kɔŋkɔːd] Eintracht f; Übereinstimmung f (a. gr.); ♪

Harmonie *f*; ~ant □ [kɔn'kɔ:dənt] übereinstimmend; einstimmig; harmonisch.

**concourse** ['kɔŋkɔ:s] Zusammen-, Auflauf *m*; Menge *f*; *Am.* Bahnhofs-, Schalterhalle *f*.

**concrete 1.** ['kɔnkri:t] konkret; Beton...; **2.** [~] Beton *m*; **3.** [kɔn'kri:t] *zu e-r Masse* verbinden; ['kɔnkri:t] betonieren.

**concur** [kən'kə:] zs.-treffen, zs.-wirken; übereinstimmen; ~**rence** [~'kʌrəns] Zusammentreffen *n*; Übereinstimmung *f*; Mitwirkung *f*.

**concussion** [kən'kʌʃən] ~ *of the brain* Gehirnerschütterung *f*.

**condemn** [kən'dem] verdammen; verurteilen; verwerfen; *Kranke* aufgeben; beschlagnahmen; ~**ation** [kɔndem'neiʃən] Verurteilung *f*; Verdammung *f*; Verwerfung *f*.

**condens|ation** [kɔnden'seiʃən] Verdichtung *f*; ~**e** [kən'dens] (sich) verdichten; ⊕ kondensieren; zs.-drängen; ~**er** [~sə] ⊕ Kondensator *m*.

**condescen|d** [kɔndi'send] sich herablassen; geruhen; ~**sion** [~nʃən] Herablassung *f*.

**condiment** ['kɔndimənt] Würze *f*.

**condition** [kən'diʃən] **1.** Zustand *m*, Stand *m*; Stellung *f*, Bedingung *f*; ~**s** *pl.* Verhältnisse *n/pl.*; **2.** bedingen; in e-n bestimmten Zustand bringen; ~**al** □ [~nl] bedingt (*on*, *upon* durch); Bedingungs...; ~ *clause gr.* Bedingungssatz *m*; ~ *mood gr.* Konditional *m*.

**condol|e** [kən'doul] kondolieren (*with dat.*); ~**ence** [~ləns] Beileid *n*.

**conduc|e** [kən'dju:s] führen, dienen; ~**ive** [~siv] dienlich, förderlich.

**conduct 1.** ['kɔndəkt] Führung *f*; Verhalten *n*, Betragen *n*; **2.** [kən'dʌkt] führen; ♪ dirigieren; ~**ion** [~kʃən] Leitung *f*; ~**or** [~ktə] Führer *m*; Leiter *m*; Schaffner *m*; ♪ Dirigent *m*; ⚡ Blitzableiter *m*.

**conduit** ['kɔndit] (Leitungs-) Röhre *f*.

**cone** [koun] Kegel *m*; ♀ Zapfen *m*.

**confabulation** [kɔnfæbju'leiʃən] Plauderei *f*.

**confection** [kən'fekʃən] Konfekt *n*; ~**er** [~ʃnə] Konditor *m*; ~**ery** [~ʃəri] Konfekt *n*; Konditorei *f*; *bsd. Am.* Süßwarengeschäft *n*.

**confedera|cy** [kən'fedərəsi] Bündnis *n*; *the ♀ bsd. Am.* die 11 Südstaaten *bei der Sezession 1860—61*; ~**te 1.** [~rit] verbündet; **2.** [~] Bundesgenosse *m*; **3.** [~reit] (sich) verbünden; ~**tion** [kɔnfedə'reiʃən] Bund *m*, Bündnis *n*; *the ♀ bsd. Am.* die Staatenkonföderation *f* von 1781—1789.

**confer** [kən'fə:] *v/t.* übertragen, verleihen; *v/i.* sich besprechen; ~**ence** ['kɔnfərəns] Konferenz *f*.

**confess** [kən'fes] bekennen; bestehen; beichten; ~**ion** [~eʃən] Geständnis *n*; Bekenntnis *n*; Beichte *f*; ~**ional** [~nl] Beichtstuhl *m*; ~**or** [~esə] Bekenner *m*; Beichtvater *m*.

**confide** [kən'faid] *v/t.* anvertrauen; *v/i.* vertrauen (*in* auf *acc.*); ~**nce** ['kɔnfidəns] Vertrauen *n*; Zuversicht *f*; ~**nce man** Schwindler *m*; Hochstapler *m*; ~**nce trick** Bauernfängerei *f*; ~**nt** □ [~nt] vertrauend; zuversichtlich; ~**ntial** □ [kɔnfi-'denʃəl] vertraulich.

**confine** [kən'fain] begrenzen; beschränken; einsperren; *be* ~*d* niederkommen (*of* mit); *be* ~*d to bed* das Bett hüten müssen; ~**ment** [~nmənt] Haft *f*; Beschränkung *f*; Entbindung *f*.

**confirm** [kən'fə:m] (be)kräftigen; bestätigen; konfirmieren; firmen; ~**ation** [kɔnfə'meiʃən] Bestätigung *f*; *eccl.* Konfirmation *f*; *eccl.* Firmung *f*.

**confiscat|e** ['kɔnfiskeit] beschlagnahmen; ~**ion** [kɔnfis'keiʃən] Beschlagnahme *f*.

**conflagration** [kɔnflə'greiʃən] großer Brand.

**conflict 1.** ['kɔnflikt] Konflikt *m*; **2.** [kən'flikt] im Kampfe stehen.

**conflu|ence** ['kɔnfluəns], ~**x** [~lʌks] Zs.-fluß *m*; Auflauf *m*; ~**ent** [~luənt] **1.** zs.-fließend, zs.-laufend; **2.** Zu-, Nebenfluß *m*.

**conform** [kən'fɔ:m] (sich) anpassen; ~**able** □ [~məbl] (to) übereinstimmend (mit); entsprechend (*dat.*); nachgiebig (gegen); ~**ity** [~miti] Übereinstimmung *f*.

**confound** [kən'faund] vermengen; verwechseln; *j-n* verwirren; ~ *it!* F verdammt!; ~**ed** □ F verdammt.

**confront** [kən'frʌnt] gegenüberstellen; entgegentreten (*dat.*).

**confus|e** [kən'fju:z] verwechseln;

verwirren; **~ion** [~u:ʒən] Verwirrung *f*; Verwechs(e)lung *f*.

**confut|ation** [kɔnfjuˈteiʃən] Wider-
legung *f*; **~e** [kənˈfjuːt] widerlegen.

**congeal** [kənˈdʒiːl] erstarren (lassen); gerinnen (lassen).

**congenial** [kɔnˈdʒiːnjəl] (geistes-)
verwandt (*with dat.*); zusagend.

**congenital** [kənˈdʒenitl] angeboren.

**congestion** [kənˈdʒestʃən] (Blut-)
Andrang *m*; Stauung *f*; *traffic* **~**
Verkehrsstockung *f*.

**conglomeration** [kɔnɡlɔməˈreiʃən]
Anhäufung *f*; Konglomerat *n*.

**congratulat|e** [kənˈɡrætjuleit] be-
glückwünschen; *j-m* gratulieren;
**~ion** [kənɡrætjuˈleiʃən] Glück-
wunsch *m*.

**congregat|e** [ˈkɔnɡrigeit] (sich)
(ver)sammeln; **~ion** [kɔnɡriˈgeiʃən]
Versammlung *f*; *eccl.* Gemeinde *f*.

**congress** [ˈkɔnɡres] Kongreß *m*;
♀ Kongreß *m, gesetzgebende Körperschaft der USA;* ♀**man**, ♀**woman**
*Am. pol.* Mitglied *n* des Repräsen-
tantenhauses.

**congruous** □ [ˈkɔnɡruəs] angemessen (*to* für); übereinstimmend;
folgerichtig.

**conifer** [ˈkounifə] Nadelholzbaum
*m*.

**conjecture** [kənˈdʒektʃə] **1.** Mut-
maßung *f*; **2.** mutmaßen.

**conjoin** [kənˈdʒɔin] (sich) verbinden; **~t** [kənˈdʒɔint] verbunden.

**conjugal** □ [ˈkɔndʒuɡəl] ehelich.

**conjugat|e** *gr.* [ˈkɔndʒugeit] kon-
jugieren, beugen; **~ion** *gr.* [kɔndʒu-
ˈgeiʃən] Konjugation *f*, Beugung *f*.

**conjunction** [kənˈdʒʌŋkʃən] Verbindung *f*; Zs.-treffen *n*; *gr.* Kon-
junktion *f*.

**conjunctivitis** [kəndʒʌŋktiˈvaitis]
Bindehautentzündung *f*.

**conjure**[1] [kənˈdʒuə] beschwören,
inständig bitten;

**conjur|e**[2] [ˈkʌndʒə] *v/t.* beschwö-
ren; *et. wohin* zaubern; *v/i.* zaubern;
**~er** [~ərə] Zauber|er *m*, -in *f*;
Taschenspieler(in); **~ing-trick**
[~riŋtrik] Zauberkunststück *n*; **~or**
[~rə] = conjurer.

**connect** [kəˈnekt] (sich) verbinden;
✦ schalten; **~ed** □ verbunden;
zs.-hängend (*Rede etc.*); *be* **~** *with*
in Verbindung stehen mit *j-m*;
**~ion** [~kʃən] = connexion.

**connexion** [kəˈnekʃən] Verbindung

*f*; ✦ Schaltung *f*; Anschluß *m* (*a.
📞, ♂*); Zs.-hang *m*; Verwandtschaft
*f*.

**connive** [kəˈnaiv]: **~** *at* ein Auge zudrücken bei.

**connoisseur** [kɔniˈsəː] Kenner(in).

**connubial** □ [kəˈnjuːbjəl] ehelich.

**conquer** [ˈkɔŋkə] erobern; (be)sie-
gen; **~or** [~ərə] Eroberer *m*; Sieger
*m*.

**conquest** [ˈkɔŋkwest] Eroberung *f*;
Errungenschaft *f*; Sieg *m*.

**conscience** [ˈkɔnʃəns] Gewissen *n*.

**conscientious** □ [kɔnʃiˈenʃəs] gewissenhaft; Gewissens...; **~** *objector*
Kriegsdienstverweigerer *m* aus
Überzeugung; **~ness** [~snis] Ge-
wissenhaftigkeit *f*.

**conscious** □ [ˈkɔnʃəs] bewußt; *be* **~**
*of* sich bewußt sein (*gen.*); **~ness**
[~snis] Bewußtsein *n*.

**conscript** ✗ [kənˈskript] Wehr-
pflichtige(r) *m*; **~ion** ✗ [kənˈskrip-
ʃən] Einberufung *f*.

**consecrat|e** [ˈkɔnsikreit] weihen,
einsegnen; heiligen; widmen; **~ion**
[kɔnsiˈkreiʃən] Weihung *f*, Ein-
segnung *f*, Heiligung *f*.

**consecutive** □ [kənˈsekjutiv] auf-
ea.-folgend; fortlaufend.

**consent** [kənˈsent] **1.** Zustimmung *f*;
**2.** einwilligen, zustimmen (*dat.*).

**consequen|ce** [ˈkɔnsikwəns] (*to*)
Folge *f*, Konsequenz *f* (für); Wirkung *f*, Einfluß *m* (auf *acc.*); Bedeutung *f* (für); **~t** [~nt] **1.** folgend;
**2.** Folge(rung) *f*; **~tial** □ [kɔnsi-
ˈkwenʃəl] sich ergebend (*on* aus);
folgerichtig; wichtigtuerisch; **~tly**
[ˈkɔnsikwəntli] folglich, daher.

**conserv|ation** [kɔnsə(ː)ˈveiʃən] Er-
haltung *f*; **~ative** □ [kənˈsəːvətiv]
**1.** erhaltend (*of acc.*); konservativ;
vorsichtig; **2.** Konservative(r) *m*;
**~atory** [kənˈsəːvətri] Treib-, Gewächshaus *n*; ♪ Konservatorium *n*;
**~e** [kənˈsəːv] erhalten.

**consider** [kənˈsidə] *v/t.* betrachten;
erwägen; überlegen; in Betracht
ziehen; berücksichtigen; meinen,
glauben; *v/i.* überlegen; *all things*
**~ed** wenn man alles in Betracht
zieht; **~able** □ [~ərəbl] ansehnlich,
beträchtlich; **~ably** [~li] bedeutend, ziemlich, (sehr) viel; **~ate** □
[~rit] rücksichtsvoll; **~ation** [kən-
sidəˈreiʃən] Betrachtung *f*, Erwägung *f*, Überlegung *f*; Rücksicht *f*;

Wichtigkeit f; Entschädigung f; Entgelt n; be under ~ erwogen werden; in Betracht kommen; on no ~ unter keinen Umständen; **~ing** □ [kən'sidəriŋ] **1.** prp. in Anbetracht (gen.); **2.** F adv. den Umständen entsprechend.

**consign** [kən'sain] übergeben, überliefern; anvertrauen; † konsignieren; **~ment** † [~nmənt] Übersendung f; Konsignation f.

**consist** [kən'sist] bestehen (of aus); in Einklang stehen (with mit); **~ence**, **~ency** [~təns, ~si] Festigkeit(sgrad m) f; Übereinstimmung f; Konsequenz f; **~ent** [~nt] fest; übereinstimmend, vereinbar (with mit); konsequent.

**consol|ation** [kɔnsə'leiʃən] Trost m; **~e** [kən'soul] trösten.

**consolidate** [kən'sɔlideit] festigen; fig. vereinigen; zs.-legen.

**consonan|ce** ['kɔnsənəns] Konsonanz f; Übereinstimmung f; **~t** [~nt] **1.** □ übereinstimmend; **2.** gr. Konsonant m, Mitlaut m.

**consort** ['kɔnsɔ:t] Gemahl(in); ♣ Geleitschiff n.

**conspicuous** □ [kən'spikjuəs] sichtbar; auffallend, hervorragend; make o.s. ~ sich auffällig benehmen.

**conspir|acy** [kən'spirəsi] Verschwörung f; **~ator** [~ətə] Verschwörer m; **~e** [~'spaiə] sich verschwören.

**constab|le** ['kʌnstəbl] Polizist m; Schutzmann m; **~ulary** [kən'stæbjuləri] Polizei(truppe) f.

**constan|cy** ['kɔnstənsi] Standhaftigkeit f; Beständigkeit f; **~t** □ [~nt] beständig, fest; unveränderlich; treu.

**consternation** [kɔnstə(:)'neiʃən] Bestürzung f.

**constipation** ♣ [kɔnsti'peiʃən] Verstopfung f.

**constituen|cy** [kən'stitjuənsi] Wählerschaft f; Wahlkreis m; **~t** [~nt] **1.** wesentlich; Grund..., Bestand...; konstituierend; **2.** wesentlicher Bestandteil; Wähler m.

**constitut|e** ['kɔnstitju:t] ein-, errichten; ernennen, bestellen, ausmachen; **~ion** [kɔnsti'tju:ʃən] Ein-, Errichtung f; Bildung f; Körperbau m; Verfassung f; **~ional** □ [~nl] konstitutionell; natürlich; verfassungsmäßig.

**constrain** [kən'strein] zwingen; et. erzwingen; **~t** [~nt] Zwang m.

**constrict** [kən'strikt] zs.-ziehen; **~ion** [~kʃən] Zs.-ziehung f.

**constringent** [kən'strindʒənt] zs.-ziehend.

**construct** [kən'strʌkt] bauen, errichten; fig. bilden; **~ion** [~kʃən] Konstruktion f; Bau m; Auslegung f; **~ive** [~ktiv] aufbauend, schöpferisch, konstruktiv, positiv; Bau...; **~or** [~tə] Erbauer m, Konstrukteur m.

**construe** [kən'stru:] gr. konstruieren; auslegen, auffassen; übersetzen.

**consul** ['kɔnsəl] Konsul m; **~-general** Generalkonsul m; **~ate** [~sjulit] Konsulat n (a. Gebäude).

**consult** [kən'sʌlt] v/t. konsultieren, um Rat fragen; in e-m Buch nachschlagen; v/i. sich beraten; **~ation** [kɔnsəl'teiʃən] Konsultation f, Beratung f; Rücksprache f; **~ hour** Sprechstunde f; **~ative** [kən'sʌltətiv] beratend.

**consume** [kən'sju:m] v/t. verzehren; verbrauchen; vergeuden; **~r** [~mə] Verbraucher m; Abnehmer m.

**consummate 1.** □ [kən'sʌmit] vollendet; **2.** ['kɔnsʌmeit] vollenden.

**consumpti|on** [kən'sʌmpʃən] Verbrauch m; ♣ Schwindsucht f; **~ve** □ [~ptiv] verzehrend; ♣ schwindsüchtig.

**contact 1.** ['kɔntækt] Berührung f; Kontakt m; **~ lenses** pl. Haft-, Kontaktschalen f/pl.; **2.** [kən'tækt] Fühlung nehmen mit.

**contagi|on** ♣ [kən'teidʒən] Ansteckung f; Verseuchung f; Seuche f; **~ous** □ [~əs] ansteckend.

**contain** [kən'tein] (ent)halten, (um-)fassen; ~ o.s. an sich halten; **~er** [~nə] Behälter m; Großbehälter m (im Frachtverkehr).

**contaminat|e** [kən'tæmineit] verunreinigen; fig. anstecken, vergiften; verseuchen; **~ion** [kəntæmi'neiʃən] Verunreinigung f; (radioaktive) Verseuchung f.

**contemplat|e** fig. ['kɔntempleit] betrachten; beabsichtigen; **~ion** [kɔntəm'pleiʃən] Betrachtung f; Nachsinnen n; **~ive** □ ['kɔntempleitiv] nachdenklich; [kən'templətiv] beschaulich.

65 **contumacious**

contempora|neous □ [kɔntempə-
'reinjəs] gleichzeitig; **~ry** [kən-
'tempərəri] **1.** zeitgenössisch;
gleichzeitig; **2.** Zeitgenoss|e m,
-in f.
contempt [kən'tempt] Verachtung
f; **~ible** □ [~təbl] verachtenswert;
**~uous** □ [~tjuəs] geringschätzig
(of gegen); verächtlich.
contend [kən'tend] v/i. streiten,
ringen (for um); v/t. behaupten.
content [kən'tent] **1.** zufrieden;
**2.** befriedigen; ~ o.s. sich begnügen;
**3.** Zufriedenheit f; to one's heart's
~ nach Herzenslust; ['kɔntent] Umfang m; Gehalt m; ~s pl. stofflicher
Inhalt; **~ed** □ [kən'tentid] zufrieden; genügsam.
contention [kən'tenʃən] (Wort-)
Streit m; Wetteifer m.
contentment [kən'tentmənt] Zufriedenheit f, Genügsamkeit f.
contest **1.** ['kɔntest] Streit m; Wettkampf m; **2.** [kən'test] (be)streiten;
anfechten; um et. streiten.
context ['kɔntekst] Zusammenhang
m.
contiguous □ [kən'tigjuəs] anstoßend (to an acc.); benachbart.
continent ['kɔntinənt] **1.** □ enthaltsam; mäßig; **2.** Kontinent m,
Erdteil m; Festland n; **~al** [kɔnti-
'nentl] **1.** □ kontinental; Kontinental...; **2.** Kontinentaleuropäer(in).
contingen|cy [kən'tindʒənsi] Zu-
fälligkeit f; Zufall m; Möglichkeit
f; **~t** [~nt] **1.** □ zufällig; möglich
(to bei); **2.** ✕ Kontingent n.
continu|al □ [kən'tinjuəl] fortwäh-
rend, unaufhörlich, **~ance** [~əns]
(Fort)Dauer f; **~ation** [kəntinju-
'eiʃən] Fortsetzung f; Fortdauer f;
~ school Fortbildungsschule f; **~e**
[kən'tinju(:)] v/t. fortsetzen; beibehalten; to be ~d Fortsetzung folgt;
v/i. fortdauern; fortfahren; **~ity**
[kɔnti'nju(:)iti] Kontinuität f; Film:
Drehbuch n; Radio: verbindende
Worte; **~girl** Skriptgirl n; **~ous** □
[kən'tinjuəs] ununterbrochen.
contort [kən'tɔ:t] verdrehen; verzerren; **~ion** [~ɔ:ʃən] Verdrehung
f; Verzerrung f.
contour ['kɔntuə] Umriß m.
contra ['kɔntrə] wider.
contraband ['kɔntrəbænd] Schmug-
gelware f; Schleichhandel m; attr.
Schmuggel...

contraceptive [kɔntrə'septiv]
**1.** empfängnisverhütend; **2.** emp-
fängnisverhütendes Mittel.
contract **1.** [kən'trækt] v/t. zs.-
ziehen; sich et. zuziehen; Schulden
machen; Heirat etc. (ab)schließen;
v/i. einschrumpfen; e-n Vertrag
schließen; sich verpflichten;
**2.** ['kɔntrækt] Kontrakt m, Vertrag
m; **~ion** [kən'trækʃən] Zs.-ziehung
f; gr. Kurzform f; **~or** [~ktə]
Unternehmer m; Lieferant m.
contradict [kɔntrə'dikt] wider-
sprechen (dat.); **~ion** [~kʃən] Widerspruch m; **~ory** [~ktəri] (sich)
widersprechend.
contrar|iety [kɔntrə'raiəti] Wider-
spruch m; Widrigkeit f; **~y** ['kɔn-
trəri] **1.** entgegengesetzt; widrig; ~
to zuwider (dat.); gegen; **2.** Gegenteil n; on the ~ im Gegenteil.
contrast **1.** ['kɔntra:st] Gegensatz
m; **2.** [kən'tra:st] v/t. gegenüberstellen; vergleichen; v/i. sich unterscheiden, abstechen (with von).
contribu|te [kən'tribju(:)t] beitra-
gen, beisteuern; **~ion** [kɔntri'bju:-
ʃən] Beitrag m; **~or** [kən'tribjutə]
Beitragende(r m f; Mitarbeiter(in)
an e-r Zeitung; **~ory** [~əri] beitra-
gend.
contrit|e □ ['kɔntrait] reuevoll;
**~ion** [kən'triʃən] Zerknirschung
f.
contriv|ance [kən'traivəns] Erfin-
dung f; Plan m; Vorrichtung f;
Kunstgriff m; Scharfsinn m; **~e**
[kən'traiv] v/t. ersinnen; planen;
zuwegebringen; v/i. es fertig bringen (to inf. zu inf.); **~er** [~və] Erfin-
der(in).
control [kən'troul] **1.** Kontrolle f,
Aufsicht f; Befehl m; Zwang m;
Gewalt f; Zwangswirtschaft f;
Kontrollvorrichtung f; Steuerung
f; ~ board ⊕ Schaltbrett n; **2.** ein-,
beschränken; kontrollieren; beaufsichtigen, überwachen; beherrschen; (nach)prüfen; bewirtschaften; regeln; ⊕ steuern (a. fig. dat.);
**~ler** [~lə] Kontrolleur m, Aufseher
m; Leiter m; Rechnungsprüfer m.
controver|sial □ [kɔntrə'və:ʃəl]
umstritten; streitsüchtig; **~sy** ['kɔn-
trəvə:si] Streit(frage f) m; **~t** [~ə:t]
bestreiten.
contumacious □ [kɔntju(:)'meiʃəs]
widerspenstig; ⚖ ungehorsam.

*5 SW E I*

**contumely** 66

**contumely** ['kɔntju(:)mli] Beschimpfung f; Schmach f.
**contuse** [kən'tju:z] quetschen.
**convalesce** [kɔnvə'les] genesen; **~nce** [~sns] Genesung f; **~nt** [~nt] **1.** □ genesend; **2.** Genesende(r m) f.
**convene** [kən'vi:n] (sich) versammeln; zs.-rufen; 卝 vorladen.
**convenien|ce** [kən'vi:njəns] Bequemlichkeit f; Angemessenheit f; Vorteil m; Klosett n; at your earliest ~ möglichst bald; **~t** □ [~nt] bequem; passend; brauchbar.
**convent** ['kɔnvənt] (Nonnen)Kloster n; **~ion** [kən'venʃən] Versammlung f; Konvention f, Übereinkommen n, Vertrag m; Herkommen n; **~ional** [~nl] vertraglich; herkömmlich, konventionell.
**converge** [kən'və:dʒ] konvergieren, zs.-laufen (lassen).
**convers|ant** [kən'və:sənt] vertraut; **~ation** [kɔnvə'seiʃən] Gespräch n, Unterhaltung f; **~ational** [~nl] Unterhaltungs...; umgangssprachlich; **~e 1.** □ [kən'və:s] umgekehrt; **2.** [kən'və:s] sich unterhalten; **~ion** [~ə:ʃən] Um-, Verwandlung f; ⊕, ⚡ Umformung f; eccl. Bekehrung f; pol. Meinungswechsel m, Übertritt m; 卝 Konvertierung f; Umstellung f e-r Währung etc.
**convert 1.** ['kɔnvə:t] Bekehrte(r m) f, Konvertit m; **2.** [kən'və:t] (sich) um-, verwandeln; ⊕, ⚡ umformen; eccl. bekehren; 卝 konvertieren; Währung etc. umstellen; **~er** ⊕, ⚡ [~tə] Umformer m; **~ible 1.** □ [~təbl] um-, verwandelbar; 卝 konvertierbar; **2.** mot. Kabrio(lett) n.
**convey** [kən'vei] befördern, bringen, schaffen; übermitteln; mitteilen; ausdrücken; übertragen; **~ance** [~eiəns] Beförderung f; 卝 Spedition f; Übermittlung f; Verkehrsmittel n; Fuhrwerk n; Übertragung f; **~er, ~or** ⊕ [~eiə] a. ~ belt Förderband n.
**convict 1.** ['kɔnvikt] Sträfling m; **2.** [kən'vikt] j-n überführen; **~ion** [~kʃən] 卝 Überführung f; Überzeugung f (of von).
**convince** [kən'vins] überzeugen.
**convivial** □ [kən'viviəl] festlich; gesellig.
**convocation** [kɔnvə'keiʃən] Einberufung f; Versammlung f.
**convoke** [kən'vouk] einberufen.

**convoy** ['kɔnvɔi] **1.** Geleit n; Geleitzug m; (Geleit)Schutz m; **2.** geleiten.
**convuls|ion** [kən'vʌlʃən] Zuckung f, Krampf m; **~ive** □ [~lsiv] krampfhaft, -artig, konvulsiv.
**coo** [ku:] girren, gurren.
**cook** [kuk] **1.** Koch m; Köchin f; **2.** kochen; Bericht etc. frisieren; **~book** Am. ['kukbuk] Kochbuch n; **~ery** ['kukəri] Kochen n; Kochkunst f; **~ie** Am. ['kuki] Plätzchen n; **~ing** [~iŋ] Küche f (Kochweise); **~y** Am. ['kuki] = cookie.
**cool** [ku:l] **1.** □ kühl; fig. kaltblütig, gelassen; unverfroren; **2.** Kühle f; **3.** (sich) abkühlen.
**coolness** ['ku:lnis] Kühle f (a. fig.); Kaltblütigkeit f.
**coon** Am. F [ku:n] zo. Waschbär m; Neger m; (schlauer) Bursche.
**coop** [ku:p] **1.** Hühnerkorb m; **2.** ~ up od. in einsperren.
**co-op** F [kou'ɔp] = co-operative (store). [m.]
**cooper** ['ku:pə] Böttcher m, Küfer↲
**co(-)operat|e** [kou'ɔpəreit] mitwirken; zs.-arbeiten; **~ion** [kouɔp-'reiʃən] Mitwirkung f; Zs.-arbeit f; **~ive** [kou'ɔpərətiv] zs.-wirkend; ~ society Konsumverein m; ~ store Konsum(vereinsladen) m; **~or** [~reitə] Mitarbeiter m.
**co-ordinat|e 1.** □ [kou'ɔ:dnit] gleichgeordnet; **2.** [~dineit] koordinieren, gleichordnen; auf-ea. einstellen; **~ion** [kouɔ:di'neiʃən] Gleichordnung f, -schaltung f.
**copartner** ['kou'pa:tnə] Teilhaber m.
**cope** [koup]: ~ with sich messen mit, fertig werden mit.
**copious** □ ['koupjəs] reich(lich); weitschweifig; **~ness** [~snis] Fülle f.
**copper¹** ['kɔpə] **1.** Kupfer n; Kupfermünze f; **2.** kupfern; Kupfer...
**copper²** sl. [~] Polyp m (Polizist).
**coppice, copse** ['kɔpis, kɔps] Unterholz n, Dickicht n.
**copy** ['kɔpi] **1.** Kopie f; Nachbildung f; Abschrift f; Durchschlag m; Muster n; Exemplar n e-s Buches; Zeitungs-Nummer f; druckfertiges Manuskript; fair od. clean ~ Reinschrift f; **2.** kopieren; abschreiben; nachbilden, nachahmen; **~-book** Schreibheft n; **~ing** [~iŋ] Kopier...; **~ist** [~ist] Abschreiber

*m*; Nachahmer *m*; **~right** Verlagsrecht *n*, Copyright *n*.

**coral** ['kɔrəl] Koralle *f*.

**cord** [kɔːd] **1.** Schnur *f*, Strick *m*; *anat.* Strang *m*; **2.** (zu)schnüren, binden; **~ed** ['kɔːdid] gerippt.

**cordial** ['kɔːdjəl] **1.** □ herzlich; herzstärkend; **2.** (Magen)Likör *m*; **~ity** [kɔːdi'æliti] Herzlichkeit *f*.

**cordon** ['kɔːdn] **1.** Postenkette *f*; **2.** ~ *off* abriegeln, absperren.

**corduroy** ['kɔːdərɔi] Kord *m*; **~s** *pl.* Kordhosen *f*/*pl.*; ~ *road* Knüppeldamm *m*.

**core** [kɔː] **1.** Kerngehäuse *n*; *fig.* Herz *n*; Kern *m*; **2.** entkernen.

**cork** [kɔːk] **1.** Kork *m*; **2.** (ver)korken; **~ing** *Am.* F ['kɔːkiŋ] fabelhaft, prima; **~-jacket** Schwimmweste *f*; **~-screw** Kork(en)zieher *m*.

**corn** [kɔːn] **1.** Korn *n*; Getreide *n*; *a. Indian* ~ *Am.* Mais *m*; ♟ Hühnerauge *n*; **2.** einpökeln.

**corner** ['kɔːnə] **1.** Ecke *f*, Winkel *m*; Kurve *f*; *fig.* Enge *f*; † *Aufkäufer*-Ring *m*; **2.** Eck...; **3.** in die Ecke (*fig.* Enge) treiben; † aufkaufen; **~ed** ...eckig.

**cornet** ♪ ['kɔːnit] (kleines) Horn.

**cornice** △ ['kɔːnis] Gesims *n*.

**corn|-juice** *Am. sl.* ['kɔːndʒuːs] Maisschnaps *m*; ~ **pone** *Am.* ['kɔːnpoun] Maisbrot *n*; **~-stalk** Getreidehalm *m*; *Am.* Maisstengel *m*; **~-starch** *Am.* Maisstärke *f*.

**coron|ation** [kɔrə'neiʃən] Krönung *f*; **~er** ['kɔrənə] Leichenbeschauer *m*; **~et** [~nit] Adelskrone *f*.

**corpor|al** ['kɔːpərəl] **1.** □ körperlich; **2.** ✗ Korporal *m*; **~ation** [kɔːpə'reiʃən] Körperschaft *f*, Innung *f*, Zunft *f*; Stadtverwaltung *f*; *Am.* Aktiengesellschaft *f*.

**corpse** [kɔːps] Leichnam *m*.

**corpulen|ce, ~cy** ['kɔːpjuləns, ~si] Beleibtheit *f*; **~t** [~nt] beleibt.

**corral** *Am.* [kɔː'rɑːl] **1.** Einzäunung *f*; **2.** zs.-pferchen, einsperren.

**correct** [kə'rekt] **1.** *adj.* □ korrekt, richtig; **2.** *v*/*t.* korrigieren; zurechtweisen; strafen; **~ion** [~kʃən] Berichtigung *f*; Verweis *m*; Strafe *f*; Korrektur *f*; *house of* ~ Besserungsanstalt *f*.

**correlate** ['kɔrileit] in Wechselbeziehung stehen *od.* bringen.

**correspond** [kɔris'pɔnd] entsprechen (*with, to dat.*); korrespondie-

ren; **~ence** [~dəns] Übereinstimmung *f*; Briefwechsel *m*; **~ent** [~nt] **1.** □ entsprechend; **2.** Briefschreiber(in); Korrespondent(in).

**corridor** ['kɔridɔː] Korridor *m*; Gang *m*; ~ *train* D-Zug *m*.

**corrigible** ['kɔridʒəbl] verbesserlich; zu verbessern(d).

**corroborate** [kə'rɔbəreit] stärken; bestätigen.

**corro|de** [kə'roud] zerfressen; wegätzen; **~sion** [~ouʒən] Ätzen *n*, Zerfressen *n*; ⊕ Korrosion *f*; Rost *m*; **~sive** [~ousiv] **1.** □ zerfressend, ätzend; **2.** Ätzmittel *n*.

**corrugate** ['kɔrugeit] runzeln; ⊕ riefen; **~d iron** Wellblech *n*.

**corrupt** [kə'rʌpt] **1.** □ verdorben; verderbt; bestechlich; **2.** *v*/*t.* verderben; bestechen; anstecken; *v*/*i.* (ver)faulen, verderben; **~ible** □ [~təbl] verderblich; bestechlich; **~ion** [~pʃən] Verderbnis *f*, Verdorbenheit *f*; Fäulnis *f*; Bestechung *f*.

**corsage** [kɔː'saːʒ] Taille *f*, Mieder *n*; *Am.* Ansteckblume(n *pl.*) *f*.

**corset** ['kɔːsit] Korsett *n*.

**coruscate** ['kɔrəskeit] funkeln.

**co-signatory** ['kou'signətəri] **1.** mitunterzeichnend; **2.** Mitunterzeichner *m*.

**cosmetic** [kɔz'metik] **1.** kosmetisch; **2.** Schönheitsmittel *n*; Kosmetik *f*; **~ian** [kɔzme'tiʃən] Kosmetiker(in).

**cosmonaut** ['kɔzmənɔːt] Kosmonaut *m*, Weltraumfahrer *m*.

**cosmopolit|an** [kɔzmə'pɔlitən], **~e** [kɔz'mɔpəlait] **1.** kosmopolitisch; **2.** Weltbürger(in).

**cost** [kɔst] **1.** Preis *m*, Kosten *pl.*; Schaden *m*; *first od. prime* ~ Anschaffungskosten *pl.*; **2.** [*irr.*] kosten.

**cost|liness** ['kɔstlinis] Kostbarkeit *f*; **~y** ['kɔstli] kostbar; kostspielig.

**costume** ['kɔstjuːm] Kostüm *n*; Kleidung *f*; Tracht *f*.

**cosy** ['kouzi] **1.** □ behaglich, gemütlich; **2.** = *tea-cosy*.

**cot** [kɔt] Feldbett *n*; ⚓ Hängematte *f* mit Rahmen, Koje *f*; Kinderbett *n*.

**cottage** ['kɔtidʒ] Hütte *f*; kleines Landhaus, Sommerhaus *n*; ~ *cheese Am.* Quark(käse) *m*; ~ *piano* Pianino *n*; **~r** [~dʒə] Häusler *m*; Hüttenbewohner *m*; *Am.* Sommergast *m*.

**cotton** ['kɔtn] **1.** Baumwolle *f*; †

5*

Kattun *m*; *Näh*-Garn *n*; **2.** baumwollen; Baumwoll...; ~ *wool* Watte *f*; **3.** F sich vertragen; sich anschließen; ~**wood** ♀ *e-e* amerikanische Pappel.

**couch** [kautʃ] **1.** Lager *n*; Couch *f*, Sofa *n*, Liege *f*; Schicht *f*; **2.** *v/t.* *Meinung etc.* ausdrücken; *Schriftsatz etc.* abfassen; ✗ *Star* stechen; *v/i.* sich (nieder)legen; versteckt liegen; kauern.

**cough** [kɔf] **1.** Husten *m*; **2.** husten.

**could** [kud] *pret. von* can¹.

**coulee** *Am.* ['kuːli] (trockenes) Bachbett.

**council** ['kaunsl] Rat(sversammlung *f*) *m*; ~**(l)or** [⌣silə] Ratsmitglied *n*, Stadtrat *m*.

**counsel** ['kaunsəl] **1.** Beratung *f*; Rat(schlag) *m*; ⅍ Anwalt *m*; ~ *for the defense* Verteidiger *m*; ~ *for the prosecution* Anklagevertreter *m*; **2.** *j-n* beraten; *j-m* raten; ~**(l)or** [⌣slə] Ratgeber(in); Anwalt *m*; *Am.* Rechtsbeistand *m*.

**count¹** [kaunt] **1.** Rechnung *f*; Zahl *f*; ⅍ Anklagepunkt *m*; **2.** *v/t.* zählen; rechnen; dazurechnen; *fig.* halten für; *v/i.* zählen; rechnen; gelten (*for little* wenig).

**count²** [⌣] *nichtbritischer* Graf.

**count-down** ['kauntdaun] Countdown *m*, *n*, Startzählung *f* (*beim Raketenstart*).

**countenance** ['kauntinəns] **1.** Gesicht *n*; Fassung *f*; Unterstützung *f*; **2.** begünstigen, unterstützen.

**counter¹** ['kauntə] Zähler *m*, Zählapparat *m* Spielmarke *f*; Zahlpfennig *m*; Ladentisch *m*; Schalter *m*.

**counter²** [⌣] **1.** entgegen, zuwider (*to dat.*); Gegen...; **2.** Gegenschlag *m*; **3.** Gegenmaßnahmen treffen.

**counteract** [kauntə'rækt] zuwiderhandeln (*dat.*).

**counterbalance 1.** ['kauntəbæləns] Gegengewicht *n*; **2.** [kauntə'bæləns] aufwiegen; ✝ ausgleichen.

**counter-espionage** ['kauntər'espiə-naːʒ] Spionageabwehr *f*.

**counterfeit** ['kauntəfit] **1.** ☐ nachgemacht; falsch, unecht; **2.** Nachahmung *f*; Fälschung *f*; Falschgeld *n*; **3.** nachmachen; fälschen; heucheln.

**counterfoil** ['kauntəfɔil] Kontrollabschnitt *m*.

**countermand** [kauntə'maːnd] **1.** Gegenbefehl *m*; Widerruf *m*; **2.** widerrufen; abbestellen.

**counter-move** *fig.* ['kauntəmuːv] Gegenzug *m*, -maßnahme *f*.

**counterpane** ['kauntəpein] Bettdecke *f*.

**counterpart** ['kauntəpaːt] Gegenstück *n*.

**counterpoise** ['kauntəpɔiz] **1.** Gegengewicht *n*; **2.** das Gleichgewicht halten (*dat.*) (*a. fig.*), ausbalancieren.

**countersign** ['kauntəsain] **1.** Gegenzeichen *n*; ✗ Losung(swort *n*) *f*; **2.** gegenzeichnen.

**countervail** ['kauntəveil] aufwiegen.

**countess** ['kauntis] Gräfin *f*.

**counting-house** ['kauntiŋhaus] Kontor *n*.

**countless** ['kauntlis] zahllos.

**countrified** ['kʌntrifaid] ländlich; bäurisch.

**country** ['kʌntri] **1.** Land *n*; Gegend *f*; Heimatland *n*; **2.** Land(s)..., ländlich; ~**man** Landmann *m* (*Bauer*); Landsmann *m*; ~**side** Gegend *f*; Land(bevölkerung *f*) *n*; ~**man** [⌣] nichtbritischer Graf.

**county** ['kaunti] Grafschaft *f*, Kreis *m*; ~ *seat Am.* = ~ *town* Kreisstadt *f*.

**coup** [kuː] Schlag *m*, Streich *m*.

**couple** ['kʌpl] **1.** Paar *n*; Koppel *f*; **2.** (ver)koppeln; ⊕ kuppeln; (sich) paaren; ~**r** [⌣lə] *Radio*: Koppler *m*.

**coupling** ['kʌpliŋ] Kupplung *f*; *Radio*: Kopplung *f*; *attr.* Kupplungs...

**coupon** ['kuːpɔn] Abschnitt *m*.

**courage** ['kʌridʒ] Mut *m*; ~**ous** ☐ [kə'reidʒəs] mutig, beherzt.

**courier** ['kuriə] Kurier *m*, Eilbote *m*; Reiseführer *m*.

**course** [kɔːs] **1.** Lauf *m*, Gang *m*; Weg *m*; ♟, *fig.* Kurs *m*; Rennbahn *f*; Gang *m* (*Speisen*); Kursus *m*; *univ.* Vorlesung *f*; Ordnung *f*, Folge *f*; *of* ~ selbstverständlich; **2.** *v/t.* hetzen; jagen; *v/i.* rennen.

**court** [kɔːt] **1.** Hof *m*; Hofgesellschaft *f*; Gericht(shof *m*) *n*; *General* ♀ *Am.* gesetzgebende Versammlung; *pay* (*one's*) ~ *to j-m* den Hof machen; **2.** *j-m* den Hof machen; werben um; ~**day** ['kɔːtdei] Gerichtstag *m*; ~**eous** ☐ ['kəːtjəs] höflich; ~**esy** ['kəːtisi] Höflichkeit *f*; Gefälligkeit *f*; **~house** ['kɔːt-'haus] Gerichtsgebäude *n*; *Am. a.* Amtshaus *n* e-s *Kreises*; **~ier** ['kɔːtjə] Höfling *m*; **~ly** ['kɔːtli] höfisch; höflich; **~ martial** ⚔ Kriegs-, Militärgericht *n*; **~-martial** ⚔ ['kɔːt'maːʃəl] vor ein Kriegs- *od.* Militärgericht stellen; **~ room** Gerichtssaal *m*; **~ship** ['kɔːtʃip] Werbung *f*; **~yard** Hof *m*.

**cousin** ['kʌzn] Vetter *m*; Base *f*.

**cove** [kouv] 1. Bucht *f*; *fig.* Obdach *n*.

**covenant** ['kʌvinənt] 1. ⚖ Vertrag *m*; Bund *m*; 2. *v/t.* geloben; *v/i.* übereinkommen.

**cover** ['kʌvə] 1. Decke *f*; Deckel *m*; Umschlag *m*; Hülle *f*; Deckung *f*; Schutz *m*; Dickicht *n*; Deckmantel *m*; Decke *f*, Mantel *m* (*Bereifung*); 2. (be-, zu)decken; einschlagen; einwickeln; verbergen, verdecken; schützen; *Weg* zurücklegen; † decken; *mit e-r Schußwaffe* zielen nach; ⚔ *Gelände* bestreichen; umfassen; *Zeitung*: erfassen (*acc.*); **~age** [ˈʌridʒ] Berichterstattung *f* (*of* über *acc.*); **~ing** [ˈʌriŋ] Decke *f*; *Bett*-Bezug *m*; Überzug *m*; Bekleidung *f*; Bedachung *f*.

**covert** 1. □ [ˈkʌvət] heimlich, versteckt; 2. ['kʌvə] Schutz *m*; Versteck *n*; Dickicht *n*.

**covet** ['kʌvit] begehren; **~ous** □ [ˈʌtəs] (be)gierig; habsüchtig.

**cow**[1] [kau] Kuh *f*.

**cow**[2] [ˈ~] einschüchtern; ducken.

**coward** ['kauəd] 1. □ feig; 2. Feigling *m*; **~ice** [ˈ~dis] Feigheit *f*; **~ly** [ˈdli] feig(e).

**cow**|**boy** ['kauboi] Cowboy *m* (*berittener Rinderhirt*); **~catcher** *Am.* 🚂 Schienenräumer *m*.

**cower** ['kauə] kauern; sich ducken.

**cow**|**herd** ['kauhəːd] Kuhhirt *m*; **~hide** 1. Rind(s)leder *n*; 2. peitschen; **~house** Kuhstall *m*.

**cowl** [kaul] Mönchskutte *f*; Kapuze *f*; Schornsteinkappe *f*.

**cow**|**man** ['kaumən] Melker *m*; *Am.* Viehzüchter *m*; **~puncher** *Am.* □ ['kaupʌntʃə] Rinderhirt *m*; **~shed** Kuhstall *m*; **~slip** ♀ Schlüsselblume *f*; *Am.* Sumpfdotterblume *f*.

**coxcomb** ['kɔkskoum] Geck *m*.

**coxswain** ['kɔkswein, ⚓ *mst* 'kɔksn] Bootsführer *m*; Steuermann *m*.

**coy** □ [kɔi] schüchtern; spröde.

**crab** [kræb] Krabbe *f*, Taschenkrebs *m*; ⊕ Winde *f*; F Querkopf *m*.

**crab-louse** ['kræblaus] Filzlaus *f*.

**crack** [kræk] 1. Krach *m*; Riß *m*, Sprung *m*; F derber Schlag; Versuch *m*; Witz *m*; 2. F erstklassig; 3. *v/t.* (zer)sprengen; knallen mit *et.*; (auf)knacken; **~** *a joke* e-n Witz reißen; *v/i.* platzen, springen; knallen; umschlagen (*Stimme*); **~ed** geborsten; F verdreht; **~er** ['krækə] Knallbonbon *m*; ⊕ Schwärmer *m*; *Am.* Keks *m* (*ungesüßt*); **~le** [ˈʌkl] knattern, knistern; **~-up** Zs.-stoß *m*; ✈ Bruchlandung *f*.

**cradle** ['kreidl] 1. Wiege *f*; Kindheit *f* (*a. fig.*); 2. (ein)wiegen.

**craft** [krɑːft] Handwerk *n*, Gewerbe *n*; Schiff(e *pl.*) *n*; Gerissenheit *f*; **~sman** ['krɑːftsmən] (Kunst)Handwerker *m*; **~y** □ ['krɑːfti] gerissen, raffiniert.

**crag** [kræg] Klippe *f*, Felsspitze *f*.

**cram** [kræm] (voll)stopfen; nudeln; mästen; F (ein)pauken.

**cramp** [kræmp] 1. Krampf *m*; ⊕ Klammer *f*, ⊕ Fessel *f*; 2. verkrampfen; einengen, hemmen.

**cranberry** ['krænbəri] Preiselbeere *f*.

**crane** [krein] 1. Kranich *m*; ⊕ Kran *m*; 2. (den Hals) recken; **~fly** *zo.* ['kreinflai] Schnake *f*.

**crank** [kræŋk] 1. Kurbel *f*; Schwengel *m*; Wortspiel *n*; Schrulle *f*; komischer Kauz; fixe Idee; 2. (an)kurbeln; **~shaft** ⊕ ['kræŋkʃɑːft] Kurbelwelle *f*; **~y** [ˈʌki] wacklig; launisch; verschroben.

**cranny** ['kræni] Riß *m*, Ritze *f*.

**crape** [kreip] Krepp *m*, Flor *m*.

**craps** *Am.* [kræps] *pl.* Würfelspiel.

**crash** [kræʃ] 1. Krach *m* (*a.* †); ✈ Absturz *m*; 2. *v/i.* krachen; einstürzen; ✈ abstürzen; *mot.* zusstoßen; fahren, fliegen, stürzen (*into* in, auf *acc.*); *v/t.* zerschmettern; 3. *Am.* F blitzschnell ausgeführt; **~helmet** ['kræʃhelmit] Sturzhelm *m*; **~landing** Bruchlandung *f*.

**crate** [kreit] Lattenkiste *f*.

**crater** ['kreitə] Krater *m*; Trichter *m*.

**crave** [kreiv] *v/t.* dringend bitten *od.* flehen um; *v/i.* sich sehnen.

**craven** ['kreivən] feig.

**crawfish** ['krɔːfiʃ] **1.** Krebs *m*;
**2.** *Am.* F sich drücken.

**crawl** [krɔːl] **1.** Kriechen *n*; **2.** kriechen; schleichen; wimmeln; krib-
beln; *Schwimmen:* kraulen; *it makes
one's flesh* ~ man bekommt e-e
Gänsehaut davon.

**crayfish** ['kreifiʃ] Flußkrebs *m*.

**crayon** ['kreiən] Zeichenstift *m*,
*bsd.* Pastellstift *m*; Pastell(gemälde)
*n*.

**craz|e** [kreiz] Verrücktheit *f*; F
Fimmel *m*; *be the* ~ Mode sein;
~**y** □ ['kreizi] baufällig; verrückt
*(for, about* nach).

**creak** [kriːk] knarren.

**cream** [kriːm] **1.** Rahm *m*, Sahne *f*;
Creme *f*; Auslese *f*; *das* Beste;
**2.** den Rahm abschöpfen; ~**ery**
['kriːməri] Molkerei *f*; Milchgeschäft *n*; ~**y** □ [~mi] sahnig.

**crease** [kriːs] **1.** (Bügel)Falte *f*;
**2.** (sich) kniffen, (sich) falten.

**creat|e** [kri(ː)'eit] (er)schaffen; *thea.*
*e-e* Rolle gestalten; verursachen; erzeugen; ernennen; ~**ion** [~'eiʃən]
Schöpfung *f*; Ernennung *f*; ~**ive**
[~'eitiv] schöpferisch; ~**or** [~tə]
Schöpfer *m*; ~**ure** ['kriːtʃə] Geschöpf *n*; Kreatur *f*.

**creden|ce** ['kriːdəns] Glaube *m*;
~**tials** [kri'denʃəlz] *pl.* Beglaubi-
gungsschreiben *n*; Unterlagen *f/pl.*

**credible** □ ['kredəbl] glaubwürdig;
glaubhaft.

**credit** ['kredit] **1.** Glaube(n) *m*;
Ruf *m*, Ansehen *n*; Guthaben *n*; ✝
Kredit *n*; ✝ Kredit *m*; Einfluß *m*;
Verdienst *n*, Ehre *f*; *Am. Schule:*
(Anrechnungs)Punkt *m*; **2.** *j-m*
glauben; *j-m* trauen; ✝ gutschrei-
ben; ~ *with* s.th. j-m et. zutrauen; ~**able** □ [~təbl] achtbar;
ehrenvoll *(to* für); ~**or** [~tə] Gläu-
biger *m*. [gläubig.]

**credulous** □ ['kredjuləs] leicht-]

**creed** [kriːd] Glaubensbekenntnis *n*.

**creek** [kriːk] Bucht *f*; *Am.* Bach *m*.

**creel** [kriːl] Fischkorb *m*.

**creep** [kriːp] *irr.* kriechen; *fig.*
(sich ein)schleichen; kribbeln; *it
makes my flesh* ~ ich bekomme e-e
Gänsehaut davon; ~**er** ['kriːpə]
Kriecher(in); Kletterpflanze *f*.

**cremator|ium** [kreməˈtɔːriəm],
*bsd. Am.* ~**y** ['kremətəri] Kremato-
rium *n*.

**crept** [krept] *pret. u. p.p. von* creep.

**crescent** ['kresnt] **1.** zunehmend;
halbmondförmig; **2.** Halbmond *m*;
♀ *City Am.* New Orleans.

**cress** ♀ [kres] Kresse *f*.

**crest** [krest] *Hahnen-, Berg- etc.*
Kamm *m*; Mähne *f*; Federbusch
*m*; *Heraldik: family* ~ Familien-
wappen *n*; ~**fallen** ['krestfɔːlən]
niedergeschlagen.

**crevasse** [kri'væs] (Gletscher)Spalte
*f*; *Am.* Deichbruch *m*.

**crevice** ['krevis] Riß *m*, Spalte *f*.

**crew**[1] [kruː] Schar *f*; ⚓, ⚔ Mannschaft *f*.

**crew**[2] [~] *pret. von* crow 2.

**crib** [krib] **1.** Krippe *f*; Kinderbett
(-stelle *f*) *n*; F *Schule:* Klatsche *f*;
*bsd. Am.* Behälter *m*; **2.** einsperren;
F mausen; F abschreiben.

**crick** [krik] Krampf *m*; ~ *in the neck*
steifer Hals.

**cricket** ['krikit] *zo.* Grille *f*; *Sport:*
Kricket *n*; *not* ~ F nicht fair.

**crime** [kraim] Verbrechen *n*.

**criminal** ['kriminl] **1.** verbreche-
risch; Kriminal..., Straf...; **2.** Ver-
brecher(in); ~**ity** [krimi'næliti]
Strafbarkeit *f*; Verbrechertum *n*.

**crimp** [krimp] kräuseln.

**crimson** ['krimzn] karmesin(rot).

**cringe** [krindʒ] sich ducken.

**crinkle** ['kriŋkl] **1.** Windung *f*;
Falte *f*; **2.** (sich) winden; (sich)
kräuseln.

**cripple** ['kripl] **1.** Krüppel *m*;
Lahme(r *m*) *f*; **2.** verkrüppeln; *fig.*
lähmen.

**cris|is** ['kraisis], *pl.* ~**es** [~siːz]
Krisis *f*, Krise *f*, Wende-, Höhepunkt *m*.

**crisp** [krisp] **1.** kraus; knusprig;
frisch; klar; steif; **2.** (sich) kräuseln; knusprig machen *od.* wer-
den; **3.** ~*s pl., a. potato* ~*s pl.* Kar-
toffelchips *pl.*

**criss-cross** ['kriskrɔs] **1.** Kreuz-
zeichen *n*; **2.** (durch)kreuzen.

**criteri|on** [krai'tiəriən], *pl.* ~**a** [~riə]
Kennzeichen *n*, Prüfstein *m*.

**criti|c** ['kritik] Kritiker(in); ~**cal** □
[~kəl] kritisch; bedenklich; ~**cism**
[~isizəm] Kritik *f (of* an *dat.*); ~**cize**
[~saiz] kritisieren; beurteilen; tadeln; ~**que** [kri'tiːk] kritischer Essay; *die* Kritik.

**croak** [krouk] krächzen; quaken.

**crochet** ['krouʃei] **1.** Häkelei *f*;
**2.** häkeln.

**crock** [krɔk] irdener Topf; **~ery** ['krɔkəri] Töpferware f.

**crocodile** zo. ['krɔkədail] Krokodil n.

**crone** F [kroun] altes Weib.

**crony** F ['krouni] alter Freund.

**crook** [kruk] **1.** Krümmung f; Haken m; Hirtenstab m; sl. Gauner m; **2.** (sich) krümmen; (sich) (ver)biegen; **~ed** ['krukid] krumm; bucklig; unehrlich; [krukt] Krück...

**croon** [kru:n] schmalzig singen; summen; **~er** ['kru:nə] Schnulzensänger m.

**crop** [krɔp] **1.** Kropf m; Peitschenstiel m; Reitpeitsche f; Ernte f; kurzer Haarschnitt; **2.** (ab-, be-) schneiden; (ab)ernten; Acker bebauen; **~** up fig. auftauchen.

**cross** [krɔs] **1.** Kreuz n (a. fig. Leiden); Kreuzung f; **2.** □ sich kreuzend; quer (liegend, laufend etc.); ärgerlich, verdrießlich; entgegengesetzt; Kreuz..., Quer...); **3.** v/t. kreuzen; durchstreichen; fig. durchkreuzen; überqueren; in den Weg kommen (dat.); **~** o.s. sich bekreuzigen; keep one's fingers **~ed** den Daumen halten; v/i. sich kreuzen; **~bar** ['krɔsbɑ:] Fußball: Torlatte f; **~breed** (Rassen)Kreuzung f; **~country** querfeldein; **~examination** Kreuzverhör n; **~eyed** schieläugig; **~ing** [⁓siŋ] Kreuzung f; Übergang m; -fahrt f; **~road** Querstraße f; **~roads** pl. od. sg. Kreuzweg m; **~section** Querschnitt m; **~wise** kreuzweise; **~word** (puzzle) Kreuzworträtsel n.

**crotchet** ['krɔtʃit] Haken m; ♪ Viertelnote f; wunderlicher Einfall.

**crouch** [krautʃ] **1.** sich ducken; **2.** Hockstellung f.

**crow** [krou] **1.** Krähe f; Krähen n; eat **~** Am. F zu Kreuze kriechen; **2.** [irr.] krähen; triumphieren; **~bar** ['kroubɑ:] Brecheisen n.

**crowd** [kraud] **1.** Haufen m, Menge f; Gedränge n; F Bande f; **2.** (sich) drängen; (über)füllen; wimmeln.

**crown** [kraun] **1.** Krone f; Kranz m; Gipfel m; Scheitel m; **2.** krönen; Zahn überkronen; to **~** all zu guter Letzt, zu allem Überfluß.

**cruci|al** □ ['kru:ʃjəl] entscheidend; kritisch; **~ble** ['kru:sibl] Schmelztiegel m; **~fixion** [kru:si'fikʃən]

Kreuzigung f; **~fy** ['kru:sifai] kreuzigen.

**crude** □ [kru:d] roh; unfertig; unreif; unfein; grob; Roh...; grell.

**cruel** □ ['kruəl] grausam; hart; fig. blutig; **~ty** [⁓lti] Grausamkeit f.

**cruet** ['kru(:)it] (Essig-, Öl)Fläschchen n.

**cruise** ⚓ [kru:z] **1.** Kreuzfahrt f, Seereise f; **2.** kreuzen; **~r** ['kru:zə] ⚓ Kreuzer m; Jacht f; Am. Funkstreifenwagen m.

**crumb** [krʌm] **1.** Krume f; Brocken m; **2.** panieren; zerkrümeln; **~le** ['krʌmbl] (zer)bröckeln; fig. zugrunde gehen.

**crumple** ['krʌmpl] v/t. zerknittern; fig. vernichten; v/i. (sich) knüllen.

**crunch** [krʌntʃ] (zer)kauen; zermalmen; knirschen.

**crusade** [kru:'seid] Kreuzzug m (a. fig.); **~r** [⁓də] Kreuzfahrer m.

**crush** [krʌʃ] **1.** Druck m; Gedränge n; (Frucht)Saft m; Am. sl. Schwarm m; have a **~** on s.o. in j-n verliebt od. verschossen sein; **2.** v/t. (zer-, aus)quetschen; zermalmen; fig. vernichten; v/i. sich drängen; **~barrier** ['krʌʃbæriə] Absperrgitter n.

**crust** [krʌst] **1.** Kruste f; Rinde f; Am. sl. Frechheit f; **2.** (sich) be-, überkrusten, verharschen; **~y** □ ['krʌsti] krustig; fig. mürrisch.

**crutch** [krʌtʃ] Krücke f.

**cry** [krai] **1.** Schrei m; Geschrei n; Ruf m; Weinen n; Gebell n; **2.** schreien; (aus)rufen; weinen; **~** for verlangen nach.

**crypt** [kript] Gruft f; **~ic** ['kriptik] verborgen, geheim.

**crystal** ['kristl] Kristall m, n; Am. Uhrglas n; **~line** [⁓təlain] kristallen; **~lize** [⁓aiz] kristallisieren.

**cub** [kʌb] **1.** Junge(s) n; Flegel m; Anfänger m; **2.** (Junge) werfen.

**cub|e** A [kju:b] Würfel m; Kubikzahl f; **~** root Kubikwurzel f; **~ic(al** □) ['kju:bik(əl)] würfelförmig; kubisch; Kubik...

**cuckoo** ['kuku] Kuckuck m.

**cucumber** ['kju:kʌmbə] Gurke f; as cool as a **~** fig. gelassen.

**cud** [kʌd] wiedergekäutes Futter; chew the **~** wiederkäuen; fig. überlegen.

**cuddle** ['kʌdl] v/t. (ver)hätscheln.

**cudgel** ['kʌdʒəl] **1.** Knüttel *m*; **2.** (ver)prügeln.

**cue** [kju:] *Billard*-Queue *n*; Stichwort *n*; Wink *m*.

**cuff** [kʌf] **1.** Manschette *f*; Handschelle *f*; (Ärmel-, *Am. a.* Hosen-) Aufschlag *m*; *Faust*-Schlag *m*; **2.** puffen, schlagen.

**cuisine** [kwi(:)'zi:n] Küche *f* (*Art zu kochen*).

**culminate** ['kʌlmineit] gipfeln.

**culpable** □ ['kʌlpəbl] strafbar.

**culprit** ['kʌlprit] Angeklagte(r *m*) *f*; Schuldige(r *m*) *f*, Missetäter(in).

**cultivat|e** ['kʌltiveit] kultivieren; an-, bebauen; ausbilden; pflegen; **~ion** [kʌlti'veiʃən] (An-, Acker)Bau *m*; Ausbildung *f*; Pflege *f*, Zucht *f*; **~or** ['kʌltiveitə] Landwirt *m*; Züchter *m*; ☀ Kultivator *m* (*Maschine*).

**cultural** □ ['kʌltʃərəl] kulturell.

**culture** ['kʌltʃə] Kultur *f*; Pflege *f*; Zucht *f*; **~d** kultiviert.

**cumb|er** ['kʌmbə] überladen; belasten; **~ersome** [~əsəm], **~rous** □ [~brəs] lästig; schwerfällig.

**cumulative** □ ['kju:mjulətiv] (an-, auf)häufend; Zusatz...

**cunning** ['kʌniŋ] **1.** □ schlau, listig; geschickt; *Am.* reizend; **2.** List *f*, Schlauheit *f*; Geschicklichkeit *f*.

**cup** [kʌp] Becher *m*, Schale *f*, Tasse *f*; Kelch *m*; *Sport*: Pokal *m*; **~board** ['kʌbəd] (*Speise- etc.*)Schrank *m*.

**cupidity** [kju(:)'piditi] Habgier *f*.

**cupola** ['kju:pələ] Kuppel *f*.

**cur** [kə:] Köter *m*; Schurke *m*, Halunke *m*.

**curable** ['kjuərəbl] heilbar.

**curate** ['kjuərit] Hilfsgeistliche(r)*m*.

**curb** [kə:b] **1.** Kinnkette *f*; Kandare *f* (*a. fig.*); *a.* **~-stone** ['kə:bstoun] Bordschwelle *f*; **2.** an die Kandare nehmen (*a. fig.*); *fig.* zügeln; **~-market** *Am. Börse*: Freiverkehr *m*; **~-roof** Mansardendach *n*.

**curd** [kə:d] **1.** Quark *m*; **2.** (*mst* **~le** ['kə:dl]) gerinnen (lassen).

**cure** [kjuə] **1.** Kur *f*; Heilmittel *n*; Seelsorge *f*; Pfarre *f*; **2.** heilen; pökeln; räuchern; trocknen.

**curfew** ['kə:fju:] Abendglocke *f*; *pol.* Ausgehverbot *n*; **~-bell** Abendglocke *f*.

**curio** ['kjuəriou] Rarität *f*; **~sity** [kjuəri'ositi] Neugier *f*; Rarität *f*;

**~us** □ ['kjuəriəs] neugierig; genau; seltsam, merkwürdig.

**curl** [kə:l] **1.** Locke *f*; **2.** (sich) kräuseln; (sich) locken; (sich) ringeln; **~y** ['kə:li] gekräuselt; lockig.

**currant** ['kʌrənt] Johannisbeere *f*; *a.* dried **~** Korinthe *f*.

**curren|cy** ['kʌrənsi] Umlauf *m*; ✝ Lauffrist *f*; Kurs *m*, Währung *f*; **~t** [~nt] **1.** □ umlaufend; ✝ kursierend (*Geld*); allgemein (bekannt); laufend (*Jahr etc.*); **2.** Strom *m* (*a. ⚡*); Strömung *f* (*a. fig.*); *Luft*-Zug *m*.

**curricul|um** [kə'rikjuləm], *pl.* **~a** [~lə] Lehr-, Stundenplan *m*; **~um vitae** [~əm'vaiti:] Lebenslauf *m*.

**curry**[1] ['kʌri] Curry *m*, *n*.

**curry**[2] [~] Leder zurichten; *Pferd* striegeln.

**curse** [kə:s] **1.** Fluch *m*; **2.** (ver)fluchen; strafen; **~d** ['kə:sid] verflucht.

**curt** □ [kə:t] kurz; knapp; barsch.

**curtail** [kə:'teil] beschneiden; *fig.* beschränken; kürzen (*of* um).

**curtain** ['kə:tn] **1.** Vorhang *m*; Gardine *f*; **2.** verhängen, verschleiern; **~-lecture** F Gardinenpredigt *f*.

**curts(e)y** ['kə:tsi] **1.** Knicks *m*; **2.** knicksen (*to* vor).

**curvature** ['kə:vətʃə] (Ver)Krümmung *f*.

**curve** [kə:v] **1.** Kurve *f*; Krümmung *f*; **2.** (sich) krümmen; (sich) biegen.

**cushion** ['kuʃən] **1.** Kissen *n*; Polster *n*; *Billard*-Bande *f*; **2.** polstern.

**cuss** *Am.* F [kʌs] **1.** Nichtsnutz *m*; **2.** fluchen.

**custody** ['kʌstədi] Haft *f*; (Ob)Hut *f*.

**custom** ['kʌstəm] Gewohnheit *f*, Brauch *m*; Sitte *f*; Kundschaft *f*; **~s** *pl.* Zoll *m*; **~ary** □ [~məri] gewöhnlich, üblich; **~er** [~mə] Kund|e *m*, -in *f*; F Bursche *m*; **~-house** Zollamt *n*; **~-made** *Am.* maßgearbeitet.

**cut** [kʌt] **1.** Schnitt *m*; Hieb *m*; Stich *m*; (Schnitt)Wunde *f*; Einschnitt *m*; Graben *m*; Kürzung *f*; Ausschnitt *m*; Wegabkürzung *f* (*mst* short-~); *Holz*-Schnitt *m*; *Kupfer*-Stich *m*; Schliff *m*; Schnitte *f*, Scheibe *f*; *Karten*-Abheben *n*; *Küche*: cold **~s** *pl.* Aufschnitt *m*; give s.o. the **~** (direct) F j. schneiden; **2.** [*irr.*] *v/t.* schneiden; schnitzen; gravieren; ab-, an-, auf-, aus-

be-, durch-, zer-, zuschneiden; *Edelstein etc.* schleifen; *Karten* abheben; *j. beim Begegnen* schneiden; ~ *teeth* zahnen; ~ *short j.* unterbrechen; ~ *back* einschränken; ~ *down* fällen; mähen; beschneiden; *Preis* drükken; ~ *out* ausschneiden; *Am. Vieh* aussondern *aus der Herde*; *fig. j.* ausstechen; *⚡ ausschalten; ~ out for das Zeug zu e-r S. haben; v/i. ~ in sich einschieben; 3. adj.* geschnitten *etc., s.* cut 2.
**cute** □ F [kjuːt] schlau; *Am.* reizend.
**cuticle** ['kjuːtikl] Oberhaut *f*; ~ *scissors pl.* Hautschere *f*.
**cutlery** ['kʌtləri] Messerschmiedearbeit *f*; Stahlwaren *f/pl.*; Bestecke *n/pl.*
**cutlet** ['kʌtlit] Kotelett *n*; Schnitzel *n*.
**cut|-off** *Am.* ['kʌtɔːf] Abkürzung *f (Straße, Weg); ~out mot.* Auspuffklappe *f*; *⚡* Sicherung *f*; Ausschalter *m*; *Am.* Ausschneidebogen *m*, -bild *n*; ~purse Taschendieb *m*; ~ter ['kʌtə] Schneidende(r *m) f*; Schnitzer *m*; Zuschneider(in) *Film*: Cutter *m*; *⊕* Schneidezeug *n*,

-maschine *f*; *⚓* Kutter *m*; *Am.* leichter Schlitten; ~throat Halsabschneider *m*; Meuchelmörder *m*; ~ting ['kʌtiŋ] 1. □ schneidend; scharf; *⊕* Schneid..., Fräs...; 2. Schneiden *n*; *🐛 etc.* Einschnitt *m*; *♀* Steckling *m*; *Zeitungs-*Ausschnitt *m*; ~s pl. Schnipsel *m, n/pl.*; *⊕* Späne *m/pl.*
**cycl|e** ['saikl] 1. Zyklus *m*; Kreis (-lauf) *m*; Periode *f*; *⊕* Arbeitsgang *m*; Fahrrad *n*; 2. radfahren; ~ist [~list] Radfahrer(in).
**cyclone** ['saikloun] Wirbelsturm *m*.
**cylinder** ['silində] Zylinder *m*, Walze *f*; *⊕* Trommel *f*.
**cymbal** *♪* ['simbəl] Becken *n*.
**cynic** ['sinik] 1. *a.* ~al □ [~kəl] zynisch; 2. Zyniker *m*.
**cypress** *♀* ['saipris] Zypresse *f*.
**cyst** *🔬* [sist] Blase *f*; Sackgeschwulst *f*; ~itis *🔬* [sis'taitis] Blasenentzündung *f*.
**Czech** [tʃek] 1. Tschech|e *m*, -in *f*; 2. tschechisch.
**Czechoslovak** ['tʃekou'slouvæk] 1. Tschechoslowak|e *m*, -in *f*; 2. tschechoslowakisch.

# D

**dab** [dæb] 1. Klaps *m*; Tupf(en) *m*, Klecks *m*; 2. klapsen; (be)tupfen.
**dabble** ['dæbl] bespritzen; plätschern; (hinein)pfuschen.
**dad** F [dæd], ~dy F ['dædi] Papa *m*.
**daddy-longlegs** F *zo.* ['dædi'lɔŋlegz] Schnake *f*; *Am.* Weberknecht *m*.
**daffodil** *♀* ['dæfədil] gelbe Narzisse.
**daft** F [dɑːft] blöde, doof.
**dagger** ['dægə] Dolch *m*; *be at ~s drawn fig.* auf Kriegsfuß stehen.
**dago** *Am. sl.* ['deigou] *contp. für Spanier, Portugiese, mst Italiener.*
**daily** ['deili] 1. täglich; 2. Tageszeitung *f*.
**dainty** ['deinti] 1. □ lecker; zart, fein; wählerisch; 2. Leckerei *f*.
**dairy** ['dɛəri] Molkerei *f*, Milchwirtschaft *f*; Milchgeschäft *n*; ~

**cattle** Milchvieh *n*; ~man Milchhändler *m*.
**daisy** *♀* ['deizi] Gänseblümchen *n*.
**dale** [deil] Tal *n*.
**dall|iance** ['dæliəns] Trödelei *f*; Liebelei *f*; ~y ['dæli] vertrödeln; schäkern.
**dam** [dæm] 1. Mutter *f von Tieren*; Deich *m*, Damm *m*; 2. (ab)dämmen.
**damage** ['dæmidʒ] 1. Schaden *m*; ~s pl. *🔬* Schadenersatz *m*; 2. (be-) schädigen.
**damask** ['dæməsk] Damast *m*.
**dame** [deim] Dame *f*; *sl.* Weib *n*.
**damn** [dæm] verdammen; verurteilen; ~ation [dæm'neiʃən] Verdammung *f*.
**damp** [dæmp] 1. feucht, dunstig; 2. Feuchtigkeit *f*, Dunst *m*; Gedrücktheit *f*; 3. *a.* ~en ['dæmpən]

anfeuchten; dämpfen; niederdrük-
ken; ~er [~pə] Dämpfer m.

danc|e [da:ns] 1. Tanz m; Ball m;
2. tanzen (lassen); ~er ['da:nsə]
Tänzer(in); ~ing [~siŋ] Tanzen n;
attr. Tanz ...

dandelion ♀ ['dændilaiən] Löwen-
zahn m.

dandle sl. ['dændl] wiegen, schaukeln.

dandruff ['dændrəf] (Kopf)Schup-
pen f/pl.

dandy ['dændi] 1. Stutzer m; F erst-
klassige Sache; 2. Am. F prima.

Dane [dein] Dän|e m, -in f.

danger ['deindʒə] Gefahr f; ~ous
□ [~dʒrəs] gefährlich; ~-signal 🚩
Notsignal n.

dangle ['dæŋgl] baumeln (lassen);
schlenkern (mit); fig. schwanken.

Danish ['deiniʃ] dänisch.

dank [dæŋk] dunstig, feucht.

Danubian [dæ'nju:bjən] Donau...

dapper □ F ['dæpə] nett; behend.

dapple ['dæpl] sprenkeln; ~d
scheckig; ~-grey Apfelschimmel m.

dar|e [deə] v/i. es wagen; v/t. et.
wagen; j-n herausfordern; j-m trotzen; ~e-devil ['dɛədevl] Drauf-
gänger m; ~ing □ ['dɛəriŋ] 1. verwegen; 2. Verwegenheit f.

dark [da:k] 1. □ dunkel; brünett;
schwerverständlich; geheim(nis-
voll); trüb(selig); 2. Dunkel(heit f)
n; before (after) ~ vor (nach) Einbruch der Dunkelheit; ♀ Ages pl.
das frühe Mittelalter; ~en ['da:kən]
(sich) (ver)dunkeln; (sich) verfinstern; ~ness ['da:knis] Dunkelheit
f, Finsternis f; ~y F ['da:ki]
Schwarze(r m) f.

darling ['da:liŋ] 1. Liebling m;
2. Lieblings...; geliebt.

darn [da:n] stopfen; ausbessern.

dart [da:t] 1. Wurfspieß m; Wurf-
pfeil m; Sprung m, Satz m; ~s pl.
Wurfpfeilspiel n; 2. v/t. schleudern; v/i. fig. schießen, (sich) stürzen.

dash [dæʃ] 1. Schlag m, (Zs.-)Stoß
m; Klatschen n; Schwung m; Ansturm m; fig. Anflug m; Prise f;
Schuß m Rum etc.; Feder-Strich m;
Gedankenstrich m; 2. v/t. schlagen,
werfen, schleudern; zerschmettern; vernichten; (be)spritzen; vermengen; verwirren; v/i. stoßen,
schlagen; stürzen; stürmen; jagen;

~-board mot. ['dæʃbɔːd] Armaturenbrett n; ~ing □ ['dæʃiŋ] schneidig, forsch; flott, F fesch.

dastardly ['dæstədli] heimtückisch;
feig.

data ['deitə] pl., Am. a. sg. Angaben
f/pl.; Tatsachen f/pl.; Unterlagen
f/pl.; Daten pl.

date [deit] 1. ♀ Dattel f; Datum n;
Zeit f; Termin m; Am. F Verabredung f; Freund(in); out of ~
veraltet, unmodern; up to ~ zeitgemäß, modern; auf dem laufenden; 2. datieren; Am. F sich verabreden.

dative gr. ['deitiv] a. ~ case Dativ m.

daub [dɔːb] (be)schmieren; (be-)
klecksen.

daughter ['dɔːtə] Tochter f; ~-in-
law [~ɔrinlɔ:] Schwiegertochter f.

daunt [dɔːnt] entmutigen; ~less
['dɔːntlis] furchtlos, unerschrocken.

daw orn. [dɔ:] Dohle f.

dawdle F ['dɔːdl] (ver)trödeln.

dawn [dɔːn] 1. Dämmerung f; fig.
Morgenrot n; 2. dämmern, tagen;
it ~ed upon him fig. es wurde ihm
langsam klar.

day [dei] Tag m; oft ~s pl. (Lebens-)
Zeit f; ~ off dienst-freier Tag; carry
od. win the ~ den Sieg davontragen;
the other ~ neulich; this ~ week
heute in einer Woche; heute vor
einer Woche; let's call it a ~ machen wir Schluß für heute; ~break
['deibreik] Tagesanbruch m; ~-la-
bo(u)rer Tagelöhner m; ~-star
Morgenstern m.

daze [deiz] blenden; betäuben.

dazzle ['dæzl] blenden; ⚓ tarnen.

dead [ded] 1. tot; unempfindlich
(to für); matt (Farbe etc.); blind
(Fenster etc.); erloschen (Feuer);
schal (Getränk); tief (Schlaf);
† tot (Kapital etc.); ~ bargain
Spottpreis m; ~ letter unzustellbarer
Brief; ~ loss Totalverlust m; a ~
shot ein Meisterschütze; ~ wall
blinde Mauer; ~ wood Reisig n;
Am. Plunder m; 2. adv. gänzlich,
völlig, total; durchaus; genau,
(haar)scharf; ~ against (ent)gegen;
ganz und gar (ent)gegen; 3. the ~
der Tote; die Toten pl.; Toten-
stille f; in the ~ of winter im tiefsten
Winter; in the ~ of night mitten in
der Nacht; ~en ['dedn] abstumpfen; dämpfen; (ab)schwächen; ~

**end** Sackgasse *f* (*a. fig.*); **~line** *Am.* Sperrlinie *f im Gefängnis*; Schlußtermin *m*; Stichtag *m*; **~lock** Stockung *f*; *fig.* toter Punkt; **~ly** [~li] tödlich.

**deaf** □ [def] taub; **~en** ['defn] taub machen; betäuben.

**deal** [di:l] **1.** Teil *m*; Menge *f*; Kartengeben *n*; F Geschäft *n*; Abmachung *f*; *a good* ~ ziemlich viel; *a great* ~ sehr viel; **2.** [*irr.*] *v/t.* (aus-, ver-, zu)teilen; *Karten* geben; *e-n Schlag* versetzen; *v/i.* handeln (*in* mit *e-r Ware*); verfahren; verkehren; ~ *with* sich befassen mit, behandeln; **~er** [di:lə] Händler *m*; Kartengeber *m*; **~ing** ['di:liŋ] *mst* **~s** *pl.* Handlungsweise *f*; Verfahren *n*; Verkehr *m*; **~t** [delt] *pret. u. p.p. von* deal 2.

**dean** [di:n] Dekan *m*.

**dear** [diə] **1.** □ teuer; lieb; **2.** Liebling *m*; herziges Geschöpf; **3.** *o(h)* ~*!*, ~ *me!* F du liebe Zeit!; ach herrje!

**death** [deθ] Tod *m*; Todesfall *m*; **~bed** ['deθbed] Sterbebett *n*; **~duty** Erbschaftssteuer *f*; **~less** ['deθlis] unsterblich; **~ly** [~li] tödlich; **~rate** Sterblichkeitsziffer *f*; **~warrant** Todesurteil *n*.

**debar** [di'ba:] ausschließen; hindern.

**debarkation** [di:ba:'keiʃən] Ausschiffung *f*.

**debase** [di'beis] verschlechtern; erniedrigen; verfälschen.

**debat|able** □ [di'beitəbl] strittig; umstritten; **~e** [di'beit] **1.** Debatte *f*; **2.** debattieren; erörtern; überlegen.

**debauch** [di'bɔ:tʃ] **1.** Ausschweifung *f*; **2.** verderben; verführen.

**debilitate** [di'biliteit] schwächen.

**debit** † ['debit] **1.** Debet *n*, Schuld *f*; **2.** *j-n* belasten; debitieren.

**debris** ['debri:] Trümmer *pl.*

**debt** [det] Schuld *f*; **~or** ['detə] Schuldner(in).

**debunk** ['di:'bʌŋk] den Nimbus nehmen (*dat.*).

**début** ['deibu:] Debüt *n*.

**decade** ['dekeid] Jahrzehnt *n*.

**decadence** ['dekədəns] Verfall *m*.

**decamp** [di'kæmp] aufbrechen; ausreißen; **~ment** [~pmənt] Aufbruch *m*.

**decant** [di'kænt] abgießen; umfüllen; **~er** [~tə] Karaffe *f*.

**decapitate** [di'kæpiteit] enthaupten; *Am.* F *fig.* absägen (*entlassen*).

**decay** [di'kei] **1.** Verfall *m*; Fäulnis *f*; **2.** verfallen; (ver)faulen.

**decease** *bsd.* ₺₺ [di'si:s] **1.** Ableben *n*; **2.** sterben.

**deceit** [di'si:t] Täuschung *f*; Betrug *m*; **~ful** □ [~tful] (be)trügerisch.

**deceive** [di'si:v] täuschen; verleiten; **~r** [~və] Betrüger(in).

**December** [di'sembə] Dezember *m*.

**decen|cy** ['di:snsi] Anstand *m*; **~t** □ [~nt] anständig; F annehmbar, nett.

**deception** [di'sepʃən] Täuschung *f*.

**decide** [di'said] (sich) entscheiden; bestimmen; **~d** □ entschieden; bestimmt; entschlossen.

**decimal** ['desiməl] Dezimalbruch *m*; *attr.* Dezimal...

**decipher** [di'saifə] entziffern.

**decisi|on** [di'siʒən] Entscheidung *f*; ₺₺ Urteil *n*; Entschluß *m*; Entschlossenheit *f*; **~ve** [di'saisiv] entscheidend; entschieden.

**deck** [dek] **1.** ⚓ Deck *n*; *Am.* Pack *m* Spielkarten; *on* ~ *Am.* F da(bei), bereit; **2.** *rhet.* schmücken; **~chair** ['dek'tʃeə] Liegestuhl *m*.

**declaim** [di'kleim] vortragen; (sich er)eifern.

**declar|able** [di'kleərəbl] steuer-, zollpflichtig; **~ation** [deklə'reiʃən] Erklärung *f*; *Zoll*-Deklaration *f*; **~e** [di'kleə] (sich) erklären; behaupten; deklarieren.

**declension** [di'klenʃən] Abfall *m* (*Neigung*); Verfall *m*; *gr.* Deklination *f*.

**declin|ation** [dekli'neiʃən] Neigung *f*; Abweichung *f*; **~e** [di'klain] **1.** Abnahme *f*; Niedergang *m*; Verfall *m*; **2.** *v/t.* neigen, biegen; *gr.* deklinieren; ablehnen; *v/i.* sich neigen; abnehmen; verfallen.

**declivity** [di'kliviti] Abhang *m*.

**declutch** *mot.* ['di:'klʌtʃ] auskuppeln.

**decode** *tel.* ['di:'koud] entschlüsseln.

**decompose** [di:kəm'pouz] zerlegen; (sich) zersetzen; verwesen.

**decontrol** ['di:kən'troul] *Waren*, *Handel* freigeben.

**decorat|e** ['dekəreit] (ver)zieren; schmücken; **~ion** [dekə'reiʃən] Ver-

# decorative
76

zierung *f*; Schmuck *m*; Orden(sauszeichnung *f*) *m*; ♀ Day *Am.*
Heldengedenktag *m*; **~ive** ['dekərətiv] dekorativ; Zier...; **~or** [~reitə]
Dekorateur *m*, Maler *m*.

**decor|ous** □ ['dekərəs] anständig;
**~um** [di'kɔ:rəm] Anstand *m*.

**decoy** [di'kɔi] **1.** Lockvogel *m* (*a. fig.*); Köder *m*; **2.** ködern; locken.

**decrease 1.** ['di:kri:s] Abnahme *f*;
**2.** [di:'kri:s] (sich) vermindern.

**decree** [di'kri:] **1.** Dekret *n*, Verordnung *f*, Erlaß *m*; ♀ Entscheid *m*; **2.** beschließen; verordnen, verfügen.

**decrepit** [di'krepit] altersschwach.

**decry** [di'krai] in Verruf bringen.

**dedicat|e** ['dedikeit] widmen; **~ion**
[dedi'keiʃən] Widmung *f*.

**deduce** [di'dju:s] ableiten; folgern.

**deduct** [di'dʌkt] abziehen; **~ion**
[~kʃən] Abzug *m*; ✝ Rabatt *m*;
Schlußfolgerung *f*.

**deed** [di:d] **1.** Tat *f*; Heldentat *f*;
Urkunde *f*; **2.** *Am.* urkundlich
übertragen (*to* auf *acc.*).

**deem** [di:m] *v/t.* halten für; *v/i.*
denken, urteilen (*of* über *acc.*).

**deep** [di:p] **1.** □ tief; gründlich;
schlau; vertieft; dunkel (*a. fig.*);
verborgen; **2.** Tiefe *f*; *poet.* Meer *n*;
**~en** ['di:pən] (sich) vertiefen; (sich)
verstärken; **~-freeze 1.** tiefkühlen;
**2.** Tiefkühlfach *n*, -truhe *f*; **~ness**
['di:pnis] Tiefe *f*.

**deer** [diə] Rotwild *n*; Hirsch *m*.

**deface** [di'feis] entstellen; unkenntlich machen; ausstreichen.

**defalcation** [di:fæl'keiʃən] Unterschlagung *f*.

**defam|ation** [defə'meiʃən] Verleumdung *f*; **~e** [di'feim] verleumden; verunglimpfen.

**default** [di'fɔ:lt] **1.** Nichterscheinen *n vor Gericht*; Säumigkeit *f*; Verzug *m*; *in ~ of* which widrigenfalls;
**2.** s-n *etc.* Verbindlichkeiten nicht nachkommen.

**defeat** [di'fi:t] **1.** Niederlage *f*; Besiegung *f*; Vereitelung *f*; **2.** ✗ besiegen; vereiteln; vernichten.

**defect** [di'fekt] Mangel *m*, Fehler
*m*; **~ive** □ [~tiv] mangelhaft; unvollständig; fehlerhaft.

**defen|ce**, *Am.* **~se** [di'fens] Verteidigung *f*; Schutzmaßnahme *f*;
*witness for the ~* Entlastungszeuge

*m*; **~celess**, *Am.* **~seless** [~slis]
schutzlos, wehrlos.

**defend** [di'fend] verteidigen; schützen (*from* vor *dat.*); **~ant** [~dənt]
Angeklagte(r *m*) *f*; Beklagte(r *m*) *f*;
**~er** [~də] Verteidiger(in).

**defensive** [di'fensiv] Defensive *f*;
*attr.* Verteidigungs...

**defer** [di'fə:] auf-, verschieben; *Am.*
✗ zurückstellen; sich fügen; nachgeben; *payment on ~ red terms*
Ratenzahlung *f*; **~ence** ['defərəns]
Ehrerbietung *f*; Nachgiebigkeit *f*;
**~ential** □ [defə'renʃəl] ehrerbietig.

**defian|ce** [di'faiəns] Herausforderung *f*; Trotz *m*; **~t** □ [~nt] herausfordernd; trotzig.

**deficien|cy** [di'fiʃənsi] Unzulänglichkeit *f*; Mangel *m*; = *deficit*; **~t**
□ [~nt] mangelhaft; unzureichend.

**deficit** ['defisit] Fehlbetrag *m*.

**defile 1.** ['di:fail] Engpaß *m*; **2.** [di'fail] *v/i.* vorbeiziehen; *v/t.* beflekken; schänden.

**defin|e** [di'fain] definieren; erklären; genau bestimmen; **~ite** □
['definit] bestimmt; deutlich; genau; **~ition** [defi'niʃən] (Begriffs-)
Bestimmung *f*; Erklärung *f*; **~itive**
□ [di'finitiv] bestimmt; entscheidend; endgültig.

**deflect** [di'flekt] ablenken; abweichen.

**deform** [di'fɔ:m] entstellen, verunstalten; **~ed** verwachsen; **~ity**
[~miti] Unförmigkeit *f*; Mißgestalt *f*.

**defraud** [di'frɔ:d] betrügen (*of* um).

**defray** [di'frei] *Kosten* bestreiten.

**defroster** *mot.* [di:'frɔstə] Entfroster
*m*.

**deft** □ [deft] gewandt, flink.

**defunct** [di'fʌŋkt] verstorben.

**defy** [di'fai] herausfordern; trotzen.

**degenerate 1.** [di'dʒenəreit] entarten; **2.** □ [~rit] entartet.

**degrad|ation** [degrə'deiʃən] Absetzung *f*; **~e** [di'greid] *v/t.* absetzen; erniedrigen; demütigen.

**degree** [di'gri:] Grad *m*; *fig.* Stufe *f*,
Schritt *m*; Rang *m*, Stand *m*; *by ~s*
allmählich; *in no ~* in keiner Weise;
*in some ~* einigermaßen; *take one's
~* sein Abschlußexamen machen.

**dehydrated** [di:'haidreitid] Trokken...

**deify** ['di:ifai] vergöttern; vergöttlichen.

**dense**

**deign** [dein] geruhen; gewähren.
**deity** ['di:iti] Gottheit *f*.
**deject** [di'dʒekt] entmutigen; **~ed** □ niedergeschlagen; **~ion** [~kʃən] Niedergeschlagenheit *f*.
**delay** [di'lei] **1.** Aufschub *m*; Verzögerung *f*; **2.** *v/t.* aufschieben; verzögern; *v/i.* zögern; trödeln.
**delega|te 1.** [di'deligeit] *v/t.* abordnen; übertragen; **2.** [~git] Abgeordnete(r *m*) *f*; **~tion** [deli'geiʃən] Abordnung *f*; *Am. parl. die* Kongreßabgeordneten *m/pl. e-s Staates.*
**deliberat|e 1.** [di'libəreit] *v/t.* überlegen, erwägen; *v/i.* nachdenken; beraten; **2.** □ [~rit] bedachtsam; wohlüberlegt; vorsätzlich; **~ion** [dilibə'reiʃən] Überlegung *f*; Beratung *f*; Bedächtigkeit *f*.
**delica|cy** ['delikəsi] Wohlgeschmack *m*; Leckerbissen *m*; Zartheit *f*; Schwächlichkeit *f*; Feinfühligkeit *f*; **~te** [~kit] schmackhaft; lecker; zart; fein; schwach; heikel; empfindlich; feinfühlig; wählerisch; **~tessen** [delikə'tesn] Feinkost(geschäft *n*) *f*.
**delicious** [di'liʃəs] köstlich.
**delight** [di'lait] **1.** Lust *f*, Freude *f*, Wonne *f*; **2.** entzücken; (sich) erfreuen (*in an dat.*); **~ to *inf.*** Freude daran finden, zu *inf.*; **~ful** □ [~tful] entzückend. [schildern.]
**delineate** [di'linieit] entwerfen;)
**delinquen|cy** [di'liŋkwənsi] Vergehen *n*; Kriminalität *f*; Pflichtvergessenheit *f*; **~t** [~nt] **1.** straffällig; pflichtvergessen; **2.** Verbrecher(in).
**deliri|ous** □ [di'liriəs] wahnsinnig; **~um** [~iəm] Fieberwahn *m*.
**deliver** [di'livə] befreien; über-, aus-, abliefern; *Botschaft* ausrichten; äußern; *Rede etc.* vortragen, halten; **~** entbinden; *Schlag* führen; werfen; **~ance** [~ərəns] Befreiung *f*; (Meinungs)Äußerung *f*; **~er** [~rə] Befreier(in); Überbringer(in); **~y** [~ri] ⚕ Entbindung *f*; (Ab)Lieferung *f*; ⚖ Zustellung *f*; Übergabe *f*; Vortrag *m*; Wurf *m*; *special* ~ Lieferung *f* durch Eilboten; **~y-truck**, **~y-van** Lieferwagen *m*.
**dell** [del] kleines Tal.
**delude** [di'lu:d] täuschen; verleiten.
**deluge** ['delju:dʒ] **1.** Überschwemmung *f*; **2.** überschwemmen.

**delus|ion** [di'lu:ʒən] Täuschung *f*, Verblendung *f*; Wahn *m*; **~ive** □ [~u:siv] (be)trügerisch; täuschend.
**demand** [di'ma:nd] **1.** Verlangen *n*; Forderung *f*; Bedarf *m*; ✝ Nachfrage *f*; ⚖ Rechtsanspruch *m*; **2.** verlangen, fordern; fragen (nach).
**demean** [di'mi:n]: **~ o.s.** sich benehmen; sich erniedrigen; **~o(u)r** [~nə] Benehmen *n*.
**demented** [di'mentid] wahnsinnig.
**demerit** [di:'merit] Fehler *m*.
**demesne** [di'mein] Besitz *m*.
**demi...** ['demi] Halb..., halb...
**demijohn** ['demidʒən] große Korbflasche, Glasballon *m*.
**demilitarize** ['di:'militəraiz] entmilitarisieren.
**demise** [di'maiz] **1.** Ableben *n*; **2.** vermachen.
**demobilize** [di:'moubilaiz] demobilisieren.
**democra|cy** [di'mɔkrəsi] Demokratie *f*; **~t** ['deməkræt] Demokrat(in); **~tic(al** □) [demə'krætik(əl)] demokratisch.
**demolish** [di'mɔliʃ] nieder-, abreißen; zerstören.
**demon** ['di:mən] Dämon *m*; Teufel *m*.
**demonstrat|e** ['demənstreit] anschaulich darstellen; beweisen; demonstrieren; **~ion** [deməns'treiʃən] Demonstration *f*; anschauliche Darstellung; Beweis *m*; (Gefühls-)Äußerung *f*; **~ive** □ [di'mɔnstrətiv] überzeugend; demonstrativ; ausdrucksvoll; auffällig, überschwenglich.
**demote** [di:'mout] degradieren.
**demur** [di'mə:] **1.** Einwendung *f*; **2.** Einwendungen erheben.
**demure** □ [di'mjuə] ernst; prüde.
**den** [den] Höhle *f*; Grube *f*; *sl.* Bude *f*.
**denial** [di'naiəl] Leugnen *n*; Verneinung *f*; abschlägige Antwort.
**denizen** ['denizn] Bewohner *m*.
**denominat|e** [di'nɔmineit] (be-)nennen; **~ion** [dinɔmi'neiʃən] Benennung *f*; Klasse *f*; Sekte *f*, Konfession *f*.
**denote** [di'nout] bezeichnen; bedeuten.
**denounce** [di'nauns] anzeigen; brandmarken; *Vertrag* kündigen.
**dens|e** □ [dens] dicht, dick (*Nebel*);

beschränkt; **~ity** ['densiti] Dichte
*f*; Dichtigkeit *f*.

**dent** [dent] **1.** Kerbe *f*; Beule *f*;
**2.** ver-, einbeulen.

**dent|al** ['dentl] Zahn...; **~** *surgeon*
Zahnarzt *m*; **~ist** [~tist] Zahnarzt
*m*.

**denunciat|ion** [dinʌnsi'eiʃən] Anzeige *f*; Kündigung *f*; **~or** [di-
'nʌnsieitə] Denunziant *m*.

**deny** [di'nai] verleugnen; verweigern, abschlagen; *j-n* abweisen.

**depart** [di'pɑ:t] *v/i.* abreisen, abfahren; abstehen, (ab)weichen;
verscheiden; **~ment** [~tmənt] Abteilung *f*; Bezirk *m*; **†** Branche *f*;
*Am.* Ministerium *n*; *State* ♎ *Am.*
Außenministerium *n*; **~** *store* Warenhaus *n*; **~ure** [~tʃə] Abreise *f*,
🚢, ⚓ Abfahrt *f*; Abweichung *f*.

**depend** [di'pend]: **~** (*up*)*on* abhängen von; angewiesen sein auf (*acc.*);
sich verlassen auf (*acc.*); *it* **~***s* F
es kommt (ganz) darauf an; **~able**
[~dəbl] zuverlässig; **~ant** [~ənt]
Abhängige(r *m*) *f*; Angehörige(r *m*)
*f*; **~ence** [~dəns] Abhängigkeit *f*;
Vertrauen *n*; **~ency** [~si] Schutzgebiet *n*; **~ent** [~nt] **1.** □ (*on*) abhängig (von); angewiesen (auf *acc.*);
**2.** *Am.* = *dependant*.

**depict** [di'pikt] darstellen; schildern.

**deplete** [di'pli:t] (ent)leeren; *fig.*
erschöpfen.

**deplor|able** □ [di'plɔ:rəbl] beklagenswert; kläglich; jämmerlich; **~e**
[di'plɔ:] beklagen, bedauern.

**deponent** ⚖ [di'pounənt] vereidigter Zeuge.

**depopulate** [di:'pɔpjuleit] (sich)
[entvölkern.)

**deport** [di'pɔ:t] *Ausländer* abschieben; verbannen; **~** *o.s.* sich benehmen; **~ment** [~tmənt] Benehmen *n*.

**depose** [di'pouz] absetzen; ⚖ (eidlich) aussagen.

**deposit** [di'pɔzit] **1.** Ablagerung *f*;
Lager *n*; **†** Depot *n*; *Bank*-Einlage *f*; Pfand *n*; Hinterlegung *f*;
**2.** (nieder-, ab-, hin)legen; *Geld*
einlegen, einzahlen; hinterlegen;
(sich) ablagern; **~ion** [depə'ziʃən]
Ablagerung *f*; eidliche Zeugenaussage; Absetzung *f*; **~or** [di'pɔzitə]
Hinterleger *m*, Einzahler *m*; Kontoinhaber *m*.

**depot** ['depou] Depot *n*; Lagerhaus
*n*; *Am.* Bahnhof *m*.

**deprave** [di'preiv] *sittlich* verderben.

**deprecate** ['deprikeit] ablehnen.

**depreciate** [di'pri:ʃieit] herabsetzen; geringschätzen; entwerten.

**depredation** [depri'deiʃən] Plünderung *f*.

**depress** [di'pres] niederdrücken;
*Preise etc.* senken, drücken; bedrücken; **~ed** *fig.* niedergeschlagen; **~ion** [~eʃən] Senkung *f*; Niedergeschlagenheit *f*; **†** Flaute *f*, Wirtschaftskrise *f*; 🌡 Schwäche *f*;
Sinken *n*.

**deprive** [di'praiv] berauben; entziehen; ausschließen (*of* von).

**depth** [depθ] Tiefe *f*; *attr.* Tiefen...

**deput|ation** [depju(:)'teiʃən] Abordnung *f*; **~e** [di'pju:t] abordnen;
**~y** ['depjuti] Abgeordnete(r *m*) *f*;
Stellvertreter *m*, Beauftragte(r) *m*.

**derail** 🚂 [di'reil] *v/i.* entgleisen; *v/t.*
zum Entgleisen bringen.

**derange** [di'reindʒ] in Unordnung
bringen; stören; zerrütten; (*mentally*) **~d** geistesgestört; *a* **~d**
*stomach* eine Magenverstimmung.

**derelict** ['derilikt] **1.** verlassen; *bsd.*
*Am.* nachlässig; **2.** herrenloses Gut;
Wrack *n*; **~ion** [deri'likʃən] Verlassen *n*; Vernachlässigung *f*.

**deri|de** [di'raid] verlachen, verspotten; **~sion** [di'riʒən] Verspottung *f*; **~sive** □ [di'raisiv] spöttisch.

**deriv|ation** [deri'veiʃən] Ableitung
*f*; Herkunft *f*; **~e** [di'raiv] herleiten;
*Nutzen etc.* ziehen (*from* aus).

**derogat|e** ['derəgeit] schmälern
(*from acc.*); **~ion** [derə'geiʃən] Beeinträchtigung *f*; Herabwürdigung
*f*; **~ory** □ [di'rɔgətəri] (*to*) nachteilig (*dat.*, für); herabwürdigend.

**derrick** ['derik] ⊕ Drehkran *m*; ⚓
Ladebaum *m*; 🔨 Bohrturm *m*.

**descend** [di'send] (her-, hin)absteigen, herabkommen; sinken; 🌡
niedergehen; **~** (*up*)*on* herfallen über
(*acc.*); einfallen in (*acc.*); (ab)stammen; **~ant** [~dənt] Nachkomme *m*.

**descent** [di'sent] Herabsteigen *n*;
Abstieg *m*; Sinken *n*; Gefälle *n*;
feindlicher Einfall; Landung *f*; Abstammung *f*; Abhang *m*.

**describe** [dis'kraib] beschreiben.

**description** [dis'kripʃən] Beschreibung *f*, Schilderung *f*; F Art *f*.

**descry** [dis'krai] wahrnehmen.

**desecrate** ['desikreit] entweihen.

**desegregate** *Am.* [di:'segrigeit] die
Rassentrennung aufheben in (*dat.*).

**desert**[1] ['dezət] **1.** verlassen; wüst, öde; Wüsten...; **2.** Wüste f.

**desert**[2] [di'zə:t] v/t. verlassen; v/i. ausreißen; desertieren.

**desert**[3] [di'zə:t] Verdienst n.

**desert|er** [di'zə:tə] Fahnenflüchtige(r) m; ~ion [~ə:ʃən] Verlassen n; Fahnenflucht f.

**deserv|e** [di'zə:v] verdienen; sich verdient machen (of um); ~ing [~viŋ] würdig (of gen.); verdienstvoll.

**design** [di'zain] **1.** Plan m; Entwurf m; Vorhaben n, Absicht f; Zeichnung f, Muster n; **2.** ersinnen, zeichnen, entwerfen; planen; bestimmen.

**designat|e** ['dezigneit] bezeichnen; ernennen, bestimmen; ~ion [dezig'neiʃən] Bezeichnung f; Bestimmung f, Ernennung f.

**designer** [di'zainə] (Muster)Zeichner(in); Konstrukteur m.

**desir|able** □ [di'zaiərəbl] wünschenswert; angenehm; ~e [di'zaiə] **1.** Wunsch m; Verlangen n; **2.** verlangen, wünschen; ~ous [~ərəs] begierig.

**desist** [di'zist] abstehen, ablassen.

**desk** [desk] Pult n; Schreibtisch m.

**desolat|e** **1.** ['desəleit] verwüsten; **2.** □ [~lit] einsam; verlassen; öde; ~ion [desə'leiʃən] Verwüstung f; Einöde f; Verlassenheit f.

**despair** [dis'pεə] **1.** Verzweiflung f; **2.** verzweifeln (of an dat.); ~ing □ [~əriŋ] verzweifelt.

**despatch** [dis'pætʃ] = dispatch.

**desperat|e** □ adj. [~ə'] ['despərit] verzweifelt; hoffnungslos; F schrecklich; ~ion [despə'reiʃən] Verzweiflung f; Raserei f.

**despicable** □ ['despikəbl] verächtlich.

**despise** [dis'paiz] verachten.

**despite** [dis'pait] **1.** Verachtung f; Trotz m; Bosheit f; in ~ of zum Trotz, trotz; **2.** prp. a. ~ of trotz.

**despoil** [dis'pɔil] berauben (of gen.).

**despond** [dis'pɔnd] verzagen, verzweifeln; ~ency [~dənsi] Verzagtheit f; ~ent □ [~nt] verzagt.

**despot** ['despɔt] Despot m, Tyrann m; ~ism [~pətizəm] Despotismus m.

**dessert** [di'zə:t] Nachtisch m, Dessert n; Am. Süßspeise f.

**destin|ation** [desti'neiʃən] Be-

stimmung(sort m) f; ~e ['destin] bestimmen; ~y [~ni] Schicksal n.

**destitute** □ ['destitju:t] mittellos, notleidend; entblößt (of von).

**destroy** [dis'trɔi] zerstören, vernichten; töten; unschädlich machen; ~er [~iə] Zerstörer(in).

**destruct|ion** [dis'trʌkʃən] Zerstörung f; Tötung f; ~ive □ [~ktiv] zerstörend; vernichtend (of, to acc.); ~or [~tə] (Müll)Verbrennungsofen m.

**desultory** □ ['desəltəri] unstet; planlos; oberflächlich.

**detach** [di'tætʃ] losmachen, (ab-)lösen; absondern; ✕ (ab)kommandieren; ~ed einzeln (stehend) unbeeinflußt; ~ment [~ʃmənt] Loslösung f; Trennung f; ✕ Abteilung f.

**detail** ['di:teil] **1.** Einzelheit f; eingehende Darstellung; ✕ Kommando n; in ~ ausführlich; **2.** genau schildern; ✕ abkommandieren.

**detain** [di'tein] zurück-, auf-, abhalten; j-n in Haft behalten.

**detect** [di'tekt] entdecken; (auf-)finden; ~ion [~kʃən] Entdeckung f; ~ive [~ktiv] Detektiv m; ~ story, ~ novel Kriminalroman m.

**detention** [di'tenʃən] Vorenthaltung f; Zurück-, Abhaltung f; Haft f.

**deter** [di'tə:] abschrecken (from von).

**detergent** [di'tə:dʒənt] **1.** reinigend; **2.** Reinigungsmittel n.

**deteriorat|e** [di'tiəriəreit] (sich) verschlechtern; entarten; ~ion [ditiəriə'reiʃən] Verschlechterung f.

**determin|ation** [ditə:mi'neiʃən] Bestimmung f; Entschlossenheit f; Entscheidung f; Entschluß m; ~e [di'tə:min] v/t. bestimmen; entscheiden; veranlassen; Strafe festsetzen; beendigen; v/i. sich entschließen; ~ed entschlossen.

**deterrent** [di'terənt] **1.** abschreckend; **2.** Abschreckungsmittel n; nuclear ~ pol. atomare Abschreckung.

**detest** [di'test] verabscheuen; ~able □ [~təbl] abscheulich; ~ation [di:tes'teiʃən] Abscheu m.

**dethrone** [di'θroun] entthronen.

**detonate** ['detouneit] explodieren (lassen).

**detour, détour** ['deituə] **1.** Umweg *m*; Umleitung *f*; **2.** e-n Umweg machen.

**detract** [di'trækt]: ~ *from s.th. et.* beeinträchtigen, schmälern; **~ion** [~kʃən] Verleumdung *f*; Herabsetzung *f*.

**detriment** ['detrimənt] Schaden *m*.

**deuce** [dju:s] Zwei *f im Spiel*; *Tennis*: Einstand *m*; F Teufel *m*; the ~! zum Teufel!

**devalu|ation** [di:vælju'eiʃən] Abwertung *f*; **~e** ['di:'vælju:] abwerten.

**devastat|e** ['devəsteit] verwüsten; **~ion** [devəs'teiʃən] Verwüstung *f*.

**develop** [di'veləp] (sich) entwickeln; (sich) entfalten; (sich) erweitern; *Gelände* erschließen; ausbauen; *Am.* (sich) zeigen; **~ment** [~pmənt] Entwicklung *f*, Entfaltung *f*; Erweiterung *f*; Ausbau *m*.

**deviat|e** ['di:vieit] abweichen; **~ion** [di:vi'eiʃən] Abweichung *f*.

**device** [di'vais] Plan *m*; Kniff *m*; Erfindung *f*; Vorrichtung *f*; Muster *n*; Wahlspruch *m*; *leave s.o. to his own* ~ j. sich selbst überlassen.

**devil** ['devl] **1.** Teufel *m* (*a. fig.*); ⚔ Hilfsanwalt *m*; Laufbursche *m*; **2.** *v/t. Gericht* stark pfeffern; *Am.* plagen, quälen; **~ish** [~liʃ] teuflisch; **~(t)ry** [~l(t)ri] Teufelei *f*.

**devious** □ ['di:vjəs] abwegig.

**devise** [di'vaiz] **1.** ⚔ Vermachen *n*; Vermächtnis *n*; **2.** ersinnen; ⚔ vermachen.

**devoid** [di'vɔid] ~ *of* bar (*gen.*), ohne.

**devot|e** [di'vout] weihen, widmen; **~ed** □ ergeben; zärtlich; **~ion** [~ouʃən] Ergebenheit *f*; Hingebung *f*; Frömmigkeit *f*; **~s** *pl.* Andacht *f*.

**devour** [di'vauə] verschlingen.

**devout** □ [di'vaut] andächtig, fromm; innig.

**dew** [dju:] **1.** Tau *m*; **2.** tauen; **~y** ['dju:i] betaut; taufrisch.

**dexter|ity** [deks'teriti] Gewandtheit *f*; **~ous** □ ['dekstərəs] gewandt.

**diabolic(al** □) [daiə'bɔlik(əl)] teuflisch.

**diagnose** ['daiəgnouz] diagnostizieren, erkennen.

**diagram** ['daiəgræm] graphische Darstellung; Schema *n*, Plan *m*.

**dial** ['daiəl] **1.** Sonnenuhr *f*; Zifferblatt *n*; *teleph.* Wähl(er)scheibe *f*; *Radio*: Skala *f*; **2.** *teleph.* wählen.

**dialect** ['daiəlekt] Mundart *f*.

**dialo|gue**, *Am. a.* **~g** ['daiəlɔg] Dialog *m*, Gespräch *n*.

**dial-tone** *teleph.* ['daiəltoun] Amtszeichen *n*.

**diameter** [dai'æmitə] Durchmesser *m*.

**diamond** ['daiəmənd] Diamant *m*; Rhombus *m*; *Am. Baseball*: Spielfeld *n*; *Karten*: Karo *n*.

**diaper** ['daiəpə] **1.** Windel *f*; **2.** *Am. Baby* trockenlegen, wickeln.

**diaphragm** ['daiəfræm] Zwerchfell *n*; *opt.* Blende *f*; *teleph.* Membran(e) *f*.

**diarrh(o)ea** 🕱 [daiə'riə] Durchfall *m*.

**diary** ['daiəri] Tagebuch *n*.

**dice** [dais] **1.** *pl. von die*[2]; **2.** würfeln; **~-box** ['daisbɔks] Würfelbecher *m*.

**dick** *Am. sl.* [dik] Detektiv *m*.

**dicker** *Am.* F ['dikə] (ver)schachern.

**dick(e)y** ['diki] **1.** *sl.* schlecht, schlimm; **2.** F Notsitz *m*; Hemdenbrust *f*; *a.* **~-bird** Piepvögelchen *n*.

**dictat|e 1.** ['dikteit] Diktat *n*, Vorschrift *f*; Gebot *n*; **2.** [dik'teit] diktieren; *fig.* vorschreiben; **~ion** [~eiʃən] Diktat *n*; Vorschrift *f*; **~orship** [~eitəʃip] Diktatur *f*.

**diction** ['dikʃən] Ausdruck(sweise *f*) *m*, Stil *m*; **~ary** [~nri] Wörterbuch *n*.

**did** [did] *pret. von* do.

**die**[1] [dai] sterben, umkommen; untergehen; absterben; F schmachten; ~ *away* ersterben; verhallen (*Ton*); sich verlieren (*Farbe*); verlöschen (*Licht*); ~ *down* hinsiechen; (dahin)schwinden; erlöschen.

**die**[2] [~], *pl. dice* [dais] Würfel *m*; *pl. dies* [daiz] ⊕ Preßform *f*; *Münz*-Stempel *m*; *lower* ~ Matrize *f*.

**die-hard** ['daihɑ:d] Reaktionär *m*.

**diet** ['daiət] **1.** Diät *f*; Nahrung *f*, Kost *f*; Landtag *m*; **2.** *v/t.* Diät vorschreiben; beköstigen; *v/i.* diät leben.

**differ** ['difə] sich unterscheiden; anderer Meinung sein (*with, from* als); abweichen; **~ence** [~frəns] Unterschied *m*; Å, ♥ Differenz *f*; Meinungsverschiedenheit *f*; **~ent** □ [~nt] verschieden; anders, andere(r, -s) (*from* als); **~entiate** [difə'renʃieit] (sich) unterscheiden.

**difficult** □ ['difikəlt] schwierig; **~y** [~ti] Schwierigkeit *f*.

**diffiden|ce** ['difidəns] Schüchternheit *f*; **~t** □ [~nt] schüchtern.

**diffus|e 1.** *fig.* [di'fju:z] verbreiten; **2.** □ [ʌu:s] weitverbreitet, zerstreut (*bsd. Licht*); weitschweifig; **∼ion** [ʌu:ʒən] Verbreitung *f.*

**dig** [dig] **1.** [*irr.*] (um-, aus)graben; wühlen (*in* in *dat.*); **2.** (Aus)Grabung(sstelle) *f*; **∼s** *pl.* F Bude *f*, Einzelzimmer *n*; F Stoß *m*, Puff *m.*

**digest 1.** [di'dʒest] *v/t.* ordnen; verdauen (*a. fig.* = überdenken; *verwinden*); *v/i.* verdaut werden; **2.** ['daidʒest] Abriß *m*; Auslese *f*, Auswahl *f*; ₰₶ Gesetzsammlung *f*; **∼ible** [di'dʒestəbl] verdaulich; **∼ion** [ʌtʃən] Verdauung *f*; **∼ive** [ʌtiv] Verdauungsmittel *n.*

**digg|er** ['digə] (*bsd.* Gold)Gräber *m*; *sl.* Australier *m*; **∼ings** F ['digiŋz] *pl.* Bude *f* (*Wohnung*); *Am.* Goldmine(n *pl.*) *f.*

**dignif|ied** ['dignifaid] würdevoll; würdig; **∼y** [ʌfai] Würde verleihen (*dat.*); (be)ehren; *fig.* adeln.

**dignit|ary** ['dignitəri] Würdenträger *m*; **∼y** [ʌti] Würde *f.*

**digress** [dai'gres] abschweifen.

**dike** [daik] **1.** Deich *m*; Damm *m*; Graben *m*; **2.** eindeichen; eindämmen.

**dilapidate** [di'læpideit] verfallen (lassen).

**dilat|e** [dai'leit] (sich) ausdehnen; *Augen* weit öffnen; **∼ory** □ ['dilətəri] aufschieblend, saumselig.

**diligen|ce** ['dilidʒəns] Fleiß *m*; **∼t** □ [ʌnt] fleißig, emsig.

**dilute** [dai'lju:t] **1.** verdünnen; verwässern; **2.** verdünnt.

**dim** [dim] **1.** □ trüb; dunkel; matt; **2.** (sich) verdunkeln; abblenden; (sich) trüben; matt werden.

**dime** *Am.* [daim] Zehncentstück *n.*

**dimension** [di'menʃən] Abmessung *f*; **∼s** *pl. a.* Ausmaß *n.*

**dimin|ish** [di'miniʃ] (sich) vermindern; abnehmen; **∼ution** [dimi'nju:ʃən] Verminderung *f*; Abnahme *f*; **∼utive** □ [di'minjutiv] winzig.

**dimple** ['dimpl] **1.** Grübchen *n*; **2.** Grübchen bekommen.

**din** [din] Getöse *n*, Lärm *m.*

**dine** [dain] (zu Mittag) speisen; bewirten; **∼r** ['dainə] Speisende(r *m*) *f*; (Mittags)Gast *m*; *bsd. Am.* Speisewagen *m*; *Am.* Restaurant *n.*

**dingle** ['diŋgl] Waldschlucht *f.*

**dingy** [di'dindʒi] schmutzig.

**dining|-car** ₷ ['dainiŋka:] Speisewagen *m*; **∼-room** Speisezimmer *n.*

**dinner** ['dinə] (Mittag-, Abend-) Essen *n*; Festessen *n*; **∼-jacket** Smoking *m*; **∼-pail** *Am.* Essenträger *m* (*Gerät*); **∼-party** Tischgesellschaft *f*; **∼-service**, **∼-set** Tafelgeschirr *n.*

**dint** [dint] **1.** Beule *f*; *by* ∼ *of* kraft, vermöge (*gen.*); **2.** ver-, einbeulen.

**dip** [dip] **1.** *v/t.* (ein)tauchen; senken; schöpfen; abblenden; *v/i.* (unter)tauchen, untersinken; sich neigen; sich senken; **2.** Eintauchen *n*; F kurzes Bad; Senkung *f*, Neigung *f* [rie *f.*]

**diphtheria** ₰ [dif'θiəriə] Diphtherie

**diploma** [di'ploumə] Diplom *n*; **∼cy** [ʌəsi] Diplomatie *f*; **∼tic(al** □) [diplə'mætik(əl)] diplomatisch; **∼tist** [di'ploumətist] Diplomat(in).

**dipper** ['dipə] Schöpfkelle *f*; *Am. Great od. Big* ♀ *ast. der* Große Bär.

**dire** ['daiə] gräßlich, schrecklich.

**direct** [di'rekt] **1.** □ direkt; gerade; unmittelbar; offen, aufrichtig; deutlich; ∼ *current* ₰ Gleichstrom *m*; ∼ *train* durchgehender Zug; **2.** *adv.* geradewegs; = ∼*ly* **3.** richten; lenken, steuern; leiten; anordnen; *j-n* (an)weisen; *Brief* adressieren; **∼ion** [ʌkʃən] Richtung *f*; Gegend *f*; Leitung *f*; Anordnung *f*; Adresse *f*; Vorstand *m*; **∼ion-finder** [ʌfaində] *Radio:* (Funk)Peiler *m*; Peil-(funk)empfänger *m*; **∼ion-indicator** *mot.* Fahrtrichtungsanzeiger *m*; ₷ Kursweiser *m*; **∼ive** [ʌktiv] richtungweisend; leitend; **∼ly** [ʌtli] **1.** *adv.* sofort; **2.** *cj.* sobald, als.

**director** [di'rektə] Direktor *m*; *Film:* Regisseur *m*; *board of* ∼*s* Aufsichtsrat *m*; **∼ate** [ʌərit] Direktion *f*; **∼y** [ʌri] Adreßbuch *n*; *telephone* ∼ Telephonbuch *n.*

**dirge** [də:dʒ] Klage(lied *n*) *f.*

**dirigible** ['diridʒəbl] **1.** lenkbar; **2.** lenkbares Luftschiff.

**dirt** [də:t] Schmutz *m*; (lockere) Erde; **∼-cheap** F ['də:t'tʃi:p] spottbillig; **∼y** ['də:ti] **1.** □ schmutzig (*a. fig.*); **2.** beschmutzen; besudeln.

**disability** [disə'biliti] Unfähigkeit *f.*

**disable** [dis'eibl] (dienst-, kampf-) unfähig machen; **∼d** dienst-, kampfunfähig; körperbehindert; kriegsbeschädigt.

**disabuse** [dɪsə'bjuːz] e-s Besseren belehren (*of* über *acc.*).

**disadvantage** [dɪsəd'vɑːntɪdʒ] Nachteil *m*; Schaden *m*; **~ous** [dɪsædvɑːn'teɪdʒəs] nachteilig, ungünstig.

**disagree** [dɪsə'griː] nicht übereinstimmen; uneinig sein; nicht bekommen (*with s.o.* j-m); **~able** □ [~rɪəbl] unangenehm; **~ment** [~rɪˈmənt] Verschiedenheit *f*; Unstimmigkeit *f*; Meinungsverschiedenheit *f*.

**disappear** [dɪsə'pɪə] verschwinden; **~ance** [~ərəns] Verschwinden *n*.

**disappoint** [dɪsə'pɔɪnt] enttäuschen; vereiteln; *j.* im Stich lassen; **~ment** [~tmənt] Enttäuschung *f*; Vereitelung *f*.

**disapprobation** [dɪsæprou'beɪʃən] Mißbilligung *f*.

**disapprov|al** [dɪsə'pruːvəl] Mißbilligung *f*; **~e** ['dɪsə'pruːv] mißbilligen (*of et.*).

**disarm** [dɪs'ɑːm] *v/t.* entwaffnen (*a. fig.*); *v/i.* abrüsten; **~ament** [~məmənt] Entwaffnung *f*; Abrüstung *f*.

**disarrange** ['dɪsə'reɪndʒ] in Unordnung bringen, verwirren.

**disarray** ['dɪsə'reɪ] **1.** Unordnung *f*; **2.** in Unordnung bringen.

**disast|er** [dɪ'zɑːstə] Unglück(sfall *m*) *n*, Katastrophe *f*; **~rous** □ [~trəs] unheilvoll; katastrophal.

**disband** [dɪs'bænd] entlassen; auflösen.

**disbelieve** ['dɪsbɪ'liːv] nicht glauben.

**disburse** [dɪs'bɜːs] auszahlen.

**disc** [dɪsk] = **disk**.

**discard 1.** [dɪs'kɑːd] Karten, Kleid *etc.* ablegen; entlassen; **2.** ['dɪskɑːd] Karten: Abwerfen *n*; *bsd. Am.* Abfall(haufen) *m*.

**discern** [dɪ'sɜːn] unterscheiden; erkennen; beurteilen; **~ing** □ [~nɪŋ] kritisch, scharfsichtig; **~ment** [~nmənt] Einsicht *f*; Scharfsinn *m*.

**discharge** [dɪs'tʃɑːdʒ] **1.** *v/t.* ent-, ab-, ausladen; entlasten, entbinden; abfeuern; *Flüssigkeit* absondern; *Amt* versehen; *Pflicht etc.* erfüllen; *Zorn etc.* auslassen (*on an acc.*); *Schuld* tilgen; quittieren; *Wechsel* einlösen; entlassen; freisprechen; *v/i.* sich entladen; eitern; **2.** Entladung *f*; Abfeuern *n*; Ausströmen

*n*; Ausfluß *m*, Eiter(ung *f*) *m*; Entlassung *f*; Entlastung *f*; Bezahlung *f*; Quittung *f*; Erfüllung *f* e-r *Pflicht*.

**disciple** [dɪ'saɪpl] Schüler *m*; Jünger *m*.

**discipline** ['dɪsɪplɪn] **1.** Disziplin *f*, Zucht *f*; Erziehung *f*; Züchtigung *f*; **2.** erziehen; schulen; bestrafen.

**disclaim** [dɪs'kleɪm] (ab)leugnen; ablehnen; verzichten auf (*acc.*).

**disclose** [dɪs'klouz] aufdecken; erschließen, offenbaren, enthüllen.

**discolo(u)r** [dɪs'kʌlə] (sich) verfärben.

**discomfiture** [dɪs'kʌmfɪtʃə] Niederlage *f*; Verwirrung *f*; Vereitelung *f*.

**discomfort** [dɪs'kʌmfət] **1.** Unbehagen *n*; **2.** *j-m* Unbehagen verursachen.

**discompose** [dɪskəm'pouz] beunruhigen.

**disconcert** [dɪskən'sɜːt] außer Fassung bringen; vereiteln.

**disconnect** ['dɪskə'nekt] trennen (*a. ⚡*); ⊕ auskuppeln; ⚡ ab-, ausschalten; **~ed** □ zs.-hanglos.

**disconsolate** □ [dɪs'kɔnsəlɪt] trostlos.

**discontent** ['dɪskən'tent] Unzufriedenheit *f*; **~ed** □ mißvergnügt, unzufrieden.

**discontinue** ['dɪskən'tɪnjuː)] aufgeben, aufhören mit; unterbrechen.

**discord** ['dɪskɔːd], **~ance** [dɪs'kɔːdəns] Uneinigkeit *f*; ♪ Mißklang *m*.

**discount** ['dɪskaunt] **1.** ✝ Diskont *m*; Abzug *m*, Rabatt *m*; **2.** ✝ diskontieren; abrechnen; *fig.* absehen von; *Nachricht* mit Vorsicht aufnehmen; beeinträchtigen; **~enance** [dɪs'kauntɪnəns] mißbilligen; entmutigen.

**discourage** [dɪs'kʌrɪdʒ] entmutigen; abschrecken; **~ment** [~dʒmənt] Entmutigung *f*; Schwierigkeit *f*.

**discourse** [dɪs'kɔːs] **1.** Rede *f*; Abhandlung *f*; Predigt *f*; **2.** reden, sprechen; e-n Vortrag halten.

**discourte|ous** □ [dɪs'kɜːtjəs] unhöflich; **~sy** [~tɪsɪ] Unhöflichkeit *f*.

**discover** [dɪs'kʌvə] entdecken; ausfindig machen; **~y** [~ərɪ] Entdeckung *f*.

**discredit** [dɪs'kredɪt] **1.** schlechter

Ruf; Unglaubwürdigkeit *f*; **2.** nicht glauben; in Mißkredit bringen.

**discreet** □ [dis'kri:t] besonnen, vorsichtig; klug; verschwiegen.

**discrepancy** [dis'krepənsi] Widerspruch *m*; Unstimmigkeit *f*.

**discretion** [dis'kreʃən] Besonnenheit *f*, Klugheit *f*; Takt *m*; Verschwiegenheit *f*; Belieben *n*; *age (od. years) of ~* Strafmündigkeit *f* (*14 Jahre*); *surrender at ~* sich auf Gnade und Ungnade ergeben.

**discriminat|e** [dis'krimineit] unterscheiden; *~ against* benachteiligen; **~ing** □ [~tiŋ] unterscheidend; scharfsinnig; urteilsfähig; **~ion** [diskrimi'neiʃən] Unterscheidung *f*; unterschiedliche (*bsd.* nachteilige) Behandlung; Urteilskraft *f*.

**discuss** [dis'kʌs] erörtern, besprechen; **~ion** [~ʌʃən] Erörterung *f*.

**disdain** [dis'dein] **1.** Verachtung *f*; **2.** geringschätzen, verachten; verschmähen.

**disease** [di'zi:z] Krankheit *f*; **~d** krank.

**disembark** ['disim'ba:k] *v/t.* ausschiffen; *v/i.* landen, an Land gehen.

**disengage** ['disin'geidʒ] (sich) freimachen, (sich) lösen; ⊕ loskuppeln.

**disentangle** ['disin'tæŋgl] entwirren; *fig.* freimachen (*from* von).

**disfavo(u)r** ['dis'feivə] **1.** Mißfallen *n*, Ungnade *f*; **2.** nicht mögen.

**disfigure** [dis'figə] entstellen.

**disgorge** [dis'gɔ:dʒ] ausspeien.

**disgrace** [dis'greis] **1.** Ungnade *f*; Schande *f*; **2.** in Ungnade fallen lassen; *j-n* entehren; **~ful** □ [~sful] schimpflich.

**disguise** [dis'gaiz] **1.** verkleiden; *Stimme* verstellen; verhehlen; **2.** Verkleidung *f*; Verstellung *f*; Maske *f*.

**disgust** [dis'gʌst] **1.** Ekel *m*; **2.** anekeln; **~ing** □ [~tiŋ] ekelhaft.

**dish** [diʃ] **1.** Schüssel *f*, Platte *f*; Gericht *n* (*Speise*); *the ~es* das Geschirr; **2.** anrichten; *mst ~ up* auftischen; **~-cloth** ['diʃklɔθ] Geschirrspültuch *n*.

**dishearten** [dis'ha:tn] entmutigen.
**dishevel(l)ed** [di'ʃevəld] zerzaust.
**dishonest** □ [dis'ɔnist] unehrlich, unredlich; **~y** [~ti] Unredlichkeit *f*.
**dishono(u)r** [dis'ɔnə] **1.** Unehre *f*, Schande *f*; **2.** entehren; schänden;

*Wechsel* nicht honorieren; **~able** □ [~ərəbl] entehrend; ehrlos.

**dish|-pan** *Am.* ['diʃpæn] Spülschüssel *f*; **~rag** = *dish-cloth*; **~-water** Spülwasser *n*.

**disillusion** [disi'lu:ʒən] **1.** Ernüchterung *f*, Enttäuschung *f*; **2.** ernüchtern, enttäuschen.

**disinclined** ['disin'klaind] abgeneigt.

**disinfect** [disin'fekt] desinfizieren; **~ant** [~tənt] Desinfektionsmittel *n*.

**disintegrate** [dis'intigreit] (sich) auflösen; (sich) zersetzen.

**disinterested** □ [dis'intristid] uneigennützig, selbstlos.

**disk** [disk] Scheibe *f*; Platte *f*; Schallplatte *f*; **~ brake** *mot.* Scheibenbremse *f*; **~ jockey** Ansager *m* e-r Schallplattensendung.

**dislike** [dis'laik] **1.** Abneigung *f*; Widerwille *m*; **2.** nicht mögen.

**dislocate** ['disləkeit] aus den Fugen bringen; verrenken; verlagern.

**dislodge** [dis'lɔdʒ] vertreiben, verjagen; umquartieren.

**disloyal** □ ['dis'lɔiəl] treulos.

**dismal** □ ['dizməl] trüb(selig); öde; trostlos, elend.

**dismantl|e** [dis'mæntl] abbrechen, niederreißen; ⚓ abtakeln; ⊕ demontieren; **~ing** [~liŋ] Demontage *f*.

**dismay** [dis'mei] **1.** Schrecken *m*; Bestürzung *f*; **2.** *v/t.* erschrecken.

**dismember** [dis'membə] zerstückeln.

**dismiss** [dis'mis] *v/t.* entlassen, wegschicken; ablehnen; *Thema etc.* fallen lassen; ⚖ abweisen; **~al** [~səl] Entlassung *f*; Aufgabe *f*; ⚖ Abweichung *f*.

**dismount** ['dis'maunt] *v/t.* aus dem Sattel werfen; demontieren; ⊕ aus-ea.-nehmen; *v/i.* absteigen.

**disobedien|ce** [disə'bi:djəns] Ungehorsam *m*; **~t** □ [~nt] ungehorsam.

**disobey** ['disə'bei] ungehorsam sein.

**disoblige** ['disə'blaidʒ] ungefällig sein gegen; kränken.

**disorder** [dis'ɔ:də] **1.** Unordnung *f*; Aufruhr *m*; ⚕ Störung *f*; **2.** in Unordnung bringen; stören; zerrütten; **~ly** [~əli] unordentlich; ordnungswidrig; unruhig; aufrührerisch.

6*

**disorganize** 84

**disorganize** [dis'ɔːgənaiz] zerrütten.

**disown** [dis'oun] nicht anerkennen, verleugnen; ablehnen.

**disparage** [dis'pæridʒ] verächtlich machen, herabsetzen.

**disparity** [dis'pæriti] Ungleichheit f.

**dispassionate** □ [dis'pæʃnit] leidenschaftslos; unparteiisch.

**dispatch** [dis'pætʃ] 1. (schnelle) Erledigung; (schnelle) Absendung; Abfertigung f; Eile f; Depesche f; 2. (schnell) abmachen, erledigen (a. fig. = töten); abfertigen; (eilig) absenden.

**dispel** [dis'pel] vertreiben, zer-

**dispensa|ble** [dis'pensəbl] entbehrlich; **~ry** [~əri] Apotheke f; **~tion** [dispen'seiʃən] Austeilung f; Befreiung f (with von); göttliche Fügung.

**dispense** [dis'pens] v/t. austeilen; Gesetze handhaben; Arzneien anfertigen und ausgeben; befreien; **~ of** verfügen über (acc.); erledigen; verwenden; veräußern; unterbringen; beseitigen; **~d** geneigt; ...gesinnt; **~ition** [dispə'ziʃən] Disposition f; Anordnung f; Neigung f; Sinnesart f; Verfügung f.

**dispossess** ['dispə'zes] (of) vertreiben (aus od. von); berauben (gen.).

**dispraise** [dis'preiz] tadeln.

**disproof** [dis'pruːf] Widerlegung f.

**disproportionate** □ [d", disprə'pɔːʃnit] unverhältnismäßig.

**disprove** [dis'pruːv] widerlegen.

**dispute** [dis'pjuːt] 1. Streit(igkeit f) m; Rechtsstreit m; beyond (all) ~, past ~ zweifellos; 2. (be)streiten.

**disqualify** [dis'kwɔlifai] unfähig od. untauglich machen; für untauglich erklären.

**disquiet** [dis'kwaiət] beunruhigen.

**disregard** ['disri'gaːd] 1. Nicht(be)achtung f; 2. unbeachtet lassen.

**disreput|able** □ [dis'repjutəbl] schimpflich; verrufen; **~e** ['disri-'pjuːt] übler Ruf; Schande f.

**disrespect** ['disris'pekt] Nichtachtung f; Respektlosigkeit f; **~ful** □ [~tful] respektlos; unhöflich.

**disroot** [dis'ruːt] entwurzeln.

**disrupt** [dis'rʌpt] zerreißen; spalten.

**dissatis|faction** ['dissætis'fækʃən] Unzufriedenheit f; **~factory** [~ktəri] unbefriedigend; **~fy** ['dis'sætisfai] nicht befriedigen; j-m mißfallen.

**dissect** [di'sekt] zerlegen; zergliedern.

**dissemble** [di'sembl] v/t. verhehlen; v/i. sich verstellen, heucheln.

**dissen|sion** [di'senʃən] Zwietracht f, Streit m, Uneinigkeit f; **~t** [~nt] 1. abweichende Meinung; Nichtzugehörigkeit f zur Staatskirche; 2. andrer Meinung sein (from als).

**dissimilar** □ ['di'similə] (to) unähnlich (dat.); verschieden (von).

**dissimulation** [disimju'leiʃən] Verstellung f, Heuchelei f.

**dissipat|e** f ['disipeit] (sich) zerstreuen; verschwenden; **~ion** [disi'peiʃən] Zerstreuung f; Verschwendung f; ausschweifendes Leben.

**dissociate** [di'souʃieit] trennen; **~ o.s.** sich distanzieren, abrücken.

**dissoluble** [di'sɔljubl] (auf)lösbar.

**dissolut|e** □ ['disəluːt] liederlich, ausschweifend; **~ion** [disə'luːʃən] Auflösung f; Zerstörung f; Tod m.

**dissolve** [di'zɔlv] v/t. (auf)lösen; schmelzen; v/i. sich auflösen; vergehen.

**dissonant** ['disənənt] ♪ mißtönend; abweichend; uneinig.

**dissuade** [di'sweid] j-m abraten.

**distan|ce** ['distəns] 1. Abstand m, Entfernung f; Ferne f; Strecke f; Zurückhaltung f; at a ~ von weitem; in e-r gewissen Entfernung; weit weg; keep s.o. at a ~ j-m gegenüber reserviert sein; 2. hinter sich lassen; **~t** □ [~nt] entfernt; fern; zurückhaltend; Fern...; **~ control** Fernsteuerung f.

**distaste** [dis'teist] Widerwille *m*; Abneigung *f*; **~ful** [~tful] widerwärtig; ärgerlich.

**distemper** [dis'tempə] Krankheit *f* (*bsd. von Tieren*); (Hunde)Staupe *f*.

**distend** [dis'tend] (sich) ausdehnen; (auf)blähen; (sich) weiten.

**distil** [dis'til] herabtröpfeln (lassen); ⚗ destillieren; **~lery** [~ləri] Branntweinbrennerei *f*.

**distinct** □ [dis'tiŋkt] verschieden; getrennt; deutlich, klar; **~ion** [~kʃən] Unterscheidung *f*; Unterschied *m*; Auszeichnung *f*; Rang *m*; **~ive** □ [~ktiv] unterscheidend; apart; kennzeichnend, bezeichnend.

**distinguish** [dis'tiŋgwiʃ] unterscheiden; auszeichnen; **~ed** berühmt, ausgezeichnet; vornehm.

**distort** [dis'tɔːt] verdrehen; verzerren.

**distract** [dis'trækt] ablenken, zerstreuen; beunruhigen; verwirren; verrückt machen; **~ion** [~kʃən] Zerstreutheit *f*; Verwirrung *f*; Wahnsinn *m*; Zerstreuung *f*.

**distraught** [dis'trɔːt] verwirrt, bestürzt.

**distress** [dis'tres] 1. Qual *f*; Elend *n*, Not *f*; Erschöpfung *f*; 2. in Not bringen; quälen; erschöpfen; **~ed** in Not befindlich; bekümmert; **~ area** Notstandsgebiet *n*.

**distribut|e** [dis'tribju(ː)t] verteilen; einteilen; verbreiten; **~ion** [distri-'bjuːʃən] Verteilung *f*; *Film*-Verleih *m*; Verbreitung *f*; Einteilung *f*.

**district** ['distrikt] Bezirk *m*; Gegend *f*.

**distrust** [dis'trʌst] 1. Mißtrauen *n*; 2. mißtrauen (*dat.*); **~ful** □ [~tful] mißtrauisch; **~** (*of o.s.*) schüchtern.

**disturb** [dis'təːb] beunruhigen; stören; **~ance** [~bəns] Störung *f*; Unruhe *f*; Aufruhr *m*; **~** of the peace ⚖ öffentliche Ruhestörung; **~er** [~bə] Störenfried *m*, Unruhestifter *m*.

**disunite** ['disju:'nait] (sich) trennen.

**disuse** ['dis'ju:z] nicht mehr gebrauchen.

**ditch** [ditʃ] Graben *m*.

**ditto** ['ditou] dito, desgleichen.

**divan** [di'væn] Diwan *m*; **~-bed** [*oft* 'daivænbed] Bettcouch *f*, Liege *f*.

**dive** [daiv] 1. (unter)tauchen; vom

Sprungbrett springen; e-n Sturzflug machen; eindringen in (*acc.*); 2. *Schwimmen*: Springen *n*; (Kopf-) Sprung *m*; Sturzflug *m*; Kellerlokal *n*; *Am.* F Kaschemme *f*; **~r** ['daivə] Taucher *m*.

**diverge** [dai'və:dʒ] aus-ea.-laufen; abweichen; **~nce** [~dʒəns] Abweichung *f*; **~nt** □ [~nt] (von-ea.-)abweichend.

**divers** ['daivə(ː)z] mehrere.

**divers|e** □ [dai'və:s] verschieden; mannigfaltig; **~ion** [~ʒən] Ablenkung *f*; Zeitvertreib *m*; **~ity** [~əːsiti] Verschiedenheit *f*; Mannigfaltigkeit *f*.

**divert** [dai'və:t] ablenken; *j-n* zerstreuen; unterhalten; *Verkehr* umleiten.

**divest** [dai'vest] entkleiden (*a.fig.*).

**divid|e** [di'vaid] 1. *v/t.* teilen; trennen; einteilen; ⚖ dividieren (*by* durch); *v/i.* sich teilen; zerfallen; ⚖ aufgehen; sich trennen *od.* auflösen; 2. Wasserscheide *f*; **~end** ['dividend] Dividende *f*.

**divine** [di'vain] 1. □ göttlich; **~** service Gottesdienst *m*; 2. Geistliche(r) *m*; 3. weissagen; ahnen.

**diving** ['daiviŋ] Kunstspringen *n*; *attr.* Taucher...

**divinity** [di'viniti] Gottheit *f*; Göttlichkeit *f*; Theologie *f*.

**divis|ible** □ [di'vizəbl] teilbar; **~ion** [~iʒən] Teilung *f*; Trennung *f*; Abteilung *f*; ✕, ⚖ Division *f*.

**divorce** [di'vɔːs] 1. (Ehe)Scheidung *f*; 2. *Ehe* scheiden; sich scheiden lassen.

**divulge** [dai'vʌldʒ] ausplaudern; verbreiten; bekanntmachen.

**dixie** ✕ *sl.* ['diksi] Kochgeschirr *n*; Feldkessel *m*; ♀ *Am.* die Südstaaten *pl.*; ♀crat *Am. pol.* opponierender Südstaatendemokrat.

**dizz|iness** ['dizinis] Schwindel *m*; **~y** □ ['dizi] schwind(e)lig.

**do** [du:] [*irr.*] *v/t.* tun; machen; (zu)bereiten; *Rolle, Stück* spielen; **~** London *sl.* London besichtigen; have done reading fertig sein mit Lesen; **~** in F um die Ecke bringen; **~** into übersetzen in; **~** over überstreifen, -ziehen; **~** up instand setzen; einpacken; *v/i.* tun; handeln; sich benehmen; sich befinden; genügen; that will **~** das genügt; how **~** you **~**? guten Tag!, Wie geht's?;

~ *well* s-e Sache~gut machen; gute
Geschäfte machen; ~ *away with*
weg-, abschaffen; *I could* ~ *with* ...
ich könnte ... brauchen *od.* vertragen; ~ *without* fertig werden ohne;
~ *be quick* beeile dich doch; ~ *you
like London?* — *I* ~ gefällt Ihnen
London? — Ja.

**docil|e** ['dousail] gelehrig; fügsam;
~**ity** [dou'siliti] Gelehrigkeit *f.*

**dock**[1] [dɔk] stutzen; *fig.* kürzen.

**dock**[2] [.] **1.** ⚓ Dock *n*; *bsd. Am.*
Kai *m*, Pier *m*; ⚖ Anklagebank *f*;
**2.** ⚓ docken.

**dockyard** ['dɔkjɑ:d] Werft *f.*

**doctor** ['dɔktə] **1.** Doktor *m*; Arzt
*m*; **2.** F verarzten; F *fig.* (ver)fälschen.

**doctrine** ['dɔktrin] Lehre *f*; Dogma
*n.*

**document 1.** ['dɔkjumənt] Urkunde
*f*; **2.** [~ment] beurkunden.

**dodge** [dɔdʒ] **1.** Seitensprung *m*;
Kniff *m*, Winkelzug *m*; **2.** *fig.* irre-
führen; ausweichen; Winkelzüge
machen; ~**r** ['dɔdʒə] Schieber(in);
*Am.* Hand-, Reklamezettel *m*; *Am.*
Maisbrot *n*, -kuchen *m.*

**doe** [dou] Hirschkuh *f*; Reh *n*;
Häsin *f.*

**dog** [dɔg] **1.** Hund *m*; Haken *m*,
Klammer *f*; **2.** nachspüren (*dat.*).

**dogged** ☐ ['dɔgid] verbissen.

**dogma** ['dɔgmə] Dogma *n*; Glau-
benslehre *f*; ~**tic(al** ☐) [dɔg'mæ-
tik(əl)] dogmatisch; bestimmt; ~
**tism** ['dɔgmətizəm] Selbstherrlich-
keit *f.* [im *Buch.*]

**dog's-ear** F ['dɔgziə] Eselsohr *n*|

**dog-tired** F ['dɔg'taiəd] hundemüde.

**doings** ['du:(:)iŋz] *pl.* Dinge *n/pl.*;
Begebenheiten *f/pl.*; Treiben *n*;
Betragen *n.*

**dole** [doul] **1.** Spende *f*; F Erwerbs-
losenunterstützung *f*; **2.** verteilen.

**doleful** ☐ ['doulful] trübselig.

**doll** [dɔl] Puppe *f.*

**dollar** ['dɔlə] Dollar *m.*

**dolly** ['dɔli] Püppchen *n.*

**dolorous** ['dɔlərəs] schmerzhaft;
traurig.

**dolphin** ['dɔlfin] Delphin *m.*

**dolt** [doult] Tölpel *m.*

**domain** [də'mein] Domäne *f*; *fig.*
Gebiet *n*; Bereich *m.*

**dome** [doum] Kuppel *f*; ⊕ Haube
*f*; ~**d** gewölbt.

**Domesday Book** ['du:mzdei'buk]
Reichsgrundbuch *n Englands.*

**domestic** [də'mestik] **1.** (~*ally*)
häuslich; inländisch; einheimisch;
zahm; ~ *animal* Haustier *n*; **2.**
Dienstbote *m*; ~**s** *pl.* Haushalts-
artikel *m/pl.*; ~**ate** [~keit] zähmen.

**domicile** ['dɔmisail] Wohnsitz *m*;
~**d** wohnhaft.

**domin|ant** ['dɔminənt] (vor)herr-
schend; ~**ate** [~neit] (be)herrschen;
~**ation** [dɔmi'neiʃən] Herrschaft *f*;
~**eer** [~'niə] (despotisch) herrschen;
~**eering** ☐ [~'əriŋ] herrisch, tyrannisch; überheblich.

**dominion** [də'minjən] Herrschaft *f*;
Gebiet *n*; ♀ Dominion *n* (*im Brt.
Commonwealth*).

**don** [dɔn] anziehen; *Hut* aufsetzen.

**donat|e** *Am.* [dou'neit] schenken,
stiften; ~**ion** [~'eiʃən] Schenkung *f.*

**done** [dʌn] **1.** *p.p. von* do; **2.** *adj.*
abgemacht; fertig; gar *gekocht.*

**donkey** ['dɔŋki] *zo.* Esel *m*; *attr.*
Hilfs...

**donor** ['dounə] (🩸 *Blut*)Spender *m.*

**doom** [du:m] **1.** Schicksal *n*, Verhängnis *n*; **2.** verurteilen, verdammen.

**door** [dɔ:] Tür *f*, Tor *n*; *next* ~
nebenan; ~**-handle** ['dɔ:hændl]
Türgriff *m*; ~**-keeper**, *Am.* ~**man**
Pförtner *m*; Portier *m*; ~**-way** Tür-
öffnung *f*; Torweg *m*; ~**yard** *Am.*
Vorhof *m*, Vorgarten *m.*

**dope** [doup] **1.** Schmiere *f*; *bsd.* 🏈
Lack *m*; Aufputschmittel *n*;
Rauschgift *n*; *Am. sl.* Geheimtip *m*;
**2.** lackieren; *sl.* betäuben; auf-
pulvern; *Am. sl.* herauskriegen.

**dormant** *mst fig.* [~] schlafend, ruhend; unbenutzt; † tot.

**dormer(-window)** ['dɔ:mə('win-
dou)] Dachfenster *n.*

**dormitory** ['dɔ:mitri] Schlafsaal *m*;
*bsd. Am.* Studenten(wohn)heim *n.*

**dose** [dous] **1.** Dosis *f*, Portion *f*;
**2.** *j-m* e-e Medizin geben.

**dot** [dɔt] **1.** Punkt *m*, Fleck *m*; **2.**
punktieren, tüpfeln; *fig.* verstreuen.

**dot|e** [dout]: ~ (*up*)*on* vernarrt sein
in (*acc.*); ~**ing** [doutiŋ] vernarrt.

**double** ☐ ['dʌbl] **1.** doppelt; zu
zweien; gekrümmt; zweideutig; **2.**
Doppelte(s) *n*; Doppelgänger(in);
*Tennis:* Doppel(spiel) *n*; **3.** *v/t.* verdoppeln; ~ *up* zs.-legen; *et.*
umfahren, umsegeln; ~**d** *up* zs.-
gekrümmt; *v/i.* sich verdoppeln;
*a.* ~ *back* e-n Haken schlagen

(*Hase*); **~breasted** zweireihig (*Jackett*); **~cross** *sl.* Partner betrügen; **~dealing** Doppelzüngigkeit *f*; **~edged** zweischneidig; **~entry** doppelte Buchführung; **~feature** *Am.* Doppelprogramm *n* im Kino; **~header** *Am.* Baseball: Doppelspiel *n*; **~park** *Am.* verboten in zweiter Reihe parken.

**doubt** [daut] **1.** *v/i.* zweifeln; *v/t.* bezweifeln; mißtrauen (*dat.*); **2.** Zweifel *m*; no ~ ohne Zweifel; **~ful** □ ['dautful] zweifelhaft; **~fulness** [~lnis] Zweifelhaftigkeit *f*; **~less** ['dautlis] ohne Zweifel.

**douche** [du:ʃ] **1.** Dusche *f*; Irrigator *m*; duschen; spülen.

**dough** [dou] Teig *m*; **~boy** *Am.* F ['douboi] Landser *m*; **~nut** *F* Schmalzgebackenes.

**dove** [dʌv] Taube *f*; *fig.* Täubchen *n*.

**dowel** ⊕ ['dauəl] Dübel *m*.

**down**[1] [daun] Daune *f*; Flaum *m*; Düne *f*; **~s** *pl.* Höhenrücken *m*.

**down**[2] [~] **1.** *adv.* nieder; her-, hinunter, ab; abwärts; unten; be ~ upon F über *j-n* herfallen; **2.** *prp.* herab, hinab, her-, hinunter; ~ the river flußabwärts; **3.** *adj.* nach unten gerichtet; ~ platform Abfahrtsbahnsteig *m* (*London*); ~ train Zug *m* von London (fort); **4.** *v/t.* niederwerfen; herunterholen; **~cast** ['daunka:st] niedergeschlagen; **~easter** *Am.* Neuengländer *m bsd.* von Maine; **~fall** Fall *m*, Sturz *m*; Verfall *m*; **~hearted** niedergeschlagen; **~hill** bergab; **~pour** Regenguß *m*; **~right** □ *1.* adv. geradezu, durchaus; völlig; **2.** adj. ehrlich; plump (*Benehmen*); richtig, glatt (*Lüge etc.*); **~stairs** die Treppe hinunter; (nach) unten; **~stream** stromabwärts; **~town** *bsd. Am.* Hauptgeschäftsviertel *n*; **~ward(s)** ['daunwəd(z)] abwärts (gerichtet).

**downy** ['dauni] flaumig; *sl.* gerissen.

**dowry** ['dauəri] Mitgift *f* (*a. fig.*).

**doze** [douz] **1.** dösen; **2.** Schläfchen *n*.

**dozen** ['dʌzn] Dutzend *n*.

**drab** [dræb] gelblichgrau; eintönig.

**draft** [drɑ:ft] **1.** Entwurf *m*; ✝ Tratte *f*; Abhebung *f*; ✗ (Sonder-) Kommando *n*; Einberufung *f*; = draught; **2.** entwerfen; aufsetzen; ✗ abkommandieren; *Am.* einzie-

hen; **~ee** *Am.* ✗ [~f'ti:] Dienstpflichtige(r) *m*; **~sman** ['drɑ:ftsmən] (technischer) Zeichner; Verfasser *m*, Entwerfer *m*.

**drag** [dræg] **1.** Schleppnetz *n*; Schleife *f für Lasten*; Egge *f*; **2.** *v/t.* schleppen, ziehen; *v/i.* (sich) schleppen, schleifen; (mit e-m Schleppnetz) fischen.

**dragon** ['drægən] Drache *m*; **~fly** Libelle *f*.

**drain** [drein] **1.** Abfluß(graben *m*, -rohr *n*) *m*; F Schluck *m*; **2.** *v/t.* entwässern; *Glas* leeren; *a.* ~ off abziehen; verzehren; *v/i.* ablaufen; **~age** ['dreinidʒ] Abfluß *m*; Entwässerung(sanlage) *f*.

**drake** [dreik] Enterich *m*.

**dram** [dræm] Schluck *m*; *fig.* Schnaps *m*.

**drama** ['drɑ:mə] Drama *n*; **~tic** [drə'mætik] (~ally) dramatisch; **~tist** ['dræmətist] Dramatiker *m*; **~tize** [~taiz] dramatisieren.

**drank** [dræŋk] *pret. von* drink 2.

**drape** [dreip] **1.** drapieren; in Falten legen; **2.** *mst* ~s *pl.* Vorhänge *m/pl.*; **~ry** ['dreipəri] Tuchhandel *m*; Tuchwaren *f/pl.*; Faltenwurf *m*.

**drastic** ['dræstik] (~ally) drastisch.

**draught** [drɑ:ft] Zug *m* (*Ziehen*; *Fischzug*; *Zugluft*; *Schluck*); ♣ Tiefgang *m*; **~s** *pl.* Damespiel *n*; *s. draft*; ~ beer Faßbier *n*; **~horse** ['drɑ:fthɔ:s] Zugpferd *n*; **~sman** [~tsmən] Damestein *m*; = draftsman; **~y** [~ti] zugig.

**draw** [drɔ:] **1.** [*irr.*] ziehen; an-, auf-, ein-, zuziehen; (sich) zs.-ziehen; in die Länge ziehen; dehnen; herausziehen, herauslocken; entnehmen; *Geld* abheben; anlocken, anziehen; abzapfen; ausfischen; *Geflügel* ausnehmen; zeichnen; entwerfen; *Urkunde* abfassen; unentschieden spielen; *Luft* schöpfen; ~ near heranrücken; ~ out in die Länge ziehen; ~ up ab-, verfassen; ~ (up)on ✝ (e-n Wechsel) ziehen auf (*acc.*); *fig.* in Anspruch nehmen; **2.** Zug *m* (*Ziehen*); Lotterie: Ziehung *f*; Los *n*; *Sport:* unentschiedenes Spiel; F Zugstück *n*, -artikel *m*; **~back** ['drɔ:bæk] Nachteil *m*; Hindernis *n*; ✝ Rückzoll *m*; *Am.* Rückzahlung *f*; **~er** ['drɔ:ə] Ziehende(r *m*) *f*; Zeichner *m*; ✝ Aussteller *m*, Trassant *m*; [drɔ:]

Schublade *f*; *(a pair of)* ~s *pl.* (eine) Unterhose; (ein) Schlüpfer *m*; *mst chest of* ~s Kommode *f*.

**drawing** ['drɔːiŋ] Ziehen *n*; Zeichnen *n*; Zeichnung *f*; ~**account** Girokonto *n*; ~**board** Reißbrett *n*; ~**room** Gesellschaftszimmer *n*.

**drawn** [drɔːn] **1.** *p.p. von* draw 1; **2.** *adj.* unentschieden; verzerrt.

**dread** [dred] **1.** Furcht *f*; Schrecken *m*; **2.** (sich) fürchten; ~**ful** □ ['dredful] schrecklich; furchtbar.

**dream** [driːm] **1.** Traum *m*; **2.** *[irr.]* träumen; ~**er** ['driːmə] Träumer (-in) *f*; ~**t** [dremt] *pret. u. p.p. von* dream 2; ~**y** □ ['driːmi] träumerisch; verträumt.

**dreary** □ ['driəri] traurig; öde.

**dredge** [dredʒ] **1.** Schleppnetz *n*; Bagger(maschine *f*) *m*; **2.** (aus-) baggern.

**dregs** [dregz] *pl.* Bodensatz *m*, Hefe *f*.

**drench** [drentʃ] **1.** (Regen)Guß *m*; **2.** durchnässen; *fig.* baden.

**dress** [dres] **1.** Anzug *m*; Kleidung *f*; Kleid *n*; **2.** an-, ein-, zurichten; ✕ (sich) richten; zurechtmachen; (sich) ankleiden; putzen; ✗ verbinden; frisieren; ~**circle** *thea.* ['dres'səːkl] erster Rang; ~**er** [~sə] Anrichte *f*; *Am.* Frisiertoilette *f*.

**dressing** ['dresiŋ] An-, Zurichten *n*; Ankleiden *n*; Verband *m*; Appretur *f*; *Küche:* Soße *f*; Füllung *f*; ~*s pl.* ✗ Verbandzeug *n*; ~ **down** Standpauke *f*; ~**gown** Morgenrock *m*; ~**table** Frisiertisch *m*.

**dress|maker** ['dresmeikə] Schneiderin *f*; ~**parade** Modenschau *f*.

**drew** ['druː] *pret. von* draw 1.

**dribble** ['dribl] tröpfeln, träufeln (lassen); geifern; *Fußball:* dribbeln.

**dried** [draid] getrocknet; Dörr...

**drift** [drift] **1.** (Dahin)Treiben *n*; *fig.* Lauf *m*; *fig.* Hang *m*; Zweck *m*; (Schnee-, Sand)Wehe *f*; **2.** *v/t.* (zs.-)treiben, (zs.-)wehen; *v/i.* (dahin)treiben; sich anhäufen.

**drill** [dril] **1.** Drillbohrer *m*; Furche *f*; ✗ Drill-, Sämaschine *f*; ✕ Exerzieren *n* (*a. fig.*); **2.** bohren; ✕ (ein)exerzieren (*a. fig.*).

**drink** [driŋk] **1.** Trunk *m*; (geistiges) Getränk *n*; **2.** *[irr.]* trinken.

**drip** [drip] **1.** Tröpfeln *n*; Traufe *f*; **2.** tröpfeln (lassen); triefen; ~**dry**

**shirt** ['drip'drai ʃəːt] bügelfreies Hemd; ~**ping** [~piŋ] Bratenfett *n*.

**drive** [draiv] **1.** (Spazier)Fahrt *f*; Auffahrt *f*, Fahrweg *m*; ⊕ Antrieb *m*; *fig.* (Auf)Trieb *m*; Drang *m*; Unternehmen *n*, Feldzug *m*; *Am.* Sammelaktion *f*; **2.** *[irr.] v/t.* (an-, ein)treiben; *Geschäft* betreiben; fahren; lenken; zwingen; treiben; *v/i.* treiben; fahren; ~ **at** hinzielen auf.

**drive-in** *Am.* ['draiv'in] **1.** *mst attr.* Auto...; ~ *cinema* Autokino *n*; **2.** Autokino *n*; Autorestaurant *n*.

**drivel** ['drivl] **1.** geifern; faseln; **2.** Geifer *m*; Faselei *f*.

**driven** ['drivn] *p.p. von* drive 2.

**driver** ['draivə] Treiber *m*; *mot.* Fahrer *m*, Chauffeur *m*; ⚙ Führer *m*.

**driving| licence** ['draiviŋ laisəns] Führerschein *m*; ~ **school** Fahrschule *f*.

**drizzle** ['drizl] **1.** Sprühregen *m*; **2.** sprühen, nieseln.

**drone** [droun] **1.** *zo.* Drohne *f*; *fig.* Faulenzer *m*; **2.** summen; dröhnen.

**droop** [druːp] *v/t.* sinken lassen; *v/i.* schlaff niederhängen; den Kopf hängen lassen; (ver)welken; schwinden.

**drop** [drɔp] **1.** Tropfen *m*; Fruchtbonbon *m*, *n*; Fall *m*; Falltür *f*; *thea.* Vorhang *m*; *get (have) the* ~ *on Am.* ⚓ zuvorkommen; **2.** *v/t.* tropfen (lassen); niederlassen; fallen lassen; *Brief* einwerfen; *Fahrgast* absetzen; senken; ~ *s.o. a few lines pl.* j-m ein paar Zeilen schreiben; *v/i.* tropfen; (herab)fallen; umhinsinken; ~ *in* unerwartet kommen.

**dropsy** ✗ ['drɔpsi] Wassersucht *f*.

**drought** [draut], **drouth** [drauθ] Trockenheit *f*, Dürre *f*.

**drove** [drouv] **1.** Trift *f* *Rinder*; Herde *f* (*a. fig.*); **2.** *pret. von* drive 2.

**drown** [draun] *v/t.* ertränken; überschwemmen; *fig.* übertäuben; übertönen; *v/i.* ertrinken.

**drows|e** [drauz] schlummern, schläfrig sein *od.* machen; ~**y** ['drauzi] schläfrig; einschläfernd.

**drudge** [drʌdʒ] **1.** *fig.* Sklave *m*, Packesel *m*, Kuli *m*; **2.** sich (ab-) placken.

**drug** [drʌg] **1.** Droge *f*, Arzneiware *f*; Rauschgift *n*; unverkäufliche

Ware; **2.** mit (schädlichen) Zutaten versetzen; Arznei *od.* Rauschgift geben (*dat.*) *od.* nehmen; **~gist** ['drʌgist] Drogist *m*; Apotheker *m*; **~store** *Am.* Drugstore *m*.

**drum** [drʌm] **1.** Trommel *f*; Trommelfell *n*; **2.** trommeln; **~mer** ['drʌmə] Trommler *m*; *bsd. Am.* F Vertreter *m*.

**drunk** [drʌŋk] **1.** *p.p. von* drink 2; **2.** *adj.* (be)trunken; *get* ~ sich betrinken; **~ard** ['drʌŋkəd] Trinker *m*, Säufer *m*; **~en** *adj.* [~kən] (be)trunken.

**dry** [drai] **1.** □ trocken; herb (*Wein*); F durstig; F antialkoholisch; ~*goods pl. Am.* F Kurzwaren *f/pl.*; **2.** *Am.* F Alkoholgegner *m*; **3.** trocknen; dörren; ~ *up* austrocknen; verdunsten; **~-clean** ['drai'kli:n] chemisch reinigen; **~-nurse** Kinderfrau *f*.

**dual** □ ['dju(:)əl] doppelt; Doppel...

**dubious** □ ['dju:bjəs] zweifelhaft.

**duchess** ['dʌtʃis] Herzogin *f*.

**duck** [dʌk] **1.** *zo.* Ente *f*; *Am. sl.* Kerl *m*; Verbeugung *f*; Ducken *n*; (Segel)Leinen *n*; F Liebling *m*; **2.** (unter)tauchen; (sich) ducken; *Am. j-m* ausweichen.

**duckling** ['dʌkliŋ] Entchen *n*.

**dude** *Am.* [dju:d] Geck *m*; ~ *ranch Am.* Vergnügungsfarm *f*.

**dudgeon** ['dʌdʒən] Groll *m*.

**due** [dju:] **1.** schuldig; gebührend; gehörig; fällig; *in* ~ *time* zur rechten Zeit; *be* ~ *to j-m* gebühren; herrühren *od.* kommen von; *be* ~ *to inf.* sollen, müssen; *Am.* im Begriff sein zu; **2.** *adv.* ♣ gerade; genau; **3.** Schuldigkeit *f*; Recht *n*, Anspruch *m*; Lohn *m*; *mst* ~*s pl.* Abgabe(n *pl.*) *f*, Gebühr(en *pl.*) *f*; Beitrag *m*.

**duel** ['dju(:)əl] **1.** Zweikampf *m*; **2.** sich duellieren.

**dug** [dʌg] *pret. u. p.p. von* dig *1*.

**duke** [dju:k] Herzog *m*; **~dom** ['dju:kdəm] Herzogtum *n*; Herzogswürde *f*.

**dull** [dʌl] **1.** □ dumm; träge; schwerfällig; stumpf(sinnig); matt (*Auge etc.*); schwach (*Gehör*); langweilig; teilnahmslos; dumpf; trüb; ♣ flau; **2.** stumpf machen; *fig.* abstumpfen; (sich) trüben; **~ness** ['dʌlnis] Stumpfsinn *m*; Dummheit *f*; Schwerfälligkeit *f*; Mattheit

*f*; Langweiligkeit *f*; Teilnahmslosigkeit *f*; Trübheit *f*; Flauheit *f*.

**duly** *adv.* ['dju:li] gehörig; richtig.

**dumb** □ [dʌm] stumm; sprachlos; *Am.* F doof, blöd; **~founded** [dʌm'faundid] sprachlos; **~-waiter** ['dʌm'weitə] Drehtisch *m*; *Am.* Speisenaufzug *m*.

**dummy** ['dʌmi] Attrappe *f*; Schein *m*, Schwindel *m*; *fig.* Strohmann *m*; Statist *m*; *attr.* Schein...; Schwindel...

**dump** [dʌmp] **1.** *v/t.* auskippen; *Schutt etc.* abladen; *Waren* zu Schleuderpreisen ausführen; *v/i.* hinplumpsen; **2.** Plumps *m*; Plumps *m*; Schuttabladestelle *f*; ✗ Munitionslager *n*; **~ing** *†* ['dʌmpiŋ] Schleuderausfuhr *f*; **~s** *pl.*: (*down*) *in the* ~ F niedergeschlagen.

**dun** [dʌn] mahnen, drängen.

**dunce** [dʌns] Dummkopf *m*.

**dune** [dju:n] Düne *f*.

**dung** [dʌŋ] **1.** Dung *m*; **2.** düngen.

**dungeon** ['dʌndʒən] Kerker *m*.

**dunk** *Am.* F [dʌŋk] (ein)tunken.

**dupe** [dju:p] anführen, täuschen.

**duplex** ⊕ ['dju:pleks] *attr.* Doppel...; *Am.* Zweifamilienhaus *n*.

**duplic|ate 1.** ['dju:plikit] doppelt; **2.** [~] Duplikat *n*; **3.** [~keit] doppelt ausfertigen; **~ity** [dju(:)'plisiti] Doppelzüngigkeit *f*.

**dura|ble** □ ['djuərəbl] dauerhaft; **~tion** [djuə'reiʃən] Dauer *f*.

**duress(e)** [djuə'res] Zwang *m*.

**during** *prp.* ['djuəriŋ] während.

**dusk** [dʌsk] Halbdunkel *n*, Dämmerung *f*; **~y** □ ['dʌski] dämmerig, düster (*a. fig.*); schwärzlich.

**dust** [dʌst] **1.** Staub *m*; **2.** abstauben; bestreuen; **~-bin** ['dʌstbin] Mülleimer *m*; ~ *bowl Am.* Sandstaub-u. Dürregebiet *n im Westen der USA*; **~-cart** Müllwagen *m*; **~er** [~tə] Staublappen *m*, -wedel *m*; *Am.* Staubmantel *m*; **~-jacket** *Am.* Schutzumschlag *m e-s Buches*; **~man** Müllabfuhrmann *m*; **~y** □ [~ti] staubig.

**Dutch** [dʌtʃ] **1.** holländisch; ~ *treat Am.* F getrennte Rechnung; **2.** Holländisch *n*; *the* ~ die Holländer *pl.*

**duty** ['dju:ti] Pflicht *f*; Ehrerbietung *f*; Abgabe *f*, Zoll *m*; Dienst *m*; *off* ~ dienstfrei; **~-free** zollfrei.

**dwarf** [dwɔ:f] **1.** Zwerg *m*; **2.** in der Entwicklung hindern; verkleinern.

# dwell

**dwell** [dwel] [*irr.*] wohnen; verweilen (*on, upon* bei); ~ (*up*)*on* bestehen
auf (*acc.*); **~ing** ['dweliŋ] Wohnung
*f.*

**dwelt** [dwelt] *pret. u. p.p. von* dwell.

**dwindle** ['dwindl] (dahin)schwin-
den, abnehmen; (herab)sinken.

**dye** [dai] 1. Farbe *f; of deepest* ~ *fig.*
schlimmster Art; 2. färben.

**dying** ['daiiŋ] 1. □ sterbend;
Sterbe...; 2. Sterben *n.*

**dynam|ic** [dai'næmik] dynamisch,
kraftgeladen; **~ics** [~ks] *mst sg.*
Dynamik *f;* **~ite** ['dainəmait] 1. Dynamit *n;* 2. mit Dynamit sprengen.

**dysentery** *≈* ['disntri] Ruhr *f.*

**dyspepsia** *≈* [dis'pepsiə] Verdau-
ungsstörung *f.*

# E

**each** [i:tʃ] jede(r, -s); ~ *other* einander, sich.

**eager** □ ['i:gə] (be)gierig; eifrig;
**~ness** ['i:gənis] Begierde *f;* Eifer *m.*

**eagle** ['i:gl] Adler *m; Am.* Zehn-
dollarstück *n;* **~-eyed** scharfsichtig.

**ear** [iə] Ähre *f;* Ohr *n;* Öhr *n,*
Henkel *m; keep an* ~ *to the ground
bsd. Am.* aufpassen, was die Leute
sagen *od.* denken; **~-drum** ['iə-
drʌm] Trommelfell *n.*

**earl** [ə:l] *englischer* Graf.

**early** ['ə:li] früh; Früh...; Anfangs-
...; erst; bald(ig); *as* ~ *as* schon in
(*dat.*). [nen.]

**ear-mark** ['iəma:k] (kenn)zeich-

**earn** [ə:n] verdienen; einbringen.

**earnest** ['ə:nist] 1. □ ernst(lich,
-haft); ernstgemeint; 2. Ernst *m.*

**earnings** ['ə:niŋz] Einkommen *n.*

**ear|piece** *teleph.* ['iəpi:s] Hörmu-
schel *f;* **~-shot** Hörweite *f.*

**earth** [ə:θ] 1. Erde *f;* Land *n;* 2. *v/t.
≨* erden; **~en** ['ə:θən] irden; **~en-
ware** [~nweə] 1. Töpferware *f;*
Steingut *n;* 2. irden; **~ing** *≨* ['ə:θiŋ]
Erdung *f;* **~ly** ['ə:θli] irdisch;
**~quake** Erdbeben *n;* **~worm** Re-
genwurm *m.*

**ease** [i:z] 1. Bequemlichkeit *f,* Be-
hagen *n;* Ruhe *f;* Ungezwungen-
heit *f;* Leichtigkeit *f; at* ~ bequem,
behaglich; 2. *v/t.* erleichtern; lindern; beruhigen; bequem(er) machen; *v/i.* sich entspannen (*Lage*).

**easel** ['i:zl] Staffelei *f.*

**easiness** ['i:zinis] = ease 1.

**east** [i:st] 1. Ost(en *m*); Orient *m;
the ≈ Am.* die Oststaaten *der USA;*
2. Ost...; östlich; ostwärts.

**Easter** ['i:stə] Ostern *n; attr.*
Oster...

**easter|ly** ['i:stəli] östlich; Ost...;
nach Osten; **~n** [~ən] = easterly;
orientalisch; **~ner** [~nə] Ostländer
(-in); Oriental|e *m,* -in *f;* ≈ *Am.*
Oststaatler(in).

**eastward(s)** ['i:stwəd(z)] ostwärts.

**easy** ['i:zi] □ leicht; bequem; frei
von Schmerzen; ruhig; willig; ungezwungen; *in* ~ *circumstances*
wohlhabend; *on* ~ *street Am.* in
guten Verhältnissen; *take it* ~*!*
immer mit der Ruhe!; **~ chair**
Klubsessel *m;* **~-going** *fig.* bequem.

**eat** [i:t] 1. [*irr.*] essen; (zer)fressen;
2. ~*s pl. Am. sl.* Essen *n,* Eßwaren
*f/pl.;* **~ables** ['i:təblz] *pl.* Eßwaren
*f/pl.;* **~en** ['i:tn] *p.p. von* eat 1.

**eaves** [i:vz] *pl.* Dachrinne *f,* Traufe
*f;* **~drop** ['i:vzdrɔp] (er)lauschen;
horchen.

**ebb** [eb] 1. Ebbe *f; fig.* Abnahme *f;*
Verfall *m;* 2. verebben; *fig.* ab-
nehmen, sinken; **~-tide** ['eb'taid]
Ebbe *f.*

**ebony** ['ebəni] Ebenholz *n.*

**ebullition** [ebə'liʃən] Überschäu-
men *n;* Aufbrausen *n.*

**eccentric** [ik'sentrik] 1. exzentrisch; *fig.* überspannt; 2. Sonder-
ling *m.*

**ecclesiastic** [ikli:zi'æstik] Geist-
liche(r) *m;* **~al** □ [~kəl] geistlich,
kirchlich.

**echo** ['ekou] 1. Echo *n;* 2. widerhallen; *fig.* echoen, nachsprechen.

**eclipse** [i'klips] 1. Finsternis *f;*
2. (sich) verfinstern, verdunkeln.

**econom|ic(al** □) [i:kə'nɔmik(əl)]

**haushälterisch;** wirtschaftlich; Wirtschafts...; **~ics** [~ks] *sg.* Volkswirtschaft(slehre) *f;* **~ist** [i(:)'ko-nəmist] Volkswirt *m;* **~ize** [~maiz] sparsam wirtschaften (mit); **~y** [~mi] Wirtschaft *f;* Wirtschaftlichkeit *f;* Einsparung *f; political* ~ Volkswirtschaft(slehre) *f.*

**ecsta|sy** ['ekstəsi] Ekstase *f,* Verzückung *f;* **~tic** [eks'tætik] (~ally) verzückt.

**eddy** ['edi] **1.** Wirbel *m;* **2.** wirbeln.

**edge** [edʒ] **1.** Schneide *f;* Schärfe *f;* Rand *m;* Kante *f; Tisch-*Ecke *f;* be on ~ nervös sein; *have the* ~ *on s.o. bsd. Am.* F j-m über sein; **2.** schärfen; (um)säumen; (sich) drängen; **~ways, ~wise** ['edʒweiz, 'edʒwaiz] seitwärts; von der Seite.

**edging** ['edʒiŋ] Einfassung *f;* Rand) **edgy** ['edʒi] scharf; F nervös. [*m.*)

**edible** ['edibl] eßbar.

**edict** ['i:dikt] Edikt *n.*

**edifice** ['edifis] Gebäude *n.*

**edifying** □ ['edifaiiŋ] erbaulich.

**edit** ['edit] *Text* herausgeben, redigieren; *Zeitung* als Herausgeber leiten; **~ion** [i'diʃən] Buch-Ausgabe *f;* Auflage *f;* **~or** [r'editə] Herausgeber *m;* Redakteur *m;* **~orial** [edi'tɔ:riəl] Leitartikel *m; attr.* Redaktions...; **~orship** ['editəʃip] Schriftleitung *f,* Redaktion *f.*

**educat|e** ['edju(:)keit] erziehen; unterrichten; **~ion** [edju(:)'keiʃən] Erziehung *f;* (Aus)Bildung *f;* Erziehungs-, Schulwesen *n; Ministry of* ♀ Unterrichtsministerium *n;* **~ional** □ [~nl] erzieherisch; Erziehungs...; Bildungs...; **~or** ['edju:keitə] Erzieher *m.*

**eel** [i:l] Aal *m.*

**efface** [i'feis] auslöschen; *fig.* tilgen.

**effect** [i'fekt] **1.** Wirkung *f;* Folge *f;* ⊕ Leistung *f;* **~s** *pl.* Effekten *pl.,* Habseligkeiten *f/pl.;* be of ~ Wirkung haben; *take* ~ in Kraft treten; *in* ~ in der Tat; *to the* ~ *des Inhalts;* **2.** bewirken, ausführen; **~ive** □ [~tiv] wirkend; wirksam; eindrucksvoll; wirklich vorhanden; ⊕ nutzbar; ~ *date* Tag *m* des Inkrafttretens; **~ual** □ [~tjuəl] wirksam, kräftig.

**effeminate** □ [i'feminit] verweichlicht; weibisch.

**effervesce** [efə'ves] (auf)brausen; **~nt** [~snt] sprudelnd, schäumend.

**effete** [e'fi:t] verbraucht; entkräftet.

**efficacy** ['efikəsi] Wirksamkeit *f,* Kraft *f.*

**efficien|cy** [i'fiʃənsi] Leistung(sfähigkeit) *f;* ~ *expert Am.* Rationalisierungsfachmann *m;* **~t** □ [~nt] wirksam; leistungsfähig; tüchtig.

**efflorescence** [əflɔ:'resns] Blütezeit *f;* ⚕ Beschlag *m.*

**effluence** ['efluəns] Ausfluß *m.*

**effort** ['efət] Anstrengung *f,* Bemühung *f* (*at* um); Mühe *f.*

**effrontery** [e'frʌntəri] Frechheit *f.*

**effulgent** □ [e'fʌldʒənt] glänzend.

**effus|ion** [i'fju:ʒən] Erguß *m;* **~ive** □ [~u:siv] überschwenglich.

**egg**[1] [eg] *mst* ~ *on* aufreizen.

**egg**[2] [~] Ei *n; put all one's* ~*s in one basket* alles auf eine Karte setzen; *as sure as* ~*s is* ~*s* F todsicher; **~-cup** ['egkʌp] Eierbecher *m;* **~head** *Am. sl.* Intellektuelle(r) *m.*

**egotism** ['egoutizəm] Selbstgefälligkeit *f.*

**egregious** *iro.* □ [i'gri:dʒəs] ungeheuer.

**egress** ['i:grəs] Ausgang *m;* Ausweg *m.*

**Egyptian** [i'dʒipʃən] **1.** ägyptisch; **2.** Ägypter(in).

**eider** ['aidə]: ~ *down* Eiderdaunen *f/pl.;* Daunendecke *f.*

**eight** [eit] **1.** acht; **2.** Acht *f; behind the* ~ *ball Am.* in der (die) Klemme; **~een** ['ei'ti:n] achtzehn; **~eenth** [~θ] achtzehnt; **~fold** ['eitfould] achtfach; **~h** [eitθ] **1.** achte(r, -s); **2.** Achtel *n;* **~hly** ['eitθli] achtens; **~ieth** ['eitiiθ] achtzigste(r, -s); **~y** ['eiti] achtzig.

**either** ['aiðə] **1.** *adj. u. pron.* einer *von beiden;* beide; **2.** *cj.* ~ ... or entweder ... oder; *not* (...) ~ auch nicht.

**ejaculate** [i'dʒækjuleit] *Worte, Flüssigkeit* ausstoßen.

**eject** [i(:)'dʒekt] ausstoßen; vertreiben, ausweisen; entsetzen (*e-s Amtes*).

**eke** [i:k]: ~ *out* ergänzen; verlängern; sich mit *et.* durchhelfen.

**el** *Am.* F [el] = *elevated railroad.*

**elaborat|e 1.** □ [i'læbərit] sorgfältig ausgearbeitet; kompliziert; **2.** [~reit] sorgfältig ausarbeiten; **~eness** [~ritnis], **~ion** [ilæbə'reiʃən] sorgfältige Ausarbeitung *f.*

**elapse** [i'læps] verfließen, verstreichen.

elastic 92

**elastic** [i'læstik] **1.** (~ally) dehnbar; spannkräftig; **2.** Gummiband n; **~ity** [elæs'tisiti] Elastizität f, Dehnbarkeit f; Spannkraft f.

**elate** [i'leit] (er)heben, ermutigen, froh erregen; stolz machen; **~d** in gehobener Stimmung, freudig erregt (*at* über *acc*.; *with* durch).

**elbow** ['elbou] **1.** Ellbogen m; Biegung f; ⊕ Knie n; *at one's* ~ nahe, bei der Hand; *out at* ~s fig. heruntergekommen; **2.** mit dem Ellbogen (weg)stoßen; ~ *out* verdrängen; ~ **grease** F Armschmalz n (*Kraftanstrengung*).

**elder** ['eldə] **1.** älter; **2.** der, die Ältere; (Kirchen)Älteste(r) m; ♀ Holunder m; **~ly** [~əli] ältlich.

**eldest** ['eldist] älteste(r, -s).

**elect** [i'lekt] **1.** (aus)gewählt; **2.** (aus-er)wählen; ~ion [~kʃən] Wahl f; **~ive** [~ktiv] **1.** □ wählend; gewählt; Wahl...; *Am.* fakultativ; **2.** *Am.* Wahlfach n; **~or** [~tə] Wähler m; *Am.* Wahlmann m; Kurfürst m; **~oral** [~ərəl] Wahl..., Wähler...; ~ *college Am.* Wahlmänner m/pl.; **~orate** [~rit] Wähler(schaft f) m/pl.

**electric**|**(al** □) [i'lektrik(əl)] elektrisch; Elektro...; fig. faszinierend; **~al engineer** Elektrotechniker m; ~ **blue** stahlblau; ~ **chair** elektrischer Stuhl; **~ian** [ilek'triʃən] Elektriker m; **~ity** [~isiti] Elektrizität f.

**electri**|**fy** [i'lektrifai], **~ze** [~raiz] elektrifizieren; elektrisieren.

**electro**|**cute** [i'lektrəkju:t] auf dem elektrischen Stuhl hinrichten; durch elektrischen Strom töten; **~metallurgy** Elektrometallurgie f.

**electron** [i'lektrɔn] Elektron n; **~-ray tube** magisches Auge.

**electro**|**plate** [i'lektroupleit] galvanisch versilbern; **~type** galvanischer Druck; Galvano n.

**elegan**|**ce** ['eligəns] Eleganz f; Anmut f; **~t** □ [~nt] elegant; geschmackvoll; *Am.* erstklassig.

**element** ['elimənt] Element n; Urstoff m; (Grund)Bestandteil m; **~s** pl. Anfangsgründe m/pl.; **~al** □ [eli'mentl] elementar; wesentlich; **~ary** □ [~əri] **1.** □ elementar; Anfangs...; ~ *school* Volks-, Grundschule f; **2.** *elementaries* pl. Anfangsgründe m/pl.

**elephant** ['elifənt] Elefant m.

**elevat**|**e** ['eliveit] erhöhen; fig. erheben; **~ed** erhaben; ~ (*railroad*) *Am.* Hochbahn f; **~ion** [eli'veiʃən] Erhebung f, Erhöhung f; Höhe f; Erhabenheit f; **~or** ⊕ ['eliveitə] Aufzug m; *Am.* Fahrstuhl m; ✈ Höhenruder n; (*grain*) ~ *Am.* Getreidespeicher m.

**eleven** [i'levn] **1.** elf; **2.** Elf f; **~th** [~nθ] elfte(r, -s).

**elf** [elf] Elf(e f) m, Kobold m; Zwerg m.

**elicit** [i'lisit] hervorlocken, herausholen.

**eligible** □ ['elidʒəbl] geeignet, annehmbar; passend.

**eliminat**|**e** [i'limineit] aussondern, ausscheiden; ausmerzen; **~ion** [limi'neiʃən] Aussonderung f; Ausscheidung f.

**élite** [ei'li:t] Elite f; Auslese f.

**elk** zo. [elk] Elch m.

**ellipse** ♀ [i'lips] Ellipse f.

**elm** ♀ [elm] Ulme f, Rüster f.

**elocution** [elə'kju:ʃən] Vortrag(skunst, -sweise f) m.

**elongate** ['i:lɔŋgeit] verlängern.

**elope** [i'loup] entlaufen, durchgehen.

**eloquen**|**ce** ['eləkwəns] Beredsamkeit f; **~t** □ [~nt] beredt.

**else** [els] sonst, andere(r, -s), weiter; **~where** ['elsweə] anderswo(hin).

**elucidat**|**e** [i'lu:sideit] erläutern; **~ion** [ilu:si'deiʃən] Aufklärung f.

**elude** [i'lu:d] geschickt umgehen; ausweichen, sich entziehen (*dat*.).

**elus**|**ive** [i'lu:siv] schwer faßbar; **~ory** [~səri] trügerisch.

**emaciate** [i'meiʃieit] abzehren, ausmergeln.

**emanat**|**e** ['eməneit] ausströmen; ausgehen (*from* von); **~ion** [emə'neiʃən] Ausströmen n; fig. Ausstrahlung f.

**emancipat**|**e** [i'mænsipeit] emanzipieren, befreien; **~ion** [imænsi'peiʃən] Emanzipation f; Befreiung f.

**embalm** [im'ba:m] (ein)balsamieren; *be* ~*ed* in fortleben in (*dat*.).

**embankment** [im'bæŋkmənt] Eindämmung f; Deich m; (Bahn-)Damm m; Uferstraße f, Kai m.

**embargo** [em'ba:gou] (Hafen-, Handels)Sperre f, Beschlagnahme f.

**embark** [im'ba:k] (sich) einschiffen

(for nach); *Geld* anlegen; sich einlassen (*in, on,* upon in, auf *acc.*).

**embarrass** [im'bærəs] (be)hindern; verwirren; in (Geld)Verlegenheit bringen; verwickeln; **.ing** □ [.sin] unangenehm; unbequem; **.ment** [.smənt] (Geld)Verlegenheit *f*; Schwierigkeit *f*.

**embassy** ['embəsi] Botschaft *f*; Gesandtschaft *f*.

**embed** [im'bed] (ein)betten, lagern.

**embellish** [im'beliʃ] verschönern; ausschmücken. [(Asche.\

**embers** ['embəz] *pl.* glühende]

**embezzle** [im'bezl] unterschlagen; **.ment** [.lmənt] Unterschlagung *f*.

**embitter** [im'bitə] verbittern.

**emblazon** [im'bleizən] mit e-m Wappenbild bemalen; *fig.* verherrlichen.

**emblem** ['embləm] Sinnbild *n*; Wahrzeichen *n*.

**embody** [im'bɔdi] verkörpern; vereinigen; einverleiben (*in dat.*).

**embolden** [im'bouldən] ermutigen.

**embolism** ♂ ['embəlizəm] Embolie *f*.

**embosom** [im'buzəm] ins Herz schließen; *used with* umgeben von.

**emboss** [im'bɔs] bossieren; *mit dem Hammer* treiben.

**embrace** [im'breis] **1.** (sich) umarmen; umfassen; *Beruf etc.* ergreifen; *Angebot* annehmen; **2.** Umarmung *f*.

**embroider** [im'brɔidə] sticken; ausschmücken; **.y** [.əri] Stickerei *f*.

**embroil** [im'brɔil] (in Streit) verwickeln; verwirren.

**emendation** [i:men'deiʃən] Verbesserung *f*.

**emerald** ['emərəld] Smaragd *m*.

**emerge** [i'mə:dʒ] auftauchen; hervorgehen; sich erheben; sich zeigen; **.ncy** [.dʒənsi] unerwartetes Ereignis; Notfall *m; attr.* Not...; **~** *brake* Notbremse *f*; **~** *call* Notruf *m*; **~** *exit* Notausgang *m*; **~** *man Sport:* Ersatzmann *m*; **.nt** [.nt] auftauchend, entstehend; **~** *countries* Entwicklungsländer *n/pl.*

**emersion** [i(:)'mə:ʃən] Auftauchen *n*.

**emigra|nt** ['emigrənt] **1.** auswandernd; **2.** Auswanderer *m*; **.te** [.reit] auswandern; **.tion** [emi'greiʃən] Auswanderung *f*.

**eminen|ce** ['eminəns] (An)Höhe *f*; Auszeichnung *f*; hohe Stellung; Eminenz *f* (*Titel*); **.t** □ [.nt] *fig.* ausgezeichnet, hervorragend; **.tly** [.tli] ganz besonders.

**emissary** ['emisəri] Emissär *m*.

**emit** [i'mit] von sich geben; aussenden, ausströmen; ✝ ausgeben.

**emolument** [i'mɔljumənt] Vergütung *f*; **.s** *pl.* Einkünfte *pl.*

**emotion** [i'mouʃən] (Gemüts)Bewegung *f*; Gefühl(sregung *f*) *n*; Rührung *f*; **.al** □ [.nl] gefühlsmäßig; gefühlvoll; gefühlsbetont; **.less** [.nlis] gefühllos, kühl.

**emperor** ['empərə] Kaiser *m*.

**empha|sis** ['emfəsis] Nachdruck *m*; **.size** [.saiz] nachdrücklich betonen; **.tic** [im'fætik] (.ally) nachdrücklich; ausgesprochen.

**empire** ['empaiə] (Kaiser)Reich *n*; Herrschaft *f*; *the British* ♀ das britische Weltreich.

**empirical** □ [em'pirikəl] erfahrungsgemäß.

**employ** [im'plɔi] **1.** beschäftigen, anstellen; an-, verwenden, gebrauchen; **2.** Beschäftigung *f*; *in the ~ of* angestellt bei; **.ee** [emplɔi'i:] Angestellte(r *m f*) *f*; **.er** [im'plɔiə] Arbeitnehmer(in); **.er** [im'plɔiə] Arbeitgeber *m*; ✝ Auftraggeber *m*; **.ment** [.mənt] Beschäftigung *f*; Arbeit *f*; **~** *agency* Stellenvermittlungsbüro *n*; ♀ *Exchange* Arbeitsamt *n*.

**empower** [im'pauə] ermächtigen; befähigen.

**empress** ['empris] Kaiserin *f*.

**empt|iness** ['emptinis] Leere *f*; Hohlheit *f*; **.y** □ ['empti] **1.** leer; *fig.* hohl; **2.** (sich) (aus-, ent)leeren.

**emul|ate** ['emjuleit] wetteifern mit; nacheifern, es gleichtun (*dat.*); **.ation** [emju'leiʃən] Wetteifer *m*.

**enable** [i'neibl] befähigen, es j-m ermöglichen; ermächtigen.

**enact** [i'nækt] verfügen, verordnen; *Gesetz* erlassen; *thea.* spielen.

**enamel** [i'næməl] **1.** Email(le *f*) *n*, (Zahn)Schmelz *m*; Glasur *f*; Lack *m*; **2.** emaillieren; glasieren.

**enamo(u)r** [i'næmə] verliebt machen; **.ed of** verliebt in.

**encamp** ✗ [in'kæmp] (sich) lagern.

**encase** [in'keis] einschließen.

**enchain** [in'tʃein] anketten; fesseln.

**enchant** [in'tʃɑːnt] bezaubern; **~**

**ment** [⁓tmənt] Bezauberung f; Zauber m; ⁓ress [⁓tris] Zauberin f.

**encircle** [in'sə:kl] einkreisen.

**enclos|e** [in'klouz] einzäunen; einschließen; beifügen; ⁓ure [⁓ouʒə] Einzäunung f; eingehegtes Grundstück; Bei-, Anlage f zu e-m Brief.

**encompass** [in'kʌmpəs] umgeben.

**encore** thea. [ɔŋ'kɔ:] 1. um e-e Zugabe bitten; 2. Zugabe f.

**encounter** [in'kauntə] 1. Begegnung f; Gefecht n; 2. begegnen (dat.); auf Schwierigkeiten etc. stoßen; mit j-m zs.-stoßen.

**encourage** [in'kʌridʒ] ermutigen; fördern; ⁓ment [⁓dʒmənt] Ermutigung f; Unterstützung f.

**encroach** [in'krouʧ] (on, upon) eingreifen, eindringen (in acc.); beschränken (acc.); mißbrauchen (acc.); ⁓ment [⁓mənt] Ein-, Übergriff m.

**encumber** [in'kʌmbə] belasten; (be)hindern; ⁓rance [⁓brəns] Last f; fig. Hindernis n; Schuldenlast f; without ⁓ ohne (Familien)Anhang.

**encyclop(a)edia** [ensaiklou'pi:djə] Enzyklopädie f, Konversationslexikon n.

**end** [end] 1. Ende n; Ziel n, Zweck m; no ⁓ of unendlich viel(e), unzählige; in the ⁓ am Ende, auf die Dauer; on ⁓ aufrecht; stand on ⁓ zu Berge stehen; to no ⁓ vergebens; go off the deep ⁓ fig. in die Luft gehen; make both ⁓s meet gerade auskommen; 2. enden, beend(ig)en.

**endanger** [in'deindʒə] gefährden.

**endear** [in'diə] teuer machen; ⁓ment [⁓mənt] Liebkosung f, Zärtlichkeit f.

**endeavo(u)r** [in'devə] 1. Bestreben n, Bemühung f; 2. sich bemühen.

**end|ing** ['endiŋ] Ende n; Schluß m; gr. Endung f; ⁓less □ ['endlis] endlos, unendlich; ⊕ ohne Ende.

**endorse** [in'dɔ:s] † indossieren; et. vermerken (on auf der Rückseite e-r Urkunde); gutheißen; ⁓ment [⁓smənt] Aufschrift f; † Indossament n.

**endow** [in'dau] ausstatten; ⁓ment [⁓aumənt] Ausstattung f; Stiftung f.

**endue** fig. [in'dju:] (be)kleiden.

**endur|ance** [in'djuərəns] (Aus-)Dauer f; Ertragen n; ⁓e [in'djuə] (aus)dauern; ertragen.

**enema** 🩹 ['enimə] Klistier(spritze f) n.

**enemy** ['enimi] 1. Feind m; the ⚇ der Teufel; 2. feindlich.

**energ|etic** [enə'dʒetik] (⁓ally) energisch; ⁓y ['enədʒi] Energie f.

**enervate** ['enə:veit] entnerven.

**enfeeble** [in'fi:bl] schwächen.

**enfold** [in'fould] einhüllen; umfassen.

**enforce** [in'fɔ:s] erzwingen; aufzwingen (upon dat.); bestehen auf (dat.); durchführen; ⁓ment [⁓smənt] Erzwingung f; Geltendmachung f; Durchführung f.

**enfranchise** [in'fræntʃaiz] das Wahlrecht verleihen (dat.); Sklaven befreien.

**engage** [in'geidʒ] v/t. anstellen; verpflichten; mieten; in Anspruch nehmen; ✗ angreifen; be ⁓d verlobt sein (to mit); beschäftigt sein (in mit); besetzt sein; ⁓ the clutch einkuppeln; v/i. sich verpflichten, versprechen, garantieren; sich beschäftigen (in mit); ✗ angreifen; ⊕ greifen (Zahnräder); ⁓ment [⁓dʒmənt] Verpflichtung f; Verlobung f; Verabredung f; Beschäftigung f; ✗ Gefecht n; Einrücken n e-s Ganges etc.

**engaging** □ [in'geidʒiŋ] einnehmend.

**engender** fig. [in'dʒendə] erzeugen.

**engine** ['endʒin] Maschine f, Motor m; 🚂 Lokomotive f; ⁓driver Lokomotivführer m.

**engineer** [endʒi'niə] 1. Ingenieur m, Techniker m; Maschinist m; Am. Lokomotivführer m; ✗ Pionier m; 2. Ingenieur sein; bauen; ⁓ing [⁓əriŋ] 1. Maschinenbau m; Ingenieurwesen n; 2. technisch; Ingenieur...

**English** ['iŋgliʃ] 1. englisch; 2. Englisch n; the ⁓ pl. die Engländer pl.; in plain ⁓ fig. unverblümt; ⁓man Engländer m.

**engrav|e** [in'greiv] gravieren, stechen; fig. einprägen; ⁓er [⁓və] Graveur m; ⁓ing [⁓viŋ] (Kupfer-, Stahl)Stich m; Holzschnitt m.

**engross** [in'grous] an sich ziehen; ganz in Anspruch nehmen.

**engulf** fig. [in'gʌlf] verschlingen.

**enhance** [in'hɑ:ns] erhöhen.

**enigma** [i'nigmə] Rätsel n; ⁓tic(al □) [enig'mætik(əl)] rätselhaft.

**enjoin** [in'dʒɔin] auferlegen (*on j-m*).

**enjoy** [in'dʒɔi] sich erfreuen an (*dat.*); genießen; *did you ~ it?* hat es Ihnen gefallen?; ~ *o.s.* sich amüsieren; *I ~ my dinner* es schmeckt mir; **~able** [~ɔiəbl] genußreich, erfreulich; **~ment** [~ɔimənt] Genuß *m*, Freude *f*.

**enlarge** [in'lɑ:dʒ] (sich) erweitern, ausdehnen; **~ment** [~dʒmənt] Erweiterung *f*; Vergrößerung *f*.

**enlighten** [in'laitn] *fig.* erleuchten; *j-n* aufklären; **~ment** [~nmənt] Aufklärung *f*.

**enlist** [in'list] *v/t.* ✕ anwerben; gewinnen; *~ed men pl. Am.* ✕ Unteroffiziere *pl.* und Mannschaften *pl.*; *v/i.* sich freiwillig melden.

**enliven** [in'laivn] beleben.

**enmity** ['enmiti] Feindschaft *f*.

**ennoble** [i'noubl] adeln; veredeln.

**enorm|ity** [i'nɔ:miti] Ungeheuerlichkeit *f*; **~ous** □ [~məs] ungeheuer.

**enough** [i'nʌf] genug.

**enquire** [in'kwaiə] = *inquire*.

**enrage** [in'reidʒ] wütend machen; **~d** wütend (*at* über *acc.*).

**enrapture** [in'ræptʃə] be-, entzücken.

**enrich** [in'ritʃ] be-, anreichern.

**enrol(l)** [in'roul] *in e-e Liste* eintragen; ✕ anwerben; aufnehmen; **~ment** [~lmənt] Eintragung *f*; *bsd.* ✕ Anwerbung *f*, Einstellung *f*; Aufnahme *f*; Verzeichnis *n*; Schüler-, Studenten-, Teilnehmerzahl *f*.

**ensign** ['ensain] Fahne *f*; Flagge *f*; Abzeichen *n*; ♣ *Am.* ['ensn] Leutnant *m* zur See.

**enslave** [in'sleiv] versklaven; **~ment** [~vmənt] Versklavung *f*.

**ensnare** *fig.* [in'snɛə] verführen.

**ensue** [in'sju:] folgen, sich ergeben.

**ensure** [in'ʃuə] sichern.

**entail** [in'teil] **1.** zur Folge haben; als unveräußerliches Gut vererben; **2.** (Übertragung *f* als) unveräußerliches Gut.

**entangle** [in'tæŋgl] verwickeln; **~ment** [~lmənt] Verwicklung *f*; ✕ Draht-Verhau *m*.

**enter** ['entə] *v/t.* (ein)treten in (*acc.*); betreten; einsteigen, einfahren *etc.* in (*acc.*); eindringen in (*acc.*); eintragen, ♣ buchen; *Protest* einlegen; aufnehmen; melden; ~ *s.o. at school* j-n zur Schule anmelden; *v/i.*

eintreten; sich einschreiben; *Sport:* sich melden; aufgenommen werden; ~ *into fig.* eingehen auf (*acc.*); ~ (up)on *Amt etc.* antreten; sich einlassen auf (*acc.*).

**enterpris|e** ['entəpraiz] Unternehmen *n*; Unternehmungslust *f*; **~ing** □ [~ziŋ] unternehmungslustig.

**entertain** [entə'tein] unterhalten; bewirten; in Erwägung ziehen; *Meinung etc.* hegen; **~er** [~nə] Gastgeber *m*; Unterhaltungskünstler *m*; **~ment** [~nmənt] Unterhaltung *f*; Bewirtung *f*; Fest *n*, Gesellschaft *f*.

**enthral(l)** [in'θrɔ:l] *fig.* bezaubern.

**enthrone** [in'θroun] auf den Thron setzen.

**enthusias|m** [in'θju:ziæzəm] Begeisterung *f*; **~t** [~æst] Schwärmer (-in) *m*; **~tic** [inθju:zi'æstik] (~ally) begeistert (*at, about* von).

**entice** [in'tais] (ver)locken; **~ment** [~smənt] Verlockung *f*, Reiz *m*.

**entire** □ [in'taiə] ganz; vollständig; ungeteilt; **~ly** [~əli] völlig; lediglich; **~ty** [~əti] Gesamtheit *f*.

**entitle** [in'taitl] betiteln; berechtigen.

**entity** ['entiti] Wesen *n*; Dasein *n*.

**entrails** ['entreilz] *pl.* Eingeweide *n/pl.*; Innere(s) *n*.

**entrance** ['entrəns] Ein-, Zutritt *m*; Einfahrt *f*, Eingang *m*; Einlaß *m*.

**entrap** [in'træp] (ein)fangen; verleiten.

**entreat** [in'tri:t] bitten, ersuchen; *et.* erbitten; **~y** [~ti] Bitte *f*, Gesuch *n*.

**entrench** ✕ [in'trentʃ] (mit *od.* in Gräben) verschanzen.

**entrust** [in'trʌst] anvertrauen (*s. th. to s.o.* j-m *et.*); betrauen.

**entry** ['entri] Eintritt *m*; Eingang *m*; ⚖ Besitzantritt *m* (*on, upon gen.*); Eintragung *f*; *Sport:* Meldung *f*; ~ *permit* Einreisegenehmigung *f*; *book-keeping by double* (*single*) ~ doppelte (einfache) Buchführung.

**enumerate** [i'nju:məreit] aufzählen.

**enunciate** [i'nʌnsieit] verkünden; *Lehrsatz* aufstellen; aussprechen.

**envelop** [in'veləp] einhüllen; einwickeln; umgeben; einkreisen; **~e** ['enviloup] Briefumschlag *m*; **~ment** [in'veləpmənt] Umhüllung *f*.

**envi|able** □ ['enviǝbl] beneidenswert; **~ous** □ [~iǝs] neidisch.

**environ** [in'vaiǝrǝn] umgeben; **~ment** [~nmǝnt] Umgebung f e-r Person; **~s** ['environz] pl. Umgebung f e-r Stadt.

**envisage** [in'vizidʒ] sich et. vorstellen.

**envoy** ['envɔi] Gesandte(r) m; Bote m.

**envy** ['envi] **1.** Neid m; **2.** beneiden.

**epic** ['epik] **1.** episch; **2.** Epos n.

**epicure** ['epikjuǝ] Feinschmecker m.

**epidemic** [epi'demik] **1.** (~ally) seuchenartig; **~ disease =** **2.** Seuche f.

**epidermis** [epi'dǝ:mis] Oberhaut f.

**epilepsy** ⚕ ['epilepsi] Epilepsie f.

**epilogue** ['epilɒg] Nachwort n.

**episcopa|cy** [i'piskǝpǝsi] bischöfliche Verfassung; **~l** [~ǝl] bischöflich; **~te** [~pit] Bischofswürde f; Bistum n.

**epist|le** [i'pisl] Epistel f; **~olary** [~stǝlǝri] brieflich; Brief...

**epitaph** ['epita:f] Grabschrift f.

**epitome** [i'pitǝmi] Auszug m, Abriß m.

**epoch** ['i:pɔk] Epoche f.

**equable** □ ['ekwǝbl] gleichförmig, gleichmäßig; fig. gleichmütig.

**equal** ['i:kwǝl] **1.** □ gleich, gleichmäßig; **~ to** fig. gewachsen (dat.); **2.** Gleiche(r m) f; **3.** gleichen (dat.); **~ity** [i(:)'kwɔliti] Gleichheit f; **~ization** [i:kwǝlai'zeiʃǝn] Gleichstellung f; Ausgleich m; **~ize** ['i:kwǝlaiz] gleichmachen, gleichstellen; ausgleichen.

**equanimity** [i:kwǝ'nimiti] Gleichmut m.

**equat|ion** [i'kweiʃǝn] Ausgleich m; Å Gleichung f; **~or** [~eitǝ] Äquator m.

**equestrian** [i'kwestriǝn] Reiter m.

**equilibrium** [i:kwi'libriǝm] Gleichgewicht n; Ausgleich m.

**equip** [i'kwip] ausrüsten; **~ment** [~pmǝnt] Ausrüstung f; Einrichtung f.

**equipoise** ['ekwipɔiz] Gleichgewicht n; Gegengewicht n.

**equity** ['ekwiti] Billigkeit f; **equities** pl. ♦ Aktien f/pl.

**equivalent** [i'kwivǝlǝnt] **1.** gleichwertig; gleichbedeutend (to mit); **2.** Aquivalent n, Gegenwert m.

**equivoca|l** □ [i'kwivǝkǝl] zweideu-

tig, zweifelhaft; **~te** [~keit] zweideutig reden.

**era** ['iǝrǝ] Zeitrechnung f; -alter m.

**eradicate** [i'rædikeit] ausrotten.

**eras|e** [i'reiz] ausradieren, ausstreichen; auslöschen; **~er** [~zǝ] Radiergummi m; **~ure** [i'reiʒǝ] Ausradieren n; radierte Stelle.

**ere** [εǝ] **1.** cj. ehe, bevor; **2.** prp. vor.

**erect** [i'rekt] **1.** □ aufrecht; **2.** aufrichten; Denkmal etc. errichten; aufstellen; **~ion** [~kʃǝn] Auf-, Errichtung f; Gebäude n.

**eremite** ['erimait] Einsiedler m.

**ermine** zo. ['ǝ:min] Hermelin n.

**erosion** [i'rouʒǝn] Zerfressen n; Auswaschung f.

**erotic** [i'rɔtik] **1.** erotisch; **2.** erotisches Gedicht; **~ism** [~isizǝm] Erotik f.

**err** [ǝ:] (sich) irren; fehlen, sündigen.

**errand** ['erǝnd] Botengang m, Auftrag m; **~-boy** Laufbursche m.

**errant** □ ['erǝnt] (umher)irrend.

**errat|ic** [i'rætik] (~ally) wandernd; unberechenbar; **~um** [e'ra:tǝm], pl. **~a** [~tǝ] Druckfehler m.

**erroneous** □ [i'rounjǝs] irrig.

**error** ['erǝ] Irrtum m, Fehler m; **~s excepted** Irrtümer vorbehalten.

**erudit|e** □ ['eru(:)dait] gelehrt; **~ion** [eru(:)'diʃǝn] Gelehrsamkeit f.

**erupt** [i'rʌpt] ausbrechen (Vulkan); durchbrechen (Zähne); **~ion** [~pʃǝn] Vulkan-Ausbruch m; ⚕ Hautausschlag m.

**escalat|ion** [eskǝ'leiʃǝn] Eskalation f (stufenweise Steigerung); **~or** ['eskǝleitǝ] Rolltreppe f.

**escap|ade** [eskǝ'peid] toller Streich; **~e** [is'keip] **1.** entschlüpfen, entgehen; entkommen, entrinnen; entweichen; j-m entfallen; **2.** Entrinnen n; Entweichen n; Flucht f.

**eschew** [is'tʃu:] (ver)meiden.

**escort 1.** ['eskɔ:t] Eskorte f; Geleit n; **2.** [is'kɔ:t] eskortieren, geleiten.

**escutcheon** [is'kʌtʃǝn] Wappenschild m, n; Namenschild n.

**especial** [is'peʃǝl] besonder; vorzüglich; **~ly** [~li] besonders.

**espionage** [espiǝ'na:ʒ] Spionage f.

**espresso** [es'presou] Espresso m (Kaffee); **~ bar**, **~ café** Espressobar f.

**espy** [is'pai] erspähen.

**esquire** [is'kwaiǝ] Landedelmann m,

Gutsbesitzer *m*; *auf Briefen*: John Smith Esq. Herrn J. S.

**essay 1.** [e'sei] versuchen; probieren; **2.** ['esei] Versuch *m*; Aufsatz *m*, kurze Abhandlung, Essay *m*, *n*.

**essen|ce** ['esns] Wesen *n* e-r Sache; Extrakt *m*; Essenz *f*; **~tial** [i'senʃəl] **1.** □ (*to* für) wesentlich; wichtig; **2.** Wesentliche(s) *n*.

**establish** [is'tæbliʃ] festsetzen; errichten, gründen; einrichten; einsetzen; ~ o.s. sich niederlassen; *ℒ Church* Staatskirche *f*; **~ment** [*~ʃmənt*] Festsetzung *f*; Gründung *f*; Er-, Einrichtung *f*; (*bsd. großer*) Haushalt; Anstalt *f*; Firma *f*.

**estate** [is'teit] Grundstück *n*; Grundbesitz *m*, Gut *n*; Besitz *m*; (Konkurs)Masse *f*, Nachlaß *m*; Stand *m*; *real ~* Liegenschaften *pl.*; *housing ~* Wohnsiedlung *f*; **~ agent** Grundstücksmakler *m*; **~ car** Kombiwagen *m*; **~ duty** Nachlaßsteuer *f*.

**esteem** [is'ti:m] **1.** Achtung *f*, Ansehen *n* (*with* bei); **2.** (hoch)achten, (hoch)schätzen; erachten für.

**estimable** ['estiməbl] schätzenswert.

**estimat|e 1.** ['estimeit] (ab)schätzen; veranschlagen; **2.** [*~mit*] Schätzung *f*; (Vor)Anschlag *m*; **~ion** [esti'meiʃən] Schätzung *f*; Meinung *f*; Achtung *f*.

**estrange** [is'treindʒ] entfremden.

**estuary** ['estjuəri] (den Gezeiten ausgesetzte) weite Flußmündung.

**etch** [etʃ] ätzen, radieren.

**etern|al** □ [i(:)'tə:nl] immerwährend, ewig; **~ity** [*~niti*] Ewigkeit *f*.

**ether** ['i:θə] Äther *m*; **~eal** □ [i(:)'θiəriəl] ätherisch (*a. fig.*).

**ethic|al** □ ['eθikəl] sittlich, ethisch; **~s** [*~ks*] *sg.* Sittenlehre *f*, Ethik *f*.

**etiquette** [eti'ket] Etikette *f*.

**etymology** [eti'mɔlədʒi] Etymologie *f*, Wortableitung *f*.

**Eucharist** ['ju:kərist] Abendmahl *n*.

**euphemism** ['ju:fimizəm] beschönigender Ausdruck.

**European** [juərə'pi(:)ən] **1.** europäisch; **2.** Europäer(in).

**evacuate** [i'vækjueit] entleeren; evakuieren; *Land etc.* räumen.

**evade** [i'veid] (geschickt) ausweichen (*dat.*); umgehen.

**evaluate** [i'væljueit] zahlenmäßig bestimmen, auswerten; berechnen.

**evanescent** [i:və'nesnt] (ver)schwindend.

**evangelic(al** □) [i:væn'dʒelik(əl)] evangelisch.

**evaporat|e** [i'væpəreit] verdunsten, verdampfen (lassen); **~ion** [ivæpə'reiʃən] Verdunstung *f*, Verdampfung *f*.

**evasi|on** [i'veiʒən] Umgehung *f*; Ausflucht *f*; **~ve** □ [i'veisiv] ausweichend; *be ~* ausweichen.

**eve** [i:v] Vorabend *m*; Vortag *m*; *on the ~ of* unmittelbar vor (*dat.*), am Vorabend (*gen.*).

**even** ['i:vən] **1.** *adj.* □ eben, gleich; gleichmäßig; ausgeglichen; glatt; gerade (*Zahl*); unparteiisch; *get ~ with s.o. fig.* mit j-m abrechnen; **2.** *adv.* selbst, sogar, auch; *not ~* nicht einmal; ~ *though*, ~ *if* wenn auch; **3.** ebnen, glätten; gleichstellen; **~-handed** unparteiisch.

**evening** ['i:vniŋ] Abend *m*; ~ *dress* Gesellschaftsanzug *m*; Frack *m*, Smoking *m*; Abendkleid *n*.

**evenness** ['i:vənnis] Ebenheit *f*; Geradheit *f*; Gleichmäßigkeit *f*; Unparteilichkeit *f*; Seelenruhe *f*.

**evensong** ['i:vənsɔŋ] Abendgottesdienst *m*.

**event** [i'vent] Ereignis *n*; Vorfall *m*; *fig.* Ausgang *m*; sportliche Veranstaltung; *athletic ~s pl.* Leichtathletikwettkämpfe *m/pl.*; *at all ~s* auf alle Fälle; *in the ~ of* im Falle (*gen.*); **~ful** [*~tful*] ereignisreich.

**eventual** □ [i'ventjuəl] etwaig, möglich; schließlich; *in the ~ of* im Laufe der Zeit; **~ly** am Ende; im Laufe der Zeit.

**ever** ['evə] je, jemals; immer; ~ *so* noch so (sehr); *as soon as ~ I can* sobald ich nur irgend kann; ~ *after*, ~ *since* von der Zeit an; ~ *and anon* von Zeit zu Zeit; *for ~* für immer, auf ewig; *Briefschluß*: *yours* ~ stets Dein ...; **~glade** *Am.* Sumpfsteppe *f*; **~green 1.** immergrün; **2.** immergrüne Pflanze; **~lasting** □ [evə'lɑ:stiŋ] ewig; dauerhaft; **~more** ['evə'mɔ:] immerfort.

**every** ['evri] jede(r, -s); alle(s); ~ *now and then* dann und wann; ~ *one of them* jeder von ihnen; ~ *other day* einen Tag um den anderen, jeden zweiten Tag; **~body** jeder (-mann); **~day** Alltags...; **~one** jeder(mann) *od.* jeder; **~thing** alles; **~where** überall.

**evict** [i(:)'vikt] exmittieren; ausweisen.

**eviden|ce** ['evidəns] **1.** Beweis(material *n*) *m*; ½½ Zeugnis *n*; Zeuge *m*; *in* ~ als Beweis; deutlich sichtbar; **2.** beweisen; **~t** □ [~nt] augenscheinlich, offenbar, klar.

**evil** ['i:vl] **1.** □ übel, schlimm, böse; *the* ♀ *One* der Böse (*Teufel*); **2.** Übel *n*, Böse(s) *n*; **~-minded** ['i:vl'maindid] übelgesinnt, boshaft.

**evince** [i'vins] zeigen, bekunden.

**evoke** [i'vouk] (herauf)beschwören.

**evolution** [i:və'lu:ʃən] Entwicklung *f*; ✕ Entfaltung *f* e-r Formation.

**evolve** [i'vɔlv] (sich) entwickeln.

**ewe** [ju:] Mutterschaf *n*.

**ex** [eks] *prp.* ✝ *ab Fabrik etc.*; *Börse*: ohne; aus.

**ex-...** [~] ehemalig, früher.

**exact** [ig'zækt] **1.** □ genau; pünktlich; **2.** *Zahlung* eintreiben; fordern; **~ing** [~tiŋ] streng, genau; **~itude** [~itju:d], **~ness** [~tnis] Genauigkeit *f*; Pünktlichkeit *f*.

**exaggerate** [ig'zædʒəreit] übertreiben.

**exalt** [ig'zɔ:lt] erhöhen, erheben; verherrlichen; **~ation** [egzɔ:l'teiʃən] Erhöhung *f*, Erhebung *f*; Höhe *f*; Verzückung *f*.

**exam** *Schul-sl.* [ig'zæm] Examen *n*.

**examin|ation** [igzæmi'neiʃən] Examen *n*, Prüfung *f*; Untersuchung *f*; Vernehmung *f*; **~e** [ig'zæmin] untersuchen; prüfen; verhören.

**example** [ig'za:mpl] Beispiel *n*; Vorbild *n*, Muster *n*; *for* ~ zum Beispiel.

**exasperate** [ig'za:spəreit] erbittern; ärgern; verschlimmern.

**excavate** ['ekskəveit] ausgraben, ausheben, ausschachten.

**exceed** [ik'si:d] überschreiten; übertreffen; zu weit gehen; **~ing** □ [~diŋ] übermäßig; **~ingly** [~ŋli] außerordentlich, überaus.

**excel** [ik'sel] *v/t.* übertreffen; *v/i.* sich auszeichnen; **~lence** ['eksələns] Vortrefflichkeit *f*; hervorragende Leistung; Vorzug *m*; **~lency** [~si] Exzellenz *f*; **~lent** □ [~nt] vortrefflich.

**except** [ik'sept] **1.** ausnehmen; *et.* einwenden; **2.** *prp.* ausgenommen, außer; ~ *for* abgesehen von; **~ing** *prp.* [~tiŋ] ausgenommen, **~ion** [~pʃən] Ausnahme *f*; Einwendung

*f* (*to gegen*); *by way of* ~ ausnahmsweise; *take* ~ *to* Anstoß nehmen an (*dat.*); **~ional** [~nl] außergewöhnlich; **~ionally** [~ʃnəli] un-, außergewöhnlich.

**excerpt** ['eksə:pt] Auszug *m*.

**excess** [ik'ses] Übermaß *n*; Überschuß *m*; Ausschweifung *f*; *attr.* Mehr...; ~ *fare* Zuschlag *m*; ~ *luggage* Übergewicht *n* (*Gepäck*); ~ *postage* Nachgebühr *f*; **~ive** □ [~siv] übermäßig, übertrieben.

**exchange** [iks'tʃeindʒ] **1.** (aus-, ein-um)tauschen (*for gegen*); wechseln; **2.** (Aus-, Um)Tausch *m*; (*bsd.* Geld)Wechsel *m*; *a.* **bill of** ~ Wechsel *m*; *a.* ♀ Börse *f*; Fernsprechamt *n*; *foreign* ~(*s pl.*) Devisen *f/pl.*; (*rate of*) ~ Wechselkurs *m*.

**exchequer** [iks'tʃekə] Schatzamt *n*; Staatskasse *f*; *Chancellor of the* ♀ (britischer) Schatzkanzler, Finanzminister *m*.

**excise**¹ [ek'saiz] indirekte Steuer; Verbrauchssteuer *f*.

**excise**² [~] (her)ausschneiden.

**excit|able** [ik'saitəbl] reizbar; **~e** [ik'sait] er-, anregen; reizen; **~ement** [~tmənt] Auf-, Erregung *f*; Reizung *f*; **~ing** [~tiŋ] erregend.

**exclaim** [iks'kleim] ausrufen; eifern.

**exclamation** [eksklə'meiʃən] Ausruf(ung *f*) *m*; ~*s pl.* Geschrei *n*; *note of* ~, *point of* ~, ~ *mark* Ausrufezeichen *n*.

**exclude** [iks'klu:d] ausschließen.

**exclusi|on** [iks'klu:ʒən] Ausschließung *f*, Ausschluß *m*; **~ve** □ [~:siv] ausschließlich; sich abschließend; ~ *of* abgesehen von, ohne.

**excommunicat|e** [ekskə'mju:nikeit] exkommunizieren; **~ion** ['ekskəmju:ni'keiʃən] Kirchenbann *m*.

**excrement** ['ekskrimənt] Kot *m*.

**excrete** [eks'kri:t] ausscheiden.

**excruciat|e** [iks'kru:ʃieit] martern; **~ing** □ [~tiŋ] qualvoll.

**exculpate** ['ekskʌlpeit] entschuldigen; rechtfertigen; freisprechen (*from von*).

**excursion** [iks'kə:ʃən] Ausflug *m*; Abstecher *m*.

**excursive** □ [eks'kə:siv] abschweifend.

**excus|able** □ [iks'kju:zəbl] entschuldbar; **~e 1.** [iks'kju:z] ent-

schuldigen; ~ *s.o. s.th.* j-m et. erlassen; 2. [..u:s] Entschuldigung *f*.
**exeat** ['eksiæt] *Schule etc.*: Urlaub
*m*.
**execra|ble** □ ['eksikrəbl] abscheu-
lich; **~te** ['eksikreit] verwünschen.
**execut|e** ['eksikju:t] ausführen; voll-
ziehen; ♩ vortragen; hinrichten;
*Testament* vollstrecken; **~ion** [eksi-
'kju:ʃən] Ausführung *f*; Vollzie-
hung *f*; (Zwangs)Vollstreckung *f*;
Hinrichtung *f*; ♩ Vortrag *m*; *put od.*
*carry a plan into* ~ e-n Plan ausführen *od.* verwirklichen; **~ioner**
[..ʃnə] Scharfrichter *m*; **~ive** [ig-
'zekjutiv] 1. □ vollziehend; ~ *com-*
*mittee* Vorstand *m*; 2. vollziehende
Gewalt; *Am.* Staats-Präsident *m*;
♱ Geschäftsführer *m*; **~or** [..tə]
(Testaments)Vollstrecker *m*.
**exemplary** [ig'zempləri] vorbildlich.
**exemplify** [ig'zemplifai] durch Beispiele belegen; veranschaulichen.
**exempt** [ig'zempt] 1. befreit, frei;
2. ausnehmen, befreien.
**exercise** ['eksəsaiz] 1. Übung *f*;
Ausübung *f*; *Schule*: Übungsarbeit
*f*; Leibesübung *f*; *take* ~ sich Bewegung machen; *Am. ~s pl.* Feier-
lichkeit(en *pl.*) *f*; ✗ Manöver *n*;
2. üben; ausüben; (sich) Bewegung
machen; exerzieren.
**exert** [ig'zə:t] *Einfluß etc.* ausüben;
~ *o.s.* sich anstrengen *od.* bemühen;
**~ion** [..ɔ:ʃən] Ausübung *f etc.*
**exhale** [eks'heil] ausdünsten, aus-
atmen; aushauchen; *Gefühlen* Luft
machen.
**exhaust** [ig'zɔ:st] 1. erschöpfen;
entleeren; auspumpen; 2. ⊕ Abgas
*n*, Abdampf *m*; Auspuff *m*; ~ *box*
Auspufftopf *m*; ~ *pipe* Auspuffrohr
*n*; **~ed** erschöpft (*a. fig.*); vergriffen
(*Auflage*); **~ion** □ [..tʃən] Erschöpfung *f*; **~ive** □ [..tiv] erschöp-
fend.
**exhibit** [ig'zibit] 1. ausstellen, zeigen, darlegen; aufweisen; 2. Aus-
stellungsstück *n*; Beweisstück *n*;
**~ion** [eksi'biʃən] Ausstellung *f*;
Darlegung *f*; Zurschaustellung *f*;
Stipendium *n*.
**exhilarate** [ig'ziləreit] erheitern.
**exhort** [ig'zɔ:t] ermahnen.
**exigen|ce, -cy** ['eksidʒəns, ..si] drin-
gende Not; Erfordernis *n*; **~t** [..nt]
dringlich; anspruchsvoll.

**exile** ['eksail] 1. Verbannung *f*, Exil
*n*; Verbannte(r *m*) *f*; 2. verbannen.
**exist** [ig'zist] existieren, vorhanden
sein; leben; **~ence** [..təns] Existenz
*f*, Dasein *n*, Vorhandensein *n*; Leben *n*; *in* ~ = **~ent** [..nt] vorhanden.
**exit** ['eksit] 1. Abgang *m*; Tod *m*;
Ausgang *m*; 2. *thea.* (geht) ab.
**exodus** ['eksədəs] Auszug *m*.
**exonerate** [ig'zɔnəreit] *fig.* entlasten, entbinden, befreien; rechtfertigen.
**exorbitant** □ [ig'zɔ:bitənt] maßlos,
übermäßig.
**exorci|se, ~ze** ['eksɔ:saiz] *Geister*
beschwören, austreiben (*from* aus);
befreien (*of* von).
**exotic** [eg'zɔtik] ausländisch, exotisch; fremdländisch.
**expan|d** [iks'pænd] (sich) ausbrei-
ten; (sich) ausdehnen; (sich) erweitern; *Abkürzungen* (voll) ausschreiben; freundlich *od.* heiter
werden; **~se** [..ns], **~sion** [..nʃən]
Ausdehnung *f*; Weite *f*; Breite *f*;
**~sive** □ [..nsiv] ausdehnungsfähig;
ausgedehnt, weit; *fig.* mitteilsam.
**expatiate** [eks'peiʃieit] sich weit-
läufig auslassen (*on* über *acc.*).
**expatriate** [eks'pætrieit] ausbür-
gern.
**expect** [iks'pekt] erwarten; F annehmen; *be ~ing* ein Kind erwarten; **~ant** [..tənt] 1. erwartend (*of*
*acc.*); ~ *mother* werdende Mutter;
2. Anwärter *m*; **~ation** [ekspek-
'teiʃən] Erwartung *f*; Aussicht *f*.
**expectorate** [eks'pektəreit] *Schleim*
*etc.* aushusten, auswerfen.
**expedi|ent** [iks'pi:djənt] 1. □
zweckmäßig; berechnend; 2. Mit-
tel *n*; (Not)Behelf *m*; **~tion** [ekspi-
'diʃən] Eile *f*; ✗ Feldzug *m*; (For-
schungs)Reise *f*; **~tious** □ [..ʃəs]
schnell, eilig, flink.
**expel** [iks'pel] (hin)ausstoßen; vertreiben, verjagen; ausschließen.
**expen|d** [iks'pend] *Geld* ausgeben;
aufwenden; verbrauchen; **~diture**
[..ditʃə] Ausgabe *f*; Aufwand *m*;
**~se** [iks'pens] Ausgabe *f*; Kosten
*pl.*; **~s *pl.*** Unkosten *pl.*; Auslagen
*f/pl.*; *at the* ~ *of* auf Kosten (*gen.*);
*at any* ~ um jeden Preis; *go to the*
~ *of* Geld ausgeben für; **~se account**
Spesenrechnung *f*; **~sive** □ [..siv]
kostspielig, teuer.
**experience** [iks'piəriəns] 1. Erfah-

rung *f*; Erlebnis *n*; **2.** erfahren, erleben; **~d** erfahren.

**experiment 1.** [iks'perimənt] Versuch *m*; **2.** [~iment] experimentieren; **~al** □ [eksperi'mentl] Versuchs...; erfahrungsmäßig.

**expert** ['ekspə:t] **1.** □ [*pred.* eks'pə:t] erfahren, geschickt; fachmännisch; **2.** Fachmann *m*; Sachverständige(r *m*) *f*.

**expiate** ['ekspieit] büßen, sühnen.

**expir|ation** [ekspai'reiʃən] Ausatmung *f*; Ablauf *m*, Ende *n*; **~e** [iks'paiə] ausatmen; verscheiden; ablaufen; ✝ verfallen; erlöschen.

**explain** [iks'plein] erklären, erläutern; *Gründe* auseinandersetzen; **~ away** wegdiskutieren.

**explanat|ion** [eksplə'neiʃən] Erklärung *f*; Erläuterung *f*; **~ory** □ [iks'plænətəri] erklärend.

**explicable** ['eksplikəbl] erklärlich.

**explicit** □ [iks'plisit] deutlich.

**explode** [iks'ploud] explodieren (lassen); ausbrechen; platzen (*with* vor).

**exploit 1.** ['eksplɔit] Heldentat *f*; **2.** [iks'plɔit] ausbeuten; **~ation** [eksplɔi'teiʃən] Ausbeutung *f*.

**explor|ation** [eksplɔ:'reiʃən] Erforschung *f*; **~e** [iks'plɔ:] erforschen; **~er** [~ɔ:rə] (Er)Forscher *m*; Forschungsreisende(r *m*) *m*.

**explosi|on** [iks'plouʒən] Explosion *f*; Ausbruch *m*; **~ve** [~ousiv] **1.** □ explosiv; **2.** Sprengstoff *m*.

**exponent** [eks'pounənt] Exponent *m*; Vertreter *m*.

**export 1.** [eks'pɔ:t] ausführen; **2.** ['ekspɔ:t] Ausfuhr(artikel *m*) *f*; **~ation** [ekspɔ:'teiʃən] Ausfuhr *f*.

**expos|e** [iks'pouz] aussetzen; *phot.* belichten; ausstellen; entlarven; bloßstellen; **~ition** [ekspɔ'ziʃən] Ausstellung *f*; Erklärung *f*.

**expostulate** [iks'pɔstjuleit] protestieren; **~ with** *j-m* Vorhaltungen machen.

**exposure** [iks'pouʒə] Aussetzen *n*; Ausgesetztsein *n*; Aufdeckung *f*; Enthüllung *f*, Entlarvung *f*; *phot.* Belichtung *f*; Bild *n*; Lage *f e-s Hauses*; **~ meter** Belichtungsmesser *m*.

**expound** [iks'paund] erklären, auslegen.

**express** [iks'pres] **1.** □ ausdrücklich, deutlich; Expreß..., Eil...; **~**

**company** *Am.* Transportfirma *f*; **~ highway** Schnellverkehrsstraße *f*; **2.** Eilbote *m*; *a.* **~ train** Schnellzug *m*; *by* **~** = **3.** *adv.* durch Eilboten; als Eilgut; **4.** äußern, ausdrücken; auspressen; **~ion** [~eʃən] Ausdruck *m*; **~ive** □ [~esiv] ausdrückend (*of acc.*); ausdrucksvoll; **~ly** [~sli] ausdrücklich, eigens; **~way** *Am.* Autobahn *f*. {eignen.|

**expropriate** [eks'prouprieit] ent-}

**expulsi|on** [iks'pʌlʃən] Vertreibung *f*; **~ve** [~lsiv] (aus)treibend.

**expunge** [eks'pʌndʒ] streichen.

**expurgate** ['ekspə:geit] säubern.

**exquisite** □ ['ekskwizit] auserlesen, vorzüglich; fein; heftig, scharf.

**extant** [eks'tænt] (noch) vorhanden.

**extempor|aneous** □ [ekstempə'reinjəs], **~ary** [iks'tempərəri], **~e** [eks'tempəri] aus dem Stegreif (vorgetragen).

**extend** [iks'tend] *v/t.* ausdehnen; ausstrecken; erweitern; verlängern; *Gunst etc.* erweisen; ✕ (aus)schwärmen lassen; *v/i.* sich erstrecken.

**extensi|on** [iks'tenʃən] Ausdehnung *f*; Erweiterung *f*; Verlängerung *f*; Aus-, Anbau *m*; *teleph.* Nebenanschluß *m*; **~ cord** ⚡ Verlängerungsschnur *f*; *University* ♀ Volkshochschule *f*; **~ve** □ [~nsiv] ausgedehnt, umfassend.

**extent** [iks'tent] Ausdehnung *f*, Weite *f*, Größe *f*, Umfang *m*; Grad *m*; *to the* **~** *of* bis zum Betrage von; *to some* **~** einigermaßen.

**extenuate** [eks'tenjueit] abschwächen, mildern, beschönigen.

**exterior** [eks'tiəriə] **1.** □ äußerlich; Außen...; außerhalb; **2.** Äußere(s) *n*; *Film:* Außenaufnahme *f*.

**exterminate** [eks'tə:mineit] ausrotten, vertilgen.

**external** [eks'tə:nl] **1.** □ äußere(r, -s), äußerlich; Außen...; **2.** **~s** *pl.* Äußere(s) *n*; *fig.* Äußerlichkeiten *f/pl.*

**extinct** [iks'tiŋkt] erloschen; ausgestorben.

**extinguish** [iks'tiŋgwiʃ] (aus)löschen; vernichten.

**extirpate** ['ekstə:peit] ausrotten; 🩺 *Organ etc.* entfernen.

**extol** [iks'tɔl] erheben, preisen.

**extort** [iks'tɔ:t] erpressen; abnötigen (*from dat.*); **~ion** [~ɔ:ʃən] Erpressung *f*.

**extra** ['ekstrə] **1.** Extra...; außer...; Neben...; Sonder...; ~ *pay* Zulage *f*; **2.** *adv.* besonders; außerdem; **3.** *et.* Zusätzliches; Zuschlag *m*; Extrablatt *n*; *thea., Film*: Statist(in).

**extract** ['ekstrækt] Auszug *m*; **2.** [iks'trækt] (heraus)ziehen; herauslocken; ab-, herleiten; **~ion** [~k∫ən] (Heraus)Ziehen *n*; Herkunft *f*.

**extradite** ['ekstrədait] *Verbrecher* ausliefern (lassen); **~ion** [ekstrə-'di∫ən] Auslieferung *f*.

**extraordinary** □ [iks'trɔ:dnri] außerordentlich; Extra...; ungewöhnlich; *envoy* ~ außerordentlicher Gesandter.

**extra student** ['ekstrə'stju:dənt] Gasthörer(in).

**extravagan|ce** [iks'trævigəns] Übertriebenheit *f*; Überspanntheit *f*; Verschwendung *f*, Extravaganz *f*; **~t** □ [~nt] übertrieben, überspannt; verschwenderisch; extravagant.

**extrem|e** [iks'tri:m] **1.** □ äußerst, größt, höchst; sehr streng; außergewöhnlich; **2.** Äußerste(s) *n*; Extrem *n*; höchster Grad; **~ity** [~remiti] Äußerste(s) *n*; höchste Not; äußerste Maßnahme; *extremities pl.* Gliedmaßen *pl.*

**extricate** ['ekstrikeit] herauswinden, herauslösen; befreien; **~** entwickeln.

**extrude** [eks'tru:d] ausstoßen.

**exuberan|ce** [ig'zju:bərəns] Überfluß *m*; Überschwenglichkeit *f*; **~t** □ [~nt] reichlich; üppig; überschwenglich.

**exult** [ig'zʌlt] frohlocken.

**eye** [ai] **1.** Auge *n*; Blick *m*; Öhr *n*; Öse *f*; *up to the* ~*s in work* bis über die Ohren in Arbeit; *with an* ~ *to* mit Rücksicht auf (*acc.*); mit der Absicht zu; **2.** ansehen; mustern; **~ball** ['aibɔ:l] Augapfel *m*; **~brow** Augenbraue *f*; **~d** ...äugig; **~glass** Augenglas *n*; (*a pair of*) ~*es pl.* (ein) Kneifer; (e-e) Brille; **~lash** Augenwimper *f*; **~lid** Augenlid *n*; **~sight** Sehkraft *f*; **~witness** Augenzeug|e *m*, -in *f*.

---

# F

**fable** ['feibl] Fabel *f*; Mythen *pl.*, Legenden *pl.*; Lüge *f*.

**fabric** ['fæbrik] Bau *m*, Gebäude *n*; Struktur *f*; Gewebe *n*, Stoff *m*; **~ate** [~keit] fabrizieren (*mst fig.* = *erdichten, fälschen*).

**fabulous** □ ['fæbjuləs] legendär; sagen-, fabelhaft.

**façade** △ [fə'sɑ:d] Fassade *f*.

**face** [feis] **1.** Gesicht *n*; Anblick *m*; *fig.* Stirn *f*, Unverschämtheit *f*; (Ober)Fläche *f*; Vorderseite *f*; Zifferblatt *n*; ~ *to* ~ *with* Auge in Auge mit; *save one's* ~ das Gesicht wahren; *on the* ~ *of it* auf den ersten Blick; *set one's* ~ *against* sich gegen *et.* stemmen; **2.** *v/t.* ansehen; gegenüberstehen (*dat.*); (hinaus)gehen auf (*acc.*); die Stirn bieten (*dat.*); einfassen; △ bekleiden; *v/i.* ~ *about* sich umdrehen; **~-cloth** ['feisklɔθ] Waschlappen *m*.

**facetious** □ [fə'si:∫əs] witzig.

**facil|e** ['fæsail] leicht; gewandt; **~itate** [fə'siliteit] erleichtern; **~ity** [~ti] Leichtigkeit *f*; Gewandtheit *f*; *mst facilities pl.* Erleichterung(en *pl.*) *f*, Möglichkeit(en *pl.*) *f*, Gelegenheit(en *pl.*) *f*.

**facing** ['feisiŋ] ⊕ Verkleidung *f*; ~*s pl. Schneiderei*: Besatz *m*.

**fact** [fækt] Tatsache *f*; Wirklichkeit *f*; Wahrheit *f*; Tat *f*.　　[keit *f*.\

**faction** ['fæk∫ən] Partei *f*; Uneinig-/

**factitious** □ [fæk'ti∫əs] künstlich.

**factor** ['fæktə] *fig.* Umstand *m*, Moment *n*, Faktor *m*; Agent *m*; Verwalter *m*; **~y** [~əri] Fabrik *f*.

**faculty** ['fækəlti] Fähigkeit *f*; Kraft *f*; *fig.* Gabe *f*; *univ.* Fakultät *f*.

**fad** F *fig.* [fæd] Steckenpferd *n*.

**fade** [feid] (ver)welken (lassen); verblassen; schwinden; *Radio*: ~ *in* einblenden.

**fag** F [fæg] v/i. sich placken; v/t. erschöpfen, mürbe machen.

**fail** [feil] 1. v/i. versagen, mißlingen, fehlschlagen; versäumen; versiegen; nachlassen; Bankrott machen; durchfallen (*Kandidat*); he ~ed to do es mißlang ihm zu tun; he cannot ~ to er muß (einfach); v/t. im Stich lassen, verlassen; versäumen; 2. without ~ unfehlbar; ~ing ['feiliŋ] Fehler m, Schwäche f; ~ure [-ljə] Fehlen n; Ausbleiben n; Fehlschlag m; Mißerfolg m; Verfall m; Versäumnis n; Bankrott m; Versager m (P.).

**faint** [feint] 1. □ schwach, matt; 2. schwach werden; in Ohnmacht fallen (*with* vor); 3. Ohnmacht f; ~-hearted □ ['feint'hɑ:tid] verzagt.

**fair**[1] [fɛə] 1. adj. gerecht, ehrlich, anständig, fair; ordentlich; schön (*Wetter*), günstig (*Wind*); reichlich; blond; hellhäutig; freundlich; sauber, in Reinschrift; schön (*Frau*); 2. adv. gerecht, ehrlich, anständig, fair; in Reinschrift; direkt.

**fair**[2] [~] (Jahr)Markt m, Messe f.

**fair|ly** ['fɛəli] ziemlich; völlig; ~ness ['fɛənis] Schönheit f; Blondheit f; Gerechtigkeit f; Redlichkeit f; Billigkeit f; ~way ⏚ Fahrwasser n.

**fairy** ['fɛəri] Fee f; Zauberin f; Elf(e f) m; ~land Feen-, Märchenland n; ~tale Märchen n.

**faith** [feiθ] Glaube m; Vertrauen n; Treue f; ~ful □ ['feiθful] treu; ehrlich; Yours ~ly Ihr ergebener; ~less □ ['feiθlis] treulos; ungläubig.

**fake** sl. [feik] 1. Schwindel m; Fälschung f; Schwindler m; 2. a. ~ up fälschen.

**falcon** ['fɔ:lkən] Falke m.

**fall** [fɔ:l] 1. Fall(en n) m; Sturz m; Verfall m; Einsturz m; Am. Herbst m; Sinken n der Preise etc.; Fällen n; Wasserfall m (mst pl.); Senkung f, Abhang m; 2. [irr.] fallen; ab-, einfallen; sinken; sich legen (*Wind*); in e-n Zustand verfallen; ~ back zurückweichen; ~ back (up)on zurückkommen auf; ~ ill od. sick krank werden; ~ in love with sich verlieben in (acc.); ~ out sich entzweien; sich zutragen; ~ short

knapp werden (of an dat.); ~ short of zurückbleiben hinter (dat.); ~ to sich machen an (acc.).

**fallacious** □ [fə'leiʃəs] trügerisch.

**fallacy** ['fæləsi] Täuschung f.

**fallen** ['fɔ:lən] p.p. von fall 2.

**fall guy** Am. sl. ['fɔ:l'gai] der Lackierte, der Dumme.

**fallible** □ ['fæləbl] fehlbar.

**falling** ['fɔ:liŋ] Fallen n; ~ sickness Fallsucht f; ~ star Sternschnuppe f.

**fallow** ['fælou] zo. falb; ✓ brach (-liegend).

**false** □ [fɔ:ls] falsch; ~hood ['fɔ:lshud], ~ness [~snis] Falschheit f.

**falsi|fication** ['fɔ:lsifi'keiʃən] (Ver-) Fälschung f; ~fy ['fɔ:lsifai] (ver-) fälschen; ~ty [~iti] Falschheit f.

**falter** ['fɔ:ltə] schwanken; stocken (*Stimme*); stammeln; fig. zaudern.

**fame** [feim] Ruf m, Ruhm m; ~d [~md] berühmt (for wegen).

**familiar** [fə'miljə] 1. □ vertraut; gewohnt; familiär; 2. Vertraute(r m) f; ~ity [fəmili'æriti] Vertrautheit f; (plumpe) Vertraulichkeit; ~ize [fə'miljəraiz] vertraut machen.

**family** ['fæmili] 1. Familie f; 2. Familien..., Haus...; in the ~ way in anderen Umständen; ~ allowance Kinderzulage f; ~ tree Stammbaum m.

**fami|ne** ['fæmin] Hungersnot f; Mangel m (of an dat.); ~sh [~iʃ] (aus-, ver)hungern.

**famous** □ ['feiməs] berühmt.

**fan**[1] [fæn] 1. Fächer m; Ventilator m; 2. (an)fächeln; an-, fig. entfachen.

**fan**[2] F [~] Sport- etc. Fanatiker m, Liebhaber m; Radio: Bastler m; ...narr m, ...fex m.

**fanatic** [fə'nætik] 1. a. ~al □ [~kəl] fanatisch; 2. Fanatiker(in).

**fanciful** □ ['fænsiful] phantastisch.

**fancy** ['fænsi] 1. Phantasie f; Einbildung(skraft) f; Schrulle f; Vorliebe f; Liebhaberei f; 2. Phantasie...; Liebhaber...; Luxus...; Mode...; ~ ball Maskenball m; ~ goods pl. Modewaren f/pl.; 3. sich einbilden; Gefallen finden an (dat.); just ~! denken Sie nur!; ~-work feine Handarbeit, Stickerei f.

**fang** [fæŋ] Fangzahn m; Giftzahn m.

**fantas|tic** [fæn'tæstik] (~ally) phantastisch; **~y** ['fæntəsi] Phantasie f.

**far** [fɑː] **1.** adj. fern, entfernt; weit; **2.** adv. fern; weit; (sehr) viel; as ~ as bis; in so ~ as insofern als; **~away** ['fɑːrəwei] weit entfernt.

**fare** [feə] **1.** Fahrgeld n; Fahrgast m; Verpflegung f, Kost f; **2.** gut leben; he ~d well es (er)ging ihm gut; **~well** ['feə'wel] **1.** lebe(n Sie) wohl!; **2.** Abschied m, Lebewohl n.

**far|-fetched** fig. ['fɑː'fetʃt] weit hergeholt, gesucht; **~ gone** F fertig (todkrank, betrunken etc.).

**farm** [fɑːm] **1.** Bauernhof m, -gut n, Gehöft n, Farm f; Züchterei f; chicken ~ Hühnerfarm f; **2.** (ver)pachten; Land bewirtschaften; **~er** ['fɑːmə] Landwirt m; Pächter m; **~hand** Landarbeiter(in); **~house** Bauern-, Gutshaus n; **~ing** ['fɑːmiŋ] **1.** Acker...; landwirtschaftlich; **2.** Landwirtschaft f; **~stead** Gehöft n; **~yard** Wirtschaftshof m e-s Bauernguts.

**far-off** ['fɑːr'ɔf] entfernt, fern; **~-sighted** fig. weitblickend.

**farthe|r** ['fɑːðə] comp. von far; **~st** ['fɑːðist] sup. von far.

**fascinat|e** ['fæsineit] bezaubern; **~ion** [fæsi'neiʃən] Zauber m, Reiz m.

**fashion** ['fæʃən] Mode f; Art f; feine Lebensart; Form f; Schnitt m; in (out of) ~ (un)modern; **2.** gestalten; Kleid machen; **~able** □ ['fæʃnəbl] modern, elegant.

**fast¹** [fɑːst] schnell; fest; treu; waschecht; flott; be ~ vorgehen (Uhr).

**fast²** [~] **1.** Fasten n; **2.** fasten.

**fasten** ['fɑːsn] v/t. befestigen; anheften; fest (zu)machen; zubinden; Augen etc. heften (on, upon auf acc.); v/i. schließen (Tür); ~ upon fig. sich klammern an (acc.); **~er** [~nə] Verschluß m; Klammer f.

**fastidious** □ [fæs'tidiəs] anspruchsvoll, heikel, wählerisch, verwöhnt.

**fat** [fæt] **1.** □ fett; dick; fettig; **2.** Fett n; **3.** fett machen od. werden; mästen.

**fatal** □ ['feitl] verhängnisvoll (to für); Schicksals...; tödlich; **~ity** [fə'tæliti] Verhängnis n; Unglücks-, Todesfall m; Todesopfer n.

**fate** [feit] Schicksal n; Verhängnis n.

**father** ['fɑːðə] **1.** Vater m; **2.** der Urheber sein von; **~hood** [~hud]

**Vaterschaft** f; **~-in-law** [~ərinlɔː] Schwiegervater m; **~less** [~əlis] vaterlos; **~ly** [~li] väterlich.

**fathom** ['fæðəm] **1.** Klafter f (Maß); ♏ Faden m; **2.** ♏ loten; fig. ergründen; **~less** [~mlis] unergründlich.

**fatigue** [fə'tiːg] **1.** Ermüdung f; Strapaze f; **2.** ermüden; strapazieren.

**fat|ness** ['fætnis] Fettigkeit f; Fettheit f; **~ten** ['fætn] fett machen od. werden; mästen; Boden düngen.

**fatuous** □ ['fætjuəs] albern.

**faucet** Am. ['fɔːsit] (Zapf)Hahn m.

**fault** [fɔːlt] Fehler m; Defekt m; Schuld f; find ~ with et. auszusetzen haben an (dat.); be at ~ auf falscher Fährte sein; **~-finder** ['fɔːltfaində] Nörgler m; **~less** □ [~tlis] fehlerfrei, tadellos; **~y** □ [~ti] mangelhaft.

**favo(u)r** ['feivə] **1.** Gunst(bezeigung) f; Gefallen m; Begünstigung f; in ~ of zugunsten von od. gen.; do s.o. a ~ j-m e-n Gefallen tun; **2.** begünstigen; beehren; **~able** □ [~ərəbl] günstig; **~ite** [~rit] Günstling m; Liebling m; Sport: Favorit m; attr. Lieblings...

**fawn¹** [fɔːn] **1.** zo. (Dam)Kitz n; Rehbraun n; **2.** (Kitze) setzen.

**fawn²** [~] v/i. schwänzeln (Hund); kriechen (upon vor).

**faze** bsd. Am. F [feiz] durcheinanderbringen.

**fear** [fiə] **1.** Furcht f (of vor dat.); Befürchtung f; Angst f; **2.** (be)fürchten; sich fürchten vor (dat.); **~ful** □ ['fiəful] furchtsam; furchtbar; **~less** □ ['fiəlis] furchtlos.

**feasible** □ ['fiːzəbl] ausführbar.

**feast** [fiːst] **1.** Fest n; Feiertag m; Festmahl n, Schmaus m; **2.** v/t. festlich bewirten; v/i. sich ergötzen; schmausen.

**feat** [fiːt] (Helden)Tat f; Kunststück n.

**feather** ['feðə] **1.** Feder f; a. ~s Gefieder n; show the white ~ F sich feige zeigen; in high ~ in gehobener Stimmung; **2.** mit Federn schmücken; **~bed 1.** Feder-Unterbett n; **2.** verwöhnen; **~-brained, ~-headed** unbesonnen; albern; **~ed** be-, gefiedert; **~y** [~əri] feder(art)ig.

**feature** ['fiːtʃə] **1.** (Gesichts-,

Grund-, Haupt-, Charakter)Zug *m*; (charakteristisches) Merkmal; *Radio:* Feature *n*; *Am.* Bericht *m*, Artikel *m*; ~s *pl.* Gesicht *n*; Charakter *m*; 2. kennzeichnen; sich auszeichnen durch; groß aufziehen; *Film:* in der Hauptrolle zeigen; ~ **film** Haupt-, Spielfilm *m*.

**February** ['februəri] Februar *m*.

**fecund** ['fi:kənd] fruchtbar.

**fed** [fed] *pret. u. p.p. von* feed 2.

**federa|l** ['fedərəl] Bundes...; ~**lize** [~laiz] (sich) verbünden; ~**tion** [fedə'reiʃən] Staatenbund *m*; Vereinigung *f*; Verband *m*.

**fee** [fi:] 1. Gebühr *f*; Honorar *n*; Trinkgeld *n*; 2. bezahlen.

**feeble** □ ['fi:bl] schwach.

**feed** [fi:d] 1. Futter *n*; Nahrung *f*; Fütterung *f*; ⊕ Zuführung *f*, Speisung *f*; 2. [*irr.*] *v/t.* füttern; speisen (*a.* ⊕), nähren; weiden; *Material etc.* zuführen; *be fed up with et. od. j-n* satt haben; *well fed* wohlgenährt; *v/i.* (fr)essen; sich nähren; ~**er** ['fi:də] Fütterer *m*; *Am.* Viehmäster *m*; Esser(in) *f*; ~**er road** Zubringer(straße *f*) *m*; ~**ing-bottle** ['fi:diŋbɔtl] Saugflasche *f*.

**feel** [fi:l] 1. [*irr.*] (sich) fühlen; befühlen; empfinden; sich anfühlen; *I ~ like doing* ich möchte am liebsten tun; 2. Gefühl *n*; Empfindung *f*; ~**er** ['fi:lə] Fühler *m*; ~**ing** ['fi:liŋ] 1. □ (mit)fühlend; gefühlvoll; 2. Gefühl *n*; Meinung *f*.

**feet** [fi:t] *pl. von* foot 1.

**feign** [fein] heucheln; vorgeben.

**feint** [feint] Verstellung *f*; Finte *f*.

**felicit|ate** [fi'lisiteit] beglückwünschen; ~**ous** □ [~təs] glücklich; ~**y** [~ti] Glück(seligkeit *f*) *n*.

**fell** [fel] 1. *pret. von* fall 2; 2. niederschlagen; fällen.

**felloe** ['felou] (Rad)Felge *f*.

**fellow** ['felou] Gefährt|e *m*, -in *f*, Kamerad(in); Gleiche(r, -s) Gegenstück *n*; *univ.* Fellow *m*, Mitglied *n* e-s College; Bursche *m*, Mensch *m*; *attr.* Mit...; *old ~* F alter Junge; *the ~ of a* glove der andere Handschuh; ~-**country-man** Landsmann *m*; ~**ship** [~ouʃip] Gemeinschaft *f*; Kameradschaft *f*; Mitgliedschaft *f*.

**felly** ['feli] (Rad)Felge *f*.

**felon** ⚚ ['felən] Verbrecher *m*; ~**y** [~ni] Kapitalverbrechen *n*.

**felt¹** [felt] *pret. u. p.p. von* feel 1.

**felt²** [~] 1. Filz *m*; 2. (be)filzen.

**female** ['fi:meil] 1. weiblich; 2. Weib *n*; *zo.* Weibchen *n*.

**feminine** □ ['feminin] weiblich; weibisch.

**fen** [fen] Fenn *n*, Moor *n*; Marsch *f*.

**fence** [fens] 1. Zaun *m*; Fechtkunst *f*; *sl.* Hehler(nest *n*) *m*; *sit on the ~* abwarten; 2. *v/t. a. ~ in* ein-, umzäunen; schützen; *v/i.* fechten; *sl.* hehlen.

**fencing** ['fensiŋ] Einfriedung *f*; Fechten *n*; *attr.* Fecht...

**fend** [fend]: ~ *off* abwehren; ~**er** ['fendə] Schutzvorrichtung *f*; Schutzblech *n*; Kamingitter *n*, -vorsetzer *m*; Stoßfänger *m*.

**fennel** ⚘ ['fenl] Fenchel *m*.

**ferment** 1. ['fə:ment] Ferment *n*; Gärung *f*; 2. [fə(:)'ment] gären (lassen); ~**ation** [fə:men'teiʃən] Gärung *f*.

**fern** ⚘ [fə:n] Farn(kraut *n*) *m*.

**feroci|ous** □ [fə'rouʃəs] wild; grausam; ~**ty** [fə'rɔsiti] Wildheit *f*.

**ferret** ['ferit] 1. *zo.* Frettchen *n*; *fig.* Spürhund *m*; 2. (umher)stöbern; ~ *out* aufstöbern.

**ferry** ['feri] 1. Fähre *f*; 2. übersetzen; ~-**boat** Fährboot *n*, Fähre *f*; ~**man** Fährmann *m*.

**fertil|e** □ ['fə:tail] fruchtbar; reich (*of, in* an *dat.*); ~**ity** [fə:'tiliti] Fruchtbarkeit *f* (*a. fig.*); ~**ize** ['fə:tilaiz] fruchtbar machen; befruchten; düngen; ~**izer** [~zə] Düngemittel *n*.

**ferven|cy** ['fə:vənsi] Glut *f*; Inbrunst *f*; ~**t** □ [~nt] heiß; inbrünstig, glühend; leidenschaftlich.

**fervo(u)r** ['fə:və] Glut *f*; Inbrunst *f*.

**festal** □ ['festl] festlich.

**fester** ['festə] eitern; verfaulen.

**festiv|al** ['festəvəl] Fest *n*; Feier *f*; Festspiele *n/pl.*; ~**e** □ [~tiv] festlich; ~**ity** [fes'tiviti] Festlichkeit *f*.

**festoon** [fes'tu:n] Girlande *f*.

**fetch** [fetʃ] holen; *Preis* erzielen; *Seufzer* ausstoßen; ~**ing** □ F ['fetʃiŋ] reizend.

**fetid** □ ['fetid] stinkend.

**fetter** ['fetə] 1. Fessel *f*; 2. fesseln.

**feud** [fju:d] Fehde *f*; Leh(e)n *n*; ~**al** □ ['fju:dl] lehnbar; Lehns...; ~**alism** [~dəlizəm] Lehnswesen *n*.

**fever** ['fi:və] Fieber *n*; ~**ish** □ [~əriʃ] fieb(e)rig; *fig.* fieberhaft.

**few** [fju:] wenige; *a* ~ ein paar; *quite a* ~, *a good* ~ e-e ganze Menge.

**fiancé** [fi'ā:nsei] Verlobte(r) *m*; ~e [~] Verlobte *f*.

**fiat** ['faiæt] Befehl *m*; ~ *money Am.* Papiergeld *n* (*ohne Deckung*).

**fib** F [fib] **1.** Flunkerei *f*, Schwindelei *f*; **2.** schwindeln, flunkern.

**fib|re**, *Am.* ~er ['faibə] Faser *f*; Charakter *m*; ~rous □ ['faibrəs] faserig.

**fickle** ['fikl] wankelmütig; unbeständig; ~ness [~lnis] Wankelmut *m*.

**fiction** ['fikʃən] Erfindung *f*; Roman-, Unterhaltungsliteratur *f*; ~al □ [~nl] erdichtet; Roman...

**fictitious** □ [fik'tiʃəs] erfunden.

**fiddle** F ['fidl] **1.** Geige *f*, Fiedel *f*; **2.** fiedeln; tändeln; ~r [~lə] Geiger (-in); ~stick Fiedelbogen *m*; ~s! *fig.* dummes Zeug!

**fidelity** [fi'deliti] Treue *f*; Genauigkeit *f*.

**fidget** F ['fidʒit] **1.** nervöse Unruhe; **2.** nervös machen *od.* sein; ~y [~ti] nervös.

**fie** [fai] pfui! [kribbelig.]

**field** [fi:ld] Feld *n*; (Spiel)Platz *m*; Arbeitsfeld *n*; Gebiet *n*; Bereich *m*; *hold the* ~ das Feld behaupten; ~-day ['fi:lddei] ✕ Felddienstübung *f*; Parade *f*; *fig.* großer Tag; *Am.* (Schul)Sportfest *n*; *Am.* Exkursionstag *m*; ~ events *pl. Sport:* Sprung- u. Wurfwettkämpfe *m/pl.*; ~-glass(es *pl.*) Feldstecher *m*; ~-officer Stabsoffizier *m*; ~-sports *pl.* Jagen *n* u. Fischen *n*.

**fiend** [fi:nd] böser Feind, Teufel *m*; ~ish □ ['fi:ndiʃ] teuflisch, boshaft.

**fierce** □ [fiəs] wild; grimmig; ~ness ['fiəsnis] Wildheit *f*; Grimm *m*.

**fiery** □ ['faiəri] feurig; hitzig.

**fif|teen** ['fif'ti:n] fünfzehn; ~teenth [~nθ] fünfzehnte(r, -s); ~th [fifθ] **1.** fünfte(r, -s); **2.** Fünftel *n*; ~thly ['fifθli] fünftens; ~tieth ['fiftiiθ] fünfzigste(r, -s); ~ty [~ti] fünfzig; ~ty-fifty F halb und halb.

**fig** [fig] Feige *f*; F Zustand *m*.

**fight** [fait] **1.** Kampf *m*; Kampflust *f*; *show* ~ sich zur Wehr setzen; **2.** [*irr.*] *v/t.* bekämpfen; erkämpfen; *v/i.* kämpfen, sich schlagen; ~er ['faitə] Kämpfer *m*, Streiter *m*; ✕ Jagdflugzeug *n*; ~ing ['faitiŋ] Kampf *m*.

**figurative** □ ['figjurətiv] bildlich.

**figure** ['figə] **1.** Figur *f*; Gestalt *f*; Ziffer *f*; Preis *m*; *be good at* ~s gut im Rechnen sein; **2.** *v/t.* abbilden; darstellen; sich *et.* vorstellen; beziffern; ~ *up od.* out berechnen; *v/i.* erscheinen; e-e Rolle spielen (*as* als); ~ *on Am. et.* überdenken; ~-skating [~əskeitiŋ] Eiskunstlauf *m*.

**filament** ['filəmənt] Faden *m*, Faser *f*; ♀ Staubfaden *m*; ⚡ Glüh-, Heizfaden *m*.

**filbert** ♀ ['filbə(:)t] Haselnuß *f*.

**filch** [filtʃ] stibitzen (*from dat.*).

**file**[1] [fail] **1.** Akte *f*, Ordner *m*; Ablage *f*; Reihe *f*; ✕ Rotte *f*; *on* ~ bei den Akten; **2.** *v/t.* aufreihen; *Briefe etc.* einordnen; ablegen; einreichen; *v/i.* hinter-ea. marschieren.

**file**[2] [~] **1.** Feile *f*; **2.** feilen.

**filial** □ ['filjəl] kindlich, Kindes...

**filibuster** ['filibʌstə] **1.** *Am.* Obstruktion(spolitiker *m*) *f*; **2.** *Am.* Obstruktion treiben.

**fill** [fil] **1.** (sich) füllen; an-, aus-, erfüllen; *Am. Auftrag* ausführen; ~ *in Formular* ausfüllen; **2.** Fülle *f*, Genüge *f*; Füllung *f*.

**fillet** ['filit] Haarband *n*; Lendenbraten *m*; Roulade *f*; *bsd.* ♠ Band *n*.

**filling** ['filiŋ] Füllung *f*; ~ *station Am.* Tankstelle *f*.

**fillip** ['filip] Nasenstüber *m*.

**filly** ['fili] (Stuten)Füllen *f*; *fig.* wilde Hummel *f*.

**film** [film] **1.** Häutchen *n*; Membran(e) *f*; Film *m*; Trübung *f des Auges*; Nebelschleier *m*; *take od.* *shoot a* ~ e-n Film drehen; **2.** (sich) verschleiern; (ver)filmen.

**filter** ['filtə] **1.** Filter *m*; **2.** filtern.

**filth** [filθ] Schmutz *m*; ~y □ ['filθi] schmutzig; *fig.* unflätig.

**filtrate** ['filtreit] filtrieren.

**fin** [fin] Flosse *f* (*a. sl.* = Hand).

**final** ['fainl] **1.** □ letzte(r, -s); endlich; schließlich; End...; endgültig; **2.** Schlußprüfung *f*; *Sport:* Schlußrunde *f*, Endspiel *n*.

**financ|e** [fai'næns] **1.** Finanzwesen *n*; ~s *pl.* Finanzen *pl.*; **2.** *v/t.* finanzieren; *v/i.* Geldgeschäfte machen; ~ial □ [~nʃəl] finanziell; ~ier [~nsiə] Finanzmann *m*; Geldgeber *m*.

**finch** *orn.* [fintʃ] Fink *m*.

**find** [faind] **1.** [*irr.*] finden; (an-)

treffen; auf-, herausfinden; *schuldig etc.* befinden; beschaffen; versorgen; *all found* freie Station; 2. Fund *m*; **~ings** ['faindiŋz] *pl.* Befund *m*; Urteil *n*.

**fine¹** □ [fain] 1. schön; fein; verfeinert; rein; spitz, dünn, scharf; geziert; vornehm; 2. *adv.* gut, bestens.

**fine²** [~] 1. Geldstrafe *f*; 2. zu e-r Geldstrafe verurteilen.

**fineness** ['fainnis] Fein-, Zartheit *f*, Eleganz *f*; Genauigkeit *f*.

**finery** ['fainəri] Glanz *m*; Putz *m*, Staat *m*.

**finger** ['fiŋgə] 1. Finger *m*; 2. betasten, (herum)fingern an (*dat.*); **~language** Zeichensprache *f*; **~nail** Fingernagel *m*; **~print** Fingerabdruck *m*.

**fini|cal** □ ['finikəl], **~cking** [~kiŋ], **~kin** [~in] geziert; wählerisch.

**finish** ['finiʃ] 1. *v/t.* beenden, vollenden; fertigstellen; abschließen; vervollkommnen; erledigen; *v/i.* enden; 2. Vollendung *f*, letzter Schliff (*a. fig.*); Schluß *m*.

**finite** □ ['fainait] endlich, begrenzt.

**fink** *Am. sl.* [fiŋk] Streikbrecher *m*.

**Finn** [fin] Finn|e *m*, -in *f*; **~ish** ['finiʃ] finnisch.

**fir** [fə:] (Weiß)Tanne *f*; Fichte *f*; **~cone** ['fə:koun] Tannenzapfen *m*.

**fire** ['faiə] 1. Feuer *n*; *on* ~ in Brand, in Flammen; 2. *v/t.* an-, entzünden; *fig.* anfeuern; abfeuern; *Ziegel etc.* brennen; F 'rausschmeißen (*entlassen*); heizen; *v/i.* Feuer fangen (*a. fig.*); feuern; **~alarm** ['faiərəla:m] Feuermelder *m*; **~brigade** Feuerwehr *f*; **~bug** *Am.* F Brandstifter *m*; **~cracker** Frosch *m* (*Feuerwerkskörper*); **~ department** *Am.* Feuerwehr *f*; **~engine** ['faiərendʒin] (Feuer)Spritze *f*; **~escape** [~iskeip] Rettungsgerät *n*; Nottreppe *f*; **~extinguisher** [~rikstiŋwiʃə] Feuerlöscher *m*; **~man** Feuerwehrmann *m*; Heizer *m*; **~place** Herd *m*; Kamin *m*; **~plug** Hydrant *m*; **~proof** feuerfest; **~screen** Ofenschirm *m*; **~side** Herd *m*; Kamin *m*; **~station** Feuerwache *f*; **~wood** Brennholz *n*; **~works** *pl.* Feuerwerk *n*.

**firing** ['faiəriŋ] Heizung *f*; Feuerung *f*.

**firm** [fə:m] 1. □ fest; derb; standhaft; 2. Firma *f*; **~ness** ['fə:mnis] Festigkeit *f*.

**first** [fə:st] 1. *adj.* erste(r, -s); beste(r, -s); 2. *adv.* erstens; zuerst; ~ *of all* erstens; zuerst; 3. Erste(r, -s); ~ *of exchange* † Primawechsel *m*; *at* ~ zuerst, anfangs; *from the* ~ von Anfang an; **~born** ['fə:stbɔ:n] erstgeboren; **~ class** 1. Klasse (*e-s Verkehrsmittels*); **~class** erstklassig; **~ly** [~tli] erstlich; erstens; ~ **name** Vorname *m*; Beiname *m*; **~ papers** *Am.* vorläufige Einbürgerungspapiere; **~rate** ersten Ranges; erstklassig.

**firth** [fə:θ] Förde *f*; (Flut)Mündung *f*.

**fish** [fiʃ] 1. Fisch (*e pl.*) *m*; F Kerl *m*; 2. fischen, angeln; haschen; **~bone** ['fiʃboun] Gräte *f*.

**fisher** ['fiʃə], **~man** Fischer *m*; **~y** [~əri] Fischerei *f*.

**fishing** ['fiʃiŋ] Fischen *n*; **~line** Angelschnur *f*; **~tackle** Angelgerät *n*.

**fishmonger** ['fiʃmʌŋgə] Fischhändler *m*.

**fiss|ion** ◊◊ ['fiʃən] Spaltung *f*; **~ure** ['fiʃə] Spalt *m*; Riß *m*.

**fist** [fist] Faust *f*; F Klaue *f*; **~icuffs** ['fistikʌfs] *pl.* Faustschläge *m/pl.*

**fit¹** [fit] 1. □ geeignet, passend, tauglich; *Sport:* in (guter) Form; bereit; 2. *v/t.* passen für *od. dat.*; anpassen, passend machen; befähigen; geeignet machen (*for, to* für, zu); *a.* ~ *on* anprobieren; ausstatten; ~ *out* ausrüsten; ~ *up* einrichten; montieren; *v/i.* passen; sich schikken; sitzen (*Kleid*); 3. Sitz *m* (*Kleid*).

**fit²** [~] Anfall *m*; ℱ Ausbruch *m*; Anwandlung *f*; *by* ~*s and starts* ruckweise; *give s.o. a* ~ j-n hochbringen; j-m e-n Schock versetzen.

**fit|ful** □ ['fitful] ruckartig; *fig.* unstet; **~ness** ['fitnis] Schicklichkeit *f*; Tauglichkeit *f*; **~ter** ['fitə] Monteur *m*; Installateur *m*; **~ting** ['fitiŋ] 1. passend; 2. Montage *f*; Anprobe *f*; **~s** *pl.* Einrichtung *f*; Armaturen *f/pl.*

**five** [faiv] 1. fünf; 2. Fünf *f*.

**fix** [fiks] 1. *v/t.* befestigen, anheften; fixieren; *Augen etc.* heften, richten; fesseln; aufstellen; bestimmen, festsetzen; *bsd. Am.* richten, *Bett etc.* machen; ~ o.s. sich niederlassen; ~ *up* in Ordnung bringen, arrangieren; *v/i.* fest werden; ~ *on* sich entschließen für; **2.** F Klemme *f; Am.* Zustand *m*; ~**ed** fest; bestimmt; starr; ~**ing** ['fiksiŋ] Befestigen *n*; Instandsetzen *n*; Fixieren *n*; Aufstellen *n*, Montieren *n*; Besatz *m*, Versteifung *f; Am.* ~**s** *pl.* Zubehör *n*, Extraausrüstung *f;* ~**ture** [~stʃə] fest angebrachtes Zubehörteil, feste Anlage; Inventarstück *n*; *lighting* ~ Beleuchtungskörper *m.*

**fizz** [fiz] **1.** zischen, sprudeln; **2.** Zischen *n*; F Schampus *m* (*Sekt*).

**flabbergast** F ['flæbəgɑːst] verblüffen; be ~ed baff *od.* platt sein.

**flabby** □ ['flæbi] schlaff, schlapp.

**flag** [flæg] **1.** Flagge *f*; Fahne *f*; Fliese *f*; Schwertlilie *f*; **2.** beflaggen; durch Flaggen signalisieren; mit Fliesen belegen; ermatten; mutlos werden; ~**day** ['flægdei] Opfertag *m*; *Flag Day Am.* Tag *m* des Sternenbanners (*14. Juni*).

**flagitious** □ [flə'dʒiʃəs] schändlich.

**flagrant** □ ['fleigrənt] abscheulich; berüchtigt; offenkundig.

**flag|staff** ['flægstɑːf] Fahnenstange *f;* ~**stone** Fliese *f.*

**flair** [flɛə] Spürsinn *m*, feine Nase.

**flake** [fleik] **1.** Flocke *f*; Schicht *f*; **2.** (sich) flocken; abblättern.

**flame** [fleim] **1.** Flamme *f*, Feuer *n*; *fig.* Hitze *f*; **2.** flammen, lodern.

**flank** [flæŋk] **1.** Flanke *f*; Weiche *f der Tiere*; **2.** flankieren.

**flannel** ['flænl] Flanell *m*; Waschlappen *m*; ~**s** *pl.* Flanellhose *f.*

**flap** [flæp] **1.** (Ohr)Läppchen *n*; Rockschoß *m*; *Hut*-Krempe *f*; Klappe *f*; Klaps *m*; (Flügel)Schlag *m*; **2.** *v/t.* klatschen(d schlagen); *v/i.* lose herabhängen; flattern.

**flare** [flɛə] **1.** flackern; sich nach außen erweitern, sich bauschen; ~ *up* aufflammen; *fig.* aufbrausen; **2.** flackerndes Licht; Lichtsignal *n.*

**flash** [flæʃ] **1.** aufgedonnert; unecht; Gauner...; **2.** Blitz *m; fig.* Aufblitzen *n; bsd. Am. Zeitung:* kurze Meldung; *in a* ~ im Nu; ~ *of wit* Geistesblitz *m*; **3.** (auf)blitzen; auflodern (lassen); *Blick etc.* werfen; flitzen; funken, telegraphieren; *it* ~*ed on me* mir kam plötzlich der Gedanke; ~**back** ['flæʃbæk] *Film:*

Rückblende *f;* ~**light** *phot.* Blitzlicht *n*; Blinklicht *n*; Taschenlampe *f;* ~**y** □ [~ʃi] auffallend.

**flask** [flɑːsk] Taschen-, Reiseflasche *f.*

**flat** [flæt] **1.** □ flach, platt; schal; ♩ flau; klar; glatt; ♩ um e-n halben Ton erniedrigt; ~ *price* Einheitspreis *m*; **2.** *adv.* glatt; völlig; *fall* ~ danebengehen; *sing* ~ zu tief singen; **3.** Fläche *f*, Ebene *f*; Flachland *n*; Untiefe *f*; (Miet)Wohnung *f*; ♩ B *n*; F Simpel *m*; *mot. sl.* Plattfuß *m*; ~**foot** ['flætfut] Plattfuß *m; Am. sl.* Polyp *m* (*Polizist*); ~**footed** plattfüßig; *Am.* F *fig.* stur, eisern; ~**iron** Plätteisen *n*; ~**ness** [~tnis] Flachheit *f*; Plattheit *f*; ♩ Flauheit *f*; ~**ten** [~tn] (sich) ab-, verflachen.

**flatter** ['flætə] schmeicheln (*dat.*); ~**er** [~ərə] Schmeichler(in); ~**y** [~ri] Schmeichelei *f.*

**flavo(u)r** ['fleivə] **1.** Geschmack *m*; Aroma *n*; Blume *f* (*Wein*); *fig.* Beigeschmack *m*; Würze *f*; **2.** würzen; ~**less** [~əlis] geschmacklos, fad.

**flaw** [flɔː] **1.** Sprung *m*, Riß *m*; Fehler *m*; ♩ Bö *f*; **2.** zerbrechen; beschädigen; ~**less** □ ['flɔːlis] fehlerlos.

**flax** ♀ [flæks] Flachs *m*, Lein *m.*

**flay** [flei] die Haut abziehen (*dat.*).

**flea** [fliː] Floh *m.*

**fled** [fled] *pret. u. p.p. von* flee.

**fledge** [fledʒ] *v/i.* flügge werden; *v/t.* befiedern; ~**(e)ling** ['fledʒliŋ] Küken *n* (*a. fig.*); Grünschnabel *m.*

**flee** [fliː] [*irr.*] fliehen; meiden.

**fleec|e** [fliːs] **1.** Vlies *n*; **2.** scheren; prellen; ~**y** ['fliːsi] wollig.

**fleer** [fliə] höhnen (*at über acc.*).

**fleet** [fliːt] **1.** □ schnell; **2.** Flotte *f*; ♀ *Street* die (Londoner) Presse.

**flesh** [fleʃ] **1.** *lebendiges* Fleisch; *fig.* Fleisch(eslust *f*) *n*; **2.** *hunt.* Blut kosten lassen; ~**y** [~ʃi] fleischlich; irdisch; ~**y** [~ʃi] fleischig; fett.

**flew** [fluː] *pret. von fly 2.*

**flexib|ility** [fleksə'biliti] Biegsamkeit *f*; ~**le** □ ['fleksəbl] flexibel, biegsam; *fig.* anpassungsfähig.

**flick** [flik] schnippen; schnellen.

**flicker** ['flikə] **1.** flackern; flattern; flimmern; **2.** Flackern *n*, Flimmern *n*; Flattern *n; Am.* Buntspecht *m.*

**flier** ['flaiə] = *flyer.*

**flight** [flait] Flucht *f*; Flug *m* (*a. fig.*); Schwarm *m*; ✈, ✗ Kette *f*;

(~ *of stairs* Treppen)Flucht *f; put to* ~ in die Flucht schlagen; ~**y** □ ['flaiti] flüchtig; leichtsinnig.

**flimsy** ['flimzi] dünn, locker; schwach; *fig.* fadenscheinig.

**flinch** [flintʃ] zurückweichen; zukken.

**fling** [fliŋ] **1.** Wurf *m;* Schlag *m; have one's* ~ sich austoben; **2.** [*irr.*] *v/i.* eilen; ausschlagen (*Pferd*); *fig.* toben; *v/t.* werfen, schleudern; ~ *o.s.* sich stürzen; ~ *open* aufreißen.

**flint** [flint] Kiesel *m;* Feuerstein *m.*

**flip** [flip] **1.** Klaps *m;* Ruck *m;* **2.** schnippen; klapsen; (umher-) flitzen.

**flippan|cy** ['flipənsi] Leichtfertigkeit *f;* ~**t** □ [~nt] leichtfertig; vorlaut.

**flirt** [fləːt] **1.** Kokette *f;* Weiberheld *m;* **2.** flirten, kokettieren; = *flip* 2; ~**ation** [fləː'teiʃən] Flirt *m.*

**flit** [flit] flitzen; wandern; umziehen.

**flivver** *Am. sl.* ['flivə] **1.** Nuckelpinne *f (billiges Auto);* **2.** mißlingen.

**float** [flout] **1.** Schwimmer *m;* Floß *n;* Plattformwagen *m;* **2.** *v/t.* überfluten; flößen; tragen (*Wasser*); ♣ flott machen, *fig.* in Gang bringen; ✝ gründen; verbreiten; *v/i.* schwimmen, treiben; schweben; umlaufen.

**flock** [flɔk] **1.** Herde *f (a. fig.);* Schar *f;* **2.** sich scharen; zs.-strömen.

**floe** [flou] (treibende) Eisscholle.

**flog** [flɔg] peitschen; prügeln.

**flood** [flʌd] **1.** *a.* ~*-tide* Flut *f;* Überschwemmung *f;* **2.** überfluten, überschwemmen; ~**gate** ['flʌdgeit] Schleusentor *n;* ~**light** ⚡ Flutlicht *n.*

**floor** [flɔː] **1.** Fußboden *m;* Stock (-werk *n*) *m;* ✓ Tenne *f;* ~ *leader Am.* Fraktionsvorsitzende(r) *m;* ~ *show* Nachtklubvorstellung *f; take the* ~ das Wort ergreifen; **2.** dielen; zu Boden schlagen; verblüffen; ~**cloth** ['flɔːklɔθ] Putzlappen *m;* ~**ing** ['flɔːriŋ] Dielung *f;* Fußboden *m;* ~**lamp** Stehlampe *f;* ~**walker** *Am.* ['flɔːwɔːkə] = *shopwalker.*

**flop** [flɔp] **1.** schlagen; flattern; (hin)plumpsen (lassen); *Am.* versagen; **2.** Plumps *m;* Versager *m;* ~**house** *Am. sl.* Penne *f.*

**florid** □ ['flɔrid] blühend.

**florin** ✝ ['flɔrin] Zweischillingstück *n.*

**florist** ['flɔrist] Blumenhändler *m.*

**floss** [flɔs] Florettseide *f.*

**flounce**[1] [flauns] Volant *m.*

**flounce**[2] [~] stürzen; zappeln.

**flounder**[1] *ichth.* ['flaundə] Flunder *f.*

**flounder**[2] [~] sich (ab)mühen.

**flour** ['flauə] (feines) Mehl.

**flourish** ['flʌriʃ] **1.** Schnörkel *m;* Schwingen *n;* ♪ Tusch *m;* **2.** *v/i.* blühen, gedeihen; *v/t.* schwingen.

**flout** [flaut] (ver)spotten.

**flow** [flou] **1.** Fluß *m;* Flut *f;* **2.** fließen, fluten; wallen.

**flower** ['flauə] **1.** Blume *f;* Blüte *f (a. fig.);* Zierde *f;* **2.** blühen; ~**pot** Blumentopf *m;* ~**y** [~əri] blumig.

**flown** [floun] *p.p. von fly* 2.

**flubdub** *Am. sl.* ['flʌbdʌb] Geschwätz *n.*

**fluctuat|e** ['flʌktjueit] schwanken; ~**ion** [flʌktju'eiʃən] Schwankung *f.*

**flu(e)** ℱ [fluː] = *influenza.*

**flue** [fluː] Kaminrohr *n;* Heizrohr *n.*

**fluen|cy** *fig.* ['fluː)ənsi] Fluß *m;* ~**t** □ [~nt] fließend, geläufig (*Rede*).

**fluff** [flʌf] **1.** Flaum *m;* Flocke *f; fig.* Schnitzer *m;* **2.** Kissen aufschütteln; *Federn* aufplustern (*Vogel*); ~**y** ['flʌfi] flaumig; flockig.

**fluid** ['fluː)id] **1.** flüssig; **2.** Flüssigkeit *f.*

**flung** [flʌŋ] *pret. u. p.p. von fling* 2.

**flunk** *Am.* ℱ *fig.* [flʌŋk] durchfallen (lassen).

**flunk(e)y** ['flʌŋki] Lakai *m.*

**fluorescent** [fluə'resnt] fluoreszierend.

**flurry** ['flʌri] Nervosität *f;* Bö *f; Am. a.* (Regen)Schauer *m;* Schneegestöber *n.*

**flush** [flʌʃ] **1.** ⊕ in gleicher Ebene; reichlich; (über)voll; **2.** Erröten *n;* Übermut *m;* Fülle *f;* Wachstum *n; fig.* Blüte *f;* Spülung *f; Karten:* Flöte *f;* **3.** über-, durchfluten; (aus)spülen; strömen; sprießen (lassen); erröten (machen); übermütig machen; aufjagen.

**fluster** ['flʌstə] **1.** Aufregung *f;* **2.** *v/t.* aufregen.

**flute** [fluːt] **1.** ♪ Flöte *f;* Falte *f;* **2.** (auf der) Flöte spielen; riefeln; fälteln.

**flutter** ['flʌtə] **1.** Geflatter *n;* Erregung *f;* ℱ Spekulation *f;* **2.** *v/t.* aufregen; *v/i.* flattern.

**flux** [flʌks] *fig.* Fluß *m;* ⚕ Ausfluß *m.*

**fly** [flai] **1.** *zo.* Fliege *f;* Flug *m; Am. Baseball:* hochgeschlagener Ball; Droschke *f;* **2.** [*irr.*] (*a. fig.*) fliegen (lassen); entfliehen (*Zeit*); ⚡ führen; *Flagge* hissen; fliehen; ⚡ überfliegen; ~ *at* herfallen über; ~ *into a passion od. rage* in Zorn geraten.

**flyer** ['flaiə] Flieger *m;* Renner *m; take a ~ Am.* F Vermögen riskieren.

**fly-flap** ['flaiflæp] Fliegenklatsche *f.*

**flying** ['flaiiŋ] fliegend; Flug...; ~ **squad** Überfallkommando *n.*

**fly|-over** ['flaiouvə] (Straßen)Überführung *f;* **~-weight** *Boxen:* Fliegengewicht *n;* **~-wheel** Schwungrad *n.*

**foal** [foul] **1.** Fohlen *n;* **2.** fohlen.

**foam** [foum] **1.** Schaum *m;* **2.** schäumen; **~y** ['foumi] schaumig.

**focus** ['foukəs] **1.** Brennpunkt *m;* **2.** (sich) im Brennpunkt vereinigen; *opt.* einstellen (*a. fig.*); konzentrieren.

**fodder** ['fɔdə] (Trocken)Futter *n.*

**foe** *poet.* [fou] Feind *m,* Gegner *m.*

**fog** [fɔg] **1.** (dichter) Nebel; *fig.* Umnebelung *f; phot.* Schleier *m;* **2.** *mst fig.* umnebeln; *phot.* verschleiern.

**fogey** F ['fougi] *old ~* komischer alter Kauz.

**foggy** □ ['fɔgi] neb(e)lig; *fig.* nebelhaft.

**fogy** *Am.* ['fougi] = *fogey.*

**foible** *fig.* ['fɔibl] Schwäche *f.*

**foil¹** [fɔil] Folie *f;* Hintergrund *m.*

**foil²** [⁓] **1.** vereiteln; **2.** Florett *n.*

**fold¹** [fould] **1.** Schafhürde *f; fig.* Herde *f;* **2.** einpferchen.

**fold²** [⁓] **1.** Falte *f;* Falz *m;* **2.** ...fach, ...fältig; **3.** *v/t.* falten; falzen; *Arme* kreuzen; ~ (*up*) einwickeln; *v/i.* sich falten; *Am.* F eingehen; **~er** ['fouldə] Mappe *f,* Schnellhefter *m;* Faltprospekt *m.*

**folding** ['fouldiŋ] zs.-legbar; Klapp...; **~-bed** Feldbett *n;* **~-boat** Faltboot *n;* **~-door(s** *pl.*) Flügeltür *f;* **~-screen** spanische Wand; **~-seat** Klappsitz *m.*

**foliage** ['fouliidʒ] Laub(werk) *n.*

**folk** [fouk] *pl.* Leute *pl.;* **~s** *pl.* Leute *pl.* (F *a. Angehörige*); **~lore** ['fouklɔ:] Volkskunde *f;* Volkssagen *f/pl.;* **~-song** Volkslied *n.*

**follow** ['fɔlou] folgen (*dat.*); folgen auf (*acc.*); be-, verfolgen; *s-m Beruf etc.* nachgehen; **~er** [⁓ouə]

Nachfolger(in); Verfolger(in); Anhänger(in); **~ing** [⁓ouiŋ] Anhängerschaft *f,* Gefolge *n.*

**folly** ['fɔli] Torheit *f;* Narrheit *f.*

**foment** [fou'ment] *j-m* warme Umschläge machen; *Unruhe* stiften.

**fond** □ [fɔnd] zärtlich; vernarrt (*of* in *acc.*); *be* ~ *of* gern haben, lieben; **~le** ['fɔndl] liebkosen; streicheln; (ver)hätscheln; **~ness** [⁓dnis] Zärtlichkeit *f;* Vorliebe *f.*

**font** [fɔnt] Taufstein *m; Am.* Quelle *f.*

**food** [fu:d] Speise *f,* Nahrung *f;* Futter *n;* Lebensmittel *n/pl.;* **~stuff** ['fu:dstɑf] Nahrungsmittel *n.*

**fool** [fu:l] **1.** Narr *m,* Tor *m;* Hanswurst *m; make a ~ of s.o.* in zum Narren halten; *make a ~ of o.s.* sich lächerlich machen; **2.** *Am.* F närrisch, dumm; **3.** *v/t.* narren; prellen (*out of* um *et.*); ~ *away* vertrödeln; *v/i.* albern; (*herum*)spielen; ~ (*a*)*round bsd. Am.* Zeit vertrödeln.

**fool|ery** ['fu:ləri] Torheit *f;* **~hardy** □ ['fu:lhɑ:di] tollkühn; **~ish** □ ['fu:liʃ] töricht; **~ishness** [⁓ʃnis] Torheit *f;* **~-proof** kinderleicht.

**foot** [fut] **1.** *pl.* **feet** [fi:t] Fuß *m* (*a. Maß*); Fußende *n;* ✕ Infanterie *f; on* ~ zu Fuß; im Gange, in Gang; **2.** *v/t. mst* ~ *up* addieren; *v/i.* ~ *it* zu Fuß gehen; **~-ball** [futbɔ:l] Fußball(spiel *n*) *m;* **~-board** Trittbrett *n;* **~-boy** Page *m;* **~-fall** Tritt *m,* Schritt *m;* **~-gear** Schuhwerk *n;* **~-hold** fester Stand; *fig.* Halt *m.*

**footing** ['futiŋ] Halt *m,* Stand *m;* Grundlage *f,* Basis *f;* Stellung *f;* fester Fuß; Verhältnis *n;* ✕ Zustand *m;* Endsumme *f; be on a friendly ~ with s.o.* ein gutes Verhältnis zu *j-m* haben; *lose one's* ~ ausgleiten.

**foot|lights** *thea.* ['futlaits] *pl.* Rampenlicht(er *pl.*) *n;* Bühne *f;* **~man** Diener *m;* **~-passenger** Fußgänger (-in); **~-path** Fußpfad *m;* **~-print** Fußstapfe *f,* -spur *f;* **~-sore** fußkrank; **~-step** Fußstapfe *f,* Spur *f;* **~-stool** Fußbank *f;* **~-wear** = *footgear.*

**fop** [fɔp] Geck *m,* Fatzke *m.*

**for** [fɔ:, fɔr, fə] **1.** *prp. mst* für; *Zweck, Ziel, Richtung:* zu; nach; *warten, hoffen etc.* auf (*acc.*); *sich sehnen etc.*

nach; *Grund, Anlaß*: aus, vor (*dat.*), wegen; *Zeitdauer*: ~ three days drei Tage (lang); seit drei Tagen; *Entfernung*: I walked ~ a mile ich ging eine Meile (weit); *Austausch*: (an-)statt; *in der Eigenschaft* als; I ~ one ich zum Beispiel; ~ sure sicher!, gewiß!; 2. *cj.* denn.

**forage** ['forid3] 1. Futter *n*; 2. (nach Futter) suchen.

**foray** ['forei] räuberischer Einfall.

**forbear**[^1] [fɔ:'bɛə] [*irr.* (*bear*)] *v/t.* unterlassen; sich enthalten (*from gen.*); Geduld haben.

**forbear**[^2] ['fɔ:bɛə] Vorfahr *m*.

**forbid** [fə'bid] [*irr.* (*bid*)] verbieten; hindern; **~ding** ☐ [~diŋ] abstoßend.

**force** [fɔ:s] 1. *mst* Kraft *f*, Gewalt *f*; Nachdruck *m*; Zwang *m*; Heer *n*; Streitmacht *f*; the ~ die Polizei; *armed* ~*s pl.* Streitkräfte *f/pl.*; come (put) in ~ in Kraft treten (setzen); 2. zwingen, nötigen; erzwingen; aufzwingen; Gewalt antun (*dat.*); beschleunigen; aufbrechen; künstlich reif machen; ~ open aufbrechen; ~d: ~ landing Notlandung *f*; ~ loan Zwangsanleihe *f*; ~ march Eilmarsch *m*; ~ful ☐ ['fɔ:sful] kräftig; eindringlich.

**forceps** ⚕ ['fɔ:seps] Zange *f*.

**ford** [fɔ:d] 1. Furt *f*; 2. durchwaten.

**fore** [fɔ:] 1. *adv.* vorn; 2. Vorderteil *m, n*; bring (come) to the ~ zum Vorschein bringen (kommen); 3. *adj.* vorder; Vorder...; **~bode** [fɔ:-'boud] vorhersagen; ahnen; **~boding** [~diŋ] (böses) Vorzeichen *n*; Ahnung *f*; **~cast** [fɔ:'ka:st] 1. Vorhersage *f*; 2. [*irr.* (*cast*)] vorhersehen; voraussagen; **~father** Vorfahr *m*; **~finger** Zeigefinger *m*; **~foot** Vorderfuß *m*; **~go** [fɔ:'gou] [*irr.* (*go*)] vorangehen; **~gone** [fɔ:-'gɔn, *adj.* 'fɔ:gɔn] von vornherein feststehend; ~ conclusion Selbstverständlichkeit *f*; **~ground** Vordergrund *m*; **~head** ['fɔrid] Stirn *f*.

**foreign** ['fɔrin] fremd; ausländisch; auswärtig; **~er** [~nə] Ausländer(in), Fremde(r *m*) *f*; ⚲ Office Außenministerium *n*; ~ policy Außenpolitik *f*; ~ trade Außenhandel *m*.

**fore|knowledge** ['fɔ:'nɔlidʒ] Vorherwissen *n*; **~leg** ['fɔ:leg] Vorder-

bein *n*; **~lock** Stirnhaar *n*; *fig.* Schopf *m*; **~man** ⚖ Obmann *m*; Vorarbeiter *m*, (Werk)Meister *m*; ⚒ Steiger *m*; **~most** vorderst, erst; **~name** Vorname *m*; **~noon** Vormittag *m*; **~runner** Vorläufer *m*, Vorbote *m*; **~see** [fɔ:'si:] [*irr.* (*see*)] vorhersehen; **~shadow** ankündigen; **~sight** ['fɔ:sait] Voraussicht *f*; Vorsorge *f*.

**forest** ['fɔrist] 1. Wald *m* (*a. fig.*), Forst *m*; 2. aufforsten.

**forestall** [fɔ:'stɔ:l] *et.* vereiteln; *j-m* zuvorkommen.

**forest|er** ['fɔristə] Förster *m*; Waldarbeiter *m*; **~ry** [~tri] Forstwirtschaft *f*; Waldgebiet *n*.

**fore|taste** ['fɔ:teist] Vorgeschmack *m*; **~tell** [fɔ:'tel] [*irr.* (*tell*)] vorhersagen; vorbedeuten; **~thought** ['fɔ:θɔ:t] Vorbedacht *m*; **~woman** Aufseherin *f*; Vorarbeiterin *f*; **~word** Vorwort *n*.

**forfeit** ['fɔ:fit] 1. Verwirkung *f*; Strafe *f*; Pfand *n*; 2. verwirken; einbüßen; **~able** [~təbl] verwirkbar.

**forge**[^1] ['fɔ:dʒ] *mst* ~ ahead sich vor(wärts)arbeiten.

**forge**[^2] [~] 1. Schmiede *f*; 2. schmieden (*fig. ersinnen*); fälschen; **~ry** ['fɔ:dʒəri] Fälschung *f*.

**forget** [fə'get] [*irr.*] vergessen; **~ful** ☐ [~tful] vergeßlich; **~me-not** ♣ Vergißmeinnicht *n*.

**forgiv|e** [fə'giv] [*irr.* (*give*)] vergeben, verzeihen; *Schuld* erlassen; **~eness** [~vnis] Verzeihung *f*; **~ing** ☐ [~viŋ] versöhnlich; nachsichtig.

**forgo** [fɔ:'gou] [*irr.* (*go*)] verzichten auf (*acc.*); aufgeben.

**forgot** [fə'gɔt] *pret. von* forget; **~ten** [~tn] *p.p. von* forget.

**fork** [fɔ:k] 1. Gabel *f*; 2. (sich) gabeln; **~lift** ['fɔ:klift] Gabelstapler *m*.

**forlorn** [fə'lɔ:n] verloren, verlassen.

**form** [fɔ:m] 1. Form *f*; Gestalt *f*; Formalität *f*; Formular *n*; (Schul-) Bank *f*; Schul-Klasse *f*; Kondition *f*; geistige Verfassung; 2. (sich) formen, (sich) bilden, gestalten; ⚔ (sich) aufstellen.

**formal** ☐ ['fɔ:məl] förmlich; formell; äußerlich; **~ity** [fɔ:'mæliti] Förmlichkeit *f*, Formalität *f*.

**formati|on** [fɔ:'meiʃən] Bildung *f*; **~ve** ['fɔ:mətiv] bildend; gestaltend; ~ years *pl.* Entwicklungsjahre *n/pl.*

**former** ['fɔ:mə] vorig, früher; ehe-

malig, vergangen; erstere(r, -s);
jene(r, -s); ~ly [~əli] ehemals, früher.

**formidable** □ ['fɔ:midəbl] furchtbar, schrecklich; ungeheuer.

**formula** ['fɔ:mjulə] Formel *f*; ℛ
Rezept *n*; ~te [~leit] formulieren.

**forsake** [fə'seik] [*irr.*] aufgeben;
verlassen; ~n [~kən] *p.p. von forsake.*

**forsook** [fə'suk] *pret. von forsake.*

**forsooth** *iro.* [fə'su:θ] wahrlich.

**forswear** [fɔ:'swɛə] [*irr.* (*swear*)]
abschwören.

**fort** ⚔ [fɔ:t] Fort *n*, Festung(s-
werk *n*) *f.*

**forth** [fɔ:θ] vor(wärts), voran; heraus, hinaus, hervor; weiter, fort(an);
**~coming** [fɔ:θ'kʌmiŋ] erschei-
nend; bereit; bevorstehend; F entgegenkommend; **~with** ['fɔ:θ'wiθ]
sogleich.

**fortieth** ['fɔ:tiiθ] **1.** vierzigste(r, -s);
**2.** Vierzigstel *n.*

**forti|fication** [fɔ:tifi'keiʃən] Befe-
stigung *f*; **~fy** ['fɔ:tifai] ⚔ befestigen; *fig.* (ver)stärken; **~tude**
[~itju:d] Seelenstärke *f*; Tapferkeit *f.*

**fortnight** ['fɔ:tnait] vierzehn Tage.

**fortress** ['fɔ:tris] Festung *f.*

**fortuitous** □ [fɔ:'tju(:)itəs] zufällig.

**fortunate** ['fɔ:tʃnit] glücklich; **~ly**
[~tli] glücklicherweise.

**fortune** ['fɔ:tʃən] Glück *n*; Schicksal
*n*; Zufall *m*; Vermögen *n*; **~teller**
Wahrsager(in).

**forty** ['fɔ:ti] **1.** vierzig; **~-niner** *Am.*
*kalifornischer Goldsucher von 1849*;
~ winks *pl.* F Nickerchen *n*; **2.** Vierzig *f.*

**forward** ['fɔ:wəd] **1.** *adj.* vorder;
bereit(willig); fortschrittlich; vor-
witzig, keck; **2.** *adv.* vor(wärts); **3.**
*Fußball:* Stürmer *m*; **4.** (be)fördern;
(ab-, ver)senden.

**forwarding-agent** ['fɔ:wədiŋei-
dʒənt] Spediteur *m.*

**foster** ['fɔstə] **1.** *fig.* nähren, pflegen;
~ *up* aufziehen; **2.** Pflege...

**fought** [fɔ:t] *pret. u. p.p. von fight* **2.**

**foul** [faul] **1.** □ widerwärtig;
schmutzig (*a. fig.*); unehrlich; regelwidrig; übelriechend; faul, verdorben; widrig; schlecht (*Wetter*);
*fall ~ of* mit *dem Gesetz* in Konflikt
kommen; **2.** Zs.-stoß *m*; *Sport:*
regelwidriges Spiel; *through fair*

*and ~ durch dick und dünn*; **3.** be-
verschmutzen; (sich) verwickeln.

**found** [faund] **1.** *pret. u. p.p. von*
*find* **1**; **2.** (be)gründen; stiften; ⊕
gießen.

**foundation** [faun'deiʃən] Gründung
*f*; Stiftung *f*; Fundament *n.*

**founder** ['faundə] **1.** (Be)Gründer
(-in), Stifter(in); Gießer *m*; **2.** *v/i.*
scheitern; lahmen.

**foundling** ['faundliŋ] Findling *m.*

**foundry** ⊕ ['faundri] Gießerei *f.*

**fountain** ['fauntin] Quelle *f*; Spring-
brunnen *m*; **~-pen** Füllfederhalter
*m.*

**four** [fɔ:] **1.** vier; **2.** Vier *f*; *Sport:*
Vierer *m*; **~-flusher** *Am. sl.* ['fɔ:-
'flʌʃə] Hochstapler *m*; **~-square**
viereckig; *fig.* unerschütterlich;
**~-stroke** *mot.* Viertakt...; **~teen**
['fɔ:'ti:n] vierzehn; **~teenth** [~nθ]
vierzehnte(r, -s); **~th** [fɔ:θ] **1.** vier-
te(r, -s); **2.** Viertel *n*; **~thly**
['fɔ:θli] viertens.

**fowl** [faul] Geflügel *n*; Huhn *n*;
Vogel *m*; **~ing-piece** ['fauliŋpi:s]
Vogelflinte *f.*

**fox** [fɔks] **1.** Fuchs *m*; **2.** überlisten;
**~glove** ⚘ ['fɔksglʌv] Fingerhut *m*;
**~y** ['fɔksi] fuchsartig; schlau.

**fraction** ['frækʃən] Bruch(teil) *m.*

**fracture** ['fræktʃə] **1.** (*bsd.* Knochen)Bruch *m*; **2.** brechen.

**fragile** ['frædʒail] zerbrechlich.

**fragment** ['frægmənt] Bruchstück
*n.*

**fragran|ce** ['freigrəns] Wohlgeruch
*m*, Duft *m*; **~t** □ [~nt] wohlriechend.

**frail** □ [freil] ge-, zerbrechlich;
schwach; **~ty** *fig.* ['freilti] Schwäche *f.*

**frame** [freim] **1.** Rahmen *m*; Gerippe *n*; Gerüst *n*; (Brillen)Gestell
*n*; Körper *m*; (An)Ordnung *f*; *phot.*
(Einzel)Bild *n*; ☞ Frühbeetkasten
*m*; ~ *of mind* Gemütsverfassung *f*;
**2.** bilden, formen, bauen; entwerfen; (ein)rahmen; sich entwickeln;
**~-house** ['freimhaus] Holzhaus *n*;
**~-up** *bsd. Am.* F abgekartetes Spiel;
**~work** ⊕ Gerippe *n*; Rahmen *m*;
*fig.* Bau *m.*

**franchise** ⚖ ['fræntʃaiz] Wahlrecht
*n*; Bürgerrecht *n*; *bsd. Am.* Konzession *f.*

**frank** [fræŋk] **1.** □ frei(mütig), offen; **2.** *Brief* maschinell frankieren.

# frankfurter

112

**frankfurter** ['fræŋkfətə] Frankfurter Würstchen.

**frankness** ['fræŋknis] Offenheit f.

**frantic** ['fræntik] (~ally) wahnsinnig.

**fratern|al** □ [frə'tə:nl] brüderlich; ~ity [~niti] Brüderlichkeit f; Brüderschaft f; Am. univ. Verbindung f.

**fraud** [frɔ:d] Betrug m; F Schwindel m; ~ulent □ ['frɔ:djulənt] betrügerisch.

**fray** [frei] **1.** (sich) abnutzen; (sich) durchscheuern; **2.** Schlägerei f.

**frazzle** bsd. Am. F ['fræzl] **1.** Fetzen m/pl.; **2.** zerfetzen.

**freak** [fri:k] Einfall m, Laune f.

**freckle** ['frekl] Sommersprosse f.

**free** [fri:] **1.** □ allg. frei; freigebig (of mit); freiwillig; he is ~ to inf. es steht ihm frei, zu inf.; ~ and easy zwanglos; sorglos; make ~ sich Freiheiten erlauben; set ~ freilassen; **2.** befreien; freilassen, et. freimachen; ~booter ['fri:bu:tə] Freibeuter m; ~dom □ ['fri:dəm] Freiheit f; freie Benutzung; Offenheit f; Zwanglosigkeit f; (plumpe) Vertraulichkeit; ~ of a city (Ehren-)Bürgerrecht n; ~holder Grundeigentümer m; ~man freier Mann; Vollbürger m; ~mason Freimaurer m; ~wheel Freilauf m.

**freez|e** [fri:z] (irr.) v/i. (ge)frieren; erstarren; v/t. gefrieren lassen; ~er ['fri:zə] Eismaschine f; Gefriermaschine f; Gefriertruhe f; ~ing □ [~ziŋ] eisig; ~ point Gefrierpunkt m.

**freight** [freit] **1.** Fracht(geld n) f; attr. Am. Güter...; **2.** be-, verfrachten; ~car Am. 🚋 ['freitka:] Güterwagen m; ~ train Am. Güterzug m.

**French** [frentʃ] **1.** französisch; take ~ leave heimlich weggehen; ~ window Balkon-, Verandatür f; **2.** Französisch n; the ~ pl. die Franzosen pl.; ~man ['frentʃmən] Franzose m.

**frenz|ied** ['frenzid] wahnsinnig; ~y [~zi] Wahnsinn m.

**frequen|cy** ['fri:kwənsi] Häufigkeit f; ⚡ Frequenz f; ~t **1.** □ [~nt] häufig; **2.** [fri'kwent] (oft) besuchen.

**fresh** □ [freʃ] frisch; neu; unerfahren; Am. F frech; ~ water Süßwas-

ser n; ~en ['freʃn] frisch machen od. werden; ~et [~ʃit] Hochwasser n; fig. Flut f; ~man univ. Student m im ersten Jahr; ~ness [~ʃnis] Frische f; Neuheit f; Unerfahrenheit f; ~water Süßwasser...; ~ college Am. drittrangiges College.

**fret** [fret] **1.** Aufregung f; Ärger m; ♪ Bund m, Griffleiste f; **2.** zerfressen; (sich) ärgern; (sich) grämen; ~ away, ~ out aufreiben.

**fretful** □ ['fretful] ärgerlich.

**fret-saw** ['fretsɔ:] Laubsäge f.

**fretwork** ['fretwə:k] (geschnitztes) Gitterwerk; Laubsägearbeit f.

**friar** ['fraiə] Mönch m.

**friction** ['frikʃən] Reibung f (a. fig.).

**Friday** ['fraidi] Freitag m.

**fridge** F [fridʒ] Kühlschrank m.

**friend** [frend] Freund(in); Bekannte(r m) f; ~ly ['frendli] freund(schaft)lich; ~ship [~dʃip] Freundschaft f.

**frigate** ⚓ ['frigit] Fregatte f.

**frig(e)** F [fridʒ] = fridge.

**fright** [frait] Schreck(en) m; fig. Vogelscheuche f; ~en ['fraitn] erschrecken; ~ed at od. of bange vor (dat.); ~ful □ [~tful] schrecklich.

**frigid** □ ['fridʒid] kalt, frostig.

**frill** [fril] Krause f, Rüsche f.

**fringe** [frindʒ] **1.** Franse f; Rand m; a. ~s pl. Ponyfrisur f; **2.** mit Fransen besetzen.

**frippery** ['fripəri] Flitterkram m.

**Frisian** ['frizian] friesisch.

**frisk** [frisk] **1.** Luftsprung m; **2.** hüpfen; sl. nach Waffen etc. durchsuchen; ~y [~i] ['friski] munter.

**fritter** ['fritə] **1.** Pfannkuchen m, Krapfen m; **2.**: ~ away verzetteln.

**frivol|ity** [fri'vɔliti] Frivolität f; Leichtfertigkeit f; ~ous □ ['frivələs] nichtig; leichtfertig.

**frizzle** ['frizl] a. ~ up (sich) kräuseln; Küche: brutzeln.

**fro** [frou]: to and ~ hin und her.

**frock** [frɔk] Kutte f; Frauen-Kleid n; Kittel m; Gehrock m.

**frog** [frɔg] Frosch m.

**frolic** ['frɔlik] **1.** Fröhlichkeit f; Scherz m; **2.** scherzen, spaßen; ~some □ [~ksəm] lustig, fröhlich.

**from** [frɔm; frəm] von; aus; von ... her; von ... (an); aus, vor, wegen; nach; gemäß; defend ~ schützen vor (dat.); ~ amidst mitten aus.

**front** [frʌnt] **1.** Stirn *f*; Vorderseite *f*; ✕ Front *f*; Hemdbrust *f*; Strandpromenade *f*; Kühnheit *f*, Frechheit *f*; *in* ~ vorn; *in* ~ *of räumlich* vor; **2.** Vorder...; **3.** *a.* ~ *on*, ~ *towards* die Front haben nach; gegenüberstehen, gegenübertreten (*dat.*); **~al** ['frʌntl] Stirn...; Front...; Vorder...; ~ **door** Haustür *f*; **~ier** [ʌtjə] Grenze *f*, *bsd. Am. hist.* Grenze zum Wilden Westen; *attr.* Grenz...; **~iersman** [ʌɔzmən] Grenzbewohner *m*; *fig.* Pionier *m*; **~ispiece** [ʌtispiːs] △ Vorderseite *f*; *typ.* Titelbild *n*; ~ **man** *fig.* Aushängeschild *n*; **~page** *Zeitung*: Titelseite *f*; **~wheel drive** *mot.* Vorderradantrieb *m*.

**frost** [frɔst] **1.** Frost *m*; *a.* hoar ~, white ~ Reif *m*; **2.** (mit Zucker) bestreuen; glasieren; mattieren; **~ed glass** Milchglas *n*; **~bite** 🕱 ['frɔstbaɪt] Erfrierung *f*; **~y** □ [ʌti] frostig; bereift.

**froth** [frɔθ] **1.** Schaum *m*; **2.** schäumen; zu Schaum schlagen; **~y** □ ['frɔθi] schaumig; *fig.* seicht.

**frown** [fraun] **1.** Stirnrunzeln *n*; finsterer Blick; **2.** *v/i.* die Stirn runzeln; finster blicken.

**frow|sty** □ ['frausti], **~zy** ['frauzi] moderig; schlampig.

**froze** [frouz] *pret. von* freeze; **~n** ['frouzn] **1.** *p.p. von* freeze; **2.** *adj.* (eis)kalt; (ein)gefroren.

**frugal** □ ['fruːgəl] mäßig; sparsam.

**fruit** [fruːt] **1.** Frucht *f*; Früchte *pl.*; Obst *n*; **2.** Frucht tragen; **~erer** ['fruːtərə] Obsthändler *m*; **~ful** □ [ʌtful] fruchtbar; **~less** □ [ʌtlis] unfruchtbar.

**frustrat|e** [frʌs'treit] vereiteln; enttäuschen; **~ion** [ʌeiʃən] Vereitelung *f*; Enttäuschung *f*.

**fry** [frai] **1.** Gebratene(s) *n*; Fischbrut *f*; **2.** braten, backen; **~ing-pan** ['fraiiŋpæn] Bratpfanne *f*.

**fuchsia** ♀ ['fjuːʃə] Fuchsie *f*.

**fudge** [fʌdʒ] **1.** F zurechtpfuschen; **2.** Unsinn *m*; Weichkaramelle *f*.

**fuel** [fjuəl] **1.** Brennmaterial *n*; Betriebs-, *mot.* Kraftstoff *m*; **2.** *mot.* tanken.

**fugitive** ['fjuːdʒitiv] **1.** flüchtig (*a. fig.*); **2.** Flüchtling *m*.

**fulfil(l)** [ful'fil] erfüllen; vollziehen; **~ment** [ʌmənt] Erfüllung *f*.

**full** [ful] **1.** □ *allg.* voll; Voll...;

vollständig, völlig; reichlich; ausführlich; *of* ~ *age* volljährig; **2.** *adv.* völlig, ganz; genau; **3.** Ganze(s) *n*; Höhepunkt *m*; *in* ~ völlig; ausführlich; *to the* ~ vollständig; **~blooded** ['ful'blʌdid] vollblütig; kräftig; reinrassig; ~ **dress** Gesellschaftsanzug *m*; **~dress** ['fuldres] formell, Gala...; *Am.* ausführlich; **~fledged** ['ful'fledʒd] flügge; voll ausgewachsen; ~ **stop** Punkt *m*.

**ful(l)ness** ['fulnis] Fülle *f*.

**full-time** ['fultaim] vollbeschäftigt; Voll...

**fulminate** *fig.* ['fʌlmineit] wettern.

**fumble** ['fʌmbl] tasten; fummeln.

**fume** [fjuːm] **1.** Dunst *m*, Dampf *m*; **2.** rauchen; aufgebracht sein.

**fumigate** ['fjuːmigeit] ausräuchern; desinfizieren.

**fun** [fʌn] Scherz *m*, Spaß *m*; *make* ~ *of* sich lustig machen über (*acc.*).

**function** ['fʌŋkʃən] **1.** Funktion *f*; Beruf *m*; Tätigkeit *f*; Aufgabe *f*; Feierlichkeit *f*; **2.** funktionieren; **~ary** [ʌʃnəri] Beamte(r) *m*; Funktionär *m*.

**fund** [fʌnd] **1.** Fonds *m*; **~s** *pl.* Staatspapiere *n/pl.*; Geld(mittel *n/pl.*) *n*; Vorrat *m*; **2.** Schuld fundieren; *Geld* anlegen.

**fundamental** □ [fʌndə'mentl] **1.** grundlegend; Grund...; **2.** **~s** *pl.* Grundlage *f*, -züge *m/pl.*, -begriffe *m/pl.*

**funer|al** ['fjuːnərəl] Beerdigung *f*; *attr.* Trauer..., Begräbnis...; **~eal** □ [fju(ː)'niəriəl] traurig, düster.

**fun-fair** ['fʌnfɛə] Rummelplatz *m*.

**funicular** [fju(ː)'nikjulə] **1.** Seil...; **2.** *a.* ~ *railway* (Draht)Seilbahn *f*.

**funnel** ['fʌnl] Trichter *m*; Rauchfang *m*; ♣, 🚢 Schornstein *m*.

**funnies** *Am.* ['fʌniz] *pl.* Comics *pl.* (*primitive Bildserien*).

**funny** □ ['fʌni] spaßig, komisch.

**fur** [fəː] **1.** Pelz *m*; Belag *m* *der Zunge*; Kesselstein *m*; **~s** *pl.* Pelzwaren *pl.*; **2.** mit Pelz besetzen *od.* füttern.

**furbish** ['fəːbiʃ] putzen, polieren.

**furious** □ ['fjuəriəs] wütend; wild.

**furl** [fəːl] zs.-rollen; zs.-klappen.

**furlough** ✕ ['fəːlou] Urlaub *m*.

**furnace** ['fəːnis] Schmelz-, Hochofen *m*; (Heiz)Kessel *m*; Feuerung *f*.

**furnish** ['fə:niʃ] versehen (*with* mit); *et.* liefern; möblieren; ausstatten.

**furniture** ['fə:nitʃə] Möbel *pl.*, Einrichtung *f*; Ausstattung *f*; **sectional ~** Anbaumöbel *pl.*

**furrier** ['fʌriə] Kürschner *m*.

**furrow** ['fʌrou] **1.** Furche *f*; **2.** furchen.

**further** ['fə:ðə] **1.** *adj. u. adv.* ferner, weiter; **2.** fördern; **~ance** [~ərəns] Förderung *f*; **~more** [~ə'mɔ:] ferner, überdies; **~most** [~əmoust] weitest.

**furthest** ['fə:ðist] = *furthermost*.

**furtive** □ ['fə:tiv] verstohlen.

**fury** ['fjuəri] Raserei *f*, Wut *f*; Furie *f*.

**fuse** [fju:z] **1.** (ver)schmelzen; ⚡ durchbrennen; ausgehen (*Licht*);

⚡ mit Zünder versehen; **2.** ⚡ (Schmelz)Sicherung *f*; ⚡ Zünder *m*.

**fuselage** ['fju:zila:ʒ] (Flugzeug-) Rumpf *m*.

**fusion** ['fju:ʒən] Schmelzen *n*; Verschmelzung *f*, Fusion *f*; **~ bomb** ⚡ Wasserstoffbombe *f*.

**fuss** F [fʌs] **1.** Lärm *m*; Wesen *n*, Getue *n*; **2.** viel Aufhebens machen (*about*, um, von); (sich) aufregen.

**fusty** ['fʌsti] muffig; *fig.* verstaubt.

**futile** ['fju:tail] nutzlos, nichtig.

**future** ['fju:tʃə] **1.** (zu)künftig; **2.** Zukunft *f*; *gr.* Futur *n*, Zukunft *f*; **~s** *pl.* † Termingeschäfte *n/pl.*

**fuzz** [fʌz] **1.** feiner Flaum; Fussel *f*; **2.** fusseln, (zer)fasern.

# G

**gab** F [gæb] Geschwätz *n*; *the gift of the ~* ein gutes Mundwerk.

**gabardine** ['gæbədi:n] Gabardine *m* (*Wollstoff*).

**gabble** ['gæbl] **1.** Geschnatter *n*, Geschwätz *n*; **2.** schnattern, schwatzen.

**gaberdine** ['gæbədi:n] Kaftan *m*; = *gabardine*.

**gable** ['geibl] Giebel *m*.

**gad** F [gæd]: **~ about** sich herumtreiben.

**gadfly** *zo.* ['gædflai] Bremse *f*.

**gadget** *sl.* ['gædʒit] Dings *n*, Apparat *m*; Kniff *m*, Pfiff *m*.

**gag** [gæg] **1.** Knebel *m*; Witz *m*; **2.** knebeln; *pol.* mundtot machen.

**gage¹** [geidʒ] Pfand *n*.

**gage²** [~] = *gauge*.

**gaiety** ['geiəti] Fröhlichkeit *f*.

**gaily** ['geili] *adv. von* gay.

**gain** [gein] **1.** Gewinn *m*; Vorteil *m*; **2.** *v/t.* gewinnen; erreichen; bekommen; *v/i.* vorgehen (*Uhr*); **~ in** zunehmen an (*acc.*); **~ful** □ ['geinful] einträglich.

**gait** [geit] Gang(art *f*) *m*; Schritt *m*.

**gaiter** ['geitə] Gamasche *f*.

**gal** *Am. sl.* [gæl] Mädel *n*.

**gale** [geil] Sturm *m*; steife Brise.

**gall** [gɔ:l] **1.** Galle *f*; ⚕ Wolf *m*; Pein *f*; *bsd. Am. sl.* Frechheit *f*; **2.** wundreiben; ärgern.

**gallant** ['gælənt] **1.** □ stattlich; tapfer; galant, höflich; **2.** Kavalier *m*; **3.** galant sein; **~ry** [~tri] Tapferkeit *f*; Galanterie *f*.

**gallery** ['gæləri] Galerie *f*; Empore *f*.

**galley** ['gæli] ⚓ Galeere *f*; ⚓ Kombüse *f*; **~-proof** Korrekturfahne *f*.

**gallon** ['gælən] Gallone *f* (4,54 *Liter*, *Am. 3,78 Liter*).

**gallop** ['gæləp] **1.** Galopp *m*; **2.** galoppieren (lassen).

**gallows** ['gælouz] *sg.* Galgen *m*.

**galore** [gə'lɔ:] in Menge.

**gamble** ['gæmbl] (um Geld) spielen; **2.** F Glücksspiel *n*; **~r** [~lə] Spieler(in).

**gambol** ['gæmbəl] **1.** Luftsprung *m*; **2.** (fröhlich) hüpfen, tanzen.

**game** [geim] **1.** Spiel *n*; Scherz *m*; Wild *n*; **2.** F entschlossen; furchtlos; **3.** spielen; **~keeper** ['geimki:pə] Wildhüter *m*; **~licence** Jagdschein *m*; **~ster** ['geimstə] Spieler(in).

**gander** ['gændə] Gänserich *m*.

**gang** [gæŋ] **1.** Trupp *m*; Bande *f*;

2. ~ *up* sich zs.-rotten *od.* zs.-tun;
**~-board** ♣ ['gænbɔːd] Laufplanke
*f.*

**gangster** *Am.* ['gæŋstə] Gangster *m.*

**gangway** ['gæŋwei] (Durch)Gang
*m;* ♣ Fallreep *n;* ♣ Laufplanke *f.*

**gaol** [dʒeil], **~-bird** ['dʒeilbɔːd],
**~er** ['dʒeilə] *s. jail etc.*

**gap** [gæp] Lücke *f;* Kluft *f;* Spalte *f.*

**gape** [geip] gähnen; klaffen; gaffen.

**garage** ['gærɑːʒ] 1. Garage *f;* Auto-
werkstatt *f;* 2. *Auto* einstellen.

**garb** [gɑːb] Gewand *n,* Tracht *f.*

**garbage** ['gɑːbidʒ] Abfall *m;*
Schund *m;* ~ *can Am.* Mülltonne *f;*
~ *pail* Mülleimer *m.*

**garden** ['gɑːdn] 1. Garten *m;*
2. Gartenbau treiben; **~er** [~nə]
Gärtner(in); **~ing** [~niŋ] Garten-
arbeit *f.*

**gargle** ['gɑːgl] 1. gurgeln; 2. Gur-
gelwasser *n.*

**garish** □ ['gɛəriʃ] grell, auffallend.

**garland** ['gɑːlənd] Girlande *f.*

**garlic** ♣ ['gɑːlik] Knoblauch *m.*

**garment** ['gɑːmənt] Gewand *n.*

**garnish** ['gɑːniʃ] garnieren; zieren.

**garret** ['gærət] Dachstube *f.*

**garrison** ✕ ['gærisn] 1. Besatzung
*f;* Garnison *f;* 2. mit e-r Besatzung
belegen.

**garrulous** □ ['gærələs] schwatzhaft.

**garter** ['gɑːtə] Strumpfband *n; Am.*
Socken-, Strumpfhalter *m.*

**gas** [gæs] 1. Gas *n; Am.* = *gasoline;*
2. *v/t.* vergasen; *v/i.* F faseln; **~eous**
['geizjəs] gasförmig.

**gash** [gæʃ] 1. klaffende Wunde;
Hieb *m;* Riß *m;* 2. tief (ein)schnei-
den in (*acc.*).

**gas|-light** ['gæslait] Gasbeleuch-
tung *f;* **~-meter** Gasuhr *f;* **~o-
lene, ~oline** *Am. mot.* ['gæsəliːn]
Benzin *n.*

**gasp** [gɑːsp] 1. Keuchen *n;* 2. keuchen; nach Luft schnappen.

**gas|sed** [gæst] gasvergiftet; **~-stove**
['gæs'stouv] Gasofen *m,* -herd *m;*
**~-works** ['gæswɔːks] *sg.* Gaswerk
*n,* -anstalt *f.*

**gat** *Am. sl.* [gæt] Revolver *m.*

**gate** [geit] Tor *n;* Pforte *f;* Sperre *f;*
**~man** ['geitmən] Schranken-
wärter *m;* **~way** Tor(weg *m*) *n;*
Einfahrt *f.*

**gather** ['gæðə] 1. *v/t.* (ein-, ver-)
sammeln; ernten; pflücken; schlie-

ßen (*from* aus); zs.-ziehen; kräuseln; ~ *speed* schneller werden; *v/i.*
sich (ver)sammeln; sich vergrößern; ✻ *u. fig.* reifen; 2. Falte *f;*
**~ing** [~əriŋ] Versammlung *f;* Zs.-
kunft *f.*

**gaudy** □ ['gɔːdi] grell; protzig.

**gauge** [geidʒ] 1. (Normal)Maß *n;*
Maßstab *m;* ⊕ Lehre *f;* 🚄 Spurweite *f;* Meßgerät *n;* 2. eichen;
(aus)messen; *fig.* abschätzen.

**gaunt** □ [gɔːnt] hager; finster.

**gauntlet** ['gɔːntlit] *fig.* Fehde-
handschuh *m; run the* ~ Spieß-
ruten laufen.

**gauze** [gɔːz] Gaze *f.*

**gave** [geiv] *pret. von* give.

**gavel** *Am.* ['gævl] Hammer *m des
Versammlungsleiters od. Auktiona-
tors.*

**gawk** F [gɔːk] Tölpel *m;* **~y** [gɔː'ki]
tölpisch.

**gay** □ [gei] lustig, heiter; bunt, lebhaft, glänzend.

**gaze** [geiz] 1. starrer *od.* aufmerk-
samer Blick; 2. starren.

**gazette** [gə'zet] 1. Amtsblatt *n;*
2. amtlich bekanntgeben.

**gear** [giə] 1. ⊕ Getriebe *n; mot.*
Gang *m;* Mechanismus *m;* Gerät *n;*
*in* ~ mit eingelegtem Gang; *in* Betrieb; *out of* ~ im Leerlauf; außer
Betrieb; *landing* ~ 🛬 Fahrgestell *n;*
*steering* ~ ♣ Ruderanlage *f; mot.*
Lenkung *f;* 2. einschalten; ⊕
greifen; **~ing** ['giəriŋ] (Zahnrad-)
Getriebe *n;* Übersetzung *f;* **~-
lever,** *bsd. Am.* **~-shift** Schalthebel
*m.*

**gee** [dʒi:] 1. *Kindersprache:* Hottehü
*n* (*Pferd*); 2. *Fuhrmannsruf:* hü!
hott!; *Am.* nanu!, so was!

**geese** [giːs] *pl. von* goose.

**gem** [dʒem] Edelstein *m;* Gemme *f;*
*fig.* Glanzstück *n.*

**gender** *gr.* ['dʒendə] Genus *n,*
Geschlecht *n.*

**general** ['dʒenərəl] 1. □ allgemein;
gewöhnlich; Haupt...; General...;
~ *election* allgemeine Wahlen; 2. ✕
General *m;* Feldherr *m;* **~ity**
[dʒenə'ræliti] Allgemeinheit *f; die
große Masse;* **~ize** ['dʒenərəlaiz]
verallgemeinern; **~ly** [~li] im allgemeinen, überhaupt; gewöhnlich.

**generat|e** ['dʒenəreit] erzeugen;
**~ion** [dʒenə'reiʃən] (Er)Zeugung *f;*
Generation *f;* Menschenalter *n;*

**~or** ['dʒenəreitə] Erzeuger *m*; ⊕ Generator *m*; *bsd. Am. mot.* Lichtmasch·ne *f*.

**gener|osity** [dʒenə'rɒsiti] Großmut *f*; Großzügigkeit *f*; **~ous** □ ['dʒenərəs] großmütig, großzügig.

**genial** □ ['dʒiːnjəl] freundlich; anregend; gemütlich (*Person*); heiter.

**genitive** *gr.* ['dʒenitiv] *a.* **~ case** Genitiv *m*.

**genius** ['dʒiːnjəs] Geist *m*; Genie *n*.

**gent** F [dʒent] Herr *m*.

**genteel** □ [dʒen'tiːl] vornehm; elegant.

**gentile** ['dʒentail] **1.** heidnisch, nichtjüdisch; **2.** Heid|e *m*, -in *f*.

**gentle** □ ['dʒentl] sanft, mild; zahm; leise, sacht; vornehm; **~man** Herr *m*; Gentleman *m*; **~manlike**, **~manly** [~li] gebildet; vornehm; **~ness** [~nis] Sanftheit *f*; Milde *f*, Güte *f*, Sanftmut *f*.

**gentry** ['dʒentri] niederer Adel; gebildete Stände *m/pl.*

**genuine** □ ['dʒenjuin] echt; aufrichtig.

**geography** [dʒi'ɒɡrəfi] Geographie *f*.

**geology** [dʒi'ɒlədʒi] Geologie *f*.

**geometry** [dʒi'ɒmitri] Geometrie *f*.

**germ** [dʒəːm] **1.** Keim *m*; **2.** keimen.

**German**[1] ['dʒəːmən] **1.** deutsch; **2.** Deutsche(r *m*) *f*; Deutsch *n*.

**german**[2] [~] **brother ~** leiblicher Bruder; **~e** [dʒəː'mein] (*to*) verwandt (mit); entsprechend (*dat.*).

**germinate** ['dʒəːmineit] keimen.

**gesticulat|e** [dʒes'tikjuleit] gestikulieren; **~ion** [dʒestikju'leiʃən] Gebärdenspiel *n*.

**gesture** ['dʒestʃə] Geste *f*, Gebärde *f*.

**get** [get] [*irr.*] *v/t.* erhalten, bekommen, F kriegen; besorgen; holen; bringen; erwerben; verdienen; ergreifen, fassen; (veran)lassen; *mit adv. mst* bringen, machen; *have got* haben; **~** *one's hair cut* sich das Haar schneiden lassen; **~** *by heart* auswendig lernen; *v/i.* gelangen, geraten, kommen; gehen; werden; **~** *ready* sich fertig machen; **~** *about* auf den Beinen sein; **~** *abroad* bekannt werden; **~** *ahead* vorwärtskommen; **~** *at* (heran)kommen an ... (*acc.*); zu *et.* kommen; **~** *away* wegkommen; sich fortmachen; **~** *in* einsteigen; **~** *on*

*with s.o.* mit j-m auskommen; **~** *out* aussteigen; **~** *to hear* (*know, learn*) erfahren; **~** *up* aufstehen; **~-up** ['getʌp] Aufmachung *f*; *Am.* F Unternehmungsgeist *m*.

**ghastly** ['ɡɑːstli] gräßlich; schrecklich; (toten)bleich; gespenstisch.

**gherkin** ['ɡəːkin] Gewürzgurke *f*.

**ghost** [ɡoust] Geist *m*, Gespenst *n*; *fig.* Spur *f*; **~like** ['ɡoustlaik], **~ly** [~li] geisterhaft.

**giant** ['dʒaiənt] **1.** riesig; **2.** Riese *m*.

**gibber** ['dʒibə] kauderwelschen; **~ish** ['ɡibəriʃ] Kauderwelsch *n*.

**gibbet** ['dʒibit] **1.** Galgen *m*; **2.** hängen.

**gibe** [dʒaib] verspotten, aufziehen.

**giblets** ['dʒiblits] *pl.* Gänseklein *n*.

**gidd|iness** ['ɡidinis] ⚕ Schwindel *m*; Unbeständigkeit *f*; Leichtsinn *m*; **~y** □ ['ɡidi] schwind(e)lig; leichtfertig; unbeständig; albern.

**gift** [ɡift] Gabe *f*; Geschenk *n*; Talent *n*; **~ed** ['ɡiftid] begabt.

**gigantic** [dʒai'ɡæntik] (~*ally*) riesenhaft, riesig, gigantisch.

**giggle** ['ɡiɡl] **1.** kichern; **2.** Gekicher *n*.

**gild** [ɡild] [*irr.*] vergolden; verschönen; **~ed** *youth* Jeunesse *f* dorée.

**gill** [ɡil] *ichth.* Kieme *f*; ⚓ Lamelle *f*.

**gilt** [ɡilt] **1.** *pret. u. p.p. von* gild; **2.** Vergoldung *f*.

**gimmick** *Am. sl.* ['ɡimik] Trick *m*.

**gin** [dʒin] Gin *m* (*Wacholderschnaps*); Schlinge *f*; ⊕ Entkörnungsmaschine *f*.

**ginger** ['dʒindʒə] **1.** Ingwer *m*; Lebhaftigkeit *f*; **2.** **~** *up* in Schwung bringen; **3.** hellrot, rötlich-gelb; **~bread** Pfefferkuchen *m*; **~ly** [~li] zimperlich; sachte.

**gipsy** ['dʒipsi] Zigeuner(in).

**gird** [ɡəːd] sticheln; [*irr.*] (um)gürten; umgeben.

**girder** ⊕ ['ɡəːdə] Tragbalken *m*.

**girdle** ['ɡəːdl] **1.** Gürtel *m*; Hüfthalter *m*, -gürtel *f*; **2.** umgürten.

**girl** [ɡəːl] Mädchen *n*; ♀ **Guide** ['ɡəːlɡaid] Pfadfinderin *f*; **~hood** ['ɡəːlhud] Mädchenzeit *f*; Mädchenjahre *n/pl.*; **~ish** □ ['ɡəːliʃ] mädchenhaft; **~y** *Am.* F ['ɡəːli] mit spärlich bekleideten Mädchen (*Magazin, Varieté etc.*).

**girt** [ɡəːt] *pret. u. p.p. von* gird.

**girth** [gə:θ] (Sattel)Gurt *m*; Umfang *m*.

**gist** [dʒist] *das* Wesentliche.

**give** [giv] [*irr.*] *v/t.* geben; ab-, übergeben; her-, hingeben; überlassen; zum besten geben; schenken; gewähren; von sich geben; ergeben; ~ *birth* to zur Welt bringen; ~ *away* verschenken; F verraten; ~ *forth* von sich geben; herausgeben; ~ *in* einreichen; ~ *up* *Geschäft etc.* aufgeben; *j-n* ausliefern; *v/i. mst* ~ *in* nachgeben; weichen; ~ *into*, ~ (*up*)*on* hinausgehen auf (*acc.*) (*Fenster etc.*); ~ *out* aufhören; versagen; ~ **and take** [givn'teik] (Meinungs)Austausch *m*; Kompromiß *m*, *n*; **~away** Preisgabe *f*; ~ *show od. program bsd. Am. Radio, Fernsehen*: öffentliches Preisraten; **~n** ['givn] 1. *p.p. von* give; 2. ~ to ergeben (*dat.*).

**glaci|al** [ɔ] ['gleisjəl] eisig; Eis...; Gletscher...; **~er** ['glæsjə] Gletscher *m*.

**glad** [ɔ] [glæd] froh, erfreut; erfreulich; **~ly** gern; **~den** ['glædn] erfreuen.

**glade** [gleid] Lichtung *f*; *Am.* sumpfige Niederung.

**gladness** ['glædnis] Freude *f*.

**glair** [glɛə] Eiweiß *n*.

**glamo|rous** ['glæmərəs] bezaubernd; **~(u)r** ['glæmə] 1. Zauber *m*, Glanz *m*, Reiz *m*; 2. bezaubern.

**glance** [glɑ:ns] 1. Schimmer *m*, Blitz *m*; flüchtiger Blick; 2. hinweggleiten; *mst* ~ *off* abprallen; blitzen; glänzen; ~ *at* flüchtig ansehen; anspielen auf (*acc.*).

**gland** *anat.* [glænd] Drüse *f*.

**glare** [glɛə] 1. grelles Licht; wilder, starrer Blick; 2. grell leuchten; wild blicken; (*at* an)starren.

**glass** [glɑ:s] 1. Glas *n*; Spiegel *m*; Opern-, Fernglas *n*; Barometer *n*; (*a pair of*) ~es *pl.* (eine) Brille; 2. gläsern; Glas...; 3. verglasen; **~case** ['glɑ:skeis] Vitrine *f*; Schaukasten *m*; **~house** Treibhaus *n*; ✕ *sl.* Bau *m*; **~y** [~si] gläsern; glasig.

**glaz|e** [gleiz] 1. Glasur *f*; 2. *v/t.* verglasen; glasieren; polieren; *v/i.* trüb(e) *od.* glasig werden (*Auge*); **~ier** ['gleizjə] Glaser *m*.

**gleam** [gli:m] 1. Schimmer *m*, Schein *m*; 2. schimmern.

**glean** [gli:n] *v/t.* sammeln; *v/i.* Ähren lesen.

**glee** [gli:] Fröhlichkeit *f*; mehrstimmiges Lied; ~ *club* Gesangverein *m*.

**glen** [glen] Bergschlucht *f*.

**glib** [ɔ] [glib] glatt, zungenfertig.

**glid|e** [glaid] 1. Gleiten *n*; ✈ Gleitflug *m*; 2. (dahin)gleiten (lassen); e-n Gleitflug machen; **~er** ['glaidə] Segelflugzeug *n*.

**glimmer** ['glimə] 1. Schimmer *m*; *min.* Glimmer *m*; 2. schimmern.

**glimpse** [glimps] 1. flüchtiger Blick (*at* auf *acc.*); Schimmer *m*; flüchtiger Eindruck; 2. flüchtig (er)blicken.

**glint** [glint] 1. blitzen, glitzern; 2. Lichtschein *m*.

**glisten** ['glisn], **glitter** ['glitə] glitzern, glänzen.

**gloat** [glout]: ~ (*up*)*on od. over* sich weiden an (*dat.*).

**globe** [gloub] (Erd)Kugel *f*; Globus *m*.

**gloom** [glu:m], **~iness** ['glu:minis] Düsterkeit *f*, Dunkelheit *f*; Schwermut *f*; **~y** [ɔ] ['glu:mi] dunkel, düster; schwermütig; verdrießlich.

**glori|fy** ['glɔ:rifai] verherrlichen; **~ous** [ɔ] [~iəs] herrlich; glorreich.

**glory** ['glɔ:ri] 1. Ruhm *m*; Herrlichkeit *f*, Pracht *f*; Glorienschein *m*; 2. frohlocken; stolz sein.

**gloss** [glɔs] 1. Glosse *f*, Bemerkung *f*; Glanz *m*; 2. Glossen machen (zu); Glanz geben (*dat.*); ~ *over* beschönigen.

**glossary** ['glɔsəri] Wörterverzeichnis *n*.

**glossy** [ɔ] ['glɔsi] glänzend, blank.

**glove** [glʌv] Handschuh *m*.

**glow** [glou] 1. Glühen *n*; Glut *f*; 2. glühen.

**glower** ['glauə] finster blicken.

**glow-worm** ['glouwə:m] Glühwürmchen *n*.

**glucose** ['glu:kous] Traubenzucker *m*.

**glue** [glu:] 1. Leim *m*; 2. leimen.

**glum** [ɔ] [glʌm] mürrisch.

**glut** [glʌt] überfüllen.

**glutinous** [ɔ] ['glu:tinəs] klebrig.

**glutton** ['glʌtn] Unersättliche(r *m*) *f*; Vielfraß *m*; **~ous** [ɔ] [~nəs] gefräßig; **~y** [~ni] Gefräßigkeit *f*.

**G-man** *Am.* F ['dʒi:mæn] FBI-Agent *m*.

**gnarl** 118

**gnarl** [nɑːl] Knorren *m*, Ast *m*.
**gnash** [næʃ] knirschen (mit).
**gnat** [næt] (Stech)Mücke *f*.
**gnaw** [nɔː] (zer)nagen; (zer)fressen.
**gnome** [noum] Erdgeist *m*, Gnom
*m*.
**go** [gou] 1. [*irr.*] *allg.* gehen, fahren;
vergehen (*Zeit*); werden; führen
(*to nach*); sich wenden (*to an*);
funktionieren, arbeiten; passen;
kaputtgehen; *let* ~ loslassen; ~
*shares* teilen; ~ *to od. and see* besuchen; ~ *at* losgehen auf (*acc.*);
~ *between* vermitteln (zwischen);
~ *by* sich richten nach; ~ *for* gehen
nach, holen; ~ *for a walk, etc.* einen
Spaziergang *etc.* machen; ~ *in for an
examination* e-e Prüfung machen;
~ *on* weitergehen; fortfahren; ~
*through* durchgehen; durchmachen; ~ *without* sich behelfen ohne;
2. F Mode *f*; Schwung *m*, Schneid
*m*; *on the* ~ auf den Beinen; im
Gange; *it is no* ~ es geht nicht;
*in one* ~ auf Anhieb; *have a* ~ *at*
es versuchen mit.
**goad** [goud] 1. Stachelstock *m*; *fig.*
Ansporn *m*; 2. *fig.* anstacheln.
**go-ahead** F ['gouəhed] 1. zielstre-
big; unternehmungslustig; 2. *bsd.*
*Am.* F Erlaubnis *f* zum Weitermachen.
**goal** [goul] Mal *n*; Ziel *n*; *Fußball:*
Tor *n*; ~**keeper** ['goulkiːpə] Tor-
wart *m*.
**goat** [gout] Ziege *f*, Geiß *f*.
**gob** [gɔb] V Schleimklumpen *m*;
F Maul *n*; *Am.* F Blaujacke *f* (*Matrose*).
**gobble** ['gɔbl] gierig verschlingen;
~**dygook** *Am. sl.* [~diguk] Amts-,
Berufsjargon *m*; Geschwafel *n*; ~**r**
[~lə] Vielfraß *m*; Truthahn *m*.
**go-between** ['goubitwiːn] Vermitt-
ler(in).
**goblet** ['gɔblit] Kelchglas *n*; Pokal
*m*.
**goblin** ['gɔblin] Kobold *m*, Gnom
*m*.
**god**, *eccl.* ♀ [gɔd] Gott *m*; *fig.* Abgott *m*; ~**child** ['gɔdtʃaild] Paten-
kind *n*; ~**dess** ['gɔdis] Göttin *f*;
~**father** Pate *m*; ~**head** Gottheit *f*;
~**less** ['gɔdlis] gottlos; ~**like** gott-
ähnlich; göttlich; ~**ly** [~li] gottes-
fürchtig; fromm; ~**mother** Patin *f*.
**go-getter** *Am. sl.* ['gou'getə] Drauf-
gänger *m*.

**goggle** ['gɔgl] 1. glotzen; 2. ~s *pl.*
Schutzbrille *f*.
**going** ['gouiŋ] 1. gehend; im Gange
(befindlich); *be* ~ *to inf.* im Begriff
sein zu *inf.*, gleich *tun* wollen *od.*
werden; 2. Gehen *n*; Vorwärtskommen *n*; Straßenzustand *m*; Geschwindigkeit *f*, Leistung *f*; ~**s-on**
F [~ŋz'ɔn] *pl.* Treiben *n*.
**gold** [gould] 1. Gold *n*; 2. golden;
~**-digger** *Am.* ['goulddigə] Gold-
gräber *m*; ~**en** *mst fig.* [~dən] golden, goldgelb; ~**finch** *zo.* Stieglitz
*m*; ~**smith** Goldschmied *m*.
**golf** [gɔlf] 1. Golf(spiel) *n*; 2. Golf
spielen; ~**course** ['gɔlfkɔːs], ~
**links** *pl.* Golfplatz *m*.
**gondola** ['gɔndələ] Gondel *f*.
**gone** [gɔn] 1. *p.p. von* go 1; 2. *adj.*
fort; F futsch; vergangen; tot; F
hoffnungslos.
**good** [gud] 1. *allg.* gut; artig; gütig;
♱ zahlungsfähig; gründlich; ~ *at*
geschickt in (*dat.*); 2. Gute(s) *n*;
Wohl *n*, Beste(s) *n*; ~s *pl.* Waren
*f/pl.*; Güter *n/pl.*; *that's no* ~ das
nützt nichts; *for* ~ für immer;
~**-by(e)** 1. [gud'bai] Lebewohl *n*;
2. ['gud'bai] (auf) Wiedersehen!;
♀ **Friday** Karfreitag *m*; ~**ly** ['gudli]
anmutig, hübsch; *fig.* ansehnlich;
~**natured** gutmütig; ~**ness** [~nis]
Güte *f*; *das* Beste; *thank* ~! Gott
sei Dank!; ~**will** Wohlwollen *n*;
♱ Kundschaft *f*; ♱ Firmenwert *m*.
**goody** ['gudi] Bonbon *m*, *n*.
**goon** *Am. sl.* [guːn] bestellter Schläger *bsd. für Streik*; Dummkopf *m*.
**goose** [guːs], *pl.* **geese** [giːs] Gans *f*
(*a. fig.*); Bügeleisen *n*.
**gooseberry** ['guzbəri] Stachelbeere
*f*.
**goose|-flesh** ['guːsfleʃ], *Am.* ~
**pimples** *pl. fig.* Gänsehaut *f*.
**gopher** *bsd. Am.* ['goufə] Erdeich-
hörnchen *n*.
**gore** [gɔː] 1. (geronnenes) Blut;
*Schneiderei:* Keil *m*; 2. durchbohren, aufspießen.
**gorge** [gɔːdʒ] 1. Kehle *f*, Schlund
*m*; enge (Fels)Schlucht *f*; 2. (ver-)
schlingen; (sich) vollstopfen.
**gorgeous** □ ['gɔːdʒəs] prächtig.
**gory** □ ['gɔːri] blutig.
**gospel** ['gɔspəl] Evangelium *n*.
**gossip** ['gɔsip] 1. Geschwätz *n*;
Klatschbase *f*; 2. schwatzen.
**got** [gɔt] *pret. u. p.p. von* get.

**Gothic** ['goθik] gotisch; *fig.* barbarisch.

**gotten** *Am.* ['gɔtn] *p.p. von* get.

**gouge** [gaudʒ] **1.** ⊕ Hohlmeißel *m*; **2.** ausmeißeln; *Am.* F betrügen.

**gourd** ⚘ [guəd] Kürbis *m*.

**gout** ⚕ [gaut] Gicht *f*.

**govern** ['gʌvən] *v/t.* regieren, beherrschen; lenken, leiten; *v/i.* herrschen; **~ess** [~nis] Erzieherin *f*; **~ment** ['gʌvnmənt] Regierung(sform) *f*; Leitung *f*; Herrschaft *f* (*of* über *acc.*); Ministerium *n*; *attr.* Staats...; **Statthalterschaft** *f*; **~mental** [gʌvən'mentl] Regierungs...; **~or** ['gʌvənə] Gouverneur *m*; Direktor *m*, Präsident *m*; F Alte(r) *m* (*Vater, Chef*).

**gown** [gaun] **1.** (Frauen)Kleid *n*; Robe *f*, Talar *m*; **2.** kleiden.

**grab** F [græb] **1.** grapsen; an sich reißen, packen; **2.** plötzlicher Griff; ⊕ Greifer *m*; **~bag** *bsd. Am.* Glückstopf *m*.

**grace** [greis] **1.** Gnade *f*; Gunst *f*; (Gnaden)Frist *f*; Grazie *f*, Anmut *f*; Anstand *m*; Zier(de) *f*; Reiz *m*; Tischgebet *n*; *Your* ⚹ Euer Gnaden; **2.** zieren, schmücken; begünstigen, auszeichnen; **~ful** ['greisful] anmutig; **~fulness** [~lnis] Anmut *f*.

**gracious** □ ['greiʃəs] gnädig.

**gradation** [grə'deiʃən] Abstufung *f*.

**grade** [greid] **1.** Grad *m*, Rang *m*; Stufe *f*; Qualität *f*; *bsd. Am.* = *gradient*; *Am. Schule:* Klasse *f*, Note *f*; make the ~ *Am.* Erfolg haben; ~ *crossing bsd. Am.* schienengleicher Bahnübergang; **~(d)** school *bsd. Am.* Grundschule *f*; **2.** abstufen; einstufen; ⊕ planieren.

**gradient** 🚂 *etc.* ['greidjənt] Steigung *f*.

**gradua|l** □ ['grædjuəl] stufenweise, allmählich; **~te 1.** [~ueit] graduieren; (sich) abstufen; die Abschlußprüfung machen; promovieren; **2.** *univ.* [~uit] Graduierte(r *m*) *f*; **~tion** [grædju'eiʃən] Gradeinteilung *f*; Abschlußprüfung *f*; Promotion *f*.

**graft** [grɑ:ft] **1.** ⚘ Pfropfreis *n*; *Am.* Schiebung *f*; **2.** ⚘ pfropfen; ⚘ verpflanzen; *Am. fig.* schieben.

**grain** [grein] (Samen)Korn *n*; Getreide *n*; Gefüge *n*; *fig.* Natur *f*; Gran *n* (*Gewicht*).

**gram** [græm] = *gramme*.

**gramma|r** ['græmə] Grammatik *f*; **~r-school** höhere Schule, Gymnasium *n*; *Am. a.* Mittelschule *f*; **~tical** □ [grə'mætikəl] grammati(kali)sch.

**gramme** [græm] Gramm *n*.

**granary** ['grænəri] Kornspeicher *m*.

**grand** □ [grænd] **1.** *fig.* großartig; erhaben; groß; Groß..., Haupt...; ⚹ *Old Party Am.* Republikanische Partei; ~ *stand Sport:* (Haupt-)Tribüne *f*; **2.** ♪ a. ~ *piano* Flügel *m*; *Am. sl.* tausend Dollar *pl.*; **~child** ['græntʃaild] Enkel(in); **~eur** [~ndʒə] Größe *f*, Hoheit *f*; Erhabenheit *f*; **~father** Großvater *m*.

**grandiose** □ ['grændious] großartig.

**grand|mother** ['grænmʌðə] Großmutter *f*; **~parents** [~npeərənts] *pl.* Großeltern *pl.*

**grange** [greindʒ] Gehöft *n*; Gut *n*; *Am. Name für* Farmerorganisation *f*.

**granny** F ['græni] Oma *f*.

**grant** [grɑ:nt] **1.** Gewährung *f*; Unterstützung *f*; Stipendium *n*; **2.** gewähren; bewilligen; verleihen; zugestehen; 🔨 übertragen; *take for* ~*ed* als selbstverständlich annehmen.

**granul|ate** ['grænjuleit] (sich) körnen; **~e** [~ju:l] Körnchen *n*.

**grape** [greip] Weinbeere *f*, -traube *f*; **~fruit** ⚘ ['greipfru:t] Pampelmuse *f*.

**graph** [græf] graphische Darstellung; **~ic(al** □) ['græfik(əl)] graphisch; anschaulich; *graphic arts pl.* Graphik *f*; **~ite** *min.* [~fait] Graphit *m*.

**grapple** ['græpl] entern; packen; ringen.

**grasp** [grɑ:sp] **1.** Griff *m*; Bereich *m*; Beherrschung *f*; Fassungskraft *f*; **2.** (er)greifen, packen; begreifen.

**grass** [grɑ:s] Gras *n*; Rasen *m*; *send to* ~ auf die Weide schicken; **~hopper** ['grɑ:shɔpə] Heuschrecke *f*; ~ *roots pl. Am. pol.* die landwirtschaftlichen Bezirke, die Landbevölkerung; **~widow(er)** F Strohwitwe(r *m*) *f*; **~y** [~si] grasig; Gras...

**grate** [greit] **1.** (Kamin)Gitter *n*; (Feuer)Rost *m*; **2.** (zer)reiben; mit *et.* knirschen; *fig.* verletzen.

**grateful** □ ['greitful] dankbar.

**grater** ['greitə] Reibeisen *n*.

**grati|fication** [grætifi'keiʃən] Befriedigung *f*; Freude *f*; **~fy** ['grætifai] erfreuen; befriedigen.

**grating** ['greitiŋ] 1. □ schrill; unangenehm; 2. Gitter(werk) *n*.

**gratitude** ['grætitju:d] Dankbarkeit *f*.

**gratuit|ous** □ [grə'tju(:)itəs] unentgeltlich; freiwillig; **~y** [~ti] Abfindung *f*; Gratifikation *f*; Trinkgeld *n*.

**grave** [greiv] 1. □ ernst; (ge)wichtig; gemessen; 2. Grab *n*; 3. [*irr.*] *mst fig.* (ein)graben; **~-digger** ['greivdigə] Totengräber *m*.

**gravel** ['grævəl] 1. Kies *m*; ⚕ Harngrieß *m*; 2. mit Kies bedecken.

**graven** ['greivən] *p.p. von* grave 3.

**graveyard** ['greivjɑːd] Kirchhof *m*.

**gravitation** [grævi'teiʃən] Schwerkraft *f*; *fig.* Hang *m*.

**gravity** ['græviti] Schwere *f*; Wichtigkeit *f*; Ernst *m*; Schwerkraft *f*.

**gravy** ['greivi] Fleischsaft *m*, Bratensoße *f*.

**gray** *bsd. Am.* [grei] grau.

**graze** [greiz] (ab)weiden; (ab)grasen; streifen, schrammen.

**grease** 1. [griːs] Fett *n*; Schmiere *f*; 2. [griːz] (be)schmieren.

**greasy** □ ['griːzi] fettig; schmierig.

**great** □ [greit] *allg.* groß; Groß...; F großartig; **~coat** ['greit'kout] Überzieher *m*; **~-grandchild** Urenkel(in); **~-grandfather** Urgroßvater *m*; **~ly** [~tli] sehr; **~ness** [~tnis] Größe *f*; Stärke *f*.

**greed** [griːd] Gier *f*; **~y** □ ['griːdi] (be)gierig (*of*, *for* nach); habgierig.

**Greek** [griːk] 1. griechisch; 2. Grieche *m*, -in *f*; Griechisch *n*.

**green** [griːn] 1. □ grün (*a. fig.*); frisch (*Fisch etc.*); neu; Grün...; 2. Grün *n*; Rasen *m*; Wiese *f*; **~s** *pl.* frisches Gemüse; **~back** *Am.* ['griːnbæk] Dollarnote *f*; **~grocer** Gemüsehändler(in); **~grocery** Gemüsehandlung *f*; **~horn** Grünschnabel *m*; **~house** Gewächshaus *n*; **~ish** [~niʃ] grünlich; **~sickness** Bleichsucht *f*.

**greet** [griːt] (be)grüßen; **~ing** ['griːtiŋ] Begrüßung *f*; Gruß *m*.

**grenade** ✕ [gri'neid] Granate *f*.

**grew** [gruː] *pret. von* grow.

**grey** [grei] 1. □ grau; 2. Grau *n*; 3. grau machen *od.* werden; **~hound** ['greihaund] Windhund *m*.

**grid** [grid] Gitter *n*; 🚋, ⚡ Netz *n*; *Am.* Fußball: Spielfeld *n*; **~iron** ['gridaiən] (Brat)Rost *m*.

**grief** [griːf] Gram *m*, Kummer *m*; come to ~ zu Schaden kommen.

**griev|ance** ['griːvəns] Beschwerde *f*; Mißstand *m*; **~e** [griːv] kränken; (sich) grämen; **~ous** □ ['griːvəs] kränkend, schmerzlich; schlimm.

**grill** [gril] 1. grillen; braten (*a. fig.*); 2. Bratrost *m*, Grill *m*; gegrilltes Fleisch; *a.* **~-room** Grillroom *m*.

**grim** □ [grim] grimmig; schrecklich.

**grimace** [gri'meis] 1. Fratze *f*, Grimasse *f*; 2. Grimassen schneiden.

**grim|e** [graim] Schmutz *m*; Ruß *m*; **~y** □ ['graimi] schmutzig; rußig.

**grin** [grin] 1. Grinsen *f*; 2. grinsen.

**grind** [graind] 1. [*irr.*] (zer)reiben; mahlen; schleifen; *Leierkasten etc.* drehen; *fig.* schinden; mit *den Zähnen* knirschen; 2. Schinderei [*f*]; **~stone** ['graindstoun] Schleif-, Mühlstein *m*.

**grip** [grip] 1. packen, fassen (*a. fig.*); 2. Griff *m*; Gewalt *f*; Herrschaft *f*; *Am.* = gripsack.

**gripe** [graip] Griff *m*; **~s** *pl.* Kolik *f*; *bsd. Am.* Beschwerden *f/pl.*

**gripsack** *Am.* ['gripsæk] Handtasche *f*, -köfferchen *n*.

**grisly** ['grizli] gräßlich, schrecklich.

**gristle** ['grisl] Knorpel *m*.

**grit** [grit] 1. Kies *m*; Sand(stein) *m*; *fig.* Mut *m*; 2. knirschen (mit).

**grizzly** ['grizli] 1. grau; 2. Graubär *m*.

**groan** [groun] seufzen, stöhnen.

**grocer** ['grousə] Lebensmittelhändler *m*; **~ies** [~əriz] *pl.* Lebensmittel *n/pl.*; **~y** [~ri] Lebensmittelgeschäft *n*.

**groceteria** *Am.* [grousi'tiəriə] Selbstbedienungsladen *m*.

**groggy** ['grɔgi] taumelig; wackelig.

**groin** *anat.* [grɔin] Leistengegend *f*.

**groom** [grum] 1. Reit-, Stallknecht *m*; Bräutigam *m*; 2. pflegen; *Am. pol. Kandidaten* lancieren.

**groove** [gruːv] 1. Rinne *f*, Nut *f*; *fig.* Gewohnheit *f*; 2. nuten, falzen.

**grope** [group] (be)tasten, tappen.

**gross** [grous] 1. □ dick; grob;

derb; ✝ Brutto...; **2.** Gros n (*12 Dutzend*); ~*in a* ~ im ganzen.

**grotto** ['grɔtəu] Grotte f.

**grouch** Am. F [grautʃ] **1.** quengeln, meckern; **2.** Griesgram m; schlechte Laune; ~**y** ['grautʃi] quenglig.

**ground**[1] [graund] *1. pret. u. p.p. von* grind 3; **2.** ~ glass Mattglas n.

**ground**[2] [graund] **1.** *mst* Grund m; Boden m; Gebiet n; Spiel- etc. Platz m; Beweg- etc. Grund m; ⚡ Erde f; ~ *ed.* Grundstück n, Park(s pl.) m, Gärten m/pl.; ~ Kaffee-Satz m; on the ~(s) of auf Grund (gen.); stand od. hold od. keep one's ~ sich behaupten; **2.** niederlegen; (be)gründen; j-m die Anfangsgründe beibringen; ⚡ erden; ~**floor** ['graund'flɔ:] Erdgeschoß n; ~**hog** [~dhɔg] bsd. Am. Murmeltier n; ~**less** □ [~dlis] grundlos; ~**staff** ⚡ Bodenpersonal n; ~**work** Grundlage f.

**group** [gru:p] **1.** Gruppe f; **2.** (sich) gruppieren.

**grove** [grəuv] Hain m; Gehölz n.

**grovel** *mst fig.* ['grɔvl] kriechen.

**grow** [grəu] [*irr.*] v/i. wachsen; werden; v/t. ♣ anpflanzen, anbauen; ~**er** ['grəuə] Bauer m, Züchter m.

**growl** [graul] knurren, brummen; ~**er** [~graulə] *fig.* Brummbär m; Am. sl. Bierkrug m.

**grow|n** [grəun] **1.** *p.p. von* grow; **2.** *adj.* erwachsen; bewachsen; ~**n-up** ['grəunʌp] **1.** erwachsen; **2.** Erwachsene(r m) f; ~**th** [grəuθ] Wachstum n; (An)Wachsen n; Entwicklung f; Wuchs m; Gewächs n, Erzeugnis n.

**grub** [grʌb] **1.** Raupe f, Larve f, Made f; *contp.* Prolet m; **2.** graben; sich abmühen; ~**by** ['grʌbi] schmierig.

**grudge** [grʌdʒ] **1.** Groll m; **2.** mißgönnen; ungern geben od. tun etc.

**gruel** [gruəl] Haferschleim m.

**gruff** □ [grʌf] grob, schroff, barsch.

**grumble** ['grʌmbl] murren; (g)rollen; ~**r** *fig.* [~lə] Brummbär m.

**grunt** [grʌnt] grunzen.

**guarant|ee** [gærən'ti:] **1.** Bürge m; = *guaranty*; **2.** bürgen für; ~**or** [~'tɔ:] Bürge m; ~**y** ['gærənti] Bürgschaft f, Garantie f, Gewähr f.

**guard** [ga:d] **1.** Wacht f; ✕ Wache f; Wächter m, Wärter m; 🚌 Schaffner

m; Schutz(vorrichtung f) m; ~s pl. Garde f; be on (off) one's ~ (nicht) auf der Hut sein; **2.** v/t. bewachen, (be)schützen (from vor dat.); v/i. sich hüten (against vor dat.); ~**ian** ['ga:djən] Hüter m, Wächter m; 🕮 Vormund m; attr. Schutz...; ~**ianship** [~nʃip] Obhut f; Vormundschaft f.

**guess** [ges] **1.** Vermutung f; **2.** vermuten; (er)raten; Am. denken. ✗

**guest** [gest] Gast m; ~**house** ['gesthaus] (Hotel)Pension f, Fremdenheim n; ~**room** Gast-, Fremdenzimmer n.

**guffaw** [gʌ'fɔ:] schallendes Gelächter.

**guidance** ['gaidəns] Führung f; (An)Leitung f.

**guide** [gaid] **1.** Führer m; ⊕ Führung f; attr. Führungs...; **2.** leiten; führen; lenken; ~**book** ['gaidbuk] Reiseführer m; ~**post** Wegweiser m.

**guild** [gild] Gilde f, Innung f; ~**hall** ['gild'hɔ:l] Rathaus n (London).

**guile** [gail] Arglist f; ~**ful** □ ['gailful] arglistig; ~**less** □ ['gaillis] arglos.

**guilt** [gilt] Schuld f; Strafbarkeit f; ~**less** □ ['giltlis] schuldlos; unkundig; ~**y** □ [~ti] schuldig; strafbar.

**guinea** ['gini] Guinee f (21 Schilling); ~**pig** Meerschweinchen n.

**guise** [gaiz] Erscheinung f, Gestalt f; Maske f.

**guitar** ♪ [gi'ta:] Gitarre f.

**gulch** Am. [gʌlʃ] tiefe Schlucht.

**gulf** [gʌlf] Meerbusen m, Golf m; Abgrund m; Strudel m.

**gull** [gʌl] **1.** Möwe f; Tölpel m; **2.** übertölpeln; verleiten (into zu).

**gullet** ['gʌlit] Speiseröhre f; Gurgel f.

**gulp** [gʌlp] Schluck m; Schlucken n.

**gum** [gʌm] **1.** a. ~s pl. Zahnfleisch n; Gummi n; Klebstoff m; ~s pl. Am. Gummischuhe m/pl.; **2.** gummieren; zukleben.

**gun** [gʌn] **1.** Gewehr n; Flinte f; Geschütz n, Kanone f; Am. Revolver m; big ~ F *fig.* hohes Tier; **2.** Am. auf die Jagd gehen; ~**boat** ['gʌnbəut] Kanonenboot n; ~**licence** Waffenschein f; ~**man** Am. Gangster m; ~**ner** ✕, ⚓

['gʌnə] Kanonier *m*; **~powder** Schießpulver *n*; **~smith** Büchsenmacher *m*.

**gurgle** ['gə:gl] gluckern, gurgeln.

**gush** [gʌʃ] **1.** Guß *m*; *fig.* Erguß *m*; **2.** (sich) ergießen, schießen (*from* aus); *fig.* schwärmen; **~er** ['gʌʃə] *fig.* Schwärmer(in); Ölquelle *f*.

**gust** [gʌst] Windstoß *m*, Bö *f*.

**gut** [gʌt] Darm *m*; ♪ Darmsaite *f*; **~s** *pl.* Eingeweide *n/pl.*; *das* Innere; *fig.* Mut *m*.

**gutter** ['gʌtə] Dachrinne *f*; Gosse *f* (*a. fig.*), Rinnstein *m*.

**guy** [gai] **1.** Halteseil *n*; F Vogelscheuche *f*; *Am.* F Kerl *m*; **2.** verulken.

**guzzle** ['gʌzl] saufen; fressen.

**gymnas|ium** [dʒim'neizjəm] Turnhalle *f*, -platz *m*; **~tics** [ˌ'næstiks] *pl.* Turnen *n*; Gymnastik *f*.

**gypsy** *bsd. Am.* ['dʒipsi] = *gipsy.*

**gyrate** [dʒaiə'reit] kreisen; wirbeln.

**gyroplane** ['dʒaiərəplein] Hubschrauber *m*.

# H

**haberdasher** ['hæbədæʃə] Kurzwarenhändler *m*; *Am.* Herrenartikelhändler *m*; **~y** [ˌ'əri] Kurzwaren (-geschäft *n*) *f/pl.*; *Am.* Herrenartikel *m/pl.*

**habit** ['hæbit] **1.** (An)Gewohnheit *f*; Verfassung *f*; Kleid(ung *f*) *n*; *fall od.* get into bad **~**s schlechte Gewohnheiten annehmen; **2.** (an)kleiden; **~able** [ˌtəbl] bewohnbar; **~ation** [hæbi'teiʃən] Wohnung *f*.

**habitual** □ [hə'bitjuəl] gewohnt, gewöhnlich; Gewohnheits...

**hack** [hæk] **1.** Hieb *m*; Einkerbung *f*; Miet-, Arbeitspferd *n* (*a. fig.*); *a.* **~** writer literarischer Lohnschreiber *m*; **2.** (zer)hacken.

**hackneyed** *fig.* ['hæknid] abgedroschen.

**had** [hæd] *pret. u. p.p. von* have.

**haddock** ['hædək] Schellfisch *m*.

**h(a)emorrhage** ⚕ ['heməridʒ] Blutsturz *m*.

**hag** [hæg] (*mst fig.* alte) Hexe.

**haggard** □ ['hægəd] verstört; hager.

**haggle** ['hægl] feilschen, schachern.

**hail** [heil] **1.** Hagel *m*; Anruf *m*; **2.** (nieder)hageln (lassen); anrufen; (be)grüßen; **~** from stammen aus; **~stone** ['heilstoun] Hagelkorn *n*; **~storm** Hagelschauer *m*.

**hair** [hɛə] Haar *n*; **~-breadth** ['hɛəbredθ] Haaresbreite *f*; **~cut** Haarschnitt *m*; **~do** *Am.* Frisur *f*; **~dresser** (*bsd.* Damen)Friseur *m*;

**~-drier** [ˌdraiə] Trockenhaube *f*; Fön *m*; **~less** ['hɛəlis] ohne Haare, kahl; **~pin** Haarnadel *f*; **~raising** ['hɛəreizin] haarsträubend; **~splitting** Haarspalterei *f*; **~y** ['hɛəri] haarig.

**hale** [heil] gesund, frisch, rüstig.

**half** [hɑ:f] **1.** *pl.* **halves** [hɑ:vz] Hälfte *f*; *by* halves nur halb; *go* halves halbpart machen, teilen **2.** halb; **~** *a crown* eine halbe Krone; **~-back** ['hɑ:f'bæk] *Fußball:* Läufer *m*; **~-breed** ['hɑ:f-bri:d] Halbblut *n*; **~-caste** Halbblut *n*; **~-hearted** □ ['hɑ:f'hɑ:tid] lustlos, lau; **~-length** Brustbild *n*; **~penny** ['heipni] halber Penny; **~-time** ['hɑ:f'taim] *Sport:* Halbzeit *f*; **~-way** halbwegs; **~-witted** einfältig, idiotisch.

**halibut** *ichth.* ['hælibət] Heilbutt *m*.

**hall** [hɔ:l] Halle *f*; Saal *m*; Vorraum *m*; Flur *m*; Diele *f*; Herren-, Gutshaus *n*; *univ.* Speisesaal *m*; **~** *of residence* Studentenwohnheim *n*.

**halloo** [hə'lu:] (hallo) rufen.

**hallow** ['hælou] heiligen, weihen; **2mas** [ˌoumæs] Allerheiligenfest *n*.

**halo** ['heilou] *ast.* Hof *m*; Heiligenschein *m*.

**halt** [hɔ:lt] **1.** Halt(estelle *f*) *m*; Stillstand *m*; **2.** (an)halten; *mst fig.* hinken; lahmen.

**halter** ['hɔ:ltə] Halfter *f*; Strick *m*.

**halve** [hɑ:v] halbieren; **~s** [hɑ:vz] *pl. von* half **1**.

**hard**

**ham** [hæm] Schenkel *m*; Schinken *m*.

**hamburger** *Am.* ['hæmbə:gə] Frikadelle *f*; mit Frikadelle belegtes Brötchen.

**hamlet** ['hæmlit] Weiler *m*.

**hammer** ['hæmə] **1.** Hammer *m*; **2.** (be)hämmern.

**hammock** *zo.* ['hæmək] Hängematte *f*.

**hamper** ['hæmpə] **1.** Geschenk-, Eßkorb *m*; **2.** verstricken; behindern.

**hamster** *zo.* ['hæmstə] Hamster *m*.

**hand** [hænd] **1.** Hand *f* (*a. fig.*); Handschrift *f*; Handbreite *f*; (Uhr)Zeiger *m*; Mann *m*, Arbeiter *m*; *Karten*: Blatt *n*; *at* ~ bei der Hand; *nahe bevorstehend*; *at first* ~ aus erster Hand; *a good* (poor) ~ *at* (un)geschickt in (*dat.*); ~ *and glove* ein Herz und eine Seele; *change* ~s den Besitzer wechseln; *lend a* ~ (mit) anfassen; *off* ~ aus dem Handgelenk *od.* Stegreif; *on* ~ ✝ vorrätig, *zur* Lager; *bsd. Am.* zur Stelle, bereit; *on one's* ~s auf dem Halse; *on the one* ~ einerseits; *on the other* ~ andererseits; ~ *to* ~ Mann gegen Mann; *come to* ~ sich bieten; einlaufen (*Briefe*); **2.** reichen; ~ *about* herumreichen; ~ *down* vererben; ~ *in* einhändigen; einreichen; ~ *over* aushändigen; **~bag** ['hændbæg] Handtasche *f*; **~bill** Hand-, Reklamezettel *m*; **~brake** ⊕ Handbremse *f*; **~cuff** Handfessel *f*; **~ful** [~dful] Handvoll *f*; F Plage *f*; **~glass** Handspiegel *m*; Leselupe *f*.

**handicap** ['hændikæp] **1.** Handikap *n*; Vorgaberennen *n*, Vorgabespiel *n*; (Extra)Belastung *f*; **2.** (extra) belasten; beeinträchtigen.

**handi|craft** ['hændikra:ft] Handwerk *n*; Handfertigkeit *f*; **~crafts-man** Handwerker *m*; **~work** Handarbeit *f*; Werk *n*.

**handkerchief** ['hæŋkətʃi(:)f] Taschentuch *n*; Halstuch *n*.

**handle** ['hændl] **1.** Griff *m*; Stiel *m*; Henkel *m*; *Pumpen- etc.* Schwengel *m*; *fig.* Handhabe *f*; *fly off the* ~ F platzen vor Wut; **2.** anfassen; handhaben; behandeln; **~bar** Lenkstange *f* *e-s Fahrrades*.

**hand|-luggage** ['hænd∧gid3] Handgepäck *n*; **~made** handgearbeitet; **~me-downs** *Am.* F *pl.* Fertigkleidung *f*; getragene Kleider *pl.*; **~rail** Geländer *n*; **~shake** Händedruck *m*; **~some** □ ['hænsəm] ansehnlich; hübsch; anständig; **work** Handarbeit *f*; **~writing** Handschrift *f*; **~y** □ ['hændi] geschickt; handlich; zur Hand.

**hang** [hæŋ] **1.** [*irr.*] *v/t.* hängen; auf-, einhängen; verhängen; (*pret. u. p.p. mst* ~ed) (er)hängen; hängen lassen; *Tapete* ankleben; *v/i.* hängen; schweben; sich neigen; ~ *about* (*Am. around*) herumlungern; sich an *j-n* hängen; ~ *back* sich zurückhalten; ~ *on* sich klammern an (*acc.*); *fig.* hängen an (*dat.*); **2.** Hang *m*; Fall *m e-r Gardine etc.*; F Wesen *n*; F *fig.* Kniff *m*; Dreh *m*.

**hangar** ['hæŋə] Flugzeughalle *f*.

**hang-dog** ['hæŋdɔg] Armesünder...

**hanger** ['hæŋə] Aufhänger *m*; Hirschfänger *m*; **~-on** *fig.* [~ər'ɔn] Klette *f*.

**hanging** ['hæŋiŋ] **1.** Hänge...; **2.** ~s *pl.* Behang *m*; Tapeten *f/pl.*

**hangman** ['hæŋmən] Henker *m*.

**hang-nail** ✗ ['hæŋneil] Niednagel *m*.

**hang-over** *sl.* ['hæŋouvə] Katzenjammer *m*, Kater *m*.

**hanker** ['hæŋkə] sich sehnen.

**hap|hazard** ['hæp'hæzəd] **1.** Zufall *m*; *at* ~ aufs Geratewohl; **2.** zufällig; **~less** □ ['hæplis] unglücklich.

**happen** ['hæpən] sich ereignen, geschehen; *he* ~*ed to be at home* er war zufällig zu Hause; ~ *(up)on* zufällig treffen auf (*acc.*); ~ *in Am.* F hereinschneien; **~ing** ['hæpniŋ] Ereignis *n*.

**happi|ly** ['hæpili] glücklicherweise; **~ness** [~inis] Glück(seligkeit *f*) *n*.

**happy** □ ['hæpi] *allg.* glücklich; beglückt; erfreut; erfreulich; geschickt; treffend; F angeheitert; **~-go-lucky** F unbekümmert.

**harangue** [hə'ræŋ] **1.** Ansprache *f*, Rede *f*; **2.** *v/t.* feierlich anreden.

**harass** ['hærəs] belästigen, quälen.

**harbo(u)r** ['ha:bə] **1.** Hafen *m*; Zufluchtsort *m*; **2.** (be)herbergen; *Rache etc.* hegen; ankern; **~age** [~ərid3] Herberge *f*; Zuflucht *f*.

**hard** [ha:d] **1.** *adj. allg.* hart; schwer; mühselig; streng; ausdauernd; fleißig; heftig; *Am.* stark (*Spirituosen*); ~ *of hearing* schwerhörig; **2.** *adv.* stark; tüchtig; mit Mühe; ~ *by* nahe bei; ~ *up* in Not; **~boiled** ['hɑ:d'bɔild] hartgesotten; *Am.* gerissen; ~ **cash** Bargeld *n;* klingende Münze; **~en** ['hɑ:dn] härten; hart machen *od.* werden; (sich) abhärten; *fig.* (sich) verhärten; † sich festigen (Preise); **~headed** nüchtern denkend; **~hearted** □ hartherzig; **~ihood** ['hɑ:dihud] Kühnheit *f;* **~iness** [~inis] Widerstandsfähigkeit *f,* Härte *f;* **~ly** ['hɑ:dli] kaum; streng; mit Mühe; **~ness** ['hɑ:dnis] Härte *f;* Schwierigkeit *f;* Not *f;* **~pan** *Am.* harter Boden, *fig.* Grundlage *f;* **~ship** ['hɑ:dʃip] Bedrängnis *f,* Not *f;* Härte *f;* **~ware** Eisenwaren *f/pl.;* **~y** □ ['hɑ:di] kühn; widerstandsfähig, hart; abgehärtet; winterfest (*Pflanze*).

**hare** [hɛə] Hase *m;* **~bell** ♀ ['hɛəbel] Glockenblume *f;* **~brained** zerfahren; **~lip** *anat.* ['hɛə'lip] Hasenscharte *f.*

**hark** [hɑ:k] horchen (*to* auf *acc.*).

**harlot** ['hɑ:lət] Hure *f.*

**harm** [hɑ:m] **1.** Schaden *m;* Unrecht *n,* Böse(s) *n;* **2.** beschädigen, verletzen; schaden, Leid zufügen (*dat.*); **~ful** □ ['hɑ:mful] schädlich; **~less** □ ['hɑ:mlis] harmlos; unschädlich.

**harmon|ic** [hɑ:'mɔnik] (~ally), **~ious** □ [hɑ:'mounjəs] harmonisch; **~ize** ['hɑ:mənaiz] *v/t.* in Einklang bringen; *v/i.* harmonieren; **~y** [~ni] Harmonie *f.*

**harness** ['hɑ:nis] **1.** Harnisch *m;* Zug-Geschirr *n; die in ~ den Sielen sterben;* **2.** anschirren; bändigen; *Wasserkraft* nutzbar machen.

**harp** [hɑ:p] **1.** Harfe *f;* **2.** Harfe spielen; ~ (*up*)*on* herumreiten auf (*dat.*).

**harpoon** [hɑ:'pu:n] **1.** Harpune *f;* **2.** harpunieren.

**harrow** ✗ ['hærou] **1.** Egge *f;* **2.** eggen; *fig.* quälen, martern.

**harry** ['hæri] plündern; quälen.

**harsh** □ [hɑ:ʃ] rauh; herb; grell; streng; schroff; barsch.

**hart** *zo.* [hɑ:t] Hirsch *m.*

**harvest** ['hɑ:vist] **1.** Ernte(zeit) *f;* Ertrag *m;* **2.** ernten; einbringen.

**has** [hæz] *3. sg. pres. von* have.

**hash** [hæʃ] **1.** gehacktes Fleisch;

*Am.* F Essen *n,* Fraß *m; fig.* Mischmasch *m;* **2.** (zer)hacken.

**hast|e** [heist] Eile *f;* Hast *f; make ~* (sich) be)eilen; **~en** ['heisn] (sich be)eilen; *j-n* antreiben; *et.* beschleunigen; **~y** □ ['heisti] (vor)eilig; hastig; hitzig, heftig.

**hat** [hæt] Hut *m.*

**hatch** [hætʃ] **1.** Brut *f,* Hecke *f;* ♣, ✗ Luke *f; serving ~* Durchreiche *f;* **2.** (aus)brüten (*a. fig.*).

**hatchet** ['hætʃit] Beil *n.*

**hatchway** ♣ ['hætʃwei] Luke *f.*

**hat|e** [heit] **1.** Haß *m;* **2.** hassen; **~eful** □ ['heitful] verhaßt; abscheulich; **~red** ['heitrid] Haß *m.*

**haught|iness** ['hɔ:tinis] Stolz *m;* Hochmut *m;* **~y** □ ['hɔ:ti] stolz; hochmütig.

**haul** [hɔ:l] **1.** Ziehen *n;* (Fisch-)Zug *m; Am.* Transport(weg) *m;* **2.** ziehen; schleppen; transportieren; ✗ fördern; ♣ abdrehen; ~ *down one's flag* die Flagge streichen; *fig.* sich geschlagen geben.

**haunch** [hɔ:ntʃ] Hüfte *f;* Keule *f von Wild.*

**haunt** [hɔ:nt] **1.** Aufenthaltsort *m;* Schlupfwinkel *m;* **2.** oft besuchen; heimsuchen; verfolgen; spuken in (*dat.*).

**have** [hæv] [*irr.*] *v/t.* haben; bekommen; *Mahlzeit* einnehmen; lassen; ~ *to do* tun müssen; *I ~ my hair cut* ich lasse mir das Haar schneiden; *he will ~ it that ...* er behauptet, daß ...; *I had better go* es wäre besser, wenn ich ginge; *I had rather go* ich möchte lieber gehen; ~ *about one* bei *od.* an sich haben; ~ *on* anhaben; ~ *it out* mit sich auseinandersetzen mit; *v/aux.* haben; *bei v/i. oft* sein; ~ *come gekommen sein.*

**haven** ['heivn] Hafen *m* (*a. fig.*).

**havoc** ['hævək] Verwüstung *f; make* ~ *of, play* ~ *with od. among* verwüsten; übel zurichten.

**haw** ♀ [hɔ:] Hagebutte *f.*

**Hawaiian** [hɑ:'waiiən] **1.** hawaiisch; **2.** Hawaiier(in).

**hawk** [hɔ:k] **1.** Habicht *m;* Falke *m;* **2.** sich räuspern; hausieren mit.

**hawthorn** ♀ ['hɔ:θɔ:n] Weißdorn *m.*

**hay** [hei] **1.** Heu *n;* **2.** heuen; **~cock** ['heikɔk] Heuhaufen *m;* **~-fever** Heuschnupfen *m;* **~loft** Heuboden *m;* **~maker** *bsd. Am.* K.o.-Schlag

*m*; ~**rick** = *haycock*; ~**seed** *bsd.*
*Am.* F Bauerntölpel *m*; ~**stack** =
*haycock.*

**hazard** ['hæzəd] **1.** Zufall *m*; Gefahr *f*, Wagnis *n*; Hasard(spiel) *n*;
**2.** wagen; ~**ous** □ [.dəs] gewagt.

**haze** [heiz] **1.** Dunst *m*; **2.** ♺ *u. Am.*
schinden; F schurigeln.

**hazel** ['heizl] **1.** ♀ Hasel(staude) *f*;
**2.** nußbraun; ~**nut** Haselnuß *f*.

**hazy** □ ['heizi] dunstig; *fig.* unklar.

**H-bomb** ✗ ['eitʃbɔm] H-Bombe *f*,
Wasserstoffbombe *f*.

**he** [hi:] **1.** er; ~ *who* derjenige, welcher; **2.** Mann *m*; *zo.* Männchen *n*;
**3.** *adj. in Zssgn:* männlich, ...männchen *n*; ~**goat** Ziegenbock *m*.

**head** [hed] **1.** *allg.* Kopf *m* (*a. fig.*);
Haupt *n* (*a. fig.*); *nach Zahlwort:*
Mann *m* (*a. pl.*); Stück *n* (*a. pl.*);
Leiter(in); Chef *m*; Kopfende *n e-s*
*Bettes etc.*; Kopfseite *f e-r Münze*;
Gipfel *m*; Quelle *f*; *Schiffs-*Vorderteil *n*; Hauptpunkt *m*, Abschnitt *m*;
Überschrift *f*; *come to a* ~ eitern
(*Geschwür*); *fig.* sich zuspitzen, zur
Entscheidung kommen; *get it into*
*one's* ~ *that* ... es sich in den Kopf
setzen, daß; ~ *over heels* Hals über
Kopf; **2.** erst; Ober...; Haupt...;
**3.** *v/t.* (an)führen; an der Spitze
von *et.* stehen; vorausgehen (*dat.*);
mit *e-r* Überschrift versehen; ~ *off*
ablenken; *v/i.* ♺ zusteuern (*for* auf
*acc.*); *Am.* entspringen (*Fluß*);
~**ache** ['hedeik] Kopfweh *n*; ~**dress** Kopfputz *m*; Frisur *f*; ~**gear** Kopfbedeckung *f*; Zaumzeug
*n*; ~**ing** ['hedin] Brief-, Titelkopf
*m*, Rubrik *f*; Überschrift *f*, Titel *m*;
*Sport:* Kopfball *m*; ~**land** ['hedlənd] Vorgebirge *n*; ~**light** *mot.*
Scheinwerfer(licht *n*) *m*; ~**line**
Überschrift *f*; Schlagzeile *f*; ~**s** *pl.*
*Radio:* das Wichtigste in Kürze;
~**long** **1.** *adj.* ungestüm; **2.** *adv.*
kopfüber; ~**master** Direktor *m e-r*
*Schule*; ~**phone** *Radio:* Kopfhörer *m*; ~**quarters** *pl.* ✗ Hauptquartier *n*; Zentral(stell)e *f*; ~**strong** halsstarrig; ~**waters** *pl.*
Quellgebiet *n*; ~**way** Fortschritt(e
*pl.*) *m*; *make* ~ vorwärtskommen;
~**word** Stichwort *n e-s Wörterbuchs*; ~**y** □ ['hedi] ungestüm; voreilig; zu Kopfe steigend.

**heal** [hi:l] heilen; ~ *up* zuheilen.

**health** [helθ] Gesundheit *f*; ~**ful** □

['helθful] gesund; heilsam; ~**resort** Kurort *m*; ~**y** □ ['helθi]
gesund.

**heap** [hi:p] **1.** Haufe(n) *m*; **2.** *a.* ~ *up*
(auf)häufen; überhäufen.

**hear** [hiə] [*irr.*] hören; erfahren;
anhören, *j-m* zuhören; erhören;
*Zeugen* verhören; *Lektion* abhören;
~**d** [hə:d] *pret. u. p.p. von* hear;
~**er** ['hiərə] (Zu)Hörer(in); ~**ing**
[.rin] Gehör *n*; Audienz *f*; ♺ Verhör *n*; Hörweite *f*; ~**say** Hörensagen *n*.

**hearse** [hə:s] Leichenwagen *m*.

**heart** [hɑ:t] *allg.* Herz *n* (*a. fig.*);
Innere(s) *n*; Kern *m*; *fig.* Schatz *m*;
*by* ~ auswendig; *out of* ~ mutlos;
*lay to* ~ sich zu Herzen nehmen;
*lose* ~ den Mut verlieren; *take* ~
sich ein Herz fassen; ~**ache**
['hɑ:teik] Kummer *m*; ~**break**
Herzeleid *n*; ~**breaking** □ [.kin]
herzzerbrechend; ~**broken** gebrochenen Herzens; ~**burn** Sodbrennen *n*; ~**en** ['hɑ:tn] ermutigen;
~**failure** ♨ Herzversagen *n*; ~**felt**
innig, tief empfunden.

**hearth** [hɑ:θ] Herd *m* (*a. fig.*).

**heart|less** □ ['hɑ:tlis] herzlos;
~**rending** ['hɑ:trendin] herzzerreißend; ~**transplant** Herzverpflanzung *f*; ~**y** ['hɑ:ti] □ herzlich;
aufrichtig; gesund; herzhaft.

**heat** [hi:t] **1.** *allg.* Hitze *f*; Wärme *f*;
Eifer *m*; *Sport:* Gang *m*, einzelner
Lauf; *zo.* Läufigkeit *f*; **2.** heizen;
(sich) erhitzen (*a. fig.*); ~**er** ⊕
['hi:tə] Erhitzer *m*; Ofen *m*.

**heath** [hi:θ] Heide *f*; ♀ Heidekraut
*n*.

**heathen** ['hi:ðən] **1.** Heid|e *m*, -in *f*;
**2.** heidnisch.

**heather** ♀ ['heðə] Heide(kraut *n*) *f*.

**heat|ing** ['hi:tin] Heizung *f*; *attr.*
Heiz...; ~ **lightning** *Am.* Wetterleuchten *n*.

**heave** [hi:v] **1.** Heben *n*; Übelkeit *f*;
**2.** [*irr.*] *v/t.* heben; schwellen;
*Seufzer* ausstoßen; *Anker* lichten;
*v/i.* sich heben, wogen, schwellen.

**heaven** ['hevn] Himmel *m*; ~**ly**
[.nli] himmlisch.

**heaviness** ['hevinis] Schwere *f*,
Druck *m*; Schwerfälligkeit *f*;
Schwermut *f*.

**heavy** □ ['hevi] *allg.* schwer;
schwermütig; schwerfällig; trüb;
drückend; heftig (*Regen etc.*); un-

wegsam (*Straße*); Schwer...; ~ **current** ⚡ Starkstrom *m*; ~-**handed** ungeschickt; ~-**hearted** niedergeschlagen; ~**weight** *Boxen*: Schwergewicht *n*.

**heckle** ['hekl] durch Zwischenfragen in die Enge treiben.

**hectic** 🏥 ['hektik] hektisch (*auszehrend*; *sl.* fieberhaft erregt).

**hedge** [hedʒ] **1.** Hecke *f*; **2.** *v/t.* einhegen, einzäunen; umgeben; ~ *up* sperren; *v/i.* sich decken; sich nicht festlegen; ~**hog** *zo.* ['hedʒhɔg] Igel *m*; *Am.* Stachelschwein *n*; ~**row** Hecke *f*.

**heed** [hi:d] **1.** Beachtung *f*, Aufmerksamkeit *f*; *take* ~ *of*, *give* od. *pay* ~ *to* achtgeben auf (*acc.*), beachten; **2.** beachten, achten auf (*acc.*); ~**less** □ ['hi:dlis] unachtsam; unbekümmert (*of* um).

**heel** [hi:l] **1.** Ferse *f*; Absatz *m*; *Am. sl.* Lump *m*; *head over* ~*s* Hals über Kopf; *down at* ~ mit schiefen Absätzen; *fig.* abgerissen; schlampig; **2.** mit e-m Absatz versehen; ~**ed** *Am.* F finanzstark; ~**er** *Am. sl. pol.* ['hi:lə] Befehlsempfänger *m*.

**heft** [heft] Gewicht *n*; *Am.* F Hauptteil *m*.

**heifer** ['hefə] Färse *f* (*junge Kuh*).

**height** [hait] Höhe *f*; Höhepunkt *m*; ~**en** ['haitn] erhöhen; vergrößern.

**heinous** □ ['heinəs] abscheulich.

**heir** [ɛə] Erbe *m*; ~ *apparent* rechtmäßiger Erbe; ~**ess** ['ɛəris] Erbin *f*; ~**loom** ['ɛəlu:m] Erbstück *n*.

**held** [held] *pret. u. p.p. von* **hold** 2.

**helibus** *Am.* F ['helibʌs] Lufttaxi *n*.

**helicopter** ✈ ['helikɔptə] Hubschrauber *m*.

**hell** [hel] Hölle *f*; *attr.* Höllen...; *what the* ~ ...? F was zum Teufel ...?; *raise* ~ Krach machen; ~**bent** ['helbent] *Am. sl.* unweigerlich entschlossen; ~**ish** □ ['helif] höllisch.

**hello** ['he'lou] hallo!

**helm** ⚓ [helm] (Steuer)Ruder *n*.

**helmet** ['helmit] Helm *m*.

**helmsman** ⚓ ['helmzmən] Steuermann *m*.

**help** [help] **1.** *allg.* Hilfe *f*; (Hilfs-) Mittel *n*; (Dienst)Mädchen *n*; **2.** *v/t.* (ab)helfen (*dat.*); unterlassen; *bei Tisch* geben, reichen;

~ *o.s.* sich bedienen, zulangen; *I could not* ~ *laughing* ich konnte nicht umhin zu lachen; *v/i.* helfen, dienen; ~**er** ['helpə] Helfer(in), Gehilf|e *m*, -in *f*; ~**ful** □ [~pful] hilfreich; nützlich; ~**ing** [~piŋ] Portion *f*; ~**less** □ [~plis] hilflos; ~**lessness** [~snis] Hilflosigkeit *f*; ~**mate**, ~**meet** Gehilf|e *m*, -in *f*; Gattin *f*.

**helter-skelter** ['heltə'skeltə] holterdiepolter.

**helve** [helv] Stiel *m*, Griff *m*.

**Helvetian** [hel'vi:fjən] Helvetier (-in); *attr.* Schweizer...

**hem** [hem] **1.** Saum *m*; **2.** *v/t.* säumen; ~ *in* einschließen; *v/i.* sich räuspern.

**hemisphere** ['hemisfiə] Halbkugel *f*.

**hem-line** ['hemlain] *Kleid:* Saum *m*.

**hemlock** ♃ ['hemlɔk] Schierling *m*; ~**tree** Schierlingstanne *f*.

**hemp** [hemp] Hanf *m*.

**hemstitch** ['hemstitf] Hohlsaum *m*.

**hen** [hen] Henne *f*; *Vogel*-Weibchen *n*.

**hence** [hens] weg; hieraus; daher; *von jetzt an*; *a year* ~ heute über s Jahr; ~**forth** ['hens'fɔ:θ], ~**forward** [~'wəd] von nun an.

**hen|-coop** ['henku:p] Hühnerstall *m*; ~**pecked** unter dem Pantoffel (stehend).

**hep** *Am. sl.* [hep]: *to be* ~ *to* kennen; ~**cat** *Am. sl.* ['hepkæt] Eingeweihte(r *m*) *f*; Jazzfanatiker(in).

**her** [hə:, hə] sie; ihr; ihr(e).

**herald** ['herəld] **1.** Herold *m*; **2.** (sich) ankündigen; ~ *in* einführen; ~**ry** [~dri] Wappenkunde *f*, Heraldik *f*.

**herb** [hə:b] Kraut *n*; ~**age** ['hə:bidʒ] Gras *n*; Weide *f*; ~**ivorous** [hə:-'bivərəs] pflanzenfressend.

**herd** [hə:d] **1.** Herde *f* (*a. fig.*); **2.** *v/t.* Vieh hüten; *v/i. a.* ~ *together* in e-r Herde leben; zs.-hausen; ~**er** ['hə:də], ~**sman** ['hə:dzmən] Hirt *m*.

**here** [hiə] hier; hierher; ~'*s to* ...! auf das Wohl von ...!

**here|after** [hiər'ɑ:ftə] **1.** künftig; **2.** Zukunft *f*; ~**by** ['hiə'bai] hierdurch.

**heredit|ary** [hi'reditəri] erblich; Erb...; ~**y** [~ti] Erblichkeit *f*.

**here|in** ['hiər'in] hierin; **~of** [hiər-'ɔv] hiervon.

**heresy** ['herəsi] Ketzerei f.

**heretic** ['herətik] Ketzer(in).

**here|tofore** ['hiətu'fɔ:] bis jetzt; ehemals; **~upon** ['hiərə'pɔn] hierauf; **~with** hiermit.

**heritage** ['heritidʒ] Erbschaft f.

**hermit** ['hə:mit] Einsiedler m.

**hero** ['hiərou] Held m; **~ic(al** □) [hi'rouik(əl)] heroisch; heldenhaft; Helden...; **~ine** ['herouin] Heldin f; **~ism** [~izəm] Heldenmut m, -tum n.

**heron** zo. ['herən] Reiher m.

**herring** ichth. ['heriŋ] Hering m.

**hers** [hə:z] der (die, das) ihrige; ihr.

**herself** [hə:'self] (sie, ihr, sich) selbst; sich; of **~** von selbst; by **~** allein.

**hesitat|e** ['heziteit] zögern, unschlüssig sein; Bedenken tragen; **~ion** [hezi'teiʃən] Zögern n; Unschlüssigkeit f; Bedenken n.

**hew** [hju:] [irr.] hauen, hacken; **~n** [hju:n] p.p. von hew.

**hey** [hei] ei!; hei!; he!, heda!

**heyday** ['heidei] 1. heisa!; oho!; 2. fig. Höhepunkt m, Blüte f.

**hi** [hai] he!, heda!; hallo!

**hicc|ough, ~up** ['hikʌp] 1. Schluk-ken m; 2. schlucken; den Schluk-ken haben.

**hid** [hid] pret. u. p.p. von hide 2; **~den** ['hidn] p.p. von hide 2.

**hide** [haid] 1. Haut f; 2. [irr.] (sich) verbergen, verstecken; **~-and-seek** ['haidənd'si:k] Versteckspiel n.

**hidebound** fig. ['haidbaund] engherzig.

**hideous** □ ['hidiəs] scheußlich.

**hiding** ['haidiŋ] F Tracht f Prügel; Verbergen n; **~-place** Versteck n.

**hi-fi** Am. ['hai'fai] = high-fidelity.

**high** [hai] 1. adj. □ allg. hoch; vornehm; gut, edel (Charakter); stolz; hochtrabend; angegangen (Fleisch); extrem; stark; üppig, flott (Leben); Hoch...; Ober...; with a **~** hand arrogant, anmaßend; in **~** spirits in gehobener Stimmung, guter Laune; **~** life die vornehme Welt; **~** time höchste Zeit; **~** words heftige Worte; 2. meteor. Hoch n; bsd. Am. für Zssgn wie high school, etc.; 3. adv. hoch; sehr, mächtig; **~ball** Am. ['haibɔ:l] Whisky m mit Soda; **~-bred** vornehm erzogen; **~-brow**

**F** 1. Intellektuelle(r m) f; 2. betont intellektuell; **~-class** erstklassig; **~-fidelity** mit höchster Wiedergabetreue, Hi-Fi; **~-grade** hochwertig; **~-handed** anmaßend; **~-land** ['hailənd] Hochland n; **~-lights** pl. fig. Höhepunkte m/pl.; **~ly** ['haili] hoch; sehr; speak **~** of s.o. j-n loben; **~-minded** hochherzig; **~ness** ['hainis] Höhe f; fig. Hoheit f; **~-pitched** schrill (Ton); steil (Dach); **~-power**: **~** station Großkraftwerk n; **~-road** Landstraße f; **~** school höhere Schule; **~-strung** überempfindlich; **~** tea frühes Abendessen mit Tee u. Fleisch etc.; **~-water** Hochwasser n; **~way** Landstraße f; fig. Weg m; **~** code Straßenverkehrsordnung f; **~wayman** Straßenräuber m.

**hike** F [haik] 1. wandern; 2. Wanderung f; bsd. Am. F Erhöhung f (Preis etc.); **~r** ['haikə] Wanderer m.

**hilarious** □ [hi'lɛəriəs] ausgelassen.

**hill** [hil] Hügel m, Berg m; **~billy** Am. F ['hilbili] Hinterwäldler m; **~ock** ['hilək] kleiner Hügel; **~side** ['hil'said] Hang m; **~y** ['hili] hügelig.

**hilt** [hilt] Griff m (bsd. am Degen).

**him** [him] ihn; ihm; den, dem(jenigen); **~self** [him'self] (er, ihm, ihn, sich) selbst; sich; of **~** von selbst; by **~** allein.

**hind¹** zo. [haind] Hirschkuh f;

**hind²** [~] Hinter...; **~er** 1. ['haində] hintere(r, -s); Hinter...; 2. ['hində] v/t. hindern (from an dat.); hemmen; **~most** ['haindmoust] hinterst, letzt.

**hindrance** ['hindrəns] Hindernis n.

**hinge** [hindʒ] 1. Türangel f; Scharnier n; fig. Angelpunkt m; 2. **~** upon fig. abhängen von.

**hint** [hint] 1. Wink m; Anspielung f; 2. andeuten; anspielen (at auf acc.).

**hinterland** ['hintəlænd] Hinterland n.                                          [butte f.\

**hip** [hip] anat. Hüfte f; ⧫ Hage-/

**hippopotamus** zo. [hipə'pɔtəməs] Flußpferd n.

**hire** ['haiə] 1. Miete f; Entgelt m, n, Lohn m; 2. mieten; j-n anstellen; **~** out vermieten.

**his** [hiz] sein(e); der (die, das) seinige.

**hiss** [his] v/i. zischen; zischeln; v/t. a. **~** off auszischen, auspfeifen.

**histor|ian** [his'tɔ:riən] Historiker *m*; **~ic(al** □) [his'tɔrik(əl)] historisch, geschichtlich; Geschichts...; **~y** ['histəri] Geschichte *f*.

**hit** [hit] **1.** Schlag *m*, Stoß *m*; *fig.* (Seiten)Hieb *m*; (Glücks)Treffer *m*; *thea.*, ♪ Schlager *m*; **2.** [*irr.*] schlagen, stoßen; treffen; auf *et.* stoßen; *Am.* F eintreffen in (*dat.*). **~ s.o.** a blow j-m e-n Schlag versetzen; **~ it off with** F sich vertragen mit; **~ (up)on** (zufällig) kommen *od.* stoßen *od.* verfallen auf (*acc.*).

**hitch** [hitʃ] **1.** Ruck *m*; ♣ Knoten *m*; *fig.* Haken *m*, Hindernis *n*; **2.** rücken; (sich) festmachen, festhaken; hängenbleiben; rutschen; **~hike** F ['hitʃhaik] per Anhalter fahren.

**hither** *lit.* ['hiðə] hierher; **~to** bisher.

**hive** [haiv] **1.** Bienenstock *m*; Bienenschwarm *m*; *fig.* Schwarm *m*; **2.** **~ up** aufspeichern; zs.-wohnen.

**hoard** [hɔ:d] **1.** Vorrat *m*, Schatz *m*; **2.** *a.* **~ up** aufhäufen; horten.

**hoarfrost** ['hɔ:'frɔst] (Rauh)Reif *m*.

**hoarse** [hɔ:s] heiser, rauh.

**hoary** ['hɔ:ri] (alters)grau.

**hoax** [houks] **1.** Täuschung *f*; Falschmeldung *f*; **2.** foppen.

**hob** [hɔb] = *hobgoblin*; *raise* **~** *bsd. Am.* F Krach schlagen.

**hobble** ['hɔbl] **1.** Hinken *n*, Humpeln *n*; F Klemme *f*, Patsche *f*; **2.** *v/i.* humpeln, hinken (*a. fig.*); *v/t.* an den Füßen fesseln.

**hobby** ['hɔbi] *fig.* Steckenpferd *n*, Hobby *n*; **~horse** Steckenpferd *n*; Schaukelpferd *n*.

**hobgoblin** ['hɔbgɔblin] Kobold *m*.

**hobo** *Am. sl.* ['houbou] Landstreicher *m*.

**hock¹** [hɔk] Rheinwein *m*.

**hock²** *zo.* [~] Sprunggelenk *n*.

**hod** [hɔd] Mörteltrog *m*.

**hoe** ✗ [hou] **1.** Hacke *f*; **2.** hacken.

**hog** [hɔg] **1.** Schwein *n* (*a. fig.*); **2.** *Mähne* stutzen; *mot.* drauflos rasen; **~gish** □ ['hɔgiʃ] schweinisch; gefräßig.

**hoist** [hɔist] **1.** Aufzug *m*; **2.** hochziehen, hissen.

**hokum** *sl.* ['houkəm] Mätzchen *n/pl.*; Kitsch *m*; Humbug *m*.

**hold** [hould] **1.** Halten *n*; Halt *m*, Griff *m*; Gewalt *f*, Einfluß *m*; ♣ Lade-, Frachtraum *m*; *catch* (*od.*

*get, lay, take, seize*) **~** *of* erfassen, ergreifen; sich aneignen; *keep* **~** *of* festhalten; **2.** [*irr.*] *v/t. allg.* halten; fest-, aufhalten; enthalten; *fig.* behalten; *Versammlung etc.* abhalten; (inne)haben; *Ansicht* vertreten; *Gedanken etc.* hegen; halten für; glauben; behaupten; **~** *one's ground*, **~** *one's own* sich behaupten; **~** *the line* *teleph.* am Apparat bleiben; **~** *on et.* (an s-m Platz fest)halten; **~** *over* aufschieben; **~** *up* aufrecht halten; (unter-)stützen; aufhalten; (räuberisch) überfallen; *v/i.* (fest)halten; gelten; sich bewähren; standhalten; **~** *forth* Reden halten; **~** *good od.* *true* gelten; sich bestätigen; **~** *off* sich fernhalten; **~** *on* ausharren; fortdauern; sich festhalten; *teleph.* am Apparat bleiben; **~** *to* festhalten an (*dat.*); **~** *up* sich (aufrecht) halten; **~er** ['houldə] Pächter *m*; Halter *m* (*Gerät*); Inhaber(in) (*bsd.* ✝); **~ing** [~diŋ] Halten *n*; Halt *m*; Pachtgut *n*; Besitz *m*; **~ company** Dachgesellschaft *f*; **~over** *Am.* Rest *m*; **~up** Raubüberfall *m*; Stauung *f*, Stockung *f*.

**hole** [houl] **1.** Loch *n*; Höhle *f*; F. Klemme *f*; *pick* **~s** *in* bekritteln; **2.** aushöhlen; durchlöchern.

**holiday** ['hɔlədi] Feiertag *m*; freier Tag; **~s** *pl.* Ferien *pl.*, Urlaub *m*; **~maker** Urlauber(in).

**holler** *Am.* F ['hɔlə] laut rufen.

**hollow** ['hɔlou] **1.** □ hohl; leer; falsch; **2.** Höhle *f*, (Aus)Höhlung *f*; *Land-*Senke *f*; **3.** aushöhlen.

**holly** ♀ ['hɔli] Stechpalme *f*.

**holster** ['houlstə] Pistolentasche *f*.

**holy** ['houli] heilig; ♀ *Thursday* Gründonnerstag *m*; **~** *water* Weihwasser *n*; ♀ *Week* Karwoche *f*.

**homage** ['hɔmidʒ] Huldigung *f*; *dc od. pay od. render* **~** huldigen (*to dat.*).

**home** [houm] **1.** Heim *n*; Haus *n*, Wohnung *f*; Heimat *f*; Mal *n*; *at* **~** zu Hause; **2.** *adj.* (ein)heimisch, inländisch; wirkungsvoll; tüchtig (*Schlag etc.*); ♀ *Office* Innenministerium *n*; **~ rule** Selbstregierung *f*; ♀ *Secretary* Innenminister *m*; **~ trade** Binnenhandel *m*; **3.** *adv* heim, nach Hause; an die richtige Stelle; gründlich; *hit od. strike* **~** den rechten Fleck treffen; ♀

**Counties** *die* Grafschaften um London; **~ economics** *Am.* Hauswirtschaftslehre *f*; **~felt** ['houmfelt] tief empfunden; **~less** ['houmlis] heimatlos; **~like** anheimelnd, gemütlich; **~ly** [..li] anheimelnd, häuslich; *fig.* hausbacken; schlicht; anspruchslos; reizlos; **~made** selbstgemacht, Hausmacher...; **~sickness** Heimweh *n*; **~stead** Anwesen *n*; **~ team** *Sport:* Gastgeber *m/pl.*; **~ward(s)** ['houmwəd(z)] heimwärts (gerichtet); Heim...; **~work** Hausaufgabe(n *pl.*) *f*, Schularbeiten *f/pl.*

**homicide** ['hɔmisaid] Totschlag *m*; Mord *m*; Totschläger(in).

**homogeneous** □ [hɔmə'dʒi:njəs] homogen, gleichartig.

**hone** ⊕ [houn] **1.** Abziehstein *m*; **2.** *Rasiermesser* abziehen.

**honest** □ ['ɔnist] ehrlich, rechtschaffen; aufrichtig; echt; **~y** [..ti] Ehrlichkeit *f*, Rechtschaffenheit *f*; Aufrichtigkeit *f*.

**honey** ['hʌni] Honig *m*; *fig.* Liebling *m*; **~comb** [..ikoum] (Honig-) Wabe *f*; **~ed** ['hʌnid] honigsüß; **~moon 1.** Flitterwochen *f/pl.*; **2.** die Flitterwochen verleben.

**honk** *mot.* [hɔŋk] hupen, tuten.

**honky-tonk** *Am. sl.* ['hɔŋkitɔŋk] Spelunke *f*.

**honorary** ['ɔnərəri] Ehren...; ehrenamtlich.

**hono(u)r** ['ɔnə] **1.** Ehre *f*; Achtung *f*; Würde *f*; *fig.* Zierde *f*; Your ♀ Euer Gnaden; **2.** (be)ehren; ✝ honorieren; **~able** □ ['ɔnərəbl] ehrenvoll; redlich; ehrbar; ehrenwert.

**hood** [hud] **1.** Kapuze *f*; *mot.* Verdeck *n*; *Am.* (Motor)Haube *f*; ⊕ Kappe *f*; **2.** mit e-r Kappe *etc.* bekleiden; ein-, verhüllen.

**hoodlum** *Am.* F ['hu:dləm] Strolch *m*.

**hoodoo** *bsd. Am.* ['hu:du:] Unglücksbringer *m*; Pech *n* (*Unglück*).

**hoodwink** ['hudwiŋk] täuschen.

**hooey** *Am. sl.* ['hu:i] Quatsch *m*.

**hoof** [hu:f] Huf *m*; Klaue *f*.

**hook** [huk] **1.** (*bsd. Angel*)Haken *m*; Sichel *f*; *by ~ or by crook* so oder so; **2.** (sich) (zu-, fest)haken; angeln (*a. fig.*); **~y** ['huki] **1.** hakig; **2.**: *play ~ Am. sl.* (die Schule) schwänzen.

**hoop** [hu:p] **1.** Faß- *etc.* Reif(en) *m*; ⊕ Ring *m*; **2.** *Fässer* binden.

**hooping-cough** 🏥 ['hu:piŋkɔf] Keuchhusten *m*.

**hoot** [hu:t] **1.** Geschrei *n*; **2.** *v/i.* heulen; johlen; *mot.* hupen; *v/t.* auspfeifen, auszischen.

**Hoover** ['hu:və] **1.** Staubsauger *m*; **2.** (mit e-m Staubsauger) saugen.

**hop** [hɔp] **1.** ♀ Hopfen *m*; Sprung *m*; F Tänzerei *f*; **2.** hüpfen, springen (über *acc.*).

**hope** [houp] **1.** Hoffnung *f*; **2.** hoffen (*for* auf *acc.*); *~ in* vertrauen auf (*acc.*); **~ful** □ ['houpful] hoffnungsvoll; **~less** □ ['houplis] hoffnungslos; verzweifelt.

**horde** [hɔ:d] Horde *f*.

**horizon** [hə'raizn] Horizont *m*.

**horn** [hɔ:n] Horn *n*; Schalltrichter *m*; *mot.* Hupe *f*; **~s** *pl.* Geweih *n*; *~ of plenty* Füllhorn *n*.

**hornet** *zo.* ['hɔ:nit] Hornisse *f*.

**horn|swoggle** *Am. sl.* ['hɔ:nswɔgl] *j-n* 'reinlegen; **~y** ['hɔ:ni] hornig; schwielig.

**horr|ible** □ ['hɔrəbl] entsetzlich; scheußlich; **~id** □ ['hɔrid] gräßlich, abscheulich; schrecklich; **~ify** [..ifai] erschrecken; entsetzen; **~or** ['hɔrə] Entsetzen *n*, Schauder *m*; Schrecken *m*; Greuel *m*.

**horse** [hɔ:s] *zo.* Pferd *n*; Reiterei *f*; Bock *m*, Gestell *n*; **~back** ['hɔ:sbæk]: *on ~* zu Pferde; **~hair** Roßhaar *n*; **~laugh** F wieherndes Lachen; **~man** Reiter *m*; **~manship** [..nʃip] Reitkunst *f*; **~ opera** *Am.* drittklassiger Wildwestfilm; **~power** Pferdestärke *f*; **~radish** Meerrettich *m*; **~shoe** Hufeisen *n*.

**horticulture** ['hɔ:tikʌltʃə] Gartenbau *m*.

**hose** [houz] Schlauch *m*; Strumpfhose *f*; *coll.* Strümpfe *m/pl.*

**hosiery** ['houʒəri] Strumpfwaren *f/pl.*

**hospitable** □ ['hɔspitəbl] gastfrei.

**hospital** ['hɔspitl] Krankenhaus *n*; ✗ Lazarett *n*; **~ity** [hɔspi'tæliti] Gastfreundschaft *f*, Gastlichkeit *f*.

**host** [houst] Wirt *m*; Gastgeber *m*; *fig.* Heer *n*; Schwarm *m*; *eccl.* Hostie *f*.

**hostage** ['hɔstidʒ] Geisel *m, f*.

**hostel** ['hɔstəl] Herberge *f*; *univ.* Studenten(wohn)heim *n*.

**hostess** ['houstis] Wirtin *f*; Gastgeberin *f*; = *air* **~**.

**hostile** 130

**hostil|e** ['hɔstail] feindlich (ge- sinnt); **~ity** [hɔs'tiliti] Feindselig- keit f (to gegen).

**hot** [hɔt] heiß; scharf; beißend; hitzig, heftig; eifrig; warm (*Speise*, *Fährte*); *Am. sl.* falsch (*Scheck*); gestohlen; radioaktiv; **~bed** ['hɔt- bed] Mistbeet n; *fig.* Brutstätte f.

**hotchpotch** ['hɔtʃpɔtʃ] Mischmasch m; Gemüsesuppe f. [chen.]

**hot dog** F ['hɔt 'dɔg] heißes Würst-

**hotel** [hou'tel] Hotel n.

**hot|head** ['hɔthed] Hitzkopf m; **~-house** Treibhaus n; **~-pot** Irish Stew n; **~ rod** *Am. sl. mot.* frisiertes altes Auto; **~spur** Hitzkopf m.

**hound** [haund] **1.** Jagd-, Spürhund m; *fig.* Hund m; **2.** jagen, hetzen.

**hour** ['auə] Stunde f; Zeit f, Uhr f; **~ly** ['auəli] stündlich.

**house 1.** [haus] *allg.* Haus n; the ♀ das Unterhaus; die Börse; **2.** [hauz] v/t. unterbringen; v/i. hausen; **~-agent** ['hauseidʒənt] Häuser- makler m; **~-breaker** ['hausbreikə] Abbrucharbeiter m; **~hold** Haus- halt m; *attr.* Haushalts-; Haus...; **~holder** Hausherr m; **~keeper** Haushälterin f; **~keeping** Haus- haltung f; **~maid** Hausmädchen n; **~warming** ['hauswɔ:miŋ] Ein- zugsfeier f; **~wife** ['hauswaif] Hausfrau f; ['hʌzif] Nähtäschchen n; **~wifery** ['hauswifəri] Haushal- tung f; **~work** Haus(halts)arbeiten f/pl.

**housing** ['hauziŋ] Unterbringung f; Wohnung f; **~** *estate* Wohnsied- lung f.

**hove** [houv] *pret. u. p.p. von* heave 2.

**hovel** ['hɔvəl] Schuppen m; Hütte f.

**hover** ['hɔvə] schweben; lungern; *fig.* schwanken; **~craft** Luftkissen- fahrzeug n.

**how** [hau] wie? **~** do you do? Begrü- ßungsformel bei der Vorstellung; **~** about ...? wie steht's mit ...? **~ever** [hau'evə] **1.** *adv.* wie auch (immer); wenn auch noch so ...; **2.** *cj.* jedoch.

**howl** [haul] **1.** heulen, brüllen; **2.** Geheul n; **~er** ['haulə] Heuler m; *sl.* grober Fehler.

**hub** [hʌb] (Rad)Nabe f; *fig.* Mittel-, Angelpunkt m.

**hubbub** ['hʌbʌb] Tumult m, Lärm m.

**hub(by)** F ['hʌb(i)] (Ehe)Mann m.

**huckleberry** ♀ ['hʌklberi] ameri- kanische Heidelbeere.

**huckster** ['hʌkstə] Hausierer(in).

**huddle** ['hʌdl] **1.** a. **~** together (sich) zs.-drängen, zs.-pressen; **~** (o.s.) up sich zs.-kauern; **2.** Gewirr n, Wirr- warr m. [cry Zetergeschrei n.]

**hue** [hju:] Farbe f; Hetze f; **~** and

**huff** [hʌf] **1.** üble Laune; **2.** v/t. grob anfahren; beleidigen; v/i. wütend werden; schmollen.

**hug** [hʌg] **1.** Umarmung f; **2.** an sich drücken, umarmen; *fig.* fest- halten an (*dat.*); sich dicht am Weg *etc.* halten.

**huge** □ [hju:dʒ] ungeheuer, riesig; **~ness** ['hju:dʒnis] ungeheure Größe.

**hulk** *fig.* [hʌlk] Klotz m. [Größe.]

**hull** [hʌl] **1.** ♀ Schale f; Hülse f; ♣ Rumpf m; **2.** enthülsen; schälen.

**hullabaloo** [hʌləbə'lu:] Lärm m.

**hullo** ['hʌlou] hallo (*bsd. teleph.*).

**hum** [hʌm] summen; brumme(l)n; *make things* **~** F Schwung in die Sache bringen.

**human** ['hju:mən] **1.** □ menschlich; **~ly** nach menschlichem Ermessen; **2.** F Mensch m; **~e** □ [hju(:)'mein] human, menschenfreundlich; **~i- tarian** [hju(:)mæni'teəriən] **1.** Men- schenfreund m; **2.** menschenfreund- lich; **~ity** [hju(:)'mæniti] mensch- liche Natur; Menschheit f; Huma- nität f; **~kind** ['hju:mən'kaind] Menschengeschlecht n.

**humble** ['hʌmbl] **1.** □ demütig; bescheiden; **2.** erniedrigen; demü- tigen.

**humble-bee** ['hʌmblbi:] Hummel f.

**humbleness** ['hʌmblnis] Demut f.

**humbug** ['hʌmbʌg] **1.** (be)schwin- deln; **2.** Schwindel m.

**humdinger** *Am. sl.* [hʌm'diŋə] Mordskerl m, -sache f.

**humdrum** ['hʌmdrʌm] eintönig.

**humid** ['hju:mid] feucht, naß; **~ity** [hju(:)'miditi] Feuchtigkeit f.

**humiliat|e** [hju(:)'milieit] erniedri- gen, demütigen; **~ion** [hju(:)mili- 'eiʃən] Erniedrigung f, Demüti- gung f.

**humility** [hju(:)'militi] Demut f.

**humming** F ['hʌmiŋ] mächtig, ge- waltig; **~bird** *zo.* Kolibri m.

**humorous** □ ['hju:mərəs] humo- ristisch, humorvoll; spaßig.

**humo(u)r** ['hju:mə] **1.** Laune f, Stimmung f; Humor m; *das Spa-*

ßige; *hist.* Körpersaft *m*; out of ~ schlecht gelaunt; 2. *j-m* s-n Willen lassen; eingehen auf (*acc.*).

**hump** [hʌmp] 1. Höcker *m*, Buckel *m*; 2. krümmen; ärgern, verdrießen; ~ o.s. *Am. sl.* sich dranhalten; **~back** ['hʌmpbæk] = hunchback.

**hunch** [hʌntʃ] 1. Höcker *m*; großes Stück; *Am.* F Ahnung *f*; 2. *a.* ~ out, ~ up krümmen; **~back** ['hʌntʃbæk] Bucklige(r *m*) *f*.

**hundred** ['hʌndrəd] 1. hundert; 2. Hundert *n*; **~th** [~dθ] 1. hundertste; 2. Hundertstel *n*; **~weight** englischer Zentner (50,8 *kg*).

**hung** [hʌŋ] 1. *pret. u. p.p. von* hang † ; 2. *adj.* abgehangen (*Fleisch*).

**Hungarian** [hʌŋ'gɛəriən] 1. ungarisch; 2. Ungar(in); Ungarisch *n*.

**hunger** ['hʌŋgə] 1. Hunger *m* (*a. fig.*; for nach); 2. *v/i.* hungern (for, after nach); *v/t.* durch Hunger zwingen (into zu).

**hungry** □ ['hʌŋgri] hungrig.

**hunk** F [hʌŋk] dickes Stück.

**hunt** [hʌnt] 1. Jagd *f* (for nach); Jagd(revier *n*) *f*; Jagd(gesellschaft) *f*; 2. jagen; *Revier* bejagen; hetzen; ~ out *od.* up aufspüren; ~ for, ~ after Jagd machen auf (*acc.*); **~er** ['hʌntə] Jäger *m*; Jagdpferd *n*; **~ing** [~tiŋ] Jagen *n*; Verfolgung *f*; *attr.* Jagd...; **~ing-ground** Jagdrevier *n*; **~sman** [~tsmən] Jäger *m*; Rüdemann *m* (*Meutenführer*).

**hurdle** ['hə:dl] Hürde *f* (*a. fig.*); **~r** [~lə] Hürdenläufer(in); **~-race** Hürdenrennen *n*.

**hurl** [hə:l] 1. Schleudern *n*; 2. schleudern; *Worte* ausstoßen.

**hurricane** ['hʌrikən] Orkan *m*.

**hurried** □ ['hʌrid] eilig; übereilt.

**hurry** ['hʌri] 1. (große) Eile, Hast *f*; be in a ~ es eilig haben; not ... in a ~ F nicht so bald, nicht so leicht; 2. *v/t.* (an)treiben; drängen; *et.* beschleunigen; eilig schicken *od.* bringen; *v/i.* eilen, hasten; ~ up sich beeilen.

**hurt** [hə:t] 1. Verletzung *f*; Schaden *m*; 2. [*irr.*] verletzen (*a. fig.*); weh tun (*dat.*); schaden (*dat.*).

**husband** ['hʌzbənd] 1. (Ehe)Mann *m*; 2. haushalten mit; verwalten; **~man** Landwirt *m*; **~ry** [~dri] Landwirtschaft *f*, Ackerbau *m*.

**hush** [hʌʃ] 1. still!; 2. Stille *f*; 3. *v/t.* zum Schweigen bringen; be-

ruhigen; *Stimme* dämpfen; ~ up vertuschen; *v/i.* still sein; **~-money** ['hʌʃmʌni] Schweigegeld *n*.

**husk** [hʌsk] 1. ♀ Hülse *f*, Schote *f*; Schale *f* (*a. fig.*); 2. enthülsen; **~y** ['hʌski] 1. □ hülsig; trocken; heiser; F stramm, stämmig; 2. F stämmiger Kerl.

**hussy** ['hʌsi] Flittchen *n*; Range *f*.

**hustle** ['hʌsl] 1. *v/t.* (an)rempeln; stoßen; drängen; *v/i.* (sich) drängen; eilen; *bsd. Am.* mit Hochdruck arbeiten; 2. Hochbetrieb *m*; Rührigkeit *f*; ~ and bustle Gedränge und Gehetze *n*.

**hut** [hʌt] Hütte *f*; ✗ Baracke *f*.

**hutch** [hʌtʃ] Kasten *m*; *bsd. Kaninchen*-Stall *m* (*a. fig.*); Trog *m*.

**hyacinth** ♀ ['haiəsinθ] Hyazinthe *f*.

**hyaena** zo. [hai'i:nə] Hyäne *f*.

**hybrid** 🏿 ['haibrid] Bastard *m*, Mischling *m*; Kreuzung *f*; *attr.* Bastard...; Zwitter...; **~ize** [~daiz] kreuzen.

**hydrant** ['haidrənt] Hydrant *m*.

**hydro**|... 🏿 ['haidrou] Wasser...; **~carbon** Kohlenwasserstoff *m*; **~chloric acid** [~ə'klɔrikæsid] Salzsäure *f*; **~gen** [~ridʒən] Wasserstoff *m*; **~gen bomb** Wasserstoffbombe *f*; **~pathy** [hai'drɔpəθi] Wasserheilkunde *f*, Wasserkur *f*; **~phobia** [haidrə'foubjə] Wasserscheu *f*; ♀ Tollwut *f*; **~plane** ['haidrouplein] Wasserflugzeug *n*; (Motor)Gleitboot *n*, Rennboot *n*.

**hyena** zo. [hai'i:nə] Hyäne *f*.

**hygiene** ['haidʒi:n] Hygiene *f*.

**hymn** [him] 1. Hymne *f*; Lobgesang *m*; Kirchenlied *n*; 2. preisen.

**hyphen** ['haifən] 1. Bindestrich *m*; 2. mit Bindestrich schreiben *od.* verbinden; **~ated** [~neitid] mit Bindestrich geschrieben; ~ Americans *pl.* Halb-Amerikaner *m/pl.* (z. B. *German-Americans*) [ren.]

**hypnotize** ['hipnətaiz] hypnotisie-

**hypo**|**chondriac** [haipou'kɔndriæk] Hypochonder *m*; **~crisy** [hi'pɔkrəsi] Heuchelei *f*; **~crite** ['hipəkrit] Heuchler(in); Scheinheilige(r *m*) *f*; **~critical** □ [hipə'kritikəl] heuchlerisch; **~thesis** [hai'pɔθisis] Hypothese *f*.

**hyster**|**ia** ♀ [his'tiəriə] Hysterie *f*; **~ical** □ [~'terikəl] hysterisch; **~ics** [~ks] *pl.* hysterischer Anfall; go into ~ hysterisch werden.

# I

**I** [ai] ich.

**ice** [ais] **1.** Eis n; **2.** gefrieren lassen; a. ~ up vereisen; *Kuchen* mit Zuckerguß überziehen; in Eis kühlen; **~-age** ['aiseidʒ] Eiszeit f; **~berg** ['aisbə:g] Eisberg m (a. fig.); **~-bound** eingefroren; **~-box** Eisschrank m; Am. a. Kühlschrank m; **~-cream** Speiseeis n; **~-floe** Eisscholle f.

**icicle** ['aisikl] Eiszapfen m.

**icing** ['aisiŋ] Zuckerguß m; Vereisung f.

**icy** □ ['aisi] eisig (a. fig.); vereist.

**idea** [ai'diə] Idee f; Begriff m; Vorstellung f; Gedanke m; Meinung f; Ahnung f; Plan m; **~l** [~əl] **1.** □ ideell; eingebildet; ideal; **2.** Ideal n.

**identi|cal** □ [ai'dentikəl] identisch, gleich(bedeutend); **~fication** [aidentifi'keiʃən] Identifizierung f; Ausweis m; **~fy** [ai'dentifai] identifizieren; ausweisen; erkennen; **~ty** [~iti] Identität f; Persönlichkeit f, Eigenart f; ~ card Personalausweis m, Kennkarte f; ~ disk ⚔ Erkennungsmarke f.

**ideological** □ [aidiə'lɔdʒikəl] ideologisch.

**idiom** ['idiəm] Idiom n; Mundart f; Redewendung f.

**idiot** ['idiət] Idiot(in), Schwachsinnige(r m) f; **~ic** [idi'ɔtik] (~ally) blödsinnig.

**idle** ['aidl] **1.** □ müßig, untätig; träg, faul; unnütz; nichtig; ~ hours pl. Mußestunden f/pl.; **2.** v/t. mst ~ away vertrödeln; v/i. faulenzen; ⊕ leer laufen; **~ness** ['aidlnis] Muße f; Trägheit f; Nichtigkeit f; **~r** ['aidlə] Müßiggänger(in).

**idol** ['aidl] Idol n, Götzenbild n; fig. Abgott m; **~atrous** □ [ai'dɔlətrəs] abgöttisch; **~atry** [~ri] Abgötterei f; Vergötterung f; **~ize** ['aidəlaiz] vergöttern.

**idyl(l)** ['idil] Idyll(e f) n.

**if** [if] **1.** wenn, falls; ob; **2.** Wenn n; **~fy** Am. F ['ifi] zweifelhaft.

**ignite** [ig'nait] (sich) entzünden; zünden; **~ion** [ig'niʃən] ⚙ Entzündung f; mot. Zündung f.

**ignoble** □ [ig'noubl] unedel; niedrig, gemein.

**ignominious** □ [ignə'miniəs] schändlich, schimpflich.

**ignor|ance** ['ignərəns] Unwissenheit f; **~ant** [~nt] unwissend; unkundig; **~e** [ig'nɔ:] ignorieren, nicht beachten; ⚖ verwerfen.

**ill** [il] **1.** adj. u. adv. übel, böse; schlimm, schlecht; krank; adv. kaum; fall ~, be taken ~ krank werden; **2.** Übel n; Üble(s) n, Böse(s) n.

**ill-advised** □ ['iləd'vaizd] schlecht beraten; unbesonnen, unklug; **~-bred** ungebildet, ungezogen; **~ breeding** schlechtes Benehmen.

**illegal** □ [i'li:gəl] ungesetzlich.

**illegible** □ [i'ledʒəbl] unleserlich.

**illegitimate** □ [ili'dʒitimit] illegitim; unrechtmäßig; unehelich.

**ill|-favo(u)red** □ [il'feivəd] häßlich; **~-humo(u)red** übellaunig.

**illiberal** □ [i'libərəl] engstirnig; intolerant; knauserig.

**illicit** □ [i'lisit] unerlaubt.

**illiterate** □ [i'litərit] **1.** ungelehrt, ungebildet; **2.** Analphabet(in).

**ill|-judged** ['il'dʒʌdʒd] unklug, unvernünftig; **~-mannered** ungezogen; mit schlechten Umgangsformen; **~-natured** □ boshaft, bösartig.

**illness** ['ilnis] Krankheit f.

**illogical** □ [i'lɔdʒikəl] unlogisch.

**ill|-starred** ['il'stɑ:d] unglücklich; **~-tempered** schlecht gelaunt; **~-timed** ungelegen; **~-treat** mißhandeln.

**illuminat|e** [i'lju:mineit] be-, erleuchten (a. fig.); erläutern; aufklären; **~ing** [~tiŋ] Leucht...; fig. aufschlußreich; **~ion** [ilju:mi'neiʃən] Er-, Beleuchtung f; Erläuterung f; Aufklärung f.

**ill-use** ['il'ju:z] mißhandeln.

**illus|ion** [i'lu:ʒən] Illusion f, Täuschung f; **~ive** [i'lu:siv], **~ory** [~səri] illusorisch, täuschend.

**illustrat|e** ['iləstreit] illustrieren; erläutern; bebildern; **~ion** [iləs'treiʃən] Erläuterung f; Illustration f; **~ive** □ ['iləstreitiv] erläuternd.

**illustrious** □ [i'lʌstriəs] berühmt.

**ill will** ['il'wil] Feindschaft f.

**image** ['imidʒ] Bild n; Standbild n; Ebenbild n; Vorstellung f; **~ry**

[ˏdʒəri] Bilder *n/pl.*; Bildersprache *f*, Metaphorik *f*.

**imagin|able** □ [i'mædʒinəbl] denkbar; **~ary** [ˏəri] eingebildet; **~ation** [imædʒi'neiʃən] Einbildung(skraft) *f*; **~ative** □ [i'mædʒinətiv] ideen-, einfallsreich; **~e** [i'mædʒin] sich *et.* einbilden *od.* vorstellen *od.* denken.

**imbecile** □ [i'imbisi:l] **1.** geistesschwach; **2.** Schwachsinnige(r *m*) *f*.

**imbibe** [im'baib] einsaugen; *fig.* sich zu eigen machen.

**imbue** [im'bju:] (durch)tränken; tief färben; *fig.* erfüllen.

**imitat|e** [i'imiteit] nachahmen; imitieren; **~ion** [imi'teiʃən] **1.** Nachahmung *f*; **2.** künstlich, Kunst...

**immaculate** □ [i'mækjulit] unbefleckt, rein; fehlerlos.

**immaterial** □ [imə'tiəriəl] unkörperlich; unwesentlich (to für).

**immature** [imə'tjuə] unreif.

**immeasurable** □ [i'meʒərəbl] unermeßlich.

**immediate** □ [i'mi:djət] unmittelbar; unverzüglich, sofortig; **~ly** [ˏtli] **1.** *adv.* sofort; **2.** *cj.* gleich nachdem.

**immense** □ [i'mens] ungeheuer.

**immerse** [i'mə:s] (ein-, unter)tauchen; *fig.* ~ *o.s. in* sich versenken *od.* vertiefen in (*acc.*).

**immigra|nt** [i'imigrənt] Einwanderer(in); **~te** [ˏgreit] *v/i.* einwandern; *v/t.* ansiedeln (into in *dat.*); **~tion** [imi'greiʃən] Einwanderung*f.*

**imminent** □ ['iminənt] bevorstehend, drohend.

**immobile** [i'moubail] unbeweglich.

**immoderate** □ [i'mɔdərit] maßlos.

**immodest** □ [i'mɔdist] unbescheiden; unanständig.

**immoral** □ [i'mɔrəl] unmoralisch.

**immortal** [i'mɔ:tl] **1.** □ unsterblich; **2.** Unsterbliche(r *m*) *f*; **~ity** [imɔ:'tæliti] Unsterblichkeit *f.*

**immovable** [i'mu:vəbl] **1.** □ unbeweglich; unerschütterlich; **2.** **~s** *pl.* Immobilien *pl.*

**immun|e** **x** *u. fig.* [i'imju:n] immun, gefeit (from gegen); **~ity** [ˏniti] Immunität *f*, Freiheit *f* (from von); Unempfänglichkeit *f* (für).

**immutable** □ [i'mju:təbl] unveränderlich.

**imp** [imp] Teufelchen *n*; Schelm *m*.

**impact** ['impækt] (Zs.-)Stoß *m*; Anprall *m*; Einwirkung *f.*

**impair** [im'pɛə] schwächen; (ver-) mindern; beeinträchtigen.

**impart** [im'pɑ:t] verleihen; weitergeben.

**impartial** □ [im'pɑ:ʃəl] unparteiisch; **~ity** [impɑ:ʃi'æliti] Unparteilichkeit *f*, Objektivität *f.*

**impassable** □ [im'pɑ:səbl] ungangbar, unpassierbar.

**impassible** □ [im'pæsibl] unempfindlich; gefühllos (to gegen).

**impassioned** [im'pæʃənd] leidenschaftlich.

**impassive** □ [im'pæsiv] unempfindlich; teilnahmslos; heiter.

**impatien|ce** [im'peiʃəns] Ungeduld *f*; **~t** □ [ˏnt] ungeduldig.

**impeach** [im'pi:tʃ] anklagen (of, with gen.); anfechten, anzweifeln.

**impeccable** □ [im'pekəbl] sündlos; makellos, einwandfrei.

**impede** [im'pi:d] (ver)hindern.

**impediment** [im'pedimənt] Hindernis *n.*

**impel** [im'pel] (an)treiben.

**impend** [im'pend] hängen, schweben; bevorstehen, drohen.

**impenetrable** □ [im'penitrəbl] undurchdringlich; *fig.* unergründlich; *fig.* unzugänglich (to dat.).

**impenitent** □ [im'penitənt] unbußfertig, verstockt.

**imperative** □ [im'perətiv] **1.** □ notwendig, dringend, unbedingt erforderlich; befehlend; gebieterisch; *gr.* imperativisch; **2.** Befehl *m*; *a.* ~ mood *gr.* Imperativ *m*, Befehlsform *f*.      [unmerklich.]

**imperceptible** □ [impə'septəbl]

**imperfect** [im'pə:fikt] **1.** □ unvollkommen; unvollendet; **2.** *a.* ~ tense *gr.* Imperfekt *n.*

**imperial** □ [im'piəriəl] kaiserlich; Reichs...; majestätisch; großartig; **~ism** [ˏlizəm] Imperialismus *m*, Weltmachtpolitik *f.*

**imperil** [im'peril] gefährden.

**imperious** □ [im'piəriəs] gebieterisch, anmaßend; dringend.

**imperishable** □ [im'periʃəbl] unvergänglich.

**impermeable** □ [im'pə:mjəbl] undurchdringlich, undurchlässig.

**impersonal** □ [im'pə:snl] unpersönlich.

**impersonate** [im'pə:səneit] verkörpern; *thea.* darstellen.

**impertinen|ce** [im'pə:tinəns] Unverschämtheit *f*; Nebensächlichkeit *f*; **~t** □ [~nt] unverschämt; ungehörig; nebensächlich.

**imperturbable** □ [impə(:)'tə:bəbl] unerschütterlich.

**impervious** □ [im'pə:vjəs] unzugänglich (*to* für); undurchlässig.

**impetu|ous** □ [im'petjuəs] ungestüm, heftig; **~s** ['impitəs] Antrieb *m*.

**impiety** [im'paiəti] Gottlosigkeit *f*.

**impinge** [im'pindʒ] *v/i.* (ver)stoßen (*on, upon, against* gegen).

**impious** □ ['impiəs] gottlos; pietätlos; frevelhaft.

**implacable** □ [im'plækəbl] unversöhnlich, unerbittlich.

**implant** [im'plɑ:nt] einpflanzen.

**implement 1.** ['implimənt] Werkzeug *n*; Gerät *n*; **2.** [~iment] ausführen.

**implicat|e** ['implikeit] verwickeln; in sich schließen; **~ion** [impli'keiʃən] Verwick(e)lung *f*; Folgerung *f*.

**implicit** □ [im'plisit] mit eingeschlossen; blind (*Glaube etc.*).

**implore** [im'plɔ:] (an-, er)flehen.

**imply** [im'plai] mit einbegreifen, enthalten; bedeuten; andeuten.

**impolite** □ [impə'lait] unhöflich.

**impolitic** □ [im'pɔlitik] unklug.

**import 1.** ['impɔ:t] Bedeutung *f*; Wichtigkeit *f*; Einfuhr *f*; **~s** *pl.* Einfuhrwaren *f/pl.*; **2.** [im'pɔ:t] einführen; bedeuten; **~ance** [~təns] Wichtigkeit *f*; **~ant** □ [~nt] wichtig; wichtigtuerisch; **~ation** [impɔ:-'teiʃən] Einfuhr(waren *f/pl.*) *f*.

**importun|ate** □ [im'pɔ:tjunit] lästig; zudringlich; **~e** [im'pɔ:tju:n] dringend bitten; belästigen.

**impos|e** [im'pouz] *v/t.* auf(er)legen, aufbürden (*on, upon dat.*); *v/i.* ~ *upon j-m* imponieren; *j-n* täuschen; **~ition** [impə'ziʃən] Auf(er)legung *f*; Steuer *f*; Strafarbeit *f*; Betrügerei *f*.

**impossib|ility** [impɔsə'biliti] Unmöglichkeit *f*; **~le** □ [im'pɔsəbl] unmöglich.

**impost|or** [im'pɔstə] Betrüger *m*; **~ure** [~tʃə] Betrug *m*.

**impoten|ce** ['impətəns] Unfähigkeit *f*; Machtlosigkeit *f*; **~t** [~nt] unvermögend, machtlos, schwach.

**impoverish** [im'pɔvəriʃ] arm machen; *Boden* auslaugen.

**impracticable** □ [im'præktikəbl] undurchführbar; unwegsam.

**impractical** [im'præktikəl] unpraktisch; theoretisch; unnütz.

**imprecate** ['imprikeit] *Böses* herabwünschen (*upon* auf *acc.*).

**impregn|able** □ [im'pregnəbl] uneinnehmbar; unüberwindlich; **~ate** ['impregneit] schwängern; **⚕** sättigen; ⊕ imprägnieren.

**impress 1.** ['impres] (Ab-, Ein-)Druck *m*; *fig.* Stempel *m*; **2.** [im'pres] eindrücken, prägen; *Kraft etc.* übertragen; *Gedanken etc.* einprägen (*on dat.*); *j-n* beeindrucken; *j-n mit et.* erfüllen; **~ion** [~eʃən] Eindruck *m*; *typ.* Abdruck *m*; Abzug *m*; Auflage *f*; *be under the ~ that* den Eindruck haben, daß; **~ive** □ [~esiv] eindrucksvoll.

**imprint 1.** [im'print] aufdrücken, prägen; *fig.* einprägen (*on, in dat.*); **2.** ['imprint] Eindruck *m*; Stempel *m* (*a. fig.*); *typ.* Druckvermerk *m*.

**imprison** [im'prizn] inhaftieren; **~ment** [~nmənt] Haft *f*; Gefängnis (-strafe *f*) *n*.

**improbable** □ [im'prɔbəbl] unwahrscheinlich.

**improper** □ [im'prɔpə] ungeeignet, unpassend; falsch; unanständig.

**impropriety** [imprə'praiəti] Ungehörigkeit *f*; Unanständigkeit *f*.

**improve** [im'pru:v] *v/t.* verbessern; veredeln; aus-, benutzen; *v/i.* sich (ver)bessern; **~ upon** vervollkommnen; **~ment** [~vmənt] Verbesserung *f*, Vervollkommnung *f*; Fortschritt *m* (*on, upon* gegenüber *dat.*).

**improvise** ['imprəvaiz] improvisieren.

**imprudent** □ [im'pru:dənt] unklug.

**impuden|ce** ['impjudəns] Unverschämtheit *f*, Frechheit *f*; **~t** □ [~nt] unverschämt, frech.

**impuls|e** ['impʌls], **~ion** [im'pʌl-ʃən] Impuls *m*, (An)Stoß *m*; *fig.* (An)Trieb *m*; **~ive** □ [~lsiv] (an-)treibend; *fig.* impulsiv; rasch (handelnd).

**impunity** [im'pju:niti] Straflosigkeit *f*; *with ~* ungestraft.

**impure** □ [im'pjuə] unrein (*a. fig.*); unkeusch.

**imput|ation** [impju(:)'teiʃən] Beschuldigung *f*; **~e** [im'pju:t] zurechnen, beimessen; zur Last legen.

**in** [in] **1.** *prp. allg.* in (*dat.*); *eng S.*: (*~ the morning, ~ number, ~ itself, professor ~ the university*) an (*dat.*);

(~ *the street*, ~ *English*) auf (*dat.*);
(~ *this manner*) auf (*acc.*); (*coat* ~
*velvet*) aus; (~ *Shakespeare*, ~ *the
daytime*, ~ *crossing the road*) bei;
(*engaged* ~ *reading*, ~ *a word*) mit;
(~ *my opinion*) nach; (*rejoice* ~ *s.th.*)
über (*acc.*); (~ *the circumstances*, ~
*the reign of*, *one* ~ *ten*) unter (*dat.*);
(*cry out* ~ *alarm*) vor (*dat.*); (*grouped*
~ *tens*, *speak* ~ *reply*, ~ *excuse*, ~
*honour of*) zu; ~ *1949* im Jahre
1949; ~ *that* ... insofern als, weil;
**2.** *adv.* drin(nen); herein; hinein;
be ~ for *et.* zu erwarten haben;
*e-e Prüfung etc.* vor sich haben; F be
well ~ with sich gut mit *j-m* stehen;
**3.** *adj.* hereinkommend; Innen...

**inability** [inə'biliti] Unfähigkeit *f.*
**inaccessible** □ [inæk'sesəbl] unzugänglich.
**inaccurate** □ [in'ækjurit] ungenau;
unrichtig.
**inactiv|e** □ [in'æktiv] untätig, ♣
lustlos; ♠ unwirksam; **~ity** [inæk-
'tiviti] Untätig-, Lustlosigkeit *f.*
**inadequate** □ [in'ædikwit] unangemessen; unzulänglich.
**inadmissible** □ [inəd'misəbl] un-
zulässig.
**inadvertent** □ [inəd'vəːtənt] unachtsam; unbeabsichtigt, versehentlich.
**inalienable** □ [in'eiljənəbl] unver-
äußerlich.
**inane** □ [i'nein] *fig.* leer; albern.
**inanimate** □ [in'ænimit] leblos;
*fig.* unbelebt; geistlos, langweilig.
**inapproachable** □ [inə'proutʃəbl] un-
nahbar, unzugänglich.
**inappropriate** □ [inə'proupriit]
unangebracht, unpassend.
**inapt** □ [in'æpt] ungeeignet, untauglich; ungeschickt; unpassend.
**inarticulate** □ [inaː'tikjulit] un-
deutlich; schwer zu verstehen(d);
undeutlich sprechend.
**inasmuch** [inəz'mʌtʃ]: ~ *as* insofern als.                          [merksam.]
**inattentive** □ [inə'tentiv] unauf-]
**inaudible** □ [in'ɔːdəbl] unhörbar.
**inaugura|l** [i'nɔːgjurəl] Antrittsrede
*f*; *attr.* Antritts...; **~te** [~reit]
(feierlich) einführen, einweihen;
beginnen; **~tion** [inɔːgju'reiʃən]
Einführung *f*, Einweihung *f*; ♀ *Day
Am.* Amtseinführung *f* des neu-
gewählten Präsidenten der USA.
**inborn** ['in'bɔːn] angeboren.

**incalculable** □ [in'kælkjuləbl] un-
berechenbar; unzählig.
**incandescent** [inkæn'desnt] weiß
glühend; Glüh...
**incapa|ble** □ [in'keipəbl] unfähig,
ungeeignet (*of* zu); **~citate** [inkə-
'pæsiteit] unfähig machen; **~city**
[~ti] Unfähigkeit *f.*
**incarnate** [in'kaːnit] Fleisch geworden; *fig.* verkörpert.
**incautious** □ [in'kɔːʃəs] unvorsichtig.
**incendiary** [in'sendjəri] **1.** brand-
stifterisch; *fig.* aufwieglerisch;
**2.** Brandstifter *m*; Aufwiegler *m.*
**incense**[1] ['insens] Weihrauch *m.*
**incense**[2] [in'sens] in Wut bringen.
**incentive** [in'sentiv] Antrieb *m.*
**incessant** □ [in'sesnt] unaufhörlich.
**incest** ['insest] Blutschande *f.*
**inch** [intʃ] Zoll *m* (*2,54 cm*); *fig.* ein
bißchen; by ~es allmählich; every ~
ganz (u. gar).
**inciden|ce** ['insidəns] Vorkommen
*n*; Wirkung *f*; **~t** [~nt] **1.** (*to*) vor-
kommend (bei), eigen (*dat.*); **2.** Zu-,
Vor-, Zwischenfall *m*; Neben-
umstand *m*; **~tal** □ [insi'dentl] zufällig, gelegentlich; Neben...; be ~
*to* gehören zu; **~ly** nebenbei.
**incinerate** [in'sinəreit] einäschern;
*Müll* verbrennen.
**incis|e** [in'saiz] einschneiden; **~ion**
[in'siʒən] Einschnitt *m*; **~ive** □
[in'saisiv] (ein)schneidend, scharf;
**~or** [~aizə] Schneidezahn *m.*
**incite** [in'sait] anspornen, anregen;
anstiften; **~ment** [~tmənt] Anregung *f*; Ansporn *m*; Anstiftung *f.*
**inclement** □ [in'klemənt] rauh.
**inclin|ation** [inkli'neiʃən] Neigung
*f* (*a. fig.*); **~e** [in'klain] **1.** *v/i.* sich
neigen (*a. fig.*); ~ *to fig.* zu *et.* neigen; *v/t.* neigen; geneigt machen;
**2.** Neigung *f*, Abhang *m.*
**inclos|e** [in'klouz], **~ure** [~ouʒə] *s.*
enclose, enclosure.
**inclu|de** [in'kluːd] einschließen;
enthalten; **~sive** □ [~uːsiv] ein-
schließlich; alles einbegriffen; be ~
*of* einschließen; ~ *terms pl.* Pau-
schalpreis *m.*
**incoheren|ce**, **~cy** [inkou'hiərəns,
~si] Zs.-hangslosigkeit *f*; Inkonse-
quenz *f*; **~t** □ [~nt] unzs.-hängend;
inkonsequent.
**income** ['inkəm] Einkommen *n*;
**~-tax** Einkommensteuer *f.*

**incommode** 136

**incommode** [inkə'moud] belästigen.

**incommunica|do** *bsd. Am.* [inkəmju:ni'ka:dou] ohne Verbindung mit der Außenwelt; **~tive** □ [inkə'mju:nikətiv] nicht mitteilsam, verschlossen.

**incomparable** □ [in'kɔmpərəbl] unvergleichlich.

**incompatible** □ [inkəm'pætəbl] unvereinbar; unverträglich.

**incompetent** □ [in'kɔmpitənt] unfähig; unzuständig, unbefugt.

**incomplete** □ [inkəm'pli:t] unvollständig; unvollkommen.

**incomprehensible** □ [inkɔmpri-'hensəbl] unbegreiflich.

**inconceivable** □ [inkən'si:vəbl] unbegreiflich, unfaßbar.

**incongruous** □ [in'kɔŋgruəs] nicht übereinstimmend; unpassend.

**inconsequent** □ [in'kɔnsikwənt] inkonsequent, folgewidrig; **~ial** [inkɔnsi'kwenʃəl] unbedeutend; = *inconsequent.*

**inconsidera|ble** □ [inkən'sidərəbl] unbedeutend; **~te** □ [~rit] unüberlegt; rücksichtslos.

**inconsisten|cy** [inkən'sistənsi] Unvereinbarkeit *f*; Inkonsequenz *f*; **~t** □ [~nt] unvereinbar; widerspruchsvoll; inkonsequent.

**inconsolable** □ [inkən'soulǝbl] untröstlich.

**inconstant** □ [in'kɔnstənt] unbeständig; veränderlich.

**incontinent** □ [in'kɔntinənt] unmäßig; ausschweifend.

**inconvenien|ce** [inkən'vi:njəns] 1. Unbequemlichkeit *f*; Unannehmlichkeit *f*; 2. belästigen; **~t** □ [~nt] unbequem; ungelegen; lästig.

**incorporat|e 1.** [in'kɔ:pəreit] einverleiben (*into dat.*); (sich) vereinigen; *als Mitglied* aufnehmen; ᵗᵗ *als Körperschaft* eintragen; 2. [~rit] einverleibt; vereinigt; **~ed** (*amtlich*) eingetragen; **~ion** [inkɔ:pə'reiʃən] Einverleibung *f*; Verbindung *f*.

**incorrect** □ [inkə'rekt] unrichtig; fehlerhaft; ungehörig.

**incorrigible** □ [in'kɔridʒəbl] unverbesserlich.

**increas|e 1.** [in'kri:s] *v/i.* zunehmen, sich vergrößern *od.* vermehren; *v/t.* vermehren, vergrößern; erhöhen; 2. ['inkri:s] Zunahme *f*; Vergrö-

ßerung *f*; Zuwachs *m*; **~ingly** [in'kri:siŋli] zunehmend, immer (*mit folgendem comp.*); **~ difficult** immer schwieriger.

**incredible** □ [in'kredəbl] unglaublich.

**incredul|ity** [inkri'dju:liti] Unglaube *m*; **~ous** □ [in'kredjuləs] ungläubig, skeptisch.

**incriminate** [in'krimineit] beschuldigen; belasten.

**incrustation** [inkrʌs'teiʃən] Verkrustung *f*; Kruste *f*; ⊕ Belag *m*.

**incub|ate** ['inkjubeit] (aus)brüten; **~ator** [~tə] Brutapparat *m*.

**inculcate** ['inkʌlkeit] einschärfen (*upon dat.*).

**incumbent** [in'kʌmbənt] obliegend; **be ~ on** *s.o.* j-m obliegen.

**incur** [in'kə:] sich *et.* zuziehen; geraten in (*acc.*); *Verpflichtung* eingehen; *Verlust* erleiden.

**incurable** [in'kjuərəbl] 1. □ unheilbar; 2. Unheilbare(r *m*) *f*.

**incurious** □ [in'kjuəriəs] gleichgültig, uninteressiert.

**incursion** [in'kə:ʃən] *feindlicher* Einfall.

**indebted** [in'detid] verschuldet; *fig.* (zu Dank) verpflichtet.

**indecen|cy** [in'di:snsi] Unanständigkeit *f*; **~t** □ [~nt] unanständig.

**indecisi|on** [indi'siʒən] Unentschlossenheit *f*; **~ve** □ [~'saisiv] nicht entscheidend; unbestimmt.

**indecorous** □ [in'dekərəs] unpassend; ungehörig.

**indeed** [in'di:d] 1. *adv.* in der Tat, tatsächlich; wirklich; allerdings; 2. *int.* so?; nicht möglich!

**indefatigable** □ [indi'fætigəbl] unermüdlich.

**indefensible** □ [indi'fensəbl] unhaltbar.

**indefinite** □ [in'definit] unbestimmt; unbeschränkt; ungenau.

**indelible** □ [in'delibl] untilgbar.

**indelicate** [in'delikit] unfein; taktlos.

**indemni|fy** [in'demnifai] sicherstellen; *j-m* Straflosigkeit zusichern; entschädigen; **~ty** [~liti] Sicherstellung *f*; Straflosigkeit *f*; Entschädigung *f*.

**indent 1.** [in'dent] einkerben, auszacken; eindrücken; ᵗᵗ *Vertrag* mit Doppel ausfertigen; **~ upon** *s.o* **for** *s.th.* ✝ *et.* bei j-m bestellen

**2.** ['indent] Kerbe *f*; Vertiefung *f*; † Auslandsauftrag *m*; = *indenture*; **∼ation** [inden'tei∫ən] Einkerbung *f*; Einschnitt *m*; **∼ure** [in'dent∫ə] **1.** Vertrag *m*; Lehrbrief *m*; **2.** vertraglich verpflichten.

**independen|ce** [indi'pendəns] Unabhängigkeit *f*; Selbständigkeit *f*; Auskommen *n*; ♀ *Day Am.* Unabhängigkeitstag *m* (*4. Juli*); **∼t** □ [∼nt] unabhängig; selbständig.

**indescribable** □ [indis'kraibəbl] unbeschreiblich.

**indestructible** □ [indis'trʌktəbl] unzerstörbar.

**indeterminate** □ [indi'tə:minit] unbestimmt.

**index** ['indeks] **1.** (An)Zeiger *m*; Anzeichen *n*; Zeigefinger *m*; Index *m*; (Inhalts-, Namen-, Sach)Verzeichnis *n*; **2.** *Buch* mit e-m Index versehen.

**Indian** ['indjən] **1.** indisch; indianisch; **2.** Inder(in); Indianer(in); *a.* Red ∼ Indianer(in); **∼ corn** Mais *m*; **∼ file**: *in* ∼ im Gänsemarsch; **∼ pudding** *Am.* Maismehlpudding *m*; **∼ summer** Altweiber-, Nachsommer *m*.

**Indiarubber** ['indjə'rʌbə] Radiergummi *m*.

**indicat|e** ['indikeit] (an)zeigen; hinweisen auf (*acc.*); andeuten; **∼ion** [indi'kei∫ən] Anzeige *f*; Anzeichen *n*; Andeutung *f*; *s* in [in'dikətiv] *a.* ∼ *mood gr.* Indikativ *m*; **∼or** ['indikeitə] Anzeiger *m* (*a.* ⊕); *mot.* Blinker *m*.

**indict** [in'dait] anklagen (*for* wegen); **∼ment** [∼tmənt] Anklage *f*.

**indifferen|ce** [in'difrəns] Gleichgültigkeit *f*; **∼t** □ [∼nt] gleichgültig (*to* gegen); unparteiisch; (nur) mäßig; unwesentlich; unbedeutend.

**indigenous** [in'didʒinəs] eingeboren, einheimisch.

**indigent** □ ['indidʒənt] arm.

**indigest|ible** □ [indi'dʒestəbl] unverdaulich; **∼ion** [∼t∫ən] Verdauungsstörung *f*, Magenverstimmung *f*.

**indign|ant** □ [in'dignənt] entrüstet, empört, ungehalten; **∼ation** [indig'nei∫ən] Entrüstung *f*; **∼ity** [in'digniti] Beleidigung *f*.

**indirect** □ [indi'rekt] indirekt; nicht direkt; *gr. a.* abhängig.

**indiscre|et** □ [indis'kri:t] unbeson-

nen; unachtsam; indiskret; **∼tion** [∼re∫ən] Unachtsamkeit *f*; Unbesonnenheit *f*; Indiskretion *f*.

**indiscriminate** □ [indis'kriminit] unterschieds-, wahllos.

**indispensable** □ [indis'pensəbl] unentbehrlich, unerläßlich.

**indispos|ed** [indis'pouzd] unpäßlich; abgeneigt; **∼ition** [indispə-'zi∫ən] Abneigung *f* (*to* gegen); Unpäßlichkeit *f*.

**indisputable** □ [indis'pju:təbl] unbestreitbar, unstreitig.

**indistinct** □ [indis'tiŋkt] undeutlich; unklar.

**indistinguishable** □ [indis'tiŋgwi∫əbl] nicht zu unterscheiden(d).

**indite** [in'dait] ab-, verfassen.

**individual** [indi'vidjuəl] **1.** □ persönlich, individuell; besondere(r, -s); einzeln; Einzel...; **2.** Individuum *n*; **∼ism** [∼lizəm] Individualismus *m*; **∼ist** [∼ist] Individualist *m*; **∼ity** [individju'æliti] Individualität *f*.

**indivisible** □ [indi'vizəbl] unteilbar.

**indolen|ce** ['indələns] Trägheit *f*; **∼t** □ [∼nt] indolent, träge, lässig; 𝒮 schmerzlos.

**indomitable** □ [in'dɔmitəbl] unbezähmbar.

**indoor** ['indɔ:] im Hause (befindlich); Haus..., Zimmer..., *Sport:* Hallen...; **∼s** ['in'dɔ:z] zu Hause; im *od.* ins Haus.

**indorse** [in'dɔ:s] = *endorse etc.*

**induce** [in'dju:s] veranlassen; **∼ment** [∼smənt] Anlaß *m*, Antrieb *m*.

**induct** [in'dʌkt] einführen; **∼ion** [∼k∫ən] Einführung *f*, Einsetzung *f* *in Amt*, *Pfründe*; ⚡ Induktion *f*.

**indulge** [in'dʌldʒ] nachsichtig sein gegen *j-n*; *j-m* nachgeben; ∼ *with j-n* erfreuen mit; ∼ (*o.s.*) *in s.th.* sich et. gönnen; sich e-r S. hin- *od.* ergeben; **∼nce** [∼dʒəns] Nachsicht *f*; Nachgiebigkeit *f*; Sichgehenlassen *n*; Vergünstigung *f*; **∼nt** □ [∼nt] nachsichtig.

**industri|al** □ [in'dʌstriəl] gewerbetreibend, gewerblich; industriell; Gewerbe...; Industrie...; ∼ *area* Industriebezirk *m*; ∼ *estate* Industriegebiet *n* *e-r Stadt*; ∼ *school* Gewerbeschule *f*; **∼alist** [∼list] Industrielle(r) *m*; **∼alize** [∼laiz] industrialisieren; **~ous** □ [~iəs] fleißig.

**industry** ['indəstri] Fleiß *m*; Gewerbe *n*; Industrie *f*.

**inebriate 1.** [i'ni:briit] betrunken machen; **2.** [~iit] Trunkenbold *m*.

**ineffable** □ [in'efəbl] unaussprechlich.

**ineffect|ive** [ini'fektiv], **~ual** □ [~tjuəl] unwirksam, fruchtlos.

**inefficient** □ [ini'fiʃənt] wirkungslos; (leistungs)unfähig.

**inelegant** □ [in'eligənt] unelegant, geschmacklos.

**ineligible** □ [in'elidʒəbl] nicht wählbar; ungeeignet; *bsd.* ✗ untauglich.

**inept** □ [i'nept] unpassend; albern.

**inequality** [ini(:)'kwɔliti] Ungleichheit *f*; Ungleichmäßigkeit *f*; Unebenheit *f*.

**inequitable** [in'ekwitəbl] unbillig.

**inert** □ [i'nə:t] träge; **~ia** [i'nə:ʃjə], **~ness** [i'nə:tnis] Trägheit *f*.

**inescapable** [inis'keipəbl] unentrinnbar.

**inessential** ['ini'senʃəl] unwesentlich (*to* für).

**inestimable** □ [in'estiməbl] unschätzbar.

**inevitab|le** □ [in'evitəbl] unvermeidlich; **~ly** [~li] unweigerlich.

**inexact** □ [inig'zækt] ungenau.

**inexcusable** □ [iniks'kju:zəbl] unentschuldbar.

**inexhaustible** □ [inig'zɔ:stəbl] unerschöpflich; unermüdlich.

**inexorable** □ [in'eksərəbl] unerbittlich.

**inexpedient** □ [iniks'pi:djənt] unzweckmäßig, unpassend.

**inexpensive** □ [iniks'pensiv] nicht teuer, billig, preiswert.

**inexperience** [iniks'piəriəns] Unerfahrenheit *f*; **~d** [~st] unerfahren.

**inexpert** □ [ineks'pə:t] unerfahren.

**inexplicable** □ [in'eksplikəbl] unerklärlich.

**inexpressi|ble** □ [iniks'presəbl] unaussprechlich; **~ve** [~siv] ausdruckslos.

**inextinguishable** □ [iniks'tiŋgwiʃəbl] unauslöschlich.

**inextricable** □ [in'ekstrikəbl] unentwirrbar.

**infallible** □ [in'fæləbl] unfehlbar.

**infam|ous** □ ['infəməs] ehrlos; schändlich; verrufen; **~y** [~mi] Ehr-

losigkeit *f*; Schande *f*; Niedertracht *f*.

**infan|cy** ['infənsi] Kindheit *f*; ⚖ Minderjährigkeit *f*; **~t** [~nt] Säugling *m*; (kleines) Kind; Minderjährige(r *m*) *f*.

**infanti|le** ['infəntail], **~ne** [~ain] kindlich; Kindes..., Kinder...; kindisch.

**infantry** ✗ ['infəntri] Infanterie *f*.

**infatuate** [in'fætjueit] betören; **~d** vernarrt (*with* in *acc.*).

**infect** [in'fekt] anstecken (*a. fig.*); infizieren, verseuchen, verpesten; **~ion** [~kʃən] Ansteckung *f*; **~ious** □ [~ʃəs], **~ive** [~ktiv] ansteckend; Ansteckungs...

**infer** [in'fə:] folgern, schließen; **~ence** ['infərəns] Folgerung *f*.

**inferior** [in'fiəriə] **1.** untere(r, -s); minderwertig; **~** to niedriger *od.* geringer als; untergeordnet (*dat.*); unterlegen (*dat.*); **2.** Geringere(r *m*) *f*; Untergebene(r *m*) *f*; **~ity** [infiəri'ɔriti] geringerer Wert *od.* Stand; Unterlegenheit *f*; Minderwertigkeit *f*.

**infern|al** □ [in'fə:nl] höllisch; **~o** [~nou] Inferno *n*, Hölle *f*.

**infertile** [in'fə:tail] unfruchtbar.

**infest** [in'fest] heimsuchen; verseuchen; *fig.* überschwemmen.

**infidelity** [infi'deliti] Unglaube *m*; Untreue *f* (*to* gegen).

**infiltrate** [in'filtreit] *v/t.* durchdringen; *v/i.* durchsickern, eindringen.

**infinite** □ ['infinit] unendlich.

**infinitive** [in'finitiv] *a.* **~** mood *gr.* Infinitiv *m*, Nennform *f*.

**infinity** [in'finiti] Unendlichkeit *f*.

**infirm** □ [in'fə:m] kraftlos, schwach; **~ary** [~məri] Krankenhaus *n*; **~ity** [~miti] Schwäche *f* (*a. fig.*); Gebrechen *n*.

**inflame** [in'fleim] entflammen (*mst fig.*); sich entzünden (*a. fig. u.* ✸).

**inflamma|ble** □ [in'flæməbl] entzündlich; feuergefährlich; **~tion** [inflə'meiʃən] Entzündung *f*; **~tory** [in'flæmətəri] entzündlich; *fig.* aufrührerisch; hetzerisch; Hetz...

**inflat|e** [in'fleit] aufblasen, aufblähen (*a. fig.*); **~ion** [~eiʃən] Aufblähung *f*; ✝ Inflation *f*; *fig.* Aufgeblasenheit *f*.

**inflect** [in'flekt] biegen; *gr.* flektieren, beugen.

**inflexi|ble** □ [in'fleksəbl] unbiegsam; *fig.* unbeugsam; **~on** [.kʃən] Biegung *f*; *gr.* Flexion *f*, Beugung *f*; Modulation *f*.

**inflict** [in'flikt] auferlegen; zufügen; *Hieb* versetzen; *Strafe* verhängen; **~ion** [.kʃən] Auferlegung *f*; Zufügung *f*; Plage *f*.

**influen|ce** ['influəns] **1.** Einfluß *m*; **2.** beeinflussen; **~tial** □ [influ-'enʃəl] einflußreich.

**influenza** ⚕ [influ'enzə] Grippe *f*.

**influx** ['inflʌks] Einströmen *n*; *fig.* Zufluß *m*, (Zu)Strom *m*.

**inform** [in'fɔ:m] *v/t.* benachrichtigen, unterrichten (*of* von); *v/i.* anzeigen (*against* s.o. j.); **~al** □ [.ml] formlos, zwanglos; **~ality** [infɔ:-'mæliti] Formlosigkeit *f*; Formfehler *m*; **~ation** [infə'meiʃən] Auskunft *f*; Nachricht *f*, Information *f*; **~ative** [in'fɔ:mətiv] informatorisch; lehrreich; mitteilsam; **~er** [in'fɔ:mə] Denunziant *m*; Spitzel *m*.

**infrequent** [in'fri:kwənt] selten.

**infringe** [in'frindʒ] *a.* **~** *upon* *Vertrag etc.* verletzen; übertreten.

**infuriate** [in'fjuərieit] wütend machen. [gießen.]

**infuse** [in'fju:z] einflößen; auf-]

**ingen|ious** □ [in'dʒi:njəs] geistsinnreich; erfinderisch; raffiniert; genial; **~uity** [indʒi'nju(:)iti] Genialität *f*; **~uous** □ [in'dʒenjuəs] freimütig; unbefangen, naiv.

**ingot** ['iŋgət] *Gold- etc.* Barren *m*.

**ingrati|ate** [in'greiʃieit]: **~** *o.s.* sich beliebt machen (*with* bei); **~tude** [.rætitju:d] Undankbarkeit *f*.

**ingredient** [in'gri:djənt] Bestandteil *m*.

**ingrowing** ['ingrouiŋ] nach innen wachsend; eingewachsen.

**inhabit** [in'hæbit] bewohnen; **~able** [.təbl] bewohnbar; **~ant** [.ənt] Bewohner(in), Einwohner(in).

**inhal|ation** [inhə'leiʃən] Einatmung *f*; **~e** [in'heil] einatmen.

**inherent** □ [in'hiərənt] anhaftend; innewohnend, angeboren (*in* dat.).

**inherit** [in'herit] (er)erben; **~ance** [.təns] Erbteil *n*, Erbe *n*; Erbschaft *f*; *biol.* Vererbung *f*.

**inhibit** [in'hibit] (ver)hindern; verbieten; zurückhalten; **~ion** [inhi-'biʃən] Hemmung *f*; Verbot *n*.

**inhospitable** □ [in'hɔspitəbl] ungastlich, unwirtlich.

**inhuman** □ [in'hju:mən] unmenschlich.

**inimical** □ [i'nimikəl] feindlich; schädlich.

**inimitable** □ [i'nimitəbl] unnachahmlich.

**iniquity** [i'nikwiti] Ungerechtigkeit *f*; Schlechtigkeit *f*.

**initia|l** [i'niʃəl] **1.** □ Anfangs...; anfänglich; **2.** Anfangsbuchstabe *m*; **~te 1.** [.ʃiit] Eingeweihte(r *m*) *f*; **2.** [.ʃieit] beginnen; anbahnen; einführen, einweihen; **~tion** [iniʃi-'eiʃən] Einleitung *f*; Einführung *f*, Einweihung *f*; **~** *fee bsd. Am.* Aufnahmegebühr *f* (*Vereinigung*); **~tive** [i'niʃiətiv] Initiative *f*; einleitender Schritt; Entschlußkraft *f*; Unternehmungsgeist *m*; Volksbegehren *n*; **~tor** [.ʃieitə] Initiator *m*, Urheber *m*.

**inject** [in'dʒekt] einspritzen; **~ion** [.kʃən] Injektion *f*, Spritze *f*.

**injudicious** □ [indʒu(:)'diʃəs] unverständig, unklug, unüberlegt.

**injunction** [in'dʒʌŋkʃən] gerichtliche Verfügung; ausdrücklicher Befehl.

**injur|e** ['indʒə] (be)schädigen; schaden (*dat.*); verletzen; beleidigen; **~ious** [in'dʒuəriəs] schädlich; ungerecht; beleidigend; **~y** ['indʒəri] Unrecht *n*; Schaden *m*; Verletzung *f*; Beleidigung *f*.

**injustice** [in'dʒʌstis] Ungerechtigkeit *f*; Unrecht *n*.

**ink** [iŋk] **1.** Tinte *f*; *mst printer's* **~** Druckerschwärze *f*; *attr.* Tinten...; **2.** (mit Tinte) schwärzen; beklecksen.

**inkling** ['iŋkliŋ] Andeutung *f*; dunkle *od.* leise Ahnung.

**ink|pot** ['iŋkpɔt] Tintenfaß *n*; **~stand** Schreibzeug *n*; **~y** ['iŋki] tintig; Tinten...; tintenschwarz.

**inland 1.** ['inlənd] inländisch; Binnen...; **2.** [.] Landesinnere(s) *n*, Binnenland *n*; **3.** [in'lænd] landeinwärts.

**inlay 1.** [in'lei] (*irr. (lay)*) einlegen; **2.** ['inlei] Einlage *f*; Einlegearbeit *f*.

**inlet** ['inlet] Bucht *f*; Einlaß *m*.

**inmate** [in'meit] Insass|e *m*, -in *f*; Hausgenoss|e *m*, -in *f*.

**inmost** [in'moust] innerst.

**inn** [in] Gasthof *m*, Wirtshaus *n*.

**innate** □ [i'neit] angeboren.

**inner** ['inə] inner, inwendig; geheim; **~most** innerst; geheimst.

# innervate

140

**innervate** ['inə:veit] Nervenkraft
geben (*dat.*); kräftigen.
**innings** ['ininz] *Sport*: Dransein
*n.*
**innkeeper** ['inki:pə] Gastwirt(in).
**innocen|ce** ['inəsns] Unschuld *f*;
Harmlosigkeit *f*; Einfalt *f*; **.t** [ˌnt]
**1.** □ unschuldig; harmlos; **2.** Un-
schuldige(r *m*) *f*; Einfältige(r *m*) *f*.
**innocuous** □ [i'nɔkjuəs] harmlos.
**innovation** [inou'veiʃən] Neuerung *f*.
**innoxious** □ [i'nɔkʃəs] unschädlich.
**innuendo** [inju(:)'endou] Andeutung *f*.
**innumerable** □ [i'nju:mərəbl] un-
zählbar, unzählig.
**inoccupation** ['inɔkju'peiʃən] Be-
schäftigungslosigkeit *f*.
**inoculate** [i'nɔkjuleit] (ein)impfen.
**inoffensive** [inə'fensiv] harmlos.
**inofficial** [inə'fiʃəl] inoffiziell.
**inoperative** [in'ɔpərətiv] unwirksam.
**inopportune** □ [in'ɔpɔtju:n] unangebracht, zur Unzeit.
**inordinate** □ [i'nɔ:dinit] unmäßig.
**in-patient** ['inpeiʃənt] Kranken-
hauspatient *m*, stationärer Patient.
**inquest** ⚖ ['inkwest] Untersuchung
*f*; *coroner's* **.** Leichenschau *f*.
**inquir|e** [in'kwaiə] fragen, sich er-
kundigen (*of* bei *j-m*); **.** *into* untersuchen; **.ing** □ [ˌ.əriŋ] forschend;
**.y** [ˌ.ri] Erkundigung *f*, Nachfrage
*f*; Untersuchung *f*; Ermittlung *f*.
**inquisit|ion** [inkwi'ziʃən] Unter-
suchung *f*; **.ive** □ [in'kwizitiv]
neugierig; wißbegierig.
**inroad** ['inroud] *feindlicher* Einfall;
Ein-, Übergriff *m*.
**insan|e** □ [in'sein] wahnsinnig;
**.ity** [in'sæniti] Wahnsinn *m*.
**insatia|ble** □ [in'seiʃjəbl], **.te**
[ˌ.ʃiit] unersättlich (*of* nach).
**inscribe** [in'skraib] ein-, auf-, beschreiben; beschriften; *fig.* einprägen (*in, on dat.*); *Buch* widmen.
**inscription** [in'skripʃən] In-, Aufschrift *f*; ✝ Eintragung *f*.
**inscrutable** □ [in'skru:təbl] unerforschlich, unergründlich.
**insect** ['insekt] Insekt *n*; **.icide** [in-
'sektisaid] Insektengift *n*.
**insecure** □ [insi'kjuə] unsicher.
**insens|ate** [in'senseit] gefühllos;
unvernünftig; **.ible** □ [ˌ.səbl] unempfindlich; bewußtlos; unmerk-

lich; gleichgültig; **.itive** [ˌ.sitiv]
unempfindlich.
**inseparable** □ [in'sepərəbl] un-
trennbar, unzertrennlich.
**insert 1.** [in'sə:t] einsetzen, einschalten, einfügen, (hinein)stecken;
*Münze* einwerfen; inserieren;
**2.** ['insə:t] Bei-, Einlage *f*; **.ion**
[in'sə:ʃən] Einsetzung *f*, Einfü-
gung *f*, Eintragung *f*; Einwurf *m*
*e-r Münze*; Anzeige *f*, Inserat *n*.
**inshore** ⚓ ['in'ʃɔ:] an *od.* nahe der
Küste (befindlich); Küsten...
**inside** [in'said] **1.** Innenseite *f*;
Innere(s) *n*; *turn* **.** *out* umkrem-
peln; *auf den Kopf stellen*; **2.** *adj.*
inner, inwendig; Innen...; **3.** *adv.*
im Innern; **4.** *prp.* innerhalb.
**insidious** □ [in'sidiəs] heimtük-
kisch.
**insight** ['insait] Einsicht *f*, Einblick
*m*.
**insignia** [in'signiə] *pl.* Abzeichen
*n/pl.*, Insignien *pl.*
**insignificant** [insig'nifikənt] bedeutungslos; unbedeutend.
**insincere** □ [insin'siə] unaufrichtig.
**insinuat|e** [in'sinjueit] unbemerkt
hineinbringen; zu verstehen geben;
andeuten; **.ion** [insinju'eiʃən] Ein-
schmeichelung *f*; Anspielung *f*,
Andeutung *f*; Wink *m*.
**insipid** [in'sipid] geschmacklos, fad.
**insist** [in'sist]: **.** (*up*)*on* bestehen auf
(*dat.*); dringen auf (*acc.*); **.ence**
[ˌ.təns] Bestehen *n*; Beharrlichkeit
*f*; Drängen *n*; **.ent** □ [ˌ.nt] beharrlich; eindringlich.
**insolent** □ ['insələnt] unverschämt.
**insoluble** □ [in'sɔljubl] unlöslich.
**insolvent** [in'sɔlvənt] zahlungsun-
fähig. [keit *f.*]
**insomnia** [in'sɔmniə] Schlaflosig-
**insomuch** [insou'mʌtʃ]: **.** *that* der-
maßen *od.* so sehr, daß.
**inspect** [in'spekt] untersuchen, prüfen, nachsehen; **.ion** [ˌ.kʃən] Prüfung *f*, Untersuchung *f*; Inspektion
*f*; **.or** [ˌ.ktə] Aufsichtsbeamte(r) *m*.
**inspir|ation** [inspə'reiʃən] Ein-
atmung *f*; Eingebung *f*; Begeiste-
rung *f*; **.e** [in'spaiə] einatmen; *fig.*
eingeben, erfüllen; *j-n* begeistern.
**install** [in'stɔ:l] einsetzen; (sich)
niederlassen; ⊕ installieren; **.ation**
[instə'leiʃən] Einsetzung *f*; ⊕ Installation *f*, Einrichtung *f*; ⚡ *etc.*
Anlage *f*.

**instal(l)ment** [in'stɔ:lmənt] Rate *f*; Teil-, Ratenzahlung *f*; (Teil)Lieferung *f*; Fortsetzung *f*.

**instance** ['instəns] Ersuchen *n*; Beispiel *n*; (besonderer) Fall; Instanz *f*; *for ~* zum Beispiel.

**instant** □ ['instənt] 1. dringend; sofortig; *on the 10th ~* am 10. dieses Monats; 2. Augenblick *m*; **~aneous** □ [instən'teinjəs] augenblicklich; Moment...; **~ly** [in'stæntli] sogleich.

**instead** [in'sted] dafür; *~ of* anstatt.

**instep** ['instep] Spann *m*.

**instigat|e** ['instigeit] anstiften; aufhetzen; **~or** [~tə] Anstifter *m*, Hetzer *m*.

**instil(l)** [in'stil] einträufeln; *fig.* einflößen (*into dat.*).

**instinct** ['instiŋkt] Instinkt *m*; **~ive** □ [in'stiŋktiv] instinktiv.

**institut|e** ['institju:t] 1. Institut *n*; 2. einsetzen, stiften, einrichten; an-, verordnen; **~ion** [insti'tju:ʃən] Einsetzung *f*, Einrichtung *f*; An-, Verordnung *f*; Satzung *f*; Institut(ion *f*) *n*; Gesellschaft *f*; Anstalt *f*; **~ional** [~nl] Instituts..., Anstalts...

**instruct** [in'strʌkt] unterrichten; belehren; *j-n* anweisen; **~ion** [~kʃən] Vorschrift *f*; Unterweisung *f*, Anweisung *f*; **~ive** □ [~ktiv] lehrreich; **~or** [~tə] Lehrer *m*; Ausbilder *m*; *Am. univ.* Dozent *m*.

**instrument** ['instrumənt] Instrument *n*, Werkzeug *n* (*a. fig.*); *♫* Urkunde *f*; **~al** □ [instru'mentl] als Werkzeug dienend; dienlich; *♫* Instrumental...; **~ality** [instrumen'tæliti] Mitwirkung *f*, Mittel *n*.

**insubordinat|e** [insə'bɔ:dnit] aufsässig; **~ion** ['insəbɔ:di'neiʃən] Auflehnung *f*.

**insubstantial** [insəb'stænʃəl] unwirklich; gebrechlich.

**insufferable** □ [in'sʌfərəbl] unerträglich, unausstehlich.

**insufficient** □ [insə'fiʃənt] unzulänglich, ungenügend.

**insula|r** □ ['insjulə] Insel...; *fig.* engstirnig; **~te** [~leit] isolieren; **~tion** [insju'leiʃən] Isolierung *f*.

**insult** 1. ['insʌlt] Beleidigung *f*; 2. [in'sʌlt] beleidigen.

**insupportable** □ [insə'pɔ:təbl] unerträglich, unausstehlich.

**insur|ance** [in'ʃuərəns] Versicherung *f*; *attr.* Versicherungs...; **~ance policy** Versicherungspolice *f*, -schein *m*; **~e** [in'ʃuə] versichern.

**insurgent** [in'sə:dʒənt] 1. aufrührerisch; 2. Aufrührer *m*.

**insurmountable** □ [insə(:)'mauntəbl] unübersteigbar, *fig.* unüberwindlich.

**insurrection** [insə'rekʃən] Aufstand *m*, Empörung *f*.

**intact** [in'tækt] unberührt; unversehrt.

**intangible** □ [in'tændʒəbl] unfühlbar; unfaßbar; unantastbar.

**integ|ral** □ ['intigrəl] ganz, vollständig; wesentlich; **~rate** [~reit] ergänzen; zs.-fun; einfügen; **~rity** [in'tegriti] Vollständigkeit *f*; Redlichkeit *f*, Integrität *f*.

**intellect** ['intilekt] Verstand *m*; *konkr. die* Intelligenz; **~ual** [inti'lektjuəl] 1. □ intellektuell; Verstandes...; geistig; verständig; 2. Intellektuelle(r *m*) *f*.

**intelligence** [in'telidʒəns] Intelligenz *f*; Verstand *m*; Verständnis *n*; Nachricht *f*, Auskunft *f*; *~ department* Nachrichtendienst *m*.

**intellig|ent** □ [in'telidʒənt] intelligent; klug; **~ible** □ [~dʒəbl] verständlich (*to* für).

**intempera|nce** [in'tempərəns] Unmäßigkeit *f*; Trunksucht *f*; **~te** □ [~rit] unmäßig; zügellos; unbeherrscht; trunksüchtig.

**intend** [in'tend] beabsichtigen, wollen; *~ for* bestimmen für *od.* zu; **~ed** 1. absichtlich; beabsichtigt, *a.* zukünftig; 2. F Verlobte(r *m*) *f*.

**intense** □ [in'tens] intensiv; angestrengt; heftig; kräftig (*Farbe*).

**intensify** [in'tensifai] (sich) verstärken *od.* steigern.

**intensity** [in'tensiti] Intensität *f*.

**intent** [in'tent] 1. □ gespannt; bedacht; beschäftigt (*on* mit); 2. Absicht *f*; Vorhaben *n*; *to all ~s and purposes* in jeder Hinsicht; **~ion** [~nʃən] Absicht *f*; Zweck *m*; **~ional** □ [~nl] absichtlich; **~ness** [~ntnis] gespannte Aufmerksamkeit; Eifer *m*.

**inter** [in'tə:] beerdigen, begraben.

**inter...** ['intə(:)] zwischen; Zwischen...; gegenseitig, einander.

**interact** [intər'ækt] sich gegenseitig beeinflussen.

**intercede** [intə(:)'si:d] vermitteln.

**intercept** [intə(:)'sept] ab-, auffangen; abhören; aufhalten; unterbrechen; ~ion [~pʃən] Ab-, Auffangen n; Abhören n; Unterbrechung f; Aufhalten n.

**intercess|ion** [intə'seʃən] Fürbitte f; ~or [~esə] Fürsprecher m.

**interchange 1.** [intə(:)'tʃeindʒ] v/t. austauschen, auswechseln; v/i. abwechseln; **2.** ['intə(:)'tʃeindʒ] Austausch m; Abwechs(e)lung f.

**intercourse** ['intə(:)kɔːs] Verkehr m.

**interdict 1.** [intə(:)'dikt] untersagen, verbieten (s.th. to s.o. j-m et.; s.o. from doing j-m zu tun); **2.** ['intə(:)dikt], ~ion [intə(:)'dikʃən] Verbot n; Interdikt n.

**interest** ['intrist] **1.** Interesse n; Anziehungskraft f; Bedeutung f; Nutzen m; † Anteil m, Beteiligung f, Kapital n; Zins(en pl.) m; ~s pl. Interessenten m/pl., Kreise m/pl.; take an ~ in sich interessieren für; return a blow with ~ noch heftiger zurückschlagen; banking ~s pl. Bankkreise m/pl.; **2.** allg. interessieren (in für et.); ~ing [~tiŋ] interessant.

**interfere** [intə'fiə] sich einmischen (with in acc.); vermitteln; (ea.) stören; ~nce [~ərəns] Einmischung f; Beeinträchtigung f; Störung f.

**interim** ['intərim] **1.** Zwischenzeit f; **2.** vorläufig; Interims...

**interior** [in'tiəriə] **1.** □ inner; innerlich; Innen...; ~ decorator Innenarchitekt m; Maler m, Tapezierer m; **2.** Innere(s) n; Interieur n; pol. innere Angelegenheiten; Department of the ⚇ Am. Innenministerium n. [ruf m.]

**interjection** [intə(:)'dʒekʃən] Aus-]

**interlace** [intə(:)'leis] v/t. durchflechten, -weben; v/i. sich kreuzen.

**interlock** [intə(:)'lɔk] in-ea.-greifen; in-ea.-schlingen; in-ea.-haken.

**interlocut|ion** [intə(:)lou'kjuːʃən] Unterredung f; ~or [~ə(:)'lɔkjutə] Gesprächspartner m.

**interlope** [intə(:)'loup] sich eindrängen; ~r ['intə(:)loupə] Eindringling m.

**interlude** ['intə(:)luːd] Zwischenspiel n; Zwischenzeit f; ~s of bright weather zeitweilig schön.

**intermarriage** [intə(:)'mæridʒ] Mischehe f.

**intermeddle** [intə(:)'medl] sich einmischen (with, in in acc.).

**intermedia|ry** [intə(:)'miːdjəri] **1.** = intermediate; vermittelnd; **2.** Vermittler m; ~te □ [~ət] in der Mitte liegend; Mittel..., Zwischen...; ~-range ballistic missile Mittelstreckenrakete f; ~ school Am. Mittelschule f.

**interment** [in'təːmənt] Beerdigung f.

**interminable** □ [in'təːminəbl] endlos, unendlich.

**intermingle** [intə(:)'miŋgl] (sich) vermischen.

**intermission** [intə(:)'miʃən] Aussetzen n, Unterbrechung f; Pause f.

**intermit** [intə(:)'mit] unterbrechen, aussetzen; ~tent [~tənt] aussetzend; ~ fever ⚕ Wechselfieber n.

**intermix** [intə(:)'miks] (sich) vermischen.

**intern¹** [in'təːn] internieren.

**intern²** ['intəːn] Assistenzarzt m.

**internal** □ [in'təːnl] inner(lich); inländisch.

**international** □ [intə(:)'næʃənl] international; ~ law Völkerrecht n.

**interphone** ['intəfoun] Haustelephon n; Am. ✈ Bordsprechanlage f.

**interpolate** [in'təː:pouleit] einschieben.

**interpose** [intə(:)'pouz] v/t. Veto einlegen; Wort einwerfen; v/i. dazwischentreten; vermitteln.

**interpret** [in'təː:prit] auslegen, erklären, interpretieren; (ver)dolmetschen; darstellen; ~ation [intəː:pri'teiʃən] Auslegung f; Darstellung f; ~er [in'təː:pritə] Ausleger (-in); Dolmetscher(in); Interpret (-in).

**interrogat|e** [in'terəgeit] (be-, aus-) fragen; verhören; ~ion [intərə'geiʃən] (Be-, Aus)Fragen n, Verhör(en) n; Frage f; note od. mark od. point of ~ Fragezeichen n; ~ive □ [intə'rɔgətiv] fragend; Frage...

**interrupt** [intə'rʌpt] unterbrechen; ~ion [~pʃən] Unterbrechung f.

**intersect** [intə(:)'sekt] (sich) schneiden; ~ion [~kʃən] Durchschnitt m; Schnittpunkt m; Straßen- etc. Kreuzung f.

**intersperse** [intə(:)'spəːs] einstreuen; untermengen, durchsetzen.

**interstate** Am. [intə(:)'steit] zwischenstaatlich.

**intertwine** [intə(:)'twain] verflechten.

**interval** ['intəvəl] Zwischenraum *m*; Pause *f*; (Zeit)Abstand *m*.

**interven|e** [intə(:)'vi:n] dazwischenkommen; sich einmischen; einschreiten; dazwischenliegen; **~tion** [~'venʃən] Dazwischenkommen *n*; Einmischung *f*; Vermitt(e)lung *f*.

**interview** ['intəvju:] **1.** Zusammenkunft *f*, Unterredung *f*; Interview *n*; **2.** interviewen.

**intestine** [in'testin] **1.** inner; **2.** Darm *m*; **~s** *pl*. Eingeweide *n/pl*.

**intima|cy** ['intiməsi] Intimität *f*, Vertraulichkeit *f*; **~te 1.** [~meit] bekanntgeben; zu verstehen geben; **2.** □ [~mit] intim; **3.** [~] Vertraute(r *m*) *f*; **~tion** [inti'meiʃən] Andeutung *f*, Wink *m*; Ankündigung *f*.

**intimidate** [in'timideit] einschüchtern.

**into** *prp.* ['intu, *vor Konsonant* 'intə] in (*acc.*), in … hinein.

**intolera|ble** □ [in'tɔlərəbl] unerträglich; **~nt** □ [~ənt] unduldsam, intolerant.

**intonation** [intou'neiʃən] Anstimmen *n*; *gr.* Intonation *f*, Tonfall *m*.

**intoxica|nt** [in'tɔksikənt] **1.** berauschend; **2.** berauschendes Getränk; **~te** [~keit] berauschen (*a. fig.*); **~tion** [intɔksi'keiʃən] Rausch *m* (*a. fig.*).

**intractable** □ [in'træktəbl] unlenksam, störrisch; schwer zu bändigen(d).                        [intransitiv.|

**intransitive** □ *gr.* [in'trænsitiv]|

**intrastate** *Am.* [intrə'steit] innerstaatlich.

**intrench** [in'trentʃ] = *entrench*.

**intrepid** [in'trepid] unerschrocken.

**intricate** □ [in'trikit] verwickelt.

**intrigue** [in'tri:g] **1.** Ränkespiel *n*, Intrige *f*; (Liebes)Verhältnis *n*; **2.** *v/i.* Ränke schmieden, intrigieren; ein (Liebes)Verhältnis haben; *v/t.* neugierig machen; **~r** [~gə] Intrigant(in).

**intrinsic(al** □) [in'trinsik(əl)] innerlich; wirklich, wahr.

**introduc|e** [intrə'dju:s] einführen (*a. fig.*); bekannt machen (*to* mit), vorstellen (*to j-m*); einleiten; **~tion** [~'dʌkʃən] Einführung *f*; Einleitung *f*; Vorstellung *f*; *letter of* ~ Empfehlungsschreiben *n*; **~tory** [~ktəri] einleitend, einführend.

**introspection** [introu'spekʃən] Selbstprüfung *f*; Selbstbetrachtung *f*.

**introvert 1.** [introu'və:t] einwärtskehren; **2.** *psych.* ['introuvə:t] nach innen gekehrter Mensch.

**intru|de** [in'tru:d] hineinzwängen; (sich) ein- *od.* aufdrängen; **~der** [~də] Eindringling *m*; **~sion** [~u:-ʒən] Eindringen *n*; Auf-, Zudringlichkeit *f*; **~sive** □ [~u:siv] zudringlich.

**intrust** [in'trʌst] = *entrust*.

**intuition** [intju(:)'iʃən] unmittelbare Erkenntnis, Intuition *f*.

**inundate** ['inʌndeit] überschwemmen.

**inure** [i'njuə] gewöhnen (*to an acc.*).

**invade** [in'veid] eindringen in, einfallen in (*acc.*); *fig.* befallen; **~r** [~də] Angreifer *m*; Eindringling *m*.

**invalid**[1] [in'væli:d] **1.** dienstunfähig; kränklich; **2.** Invalide *m*.

**invalid**[2] [in'vælid] (rechts)ungültig; **~ate** [~deit] entkräften; *z½* ungültig machen.                      [schätzbar.|

**invaluable** □ [in'væljuəbl] un-|

**invariab|le** □ [in'vɛəriəbl] unveränderlich; **~ly** [~li] ausnahmslos.

**invasion** [in'veiʒən] Einfall *m*, Angriff *m*, Invasion *f*; Eingriff *m*; *⚕* Anfall *m*.

**invective** [in'vektiv] Schmähung *f*, Schimpfrede *f*, Schimpfwort *n*.

**inveigh** [in'vei] schimpfen (*against* über, auf *acc.*).

**inveigle** [in'vi:gl] verleiten.

**invent** [in'vent] erfinden; **~ion** [~nʃən] Erfindung(sgabe) *f*; **~ive** □ [~ntiv] erfinderisch; **~or** [~tə] Erfinder(in); **~ory** ['invəntri] **1.** Inventar *n*; Inventur *f*; **2.** inventarisieren.

**invers|e** □ ['in'və:s] umgekehrt; **~ion** [in'və:ʃən] Umkehrung *f*; *gr.* Inversion *f*.

**invert** [in'və:t] umkehren; umstellen; **~ed commas** *pl.* Anführungszeichen *n/pl*.

**invest** [in'vest] investieren, anlegen; bekleiden; ausstatten; umgeben (*with* von); *⚔* belagern.

**investigat|e** [in'vestigeit] erforschen; untersuchen; nachforschen; **~ion** [investi'geiʃən] Erforschung *f*; Untersuchung *f*; Nachforschung *f*; **~or** [in'vestigeitə] Untersuchende(r *m*) *f*.

**invest|ment** † [in'vestmənt] Kapitalanlage *f*; Investition *f*; **~or** [~tə] Geldgeber *m*.

**inveterate** [in'vetərit] eingewurzelt.

**invidious** □ [in'vidiəs] verhaßt; gehässig; beneidenswert.

**invigorate** [in'vigəreit] kräftigen.

**invincible** □ [in'vinsəbl] unbesiegbar; unüberwindlich.

**invulnerable** [in'vʌlnərəbl] unverwundbar; *fig.* unanfechtbar.

**invio|ble** □ [in'vaiələbl] unverletzlich; **~te** [~lit] unverletzt.

**invisible** [in'vizəbl] unsichtbar.

**invit|ation** [invi'teiʃən] Einladung *f*, Aufforderung *f*; **~e** [in'vait] einladen; auffordern; (an)locken.

**invoice** † ['invɔis] Faktura *f*, Warenrechnung *f*.

**invoke** [in'vouk] anrufen; zu Hilfe rufen (*acc.*); sich berufen auf (*acc.*); *Geist* heraufbeschwören.

**involuntary** □ [in'vɔləntəri] unfreiwillig; unwillkürlich.

**involve** [in'vɔlv] verwickeln, hineinziehen; in sich schließen, enthalten; mit sich bringen; **~ment** [~vmənt] Verwicklung *f*; (*bsd.* Geld)Schwierigkeit *f*.

**invulnerable** □ [in'vʌlnərəbl] unverwundbar; *fig.* unanfechtbar.

**inward** ['inwəd] **1.** □ inner(lich); **2.** *adv. mst* **~s** einwärts; nach innen; **3.** **~s** *pl.* Eingeweide *n/pl.*

**iodine** ['aiədi:n] Jod *n*.

**IOU** ['aiou'ju:] (= *I owe you*) Schuldschein *m*.

**irascible** □ [i'ræsibl] jähzornig.

**irate** [ai'reit] zornig, wütend.

**iridescent** [iri'desnt] schillernd.

**iris** ['aiəris] *anat.* Regenbogenhaut *f*, Iris *f*; ♀ Schwertlilie *f*.

**Irish** ['aiəriʃ] **1.** irisch; **2.** Irisch *n*; *the ~ pl.* die Iren *pl.*; **~man** Ire *m*.

**irksome** ['ə:ksəm] lästig, ermüdend.

**iron** ['aiən] **1.** Eisen *n*; *a.* flat-**~** Bügeleisen *n*; **~s** *pl.* Fesseln *f/pl.*; *strike while the ~ is hot fig.* das Eisen schmieden, solange es heiß ist; **2.** eisern (*a. fig.*); Eisen...; **3.** bügeln; in Eisen legen; **~-bound** eisenbeschlagen; felsig; uneibugsam; **~clad 1.** gepanzert; **2.** Panzerschiff *n*; **~ curtain** *pol.* eiserner Vorhang; **~-hearted** *fig.* hartherzig.

**ironic(al** □) [ai'rɔnik(əl)] ironisch, spöttisch.

**iron|ing** ['aiəniŋ] Plätten *n*, Bügeln *n*; *attr.* Plätt..., Bügel...; **~ lung** ♂ eiserne Lunge; **~monger** Eisenhändler *m*; **~mongery** [~əri] Eisenwaren *f/pl.*; **~mo(u)ld** Rostfleck *m*; **~work** schmiedeeiserne Arbeit; **~works** *mst sg.* Eisenhütte *f*.

**irony**[1] ['aiəni] eisenartig, -haltig.

**irony**[2] ['aiərəni] Ironie *f*.

**irradiant** [i'reidjənt] strahlend (*with* vor *Freude etc.*).

**irradiate** [i'reidieit] bestrahlen (*a. ♂*); *fig.* aufklären; strahlen lassen.

**irrational** □ [i'ræʃənl] unvernünftig.

**irreclaimable** □ [iri'kleiməbl] unverbesserlich.

**irrecognizable** □ [i'rekəgnaizəbl] nicht (wieder)erkennbar.

**irreconcilable** □ [i'rekənsailəbl] unversöhnlich; unvereinbar.

**irrecoverable** □ [iri'kʌvərəbl] unersetzlich; unwiederbringlich.

**irredeemable** □ [iri'di:məbl] unkündbar; nicht einlösbar; unersetzlich.

**irrefutable** □ [i'refjutəbl] unwiderleglich, unwiderlegbar.

**irregular** □ [i'regjulə] unregelmäßig, regelwidrig; ungleichmäßig.

**irrelevant** □ [i'relivənt] nicht zur Sache gehörig; unzutreffend; unerheblich, belanglos (*to* für).

**irreligious** □ [iri'lidʒəs] gottlos.

**irremediable** □ [iri'mi:djəbl] unheilbar; unersetzlich.

**irremovable** □ [iri'mu:vəbl] nicht entfernbar; unabsetzbar.

**irreparable** □ [i'repərəbl] nicht wieder gutzumachen(d).

**irreplaceable** [iri'pleisəbl] unersetzlich.

**irrepressible** □ [iri'presəbl] ununterdrückbar; unbezähmbar.

**irreproachable** □ [iri'proutʃəbl] einwandfrei, untadelig.

**irresistible** □ [iri'zistəbl] unwiderstehlich.

**irresolute** □ [i'rezəlu:t] unentschlossen.

**irrespective** □ [iris'pektiv] (*of*) rücksichtslos (gegen); ohne Rücksicht (auf *acc.*); unabhängig (von).

**irresponsible** □ [iris'pɔnsəbl] unverantwortlich; verantwortungslos.

**irretrievable** □ [iri'tri:vəbl] unwiederbringlich, unersetzlich; nicht wieder gutzumachen(d).

**irreverent** □ [i'revərənt] respektlos, ehrfurchtslos.

**irrevocable** □ [i'revəkəbl] unwiderruflich; unabänderlich, endgültig.
**irrigate** ['irigeit] bewässern.
**irrita|ble** □ ['iritəbl] reizbar; **~nt** [~ənt] Reizmittel *n*; **~te** [~teit] reizen; ärgern; **~ting** □ [~tiŋ] aufreizend; ärgerlich (*Sache*); **~tion** [iri'teiʃən] Reizung *f*; Gereiztheit *f*, Ärger *m*.
**irrupt|ion** [i'rʌpʃən] Einbruch *m* (*mst fig.*); **~ive** [~ptiv] (her)einbrechend.
**is** [iz] *3. sg. pres. von* be.
**island** ['ailənd] Insel *f*; Verkehrsinsel *f*; **~er** [~də] Inselbewohner(in).
**isle** [ail] Insel *f*; **~t** ['ailit] Inselchen *n*.
**isolat|e** ['aisəleit] absondern; isolieren; **~ed** abgeschieden; **~ion** [aisə'leiʃən] Isolierung *f*, Absonderung *f*; **~ward** ⚕ Isolierstation *f*; **~ionist** *Am. pol.* [~ʃnist] Isolationist *m*.
**issue** ['isju:, *Am.* 'iʃu:] **1.** Herauskommen *n*, Herausfließen *n*; Abfluß *m*; Ausgang *m*; Nachkommen (-schaft *f*) *m*/*pl.*; *fig.* Ausgang *m*, Ergebnis *n*; Streitfrage *f*; Ausgabe *f* *v. Material etc.*, Erlaß *m* *v. Befehlen*; Ausgabe *f*, Exemplar *n*; Nummer *f* *e-r Zeitung*; **~** *in law* Rechtsfrage *f*; be at **~** uneinig sein; point

at **~** strittiger Punkt; **2.** *v*/*i.* herauskommen; herkommen, entspringen; endigen (*in in acc.*); *v*/*t.* von sich geben; *Material etc.* ausgeben; *Befehl* erlassen; *Buch* herausgeben.
**isthmus** ['isməs] Landenge *f*.
**it** [it] **1.** es; *nach prp.* da... (*z.B. by* ~ dadurch; *for* ~ dafür); **2.** das gewisse Etwas.
**Italian** [i'tæljən] **1.** italienisch; **2.** Italiener(in); Italienisch *n*.
**italics** *typ.* [i'tæliks] Kursivschrift *f*.
**itch** [itʃ] **1.** 🩹 Krätze *f*; Jucken *n*; Verlangen *n*; **2.** jucken; be **~**ing to *inf.* darauf brennen, zu *inf.*; *have an* **~**ing palm raffgierig sein; **~ing** ['itʃiŋ] Jucken *n*; *fig.* Gelüste *n*.
**item** ['aitem] **1.** desgleichen; **2.** Einzelheit *f*, Punkt *m*; Posten *m*; (Zeitungs)Artikel *m*; **~ize** [~maiz] einzeln angeben *od.* aufführen.
**iterate** ['itəreit] wiederholen.
**itiner|ant** □ [i'tinərənt] reisend; umherziehend; Reise...; **~ary** [ai'tinərəri] Reiseroute *f*, -plan *m*; Reisebericht *m*; *attr.* Reise...
**its** [its] sein(e); dessen, deren.
**itself** [it'self] (es, sich) selbst; sich; *of* ~ von selbst; *in* ~ in sich, an sich; *by* ~ für sich allein, besonders.
**ivory** ['aivəri] Elfenbein *n*.
**ivy** 🌿 ['aivi] Efeu *m*.

# J

**jab** F [dʒæb] **1.** stechen; stoßen; **2.** Stich *m*, Stoß *m*.
**jabber** ['dʒæbə] plappern.
**jack** [dʒæk] **1.** Hebevorrichtung *f*, *bsd.* Wagenheber *m*; Malkugel *f* *beim Bowlspiel*; ⚓ Gösch *f*, kleine Flagge; *Karten:* Bube *m*; **2.** *a.* **~** *up* aufbocken.
**jackal** ['dʒækɔ:l] *zo.* Schakal *m*; *fig.* Handlanger *m*.
**jack|ass** ['dʒækæs] Esel *m* (*a. fig.*); **~boots** Reitstiefel *m*/*pl.*; hohe Wasserstiefel *m*/*pl.*; **~daw** *orn.* Dohle *f*.
**jacket** ['dʒækit] Jacke *f*; ⊕ Mantel *m*; Schutzumschlag *m* *e-s Buches*.
**jack|-knife** ['dʒæknaif] (großes) Klappmesser *n*; ♀ **of all trades**

Hansdampf in allen Gassen; ♀ **of all work** Faktotum *n*; **~pot** *Poker:* Einsatz *m*; *hit the* **~** *Am.* F großes Glück haben.
**jade** [dʒeid] (Schind)Mähre *f*, Klepper *m*; *contp.* Frauenzimmer *n*.
**jag** [dʒæg] Zacken *m*; *sl.* Sauferei *f*; **~ged** ['dʒægid] zackig; gekerbt; *bsd. Am. sl.* voll (*betrunken*).
**jaguar** *zo.* ['dʒægjuə] Jaguar *m*.
**jail** [dʒeil] **1.** Kerker *m*; **2.** einkerkern; **~bird** ['dʒeilbə:d] F Knastbruder *m*; Galgenvogel *m*; **~er** ['dʒeilə] Kerkermeister *m*.
**jalop(p)y** *bsd. Am.* F *mot.*, ✈ [dʒə-'lɔpi] Kiste *f*.
**jam**[1] [dʒæm] Marmelade *f*.

**jam²** [~] **1.** Gedränge *n*; ⊕ Hemmung *f*; *Radio*: Störung *f*; *traffic* ~ Verkehrsstockung *f*; *be in a* ~ *sl.* in der Klemme sein; **2.** (sich) (fest-, ver)klemmen; pressen, quetschen; versperren; *Radio*: stören; ~ *the brakes* mit aller Kraft bremsen.

**jamboree** [dʒæmbə'ri:] (*bsd.* Pfadfinder)Treffen *n*; *sl.* Vergnügen *n*, Fez *m*.

**jangle** ['dʒæŋgl] schrillen (lassen); laut streiten, keifen.

**janitor** ['dʒænitə] Portier *m*.

**January** ['dʒænjuəri] Januar *m*.

**Japanese** [dʒæpə'ni:z] **1.** japanisch; **2.** Japaner(in); Japanisch *n*; *the* ~ *pl.* die Japaner *pl.*

**jar** [dʒɑ:] **1.** Krug *m*; Topf *m*; Glas *n*; Knarren *n*, Mißton *m*; Streit *m*; mißliche Lage; **2.** knarren; unangenehm berühren; erzittern (lassen); streiten.

**jaundice** [ɛ' ['dʒɔ:ndis] Gelbsucht *f*; ~**d** [~st] [ɛ' gelbsüchtig; *fig.* neidisch.

**jaunt** [dʒɔ:nt] **1.** Ausflug *m*, Spritztour *f*; **2.** e-n Ausflug machen; ~**y** □ ['dʒɔ:nti] munter; flott.

**javelin** ['dʒævlin] Wurfspeer *m*.

**jaw** [dʒɔ:] Kinnbacken *m*, Kiefer *m*; ~**s** *pl.* Rachen *m*; Maul *n*; Schlund *m*; ⊕ Backen *f/pl.*; ~**-bone** ['dʒɔ:-boun] Kieferknochen *m*.

**jay** *orn.* [dʒei] Eichelhäher *m*; ~**walker** *Am.* F ['dʒeiwɔ:kə] achtlos die Straße überquerender Fußgänger.

**jazz** [dʒæz] **1.** Jazz *m*; **2.** F grell.

**jealous** □ ['dʒeləs] eifersüchtig; besorgt (*of* um); neidisch; ~**y** [~si] Eifersucht *f*; Neid *m*.

**jeans** [dʒi:nz] *pl.* Jeans *pl.*, Niet(en)-
**jeep** [dʒi:p] Jeep *m*. [hose *f*.]

**jeer** [dʒiə] **1.** Spott *m*, Spötterei *f*; **2.** spotten (*at* über *acc.*); (ver)höhnen.

**jejune** □ [dʒi'dʒu:n] nüchtern, fad.

**jelly** ['dʒeli] **1.** Gallert(e *f*) *n*; Gelee *n*; **2.** gelieren; ~**-fish** *zo.* Qualle *f*.

**jeopardize** ['dʒepədaiz] gefährden.

**jerk** [dʒə:k] **1.** Ruck *m*; (Muskel-)Krampf *m*; **2.** rucken *od.* zerren (an *dat.*); schnellen; schleudern; ~**water** *Am.* ['dʒə:kwɔ:tə] **1.** 🚂 Nebenbahn *f*; **2.** F klein, unbedeutend; ~**y** ['dʒə:ki] **1.** □ ruckartig; holperig; **2.** *Am.* luftgetrocknetes Rindfleisch.

**jersey** ['dʒə:zi] Wollpullover *m*; wollenes Unterhemd.

**jest** [dʒest] **1.** Spaß *m*; **2.** scherzen; ~**er** ['dʒestə] Spaßmacher *m*.

**jet** [dʒet] **1.** (Wasser-, Gas)Strahl *m*; Strahlrohr *n*; ⊕ Düse *f*; Düsenflugzeug *n*; Düsenmotor *m*; **2.** hervorsprudeln; ~**-propelled** ['dʒet-propeld] mit Düsenantrieb.

**jetty** ⚓ ['dʒeti] Mole *f*; Pier *m*.

**Jew** [dʒu:] Jude *m*; *attr.* Juden...

**jewel** ['dʒu:əl] Juwel *m*, *n*; ~**(l)er** [~lə] Juwelier *m*; ~**(le)ry** [~lri] Juwelen *pl.*, Schmuck *m*.

**Jew|ess** ['dʒu(:)is] Jüdin *f*; ~**ish** ['dʒu(:)iʃ] jüdisch.

**jib** ⚓ [dʒib] Klüver *m*.

**jibe** *Am.* F [dʒaib] zustimmen.

**jiffy** F ['dʒifi] Augenblick *m*.

**jig-saw** ['dʒigsɔ:] Laubsägemaschine *f*; ~ **puzzle** Zusammensetzspiel *n*.

**jilt** [dʒilt] **1.** Kokette *f*; **2.** Liebhaber versetzen.

**Jim** [dʒim]: ~ *Crow Am.* Neger *m*; *Am.* Rassentrennung *f*.

**jingle** ['dʒiŋgl] **1.** Geklingel *n*; **2.** klingeln, klimpern (mit).

**jitney** *Am. sl.* ['dʒitni] 5-Cent-Stück *n*; billiger Omnibus.

**jive** *Am. sl.* [dʒaiv] *heiße* Jazzmusik; Jazzjargon *m*.

**job** [dʒɔb] **1.** (Stück *n*) Arbeit *f*; Sache *f*, Aufgabe *f*; Beruf *m*; Stellung *f*; *by the* ~ stückweise; im Akkord; ~ *lot* F Ramschware *f*; ~ *work* Akkordarbeit *f*; **2.** *v/t.* Pferd *etc.* (ver)mieten; ✝ vermitteln; *v/i.* im Akkord arbeiten; Maklergeschäfte machen; ~**ber** ['dʒɔbə] Akkordarbeiter *m*; Makler *m*; Schieber *m*.

**jockey** ['dʒɔki] **1.** Jockei *m*; **2.** prellen.

**jocose** □ [dʒə'kous] scherzhaft, spaßig.

**jocular** □ ['dʒɔkjulə] lustig, spaßig.

**jocund** □ ['dʒɔkənd] lustig, fröhlich.

**jog** [dʒɔg] **1.** Stoß(en *n*) *m*; Rütteln *n*; Trott *m*; **2.** *v/t.* (an)stoßen, (auf-)rütteln; *v/i. mst* ~ *along*, ~ *on* dahintrotten, dahinschlendern.

**John** [dʒɔn]: ~ *Bull* John Bull (*der Engländer*); ~ *Hancock Am.* F Friedrich Wilhelm *m* (*Unterschrift*).

**join** [dʒɔin] **1.** *v/t.* verbinden, zs.-fügen (*to* mit); sich vereinigen mit,

sich gesellen zu; eintreten in (*acc.*);
~ **battle** den Kampf beginnen; ~
**hands** die Hände falten; sich die
Hände reichen (*a. fig.*); *v/i.* sich
verbinden, sich vereinigen; ~ **in**
mitmachen bei; ~ **up** Soldat werden; **2.** Verbindung(sstelle) *f*.

**joiner** ['dʒɔinə] Tischler *m*; ~**y** [~əri]
Tischlerhandwerk *n*; Tischlerar-
beit *f*.

**joint** [dʒɔint] **1.** Verbindung(sstelle)
*f*; Scharnier *n*; *anat.* Gelenk *n*; ⚓
Knoten *m*; Braten *m*; *Am. sl.* Spelunke *f*; *put out of* ~ verrenken;
**2.** □ gemeinsam; Mit...; ~ **heir**
Miterbe *m*; ~ **stock** ✝ Aktienkapi-
tal *n*; **3.** zs.-fügen; zerlegen; ~**ed**
['dʒɔintid] gegliedert; Glieder...;
~**stock** ✝ Aktien...; ~ **company**
Aktiengesellschaft *f*.

**jok|e** [dʒouk] **1.** Scherz *m*, Spaß *m*;
*practical* ~ Streich *m*; **2.** *v/i.* scherzen; schäkern; *v/t.* necken (*about*
mit); ~**er** ['dʒoukə] Spaßvogel *m*;
*Karten:* Joker *m*; *Am.* versteckte
Klausel; ~**y** □ ['dʒouki] spaßig.

**jolly** ['dʒɔli] lustig, fidel; F nett.

**jolt** [dʒoult] **1.** stoßen, rütteln; holpern; **2.** Stoß *m*; Rütteln *n*.

**Jonathan** ['dʒɔnəθən]: *Brother* ~
der Amerikaner.

**josh** *Am. sl.* [dʒɔʃ] **1.** Ulk *m*; **2.** aufziehen, auf die Schippe nehmen.

**jostle** ['dʒɔsl] **1.** anrennen; zs.-sto-
ßen; **2.** Stoß *m*; Zs.-Stoß *m*.

**jot** [dʒɔt] **1.** Jota *n*, Pünktchen *n*;
**2.** ~ *down* notieren.

**journal** ['dʒə:nl] Journal *n*; Tagebuch *n*; Tageszeitung *f*; Zeitschrift
*f*; ⊕ Wellenzapfen *m*; ~**ism** ['dʒə:-
nəlizəm] Journalismus *m*.

**journey** ['dʒə:ni] **1.** Reise *f*; Fahrt *f*;
**2.** reisen; ~**man** Geselle *m*.

**jovial** □ ['dʒouvjəl] heiter; gemütlich.

**joy** [dʒɔi] Freude *f*; Fröhlichkeit *f*;
~**ful** □ ['dʒɔiful] freudig; erfreut;
fröhlich; ~**less** □ ['dʒɔilis] freudlos; unerfreulich; ~**ous** □ ['dʒɔiəs]
freudig, fröhlich.

**jubil|ant** ['dʒu:bilənt] jubilierend,
frohlockend; ~**ate** [~leit] jubeln;
~**ee** [~li:] Jubiläum *n*.

**judge** [dʒʌdʒ] **1.** Richter *m*; Schiedsrichter *m*; Beurteiler(in), Ken-
ner(in); **2.** *v/i.* urteilen (*of* über
*acc.*); *v/t.* richten; aburteilen; beurteilen (*by* nach); ansehen als.

**judg(e)ment** ['dʒʌdʒmənt] Urteil *n*;
Urteilsspruch *m*; Urteilskraft *f*;
Einsicht *f*; Meinung *f*; göttliches
(Straf)Gericht; *Day of* ♀, ♀ *Day*
Jüngstes Gericht.

**judicature** ['dʒu:dikətʃə] Gerichtshof *m*; Rechtspflege *f*.

**judicial** □ [dʒu(:)'diʃəl] gerichtlich;
Gerichts...; kritisch; unparteiisch.

**judicious** □ [dʒu(:)'diʃəs] verständig, klug; ~**ness** [~snis] Einsicht *f*.

**jug** [dʒʌg] Krug *m*, Kanne *f*.

**juggle** ['dʒʌgl] **1.** Trick *m*; Schwindel *m*; **2.** jonglieren (*a. fig.*); verfälschen; betrügen; ~**r** [~lə] Jon-
gleur *m*; Taschenspieler(in).

**Jugoslav** ['ju:gou'slɑ:v] **1.** Jugo-
slaw|e *m*, -in *f*; **2.** jugoslawisch.

**juic|e** [dʒu:s] Saft *m*; *sl. mot.* Sprit
*m*, Gas *n*; ~**y** □ ['dʒu:si] saftig; F
interessant.                  [sikautomat *m*.]

**juke-box** *Am.* F ['dʒu:kbɔks] Mu-]

**julep** ['dʒu:lep] *süßes* (Arznei)Ge-
tränk; *bsd. Am.* alkoholisches Eis-
getränk.

**July** [dʒu(:)'lai] Juli *m*.

**jumble** ['dʒʌmbl] **1.** Durcheinander
*n*; **2.** *v/t.* durch-ea.-werfen; ~**sale**
Wohltätigkeitsbasar *m*.

**jump** [dʒʌmp] **1.** Sprung *m*; ~**s** *pl.*
nervöses Zs.-fahren; *high* (*long*) ~
Hoch- (Weit)Sprung *m*; *get* (*have*)
*the* ~ *on Am.* F zuvorkommen; **2.** *v/i.*
(auf)springen; ~ *at* sich stürzen auf
(*acc.*); ~ *to conclusions* übereilte
Schlüsse ziehen; *v/t.* hinwegsprin-
gen über (*acc.*); überspringen;
springen lassen; ~**er** ['dʒʌmpə]
Springer *m*; Jumper *m*; ~**y** [~pi]
nervös.

**junct|ion** ['dʒʌŋkʃən] Verbindung *f*;
Kreuzung *f*; ⓕ Knotenpunkt *m*;
~**ure** [~ktʃə] Verbindungspunkt *m*,
-stelle *f*; (kritischer) Zeitpunkt; *at
this* ~ bei diesem Stand der Dinge.

**June** [dʒu:n] Juni *m*.

**jungle** ['dʒʌŋgl] Dschungel *m*, *n*, *f*.

**junior** ['dʒu:njə] **1.** jünger (*to* als);
*Am. univ.* der Unterstufe (ange-
hörend); ~ *high school Am.* Ober-
schule *f* mit Klassen 7, 8, 9; **2.** Jün-
gere(r *m*) *f*; *Am.* (Ober)Schüler *m*
*od.* Student *m* im 3. Jahr; F
Kleine(r) *m*.

**junk** [dʒʌŋk] ⚓ Dschunke *f*; Plunder *m*, alter Kram.

**junket** ['dʒʌŋkit] Quarkspeise *f*;
*Am.* Party *f*; Vergnügungsfahrt *f*.

**juris|diction** [dʒuəris'dik∫ən] Rechtsprechung *f*; Gerichtsbarkeit *f*; Gerichtsbezirk *m*; **~pru-dence** ['djuərispru:dəns] Rechtswissenschaft *f*.

**juror** ['dʒuərə] Geschworene(r) *m*.

**jury** ['dʒuəri] *die* Geschworenen *pl*.; Jury *f*, Preisgericht *n*; **~man** Geschworene(r) *m*.

**just** □ [dʒʌst] **1.** *adj*. gerecht; rechtschaffen; **2.** *adv*. richtig; genau; (so)eben; nur; ~ *now* eben *od*. gerade jetzt.

**justice** ['dʒʌstis] Gerechtigkeit *f*;

Richter *m*; Recht *n*; Rechtsverfahren *n*; *court of* ~ Gericht(shof *m*) *n*.

**justification** [dʒʌstifi'kei∫ən] Rechtfertigung *f*.

**justify** ['dʒʌstifai] rechtfertigen.

**justly** ['dʒʌstli] mit Recht.

**justness** ['dʒʌstnis] Gerechtigkeit *f*, Billigkeit *f*; Rechtmäßigkeit *f*; Richtigkeit *f*.

**jut** [dʒʌt] *a*. ~ *out* hervorragen.

**juvenile** ['dʒu:vinail] **1.** jung, jugendlich; Jugend...; **2.** junger Mensch.

# K

**kale** [keil] (*bsd*. Kraus-, Grün)Kohl *m*; *Am*. *sl*. Moos *n* (*Geld*).

**kangaroo** [kæŋgə'ru:] Känguruh *n*.

**keel** ⚓ [ki:l] **1.** Kiel *m*; **2.** ~ *over* kieloben legen *od*. liegen; umschlagen.

**keen** □ [ki:n] scharf (*a*. *fig*.); eifrig, heftig; stark, groß (*Appetit etc*.); ~ *on* F scharf *od*. erpicht auf *acc*.; *be* ~ *on hunting* ein leidenschaftlicher Jäger sein; **~-edged** ['ki:ned3d] scharfgeschliffen; **~ness** ['ki:nnis] Schärfe *f*; Heftigkeit *f*; Scharfsinn *m*.

**keep** [ki:p] **1.** (Lebens)Unterhalt *m*; *for* ~*s* F für immer; **2.** [*irr*.] *v*/*t*. *allg*. halten, behalten; unterhalten; (er-)halten; einhalten; (ab)halten; *Buch*, *Ware etc*. führen; *Bett etc*. hüten; fest-, aufhalten; (bei)behalten; (auf)bewahren; ~ *s.o. company* j-m Gesellschaft leisten; ~ *company with* verkehren mit; ~ *one's temper* sich beherrschen; ~ *time* richtig gehen (*Uhr*); ♪, ✕ Takt, Schritt halten; ~ *s.o. waiting* j-n warten lassen; ~ *away* fernhalten; ~ *s.th. from* s-o. j-m et. vorenthalten; ~ *in* zurückhalten; *Schüler* nachsitzen lassen; ~ *on Kleid* anbehalten, *Hut* aufbehalten; ~ *up* aufrechterhalten; (*Mut*) bewahren; in Ordnung halten; hindern, zu Bett zu gehen; aufbleiben lassen; ~ *it up* (es) durchhalten; *v*/*i*. sich halten, bleiben; F sich aufhalten; ~ *doing* im-

mer wieder tun; ~ *away* sich fernhalten; ~ *from* sich enthalten (*gen*.); ~ *off* sich fernhalten; ~ *on talking* fortfahren zu sprechen; ~ *to* sich halten an (*acc*.); ~ *up* sich aufrecht halten; sich aufrechterhalten; ~ *up with* Schritt halten mit; ~ *up with the Joneses* es den Nachbarn gleichtun.

**keep|er** ['ki:pə] Wärter *m*, Wächter *m*, Aufseher *m*; Verwalter *m*; Inhaber *m*; **~ing** ['ki:piŋ] Verwahrung *f*; Obhut *f*; Gewahrsam *m*, *n*; Unterhalt *m*; *be in* (*out of*) ~ *with* ... (nicht) übereinstimmen mit ...; **~sake** ['ki:pseik] Andenken *n*.

**keg** [keg] Fäßchen *n*.

**kennel** ['kenl] Gosse *f*, Rinnstein *m*; Hundehütte *f*, -zwinger *m*.

**kept** [kept] *pret*. *u*. *p.p*. *von* keep 2.

**kerb** [kə:b], **~stone** ['kə:bstoun] = curb *etc*.

**kerchief** ['kə:t∫if] (Kopf)Tuch *n*.

**kernel** ['kə:nl] Kern *m* (*a*. *fig*.); Hafer-, Mais- *etc*. Korn *n*.

**kettle** ['ketl] Kessel *m*; **~drum** ♪ Kesselpauke *f*.

**key** [ki:] **1.** Schlüssel *m* (*a*. *fig*.); △ Schlußstein *m*; ⊕ Keil *m*; Schraubenschlüssel *m*; *Klavier-etc*. Taste *f*; ♪ Taste *f*, Druckknopf *m*; ♪ Tonart *f*; *fig*. Ton *m*; **2.** ~ *up* ♪ stimmen; erhöhen; *fig*. in erhöhte Spannung versetzen; **~board** ['ki:bɔ:d] Klaviatur *f*, Tastatur *f*; ⁓**hole** Schlüsselloch *n*; ⁓**man** Schlüsselfigur *f*; ⁓ **money** Ablösung *f* (*für e-e Wohnung*); ⁓**note** ♪ Grundton *m*; ⁓**stone** Schlußstein *m*; *fig.* Grundlage *f*.

**kibitzer** *Am.* F ['kibitsə] Kiebitz *m*, Besserwisser *m*.

**kick** [kik] **1.** (Fuß)Tritt *m*; Stoß *m*; Schwung *m*; F Nervenkitzel *m*; *get a* ⁓ *out of* F Spaß finden an (*dat.*); **2.** *v/i.* (mit dem Fuß) stoßen *od.* treten; *Fußball:* schießen; ⁓ *out* F hinauswerfen; *v/i.* (hinten) ausschlagen, stoßen (*Gewehr*); sich auflehnen; ⁓ *in with Am. sl.* Geld 'reinbuttern; ⁓ *off Fußball:* anstoßen; ⁓**back** *bsd. Am.* F ['kikbæk] Rückzahlung *f*; ⁓**er** ['kikə] Fußballspieler *m*.

**kid** [kid] **1.** Zicklein *n*; *sl.* Kind *n*; Ziegenleder *n*; **2.** *sl.* foppen; ⁓**dy** *sl.* ['kidi] Kind *n*; ⁓ **glove** Glacéhandschuh *m* (*a. fig.*); ⁓**glove** sanft, zart.

**kidnap** ['kidnæp] entführen; ⁓(p)**er** [⁓pə] Kindesentführer *m*, Kidnapper *m*.

**kidney** ['kidni] *anat.* Niere *f*; F Art *f*; ⁓ **bean** ♀ weiße Bohne.

**kill** [kil] **1.** töten (*a. fig.*); *fig.* vernichten; *parl.* zu Fall bringen; ⁓ off abschlachten; ⁓ *time* die Zeit totschlagen; **2.** Tötung *f*; Jagdbeute *f*; ⁓**er** ['kilə] Totschläger *m*; ⁓**ing** ['kiliŋ] **1.** □ mörderisch; F komisch; **2.** *Am.* F *finanzieller* Volltreffer.

**kiln** [kiln] Brenn-, Darrofen *m*.

**kilo**|**gram(me)** ['kiləgræm] Kilogramm *n*; ⁓**metre**, *Am.* ⁓**meter** Kilometer *m*.

**kilt** [kilt] Kilt *m*, Schottenrock *m*.

**kin** [kin] (Bluts)Verwandtschaft *f*.

**kind** [kaind] **1.** □ gütig, freundlich; **2.** Art *f*, Gattung *f*, Geschlecht *n*; Art und Weise *f*; *pay in* ⁓ in Naturalien zahlen; *fig.* mit gleicher Münze heimzahlen.

**kindergarten** ['kindəgɑːtn] Kindergarten *m*.

**kind-hearted** ['kaind'hɑːtid] gütig.

**kindle** ['kindl] anzünden; (sich) entzünden (*a. fig.*).

**kindling** ['kindliŋ] Kleinholz *n*.

**kind**|**ly** ['kaindli] freundlich, günstig; ⁓**ness** [⁓dnis] Güte *f*, Freundlichkeit *f*; Gefälligkeit *f*.

**kindred** ['kindrid] **1.** verwandt, gleichartig; **2.** Verwandtschaft *f*.

**king** [kiŋ] König *m* (*a. fig. u. Schach, Kartenspiel*); ⁓**dom** ['kiŋdəm] Königreich *n*; *fig.* ⁓, *zo.* Reich *n*, Gebiet *n*; *eccl.* Reich *n* Gottes; ⁓**like** ['kiŋlaik], ⁓**ly** [⁓li] königlich; ⁓**size** F ['kiŋsaiz] überlang, übergroß.

**kink** [kiŋk] Schlinge *f*, Knoten *m*; *fig.* Schrulle *f*, Fimmel *m*.

**kin**|**ship** ['kiŋʃip] Verwandtschaft *f*; ⁓**sman** ['kinzmən] Verwandte(r) *m*.

**kipper** ['kipə] Räucherhering *m*, Bückling *m*; *sl.* Kerl *m*.

**kiss** [kis] **1.** Kuß *m*; **2.** (sich) küssen.

**kit** [kit] Ausrüstung *f* (*a. ✕ u. Sport*); Handwerkszeug *n*, Werkzeug *n*; ⁓**bag** ['kitbæg] ✕ Tornister *m*; Seesack *m*; Reisetasche *f*.

**kitchen** ['kitʃin] Küche *f*; ⁓**ette** [kitʃi'net] Kochnische *f*; ⁓**garden** ['kitʃin'gɑːdn] Gemüsegarten *m*.

**kite** [kait] *Papier*-Drachen *m*.

**kitten** ['kitn] Kätzchen *n*.

**Klan** *Am.* [klæn] Ku-Klux-Klan *m*; ⁓**sman** ['klænzmən] Mitglied *n* des Ku-Klux-Klan.

**knack** [næk] Kniff *m*, Dreh *m*; Geschicklichkeit *f*. [Rucksack *m*.]

**knapsack** ['næpsæk] Tornister *m*;)

**knave** [neiv] Schurke *m*; *Kartenspiel:* Bube *m*; ⁓**ry** ['neivəri] Gaunerei *f*.

**knead** [niːd] kneten; massieren.

**knee** [niː] Knie *n*; ⊕ Kniestück *n*; ⁓**cap** ['niːkæp] Kniescheibe *f*; ⁓**deep** bis an die Knie (reichend); ⁓**joint** Kniegelenk *n*; ⁓**l** [niːl] [*irr.*] knien (*to vor dat.*).

**knell** [nel] Totenglocke *f*.

**knelt** [nelt] *pret. u. p.p. von* kneel.

**knew** [njuː] *pret. von* know.

**knicker**|**bockers** ['nikəbɔkəz] *pl.* Knickerbocker *pl.*, Kniehosen *f/pl.*; ⁓**s** F ['nikəz] *pl.* Schlüpfer *m*; = knickerbockers.

**knick-knack** ['niknæk] Spielerei *f*; Nippsache *f*.

**knife** [naif] **1.** *pl.* **knives** [naivz] Messer *n*; **2.** schneiden; (er)stechen.

**knight** [nait] **1.** Ritter *m*; Springer *m* *im Schach*; **2.** zum Ritter schlagen; ⁓**errant** ['nait'erənt] fahrender Ritter; ⁓**hood** ['naithud] Rittertum *n*; Ritterschaft *f*; ⁓**ly** ['naitli] ritterlich.

**knit** [nit] [*irr.*] stricken; (ver)knüpfen; (sich) eng verbinden; ⁓ *the brows* die Stirn runzeln; ⁓**ting**

**knives**

['nitin] Stricken *n*; Strickzeug *n*;
*attr.* Strick...
**knives** [naivz] *pl. von* knife 1.
**knob** [nɔb] Knopf *m*; Buckel *m*;
Brocken *m*.
**knock** [nɔk] **1.** Schlag *m*; Anklopfen
*n*; *mot.* Klopfen *n*; **2.** *v/i.* klopfen;
pochen; stoßen; schlagen; ~ *about*
F sich herumtreiben; *v/t.* klopfen,
stoßen, schlagen; *Am. sl.* bekritteln, schlechtmachen; ~ *about* her-
umstoßen, übel zurichten; ~ *down*
niederschlagen; *Auktion:* zuschlagen; ⊕ aus-ea.-nehmen; *be* ~*ed
down* überfahren werden; ~ *off* aufhören mit; F zs.-hauen (*schnell erledigen*); *Summe* abziehen; ~ *out*
*Boxen:* k.o. schlagen; ~**er** ['nɔkə]
Klopfende(r) *m*; Türklopfer *m*; *Am.
sl.* Kritikaster *m*; ~**kneed** ['nɔk-
ni:d] x-beinig; *fig.* hinkend; ~**out**
*Boxen:* Knockout *m*, K.o. *m*; *sl.*
tolle Sache *od.* Person.
**knoll**[1] [noul] kleiner Erdhügel.
**knoll**[2] [~] (*bsd.* zu Grabe) läuten.

**knot** [nɔt] **1.** Knoten *m*; Knorren *m*;
Seemeile *f*; Schleife *f*, Band *n* (*a.
fig.*).; Schwierigkeit *f*; **2.** (ver)kno-
ten, (ver)knüpfen (*a. fig.*); *Stirn*
runzeln; verwickeln; ~**ty** ['nɔti]
knotig; knorrig; *fig.* verwickelt.
**know** [nou] [*irr.*] wissen; (er)ken-
nen; erfahren; ~ *French* Französisch
können; *come to* ~ erfahren; *get to*
~ kennenlernen; ~ *one's business*,
~ *the ropes*, ~ *a thing or two*, ~ *what's
what* sich auskennen, Erfahrung
haben; *you* ~ (*am Ende des Satzes*)
nämlich; ~**ing** ☐ ['nouin] erfahren;
klug; schlau; verständnisvoll; wis-
sentlich; ~**ledge** ['nɔlidʒ] Kennt-
nis(se *pl.*) *f*; Wissen *n*; *to my* ~
meines Wissens; ~**n** [noun] *p.p. von*
know; *come to be* ~ bekannt werden;
*make* ~ bekanntmachen.
**knuckle** ['nʌkl] **1.** Knöchel *m*; **2.** ~
*down*, ~ *under* nachgeben.
**Kremlin** ['kremlin] *der* Kreml.
**Ku-Klux-Klan** *Am.* ['kju:klʌks-
'klæn] *Geheimbund in den USA*.

# L

**label** ['leibl] **1.** Zettel *m*, Etikett *n*;
Aufschrift *f*; Schildchen *n*; Bezeichnung *f*; **2.** etikettieren, beschriften; *fig.* abstempeln (*as als*).
**laboratory** [lə'bɔrətəri] Laboratorium *n*; ~ *assistant* Laborant(in).
**laborious** ☐ [lə'bɔːriəs] mühsam;
arbeitsam; schwerfällig (*Stil*).
**labo(u)r** ['leibə] **1.** Arbeit *f*; Mühe
*f*; (Geburts)Wehen *f/pl.*; Arbeiter
*m/pl.*; *Ministry of* ♀ Arbeitsministe-
rium *n*; *hard* ~ Zwangsarbeit *f*; **2.**
Arbeiter...; Arbeits...; **3.** *v/i.* arbeiten; sich abmühen; ~ *under* leiden
unter (*dat.*), zu kämpfen haben mit;
*v/t.* ausarbeiten; ~**ed** schwerfällig
(*Stil*); mühsam (*Atem etc.*); ~**er**
[~ərə] ungelernter Arbeiter; ♀ **Exchange** Arbeitsamt *n*; **Labour
Party** *pol.* Labour Party *f*; **labor
union** *Am.* Gewerkschaft *f*.
**lace** [leis] **1.** Spitze *f*; Borte *f*;
Schnur *f*; **2.** (zu)schnüren; mit
Spitze *etc.* besetzen; *Schnur* durch-,

einziehen; ~ (*into*) *s.o.* j-n verprügeln.
**lacerate** ['læsəreit] zerreißen; *fig.*
quälen.
**lack** [læk] **1.** Fehlen *n*, Mangel *m*;
**2.** *v/t.* ermangeln (*gen.*); *he* ~*s
money* es fehlt ihm an Geld; *v/i.*
*be* ~*ing* fehlen, mangeln; ~**lustre**
['læklʌstə] glanzlos, matt.
**laconic** [lə'kɔnik] (~*ally*) lakonisch,
wortkarg, kurz und prägnant.
**lacquer** ['lækə] **1.** Lack *m*; **2.** lak-
kieren.
**lad** [læd] Bursche *m*, Junge *m*.
**ladder** ['lædə] Leiter *f*; Laufmasche
*f*; ~**proof** maschenfest (*Strumpf
etc.*).
**laden** ['leidn] beladen.
**lading** ['leidin] Ladung *f*, Fracht *f*.
**ladle** ['leidl] **1.** Schöpflöffel *m*, Kelle
*f*; **2.** ~ *out Suppe* austeilen.
**lady** ['leidi] Dame *f*; Lady *f*; Herrin *f*; ~ *doctor* Ärztin *f*; ~**bird** Ma-
rienkäfer *m*; ~**like** damenhaft; ~~

**love** Geliebte *f*; **~ship** [ˌʌʃip]: *her ~* die gnädige Frau; *Your* ♀ gnädige Frau, Euer Gnaden.

**lag** [læg] **1.** zögern; *a.* ~ *behind* zurückbleiben; **2.** Verzögerung *f*.

**lager** (**beer**) ['lɑːgə(biə)] Lagerbier *n*.

**laggard** ['lægəd] Nachzügler *m*.

**lagoon** [lə'guːn] Lagune *f*.

**laid** [leid] *pret. u. p.p. von* lay³ 2; ~ *up* bettlägerig (*with* mit, wegen).

**lain** [lein] *p.p. von* lie² 2.

**lair** [lɛə] Lager *n e-s wilden Tieres*.

**laity** ['leiiti] Laien *m/pl.*

**lake** [leik] See *m*; rote Pigmentfarbe.

**lamb** [læm] **1.** Lamm *n*; **2.** lammen.

**lambent** ['læmbənt] leckend; züngelnd (*Flamme*); funkelnd.

**lamb|kin** ['læmkin] Lämmchen *n*; **~like** lammfromm.

**lame** [leim] □ lahm (*a. fig.* = *mangelhaft*); **2.** lähmen.

**lament** [lə'ment] **1.** Wehklage *f*; **2.** (be)klagen; trauern; **~able** □ ['læməntəbl] beklagenswert; kläglich; **~ation** [læmən'teiʃən] Wehklage *f*.

**lamp** [læmp] Lampe *f*; *fig.* Leuchte *f*.

**lampoon** [læm'puːn] **1.** Schmähschrift *f*; **2.** schmähen.

**lamp-post** ['læmppoust] Laternenpfahl *m*.

**lampshade** ['læmpʃeid] Lampenschirm *m*.

**lance** [lɑːns] **1.** Lanze *f*; Speer *m*; **2.** ⚕ aufschneiden; **~-corporal** ✕ ['lɑːns'kɔːpərəl] Gefreite(r) *m*.

**land** [lænd] **1.** Land *n*; Grundstück *n*; *by* ~ auf dem Landweg; ~s *pl.* Ländereien *f/pl.*; ⚓ **2.** landen; ⚓ löschen; *Preis* gewinnen; **~-agent** ['lændeidʒənt] Grundstücksmakler *m*; Gutsverwalter *m*; **~ed** grundbesitzend; Land..., Grund...; **~holder** Grundbesitzer(in).

**landing** ['lændiŋ] Landung *f*; Treppenabsatz *m*; Anlegestelle *f*; **~field** ✈ Landebahn *f*; **~gear** Fahrgestell *n*; **~stage** Landungsbrücke *f*.

**land|lady** ['lænleidi] Vermieterin *f*, Wirtin *f*; **~lord** [-lɔːd] Vermieter *m*; Wirt *m*; Haus-, Grundbesitzer *m*; **~lubber** ⚓ *contp.* Landratte *f*; **~mark** Grenz-, Markstein *m* (*a. fig.*); Wahrzeichen *n*; **~owner** Grundbesitzer(in); **~scape** ['læn-**

**skeip**] Landschaft *f*; **~slide** Erdrutsch *m* (*a. pol.*); *a Democratic ~* ein Erdrutsch zugunsten der Demokraten; **~slip** *konkr.* Erdrutsch *m*.

**lane** [lein] Feldweg *m*; Gasse *f*; Spalier *n*; *mot.* Fahrbahn *f*, Spur *f*.

**language** ['læŋgwidʒ] Sprache *f*; *strong ~* Kraftausdrücke *m/pl.*

**languid** □ ['læŋgwid] matt; träg.

**languish** ['læŋgwiʃ] matt werden; schmachten; dahinsiechen.

**languor** ['læŋgə] Mattigkeit *f*; Schmachten *n*; Stille *f*.

**lank** □ [læŋk] schmächtig, dünn; schlicht; **~y** [-'læŋki] schlaksig.

**lantern** ['læntən] Laterne *f*; **~slide** Dia(positiv) *n*, Lichtbild *n*.

**lap** [læp] **1.** Schoß *m*; ⊕ Vorstoß *m*; Runde *f*; **2.** über-ea.-legen; (ein-)hüllen; (auf)lecken; schlürfen; plätschern (gegen) (*Wellen*).

**lapel** [lə'pel] Aufschlag *m am Rock*.

**lapse** [læps] **1.** Verlauf *m der Zeit*; Verfallen *n*; Versehen *n*; **2.** (ver-)fallen; verfließen; fehlen.

**larceny** 🔲 ['lɑːsni] Diebstahl *m*.

**larch** ♣ [lɑːtʃ] Lärche *f*.

**lard** [lɑːd] **1.** (Schweine)Schmalz *n*; **2.** spicken (*a. fig.*); **~er** ['lɑːdə] Speisekammer *f*.

**large** □ [lɑːdʒ] groß; weit; reichlich; weitherzig; flott; Groß...; *at ~* auf freiem Fuß; ausführlich; als Ganzes; **~ly** ['lɑːdʒli] zum großen Teil, weitgehend; **~-minded** weitherzig; **~ness** ['lɑːdʒnis] Größe *f*; Weite *f*; **~-sized** groß(formatig).

**lariat** *Am.* ['læriət] Lasso *n*, *m*.

**lark** [lɑːk] *orn.* Lerche *f*; *fig.* Streich *m*.

**larkspur** ♣ ['lɑːkspə:] Rittersporn *m*.

**larva** *zo.* ['lɑːvə] Larve *f*, Puppe *f*.

**larynx** *anat.* ['læriŋks] Kehlkopf *m*.

**lascivious** □ [lə'siviəs] lüstern.

**lash** [læʃ] **1.** Peitsche(nschnur) *f*; Hieb *m*; Wimper *f*; **2.** peitschen; *fig.* geißeln; schlagen; anbinden.

**lass, ~ie** [læs, 'læsi] Mädchen *n*.

**lassitude** ['læsitjuːd] Mattigkeit *f*, Abgespanntheit *f*; Desinteresse *n*.

**last¹** [lɑːst] **1.** *adj.* letzt; vorig; äußerst; geringst; ~ *but one* vorletzt; ~ *night* gestern abend; **2.** Letzte(r *m*, -s *n*) *f*; Ende *n*; *at ~* zuletzt, endlich; **3.** *adv.* zuletzt; ~, *but not least* nicht zuletzt.

**last²** [~] dauern; halten (*Farbe*); ausreichen; ausdauern.

**last³** [~] (Schuhmacher)Leisten *m*.

**lasting** □ ['lɑ:stiŋ] dauerhaft; beständig.

**lastly** ['lɑ:stli] zuletzt, schließlich.

**latch** [lætʃ] 1. Klinke *f*, Drücker *m*; Druckschloß *n*; 2. ein-, zuklinken.

**late** [leit] spät; (kürzlich) verstorben; ehemalig; jüngst; *at (the)* ~*st* spätestens; *as* ~ *as noch* (in *dat.*); *of* ~ letzthin; ~*r on* später; *be* ~ (zu) spät kommen; ~**ly** ['leitli] kürzlich.

**latent** □ ['leitənt] verborgen, latent; gebunden (*Wärme etc.*).

**lateral** □ ['lætərəl] seitlich; Seiten...

**lath** [lɑ:θ] 1. Latte *f*; 2. belatten.

**lathe** ⊕ [leið] Drehbank *f*; Lade *f*.

**lather** ['lɑ:ðə] 1. (Seifen)Schaum *m*; 2. *v/t.* einseifen; *v/i.* schäumen.

**Latin** ['lætin] 1. lateinisch; 2. Latein *n*.

**latitude** ['lætitju:d] Breite *f*; *fig.* Umfang *m*, Weite *f*; Spielraum *m*.

**latter** ['lætə] neuer; *der (die, das)* letztere; ~**ly** [~əli] neuerdings.

**lattice** ['lætis] *a.* ~-**work** Gitter *n*.

**laud** [lɔ:d] loben, preisen; ~**able** □ ['lɔ:dəbl] lobenswert, löblich.

**laugh** [lɑ:f] 1. Gelächter *n*, Lachen *n*; 2. lachen; ~ *at j-n* auslachen; *he* ~*s best who* ~*s last* wer zuletzt lacht, lacht am besten; ~**able** □ ['lɑ:fəbl] lächerlich; ~**ter** ['lɑ:ftə] Gelächter *n*, Lachen *n*.

**launch** [lɔ:ntʃ] 1. ⚓ Stapellauf *m*; Barkasse *f*; 2. vom Stapel laufen lassen; *Boot* aussetzen; schleudern (*a. fig.*); *Schläge* versetzen; *Rakete* starten, abschießen; *fig.* in Gang bringen; ~**ing-pad** ['lɔ:ntʃiŋpæd] (Raketen)Abschußrampe *f*.

**launderette** [lɔ:ndə'ret] Selbstbedienungswaschsalon *m*.

**laund|ress** ['lɔ:ndris] Wäscherin *f*; ~**ry** [~ri] Waschanstalt *f*; Wäsche *f*.

**laurel** ♀ ['lɔrəl] Lorbeer *m* (*a. fig.*).

**lavatory** ['lævətəri] Waschraum *m*; Toilette *f*; *public* ~ Bedürfnisanstalt *f*.

**lavender** ♀ ['lævində] Lavendel *m*.

**lavish** ['læviʃ] 1. □ freigebig, verschwenderisch; 2. verschwenden.

**law** [lɔ:] Gesetz *n*; (Spiel)Regel *f*; Recht(swissenschaft *f*) *n*; Gericht(sverfahren) *n*; *go to* ~ vor Gericht gehen; *lay down the* ~ den

Ton angeben; ~**abiding** ['lɔ:əbaidiŋ] friedlich; ~**court** Gericht(shof *m*) *n*; ~**ful** □ ['lɔ:ful] gesetzlich; gültig; ~**less** □ ['lɔ:lis] gesetzlos; ungesetzlich; zügellos.

**lawn** [lɔ:n] Rasen(platz) *m*; Batist *m*.

**law|suit** ['lɔ:sju:t] Prozeß *m*; ~**yer** ['lɔ:jə] Jurist *m*; (Rechts)Anwalt *m*.

**lax** □ [læks] locker; schlaff (*a. fig.*); lasch; ~**ative** ⚕ ['læksətiv] 1. abführend; 2. Abführmittel *n*.

**lay¹** [lei] *pret. von* lie² 2.

**lay²** [~] weltlich; Laien...

**lay³** [~] 1. Lage *f*, Richtung *f*; 2. [*irr.*] *v/t.* legen; umlegen; *Plan etc.* ersinnen; stellen; setzen; *Tisch* decken; lindern; besänftigen; auferlegen; *Summe* wetten; ~ *before s.o.* j-m vorlegen; ~ *in* einlagern, sich eindecken mit; ~ *low* niederwerfen; ~ *open* darlegen; ~ *out* auslegen; *Garten etc.* anlegen; ~ *up* *Vorräte* hinlegen, sammeln; *be laid up* ans Bett gefesselt sein; ~ *with* belegen mit; *v/i.* (Eier) legen; *a.* ~ *a wager* wetten.

**lay-by** ['leibai] Park-, Rastplatz *m* an e-r Fernstraße.

**layer** ['leiə] Lage *f*, Schicht *f*.

**layman** ['leimən] Laie *m*.

**lay|off** ['leiɔf] Arbeitsunterbrechung *f*; ~**out** Anlage *f*; Plan *m*.

**lazy** □ ['leizi] faul.

**lead¹** [led] Blei *n*; ⚓ Lot *n*, Senkblei *n*; *typ.* Durchschuß *m*.

**lead²** [li:d] 1. Führung *f*; Leitung *f*; Beispiel *n*; *thea.* Hauptrolle *f*; *Karten*spiel: Vorhand *f*; ♪ Leitung *f*; *Hunde*-Leine *f*; 2. [*irr.*] *v/t.* (an-) führen, leiten; bewegen (*to* zu); *Karte* ausspielen; ~ *on* (ver)locken; *v/i.* vorangehen; ~ *off* den Anfang machen; ~ *up to* überleiten zu.

**leaden** ['ledn] bleiern (*a. fig.*); Blei...

**leader** ['li:də] (An)Führer(in), Leiter(in); Erste(r) *m*; Leitartikel *m*; ~**ship** [~ʃip] Führerschaft *f*.

**leading** ['li:diŋ] 1. leitend; Leit...; Haupt...; 2. Leitung *f*, Führung *f*.

**leaf** [li:f] *pl.* **leaves** [li:vz] Blatt *n*; *Tür- etc.* Flügel *m*; *Tisch*-Platte *f*; ~**let** ['li:flit] Blättchen *n*; Flug-, Merkblatt *n*; ~**y** ['li:fi] belaubt.

**league** [li:g] 1. Liga *f* (*a. hist. u. Sport*); Bund *m*; *mst poet.* Meile *f*; 2. (sich) verbünden.

**leak** [li:k] 1. Leck *n*; 2. leck sein;

tropfen; ~ out durchsickern; ~age ['li:kidʒ] Lecken n; ✝ Leckage f; Verlust m (a. fig.), Schwund m; Durchsickern n; ~y ['li:ki] leck; undicht.

**lean** [li:n] **1.** [irr.] (sich) (an)lehnen; (sich) stützen; (sich) (hin)neigen; **2.** mager; **3.** mageres Fleisch.

**leant** [lent] pret. u. p.p. von lean 1.

**leap** [li:p] **1.** Sprung m; **2.** [irr.] (über)springen; ~t [lept] pret. u. p.p. von leap 2; ~-year ['li:pjə:] Schaltjahr n.

**learn** [lə:n] [irr.] lernen; erfahren, hören; ~ from ersehen aus; ~ed ['lə:nid] gelehrt; ~er ['lə:nə] Anfänger(in); ~ing ['lə:niŋ] Lernen n; Gelehrsamkeit f; ~t [lə:nt] pret. u. p.p. von learn.

**lease** [li:s] **1.** Verpachtung f, Vermietung f; Pacht f, Miete f; Pacht-, Mietvertrag m; **2.** (ver-)pachten, (ver)mieten.

**leash** [li:ʃ] **1.** Koppelleine f; Koppel f (3 Hunde etc.); **2.** koppeln.

**least** [li:st] **1.** adj. kleinst, geringst; wenigst, mindest; **2.** adv. a. ~ of all am wenigsten; at ~ wenigstens; **3.** das Mindeste, das Wenigste; to say the ~ gelinde gesagt.

**leather** ['leðə] **1.** Leder n (fig.Haut); **2.** a. ~n ledern; Leder...

**leave** [li:v] **1.** Erlaubnis f; a. ~ of absence Urlaub m; Abschied m; **2.** [irr.] v/t. (ver)lassen; zurück-, hinterlassen; übriglassen; überlassen; ~ off aufhören (mit); Kleid ablegen; v/i. ablassen; weggehen, abreisen (for nach).

**leaven** ['levn] Sauerteig m; Hefe f.

**leaves** [li:vz] pl. von leaf; Laub n.

**leavings** ['li:viŋz] pl. Überbleibsel n/pl.

**lecherous** ['letʃərəs] wollüstig.

**lecture** ['lektʃə] **1.** Vorlesung f, Vortrag m; Strafpredigt f; **2.** v/i. Vorlesungen od. Vorträge halten; v/t. abkanzeln; ~r [~rə] Vortragende(r m) f; univ. Dozent(in).

**led** [led] pret. u. p.p. von lead² 2.

**ledge** [ledʒ] Leiste f; Sims m, n; Riff n.

**ledger** ✝ ['ledʒə] Hauptbuch n.

**leech** zo. [li:tʃ] Blutegel m; fig. Schmarotzer m.

**leek** ♀ [li:k] Lauch m, Porree m.

**leer** [liə] **1.** (lüsterner od. finsterer) Seitenblick; **2.** schielen (at nach).

**lees** [li:z] pl. Bodensatz m, Hefe f.

**lee|ward** ⚓ ['li:wəd] leewärts; ~way ['li:wei] ⚓ Abtrift f; make up ~ fig. Versäumtes nachholen.

**left¹** [left] pret. u. p.p. von leave 2.

**left²** [~] **1.** link(s); **2.** Linke f; ~-handed ['left'hændid] linkshändig; linkisch.

**left|-luggage office** ['left'lʌgidʒ-ɔfis] Gepäckaufbewahrung(sstelle) f; ~-overs pl. Speisereste m/pl.

**leg** [leg] Bein n; Keule f; (Stiefel-)Schaft m; ᴚ Schenkel m; pull s.o.'s ~j-n auf den Arm nehmen (hänseln).

**legacy** ['legəsi] Vermächtnis n.

**legal** ☐ ['li:gəl] gesetzlich; rechtsgültig; juristisch; Rechts...; ~ize [~laiz] rechtskräftig machen; beurkunden.

**legation** [li'geiʃən] Gesandtschaft f.

**legend** ['ledʒənd] Legende f; ~ary [~dəri] legendär, sagenhaft.

**leggings** ['legiŋz] pl. Gamaschen f/pl.

**legible** ☐ ['ledʒəbl] leserlich.

**legionary** ['li:dʒənəri] Legionär m.

**legislat|ion** [ledʒis'leiʃən] Gesetzgebung f; ~ive ['ledʒislətiv] gesetzgebend; ~or [~leitə] Gesetzgeber m.

**legitima|cy** [li'dʒitiməsi] Rechtmäßigkeit f; ~te **1.** [~meit] legitimieren; **2.** [~mit] rechtmäßig.

**leisure** ['leʒə] Muße f; at your ~ wenn es Ihnen paßt; ~ly [~əli] gemächlich.

**lemon** ['lemən] Zitrone f; ~ade [lemə'neid] Limonade f; ~ squash Zitronenwasser n.

**lend** [lend] [irr.] (ver-, aus)leihen; Hilfe leisten, gewähren.

**length** [leŋθ] Länge f; Strecke f; (Zeit)Dauer f; at ~ endlich, zuletzt; go all ~s aufs Ganze gehen; ~en ['leŋθən] (sich) verlängern, (sich) ausdehnen; ~wise [~θwaiz] der Länge nach; ~y ☐ [~θi] sehr lang.

**lenient** ☐ ['li:njənt] mild, nachsichtig.

**lens** opt. [lenz] Linse f.

**lent¹** [lent] pret. u. p.p. von lend.

**Lent²** [lent] Fasten pl., Fastenzeit f.

**leopard** ['lepəd] Leopard m.

**lepr|osy** ✟ ['leprəsi] Aussatz m, Lepra f; ~ous [~əs] aussätzig.

**less** [les] **1.** adj. u. adv. kleiner, geringer; weniger; **2.** prp. minus.

**lessen** ['lesn] *v/t.* vermindern, schmälern; *v/i.* abnehmen.

**lesser** ['lesə] kleiner; geringer.

**lesson** ['lesn] Lektion *f;* Aufgabe *f;* (Unterrichts)Stunde *f;* Lehre *f;* ~s *pl.* Unterricht *m.*

**lest** [lest] damit nicht, daß nicht.

**let** [let] [*irr.*] lassen; vermieten; verpachten; ~ *alone* in Ruhe lassen; geschweige denn; ~ *down* *j-n* im Stich lassen; ~ *go* loslassen; ~ *into* einweihen in (*acc.*); ~ *off* abschießen; *j-n* laufen lassen; ~ *out* hinauslassen; ausplaudern; vermieten; ~ *up* aufhören.

**lethal** □ ['li:θəl] tödlich; Todes...

**lethargy** ['leθədʒi] Lethargie *f.*

**letter** ['letə] **1.** Buchstabe *m;* Type *f;* Brief *m;* ~s *pl.* Literatur *f,* Wissenschaft *f; attr.* Brief...; *to the* ~ buchstäblich; **2.** beschriften, betiteln; **~box** Briefkasten *m;* **~card** Kartenbrief *m;* **~carrier** *Am.* Briefträger *m;* **~case** Brieftasche *f;* **~cover** Briefumschlag *m;* **~ed** (literarisch) gebildet; **~file** Briefordner *m;* **~ing** [~əriŋ] Beschriftung *f;* **~press** Kopierpresse *f.*

**lettuce** ♀ ['letis] Lattich *m,* Salat *m.*

**leuk(a)emia** ⚕ [lju:'ki:miə] Leukämie *f.*

**levee¹** ['levi] Morgenempfang *m.*

**levee²** *Am.* [~] Uferdamm *m.*

**level** ['levl] **1.** waag(e)recht, eben; gleich; ausgeglichen; *my* ~ *best* mein möglichstes; ~ *crossing* ⚏ schienengleicher Übergang; **2.** ebene Fläche; (gleiche) Höhe, Niveau *n,* Stand *m; fig.* Maßstab *m;* Wasserwaage *f; sea* ~ Meeresspiegel *m; on the* ~ F offen, aufrichtig; **3.** *v/t.* gleichmachen, ebnen; *fig.* anpassen; richten, zielen mit; ~ *up* erhöhen; *v/i.* ~ *at, against* zielen auf (*acc.*); **~headed** vernünftig, nüchtern.

**lever** ['li:və] Hebel *m;* Hebestange *f;* **~age** [~əridʒ] Hebelkraft *f.*

**levity** ['leviti] Leichtfertigkeit *f.*

**levy** ['levi] **1.** Erhebung *f von Steuern;* ⚔ Aushebung *f;* Aufgebot *n;* **2.** *Steuern* erheben; ⚔ ausheben.

**lewd** □ [lu:d] liederlich, unzüchtig.

**liability** [laiə'biliti] Verantwortlichkeit *f;* ⚖ Haftpflicht *f;* Verpflichtung *f; fig.* Hang *m; liabilities pl.* Verbindlichkeiten *f/pl.,* † Passiva *pl.*

**liable** □ ['laiəbl] verantwortlich; haftpflichtig; verpflichtet; ausgesetzt (*to dat.*); *be* ~ *to* neigen zu.

**liar** ['laiə] Lügner(in).

**libel** ['laibəl] **1.** Schmähschrift *f;* Verleumdung *f;* **2.** schmähen; verunglimpfen.

**liberal** ['libərəl] **1.** □ liberal (*a. pol.*); freigebig; reichlich; freisinnig; **2.** Liberale(r) *m;* **~ity** [libə-'ræliti] Freigebigkeit *f;* Freisinnigkeit *f.*

**liberat|e** ['libəreit] befreien; freilassen; **~ion** [libə'reiʃən] Befreiung *f;* **~or** ['libəreitə] Befreier *m.*

**libertine** ['libə(:)tain] Wüstling *m.*

**liberty** ['libəti] Freiheit *f; take liberties* sich Freiheiten erlauben; *be at* ~ frei sein.

**librar|ian** [lai'breəriən] Bibliothekar(in); **~y** ['laibrəri] Bibliothek *f.*

**lice** [lais] *pl. von louse.*

**licen|ce,** *Am.* **~se** ['laisəns] **1.** Lizenz *f;* Erlaubnis *f;* Konzession *f;* Freiheit *f;* Zügellosigkeit *f; driving* ~ Führerschein *m;* **2.** lizenzieren, berechtigen; *et.* genehmigen; **~see** [laisən'si:] Lizenznehmer *m.*

**licentious** □ [lai'senʃəs] unzüchtig; ausschweifend.

**lichen** ♀, ⚕ ['laikən] Flechte *f.*

**lick** [lik] **1.** Lecken *n;* Salzlecke *f;* F Schlag *m;* **2.** (be)lecken; F verdreschen; übertreffen; ~ *the dust* im Staub kriechen; fallen; geschlagen werden; ~ *into shape* zurechtstutzen.

**licorice** ['likəris] Lakritze *f.*

**lid** [lid] Deckel *m;* (Augen)Lid *n.*

**lie¹** [lai] **1.** Lüge *f; give s.o. the* ~ *j-n* Lügen strafen; **2.** lügen.

**lie²** [~] **1.** Lage *f;* **2.** [*irr.*] liegen; ~ *by* still-, brachliegen; ~ *down* sich niederlegen; ~ *in wait for j-m* auflauern; *let sleeping dogs* ~ *fig.* daran rühren wir lieber nicht; **~down** [lai'daun] Nickerchen *n;* **~in** *have a* ~ sich gründlich ausschlafen.

**lien** ⚖ ['liən] Pfandrecht *n.*

**lieu** [lju:]: *in* ~ *of* (an)statt.

**lieutenant** [lef'tenənt, ⚓ le'tenənt; *Am.* lu:'tenənt] Leutnant *m;* Statthalter *m;* **~commander** ⚓ Korvettenkapitän *m.*

**life** [laif], *pl.* **lives** [laivz] Leben *n;* Menschenleben *n;* Lebensbeschreibung *f; for* ~ auf Lebenszeit; *for one's* ~, *for dear* ~ ums (liebe) Le-

155

**line**

ben; *to the* ~ naturgetreu; ~ **sen-tence** lebenslängliche Zuchthausstrafe; ~ **assurance** Lebensversicherung *f*; ~**belt** ['laifbelt] Rettungsgürtel *m*; ~**boat** Rettungsboot *n*; ~**guard** Leibwache *f*; Badewärter *m am Strand*; ~ **insur-ance** Lebensversicherung *f*; ~**jacket** ⚓ Schwimmweste *f*; ~**less** □ ['laiflis] leblos; matt (*a. fig.*); ~**like** lebenswahr; ~**long** lebenslänglich; ~**preserver** *Am.* ['laif-priːzəvə] Schwimmgürtel *m*; Totschläger *m* (*Stock mit Bleikopf*); ~**time** Lebenszeit *f*.

**lift** [lift] **1.** Heben *n*; *phys.*, ✈ Auftrieb *m*; *fig.* Erhebung *f*; Fahrstuhl *m*; *give s.o. a* ~ j-m helfen; j-n (*im Auto*) mitnehmen; **2.** *v/t.* (auf)heben; beseitigen; *sl.* klauen, stehlen; *v/i.* sich heben.

**ligature** ['ligətʃuə] Binde *f*; ✝ Verband *m*.

**light¹** [lait] **1.** Licht *n* (*a. fig.*); Fenster *n*; Aspekt *m*, Gesichtspunkt *m*; Feuer *n*; Glanz *m*; *fig.* Leuchte *f*; ~**s** *pl.* Fähigkeiten *f/pl.*; *will you give me a* ~ darf ich Sie um Feuer bitten; *put a* ~ *to* anzünden; **2.** licht, hell; blond; **3.** (*irr.*) *v/t. oft* ~ *up* be-, erleuchten; anzünden; *v/i. mst* ~ *up* aufleuchten; ~ *out Am. sl.* schnell losziehen, abhauen.

**light²** [~] **1.** *adj.* □ *u. adv.* leicht (*a. fig.*); ~ *current* ⚡ Schwachstrom *m*; *make* ~ *of et.* leicht nehmen; **2.** ~ (*up*)*on* stoßen *od.* fallen auf (*acc.*); geraten an (*acc.*); sich niederlassen auf (*dat.*).

**lighten** ['laitn] blitzen; (sich) erhellen; leichter machen; (sich) erleichtern.

**lighter** ['laitə] Anzünder *m*; (Taschen)Feuerzeug *n*; ⚓ L(e)ichter *m*.

**light|-headed** ['lait'hedid] wirr im Kopf, irr; ~**-hearted** □ [~'haːtid] leichtherzig; fröhlich; ~**house** ['laithaus] Leuchtturm *m*.

**lighting** ['laitiŋ] Beleuchtung *f*; Anzünden *n*.

**light|-minded** ['lait'maindid] leichtsinnig; ~**ness** ['laitnis] Leichtigkeit *f*; Leichtsinn *m*.

**lightning** ['laitniŋ] Blitz *m*; ~ *bug Am. zo.* Leuchtkäfer *m*; ~**-conductor**, ~**-rod** ⚡ Blitzableiter *m*.

**light-weight** ['laitweit] *Sport:* Leichtgewicht *n*.

**like** [laik] **1.** gleich; ähnlich; wie; *such* ~ dergleichen; *feel* ~ F sich aufgelegt fühlen zu *et.*; ~ *that* so; *what is he* ~? wie sieht er aus?; wie ist er?; **2.** Gleiche *m, f, n*; ~**s** *pl.* Neigungen *f/pl.*; *his* ~ seinesgleichen; *the* ~ der-, desgleichen; **3.** mögen, gern haben; *how do you* ~ *London?* wie gefällt Ihnen L.?; *I should* ~ *to know* ich möchte wissen.

**like|lihood** ['laiklihud] Wahrscheinlichkeit *f*; ~**ly** ['laikli] wahrscheinlich; geeignet; *he is* ~ *to die* er wird wahrscheinlich sterben.

**like|n** ['laikən] vergleichen (*to* mit); ~**ness** ['laiknis] Ähnlichkeit *f*; (Ab-)Bild *n*; Gestalt *f*; ~**wise** ['laikwaiz] gleich-, ebenfalls.

**liking** ['laikiŋ] (*for*) Neigung *f* (für, zu), Gefallen *n* (an *dat.*).

**lilac** ['lailək] **1.** lila; **2.** ♀ Flieder *m*.

**lily** ♀ ['lili] Lilie *f*; ~ *of the valley* Maiglöckchen *n*; ~**-white** schneeweiß.

**limb** [lim] *Körper*-Glied *n*; Ast *m*.

**limber** ['limbə] **1.** biegsam, geschmeidig; **2.**: ~ *up* (sich) lockern.

**lime** [laim] Kalk *m*; Vogelleim *m*; ♀ Limone *f*; ♀ Linde *f*; ~**light** ['laimlait] Kalklicht *n*; *thea.* Scheinwerfer(licht *n*) *m*; *fig.* Mittelpunkt *m* des öffentlichen Interesses.

**limit** ['limit] **1.** Grenze *f*; *in* (*off*) ~**s** Zutritt gestattet (verboten) (*to* für); *that is the* ~! F das ist der Gipfel!; das ist (doch) die Höhe!; *go the* ~ *Am.* F bis zum Äußersten gehen; **2.** begrenzen; beschränken (*to* auf *acc.*); ~**ation** [limi'teiʃən] Begrenzung *f*, Beschränkung *f*; *fig.* Grenze *f*; ⚖ Verjährung *f*; ~**ed** : ~ (*liability*) *company* Gesellschaft *f* mit beschränkter Haftung; ~ *in time* befristet; ~**less** □ [~tlis] grenzenlos.

**limp** [limp] **1.** hinken; **2.** Hinken *n*; **3.** schlaff; weich.

**limpid** □ ['limpid] klar, durchsichtig.

**line** [lain] **1.** Linie *f*, Reihe *f*, Zeile *f*; Vers *m*; Strich *m*; Falte *f*, Furche *f*; (Menschen)Schlange *f*; Folge *f*; Verkehrsgesellschaft *f*; Eisenbahnlinie *f*; Strecke *f*; *tel.* Leitung *f*; Branche *f*, Fach *n*; Leine *f*, Schnur *f*; Äquator *m*; Richtung *f*; ✕ Linie(ntruppe *f*) *f*; Front *f*; ~**s** *pl.* Richtlinien *f/pl.*;

**lineage** 156

Grundlage *f*; ~ *of conduct* Lebensweise *f*; *hard* ~s *pl.* hartes Los, Pech *n*; *in* ~ *with* in Übereinstimmung mit; *stand in* ~ Schlange stehen; *draw the* ~ *fig.* nicht mehr mitmachen; *hold the* ~ *teleph.* am Apparat bleiben; **2.** *v/t.* liniieren; aufstellen; *Weg etc.* säumen, einfassen; *Kleid* füttern; ~ *out* entwerfen; *v/i.* ~ *up* sich auf-, anstellen.

**linea|ge** ['liniidʒ] Abstammung *f*; Familie *f*; Stammbaum *m*; **~l** □ [~iəl] gerade, direkt (*Nachkomme etc.*); **~ment** [~əmənt] (Gesichts-) Zug *m*; **~r** [~liniə] geradlinig.

**linen** ['linin] **1.** Leinen *n*, Leinwand *f*; Wäsche *f*; **2.** leinen; **~closet**, **~cupboard** Wäscheschrank *m*; **~draper** [~dreipə] Weißwarenhändler *m*, Wäschegeschäft *n*.

**liner** ['lainə] Linienschiff *n*, Passagierdampfer *m*; Verkehrsflugzeug *n*.

**linger** ['liŋgə] zögern; (ver)weilen; sich aufhalten; sich hinziehen; dahinsiechen; ~ *at*, ~ *about* sich herumdrücken an *od.* bei (*dat.*).

**lingerie** ['lɛ̃:nʒəri:] Damenunterwäsche *f*.

**liniment** 🞀 ['linimənt] Liniment *n*, Einreibemittel *n*.

**lining** ['lainiŋ] *Kleider- etc.* Futter *n*; Besatz *m*; ⊕ Verkleidung *f*.

**link** [liŋk] **1.** *Ketten-*Glied *n*, Gelenk *n*; Manschettenknopf *m*; *fig.* Bindeglied *n*; **2.** (sich) verbinden.

**links** [liŋks] *pl.* Dünen *f/pl.*; *a.* golf-~ Golf(spiel)platz *m*.

**linseed** ['linsi:d] Leinsame(n) *m*; ~ *oil* Leinöl *n*.

**lion** ['laiən] Löwe *m*; *fig.* Größe *f*, Berühmtheit *f*; **~ess** [~nis] Löwin *f*.

**lip** [lip] Lippe *f*; Rand *m*; *sl.* Unverschämtheit *f*; **~stick** ['lipstik] Lippenstift *m*.

**liquefy** ['likwifai] schmelzen.

**liquid** ['likwid] **1.** flüssig; 🞀 liquid; klar (*Luft etc.*); **2.** Flüssigkeit *f*.

**liquidat|e** ['likwideit] 🞀 liquidieren; bezahlen; **~ion** [likwi'deiʃən] Abwicklung *f*, Liquidation *f*.

**liquor** ['likə] Flüssigkeit *f*; Alkohol *m*, alkoholisches Getränk.

**liquorice** ['likəris] Lakritze *f*.

**lisp** [lisp] **1.** Lispeln *n*; **2.** lispeln.

**list** [list] **1.** Liste *f*, Verzeichnis *n*; Leiste *f*; Webkante *f*; **2.** (in e-e Liste) eintragen; verzeichnen.

**listen** ['lisn] (*to*) lauschen, horchen (auf *acc.*); anhören (*acc.*), zuhören (*dat.*); hören (auf *acc.*); ~ *in teleph.*, *Radio*: (mit)hören (*to acc.*); **~er** [~nə] Zuhörer(in); *a.* ~*in* (Rundfunk)Hörer(in).

**listless** ['listlis] gleichgültig; lustlos.

**lists** [lists] *pl.* Schranken *f/pl.*

**lit** [lit] *pret. u. p.p. von light[1] 3.*

**literal** □ ['litərəl] buchstäblich; am Buchstaben klebend; wörtlich.

**litera|ry** □ ['litərəri] literarisch; Literatur...; Schrift...; **~ture** [~ritʃə] Literatur *f*.

**lithe** [laið] geschmeidig, wendig.

**lithography** [li'θɔgrəfi] Lithographie *f*, Steindruck *m*.

**litigation** [liti'geiʃən] Prozeß *m*.

**lit|re**, *Am.* **~er** ['li:tə] Liter *n, m*.

**litter** ['litə] **1.** Sänfte *f*; Tragbahre *f*; Streu *f*; Abfall *m*; Unordnung *f*; Wurf *m junger Tiere*; **2.** ~ *down* mit Streu versehen; ~ *up* in Unordnung bringen; *Junge* werfen; **~basket**, **~bin** Abfallkorb *m*.

**little** ['litl] **1.** *adj.* klein; gering(fügig); wenig; *a* ~ *one* ein Kleines (*Kind*); **2.** *adv.* wenig; **3.** Kleinigkeit *f*; *a* ~ ein bißchen; ~ *by* ~ nach und nach; *not a* ~ nicht wenig.

**live 1.** [liv] *allg.* leben; wohnen; ~ *to see* erleben; ~ *s.th. down* et. durch guten Lebenswandel vergessen machen; ~ *through* durchmachen, durchstehen, überleben; ~ *up to* s-m Ruf gerecht werden, s-n Grundsätzen gemäß leben; *Versprechen* halten; **2.** [laiv] lebendig; richtig; aktuell; glühend; ✗ scharf (*Munition*); ⚡ stromführend; *Radio*: Direkt..., Original...; **~lihood** ['laivlihud] Unterhalt *m*; **~liness** [~inis] Lebhaftigkeit *f*; **~ly** ['laivli] lebhaft; lebendig; aufregend; schnell; bewegt.

**liver** *anat.* ['livə] Leber *f*.

**livery** ['livəri] Livree *f*; (Amts-) Tracht *f*; *at* ~ *in* Futter (*stehen etc.*).

**live|s** [laivz] *pl. von life*; **~stock** ['laivstɔk] Vieh(bestand *m*) *n*.

**livid** ['livid] bläulich; fahl; F wild.

**living** ['liviŋ] **1.** □ lebend(ig); *the* ~ *image of* das genaue Ebenbild *gen.*; **2.** Leben *n*; Lebensweise *f*; Lebensunterhalt *m*; *eccl.* Pfründe *f*; **~room** Wohnzimmer *n*.

**lizard** *zo.* ['lizəd] Eidechse *f*.

**load** [loud] **1.** Last *f*; Ladung *f*;

**2.** (be)laden; *fig.* überhäufen; überladen; **~ing** ['loudiŋ] Laden *n*; Ladung *f*, Fracht *f*; *attr.* Lade...

**loaf** [louf] **1.** *pl.* **loaves** [louvz] Brot-Laib *m*; (Zucker)Hut *m*; **2.** herumlungern.

**loafer** ['loufə] Bummler *m*.

**loam** [loum] Lehm *m*, Ackerkrume*f*.

**loan** [loun] **1.** Anleihe *f*, Darlehen *n*; Leihen *n*; Leihgabe *f*; on ~ leihweise; **2.** *bsd. Am.* ausleihen.

**loath** □ [louθ] abgeneigt; **~e** [louð] sich ekeln vor (*dat.*); verabscheuen; **~ing** ['louðiŋ] Ekel *m*; **~some** □ ['louðsəm] ekelhaft; verhaßt.

**loaves** [louvz] *pl. von* loaf 1.

**lobby** ['lɔbi] **1.** Vorhalle *f*; *parl.* Wandelgang *m*; *thea.* Foyer *n*; **2.** *parl.* s-n Einfluß geltend machen.

**lobe** *anat.*, ♀ [loub] Lappen *m*.

**lobster** ['lɔbstə] Hummer *m*.

**local** □ ['loukəl] **1.** örtlich; Orts..., lokal; **~** *government* Gemeindeverwaltung *f*; *Zeitung:* Lokalnachricht *f*; ⑯ *a.* ~ *train* Vorortzug *m*; F Wirtshaus *n* (am Ort); **~ity** [lou'kæliti] Örtlichkeit *f*; Lage *f*; **~ize** ['loukəlaiz] lokalisieren.

**locat|e** [lou'keit] *v/t.* versetzen, verlegen, unterbringen; ausfindig machen; *Am.* an-, festlegen; **~d** gelegen sein; wohnen; *v/i.* sich niederlassen; **~ion** [~eiʃən] Lage *f*; Niederlassung *f*; *Am.* Anweisung *f* von Land; angewiesenes Land; Ort *m*; *Film:* Gelände *n* für Außenaufnahmen.

**loch** *schott.* [lɔk] See *m*; Bucht *f*.

**lock** [lɔk] **1.** Tür-, *Gewehr- etc.* Schloß *n*; Schleuse(nkammer) *f*; ⊕ Sperrvorrichtung *f*; Stauung *f*; Locke *f*; Wollflocke *f*; **2.** (ver)schließen (*a. fig.*), absperren; sich verschließen lassen; ⊕ blockieren, sperren, greifen; umschließen; ~ *s.o. in* j-n einsperren; ~ *up* wegschließen; abschließen; einsperren; *Geld* fest anlegen.

**lock|er** ['lɔkə] Schrank *m*, Kasten *m*; **~et** ['lɔkit] Medaillon *n*; **~out** Aussperrung *f* von Arbeitern; **~smith** Schlosser *m*; **~up 1.** Haftzelle *f*; ✝ zinslose Kapitalanlage*f*; **2.** verschließbar.

**loco** *Am. sl.* ['loukou] verrückt.

**locomot|ion** [loukə'mouʃən] Fortbewegung(sfähigkeit) *f*; **~ive** ['lou-

kəmoutiv] **1.** sich fortbewegend; beweglich; **2.** *a.* ~ *engine* Lokomotive *f*.

**locust** ['loukəst] *zo.* Heuschrecke *f*; ♀ unechte Akazie.

**lode|star** ['loudstɑː] Leitstern *m* (*a. fig.*); **~stone** Magnet(eisenstein) *m*.

**lodg|e** [lɔdʒ] **1.** Häus-chen (*n*; (Forst-, Park-, Pförtner)Haus *n*; Portierloge *f*; Freimaurer-Loge *f*; **2.** *v/t.* beherbergen, aufnehmen; *Geld* hinterlegen; *Klage* einreichen; *Hieb* versetzen; *v/i.* (*bsd. zur* Miete) wohnen; logieren; **~er** ['lɔdʒə] (Unter)Mieter(in); **~ing** ['lɔdʒiŋ] Unterkunft *f*; **~s** *pl.* möbliertes Zimmer; Wohnung *f*.

**loft** [lɔft] (Dach)Boden *m*; Empore *f*; **~y** □ ['lɔfti] hoch; erhaben; stolz.

**log** [lɔg] Klotz *m*; Block *m*; gefällter Baumstamm; ♣ Log *n*; **~cabin** ['lɔgkæbin] Blockhaus *n*; **~gerhead** ['lɔgəhed]: *be at* ~*s* sich in den Haaren liegen; **~-house**, **~-hut** Blockhaus *n*.

**logic** ['lɔdʒik] Logik *f*; **~al** □ [~kəl] logisch.

**logroll** *bsd. Am. pol.* ['lɔgroul] (sich gegenseitig) in die Hände arbeiten.

**loin** [lɔin] Lende(nstück *n*) *f*.

**loiter** ['lɔitə] trödeln, schlendern.

**loll** [lɔl] (sich) strecken; (sich) rekeln; **~** *about* herumlungern.

**lone|liness** ['lounlinis] Einsamkeit *f*; **~ly** ['lounli], **~some** □ ['lounsəm] einsam.

**long¹** [lɔŋ] **1.** Länge *f*; *before* ~ binnen kurzem; *for* ~ lange; *take* ~ lange brauchen *od.* dauern; **2.** *adj.* lang; langfristig; langsam; *in the* ~ *run* am Ende; auf die Dauer; *be* ~ lange dauern *od.* brauchen; **3.** *adv.* lang(e); *so* ~*!* bis dann! (*auf Wiedersehen*); (*no*) ~*er* (nicht) länger *od.* mehr.

**long²** [~] sich sehnen (*for* nach).

**long-distance** ['lɔŋ'distəns] Fern..., Weit...; **~evity** [lɔn'dʒeviti] Langlebigkeit *f*; langes Leben; **~hand** ['lɔŋhænd] Langschrift *f*.

**longing** ['lɔŋiŋ] **1.** □ sehnsüchtig; **2.** Sehnsucht *f*; Verlangen *n*.

**longitude** *geogr.* ['lɔndʒitjuːd] Länge*f*.

**long|-shore-man** ['lɔŋʃɔːmən] Hafenarbeiter*m*; **~sighted** ['lɔŋ'saitid] weitsichtig; **~-standing** seit langer Zeit bestehend, alt; **~-suffering 1.** langmütig; **2.** Langmut *f*; **~-term** ['lɔŋtə:m] langfristig; **~-winded** □ ['lɔŋ'windid] langatmig.

**look** [luk] **1.** Blick *m*; Anblick *m*; *oft* **~s** *pl.* Aussehen *n*; have a ~ at *s.th.* sich et. ansehen; *I don't like the* ~ *of it* es gefällt mir nicht; **2.** *v/i.* sehen, blicken (*at*, *on* auf *acc.*, *nach*); zusehen, *daß od. wie* ...; nach-sehen, *wer etc.* ...; *krank etc.* aus-sehen; *nach e-r Richtung liegen*; ~ *after* sehen nach, sich kümmern um; versorgen; nachsehen, nach-blicken (*dat.*); ~ *at* ansehen; ~ *for* erwarten; erforschen; ~ *forward to* freuen auf (*acc.*); ~ *in* als Besucher hereinschauen (*on* bei); ~ *into* prü-fen; erforschen; ~ *on* zuschauen (*dat.*); betrachten (*as* als); liegen zu, gehen auf (*acc.*) (*Fenster*); ~ *out* vorsehen; ~ (*up*)*on fig.* ansehen (*as* als); *v/t.* ~ *disdain* verächtlich blicken; ~ *over et.* durchsehen; *j-n* mustern; ~ *up et.* nachschlagen.

**looker-on** ['lukər'ɔn] Zuschauer(in).

**looking-glass** ['lukiŋglɑːs] Spiegel *m*.

**look-out** ['luk'aut] Ausguck *m*, Ausblick *m*, Aussicht *f* (*a. fig.*); *that is my* ~ F das ist meine Sache.

**loom** [luːm] **1.** Webstuhl *m*; **2.** un-deutlich zu sehen sein, sich ab-zeichnen.

**loop** [luːp] **1.** Schlinge *f*, Schleife *f*, Öse *f*; **2.** *v/t.* in Schleifen legen; schlingen; *v/i.* e-e Schleife machen; sich winden; **~hole** ['luːphoul] Guck-, Schlupfloch *n*; ✕ Schieß-scharte *f*.

**loose** [luːs] **1.** □ *allg.* lose, locker; schlaff; weit; frei; un-zs.-hängend; ungenau; liederlich; **2.** lösen; auf-binden; lockern; **~n** ['luːsn] (sich) lösen, (sich) lockern.

**loot** [luːt] **1.** plündern; **2.** Beute *f*.

**lop** [lɔp] *Baum* beschneiden; stut-zen; schlaff herunterhängen (las-sen); **~-sided** ['lɔp'saidid] schief; einseitig.

**loquacious** □ [lou'kweiʃəs] ge-schwätzig.

**lord** [lɔːd] Herr *m*; Gebieter *m*; Magnat *m*; Lord *m*; *the* ⌖ der Herr (*Gott*); *my* ~ [mi'lɔːd] Mylord, Euer Gnaden; *the* ⌖*'s Prayer* das Vaterunser; *the* ⌖*'s Supper* das

Abendmahl; **~ly** ['lɔːdli] vornehm, edel; großartig; hochmütig; **~ship** ['lɔːdʃip] Lordschaft *f* (*Titel*).

**lore** [lɔː] Lehre *f*, Kunde *f*.

**lorry** ['lɔri] Last(kraft)wagen *m*, LKW *m*; 🚂 Lore *f*.

**lose** [luːz] [*irr.*] *v/t.* verlieren; ver-geuden; verpassen; abnehmen; ~ *o.s.* sich verirren; *v/i.* verlieren; nachgehen (*Uhr*).

**loss** [lɔs] Verlust *m*; Schaden *m*; *at a* ~ in Verlegenheit; außerstande.

**lost** [lɔst] *pret. u. p.p. von* lose; *be* ~ verlorengehen; verschwunden sein; *fig.* versunken sein; **~-property office** Fundbüro *n*.

**lot** [lɔt] Los *n* (*a. fig.*); Anteil *m*; ✝ Partie *f*; Posten *m*; F Menge *f*; Parzelle *f*; *Am. Film:* Ateliergelände *n*; *a* ~ *of people* F eine Menge Leute; *draw* ~*s* losen; *fall to s.o.'s* ~ *j-m* zufallen.

**loth** □ [louθ] *s.* loath.

**lotion** ['louʃən] (Haut)Wasser *n*.

**lottery** ['lɔtəri] Lotterie *f*.

**loud** □ [laud] laut (*a. adv.*); *fig.* schreiend, grell; **~-speaker** ['laud'spiːkə] Lautsprecher *m*.

**lounge** [laundʒ] **1.** sich rekeln; faulenzen; **2.** Bummel *m*; Wohnzim-mer *n*, -diele *f*; Gesellschaftsraum *m* *e-s Hotels*; *thea.* Foyer *n*; Chaise-longue *f*; **~-chair** ['laundʒ'tʃeə] Klubsessel *m*; **~-suit** Straßenanzug *m*.

**lour** ['lauə] finster blicken *od.* aus-sehen; die Stirn runzeln.

**lous|e** [laus], *pl.* **lice** [lais] Laus *f*; **~y** ['lauzi] verlaust; lausig; Lause...

**lout** [laut] Tölpel *m*, Lümmel *m*.

**lovable** □ ['lʌvəbl] liebenswürdig, liebenswert.

**love** [lʌv] **1.** Liebe *f* (*of*, *a. for*, *to*, *towards* zu); Liebschaft *f*; Ange-betete *f*; Liebling *m* (*als Anrede*); liebe Grüße *m/pl.*; *Sport:* nichts,null; *attr.* Liebes...; *give od. send one's* ~ *to s.o.* j-n freundlichst grüßen (lassen); *in* ~ *with* verliebt in (*acc.*); *fall in* ~ *with* sich verlieben in (*acc.*); *make* ~ *to* werben um; **2.** lieben; gern haben; ~ *to do* gern tun; **~-affair** ['lʌvəfeə] Liebschaft *f*; **~ly** ['lʌvli] lieblich; entzückend; reizend; **~r** ['lʌvə] Liebhaber *m*; *fig.* Verehrer(in), Liebhaber(in).

**loving** □ ['lʌviŋ] liebevoll.

**low¹** [lou] **1.** niedrig; tief; gering;

leise; *fig.* niedergeschlagen; schwach; gemein; ~est *bid* Mindestgebot *n*; **2.** *meteor.* Tief(druckgebiet) *n*; *bsd. Am.* Tiefstand *m*, -punkt *m*.

**low²** [~] brüllen, muhen (*Rind*).

**low-brow** F ['loubrau] **1.** geistig anspruchslos, spießig; **2.** Spießer *m*, Banause *m*.

**lower¹** ['louə] **1.** niedriger; tiefer; geringer; leiser; untere(r, -s); Unter...; **2.** *v/t.* nieder-, herunterlassen; senken; erniedrigen; abschwächen; *Preis etc.* herabsetzen; *v/i.* fallen, sinken.

**lower²** ['lauə] *s. lour.*

**low|land** ['loulənd] Tiefland *n*; ~**liness** ['loulinis] Demut *f*; ~**ly** ['louli] demütig; bescheiden; ~-**necked** (tief) ausgeschnitten (*Kleid*); ~-**spirited** niedergeschlagen. [Treue *f*.]

**loyal** □ ['lɔiəl] treu; ~**ty** [~lti]

**lozenge** ['lɔzindʒ] Pastille *f*.

**lubber** ['lʌbə] Tölpel *m*, Stoffel *m*.

**lubric|ant** ['lu:brikənt] Schmiermittel *n*; ~**ate** [~keit] schmieren; ~**ation** [lu:bri'keiʃən] Schmieren *n*, ⊕ Ölung *f*.

**lucid** □ ['lu:sid] leuchtend, klar.

**luck** [lʌk] Glück(sfall *m*) *n*; Geschick *n*; *good* ~ Glück *n*; *bad* ~, *hard* ~, *ill* ~ Unglück *n*, Pech *n*; *worse* ~ unglücklicherweise; ~**ily** ['lʌkili] glücklicherweise, zum Glück; ~**y** □ ['lʌki] glücklich; Glücks...; *be* ~ Glück haben.

**lucr|ative** □ ['lu:krətiv] einträglich; ~**e** ['lu:kə] Gewinn(sucht *f*) *m*.

**ludicrous** □ ['lu:dikrəs] lächerlich.

**lug** [lʌg] zerren, schleppen.

**luge** [lu:ʒ] **1.** Rodelschlitten *m*; **2.** rodeln.

**luggage** ['lʌgidʒ] Gepäck *n*; ~-**carrier** Gepäckträger *m am Fahrrad*; ~-**office** 🚂 Gepäckschalter *m*; ~-**rack** Gepäcknetz *n*; ~-**ticket** Gepäckschein *m*.

**lugubrious** □ [lu:'gju:briəs] traurig.

**lukewarm** ['lu:kwɔ:m] lau (*a. fig.*).

**lull** [lʌl] **1.** einlullen; (sich) beruhigen; **2.** (Wind)Stille *f*; Ruhepause *f*.

**lullaby** ['lʌləbai] Wiegenlied *n*.

**lumbago** ⚕ [lʌm'beigou] Hexenschuß *m*.

**lumber** ['lʌmbə] **1.** Bau-, Nutzholz *n*; Gerümpel *n*; **2.** *v/t. a.* ~ *up* voll-

stopfen; *v/i.* rumpeln, poltern; sich (dahin)schleppen; ~**er** [~ərə], ~**jack**, ~**man** Holzfäller *m*, -arbeiter *m*; ~-**mill** Sägewerk *n*; ~-**room** Rumpelkammer *f*; ~-**yard** Holzplatz *m*, -lager *n*.

**lumin|ary** ['lu:minəri] Himmelskörper *m*; Leuchtkörper *m*; *fig.* Leuchte *f*; ~**ous** □ [~nəs] leuchtend; Licht...; *fig.* lichtvoll.

**lump** [lʌmp] **1.** Klumpen *m*; *fig.* Klotz *m*; Beule *f*; Stück *n* Zucker *etc.*; *in the* ~ in Bausch und Bogen; ~ *sugar* Würfelzucker *m*; ~ *sum* Pauschalsumme *f*; **2.** *v/t.* zs.-werfen, zs.-fassen; *v/i.* Klumpen bilden; ~**ish** □ ['lʌmpiʃ] schwerfällig; ~**y** □ [~pi] klumpig.

**lunacy** ['lu:nəsi] Wahnsinn *m*.

**lunar** ['lu:nə] Mond...

**lunatic** ['lu:nətik] **1.** irr-, wahnsinnig; **2.** Irre(r *m*) *f*; Wahnsinnige(r *m*) *f*; Geistesgestörte(r *m*) *f*; ~ *asylum* Irrenhaus *n*, -anstalt *f*.

**lunch** |(**eon**) [lʌntʃ, 'lʌntʃən] **1.** Lunch *m*, Mittagessen *n*; zweites Frühstück *n*; **2.** zu Mittag essen; *j-m* ein Mittagessen geben; ~-**hour** Mittagszeit *f*, -pause *f*.

**lung** *anat.* [lʌŋ] Lunge(nflügel *m*) *f*; *the* ~*s pl.* die Lunge.

**lunge** [lʌndʒ] **1.** *Fechten:* Ausfall *m*; **2.** *v/i.* ausfallen (*at gegen*); (dahin)stürmen; *v/t.* stoßen.

**lupin(e)** ♀ ['lu:pin] Lupine *f*.

**lurch** [lə:tʃ] **1.** taumeln, torkeln; **2.**: *leave* ~ im Stich lassen.

**lure** [ljuə] **1.** Köder *m*; *fig.* Lockung *f*; **2.** ködern, (an)locken.

**lurid** □ ['ljuərid] unheimlich; erschreckend, schockierend; düster, finster.

**lurk** [lə:k] lauern; versteckt liegen.

**luscious** □ ['lʌʃəs] köstlich; üppig; süß(lich), widerlich.

**lust** [lʌst] (sinnliche) Begierde; *fig.* Gier *f*, Sucht *f*.

**lust|re**, *Am.* ~**er** ['lʌstə] Glanz *m*; Kronleuchter *m*; ~**rous** □ [~trəs] glänzend. [kräftig.]

**lusty** □ ['lʌsti] rüstig; *fig.* lebhaft, |

**lute¹** ♪ [lu:t] Laute *f*.

**lute²** [~] **1.** Kitt *m*; **2.** (ver)kitten.

**Lutheran** ['lu:θərən] lutherisch.

**luxate** ⚕ ['lʌkseit] verrenken.

**luxur|iant** □ [lʌg'zjuəriənt] üppig; ~**ious** □ [~iəs] luxuriös, üppig; ~**y**

['lʌkʃəri] Luxus *m*, Üppigkeit *f*; Luxusartikel *m*; Genußmittel *n*.
**lyceum** [lai'siəm] Vortragsraum *m*; *bsd. Am.* Volkshochschule *f*.
**lye** [lai] Lauge *f*.
**lying** ['laiiŋ] **1.** *p.pr. von* lie¹ 2 *u.* lie² 2; **2.** *adj.* lügnerisch; **~-in** [ˌ~ŋ'in] Wochenbett *n*; ~ *hospital* Entbindungsheim *n*.

**lymph** ♂ [limf] Lymphe *f*.
**lynch** [lintʃ] lynchen; **~-law** ['lintʃlɔ:] Lynchjustiz *f*.
**lynx** *zo.* [liŋks] Luchs *m*.
**lyric** ['lirik] **1.** lyrisch; **2.** lyrisches Gedicht; ~*s pl.* (Lied)Text *m* (*bsd. e-s Musicals*); Lyrik *f*; **~al** □ [ˌ~kəl] lyrisch, gefühlvoll; schwärmerisch, begeistert.

# M

**ma'am** [mæm] Majestät *f* (*Anrede für die Königin*); Hoheit *f* (*Anrede für Prinzessinnen*); F [məm] gnä' Frau *f* (*von Dienstboten verwendete Anrede*).
**macaroni** [mækə'rouni] Makkaroni *pl.*
**macaroon** [mækə'ru:n] Makrone *f*.
**machin|ation** [mæki'neiʃən] Anschlag *m*; ~*s pl.* Ränke *pl.*; **~e** [mə'ʃi:n] **1.** Maschine *f*; Mechanismus *m* (*a. fig.*); **2.** maschinell herstellen *od.* (be)arbeiten; **~e-made** maschinell hergestellt; **~ery** [ˌ~nəri] Maschinen *f|pl.*; Maschinerie *f*; **~ist** [ˌ~nist] Maschinist *m*; Maschinennäherin *f*.
**mackerel** *ichth.* ['mækrəl] Makrele *f*.
**mackinow** *Am.* ['mækinɔ:] Stutzer *m* (*Kleidungsstück*).
**mackintosh** ['mækintɔʃ] Regenmantel *m*.
**mad** □ [mæd] wahnsinnig; toll (-wütig); *fig.* wild; F wütend; go ~ verrückt werden; *drive* ~ verrückt machen.
**madam** ['mædəm] gnädige Frau, gnädiges Fräulein (*Anrede*).
**mad|cap** ['mædkæp] **1.** toll; **2.** Tollkopf *m*; Wildfang *m*; **~den** ['mædn] toll *od.* rasend machen.
**made** [meid] *pret. u. p.p. von* make 1.
**made-up** ['meid'ʌp] zurechtgemacht; erfunden; fertig; ~ *clothes pl.* Konfektion *f*.
**mad|house** ['mædhaus] Irrenhaus *n*; **~man** Wahnsinnige(r) *m*; **~ness**

['mædnis] Wahnsinn *m*; (Toll)Wut *f*.
**magazine** [mægə'zi:n] Magazin *n*; (Munitions)Lager *n*; Zeitschrift *f*.
**maggot** *zo.* ['mægət] Made *f*.
**magic** ['mædʒik] **1.** *a.* **~al** □ [ˌ~kəl] magisch; Zauber...; **2.** Zauberei *f*, *fig.* Zauber *m*; **~ian** [me'dʒiʃən] Zauberer *m*.
**magistra|cy** ['mædʒistrəsi] Richteramt *n*; *die* Richter *m|pl.*; **~te** [ˌ~rit] (Polizei-, Friedens)Richter *m*.
**magnanimous** □ [mæg'næniməs] großmütig.
**magnet** ['mægnit] Magnet *m*; **~ic** [mæg'netik] (ˌ~ally) magnetisch.
**magni|ficence** [mæg'nifisns] Pracht *f*, Herrlichkeit *f*; **~ficent** [ˌ~nt] prächtig, herrlich; **~fy** ['mægnifai] vergrößern; **~tude** [ˌ~itju:d] Größe *f*, Wichtigkeit *f*.
**magpie** *orn.* ['mægpai] Elster *f*.
**mahogany** [mə'hɔgəni] Mahagoni (-holz) *n*.
**maid** [meid] *lit.* Mädchen *n*; (Dienst)Mädchen *n*; *old* ~ alte Jungfer; ~ *of all work* Mädchen *n* für alles; ~ *of honour* Ehren-, Hofdame *f*.
**maiden** ['meidn] **1.** = *maid*; **2.** jungfräulich; unverheiratet; *fig.* Jungfern..., Erstlings...; ~ *name* Mädchenname *m e-r* Frau; **~head** Jungfräulichkeit *f*; **~hood** [ˌ~hud] Mädchenjahre *n|pl.*; **~ly** [ˌ~nli] jungfräulich, mädchenhaft.
**mail**¹ [meil] (Ketten)Panzer *m*.
**mail**² [ˌ~] **1.** Post(dienst *m*) *f*; Post(sendung) *f*; **2.** *Am.* mit der Post schicken, aufgeben; **~able**

*Am.* ['meiləbl] postversandfähig;
**~bag** Briefträger-, Posttasche *f;*
Postsack *m;* **~box** *bsd. Am.* Briefkasten *m;* **~ carrier** *Am.* Briefträger *m;* **~man** *Am.* Briefträger *m;*
**~-order firm,** *bsd. Am.* **~-order
house** (Post)Versandgeschäft *n.*

**maim** [meim] verstümmeln.

**main** [mein] **1.** Haupt..., hauptsächlich; *by ~ force* mit voller
Kraft; **2.** Hauptrohr *n,* -leitung *f;*
**~s** *pl.* ⚡ (Strom)Netz *n; in the ~* in
der Hauptsache, im wesentlichen;
**~-land** ['meinlənd] Festland *n;* **~ly**
[~li] hauptsächlich; **~spring** Uhr-
feder *f; fig.* Haupttriebfeder *f;*
**~stay** ⚓ Großstag *n; fig.* Haupt-
stütze *f* ⚲ **Street** *Am.* Hauptstraße
*f;* ⚲ **Streeter** *Am.* Kleinstadt-
bewohner *m.*

**maintain** [men'tein] (aufrecht)er-
halten; beibehalten; (unter)stützen;
unterhalten; behaupten.

**maintenance** ['meintinəns] Erhal-
tung *f;* Unterhalt *m;* ⊕ Wartung *f.*

**maize** ⚘ [meiz] Mais *m.*

**majest|ic** [mə'dʒestik] (**~ally**) ma-
jestätisch; **~y** ['mædʒisti] Majestät
*f;* Würde *f,* Hoheit *f.*

**major** ['meidʒə] **1.** größer; wich-
tig(er); mündig; ♪ Dur *n; ~ key*
Dur-Tonart *f;* **~ league** *Am. Baseball:* Oberliga *f;* **2.** ✗ Major *m;*
Mündige(r *m*) *f; Am. univ.* Haupt-
fach *n;* **~-general** ✗ Generalmajor
*m;* **~ity** [mə'dʒɔriti] Mehrheit *f;*
Mündigkeit *f;* Majorsrang *m.*

**make** [meik] **1.** [*irr.*] *v/t. allg.* machen; verfertigen, fabrizieren; bil-
den; (aus)machen; ergeben; (veran)lassen; gewinnen, verdienen;
*sich erweisen als,* abgeben; *Regel
etc.* aufstellen; *Frieden etc.* schließen; *e-e Rede* halten; *~ good* wieder
gutmachen; *what way;* machen; *do you ~
one of us?* machen Sie mit?; *~ port*
⚓ den Hafen anlaufen; *~ way* vorwärtskommen; *~ into* verarbeiten
zu; *~ out* ausfindig machen; erkennen; verstehen; entziffern; *Rechnung etc.* ausstellen; *~ over* übertragen; *~ up* ergänzen; vervoll-
ständigen; zs.-stellen; bilden, ausmachen; *Streit* beilegen; zurechtmachen, schminken; *~ ~ up for*
(*v/i.*); *~ up one's mind* sich entschließen; *v/i.* sich begeben;
gehen; *~ away with* beseitigen;

*Geld* vertun; *~ for* zugehen auf
(*acc.*); sich aufmachen nach; *~ off*
sich fortmachen; *~ up* sich zurechtmachen; sich schminken; *~ up for*
nach-, aufholen; für *et.* entschädigen; **2.** Mach-, Bauart *f;* Bau *m des
Körpers;* Form *f;* Fabrikat *n,* Erzeugnis *n;* **~-believe** ['meikbili:v]
Schein *m,* Vorwand *m,* Verstellung
*f;* **~r** ['meikə] Hersteller *m;* ⚪
Schöpfer *m* (*Gott*); **~shift 1.** Notbehelf *m;* **2.** behelfsmäßig; **~up**
*typ.* Umbruch *m; fig.* Charakter *m;*
Schminke *f,* Make-up *n.*

**maladjustment** ['mælə'dʒʌstmənt]
mangelhafte Anpassung.

**maladministration** ['mælədmi-
nis'treiʃən] schlechte Verwaltung.

**malady** ['mælədi] Krankheit *f.*

**malcontent** ['mælkəntent] **1.** unzufrieden; **2.** Unzufriedene(r) *m.*

**male** [meil] **1.** männlich; **2.** Mann
*m; zo.* Männchen *n.*

**malediction** [mæli'dikʃən] Fluch
*m.*

**malefactor** ['mælifæktə] Übeltäter
*m.*

**malevolen|ce** [mə'levələns] Bös-
willigkeit *f;* **~t** ☐ [~nt] böswillig.

**malice** ['mælis] Bosheit *f;* Groll *m.*

**malicious** ☐ [mə'liʃəs] boshaft;
böswillig; **~ness** [~snis] Bosheit *f.*

**malign** [mə'lain] **1.** ☐ schädlich;
**2.** verleumden; **~ant** ☐ [mə-
'lignənt] böswillig; 🗡 bösartig;
**~ity** [~niti] Bosheit *f;* Schaden-
freude *f; bsd.* 🗡 Bösartigkeit *f.*

**malleable** ['mæliəbl] hämmerbar;
*fig.* geschmeidig.

**mallet** ['mælit] Schlegel *m.*

**malnutrition** ['mælnju(:)'triʃən]
Unterernährung *f.*

**malodorous** ☐ [mæ'loudərəs] übelriechend.

**malpractice** ['mæl'præktis] Übel-
tat *f;* 🗡 falsche Behandlung.

**malt** [mɔ:lt] Malz *n.*

**maltreat** [mæl'tri:t] schlecht behandeln; mißhandeln.

**mam(m)a** [mə'mɑ:] Mama *f.*

**mammal** ['mæməl] Säugetier *n.*

**mammoth** ['mæməθ] riesig.

**mammy** ꜰ ['mæmi] Mami *f; Am.*
farbiges Kindermädchen *n.*

**man** [mæn, *in Zssgn ...*mən] **1.** *pl.*
**men** [men] Mann *m;* Mensch(en
*pl.*) *m;* Menschheit *f;* Diener *m;*
*Schach:* Figur *f;* Damestein *m;*

# manage

**2.** männlich; **3.** ✂, ⚓ bemannen; ~ o.s. sich ermannen.

**manage** ['mænidʒ] v/t. handhaben; verwalten, leiten; *Menschen, Tiere* lenken; mit *j-m* fertig werden; *et.* fertigbringen; ~ to inf. es fertigbringen, zu inf.; v/i. die Aufsicht haben, die Geschäfte führen; auskommen; F es schaffen; ~**able** □ [~dʒəbl] handlich; lenksam; ~**ment** [~dʒmənt] Verwaltung f, Leitung f, Direktion f, Geschäftsführung f; geschickte Behandlung; ~**r** [~dʒə] Leiter m, Direktor m; Regisseur m; Manager m; ~**ress** [~ərəs] Leiterin f, Direktorin f.

**managing** ['mænidʒiŋ] geschäftsführend; Betriebs...; ~ clerk Geschäftsführer m, Prokurist m.

**mandat|e** ['mændeit] Mandat n; Befehl m; Auftrag m; Vollmacht f; ~**ory** [~dətəri] befehlend.

**mane** [mein] Mähne f.

**maneuver** [mə'nu:və] = *manoeuvre*.

**manful** □ ['mænful] mannhaft.

**mange** *vet.* ['meindʒ] Räude f.

**manger** ['meindʒə] Krippe f.

**mangle** ['mæŋgl] **1.** Wringmaschine f; Wäschemangel f; **2.** mangeln; wringen; zerstückeln; *fig.* verstümmeln.

**mangy** ['meindʒi] räudig; *fig.* schäbig.

**manhood** ['mænhud] Mannesalter n; Männlichkeit f; die Männer m/pl.

**mania** ['meinjə] Wahnsinn m; Sucht f, Manie f; ~**c** ['meiniæk] **1.** Wahnsinnige(r m) f; **2.** wahnsinnig.

**manicure** ['mænikjuə] **1.** Maniküre f; **2.** maniküren.

**manifest** ['mænifest] **1.** □ offenbar; **2.** ⚓ Ladungsverzeichnis n; **3.** v/t. offenbaren; kundtun; ~**ation** [mænifes'teiʃən] Offenbarung f; Kundgebung f; ~**o** [mæni'festou] Manifest n.

**manifold** □ ['mænifould] **1.** mannigfaltig; **2.** vervielfältigen.

**manipulat|e** [mə'nipjuleit] (geschickt) handhaben; ~**ion** [mənipju'leiʃən] Handhabung f, Behandlung f, Verfahren n; Kniff m.

**man|kind** [mæn'kaind] die Menschheit; ['mænkaind] die Männer pl.; ~**ly** ['mænli] männlich; mannhaft.

**manner** ['mænə] Art f, Weise f;

Stil(art f) m; Manier f; ~s pl. Manieren f/pl., Sitten f/pl.; in a ~ gewissermaßen; ~**ed** [~əd] ...geartet; gekünstelt; ~**ly** [~əli] manierlich, gesittet.

**manoeuvre**, *Am. a.* **maneuver** [mə'nu:və] **1.** Manöver n (*a. fig.*); **2.** manövrieren (lassen).

**man-of-war** ⚓ ['mænəv'wo:] Kriegsschiff n.

**manor** ['mænə] Rittergut n; lord of the ~ Gutsherr m; ~**house** Herrschaftshaus n, Herrensitz m; Schloß n.

**manpower** ['mænpauə] Menschenpotential n; Arbeitskräfte f/pl.

**man-servant** ['mænsə:vənt] Diener m.

**mansion** ['mænʃən] (herrschaftliches) Wohnhaus.

**manslaughter** ['mænslɔ:tə] Totschlag m, fahrlässige Tötung.

**mantel|piece** ['mæntlpi:s], ~**shelf** Kaminsims m, -platte f.

**mantle** ['mæntl] **1.** Mantel m; *fig.* Hülle f; Glühstrumpf m; **2.** v/t. verhüllen; v/i. sich röten (*Gesicht*).

**manual** ['mænjuəl] **1.** □ Hand...; mit der Hand (gemacht); **2.** Handbuch n. [brik f\]

**manufactory** [mænju'fæktəri] Fa-\
**manufactur|e** [mænju'fæktʃə] **1.** Fabrikation f; Fabrikat n; **2.** fabrizieren; verarbeiten; ~**er** [~ərə] Fabrikant m; ~**ing** [~riŋ] Fabrik...; Gewerbe...; Industrie...

**manure** [mə'njuə] **1.** Dünger m; **2.** düngen.

**manuscript** ['mænjuskript] Manuskript n; Handschrift f.

**many** ['meni] **1.** viele, ~ a manche(r, -s); be one too ~ for s.o. j-m überlegen sein; **2.** Menge f; a good ~, a great ~ ziemlich viele, sehr viele.

**map** [mæp] **1.** (Land)Karte f; **2.** aufzeichnen; ~ out planen; einteilen.

**maple** ⚘ ['meipl] Ahorn m.

**mar** [mɑ:] schädigen; verderben.

**maraud** [mə'rɔ:d] plündern.

**marble** ['mɑ:bl] **1.** Marmor m; Murmel f; **2.** marmorn.

**March**[1] [mɑ:tʃ] März m.

**march**[2] [~] **1.** Marsch m; Fortschritt m; Gang m der Ereignisse etc.; **2.** marschieren (lassen); *fig.* vorwärtsschreiten.

**marchioness** ['mɑːʃənis] Marquise
f.

**mare** [mɛə] Stute f; ~'s nest fig.
Schwindel m; (Zeitungs)Ente f.

**margarine** [mɑːdʒəˈriːn], a. ~e F
[mɑːdʒ] Margarine f.

**margin** ['mɑːdʒin] Rand m; Grenze
f; Spielraum m; Verdienst-, Ge-
winn-, Handelsspanne f; ~al □
[~nl] am Rande (befindlich)
Rand...; ~ note Randbemerkung f.

**marine** [məˈriːn] Marineinfanterist
m; Marine f; paint. Seestück n;
attr. See...; Marine...; Schiffs...;
~r ['mærinə] Seemann m.

**marital** □ ['mæritl] ehelich, Ehe...

**maritime** ['mæritaim] an der See
liegend od. lebend; See...; Küsten-
...; Schiffahrt(s)...

**mark**[1] [mɑːk] Mark f (Geldstück).

**mark**[2] [~] 1. Marke f, Merkmal n,
Zeichen n; † Preiszettel m; Fabrik-,
Schutzmarke f; (Körper)Mal n;
Norm f; Schule: Zensur f, Note f,
Punkt m; Sport: Startlinie f; Ziel n;
a man of ~ ein Mann von Bedeutung; fig. up to the ~ auf der Höhe;
beside the ~, wide of the ~ den Kern
der Sache verfehlend; unrichtig;
2. v/t. (be)zeichnen, markieren;
Sport: anschreiben; kennzeichnen;
be(ob)achten; sich et. merken; ~ off
abtrennen; ~ out bezeichnen; abstecken; ~ time auf der Stelle treten; v/i. achtgeben; ~ed □ auffallend; merklich; ausgeprägt.

**market** ['mɑːkit] 1. Markt(platz) m;
Handel m; † Absatz m; in the ~
auf dem Markt; play the ~ Am. sl.
an der Börse spekulieren; 2. v/t.
auf den Markt bringen, verkaufen;
v/i. einkaufen gehen; ~able □
[~təbl] marktfähig, -gängig; ~ing
[~tiŋ] † Marketing n, Absatzpolitik
f; Marktbesuch m.

**marksman** ['mɑːksmən] (guter)
Schütze.

**marmalade** ['mɑːməleid] Oran-
genmarmelade f.

**maroon** [məˈruːn] 1. kastanienbraun; 2. auf e-r einsamen Insel aussetzen; 3. Leuchtrakete f.

**marquee** [mɑːˈkiː] (großes) Zelt.

**marquis** ['mɑːkwis] Marquis m.

**marriage** ['mæridʒ] Heirat f, Ehe
(-stand m) f; Hochzeit f; civil ~
standesamtliche Trauung; ~able
[~dʒəbl] heiratsfähig; ~ articles pl.

Ehevertrag m; ~ lines pl. Trau-
schein m; ~ portion Mitgift f.

**married** ['mærid] verheiratet; ehelich; Ehe...; ~ couple Ehepaar n.

**marrow** ['mærou] Mark n; fig.
Kern m, Beste(s) n; ~y [~oui] markig.

**marry** ['mæri] v/t. (ver)heiraten;
eccl. trauen; v/i. (sich ver)heiraten.

**marsh** [mɑːʃ] Sumpf m, Morast m.

**marshal** ['mɑːʃəl] 1. Marschall m;
hist. Hofmarschall m; Zeremonien-
meister m; Am. Bezirkspolizeichef
m; Leiter m der Feuerwehr; 2. ordnen; führen; zs.-stellen.

**marshy** ['mɑːʃi] sumpfig.

**mart** [mɑːt] Markt m; Auktions-
raum m.

**marten** zo. ['mɑːtin] Marder m.

**martial** □ ['mɑːʃəl] kriegerisch;
Kriegs...; ~ law Stand-, Kriegsrecht
n.

**martyr** ['mɑːtə] 1. Märtyrer(in) (to
gen.); 2. (zu Tode) martern.

**marvel** ['mɑːvel] 1. Wunder n;
2. sich wundern; ~lous □ ['mɑː-
viləs] wunderbar, erstaunlich.

**mascot** ['mæskət] Maskottchen n.

**masculine** ['mɑːskjulin] männlich.

**mash** [mæʃ] 1. Gemisch n; Maische
f; Mengfutter n; 2. mischen; zerdrücken; (ein)maischen; ~ed potatoes pl. Kartoffelbrei m.

**mask** [mɑːsk] 1. Maske f; 2. maskieren; fig. verbergen; tarnen; ~ed:
~ ball Maskenball m.

**mason** ['meisn] Steinmetz m; Maurer m; Freimaurer m; ~ry [~nri]
Mauerwerk n.

**masque** [mɑːsk] Maskenspiel n.

**masquerade** [mæskəˈreid] 1. Maskenball m; Verkleidung f; 2. fig.
sich maskieren.

**mass** [mæs] 1. eccl. Messe f; Masse
f; Menge f; ~ meeting Massenversammlung f; 2. (sich) (an)sam-
meln.

**massacre** ['mæsəkə] 1. Blutbad n;
2. niedermetzeln.

**massage** ['mæsɑːʒ] 1. Massage f;
2. massieren.

**massif** ['mæsiːf] (Gebirgs)Massiv n.

**massive** ['mæsiv] massiv; schwer.

**mast** ⚓ [mɑːst] Mast m.

**master** ['mɑːstə] 1. Meister m; Herr
m (a. fig.); Gebieter m; Lehrer m;
Kapitän m e-s Handelsschiffs; Anrede: (junger) Herr; univ. Rektor m

*e-s College*; ♀ *of Arts* Magister *m* Artium; ♀ *of Ceremonies* Conférencier *m*; **2.** Meister...; *fig.* führend; **3.** Herr sein *od.* werden über (*acc.*); *Sprache etc.* meistern, beherrschen; **~builder** Baumeister *m*; **~ful** □ [~əful] herrisch; meisterhaft; **~key** Hauptschlüssel *f*; **~ly** [~əli] meisterhaft; **~piece** Meisterstück *n*; **~ship** [~əʃip] Meisterschaft *f*; Herrschaft *f*; Lehramt *n*; **~y** [~əri] Herrschaft *f*; Vorrang *m*; Oberhand *f*; Meisterschaft *f*; Beherrschung *f*.

**masticate** ['mæstikeit] kauen.

**mastiff** ['mæstif] englische Dogge.

**mat** [mæt] **1.** Matte *f*; Deckchen *n*; Unterlage *f*; **2.** *fig.* bedecken; (sich) verflechten; **3.** mattiert, matt.

**match¹** [mætʃ] Streichholz *n*.

**match²** [~] **1.** Gleiche(r *m*, -s *n*) *f*; Partie *f*; Wettspiel *n*, -kampf *m*; Heirat *f*; *be a ~ for j-m* gewachsen sein; *meet one's ~* s-n Meister finden; **2.** *v/t.* anpassen; passen zu; *et.* Passendes finden *od.* geben zu; es aufnehmen mit; verheiraten; *well ~ed* zs.-passend; *v/i.* zs.-passen; *to ~* dazu passend; **~less** □ ['mætʃlis] unvergleichlich, ohnegleichen; **~maker** Ehestifter(in).

**mate¹** [meit] *Schach*: matt (setzen).

**mate²** [~] **1.** Gefährt|e *m*, -in *f*; Kamerad(in); Gatt|e *m*, -in *f*; Männchen *n*, Weibchen *n von Tieren*; Gehilf|e *m*, -in *f*; ♣ Maat *m*; **2.** (sich) verheiraten; paaren.

**material** □ [mə'tiəriəl] **1.** materiell; körperlich; materialistisch; wesentlich; **2.** Material *n*, Stoff *m*; Werkstoff *m*; *writing ~s pl.* Schreibmaterial(ien *pl.*) *n*.

**matern|al** □ [mə'tə:nl] mütterlich; Mutter...; mütterlicherseits; **~ity** [~niti] Mutterschaft *f*; Mütterlichkeit *f*; *mst ~ hospital* Entbindungsanstalt *f*.

**mathematic|ian** [mæθimə'tiʃən] Mathematiker *m*; **~s** [~'mætiks] *mst sg.* Mathematik *f*.

**matriculate** [mə'trikjuleit] (sich) immatrikulieren (lassen).

**matrimon|ial** □ [mætri'mounjəl] ehelich; Ehe...; **~y** ['mætriməni] Ehe(stand *m*) *f*.

**matrix** ['meitriks] Matrize *f*.

**matron** ['meitrən] Matrone *f*; Hausmutter *f*; Oberin *f*.

**matter** ['mætə] **1.** Materie *f*, Stoff *m*; ✗ Eiter *m*; Gegenstand *m*; Ursache *f*; Sache *f*; Angelegenheit *f*, Geschäft *n*; *printed ~* ✍ Drucksache *f*; *what's the ~?* was gibt es?; *what's the ~ with you?* was fehlt Ihnen?; *no ~* es hat nichts zu sagen; *no ~ who* gleichgültig wer; *~ of course* Selbstverständlichkeit *f*; *for that ~*, *for the ~ of that* was dies betrifft; *~ of fact* Tatsache *f*; **2.** von Bedeutung sein; *it does not ~* es macht nichts; **~-of-fact** tatsächlich; sachlich.

**mattress** ['mætris] Matratze *f*.

**matur|e** [mə'tjuə] **1.** □ reif; reiflich; ✝ fällig; **2.** reifen; zur Reife bringen; ✝ fällig werden; **~ity** [~riti] Reife *f*; ✝ Fälligkeit *f*.

**maudlin** □ ['mɔ:dlin] rührselig.

**maul** [mɔ:l] beschädigen; *fig.* heruntermachen; roh umgehen mit.

**Maundy Thursday** *eccl.* ['mɔ:ndi 'θə:zdi] Gründonnerstag *m*.

**mauve** [mouv] **1.** Malvenfarbe *f*; **2.** hellviolett.

**maw** [mɔ:] *Tier-*Magen *m*; Rachen *m*.

**mawkish** □ ['mɔ:kiʃ] rührselig, sentimental.

**maxim** ['mæksim] Grundsatz *m*; **~um** [~məm] Höchstmaß *n*, -stand *m*, -betrag *m*; *attr.* Höchst...

**May¹** [mei] Mai *m*.

**may²** [~] [*irr.*] mag, kann, darf.

**maybe** *Am.* ['meibi:] vielleicht.

**may|-beetle** *zo.* ['meibi:tl], **~bug** Maikäfer *m*.

**May Day** ['meidei] der 1. Mai.

**mayor** [mɛə] Bürgermeister *m*.

**maypole** ['meipoul] Maibaum *m*.

**maz|e** [meiz] Irrgarten *m*, Labyrinth *n*; *fig.* Wirrnis *f*; *in a ~* verwirrt; **~ed** [meizd] bestürzt, verwirrt; **~y** □ ['meizi] labyrinthisch; wirr.

**me** [mi:, mi] mich; mir; F ich.

**mead** [mi:d] Met *m*; *poet.* = *meadow*.

**meadow** ['medou] Wiese *f*.

**meag|re,** *Am.* **~er** □ ['mi:gə] mager, dürr; dürftig.

**meal** [mi:l] Mahl(zeit *f*) *n*; Mehl *n*.

**mean¹** □ [mi:n] gemein, niedrig; gering; armselig; knauserig.

**mean²** [~] **1.** mittler, mittelmäßig; Durchschnitts...; *in the ~ time* inzwischen; **2.** Mitte *f*; **~s pl.** (Geld-) Mittel *n/pl.*; (*a. sg.*) Mittel *n*; *by* *all* ~s jedenfalls; *by no* ~s keineswegs; *by* ~s *of* mittels (*gen.*).

**mean**³ [~] [*irr.*] meinen; beabsichtigen; bestimmen; bedeuten; ~ *well* (*ill*) es gut (schlecht) meinen.

**meaning** 1. □ bedeutsam; 2. Sinn *m*, Bedeutung *f*; ~less [~nlis] bedeutungslos; sinnlos.

**meant** [ment] *pret. u. p.p. von* mean³.

**mean|time** ['mi:n'taim], ~while mittlerweile, inzwischen.

**measles** ✻ ['mi:zlz] *sg.* Masern *pl.*

**measure** ['meʒə] 1. Maß *n*; ♪ Takt *m*; Maßregel *f*; ~ *of capacity* Hohlmaß *n*; *beyond* ~ über alle Maßen; *in a great* ~ großenteils; *made to* ~ nach Maß gemacht; 2. (ab-, aus-, ver)messen; *j-m* Maß nehmen; ~ *up Am.* heranreichen; ~less □ [~əlis] unermeßlich; ~ment [~əmənt] Messung *f*; Maß *n*.

**meat** [mi:t] Fleisch *n*; *fig.* Gehalt *m*; ~ *tea* frühes Abendessen mit Tee; ~y ['mi:ti] fleischig; *fig.* gehaltvoll.

**mechanic** [mi'kænik] Handwerker *m*; Mechaniker *m*; ~al □ [~kəl] mechanisch; Maschinen...; ~ian [mekə'niʃən] Mechaniker *m*; ~s [mi'kæniks] *mst sg.* Mechanik *f*.

**mechan|ism** ['mekənizəm] Mechanismus *m*; ~ize [~naiz] mechanisieren; ✗ motorisieren.

**medal** ['medl] Medaille *f*; Orden *m*.

**meddle** ['medl] sich einmischen (*with, in* in *acc.*); ~some [~lsəm] zu-, aufdringlich.

**mediaeval** □ [medi'i:vəl] mittelalterlich.

**media|l** □ ['mi:djəl], ~n [~ən] Mittel..., in der Mitte (befindlich).

**mediat|e** ['mi:dieit] vermitteln; ~ion [mi:di'eiʃən] Vermittlung *f*; ~or ['mi:dieitə] Vermittler *m*.

**medical** □ ['medikəl] medizinisch, ärztlich; ~ *certificate* Krankenschein *m*, Attest *n*; ~ *evidence* ärztliches Gutachten; ~ *man* Arzt *m*, Mediziner *m*; ~ *supervision* ärztliche Aufsicht.

**medicate** ['medikeit] medizinisch behandeln; mit Arzneistoff versehen; ~d *bath* medizinisches Bad.

**medicin|al** □ [me'disinl] medizinisch; heilend, heilsam; ~e ['medsin] Medizin *f*.

**medieval** □ [medi'i:vəl] = *mediaeval*.

**mediocre** ['mi:dioukə] mittelmäßig.

**meditat|e** ['mediteit] *v/i.* nachdenken, überlegen; *v/t.* sinnen auf (*acc.*); erwägen; ~ion [medi'teiʃən] Nachdenken *n*; innere Betrachtung; ~ive □ ['meditətiv] nachdenklich, meditativ.

**Mediterranean** [meditə'reinjən] Mittelmeer *n*; *attr.* Mittelmeer...

**medium** ['mi:djəm] 1. Mitte *f*; Mittel *n*; Vermittlung *f*; Medium *n*; *Lebens*-Element *n*; 2. mittler; Mittel..., Durchschnitts...

**medley** ['medli] Gemisch *n*; ♪ Potpourri *n*.

**meek** □ [mi:k] sanft-, demütig; ~ness ['mi:knis] Sanft-, Demut *f*.

**meerschaum** ['miəʃəm] Meerschaum(pfeife *f*) *m*.

**meet**¹ [mi:t] passend; schicklich.

**meet**² [~] [*irr.*] *v/t.* treffen; begegnen (*dat.*); abholen; stoßen auf *den Gegner*; *Wunsch etc.* befriedigen; *e-r Verpflichtung* nachkommen; *Am. j-m* vorgestellt werden; *go to* ~ *s.o.* j-m entgegengehen; *v/i.* sich treffen; zs.-stoßen; sich versammeln; ~ *with* stoßen auf (*acc.*); erleiden; ~ing ['mi:tin] Begegnung *f*; (Zs.-)Treffen *n*, Versammlung *f*; Tagung *f*.

**melancholy** ['melənkəli] 1. Schwermut *f*; 2. melancholisch.

**meliorate** ['mi:ljəreit] (sich) verbessern.

**mellow** ['melou] 1. □ mürbe; reif; weich; mild; 2. reifen (lassen); weich machen *od.* werden; (sich) mildern.

**melo|dious** □ [mi'loudjəs] melodisch; ~dramatic [meloudrə'mætik] melodramatisch; ~dy ['melədi] Melodie *f*; Lied *n*.

**melon** ♀ ['melən] Melone *f*.

**melt** [melt] (zer)schmelzen; *fig.* zerfließen; *Gefühl* erweichen.

**member** ['membə] (Mit)Glied *n*; *parl.* Abgeordnete(r *m*) *f*; ~ship [~əʃip] Mitgliedschaft *f*; Mitgliederzahl *f*.

**membrane** ['membrein] Membran(e) *f*, Häutchen *n*.

**memento** [mi'mentou] Andenken *n*.

**memo** ['mi:mou] = *memorandum*.

**memoir** ['memwa:] Denkschrift *f*; ~s *pl.* Memoiren *f*.

**memorable** □ ['memərəbl] denkwürdig.

**memorandum** [memə'rændəm] Notiz *f; pol.* Note *f*; Schriftsatz *m*.

**memorial** [mi'mɔːriəl] Denkmal *n*; Gedenkzeichen *n*; Denkschrift *f*, Eingabe *f; attr.* Gedächtnis..., Gedenk...

**memorize** ['meməraiz] auswendig lernen, memorieren.

**memory** ['meməri] Gedächtnis *n*; Erinnerung *f*; Andenken *n; commit to ~* dem Gedächtnis einprägen; *in ~ of* zum Andenken an (*acc.*).

**men** [men] *pl. von* man 1; Mannschaft *f*.

**menace** ['menəs] **1.** (be)drohen; **2.** Gefahr *f*; Drohung *f*.

**mend** [mend] **1.** *v/t.* (ver)bessern; ausbessern, flicken; besser machen; *~ one's ways* sich bessern; *v/i.* sich bessern; **2.** Flicken *m; on the ~* auf dem Wege der Besserung.

**mendacious** □ [men'deiʃəs] lügnerisch, verlogen.

**mendicant** ['mendikənt] **1.** bettelnd; Bettel...; **2.** Bettler *m*; Bettelmönch *m*.

**menial** *contp.* ['miːnjəl] **1.** □ knechtisch; niedrig; **2.** Knecht *m*; Lakai *m*.

**meningitis** ⚕ [menin'dʒaitis] Hirnhautentzündung *f*, Meningitis *f*.

**mental** □ ['mentl] geistig; Geistes...; *~ arithmetic* Kopfrechnen *n*; *~ity* [men'tæliti] Mentalität *f*.

**mention** ['menʃən] **1.** Erwähnung *f*; **2.** erwähnen; *don't ~ it!* bitte!

**menu** ['menjuː] Speisenfolge *f*, Menü *n*; Speisekarte *f*.

**mercantile** ['məːkəntail] kaufmännisch; Handels...

**mercenary** ['məːsinəri] **1.** □ feil, käuflich; gedungen; gewinnsüchtig; **2.** ✕ Söldner *m*.

**mercer** ['məːsə] Seidenwaren-, Stoffhändler *m*.

**merchandise** ['məːtʃəndaiz] Ware(n *pl.*) *f*.

**merchant** ['məːtʃənt] **1.** Kaufmann *m; Am.* (Klein)Händler *m*; **2.** Handels..., Kaufmanns...; *law ~* Handelsrecht *n*; *~man* Handelsschiff *n*.

**merci|ful** □ ['məːsiful] barmherzig; *~less* □ [~ilis] unbarmherzig.

**mercury** ['məːkjuri] Quecksilber *n*.

**mercy** ['məːsi] Barmherzigkeit *f*; Gnade *f; be at s.o.'s ~* in j-s Gewalt sein.

**mere** □ [miə] rein, lauter; bloß; *~ly* ['miəli] bloß, lediglich, allein.

**meretricious** □ [meri'triʃəs] aufdringlich; kitschig.

**merge** [məːdʒ] verschmelzen (*in* mit); *~r* ['məːdʒə] Verschmelzung *f*.

**meridian** [mə'ridiən] *geogr.* Meridian *m; fig.* Gipfel *m; attr.* Mittags...

**merit** ['merit] **1.** Verdienst *n*; Wert *m*; Vorzug *m; bsd.* ⚖ *~s pl.* Hauptpunkte *m/pl.*, Wesen *n* e-r Sache; *make a ~ of* als Verdienst ansehen; **2.** *fig.* verdienen; *~orious* □ [meri'tɔːriəs] verdienstvoll.

**mermaid** ['məːmeid] Nixe *f*.

**merriment** ['merimənt] Lustigkeit *f*; Belustigung *f*.

**merry** □ ['meri] lustig, fröhlich; *make ~* lustig sein; *~ andrew* Hanswurst *m; ~-go-round* Karussell *n; ~-making* [~imeikiŋ] Lustbarkeit *f*.

**mesh** [meʃ] **1.** Masche *f; fig. oft ~es pl.* Netz *n; be in ~* ⊕ (in-ea.-)greifen; **2.** in e-m Netz fangen.

**mess**¹ [mes] **1.** Unordnung *f*; Schmutz *m*, F Schweinerei *f*; F Patsche *f; make a ~ of* verpfuschen; **2.** *v/t.* in Unordnung bringen; verpfuschen; *v/i. ~ about* F herummurksen.

**mess**² [~] Kasino *n*, Messe *f*.

**message** ['mesidʒ] Botschaft *f*; *go on a ~* e-e Besorgung machen.

**messenger** ['mesindʒə] Bote *m*.

**Messieurs**, *mst* **Messrs.** ['mesəz] (die) Herren *m/pl.*; Firma *f*.

**met** [met] *pret. u. p.p. von* meet².

**metal** ['metl] **1.** Metall *n*; Schotter *m*; **2.** beschottern; *~lic* [mi'tælik] (*~ally*) metallisch; Metall...; *~lurgy* [me'tælədʒi] Hüttenkunde *f*.

**metamorphose** [metə'mɔːfouz] verwandeln, umgestalten.

**metaphor** ['metəfə] Metapher *f*.

**meteor** ['miːtjə] Meteor *m* (*a. fig.*); *~ology* [miːtjə'rɔlədʒi] Meteorologie *f*, Wetterkunde *f*.

**meter** ['miːtə] Messer *m*, Zähler *m*; *Am.* = metre.

**methinks** † [mi'θiŋks] mich dünkt.

**method** ['meθəd] Methode *f*; Art u. Weise *f*; Verfahren *n*; Ordnung *f*, System *n; ~ic(al* □) [mi'θɔdik(əl)] methodisch.

**methought** [mi'θɔːt] *pret. von* methinks.

**meticulous** □ [mi'tikjuləs] peinlich genau.

**met|re**, *Am.* **~er** ['mi:tə] Meter *n*,
*m*; Versmaß *n*.

**metric** ['metrik] (**~ally**) metrisch;
**~ system** Dezimalsystem *n*.

**metropoli|s** [mi'trɔpɔlis] Hauptstadt *f*, Metropole *f*; **~tan** [metrə-'pɔlitən] hauptstädtisch.

**mettle** ['metl] Feuereifer *m*, Mut *m*;
be on one's **~** sein Bestes tun.

**mews** [mju:z] Stallung *f*; *daraus
entstandene* Garagen *f/pl. od.* Wohnhäuser *n/pl.*

**Mexican** ['meksikən] **1.** mexikanisch; **2.** Mexikaner(in).

**miaow** [mi(:)'au] miauen; mauzen.

**mice** [mais] *pl. von* mouse.

**Michaelmas** ['miklməs] Michaelis
(-tag *m*) *n* (*29. September*).

**micro...** ['maikrou] klein..., Klein...

**micro|phone** ['maikrəfoun] Mikrophon *n*; **~scope** Mikroskop *n*.

**mid** [mid] mittler; Mitt(el)...; in **~**
air mitten in der Luft; in **~** winter
mitten im Winter; **~day** ['middei]
**1.** Mittag *m*; **2.** mittägig; Mittags...

**middle** ['midl] **1.** Mitte *f*; Hüften
*f/pl.*; **2.** mittler; Mittel...; ♀ Ages
*pl.* Mittelalter *n*; **~aged** von mittlerem Alter; **~class** Mittelstands-
...; **~classes** (*pl.*) Mittelstand *m*;
**~man** Mittelsmann *m*; **~ name**
zweiter Vorname *m*; **~sized** mittelgroß; **~weight** *Boxen:* Mittelgewicht *n*.

**middling** ['midliŋ] mittelmäßig;
leidlich; Mittel...

**middy** F ['midi] = *midshipman*.

**midge** [midʒ] Mücke *f*; **~t** ['midʒit]
Zwerg *m*, Knirps *m*.

**mid|land** ['midlənd] **1.** binnenländisch; **2.** *the* ♀*s pl.* Mittelengland *n*;
**~most** mittelste(r, -s); **~night**
Mitternacht *f*; **~riff** ['midrif]
Zwerchfell *n*; **~shipman** Leutnant
*m* zur See; *Am.* Oberfähnrich *m*
zur See; **~st** [midst] Mitte *f*; in the
**~** of inmitten (*gen.*); **~summer**
Sommersonnenwende *f*; Hochsommer *m*; **~way 1.** halber Weg;
*Am.* Schaubudenstraße *f*; **2.** *adj.*
in der Mitte befindlich; **3.** *adv.* auf
halbem Wege; **~wife** Hebamme *f*;
**~wifery** ['midwifəri] Geburtshilfe
*f*; **~winter** Wintersonnenwende *f*;
Mitte *f* des Winters.

**mien** [mi:n] Miene *f*.

**might** [mait] **1.** Macht *f*, Gewalt *f*,
Kraft *f*; with **~** and main mit aller

Gewalt; **2.** *pret. von* may²; **~y** □
['maiti] mächtig, gewaltig.

**migrat|e** [mai'greit] (aus)wandern;
**~ion** [~eiʃən] Wanderung *f*; **~ory**
['maigrətəri] wandernd; Zug...

**mild** □ [maild] mild, sanft; gelind.

**mildew** ♀ ['mildju:] Mehltau *m*.

**mildness** ['maildnis] Milde *f*.

**mile** [mail] Meile *f* (*1609.33 m*).

**mil(e)age** ['mailidʒ] Laufzeit *f* in
Meilen, Meilenstand *m* e-s Autos;
Kilometergeld *n*.

**milestone** ['mailstoun] Meilenstein
*m*.

**milit|ary** ['militəri] **1.** □ militärisch; Kriegs...; ♀ Government
Militärregierung *f*; **2.** das Militär;
**~ia** [mi'liʃə] Land-, Bürgerwehr *f*.

**milk** [milk] **1.** Milch *f*; it's no use
crying over spilt **~** geschehen ist geschehen; **2.** *v/t.* melken; *v/i.* Milch
geben; **~maid** ['milkmeid] Melkerin *f*; Milchmädchen *n*; **~man**
Milchmann *m*; **~powder** Milchpulver *n*; **~shake** Milchmischgetränk *n*; **~sop** Weichling *m*; **~y** ['milki] milchig; Milch...; ♀ Way Milchstraße *f*.

**mill¹** [mil] **1.** Mühle *f*; Fabrik *f*,
Spinnerei *f*; **2.** mahlen; ⊕ fräsen;
*Geld* prägen; *Münze* rändeln.

**mill²** *Am.* [~] ¹/₁₀₀₀ Dollar *m*.

**millepede** zo. ['milipi:d] Tausendfüß(l)er *m*.

**miller** ['milə] Müller *m*; ⊕ Fräsmaschine *f*.

**millet** ♀ ['milit] Hirse *f*.

**milliner** ['milinə] Putzmacherin *f*,
Modistin *f*; **~y** [~əri] Putz-, Modewaren(geschäft *n*) *pl*.

**million** ['miljən] Million *f*; **~aire**
[miljə'neə] Millionär(in); **~th**
['miljənθ] **1.** millionste(r, -s);
**2.** Millionstel *n*.

**mill|-pond** ['milpɔnd] Mühlteich
*m*; **~stone** Mühlstein *m*.

**milt** [milt] Milch *f* der Fische.

**mimic** ['mimik] **1.** mimisch;
Schein...; **2.** Mime *m*; **3.** nachahmen, nachäffen; **~ry** [~kri] Nachahmung *f*; *zo.* Angleichung *f*.

**mince** [mins] **1.** *v/t.* zerhacken; he
does not **~** matters er nimmt kein
Blatt vor den Mund; *v/i.* sich zieren; **2.** *a.* **~d** meat Hackfleisch *n*;
**~meat** ['minsmi:t] *e-e* Tortenfüllung; **~pie** Torte *f* aus mincemeat; **~r** [~sə] Fleischwolf *m*.

**mincing-machine** ['minsiŋməʃi:n]
= *mincer*.
**mind** [maind] **1.** Sinn *m*, Gemüt *n*;
Geist *m*, Verstand *m*; Meinung *f*;
Absicht *f*; Neigung *f*, Lust *f*; Gedächtnis *n*; Sorge *f*; *to my ~* meiner
Ansicht nach; *out of one's ~*, not
*in one's right ~* von Sinnen; *change
one's ~* sich anders besinnen; *bear
s.th. in ~* (immer) an et. denken;
*have (half) a ~ to* (beinahe) Lust
haben zu; *have s.th. on one's ~* et.
auf dem Herzen haben; *make up
one's ~* sich entschließen; **2.** merken
*od.* achten auf (*acc.*); sich kümmern
um; etwas (einzuwenden) haben
gegen; *~!* gib acht!; *never ~!* macht
nichts!; *~ the step!* Achtung,
Stufe!; *I don't ~ (it)* ich habe nichts
dagegen; *do you ~ if I smoke?* stört
es Sie, wenn ich rauche?; *would
you ~ taking off your hat?* würden
Sie bitte den Hut abnehmen?; *~
your own business!* kümmern Sie
sich um Ihre Angelegenheiten!;
**~ful** □ ['maindful] (*of*) eingedenk
(*gen.*); achtsam (auf *acc.*).
**mine**[1] [main] **1.** der (die, das) mei-
nige; mein; **2.** die Mein(ig)en *pl.*
**mine**[2] [⌐] **1.** Bergwerk *n*, Grube *f*;
*fig.* Fundgrube *f*; ✕ Mine *f*; **2.** *v/i.*
graben, minieren; *v/t.* graben;
⚒ fördern; ✕ unterminieren; ✕
verminen; **~r** ['mainə] Bergmann *m*.
**mineral** ['minərəl] **1.** Mineral *n*; *~s
pl.* Mineralwasser *n*; **2.** mineralisch.
**mingle** ['miŋgl] (ver)mischen; sich
mischen *od.* mengen (*with* unter).
**miniature** ['minjətʃə] **1.** Miniatur
*f* (-gemälde *n*) *f*; **2.** in Miniatur;
Miniatur...; Klein...; *~ camera*
Kleinbildkamera *f.*
**minikin** ['minikin] **1.** winzig; geziert; **2.** Knirps *m.*
**minim|ize** ['minimaiz] möglichst
klein machen; *fig.* verringern; **~um**
[*~məm*] Minimum *n*; Mindestmaß
*n*; Mindestbetrag *m*; *attr.* Mindest...
**mining** ['mainiŋ] Bergbau *m*; *attr.*
Berg(bau)...; Gruben...
**minion** ['minjən] Günstling *m*; *fig.*
Lakai *m.*
**miniskirt** ['miniskə:t] Minirock *m.*
**minister** ['ministə] **1.** Diener *m*;
*fig.* Werkzeug *n*; Geistliche(r) *m*;
Minister *m*; Gesandte(r) *m*; **2.** *v/t.*
darreichen; *v/i.* dienen; Gottesdienst halten.

**ministry** ['ministri] geistliches Amt;
Ministerium *n*; Regierung *f.*
**mink** *zo.* [miŋk] Nerz *m.*
**minor** ['mainə] **1.** kleiner, geringer,
weniger bedeutend; ♩ Moll *n*; A ~
A-moll *n*; **2.** Minderjährige(r *m*) *f*;
*Am. univ.* Nebenfach *n*; **~ity**
[mai'nɔriti] Minderheit *f*; Un-
mündigkeit *f.*
**minster** ['minstə] Münster *n.*
**minstrel** ['minstrəl] Minnesänger
*m*; *~s pl.* Negersänger *m/pl.*
**mint** [mint] **1.** ♣ Minze *f*; Münze *f*;
*fig.* Goldgrube *f*; *a ~ of money* e-e
Menge Geld; **2.** münzen, prägen.
**minuet** ♩ [minju'et] Menuett *n.*
**minus** ['mainəs] **1.** *prp.* weniger; *F*
ohne; **2.** *adj.* negativ.
**minute 1.** □ [mai'nju:t] sehr klein,
winzig; unbedeutend; sehr genau;
**2.** ['minit] Minute *f*; Augenblick
*m*; *~s pl.* Protokoll *n*; **~ness** [mai-
'nju:tnis] Kleinheit *f*; Genauigkeit
*f.*
**mirac|le** ['mirəkl] Wunder *n*;
**~ulous** □ [mi'rækjuləs] wunderbar.
**mirage** ['mira:ʒ] Luftspiegelung *f.*
**mire** ['maiə] **1.** Sumpf *m*; Kot *m*,
Schlamm *m*; **2.** mit Schlamm *od.*
Schmutz bedecken.
**mirror** ['mirə] **1.** Spiegel *m*;
**2.** (wider)spiegeln (*a. fig.*).
**mirth** [mə:θ] Fröhlichkeit *f*; **~ful**
['mə:θful] fröhlich; **~less** □ ['mə:θ-
lis] freudlos.
**miry** ['maiəri] kotig.
**mis...** [mis] miß..., übel, falsch.
**misadventure** ['misəd'ventʃə] Mißgeschick *n*, Unfall *m.*
**misanthrop|e** ['mizənθroup], **~ist**
[mi'zænθrəpist] Menschenfeind *m.*
**misapply** ['misə'plai] falsch anwenden.
**misapprehend** ['misæpri'hend]
mißverstehen.
**misappropriate** ['misə'prouprieit]
unterschlagen, veruntreuen.
**misbehave** ['misbi'heiv] sich
schlecht benehmen.
**misbelief** ['misbi'li:f] Irrglaube *m.*
**miscalculate** ['mis'kælkjuleit] falsch
(be)rechnen.
**miscarr|iage** [mis'kæridʒ] Miß-
lingen *n*; Verlust *m v. Briefen*;
Fehlgeburt *f*; *~ of justice* Fehl-
spruch *m*; **~y** [*~ri*] mißlingen; verlorengehen (*Brief*); fehlgebären.

169

**mitten**

**miscellan|eous** □ [misi'leinjəs] ge-, vermischt; vielseitig; **∼y** [mi-'seləni] Gemisch *n*; Sammelband *m*.
**mischief** ['mistʃif] Schaden *m*, Unfug *m*; Mutwille *m*, Übermut *m*; **∼-maker** Unheilstifter(in).
**mischievous** □ ['mistʃivəs] schädlich; boshaft, mutwillig.
**misconceive** ['miskən'si:v] falsch auffassen *od.* verstehen.
**misconduct 1.** [mis'kɔndəkt] schlechtes Benehmen; Ehebruch *m*; schlechte Verwaltung; **2.** ['miskən-'dʌkt] schlecht verwalten; **∼** *o.s.* sich schlecht benehmen; e-n Fehltritt begehen.
**misconstrue** ['miskən'stru:] mißdeuten.
**miscreant** ['miskriənt] Schurke *m*.
**misdeed** ['mis'di:d] Missetat *f*.
**misdemeano(u)r** ɪʲə [misdi'mi:nə] Vergehen *n*.
**misdirect** ['misdi'rekt] irreleiten; an die falsche Adresse richten.
**misdoing** ['misdu(:)iŋ] Vergehen *n* (*mst pl.*).
**mise en scène** *thea.* ['mi:zã:n'sein] Inszenierung *f*.
**miser** ['maizə] Geizhals *m*.
**miserable** □ ['mizərəbl] elend; unglücklich, erbärmlich.
**miserly** ['maizəli] geizig, filzig.
**misery** ['mizəri] Elend *n*, Not *f*.
**misfit** ['misfit] schlecht passendes Stück (*Kleid, Stiefel etc.*); Einzelgänger *m*, Eigenbrötler *m*.
**misfortune** [mis'fɔ:tʃən] Unglück(sfall *m*) *n*; Mißgeschick *n*.
**misgiving** [mis'giviŋ] böse Ahnung, Befürchtung *f*.
**misguide** ['mis'gaid] irreleiten.
**mishap** ['mishæp] Unfall *m*; *mot.* Panne *f*.
**misinform** ['misin'fɔ:m] falsch unterrichten. [deuten.]
**misinterpret** ['misin'tə:prit] miß-
**mislay** [mis'lei] [*irr.* (*lay*)] verlegen.
**mislead** [mis'li:d] [*irr.* (*lead*)] irreführen; verleiten.
**mismanage** ['mis'mænidʒ] schlecht verwalten.
**misplace** ['mis'pleis] falsch stellen, verstellen; verlegen; falsch anbringen.
**misprint 1.** [mis'print] verdrucken; **2.** ['mis'print] Druckfehler *m*.
**misread** ['mis'ri:d] [*irr.* (*read*)] falsch lesen *od.* deuten.

**misrepresent** ['misrepri'zent] falsch darstellen, verdrehen.
**miss¹** [mis] *mst* ♀ Fräulein *n*.
**miss²** [∼] **1.** Verlust *m*; Fehlschuß *m*, -stoß *m*, -wurf *m*; **2.** *v/t.* (ver-)missen; verfehlen; verpassen; auslassen; übersehen; überhören; *v/i.* fehlen (*nicht treffen*); fehlgehen.
**misshapen** ['mis'ʃeipən] verunstaltet; mißgestaltet.
**missile** ['misail] (Wurf)Geschoß *n*; Rakete *f*.
**missing** ['misiŋ] fehlend; ✕ vermißt; *be* ∼ fehlen; vermißt werden.
**mission** ['miʃən] Sendung *f*; Auftrag *m*; Berufung *f*, Lebensziel *n*; Gesandtschaft *f*; *eccl.*, *pol.* Mission *f*; **∼ary** ['miʃnəri] Missionar *m*; *attr.* Missions...
**missive** ['misiv] Sendschreiben *n*.
**mis-spell** ['mis'spel] [*irr.* (*spell*)] falsch buchstabieren *od.* schreiben.
**mis-spend** ['mis'spend] [*irr.* (*spend*)] falsch verwenden; vergeuden.
**mist** [mist] **1.** Nebel *m*; **2.** (um)nebeln; sich trüben; beschlagen.
**mistake** [mis'teik] **1.** [*irr.* (*take*)] sich irren in (*dat.*), verkennen; mißverstehen; verwechseln (*for* mit); *be* ∼*n* sich irren; **2.** Irrtum *m*; Versehen *n*; Fehler *m*; **∼n** □ [∼kən] irrig, falsch (verstanden)
**mister** ['mistə] Herr *m* (*abbr.* **Mr.**).
**mistletoe** ♀ ['misltou] Mistel *f*.
**mistress** ['mistris] Herrin *f*; Hausfrau *f*; Lehrerin *f*; Geliebte *f*; Meisterin *f*.
**mistrust** ['mis'trʌst] **1.** mißtrauen (*dat.*); **2.** Mißtrauen *n*; **∼ful** □ [∼tful] mißtrauisch.
**misty** □ ['misti] neb(e)lig; unklar.
**misunderstand** ['misʌndə'stænd] [*irr.* (*stand*)] mißverstehen; **∼ing** [∼diŋ] Mißverständnis *n*.
**misus|age** [mis'ju:zidʒ] Mißbrauch *m*; Mißhandlung *f*; **∼e 1.** ['mis'ju:z] mißbrauchen, mißhandeln; **2.** [∼u:s] Mißbrauch *m*.
**mite** [mait] *zo.* Milbe *f*; Heller *m*; *fig.* Scherflein *n*; Knirps *m*.
**mitigate** ['mitigeit] mildern, lindern (*a. fig.*).
**mit|re**, *Am.* **∼er** ['maitə] Bischofsmütze *f*.
**mitt** [mit] *Baseball*-Handschuh *m*; F Boxhandschuh *m*; = *mitten*.
**mitten** ['mitn] Fausthandschuh *m*;

Halbhandschuh *m* (*ohne Finger*);
*Am. sl.* Tatze *f* (*Hand*).
**mix** [miks] (sich) (ver)mischen; verkehren (*with mit*); **~ed** gemischt;
*fig.* zweifelhaft; **~** *up* durch-ea.-
bringen; *be* **~***ed up with in e-e S.*
verwickelt sein; **~ture** ['mikstʃə]
Mischung *f*.
**moan** [moun] **1.** Stöhnen *n*; **2.** stöhnen.
**moat** [mout] Burg-, Stadtgraben *m*.
**mob** [mɔb] **1.** Pöbel *m*; **2.** anpöbeln.
**mobil|e** ['moubail] beweglich; ✕
mobil; **~ization**✕[moubilai'zeiʃən]
Mobilmachung *f*; **~ize** ✕ ['moubi-
laiz] mobil machen.
**moccasin** ['mɔkəsin] weiches Leder; Mokassin *m* (*Schuh*).
**mock** [mɔk] **1.** Spott *m*; **2.** Schein...;
falsch, nachgemacht; **3.** *v/t.* verspotten; nachmachen; täuschen;
*v/i.* spotten (*at* über *acc.*); **~ery**
['mɔkəri] Spötterei *f*, Gespött *n*;
Äfferei *f*.
**mocking-bird** *orn.* ['mɔkiŋbə:d]
Spottdrossel *f*.
**mode** [moud] Art und Weise *f*;
(Erscheinungs)Form *f*; Sitte *f*,
Mode *f*.
**model** ['mɔdl] **1.** Modell *n*; Muster
*n*; *fig.* Vorbild *n*; Vorführdame *f*;
*attr.* Muster...; **2.** modellieren;
(ab)formen; *fig.* modeln, bilden.
**moderat|e** **1.** □ ['mɔdərit] (mittel-)
mäßig; **2.** ['~reit] (sich) mäßigen;
**~ion** [mɔdə'reiʃən] Mäßigung *f*;
Mäßigkeit *f*.
**modern** ['mɔdən] modern, neu;
**~ize** [**~**ə(:)naiz]` (sich) modernisie-
ren.
**modest** □ ['mɔdist] bescheiden;
anständig; **~y** [**~**ti] Bescheiden-
heit *f*.
**modi|fication** [mɔdifi'keiʃən] Ab-,
Veränderung *f*; Einschränkung *f*;
**~fy** ['mɔdifai] (ab)ändern; mildern.
**mods** [mɔdz] *pl.* Halbstarke *m/pl.*
**modulate** ['mɔdjuleit] modulieren.
**moiety** ['mɔiəti] Hälfte *f*; Teil *m*.
**moist** [mɔist] feucht, naß; **~en**
['mɔisn] be-, anfeuchten; **~ure**
['mɔistʃə] Feuchtigkeit *f*.
**molar** ['moulə] Backenzahn *m*.
**molasses** [mə'læsiz] Melasse *f*;
Sirup *m*.
**mole¹** *zo.* [moul] Maulwurf *m*.
**mole²** [**~**] Muttermal *n*.
**mole³** [**~**] Mole *f*, Hafendamm *m*.

**molecule** ['mɔlikju:l] Molekül *n*.
**molehill** ['moulhil] Maulwurfshü-
gel *m*; *make a mountain out of a* **~**
aus e-r Mücke e-n Elefanten machen.
**molest** [mou'lest] belästigen.
**mollify** ['mɔlifai] besänftigen.
**mollycoddle** ['mɔlikɔdl] **1.** Weichling *m*, Muttersöhnchen *n*; **2.** verzärteln.
**molten** ['moultən] geschmolzen.
**moment** ['moumənt] Augenblick *m*;
Bedeutung *f*; = *momentum*; **~ary**
□ [**~**təri] augenblicklich; vorübergehend; **~ous** □ [mou'mentəs]
(ge)wichtig, bedeutend; **~um** *phys.*
[**~**təm] Moment *n*; Triebkraft *f*.
**monarch** ['mɔnək] Monarch(in);
**~y** [**~**ki] Monarchie *f*.
**monastery** ['mɔnəstəri] (Mönchs-)
Kloster *n*.
**Monday** ['mʌndi] Montag *m*.
**monetary** ['mʌnitəri] Geld...
**money** ['mʌni] Geld *n*; *ready* **~**
Bargeld *n*; **~-box** Sparbüchse *f*;
**~-changer** [**~**tʃeindʒə] (Geld-)
Wechsler *m*; **~-order** Postanweisung *f*.
**monger** ['mʌŋgə] ...händler *m*,
...krämer *m*.
**mongrel** ['mʌŋgrəl] Mischling *m*,
Bastard *m*; *attr.* Bastard...
**monitor** ['mɔnitə] ⊕ Monitor *m*;
(Klassen)Ordner *m*.
**monk** [mʌŋk] Mönch *m*.
**monkey** ['mʌŋki] **1.** *zo.* Affe *m* (*a.*
*fig.*);⊕ Rammblock *m*; *put s.o.'s* **~**
*up* F j-n auf die Palme bringen; **~**
*business Am. sl.* fauler Zauber; **2.** F
(herum)albern; **~** *with* herummurksen an (*dat.*); **~-wrench** ⊕ Engländer *m* (*Schraubenschlüssel*); *throw a*
**~** *in s.th. Am. sl.* et. über den
Haufen werfen.
**monkish** ['mʌŋkiʃ] mönchisch.
**mono**|... ['mɔnou] ein(fach)...; **~cle**
['mɔnɔkl] Monokel *n*; **~gamy** *m*.
['~ɔgəmi] Einehe *f*; **~logue**, *Am. a.*
**~log** ['mɔnələg] Monolog *m*; **~po-
list** [mə'nɔpəlist] Monopolist *m*;
**~polize** [**~**laiz] monopolisieren; *fig.*
an sich reißen; **~poly** [**~**li] Monopol
*n* (*of auf acc.*); **~tonous** □ [**~**tnəs]
monoton, eintönig; **~tony** [**~**ni]
Monotonie *f*.
**monsoon** [mɔn'su:n] Monsun *m*.
**monster** ['mɔnstə] Ungeheuer *n* (*a.*
*fig.*); Monstrum *n*; *attr.* Riesen-...

**monstro|sity** [mɔns'trɔsiti] Ungeheuer(lichkeit *f*) *n*; **~us** □ ['mɔnstrəs] ungeheuer(lich); gräßlich.

**month** [mʌnθ] Monat *m*; *this day ~* heute in e-m Monat; **~ly** ['mʌnθli] 1. monatlich; Monats...; 2. Monatsschrift *f*.

**monument** ['mɔnjumənt] Denkmal *n*; **~al** □ [mɔnju'mentl] monumental; Gedenk...; großartig.

**mood** [mu:d] Stimmung *f*, Laune *f*; **~y** □ ['mu:di] launisch; schwermütig; übellaunig.

**moon** [mu:n] 1. Mond *m*; *once in a blue ~* F alle Jubeljahre einmal; 2. *mst ~ about* F herumdösen; **~light** ['mu:nlait] Mondlicht *n*, -schein *m*; **~lit** mondhell; **~struck** mondsüchtig.

**Moor¹** [muə] Maure *m*; Mohr *m*.

**moor²** [~] Ödland *n*, Heideland *n*.

**moor³** ♁ [~] (sich) vertäuen; **~ings** ♁ ['muəriŋz] *pl.* Vertäuungen *f/pl.*

**moose** zo. [mu:z] *a. ~-deer amerikanischer* Elch.

**moot** [mu:t]: *~ point* Streitpunkt *m*.

**mop** [mɔp] 1. Mop *m*; (Haar)Wust *m*; 2. auf-, abwischen.

**mope** [moup] den Kopf hängen lassen.

**moral** ['mɔrəl] 1. □ Moral...; moralisch; 2. Moral *f*; Nutzanwendung *f*; **~s** *pl.* Sitten *f/pl.*; **~e** [mɔ'rɑːl] *bsd.* ✗ Moral *f*, Haltung *f*; **~ity** [mə'ræliti] Moralität *f*; Sittlichkeit *f*, Moral *f*; **~ize** ['mɔrəlaiz] moralisieren.

**morass** [mə'ræs] Morast *m*, Sumpf *m*.

**morbid** □ ['mɔːbid] krankhaft.

**more** [mɔː] mehr; *once ~* noch einmal, wieder; *so much od. all the ~* um so mehr; *no ~* nicht mehr.

**morel** ♧ [mɔ'rel] Morchel *f*.

**moreover** [mɔː'rouvə] überdies, weiter, ferner.

**morgue** [mɔːg] Leichenschauhaus *n*; Archiv *n*.

**moribund** ['mɔribʌnd] im Sterben (liegend), dem Tode geweiht.

**morning** ['mɔːniŋ] Morgen *m*; Vormittag *m*; *tomorrow ~* morgen früh; *~ dress* Tagesgesellschaftsanzug *m*.

**moron** ['mɔːrɔn] Schwachsinnige(r *m*) *f*.

**morose** □ [mə'rous] mürrisch.

**morph|ia** ['mɔːfjə], **~ine** ['mɔːfiːn] Morphium *n*.

**morsel** ['mɔːsəl] Bissen *m*; Stückchen *n*, *das* bißchen.

**mortal** ['mɔːtl] 1. □ sterblich; tödlich; Tod(es)...; 2. Sterbliche(r *m*) *f*; **~ity** [mɔː'tæliti] Sterblichkeit *f*.

**mortar** ['mɔːtə] Mörser *m*; Mörtel *m*.

**mortgag|e** ['mɔːgidʒ] 1. Pfandgut *n*; Hypothek *f*; 2. verpfänden; **~ee** [mɔːgə'dʒiː] Hypothekengläubiger *m*; **~er** ['mɔːgidʒə], **~or** [mɔːgə'dʒɔː] Hypothekenschuldner *m*.

**mortician** *Am.* [mɔː'tiʃən] Leichenbestatter *m*.

**morti|fication** [mɔːtifi'keiʃən] Kasteiung *f*; Kränkung *f*; **~fy** ['mɔːtifai] kasteien; kränken.

**morti|se**, **~ce** ⊕ ['mɔːtis] Zapfenloch *n*.

**mortuary** ['mɔːtjuəri] Leichenhalle *f*.

**mosaic** [mə'zeiik] Mosaik *n*.

**mosque** [mɔsk] Moschee *f*.

**mosquito** zo. [məs'kiːtou] Moskito *m*.

**moss** [mɔs] Moos *n*; **~y** ['mɔsi] moosig.

**most** [moust] 1. *adj.* □ meist; 2. *adv.* meist, am meisten; höchst; 3. das meiste (meisten); Höchste(s) *n*; *at (the) ~* höchstens; *make the ~ of* möglichst ausnutzen; **~ly** ['moustli] meistens.

**moth** [mɔθ] Motte *f*; **~-eaten** ['mɔθiːtn] mottenzerfressen.

**mother** ['mʌðə] 1. Mutter *f*; 2. bemuttern; *~ country* Vaterland *n*; Mutterland *n*; **~hood** [~hud] Mutterschaft *f*; **~-in-law** [~ərinlɔː] Schwiegermutter *f*; **~ly** [~li] mütterlich; **~-of-pearl** [~ərəv'pəːl] Perlmutter *f*; **~-tongue** Muttersprache *f*.

**motif** [mou'tiːf] (Leit)Motiv *n*.

**motion** ['mouʃən] 1. Bewegung *f*; Gang *m* (*a.* ⊕); *parl.* Antrag *m*; 2. *v/t.* durch Gebärden auffordern *od.* andeuten; *v/i.* winken; **~less** [~nlis] bewegungslos; *~ picture* Film *m*.

**motivate** ['moutiveit] motivieren, begründen.

**motive** ['moutiv] 1. bewegend; 2. Motiv *n*, Beweggrund *m*; 3. veranlassen; **~less** [~vlis] grundlos.

**motley** ['mɔtli] (bunt)scheckig.

**motor** ['moutə] **1.** Motor *m*; treibende Kraft; Automobil *n*; *Muskel m*; **2.** motorisch, bewegend; Motor...; Kraft...; Auto...; **3.** (im) Auto fahren; **~-assisted** [.ərə-'sistid] mit Hilfsmotor; **~ bicycle**, **~bike** = *motor cycle*; **~ boat** Motorboot *n*; **~ bus** Autobus *m*; **~cade** *Am.* [.əkeid] Autokolonne *f*; **~-car** Auto(mobil) *n*; **~ coach** Reisebus *m*; **~ cycle** Motorrad *n*; **~ing** [.əriŋ] Autofahren *n*; **~ist** [.rist] Kraftfahrer(in); **~ize** [.raiz] motorisieren; **~ launch** Motorbarkasse *f*; **~-road**, **~way** Autobahn *f*.

**mottled** ['mɔtld] gefleckt.

**mo(u)ld** [mould] **1.** Gartenerde *f*; Schimmel *m*, Moder *m*; (Guß-) Form *f* (*a. fig.*); Abdruck *m*; Art *f*; **2.** formen, gießen (*on, upon* nach).

**mo(u)lder** ['mouldə] zerfallen.

**mo(u)lding** △ ['mouldiŋ] Fries *m*.

**mo(u)ldy** ['mouldi] schimm(e)lig, dumpfig, mod(e)rig.

**mo(u)lt** [moult] (*fig.* sich) mausern.

**mound** [maund] Erdhügel *m*, **~-wall** *m*.

**mount** [maunt] **1.** Berg *m*; Reitpferd *n*; **2.** *v/i.* (empor)steigen; aufsteigen (*Reiter*); *v/t.* be-, ersteigen; beritten machen; montieren; aufziehen, aufkleben; *Edelstein* fassen.

**mountain** ['mauntin] **1.** Berg *m*; **~s** *pl.* Gebirge *n*; **2.** Berg..., Gebirgs...; **~eer** [maunti'niə] Bergbewohner(in); Bergsteiger(in); **~ous** ['mauntinəs] bergig, gebirgig.

**mountebank** ['mauntibæŋk] Marktschreier *m*, Scharlatan *m*.

**mourn** [mɔːn] (be)trauern; **~er** ['mɔːnə] Leidtragende(r *m*) *f*; **~ful** □ ['mɔːnful] Trauer...; traurig; **~ing** ['mɔːniŋ] Trauer *f*; *attr.* Trauer... [Maus *f*.]

**mouse** [maus], *pl.* **mice** [mais]

**moustache** [məs'taːʃ] Schnurrbart *m*.

**mouth** [mauθ], *pl.* **~s** [mauðz] Mund *m*; Maul *n*; Mündung *f*; Öffnung *f*; **~ful** ['mauθful] Mundvoll *m*; **~-organ** Mundharmonika *f*; **~piece** Mundstück *n*; *fig.* Sprachrohr *n*.

**move** [muːv] **1.** *v/t. allg.* bewegen; in Bewegung setzen; (weg)rücken; (an)treiben; *Leidenschaft* erregen; seelisch rühren; beantragen; **~**

heaven *and* earth Himmel und Hölle in Bewegung setzen; *v/i.* sich (fort)bewegen; sich rühren; *Schach:* ziehen; (um)ziehen (*Mieter*); **~** *for* s.th. et. beantragen; **~** *in* einziehen; **~** *on* weitergehen; **~** *out* ausziehen; **2.** Bewegung *f*; *Schach:* Zug *m*; *fig.* Schritt *m*; *on the* **~** in Bewegung; *make a* **~** die Tafel aufheben; **~ment** ['muːvmənt] Bewegung *f*; *♩* Tempo *n*; *♩* Satz *m*; ⊕ (Geh-)Werk *n*.

**movies** F ['muːviz] *pl.* Kino *n*.

**moving** □ ['muːviŋ] bewegend; beweglich; **~ staircase** Rolltreppe *f*.

**mow** [mou] [*irr.*] mähen; **~er** ['mouə] Mäher(in); Mähmaschine *f*; **~ing-machine** ['mouiŋməʃiːn] Mähmaschine *f*; **~n** [moun] *p.p. von* mow.

**much** [mʌtʃ] **1.** *adj.* viel; **2.** *adv.* sehr; viel; bei weitem; fast; *as I would like* so gern ich möchte; *I thought as* **~** das dachte ich mir; *make* **~** *of* viel Wesens machen von; *I am not* **~** *of a dancer* ich bin kein großer Tänzer.

**muck** [mʌk] Mist *m* (F *a. fig.*); **~rake** ['mʌkreik] **1.** Mistgabel *f*; = **~r**; **2.** im Schmutz wühlen; **~raker** [.kə] *Am.* Korruptionsschnüffler *m*.

**mucus** ['mjuːkəs] (Nasen)Schleim *m*.

**mud** [mʌd] Schlamm *m*; Kot *m*; **~dle** ['mʌdl] **1.** *v/t.* verwirren; *a.* **~** *up*, **~** *together* durcheinanderbringen; F benebeln; *v/i.* stümpern; **~** *through* F sich durchwursteln; **2.** Wirrwarr *m*; F Wurstelei *f*; **~dy** ['mʌdi] schlammig; trüb; **~guard** Kotflügel *m*.

**muff** [mʌf] Muff *m*.

**muffin** ['mʌfin] Muffin *n* (*heißes Teegebäck*).

**muffle** ['mʌfl] *oft* **~** *up* ein-, umhüllen, umwickeln; *Stimme etc.* dämpfen; **~r** [.lə] Halstuch *n*; Boxhandschuh *m*; *mot.* Auspufftopf *m*.

**mug** [mʌg] Krug *m*; Becher *m*.

**muggy** ['mʌgi] schwül.

**mugwump** *Am. iro.* ['mʌgwʌmp] großes Tier (*Person*); *pol.* Unabhängige(r) *m*.

**mulatto** [mjuː(ː)'lætou] Mulatt|e *m*, -in *f*.

**mulberry** ['mʌlbəri] Maulbeere *f*.

**mule** [mjuːl] Maultier *n*, -esel *m*; störrischer Mensch; **~teer** [mjuːli'tiə] Maultiertreiber *m*.

**mull¹** [mʌl] Mull *m*.

**mull²** [.] : ~ *over* überdenken.

**mulled** [mʌld]: ~ *wine* Glühwein *m*.

**mulligan** *Am*. F ['mʌligən] Eintopf *m aus Resten*.

**mullion** ['mʌliən] Fensterpfosten *m*.

**multi|farious** □ [mʌlti'feəriəs] mannigfaltig; **~form** ['mʌltifɔ:m] vielförmig; **~ple** [.ipl] **1.** vielfach; **2.** Vielfache(s) *n*; **~plication** [.tipli'keiʃən] Vervielfältigung *f*, Vermehrung *f*; Multiplikation *f*; *compound (simple)* ~ Großes (Kleines) Einmaleins; ~ *table* Einmaleins *n*; **~plicity** [.i'plisiti] Vielfalt *f*; **~ply** ['mʌltiplai] (sich) vervielfältigen; multiplizieren; **~tude** [.itju:d] Vielheit *f*, Menge *f*; **~tudinous** [mʌlti-'tju:dinəs] zahlreich.

**mum** [mʌm] still.

**mumble** ['mʌmbl] murmeln, nuscheln; mummeln (*mühsam essen*).

**mummery** *contp*. ['mʌməri] Mummenschanz *m*.

**mummify** ['mʌmifai] mumifizieren.

**mummy¹** ['mʌmi] Mumie *f*.

**mummy²** F [.] Mami *f*, Mutti *f*.

**mumps** ⚕ [mʌmps] *sg*. Ziegenpeter *m*, Mumps *m*.

**munch** [mʌntʃ] mit vollen Backen (fr)essen, mampfen.

**mundane** □ ['mʌndein] weltlich.

**municipal** □ [mju(:)'nisipəl] städtisch, Gemeinde...; Stadt...; **~ity** [mju(:)nisi'pæliti] Stadtbezirk *m*; Stadtverwaltung *f*.

**munificen|ce** [mju(:)'nifisns] Freigebigkeit *f*; **~t** [.nt] freigebig.

**munitions** [mju(:)'niʃənz] *pl*. Munition *f*.

**mural** ['mjuərəl] Mauer...

**murder** ['mɜ:də] **1.** Mord *m*; **2.** (er-)morden; *fig*. verhunzen; **~er** [.ərə] Mörder *m*; **~ess** [.ris] Mörderin *f*; **~ous** □ [.rəs] mörderisch.

**murky** □ ['mɜ:ki] dunkel, finster.

**murmur** ['mɜ:mə] **1.** Gemurmel *n*; Murren *n*; **2.** murmeln; murren.

**murrain** ['mʌrin] Viehseuche *f*.

**musc|le** ['mʌsl] **1.** Muskel *m*; **2.** ~ *in Am. sl.* sich rücksichtslos eindrängen; **~le-bound** mit Muskelkater; *be* ~ Muskelkater haben; **~ular** ['mʌskjulə] Muskel...; muskulös.

**Muse¹** [mju:z] Muse *f*.

**muse²** [.] (nach)sinnen, grübeln.

**museum** [mju(:)'ziəm] Museum *n*.

**mush** [mʌʃ] Brei *m*, Mus *n*; *Am*. Polenta *f*, Maisbrei *m*.

**mushroom** ['mʌʃrum] **1.** Pilz *m*, *bsd*. Champignon *m*; **2.** rasch wachsen; ~ *up* in die Höhe schießen.

**music** ['mju:zik] Musik *f*; Musikstück *n*; Noten *f/pl*.; *set to* ~ vertonen; **~al** □ [.kəl] musikalisch; Musik...; wohlklingend; ~ *box* Spieldose *f*; **~ box** *Am*. Spieldose *f*; **~hall** Varieté(theater) *n*; **~ian** [mju(:)'ziʃən] Musiker(in); **~stand** Notenständer *m*; **~stool** Klavierstuhl *m*.

**musk** [mʌsk] Moschus *m*, Bisam *m*; **~deer** *zo*. ['mʌsk'diə] Moschustier *n*.

**musket** ['mʌskit] Muskete *f*.

**musk-rat** *zo*. ['mʌskræt] Bisamratte *f*.

**muslin** ['mʌzlin] Musselin *m*.

**musquash** ['mʌskwɔʃ] Bisamratte *f*; Bisampelz *m*.

**muss** *bsd*. *Am*. F [mʌs] Durcheinander *n*.

**mussel** ['mʌsl] (Mies)Muschel *f*.

**must¹** [mʌst] **1.** muß(te); darf; durfte; *I* ~ *not* ich darf nicht; **2.** Muß *n*.

**must²** [.] Schimmel *m*, Moder *m*.

**must³** [.] Most *m*.

**mustach|e** *Am*. [məs'tæʃ], **~io** *Am*. [məs'ta:ʃou] = moustache.

**mustard** ['mʌstəd] Senf *m*.

**muster** ['mʌstə] **1.** ✗ Musterung *f*; *fig*. Heerschau *f*; **2.** ✗ mustern; aufbieten, aufbringen.

**musty** ['mʌsti] mod(e)rig, muffig.

**muta|ble** □ ['mju:təbl] veränderlich; wankelmütig; **~tion** [mju(:)-'teiʃən] Veränderung *f*.

**mute** [mju:t] **1.** □ stumm; **2.** Stumme(r *m*) *f*; Statist(in); **3.** dämpfen.

**mutilate** ['mju:tileit] verstümmeln.

**mutin|eer** [mju:ti'niə] Meuterer *m*; **~ous** □ ['mju:tinəs] meuterisch; **~y** [.ni] **1.** Meuterei *f*; **2.** meutern.

**mutter** ['mʌtə] **1.** Gemurmel *n*; Gemurre *n*; **2.** murmeln; murren.

**mutton** ['mʌtn] Hammelfleisch *n*; *leg of* ~ Hammelkeule *f*; ~ **chop** Hammelkotelett *n*.

**mutual** □ ['mju:tjuəl] gegenseitig, gemeinsam.

**muzzle** ['mʌzl] **1.** Maul *n*, Schnauze *f*; Mündung *f* *e-r Feuerwaffe*; Maulkorb *m*; **2.** e-n Maulkorb an-

legen (*dat.*); *fig.* den Mund stopfen (*dat.*).
**my** [mai] mein(e).
**myrrh** ♀ [mə:] Myrrhe *f*.
**myrtle** ♀ ['mə:tl] Myrte *f*.
**myself** [mai'self] (ich) selbst; mir; mich; *by* ~ allein.
**myster|ious** ☐ [mis'tiəriəs] ge-

heimnisvoll, mysteriös; ~**y** ['mistəri] Mysterium *n*; Geheimnis *n*; Rätsel *n*.
**mysti|c** ['mistik] **1.** *a.* ~**cal** ☐ [~kəl] mystisch, geheimnisvoll; **2.** Mystiker *m*; ~**fy** [~ifai] mystifizieren, täuschen. [Sage *f*.\
**myth** [miθ] Mythe *f*, Mythos *m*,\

# N

**nab** *sl.* [næb] schnappen, erwischen.
**nacre** ['neikə] Perlmutter *f*.
**nadir** ['neidiə] *ast.* Nadir *m* (*Fuß-punkt*); *fig.* tiefster Stand.
**nag** [næg] **1.** F Klepper *m*; **2.** *v/i.* nörgeln, quengeln; *v/t.* bekritteln.
**nail** [neil] **1.** (Finger-, Zehen)Nagel *m*; ⊕ Nagel *m*; *zo.* Kralle *f*, Klaue *f*; **2.** (an-, fest)nageln; *Augen etc.* heften (*to* auf *acc.*); ~**scissors** ['neilsizəz] *pl.* Nagelschere *f*; ~**varnish** Nagellack *m*.
**naïve** ☐ [na:'i:v], **naive** ☐ [neiv] naiv; ungekünstelt.
**naked** ☐ ['neikid] nackt, bloß; kahl; *fig.* unverhüllt; *poet.* schutzlos; ~**ness** [~dnis] Nacktheit *f*, Blöße *f*; Kahlheit *f*; Schutzlosigkeit *f*; *fig.* Unverhülltheit *f*.
**name** [neim] **1.** Name *m*; Ruf *m*; *of od. by the* ~ *of* ... namens ...; *call s.o.* ~**s** j-n beschimpfen; **2.** (be-)nennen; erwähnen; ernennen; ~**less** ☐ ['neimlis] namenlos; unbekannt; ~**ly** [~li] nämlich; ~**plate** Namens-, Tür-, Firmenschild *n*; ~**sake** ['neimseik] Namensvetter *m*.
**nanny** ['næni] Kindermädchen *n*; ~**goat** Ziege *f*.
**nap** [næp] **1.** Tuch-Noppe *f*; Schläfchen *n*; *have od. take a* ~ ein Nikkerchen machen; **2.** schlummern.
**nape** [neip] *mst* ~ *of the neck* Genick *n*.
**nap|kin** ['næpkin] Serviette *f*; Windel *f*; *mst sanitary* ~ *Am.* Monatsbinde *f*; ~**py** F ['næpi] Windel *f*.
**narcosis** ☆ [na:'kousis] Narkose *f*.
**narcotic** [na:'kotik] **1.** (~*ally*) narkotisch; **2.** Betäubungsmittel *n*.

**narrat|e** [næ'reit] erzählen; ~**ion** [~eiʃən] Erzählung *f*; ~**ive** ['nærətiv] **1.** ☐ erzählend; **2.** Erzählung *f*; ~**or** [næ'reitə] Erzähler *m*.
**narrow** ['nærou] **1.** eng, schmal; beschränkt; knapp (*Mehrheit, Entkommen*); engherzig; **2.** ~**s** *pl.* Engpaß *m*; Meerenge *f*; **3.** (sich) verengen; beschränken; einengen; *Maschen* abnehmen; ~**chested** schmalbrüstig; ~**minded** ☐ engherzig; ~**ness** [~ounis] Enge *f*; Beschränktheit *f* (*a. fig.*); Engherzigkeit *f*.
**nary** *Am.* F ['nɛəri] kein.
**nasal** ☐ ['neizəl] nasal; Nasen...
**nasty** ☐ ['na:sti] schmutzig; garstig; eklig, widerlich; häßlich; unflätig; ungemütlich.
**natal** ['neitl] Geburts...
**nation** ['neiʃən] Nation *f*, Volk *n*.
**national** ['næʃənl] **1.** ☐ national; Volks..., Staats...; **2.** Staatsangehörige(r *m*) *f*; ~**ity** [næʃə'næliti] Nationalität *f*; ~**ize** ['næʃnəlaiz] naturalisieren, einbürgern; verstaatlichen.
**nation-wide** ['neiʃənwaid] die ganze Nation umfassend.
**native** ['neitiv] **1.** ☐ angeboren; heimatlich, Heimat...; eingeboren; einheimisch; ~ *language* Muttersprache *f*; **2.** Eingeborene(r *m*) *f*; ~**born** (im Lande) geboren, einheimisch.
**nativity** [nə'tiviti] Geburt *f*.
**natter** F ['nætə] plaudern.
**natural** ☐ ['nætʃrəl] natürlich; *engS.*: angeboren; ungezwungen; unehelich (*Kind*); ~ *science* Naturwissenschaft *f*; ~**ist** [~list] Naturalist *m*; Naturforscher *m*; Tierhänd-

ler *m*; **~ize** [~laiz] einbürgern; **~ness**
[~lnis] Natürlichkeit *f*.
**nature** ['neitʃə] Natur *f*.
**naught** [nɔ:t] Null *f*; set at ~ für
nichts achten; **~y** □ ['nɔ:ti] un-
artig.
**nause|a** ['nɔ:sjə] Übelkeit *f*; Ekel *m*;
**~ate** ['nɔ:sieit] *v/i.* Ekel empfinden;
*v/t.* verabscheuen; *be* ~d sich ekeln;
**~ous** □ ['nɔ:sjəs] ekelhaft.
**nautical** ['nɔ:tikəl] nautisch; See...
**naval** ⚓ ['neivəl] See..., Marine...;
~ *base* Flottenstützpunkt *m*.
**nave**¹ ⚓ [neiv] (Kirchen)Schiff *n*.
**nave**² [~] *Rad*-Nabe *f*.
**navel** ['neivəl] Nabel *m*; Mitte *f*.
**naviga|ble** □ ['nævigəbl] schiffbar;
fahrbar; lenkbar; **~te** [~geit] *v/i.*
schiffen, fahren; *v/t.* See *etc.* befahren; steuern; **~tion** [nævi'geiʃən]
Schiffahrt *f*; Navigation *f*; **~tor**
['nævigeitə] Seefahrer *m*.
**navy** [neivi] (Kriegs)Marine *f*.
**nay** † [nei] nein; nein vielmehr.
**near** [niə] **1.** *adj.* nahe; gerade
(*Weg*); nahe verwandt; verwandt;
vertraut; genau; knapp; knauserig;
~ *at hand* dicht dabei; **2.** *adv.* nahe;
**3.** *prp.* nahe (*dat.*), nahe bei *od.*
an; **4.** sich nähern (*dat.*); **~by**
['niəbai] in der Nähe (gelegen);
nah; **~ly** ['niəli] nahe; fast, beinahe;
genau; **~ness** ['niənis] Nähe *f*;
**~sighted** kurzsichtig.
**neat** □ [ni:t] nett; niedlich; geschickt; ordentlich; sauber; rein;
**~ness** ['ni:tnis] Nettigkeit *f*; Sau-
berkeit *f*; Zierlichkeit *f*.
**nebulous** □ ['nebjuləs] neblig.
**necess|ary** □ ['nesisəri] **1.** notwen-
dig; unvermeidlich; **2.** *mst necessar-
ies pl.* Bedürfnisse *n/pl.*; **~itate**
[ni'sesiteit] *et.* erfordern; zwingen;
**~ity** [~ti] Notwendigkeit *f*; Zwang
*m*; Not *f*.
**neck** [nek] **1.** (*a. Flaschen*)Hals *m*;
Nacken *m*, Genick *n*; Ausschnitt *m*
(*Kleid*); ~ *and* ~ Kopf an Kopf;
~ *or nothing* F alles oder nichts;
**2.** *sl.* sich abmutschen; **~band**
['nekbænd] Halsbund *m*; **~erchief**
['nekətʃif] Halstuch *n*; **~lace** ['nek-
lis], **~let** [~lit] Halskette *f*; **~tie**
Krawatte *f*.                    [berei *f*.]
**necromancy** [ne'krouæmænsi] Zau-]
**née** [nei] *bei Frauennamen:* geborene.
**need** [ni:d] **1.** Not *f*; Notwendigkeit
*f*; Bedürfnis *n*; Mangel *m*, Bedarf

*m*; be *od.* stand in ~ of brauchen;
**2.** nötig haben, brauchen; bedürfen
(*gen.*); müssen; **~ful** ['ni:dful] notwendig.
**needle** ['ni:dl] **1.** Nadel *f*; Zeiger *m*;
**2.** nähen; *bsd. Am.* irritieren; anstacheln.
**needless** □ ['ni:dlis] unnötig.
**needle|woman** ['ni:dlwumən] Nä-
herin *f*; **~work** Handarbeit *f*.
**needy** □ ['ni:di] bedürftig, arm.
**nefarious** □ ['niˈfɛəriəs] schändlich.
**negat|e** [ni'geit] verneinen; **~ion**
[~eiʃən] Verneinung *f*; Nichts *n*;
**~ive** ['negətiv] **1.** □ negativ; verneinend; **2.** Verneinung *f*; *phot.*
Negativ *n*; **3.** ablehnen.
**neglect** [ni'glekt] **1.** Vernachlässigung *f*; Nachlässigkeit *f*; **2.** ver-
nachlässigen; **~ful** [~tful] nachlässig.
**negligen|ce** ['neglidʒəns] Nachläs-
sigkeit *f*; **~t** □ [~nt] nachlässig.
**negligible** ['neglidʒəbl] nebensächlich; unbedeutend.
**negotia|te** [ni'gouʃieit] verhandeln
(über *acc.*); zustande bringen; bewältigen; *Wechsel* begeben; **~tion**
[nigouʃi'eiʃən] Begebung *f* e-s
*Wechsels etc.*; Ver-, Unterhandlung
*f*; Bewältigung *f*; **~tor** [ni'gouʃieitə]
Unterhändler *m*.
**negr|ess** ['ni:gris] Negerin *f*; **~o**
[~rou], *pl.* **~oes** Neger *m*.
**neigh** [nei] **1.** Wiehern *n*; **2.** wiehern.
**neighbo(u)r** ['neibə] Nachbar(in);
Nächste(r *m*) *f*; **~hood** [~hud]
Nachbarschaft *f*; **~ing** [~riŋ] benachbart; **~ly** [~əli] nachbarlich,
freundlich; **~ship** [~əʃip] Nachbarschaft *f*.
**neither** ['naiðə] **1.** keiner (von beiden); **2.** ~ ... *nor* ... weder ... noch
...; *not* ... ~ auch nicht.
**nephew** ['nevju(:)] Neffe *m*.
**nerve** [nə:v] **1.** Nerv *m*; Sehne *f*;
*Blatt*-Rippe *f*; Kraft *f*, Mut *m*;
Dreistigkeit *f*; get on one's ~s e-m
auf die Nerven gehen; **2.** kräftigen,
ermutigen; **~less** □ ['nə:vlis] kraftlos.
**nervous** □ ['nə:vəs] Nerven...; nervig, kräftig; nervös; **~ness** [~snis]
Nervigkeit *f*; Nervosität *f*.
**nest** [nest] **1.** Nest *n* (*a. fig.*);
**2.** nisten; **~le** ['nesl] *v/i.* (sich ein-)
nisten; sich (an)schmiegen; *v/t.*
schmiegen.

**net¹** [net] **1.** Netz *n*; **2.** mit e-m Netz fangen *od.* umgeben.

**net²** [~] **1.** netto; Rein...; **2.** netto einbringen.

**nether** ['neðə] nieder; Unter...

**nettle** ['netl] **1.** ♀ Nessel *f*; **2.** ärgern.

**network** ['netwə:k] (Straßen-, Kanal- *etc.*)Netz *n*; Sendergruppe *f*.

**neurosis** ♠ [njuə'rousis] Neurose *f*.

**neuter** ['nju:tə] **1.** geschlechtslos; **2.** geschlechtsloses Tier; *gr.* Neutrum *n*.

**neutral** ['nju:trəl] **1.** neutral; unparteiisch; **2.** Neutrale(r *m*) *f*; Null(punkt *m*) *f*; Leerlauf(stellung *f*) *m*; **~ity** [~'træliti] Neutralität *f*; **~ize** ['nju:trəlaiz] neutralisieren.

**neutron** *phys.* ['nju:tron] Neutron *n*.

**never** ['nevə] nie(mals); gar nicht; **~more** [~ə'mɔ:] nie wieder; **~theless** [nevəðə'les] nichtsdestoweniger.

**new** [nju:] neu; frisch; unerfahren; **~comer** ['nju:'kʌmə] Ankömmling *m*; **~ly** ['nju:li] neulich; neu.

**news** [nju:z] *mst. sg.* Neuigkeit(en *pl.*) *f*, Nachricht(en *pl.*) *f*; **~agent** ['nju:zeidʒənt] Zeitungshändler *m*; **~boy** Zeitungsausträger *m*; **~butcher** *Am. sl.* Zeitungsverkäufer *m*; **~cast** *Radio:* Nachrichten *f/pl.*; **~monger** Neuigkeitskrämer *m*; **~paper** Zeitung *f*; *attr.* Zeitungs...; **~print** Zeitungspapier *n*; **~reel** *Film:* Wochenschau *f*; **~room** Lesezimmer *n*; *Am. Zeitung:* Nachrichtenredaktion *f*; **~stall**, *Am.* **~stand** Zeitungskiosk *m*.

**new year** ['nju:'jə:] *das* neue Jahr; *New Year's Day* Neujahr(stag *m*) *n*; *New Year's Eve* Silvester *m*.

**next** [nekst] **1.** *adj.* nächst; *~ but one der* übernächste; *~ door to fig.* beinahe; *~ to* nächst (*dat.*); **2.** *adv.* zunächst, gleich darauf; nächstens.

**nibble** ['nibl] *v/t.* knabbern an (*dat.*); *v/i. ~ at* nagen *od.* knabbern an (*dat.*); (herum)kritteln an (*dat.*).

**nice** □ [nais] fein; wählerisch; peinlich (genau); heikel; nett; niedlich; hübsch; **~ly** ['naisli] F (sehr) gut; **~ty** ['naisiti] Feinheit *f*; Genauigkeit *f*; Spitzfindigkeit *f*.

**niche** [nitʃ] Nische *f*.

**nick** [nik] **1.** Kerbe *f*; *in the ~ of*

*time* gerade zur rechten Zeit; **2.** (ein)kerben; *sl. j-n* schnappen.

**nickel** ['nikl] **1.** *min.* Nickel *m* (*Am. a. Fünfcentstück*); **2.** vernickeln.

**nick-nack** ['niknæk] = *knick-knack*.

**nickname** ['nikneim] **1.** Spitzname *m*; **2.** e-n Spitznamen geben (*dat.*).

**niece** [ni:s] Nichte *f*.

**nifty** *Am. sl.* ['nifti] elegant; stinkend.

**niggard** ['nigəd] Geizhals *m*; **~ly** [~dli] geizig, knauserig; karg.

**nigger** F *mst contp.* ['nigə] Nigger *m* (*Neger*); *~ in the woodpile Am. sl. der* Haken an der Sache.

**night** [nait] Nacht *f*; Abend *m*; *by ~*, *in the ~*, *at ~* nachts; **~cap** ['naitkæp] Nachtmütze *f*; Nachttrunk *m*; **~club** Nachtlokal *n*; **~dress** (Damen)Nachthemd *n*; **~fall** Einbruch *m* der Nacht; **~gown** = *night-dress*; **~ingale** *orn.* ['naitiŋgeil] Nachtigall *f*; **~ly** ['naitli] nächtlich; jede Nacht; **~mare** Alptraum *m*; **~shirt** (Herren)Nachthemd *n*; **~spot** *Am.* Nachtlokal *n*; **~y** ['naiti] F (Damen- *od.* Kinder)Nachthemd *n*.

**nil** [nil] *bsd. Sport:* nichts, null.

**nimble** □ ['nimbl] flink, behend.

**nimbus** ['nimbəs] Nimbus *m*, Heiligenschein *m*; Regenwolke *f*.

**nine** [nain] **1.** neun; **2.** Neun *f*; **~pins** ['nainpinz] *pl.* Kegel(spiel *n*) *m/pl.*; **~teen** ['nain'ti:n] neunzehn; **~ty** ['nainti] neunzig.

**ninny** F ['nini] Dummkopf *m*.

**ninth** [nainθ] **1.** neunte(r, -s); **2.** Neuntel; **~ly** ['nainθli] neuntens.

**nip** [nip] **1.** Kniff *m*; scharfer Frost; Schlückchen *n*; **2.** zwicken; schneiden (*Kälte*); *sl.* flitzen; nippen; *~ in the bud* im Keime ersticken.

**nipper** ['nipə] Krebsschere *f*; (*a pair of*) *~s pl.* (eine) (Kneif)Zange.

**nipple** ['nipl] Brustwarze *f*.

**Nisei** *Am.* ['ni:'sei] (*a. pl.*) Japaner *m, geboren in den USA.*

**nit|re**, *Am.* **~er** 🜍 ['naitə] Salpeter *m.*

**nitrogen** ['naitridʒən] Stickstoff *m.*

**no** [nou] **1.** *adj.* kein; *in ~ time* im Nu; *~ one* keiner; **2.** *adv.* nein; nicht; **3.** Nein *n.*

**nobility** [nou'biliti] Adel *m* (*a. fig.*).

**noble** ['noubl] **1.** □ adlig; edel, vornehm; vortrefflich; **2.** Adlige(r *m*) *f*; **~man** Adlige(r) *m*; **~-minded** edelmütig; **~ness** [⸝lnis] Adel *m*; Würde *f*.

**nobody** ['nɔubədi] niemand.

**nocturnal** [nɔk'tɔ:nl] Nacht...

**nod** [nɔd] **1.** nicken; schlafen; (sich) neigen; *~ding acquaintance* oberflächliche Bekanntschaft; **2.** Nicken *n*; Wink *m*.

**node** [nɔud] Knoten *m* (*a.* ♃ *u. ast.*); ✗ Überbein *n*.

**noise** [nɔiz] **1.** Lärm *m*; Geräusch *n*; Geschrei *n*; *big* ~ *bsd. Am.* F großes Tier (*Person*); **2.** ~ *abroad* ausschreien; **~less** □ ['nɔizlis] geräuschlos.

**noisome** ['nɔisəm] schädlich; widerlich.

**noisy** □ ['nɔizi] geräuschvoll, lärmend; aufdringlich (*Farbe*).

**nomin|al** □ ['nɔminl] nominell, (nur) dem Namen nach (vorhanden); namentlich; ~ *value* Nennwert *m*; **~ate** [⸝neit] ernennen; zur Wahl vorschlagen; **~ation** [nɔmi'neiʃən] Ernennung *f*; Vorschlagsrecht *n*.

**nominative** ['nɔminətiv] *a.* ~ *case gr.* Nominativ *m*.

**non** [nɔn] *in Zssgn:* nicht, un..., Nicht...

**nonage** ['nɔunidʒ] Minderjährigkeit *f*.

**non-alcoholic** ['nɔnælkə'hɔlik] alkoholfrei.

**nonce** [nɔns]: *for the* ~ nur für diesen Fall.

**non-commissioned** ['nɔnkə'miʃənd] nicht bevollmächtigt; ~ *officer* ✗ Unteroffizier *m*.

**non-committal** ['nɔnkə'mitl] unverbindlich.

**non-compliance** ['nɔnkəm'plaiəns] Zuwiderhandlung *f*, Verstoß *m*.

**non-conductor** ⚡ ['nɔnkəndʌktə] Nichtleiter *m*.

**nonconformist** ['nɔnkən'fɔ:mist] Dissident(in), Freikirchler(in).

**nondescript** ['nɔndiskript] unbestimmbar; schwer zu beschreiben(d).

**none** [nʌn] **1.** keine(r, -s); nichts; **2.** keineswegs, gar nicht; ~ *the less* nichtsdestoweniger.

**nonentity** [nɔ'nentiti] Nichtsein *n*; Unding *n*; Nichts *n*; *fig.* Null *f*.

**non-existence** ['nɔnig'zistəns] Nicht(da)sein *n*.

**non-fiction** ['nɔn'fikʃən] Sachbücher *n/pl.*

**nonpareil** ['nɔnpərəl] Unvergleichliche(r *m*, -s *n*) *f*.

**non-party** ['nɔn'pɑ:ti] parteilos.

**non-performance** ['nɔnpə'fɔ:məns] Nichterfüllung *f*.

**nonplus** ['nɔn'plʌs] **1.** Verlegenheit *f*; **2.** in Verlegenheit bringen.

**non-resident** ['nɔn'rezidənt] nicht im Haus *od.* am Ort wohnend.

**nonsens|e** ['nɔnsəns] Unsinn *m*; **~ical** □ [nɔn'sensikəl] unsinnig.

**non-skid** ['nɔn'skid] rutschfest.

**non-smoker** ['nɔn'smɔukə] Nichtraucher *m*.

**non-stop** 🚍, ✈ ['nɔn'stɔp] durchgehend; Ohnehalt...

**non-union** ['nɔn'ju:njən] nicht organisiert (*Arbeiter*).

**non-violence** ['nɔn'vaiələns] (Politik *f* der) Gewaltlosigkeit *f*.

**noodle** ['nu:dl] Nudel *f*.

**nook** [nuk] Ecke *f*, Winkel *m*.

**noon** [nu:n] Mittag *m*; *attr.* Mittags...; **~day** ['nu:ndei], **~tide**, **~time** = *noon*.

**noose** [nu:s] **1.** Schlinge *f*; **2.** (mit der Schlinge) fangen; schlingen.

**nope** *Am.* F [nɔup] nein.

**nor** [nɔ:] noch; auch nicht.

**norm** [nɔ:m] Norm *f*, Regel *f*; Muster *n*; Maßstab *m*; **~al** □ ['nɔ:məl] normal; **~alize** [⸝laiz] normalisieren; normen.

**north** [nɔ:θ] **1.** Nord(en *m*); **2.** nördlich; Nord...; **~-east** ['nɔ:θ'i:st] **1.** Nordost *m*; **2.** *a.* **~-eastern** [⸝tən] nordöstlich; **~erly** ['nɔ:ðəli], **~ern** [⸝ən] nördlich; Nord...; **~erner** [⸝nə] Nordländer(in); *Am.* ♀ Nordstaatler(in); **~ward(s)** ['nɔ:θwəd(z)] *adv.* nördlich; nordwärts; **~-west** ['nɔ:θ'west] **1.** Nordwest *m*; **2.** *a.* **~-western** [⸝tən] nordwestlich.

**Norwegian** [nɔ:'wi:dʒən] **1.** norwegisch; **2.** Norweger(in); Norwegisch *n*.

**nose** [nɔuz] **1.** Nase *f*; Spitze *f*; Schnauze *f*; **2.** *v/t.* riechen; ~ *one's way* vorsichtig machen; *v/i.* schnüffeln; **~-dive** ✈ ['nɔuzdaiv] Sturzflug *m*; **~gay** ['nɔuzgei] Blumenstrauß *m*.

**nostalgia** [nɔs'tældʒiə] Heimweh *n*, Sehnsucht *f*.

**nostril** ['nɔstril] Nasenloch *n*, Nüster *f*.

**nostrum** ['nɔstrəm] Geheimmittel *n*; Patentlösung *f*.

**nosy** F ['nouzi] neugierig.

**not** [nɔt] nicht.

**notable** ['noutəbl] 1. □ bemerkenswert; 2. angesehene Person.

**notary** ['noutəri] *oft* ~ *public* Notar *m*. *[f.]*

**notation** [nou'teiʃən] Bezeichnung *f*.

**notch** [nɔtʃ] 1. Kerbe *f*, Einschnitt *m*; Scharte *f*; *Am.* Engpaß *m*, Hohlweg *m*; 2. einkerben.

**note** [nout] 1. Zeichen *n*; Notiz *f*; Anmerkung *f*; Briefchen *n*; (*bsd.* Schuld)Schein *m*; Note *f*; Ton *m*; Ruf *m*; Beachtung *f*; *take* ~s sich Notizen machen; 2. be(ob)achten; besonders erwähnen; *a.* ~ *down* notieren; mit Anmerkungen versehen; **~book** ['noutbuk] Notizbuch *n*; **~d** bekannt; berüchtigt; **~paper** Briefpapier *n*; **~worthy** beachtenswert.

**nothing** ['nʌθiŋ] 1. nichts; 2. Nichts *n*; Null *f*; *for* ~ umsonst; *good for* ~ untauglich; *bring* (*come*) *to* ~ zunichte machen (werden).

**notice** ['noutis] 1. Notiz *f*; Nachricht *f*, Bekanntmachung *f*; Kündigung *f*; Warnung *f*; Beachtung *f*; *at short* ~ kurzfristig; *give* ~ *that* bekanntgeben, daß; *give a week's* ~ acht Tage vorher kündigen; *take* ~ *of* Notiz nehmen von; *without* ~ fristlos; 2. bemerken; be(ob)achten; **~able** □ [~səbl] wahrnehmbar; bemerkenswert.

**noti|fication** [noutifi'keiʃən] Anzeige *f*; Meldung *f*; Bekanntmachung *f*; **~fy** ['noutifai] *et.* anzeigen, melden; bekanntmachen.

**notion** ['nouʃən] Begriff *m*, Vorstellung *f*; Absicht *f*; ~s *pl. Am.* Kurzwaren *f/pl.*

**notorious** □ [nou'tɔ:riəs] all-, weltbekannt; notorisch; berüchtigt.

**notwithstanding** *prp.* [nɔtwið-'stændiŋ] ungeachtet, trotz (*gen.*).

**nought** [nɔ:t] Null *f*, Nichts *n*.

**noun** *gr.* [naun] Hauptwort *n*.

**nourish** ['nʌriʃ] (er)nähren; *fig.* hegen; **~ing** [~ʃiŋ] nahrhaft; **~ment** [~ʃmənt] Nahrung(smittel *n*) *f*.

**novel** ['nɔvəl] 1. neu; ungewöhnlich; 2. Roman *m*; **~ist** [~list] Romanschriftsteller(in), Romancier *m*; **~ty** [~lti] Neuheit *f*.

**November** [nou'vembə] November *m*.

**novice** ['nɔvis] Neuling *m*; *eccl.* Novize *m*, *f*.

**now** [nau] 1. nun, jetzt; eben; *just* ~ soeben; ~ *and again od. then* dann u. wann; 2. *cj. a.* ~ *that* nun da.

**nowadays** ['nauədeiz] heutzutage.

**nowhere** ['nouwɛə] nirgends.

**noxious** □ ['nɔkʃəs] schädlich.

**nozzle** ['nɔzl] ⊕ Düse *f*; Tülle *f*.

**nuance** [nju(:)'ɑ̃:ns] Nuance *f*, Schattierung *f*.

**nub** [nʌb] Knubbe(n *m*) *f*; *Am.* F springender Punkt *in e-r Sache*.

**nucle|ar** ['nju:kliə] Kern...; ~ *reactor* Kernreaktor *m*; ~ *research* (Atom-) Kernforschung *f*; **~us** [~iəs] Kern *m*.

**nude** [nju:d] 1. nackt; 2. *paint.* Akt *m*.

**nudge** F [nʌdʒ] 1. *j-n* heimlich anstoßen; 2. Rippenstoß *m*.

**nugget** ['nʌgit] (*bsd.* Gold)Klumpen *m*.

**nuisance** ['nju:sns] Mißstand *m*; Ärgernis *n*; Unfug *m*; *fig.* Plage *f*; *what a* ~! wie ärgerlich!; *make o.s.* ~ *od.* *be a* ~ lästig fallen.

**null** [nʌl] nichtig; nichtssagend; ~ *and void* null u. nichtig; **~ify** ['nʌlifai] zunichte machen; aufheben, ungültig machen; **~ity** [~iti] Nichtigkeit *f*, Ungültigkeit *f*.

**numb** [nʌm] 1. starr; taub (*empfindungslos*); 2. starr *od.* taub machen; **~ed** erstarrt.

**number** ['nʌmbə] 1. Nummer *f*; (An)Zahl *f*; Heft *n*, Lieferung *f*, Nummer *f* *e-s Werkes*; *without* ~ zahllos; *in* ~ an der Zahl; 2. zählen; numerieren; **~less** [~lis] zahllos; **~plate** *mot.* Nummernschild *n*.

**numera|l** ['nju:mərəl] 1. Zahl...; 2. Ziffer *f*; **~tion** [nju:mə'reiʃən] Zählung *f*; Numerierung *f*.

**numerical** □ [nju(:)'merikəl] zahlenmäßig; Zahl...

**numerous** □ ['nju:mərəs] zahlreich.

**numskull** F ['nʌmskʌl] Dummkopf *m*.

**nun** [nʌn] Nonne *f*; *orn.* Blaumeise *f*.

**nunnery** ['nʌnəri] Nonnenkloster *n*.

**nuptial** ['nʌpʃəl] 1. Hochzeits..., Ehe...; 2. ~s *pl.* Hochzeit *f*.

**nurse** [nə:s] **1.** Kindermädchen *n*, Säuglingsschwester *f*; *a.* wet-Amme *f*; (Kranken)Pflegerin *f*, (Kranken)Schwester *f*; *at ~* in Pflege; *put out to ~* in Pflege geben; **2.** stillen, nähren; großziehen; pflegen; hätscheln; **~ling** ['nə:slin] Säugling *m*; Pflegling *m*; **~-maid** ['nə:smeid] Kindermädchen *n*; **~ry** ['nə:sri] Kinderzimmer *n*; ✗ Pflanzschule *f*; *~ rhymes pl.* Kinderlieder *n/pl.*, -reime *m/pl.*; *~ school* Kindergarten *m*; *~ slopes pl.* Ski: Idiotenhügel *m/pl.*

**nursing** ['nə:sin] Stillen *n*; (Kranken)Pflege *f*; *~ bottle* Saugflasche *f*; *~ home* Privatklinik *f*.

**nursling** ['nə:slin] = *nurseling*.

**nurture** ['nə:tʃə] **1.** Pflege *f*; Erziehung *f*; **2.** aufziehen; nähren.

**nut** [nʌt] Nuß *f*; ⊕ (Schrauben-) Mutter *f*; *sl.* verrückter Kerl; *~s pl.* Nußkohle *f*; **~cracker** ['nʌtkrækə] Nußknacker *m*; **~meg** ['nʌtmeg] Muskatnuß *f*.

**nutriment** ['nju:trimənt] Nahrung *f*.

**nutri|tion** [nju(:)'triʃən] Ernährung *f*; Nahrung *f*; **~tious** [~əs], **~tive** □ ['nju:tritiv] nahrhaft; Ernährungs...

**nut|shell** ['nʌtʃel] Nußschale *f*; *in a ~* in aller Kürze; **~ty** [~'nʌti] nußreich; nußartig; *sl.* verrückt.

**nylon** ['nailən] Nylon *n*; *~s pl.* Nylonstrümpfe *m/pl.*

**nymph** [nimf] Nymphe *f*.

# O

**o** [ou] **1.** oh!; ach!; **2.** (*in Telefonnummern*) Null *f*.

**oaf** [ouf] Dummkopf *m*; Tölpel *m*.

**oak** [ouk] Eiche *f*.

**oar** [ɔ:] **1.** Ruder *n*; **2.** rudern; **~sman** ['ɔ:zmən] Ruderer *m*.

**oas|is** [ou'eisis], *pl.* **~es** [ou'eisi:z] Oase *f* (*a. fig.*).

**oat** [out] *mst ~s pl.* Hafer *m*; *feel one's ~s Am.* F groß in Form sein; sich wichtig vorkommen; *sow one's wild ~s* sich austoben.

**oath** [ouθ], *pl.* **~s** [ouðz] Eid *m*; Schwur *m*; Fluch *m*; *take (make, swear) an ~* e-n Eid leisten, schwören.

**oatmeal** ['outmi:l] Haferflocken *f/pl.*

**obdurate** □ ['ɔbdjurit] verstockt.

**obedien|ce** [ə'bi:djəns] Gehorsam *m*; **~t** □ [~nt] gehorsam.

**obeisance** [ou'beisəns] Ehrerbietung *f*; Verbeugung *f*; *do ~* huldigen.

**obesity** [ou'bi:siti] Fettleibigkeit *f*.

**obey** [ə'bei] gehorchen (*dat.*); Befehl *etc.* befolgen, Folge leisten (*dat.*).

**obituary** [ə'bitjuəri] Totenliste *f*; Todesanzeige *f*; Nachruf *m*; *attr.* Todes..., Toten...

**object 1.** ['ɔbdʒikt] Gegenstand *m*; Ziel *n*, *fig.* Zweck *m*; Objekt *n* (*a. gr.*); **2.** [əb'dʒekt] *v/t.* einwenden (*to gegen*); *v/i. et.* dagegen haben (*to ger.* daß).

**objection** [əb'dʒekʃən] Einwand *m*; **~able** □ [~ʃnəbl] nicht einwandfrei; unangenehm.

**objective** [əb'dʒektiv] **1.** □ objektiv, sachlich; **2.** ✗ Ziel *n*.

**object-lens** *opt.* ['ɔbdʒiktlenz] Objektiv *n*.

**obligat|ion** [ɔbli'geiʃən] Verpflichtung *f*; ✝ Schuldverschreibung *f*; *be under (an) ~ to s.o.* j-m zu Dank verpflichtet sein; *be under ~ to inf.* die Verpflichtung haben, zu *inf.*; **~ory** □ [ɔ'bligətəri] verpflichtend; verbindlich.

**oblig|e** [ə'blaidʒ] (zu Dank) verpflichten; nötigen; *~ s.o.* j-m e-n Gefallen tun; *much ~d* sehr verbunden; danke bestens; **~ing** □ [~dʒin] verbindlich, hilfsbereit, gefällig.

**oblique** □ [ə'bli:k] schief, schräg.

**obliterate** [ə'blitəreit] auslöschen; tilgen (*a. fig.*); *Schrift* ausstreichen; *Briefmarken* entwerten.

**oblivi|on** [ə'bliviən] Vergessen(heit *f*) *n*; **~ous** □ [~iəs] vergeßlich.

12*

**oblong** ['ɔblɔŋ] länglich; recht-eckig.

**obnoxious** □ [əb'nɔkʃəs] anstößig; widerwärtig, verhaßt.

**obscene** □ [əb'si:n] unanständig.

**obscur|e** [əb'skjuə] **1.** □ dunkel (*a. fig.*); unbekannt; **2.** verdunkeln; **~ity** [~əriti] Dunkelheit *f* (*a. fig.*); Unbekanntheit *f*; Niedrigkeit *f der Geburt.*

**obsequies** ['ɔbsikwiz] *pl.* Leichen-begängnis *n*, Trauerfeier *f.*

**obsequious** □ [əb'si:kwiəs] unter-würfig (*to gegen*).

**observ|able** □ [əb'zə:vəbl] be-merkbar; bemerkenswert; **~ance** [~əns] Befolgung *f*; Brauch *m*; **~ant** □ [~nt] beobachtend; acht-sam; **~ation** [ɔbzə(:)'veiʃən] Beobachtung *f*; Bemerkung *f*; *attr.* Beobachtungs...; Aussichts...; **~atory** [əb'zə:vətri] Sternwarte *f*; **~e** [əb'zə:v] *v/t.* be(ob)achten; acht(geb)en auf (*acc.*); bemerken; *v/i.* sich äußern.

**obsess** [əb'ses] heimsuchen, quälen; **~ed by** *od.* **with** besessen von; **~ion** [~eʃən] Besessenheit *f.*

**obsolete** ['ɔbsəli:t] veraltet.

**obstacle** ['ɔbstəkl] Hindernis *n.*

**obstina|cy** ['ɔbstinəsi] Hartnäckig-keit *f*; **~te** □ [~nit] halsstarrig; eigensinnig; hartnäckig.

**obstruct** [əb'strʌkt] verstopfen, versperren; hindern; **~ion** [~kʃən] Verstopfung *f*; Hemmung *f*; Hin-dernis *n*; **~ive** □ [~ktiv] hinderlich.

**obtain** [əb'tein] *v/t.* erlangen, er-halten, erreichen, bekommen; *v/i.* sich erhalten (haben); **~able †** [~nəbl] erhältlich.

**obtru|de** [əb'tru:d] (sich) aufdrän-gen (*on dat.*); **~sive** □ [~:siv] auf-dringlich. [schwerfällig.]

**obtuse** □ [əb'tju:s] stumpf(sinnig);

**obviate** ['ɔbvieit] vorbeugen (*dat.*).

**obvious** □ ['ɔbviəs] offensichtlich; augenfällig, einleuchtend.

**occasion** [ə'keiʒən] **1.** Gelegenheit *f*; Anlaß *m*; Veranlassung *f*; F (fest-liches) Ereignis; *on the ~ of* anläß-lich (*gen.*); **2.** veranlassen; **~al** □ [~nl] gelegentlich; Gelegenheits...

**occident** ['ɔksidənt] Westen *m*; Okzident *m*, Abendland *n*; **~al** □ [ɔksi'dentl] abendländisch, westlich.

**occult** □ [ɔ'kʌlt] geheim, verborgen; magisch, okkult.

**occup|ant** ['ɔkjupənt] Besitzergrei-fer(in); Bewohner(in); **~ation** [ɔkju-'peiʃən] Besitz(ergreifung *f*) *m*; ✕ Besetzung *f*; Beruf *m*; Beschäfti-gung *f*; **~y** ['ɔkjupai] einnehmen, in Besitz nehmen, ✕ besetzen; be-sitzen; innehaben; in Anspruch nehmen; beschäftigen.

**occur** [ə'kə:] vorkommen; sich er-eignen; *it ~red to me* es fiel mir ein; **~rence** [ə'kʌrəns] Vorkommen *n*; Vorfall *m*, Ereignis *n.*

**ocean** ['ouʃən] Ozean *m*, Meer *n.*

**o'clock** [ə'klɔk] Uhr (*bei Zeitanga-ben*); *five ~* fünf Uhr.

**October** [ɔk'toubə] Oktober *m.*

**ocul|ar** □ ['ɔkjulə] Augen...; **~ist** [~list] Augenarzt *m.*

**odd** □ [ɔd] ungerade (*Zahl*); ein-zeln; und einige *od.* etwas dar-über; überzählig; gelegentlich; sonderbar, merkwürdig; **~ity** ['ɔditi] Seltsamkeit *f*; **~s** [ɔdz] *oft sg.* (*Gewinn*)Chancen *f/pl.*; Wahr-scheinlichkeit *f*; Vorteil *m*; Vor-gabe *f*, Handikap *n*; Verschieden-heit *f*; Unterschied *m*; Streit *m*; *be at ~ with s.o.* mit j-m im Streit sein; nicht übereinstimmen mit j-m; **~ and ends** Reste *m/pl.*; Krimskrams *m.*

**ode** [oud] Ode *f* (*Gedicht*).

**odious** □ ['oudjəs] verhaßt; ekel-haft.

**odo(u)r** ['oudə] Geruch *m*; Duft *m*; **~ ~** ohne Ansehen.

**of** *prp.* [ɔv, əv] *allg.* von; *Ort:* bei (*the battle ~ Quebec*); um (*cheat s.o. ~ s.th.*); aus (*~ charity*); vor (*dat.*) (*afraid ~*); auf (*acc.*) (*proud ~*); über (*acc.*) (*ashamed ~*); nach (*smell ~ roses; desirous ~*); an (*acc.*) (*think ~ s.th.*); *nimble ~ foot* leichtfüßig.

**off** [ɔ:f, ɔf] **1.** *adv.* weg; ab; her-unter; aus (*vorbei*); *Zeit:* hin (*3 months ~*); *~ and on* ab und an; hin und her; *be ~* fort sein, weg sein; *engS.:* (weg)gehen; zu sein (*Hahn etc.*); aus sein; *well etc. ~ gut etc.* daran; **2.** *prp.* von ... (weg, ab, her-unter); frei von, ohne; unweit(*gen.*); neben (*dat.*); ♎ auf der Höhe von; **3.** *adj.* entfernt(er); abseitsliegend; Ne-ben...; arbeits-, dienstfrei; † *~ shade* Fehlfarbe *f*; **4.** *int.* weg!, fort!, raus!

**offal** ['ɔfəl] Abfall *m*; Schund *m*; **~s** *pl. Fleischerei:* Innereien *f/pl.*

**offen|ce**, *Am.* **~se** [ə'fens] Angriff *m*; Beleidigung *f*, Kränkung *f*; Ärgernis *n*, Anstoß *m*; Vergehen *n*.

**offend** [ə'fend] *v/t.* beleidigen, verletzen; ärgern; *v/i.* sich vergehen; **~er** [~də] Übel-, Missetäter(in); Straffällige(r *m*) *f*; *first* ~ noch nicht Vorbestrafte(r *m*) *f*.

**offensive** [ə'fensiv] **1.** □ beleidigend; anstößig; ekelhaft; Offensiv..., Angriffs...; **2.** Offensive *f*.

**offer** ['ɔfə] **1.** Angebot *n*, Anerbieten *n*; ~ *of marriage* Heiratsantrag *m*; **2.** *v/t.* anbieten; *Preis, Möglichkeit etc.* bieten; *Gebet, Opfer* darbringen; versuchen; zeigen; *Widerstand* leisten; *v/i.* sich bieten; **~ing** ['ɔfəriŋ] Opfer *n*; Anerbieten *n*, Angebot *n*.

**off-hand** ['ɔːf'hænd] aus dem Handgelenk *od.* Stegreif, unvorbereitet; ungezwungen, frei.

**office** ['ɔfis] Büro *n*; Geschäftsstelle *f*; Ministerium *n*; Amt *n*, Pflicht *f*; ~*s pl.* Hilfe *f*; *booking-*~ Schalter *m*; *box-*~ (Theater- *etc.*)Kasse *f*; *Divine* ♀ Gottesdienst *m*; **~r** [~sə] Beamte(r) *m*, -in *f*; ✕ Offizier *m*.

**official** [ə'fiʃəl] **1.** □ offiziell, amtlich; Amts...; **2.** Beamte(r) *m*.

**officiate** [ə'fiʃieit] amtieren.

**officious** □ [ə'fiʃəs] aufdringlich, übereifrig; offiziös, halbamtlich.

**off|-licence** ['ɔːflaisəns] Schankrecht *n* über die Straße; **~-print** Sonderdruck *m*; **~set** ausgleichen; **~shoot** Sproß *m*; Ausläufer *m*; **~side** ['ɔːf'said] *Sport:* abseits; **~spring** ['ɔːfspriŋ] Nachkomme(nschaft *f*) *m*; Ergebnis *n*.

**often** ['ɔːfn] oft(mals), häufig.

**ogle** ['ougl] liebäugeln (mit).

**ogre** ['ougə] Menschenfresser *m*.

**oh** [ou] oh!; ach!

**oil** [ɔil] **1.** Öl *n*; Erdöl *n*, Petroleum *n*; **2.** ölen; (*a. fig.*) schmieren; **~cloth** ['ɔilklɔθ] Wachstuch *n*; **~skin** Ölleinwand *f*; ~*s pl.* Ölzeug *n*; **~y** □ ['ɔili] ölig (*a. fig.*); fettig; schmierig (*a. fig.*).

**ointment** ['ɔintmənt] Salbe *f*.

**O.K., okay** F ['ou'kei] **1.** richtig, stimmt!; gut, in Ordnung; **2.** annehmen, gutheißen.

**old** [ould] alt; altbekannt; althergebracht; erfahren; ~ *age* (das) Alter; *days of* ~ alte Zeiten *f/pl.*; **~-age** ['ouldeidʒ] Alters...; **~-fashioned** ['ould'fæʃənd] altmodisch; altväterlich; ♀ **Glory** Sternenbanner *n*; **~ish** ['ouldiʃ] ältlich.

**olfactory** *anat.* [ɔl'fæktəri] Geruchs...

**olive** ['ɔliv] ♀ Olive *f*; Olivgrün *n*.

**Olympic Games** [ou'limpik 'geimz] Olympische Spiele *pl.*

**ominous** □ ['ɔminəs] unheilvoll.

**omission** [ou'miʃən] Unterlassung *f*; Auslassung *f*.

**omit** [ou'mit] unterlassen; auslassen.

**omnipoten|ce** [ɔm'nipətəns] Allmacht *f*; **~t** □ [~t] allmächtig.

**omniscient** □ [ɔm'nisiənt] allwissend.

**on** [ɔn] **1.** *prp. mst* auf; *engS.:* an (~ *the wall*, ~ *the Thames*); auf ... (los), an ... (hin) (*march* ~ *London*); auf ... (hin) (~ *his authority*); *Zeit:* an (~ *the 1st of April*); (gleich) nach, bei (~ *his arrival*); über (*acc.*) (*talk* ~ *a subject*); nach (~ *this model*); *get* ~ *a train bsd. Am.* in e-n Zug einsteigen; ~ *hearing* it als ich *etc.* es hörte; **2.** *adv.* darauf; auf (*keep one's hat* ~), an (*have a coat* ~); voraus, vorwärts; weiter (*and so* ~); *be* ~ im Gange sein; auf sein (*Hahn etc.*); an sein (*Licht etc.*); **3.** *int.* drauf!, ran!

**once** [wʌns] **1.** *adv.* einmal; einst (-mals); *at* ~ (so)gleich, sofort; zugleich; ~ *for all* ein für allemal; *in a while* dann und wann; *this* ~ dieses eine Mal; **2.** *cj. a.* ~ *that* sobald.

**one** [wʌn] **1.** ein; einzig; eine(r), ein; eins; man; ~ *day* eines Tages; **2.** Eine(r) *m*; Eins *f*; *the little* ~*s pl.* die Kleinen *pl.*; ~ *another* einander; *at* ~ einig; ~ *by* ~ einzeln; *I for* ~ ich für meinen Teil.

**onerous** □ ['ɔnərəs] lästig.

**one|self** [wʌn'self] (man) selbst; sich; **~-sided** □ ['wʌn'saidid] einseitig; **~-way** ['wʌnwei]: ~ *street* Einbahnstraße *f*.

**onion** ['ʌnjən] Zwiebel *f*.

**onlooker** ['ɔnlukə] Zuschauer(in).

**only** ['ounli] **1.** *adj.* einzig; **2.** *adv.* nur; bloß; erst; ~ *yesterday* erst gestern; **3.** *cj.* ~ (*that*) nur daß.

**onrush** ['ɔnrʌʃ] Ansturm *m*.

**onset** ['ɔnset], **onslaught** ['ɔnslɔːt] Angriff *m*; *bsd. fig.* Anfall *m*; Anfang *m*.

**onward** 182

**onward** ['ɔnwəd] **1.** *adj.* fortschreitend; **2.** *a.* ~*s adv.* vorwärts, weiter.

**ooze** [u:z] **1.** Schlamm *m*; **2.** *v/i.* (durch)sickern; ~ *away* schwinden; *v/t.* ausströmen, ausschwitzen.

**opaque** □ [ou'peik] undurchsichtig.

**open** ['oupən] **1.** □ *allg.* offen; geöffnet, auf; frei (*Feld etc.*); öffentlich; offenstehend, unentschieden; aufrichtig; zugänglich (*to dat.*); aufgeschlossen (*to gegenüber*); mild (*Wetter*); **2.** *in the* ~ (*air*) im Freien; *come out into the* ~ *fig.* an die Öffentlichkeit treten; **3.** *v/t.* öffnen; eröffnen (*a. fig.*); *v/i.* (sich) öffnen; anfangen; ~ *into* führen in (*acc.*) (*Tür etc.*); ~ *on to* hinausgehen auf (*acc.*) (*Fenster etc.*); ~ *out* sich ausbreiten; ~**-air** ['oupn'ɛə] im Freien (stattfindend), Freilicht..., Frei-(luft)...; ~**-armed** ['oupn'ɑːmd] herzlich, warm; ~**er** ['oupnə] (Er-)Öffner(in); (Dosen)Öffner *m*; ~**-eyed** ['oupn'aid] wach; mit offenen Augen; aufmerksam; ~**-handed** ['oupn'hændid] freigebig, großzügig; ~**-hearted** ['oupnɑ:tid] offen(herzig), aufrichtig; ~**ing** ['oupnin] (Er)Öffnung *f*; Gelegenheit *f*; *attr.* Eröffnungs...; ~**-minded** *fig.* ['oupn'maindid] aufgeschlossen.

**opera** ['ɔpərə] Oper *f*; ~**-glass(es** *pl.*) Opernglas *n*.

**operat|e** ['ɔpəreit] *v/t.* ⚙ operieren; *bsd. Am.* in Gang bringen; *Maschine* bedienen; *Unternehmen* leiten; *v/i.* (ein)wirken; sich auswirken; arbeiten; ♱, ⚙, ✕ operieren; ~**ion** [ɔpə-'reiʃən] Wirkung *f*; Tätigkeit *f*; ✕, ♱ Operation *f*; *be in* ~ in Betrieb sein; in Kraft sein; ~**ive** ['ɔpərətiv] **1.** □ wirksam, tätig; praktisch; ⚙ operativ; **2.** Arbeiter *m*; ~**or** [~reitə] Operateur *m*; Telephonist(in); ⊕ Maschinist *m*.

**opin|e** [ou'pain] meinen; ~**ion** [ə'pinjən] Meinung *f*; Ansicht *f*; Stellungnahme *f*; Gutachten *n*; *in my* ~ meines Erachtens.

**opponent** [ə'pounənt] Gegner *m*.

**opportun|e** □ ['ɔpətjuːn] passend; rechtzeitig; günstig; ~**ity** [ɔpə'tjuː-niti] (günstige) Gelegenheit.

**oppos|e** [ə'pouz] entgegen-, gegenüberstellen; bekämpfen, sich ... entgegengesetzt; *be* ~ *to* gegen ... sein; ~**ite** ['ɔpəzit] **1.** □ gegenüberliegend; entgegengesetzt; **2.** *prp. u. adv.* gegenüber; **3.** Gegenteil *n*; ~**ition** [ɔpə'ziʃən] Gegenüberstehen *n*; Widerstand *m*; Gegensatz *m*; Widerspruch *m*, -streit *m*; ♱ Konkurrenz *f*; Opposition *f*.

**oppress** [ə'pres] be-, unterdrücken; ~**ion** [~eʃən] Unterdrückung *f*; Druck *m*; Bedrängnis *f*; Bedrücktheit *f*; ~**ive** □ [~esiv] (be)drückend; gewaltsam.

**optic** ['ɔptik] Augen..., Seh...; = ~**al** □ [~kəl] optisch; ~**ian** [ɔp'tiʃən] Optiker *m*.

**optimism** ['ɔptimizəm] Optimismus *m*.

**option** ['ɔpʃən] Wahl(freiheit) *f*; ♱ Vorkaufsrecht *n*, Option *f*; ~**al** □ [~nl] freigestellt, wahlfrei.

**opulence** ['ɔpjuləns] Reichtum *m*.

**or** [ɔː] oder; ~ *else* sonst, wo nicht.

**oracular** □ [ɔ'rækjulə] orakelhaft.

**oral** □ ['ɔːrəl] mündlich; Mund...

**orange** ['ɔrindʒ] **1.** Orange(farbe) *f*; Apfelsine *f*; **2.** orangefarben; ~**ade** ['ɔrindʒ'eid] Orangenlimonade *f*.

**orat|ion** [ɔː'reiʃən] Rede *f*; ~**or** ['ɔrətə] Redner *m*; ~**ory** [~əri] Redekunst *f*, Rhetorik *f*; Kapelle *f*.

**orb** [ɔːb] Ball *m*; *fig.* Himmelskörper *m*; *poet.* Augapfel *m*; ~**it** [~bit] **1.** Planetenbahn *f*; Kreis-, Umlaufbahn *f*; Auge(nhöhle *f*) *n*; **2.** sich in e-r Umlaufbahn bewegen.

**orchard** ['ɔːtʃəd] Obstgarten *m*.

**orchestra** ♪ ['ɔːkistrə] Orchester *n*.

**orchid** ⚘ ['ɔːkid] Orchidee *f*.

**ordain** [ɔː'dein] an-, verordnen; bestimmen; *Priester* ordinieren.

**ordeal** *fig.* [ɔː'diːl] schwere Prüfung.

**order** ['ɔːdə] **1.** Ordnung *f*; Anordnung *f*; Befehl *m*; Regel *f*; ♱ Auftrag *m*; Zahlungsanweisung *f*; Klasse *f*, Rang *m*; Orden *m* (*a. eccl.*); *take* (*holy*) ~*s* in den geistlichen Stand treten; *in* ~ *to inf.* um zu *inf.*; *in* ~ *that* damit; *make to* ~ auf Bestellung anfertigen; *standing* ~*s pl. parl.* Geschäftsordnung *f*. **2.** (an)ordnen; befehlen; ♱ bestellen; *j-n* beordern; ~**ly** ['ɔːdəli] ordentlich; ruhig; regelmäßig; **2.** ✕ Ordonnanz *f*; ✕ Bursche *m*; Krankenpfleger *m*.

**ordinal** ['ɔːdinl] **1.** Ordnungs...; **2.** *a.* ~ *number* Ordnungszahl *f*.

**ordinance** ['ɔːdinəns] Verordnung *f*.

**ordinary** □ ['ɔːdnri] gewöhnlich.

**ordnance** ✕, ⚓ ['ɔ:dnəns] Artillerie f, Geschütze n/pl.; Feldzeugwesen n.

**ordure** ['ɔ:djuə] Kot m, Schmutz m.

**ore** [ɔ:] Erz n.

**organ** ['ɔ:gən] ♪ Orgel f; Organ n; **~grinder** [ˌŋɡraɪndə] Leierkastenmann m; **~ic** [ɔ:'gænɪk] (~ally) organisch; **~ization** [ɔ:gənaɪ'zeɪʃən] Organisation f; **~ize** ['ɔ:gənaɪz] organisieren; **~izer** [ˌzə] Organisator(in).

**orgy** ['ɔ:dʒɪ] Ausschweifung f.

**orient** ['ɔ:rɪənt] 1. Osten m; Orient m, Morgenland n; 2. orientieren; **~al** [ɔ:rɪ'entl] 1. □ östlich; orientalisch; 2. Oriental e m, -in f; **~ate** ['ɔ:rɪenteɪt] orientieren.

**orifice** ['ɔrɪfɪs] Mündung f; Öffnung f.

**origin** ['ɔrɪdʒɪn] Ursprung m; Anfang m; Herkunft f.

**original** [ə'rɪdʒənl] 1. □ ursprünglich; originell; Original...; ♪ Stamm...; 2. Original n; **~ity** [ərɪdʒɪ'nælɪtɪ] Originalität f; **~ly** [ə'rɪdʒnəlɪ] originell; ursprünglich; zuerst, anfangs, anfänglich.

**originat|e** [ə'rɪdʒɪneɪt] v/t. hervorbringen, schaffen; v/i. entstehen; **~or** [ˌtə] Urheber m.

**ornament** ['ɔ:nəmənt] 1. Verzierung f; fig. Zierde f; 2. [ˌment] verzieren; schmücken; **~al** □ [ɔ:nə'mentl] zierend; schmückend.

**ornate** □ [ɔ:'neɪt] reich verziert; überladen.

**orphan** ['ɔ:fən] 1. Waise f; 2. a. **~ed** verwaist; **~age** [ˌnɪdʒ] Waisenhaus n.

**orthodox** □ ['ɔ:θədɔks] rechtgläubig; üblich; anerkannt.

**oscillate** ['ɔsɪleɪt] schwingen; fig. schwanken.

**osier** ⚘ ['ouʒə] Korbweide f.

**osprey** orn. ['ɔsprɪ] Fischadler m.

**ossify** ['ɔsɪfaɪ] verknöchern.

**ostensible** □ [ɔs'tensəbl] angeblich.

**ostentatio|n** [ɔstən'teɪʃən] Zurschaustellung f; Protzerei f; **~us** □ [ˌʃəs] prahlend, prahlerisch.

**ostler** ['ɔslə] Stallknecht m.

**ostracize** ['ɔstrəsaɪz] verbannen; ächten.

**ostrich** orn. ['ɔstrɪtʃ] Strauß m.

**other** ['ʌðə] andere(r, -s); the ~ day neulich; the ~ morning neulich morgens; every ~ day einen Tag um den anderen, jeden zweiten Tag; **~wise** ['ʌðəwaɪz] anders; sonst.

**otter** zo. ['ɔtə] Otter(pelz) m.

**ought** [ɔ:t] sollte; you ~ to have done it Sie hätten es tun sollen.

**ounce** [auns] Unze f (= 28,35 g).

**our** ['auə] unser; **~s** ['auəz] der (die, das) unsrige; unsere(r, -s); pred. unser; **~selves** [auə'selvz] wir selbst; uns (selbst).

**oust** [aust] verdrängen, vertreiben, hinauswerfen; e-s Amtes entheben.

**out** [aut] 1. adv. aus, hinaus, heraus; draußen; außerhalb; (bis) zu Ende; be ~ with böse sein mit; ~ and ~ durch und durch; ~ and about wieder auf den Beinen; way ~ Ausgang m; 2. Am. F Ausweg m; the ~s pl. parl. die Opposition; 3. † übernormal, Über... (Größe); 4. prp. ~ of aus, aus ... heraus; außerhalb; außer; aus, von.

**out|balance** [aut'bæləns] schwerer wiegen als; **~bid** [ˌ'bɪd] [irr. (bid)] überbieten; **~board** ['autbɔ:d] Außenbord...; **~break** [ˌbreɪk] Ausbruch m; **~building** [ˌbɪldɪŋ] Nebengebäude n; **~burst** [ˌbə:st] Ausbruch m; **~cast** [ˌkɑ:st] 1. ausgestoßen; 2. Ausgestoßene(r m) f; **~come** [ˌkʌm] Ergebnis n; **~cry** [ˌkraɪ] Aufschrei m, Schrei m der Entrüstung; **~dated** [aut'deɪtɪd] zeitlich überholt; **~distance** [ˌ'dɪstəns] überholen; **~do** [ˌ'du:] [irr. (do)] übertreffen; **~door** adj. ['autdɔ:], **~doors** adv. [ˌ'dɔ:z] Außen...; draußen, außer dem Hause; im Freien.

**outer** ['autə] äußer; Außen...; **~most** ['autəmoust] äußerst.

**out|fit** ['autfɪt] Ausrüstung f, Ausstattung f; Am. Haufen m, Trupp m, (Arbeits)Gruppe f; **~going** [ˌgouɪŋ] 1. weg-, abgehend; 2. Ausgehen n; **~s** pl. Ausgaben f/pl.; **~grow** [aut'grou] [irr. (grow)] herauswachsen aus; hinauswachsen über (acc.); **~house** ['authaus] Nebengebäude n; Am. Außenabort m.

**outing** ['autɪŋ] Ausflug m, Tour f.

**out|last** [aut'lɑ:st] überdauern; **~law** ['autlɔ:] 1. Geächtete(r m) f; 2. ächten; **~lay** [ˌleɪ] Geld-Auslage(n pl.) f; **~let** [ˌlet] Auslaß m; Ausgang m; Abfluß m; **~line** [ˌlaɪn] 1. Umriß m; Überblick m; Skizze f; 2. umreißen; skizzieren;

**~live** [aut'liv] überleben; **~look** ['autluk] Ausblick *m* (*a. fig.*); Auffassung *f*; **~lying** [⁓laiiŋ] entlegen; **~match** [aut'mætʃ] weit übertreffen; **~number** [⁓'nʌmbə] an Zahl übertreffen; **~patient** ⚕ ['autpeiʃənt] ambulanter Patient; **~post** [⁓poust] Vorposten *m*; **~pouring** [⁓pɔ:riŋ] Erguß *m* (*a. fig.*); **~put** [⁓put] Produktion *f*, Ertrag *m*.

**outrage** ['autreidʒ] **1.** Gewalttätigkeit *f*; Attentat *n*; Beleidigung *f*; **2.** gröblich verletzen; Gewalt antun (*dat.*); **~ous** [aut'reidʒəs] abscheulich; empörend; gewalttätig.

**out|reach** [aut'ri:tʃ] weiter reichen als; **~right** [*adj.* 'autrait, *adv.* aut'rait] gerade heraus; völlig; **~run** [⁓'rʌn] [*irr.* (run)] schneller laufen als; hinauslaufen über (*acc.*); **~set** ['autset] Anfang *m*; Aufbruch *m*; **~shine** [aut'ʃain] [*irr.* (shine)] überstrahlen; **~side** ['aut'said] **1.** Außenseite *f*; *fig.* Äußerste(s) *n*; *at the* ~ höchstens; **2.** Außen...; außenstehend; äußerst (*Preis*); **3.** (nach) (dr)außen; **4.** *prp.* außerhalb; **~sider** [⁓də] Außenseiter(in), -stehende(r *m*) *f*; **~size** [⁓saiz] Übergröße *f*; **~skirts** [⁓skə:ts] *pl.* Außenbezirke *m/pl.*, (Stadt)Rand *m*; **~smart** *Am.* F [aut'sma:t] übervorteilen; **~spoken** [⁓'spoukən] freimütig; **~spread** [aut'spred] ausgestreckt, ausgebreitet; **~standing** [aut'stændiŋ] hervorragend (*a. fig.*); ausstehend (*Schuld*); offenstehend (*Frage*); **~stretched** ['autstretʃt] = *outspread*; **~strip** [aut'strip] überholen (*a. fig.*).

**outward** ['autwəd] **1.** äußer(lich); nach (dr)außen gerichtet; **2.** *adv.* *mst* ~s auswärts, nach (dr)außen; **~ly** [⁓dli] äußerlich; an der Oberfläche.

**out|weigh** [aut'wei] überwiegen; **~wit** [⁓'wit] überlisten; **~worn** ['autwɔ:n] erschöpft; *fig.* abgegriffen; überholt.

**oval** ['ouvl] **1.** oval; **2.** Oval *n*.

**oven** ['ʌvn] Backofen *m*.

**over** ['ouvə] **1.** *adv.* über; hin-, herüber; drüben; vorbei; übermäßig; darüber; von Anfang bis zu Ende; noch einmal; ~ *and above* neben, zusätzlich zu; (*all*) ~ *again* noch einmal (von vorn); ~ *against* gegen-

über (*dat.*); *all* ~ ganz und gar; ~ *and* ~ *again* immer wieder; *read* ~ durchlesen; **2.** *prp.* über; *all* ~ *the town* durch die ganze *od.* in der ganzen Stadt.

**over|act** ['ouvər'ækt] übertreiben; **~all** [⁓'ɔ:l] **1.** Arbeitsanzug *m*, -kittel *m*; Kittel(schürze *f*) *m*; **2.** gesamt, Gesamt...; **~awe** [ouvər'ɔ:] einschüchtern; **~balance** [ouvə-'bæləns] **1.** Übergewicht *n*; **2.** umkippen; überwiegen; **~bearing** [⁓'bɛəriŋ] anmaßend; **~board** ⚓ ['ouvəbɔ:d] über Bord; **~cast** [⁓ka:st] bewölkt; **~charge** [⁓-'tʃa:dʒ] **1.** überladen; überfordern; **2.** Überladung, Überforderung *f*; **~coat** [⁓kout] Mantel *m*; **~come** [ouvə'kʌm][*irr.*(come)] überwinden, überwältigen; **~crowd** [⁓'kraud] überfüllen; **~do** [⁓'du:] [*irr.* (do)] zu viel tun; übertreiben; zu sehr kochen; überanstrengen; **~draw** ['ouvə'drɔ:] [*irr.* (draw)] übertreiben; ✝ *Konto* überziehen; **~dress** [⁓'dres](sich) übertrieben anziehen; **~due** [⁓'dju:] (über)fällig; **~eat** [⁓'i:t] [*irr.* (eat)]: ~ *o.s.* sich überessen; **~flow 1.** [ouvə'flou]*v/t.* überfluten, überschwemmen; *v/i.* überfließen; **2.**['ouvəflou] Überschwemmung *f*; Überfüllung *f*; **~grow** [⁓'grou] [*irr.* (grow)] *v/t.* überwuchern; *v/i.* zu sehr wachsen; **~hang 1.** [⁓'hæŋ] [*irr.* (hang)] *v/t.* über (*acc.*) hängen; *v/i.* überhangen; **2.** [⁓'hæŋ] Überhang *m*; **~haul** [ouvə'hɔ:l] überholen; **~head 1.** *adv.* ['ouvə'hed] (dr)oben; **2.** *adj.* [⁓hed] Ober..., ✝ allgemein (*Unkosten*); **3.** ~*s pl.* ✝ allgemeine Unkosten *pl.*; **~hear** [ouvə'hiə] [*irr.* (hear)] belauschen; **~joyed** [⁓'dʒɔid] überglücklich; **~lap** [⁓'læp] *v/t.* übergreifen auf (*acc.*); überschneiden; *v/i.* ineinandergreifen, überlappen; **~lay** [⁓'lei] [*irr.* (lay)] belegen; ⊕ überlagern; **~leaf** ['ouvə'li:f] umseitig; **~load** [⁓'loud] überladen; **~look** [ouvə'luk] übersehen; beaufsichtigen; **~master** [⁓'ma:stə] überwältigen; **~much** ['ouvə'mʌtʃ] zu viel; über die; **~night** [⁓'nait] **1.** am Vorabend; über Nacht; **2.** Nacht...; nächtlich; Übernachtungs...; **~pay** [⁓'pei] [*irr.* (pay)] zu viel bezahlen für; **~peopled** [ouvə'pi:pld] übervölkert; **~plus**

['ouvəplʌs] Überschuß m; **~power** [ouvə'pauə] überwältigen; **~rate** ['ouvə'reit] überschätzen; **~reach** [ouvə'ri:tʃ] übervorteilen; **~** o.s. sich übernehmen; **~ride** fig. [‿'raid] [irr. (ride)] sich hinwegsetzen über (acc.); umstoßen; **~rule** [‿'ru:l] überstimmen; ♰♱ verwerfen; **~run** [‿'rʌn] [irr. (run)] überrennen; überziehen; überlaufen; bedecken; **~sea** ['ouvə'si:] 1. a. **~s** überseeisch; Übersee...; 2. **~s** in od. nach Übersee; **~see** [‿'si:] [irr. (see)] beaufsichtigen; **~seer** [‿siə] Aufseher m; **~shadow** [ouvə'ʃædou] überschatten; **~sight** ['ouvəsait] Versehen n; **~sleep** [‿'sli:p] [irr. (sleep)] verschlafen; **~state** [‿'steit] übertreiben; **~statement** [‿tmənt] Übertreibung f; **~strain** 1. [‿'strein] (sich) überanstrengen; fig. übertreiben; 2. [‿strein] Überanstrengung f.

**overt** ['ouvə:t] offen(kundig).

**over|take** [ouvə'teik] [irr. (take)] einholen; j-n überraschen; **~tax** ['ouvə'tæks] zu hoch besteuern; fig. überschätzen; übermäßig in Anspruch nehmen; **~throw** 1. [ouvə-'θrou] [irr. (throw)] (um)stürzen (a. fig.); vernichten; 2. ['ouvəθrou] Sturz m; Vernichtung f; **~time** [‿taim] Überstunden f/pl.

**overture** ['ouvətjuə] ♪ Ouvertüre f; Vorspiel n; Vorschlag m, Antrag m.

**over|turn** [ouvə'tə:n] (um)stürzen; **~value** ['ouvə'vælju:] zu hoch einschätzen; **~weening** [ouvə'wi:niŋ] eingebildet; **~weight** ['ouvəweit] Übergewicht n; **~whelm** [ouvə-'welm] überschütten (a. fig.); überwältigen; **~work** ['ouvə'wə:k] 1. Überarbeitung f; 2. [irr. (work)] sich überarbeiten; **~wrought** [‿-'rɔ:t] überarbeitet; überreizt.

**owe** [ou] Geld, Dank etc. schulden, schuldig sein; verdanken.

**owing** ['ouiŋ] schuldig; **~** to infolge.

**owl** orn. [aul] Eule f.

**own** [oun] 1. eigen; richtig; einzig, innig geliebt; 2. my **~** mein Eigentum; a house of one's **~** ein eigenes Haus; hold one's **~** standhalten; 3. besitzen; zugeben; anerkennen; sich bekennen (to zu).

**owner**['ounə] Eigentümer(in); **~ship** ['ounəʃip] Eigentum(srecht) n.

**ox** [ɔks], pl. **oxen** ['ɔksən] Ochse m; Rind n.

**oxid|ation** ⚗ [ɔksi'deiʃən] Oxydation f, Oxydierung f; **~e** [ɔksaid] Oxyd n; **~ize** ['ɔksidaiz] oxydieren.

**oxygen** ⚗ ['ɔksidʒən] Sauerstoff m.

**oyster** ['ɔistə] Auster f.

**ozone** ⚗ ['ouzoun] Ozon n.

# P

**pace** [peis] 1. Schritt m; Gang m; Tempo n; 2. v/t. abschreiten; v/i. (einher)schreiten; (im) Paß gehen.

**pacific** [pə'sifik] (**~ally**) friedlich; the ♀ (Ocean) der Pazifik, der Pazifische od. Stille Ozean; **~ation** [pæsifi'keiʃən] Beruhigung f.

**pacify** ['pæsifai] beruhigen.

**pack** [pæk] 1. Pack(en) m; Paket n; Ballen m; Spiel n Karten; Meute f; Rotte f, Bande f; Packung f; 2. v/t. oft **~** up (zs.-, ver-, ein)packen; a. **~** off fortjagen; Am. F (bei sich) tragen (als Gepäck etc.); bepacken, vollstopfen; ⊕ dichten; v/i. oft **~**

up packen; sich packen (lassen); **~age** ['pækidʒ] Pack m, Ballen m; bsd. Am. Paket n; Packung f; Frachtstück n; **~er** ['pækə] Packer(in); Am. Konservenfabrikant m; **~et** ['pækit] Paket n; Päckchen n; a. **~boat** Postschiff n.

**packing** ['pækiŋ] Packen n; Verpackung f; **~ house** Am. (bsd. Fleisch)Konservenfabrik f.

**packthread** ['pækθred] Bindfaden m.

**pact** [pækt] Vertrag m, Pakt m.

**pad** [pæd] 1. Polster n; Sport: Beinschutz m; Schreibblock m; Stempelkissen n; (Abschuß)Rampe f;

**2.** (aus)polstern; **~ding** ['pædiŋ] Polsterung *f*; *fig.* Lückenbüßer *m*.

**paddle** ['pædl] **1.** Paddel(ruder) *n*; ⚓ (Rad)Schaufel *f*; **2.** paddeln; planschen; **~wheel** Schaufelrad *n*.

**paddock** ['pædək] (Pferde)Koppel *f*; *Sport*: Sattelplatz *m*.

**padlock** ['pædlɔk] Vorhängeschloß *n*.

**pagan** ['peigən] **1.** heidnisch; **2.** Heid|e *m*, -in *f*.

**page¹** [peidʒ] **1.** *Buch*-Seite *f*; *fig.* Buch *n*; **2.** paginieren.

**page²** [~] **1.** (Hotel)Page *m*; *Am.* Amtsdiener *m*; **2.** *Am.* (durch e-n Pagen) holen lassen.

**pageant** ['pædʒənt] historisches Festspiel; festlicher Umzug.

**paid** [peid] *pret. u. p.p. von pay 2.*

**pail** [peil] Eimer *m*.

**pain** [pein] Pein *f*, Schmerz *m*; Strafe *f*; **~s** *pl.* Leiden *n/pl.*; Mühe *f*; *on od. under ~ of death* bei Todesstrafe; *be in ~s* leiden; *take ~s* sich Mühe geben; **2.** *j-m* weh tun; **~ful** □ ['peinful] schmerzhaft, schmerzlich; peinlich; mühevoll; **~less** □ ['peinlis] schmerzlos; **~staking** □ ['peinzteikiŋ] fleißig.

**paint** [peint] **1.** Farbe *f*; Schminke *f*; Anstrich *m*; **2.** (be)malen; anstreichen; (sich) schminken; **~brush** ['peintbrʌʃ] Malerpinsel *m*; **~er** [~tə] Maler(in); **~ing** [~tiŋ] Malen *n*; Malerei *f*; Gemälde *n*.

**pair** [pɛə] **1.** Paar *n*; *a ~ of scissors* eine Schere; **2.** (sich) paaren; zs.-passen; *a. ~ off* paarweise weggehen.

**pal** *sl.* [pæl] Kumpel *m*, Kamerad *m*.

**palace** ['pælis] Palast *m*.

**palatable** □ ['pælətəbl] schmackhaft.

**palate** ['pælit] Gaumen *m*; Geschmack *m* (*a. fig.*).

**pale¹** [peil] **1.** □ blaß, bleich; fahl; *~ ale* helles Bier; **2.** (er)bleichen.

**pale²** [~] Pfahl *m*; *fig.* Grenzen *f/pl.*

**paleness** ['peilnis] Blässe *f*.

**palisade** [pæli'seid] **1.** Palisade *f*; Staket *n*; **~s** *pl. Am.* Steilufer *n*; **2.** umpfählen.

**pall** [pɔːl] schal werden; *~ (up)on j-n* langweilen.

**pallet** ['pælit] Strohsack *m*.

**palliat|e** ['pælieit] bemänteln; lindern; **~ive** [~iətiv] Linderungsmittel *n*.

**pall|id** □ ['pælid] blaß; **~idness** [~dnis], **~or** ['pælə] Blässe *f*.

**palm** [pɑːm] **1.** Handfläche *f*; ♣ Palme *f*; **2.** in der Hand verbergen; *~ s.th. off upon s.o.* j-m et. andrehen; **~tree** ['pɑːmtriː] Palme *f*.

**palpable** □ ['pælpəbl] fühlbar; *fig.* handgreiflich, klar, eindeutig.

**palpitat|e** ['pælpiteit] klopfen (*Herz*); **~ion** [pælpi'teiʃən] Herzklopfen *n*.

**palsy** ['pɔːlzi] **1.** Lähmung *f*; *fig.* Ohnmacht *f*; **2.** *fig.* lähmen.

**palter** ['pɔːltə] sein Spiel treiben.

**paltry** □ ['pɔːltri] erbärmlich.

**pamper** ['pæmpə] verzärteln.

**pamphlet** ['pæmflit] Flugschrift *f*.

**pan** [pæn] Pfanne *f*; Tiegel *m*.

**pan...** [~] all..., gesamt...; pan..., Pan...

**panacea** [pænə'siə] Allheilmittel *n*.

**pancake** ['pænkeik] Pfannkuchen *m*; *~ landing* ⚓ Bumslandung *f*.

**pandemonium** *fig.* [pændi'mounjəm] Hölle(nlärm *m*) *f*.

**pander** ['pændə] **1.** Vorschub leisten (*to dat.*); kuppeln; **2.** Kuppler *m*.

**pane** [pein] (Fenster)Scheibe *f*.

**panegyric** [pæni'dʒirik] Lobrede *f*.

**panel** ['pænl] **1.** ⚖ Fach *n*; *Tür*-Füllung *f*; ⚖ Geschworenen(liste *f*) *m/pl.*; Diskussionsteilnehmer *m/pl.*; Kassenarztliste *f*; **2.** täfeln.

**pang** [pæŋ] plötzlicher Schmerz, Weh *n*; *fig.* Angst *f*, Qual *f*.

**panhandle** ['pænhændl] **1.** Pfannenstiel *m*; *Am.* schmaler Fortsatz *e-s Staatsgebiets*; **2.** *Am. F* betteln.

**panic** ['pænik] **1.** panisch; **2.** Panik *f*.

**pansy** ♣ ['pænzi] Stiefmütterchen *n*.

**pant** [pænt] *nach Luft* schnappen; keuchen; klopfen (*Herz*); lechzen (*for, after* nach).

**panther** *zo.* ['pænθə] Panther *m*.

**panties** F ['pæntiz] (Damen)Schlüpfer *m*; (Kinder)Hös-chen *n*.

**pantry** ['pæntri] Vorratskammer *f*.

**pants** [pænts] *pl.* Hose *f*; † lange Unterhose.

**pap** [pæp] Brei *m*.

**papa** [pə'pɑː] Papa *m*.

**papal** □ ['peipəl] päpstlich.

**paper** ['peipə] **1.** Papier *n*; Zeitung *f*; Prüfungsaufgabe *f*; Vortrag *m*, Aufsatz *m*; *~s pl.* (Ausweis)Papiere *n/pl.*; **2.** tapezieren; **~back** Taschenbuch *n*, Paperback *n*; **~bag** Tüte *f*; **~clip** Büroklammer *f*; **~fastener** Musterklammer *f*; **~hanger** Tapezierer *m*; **~mill** Papierfabrik *f*; **~weight** Briefbeschwerer *m*.

**pappy** ['pæpi] breiig.

**par** [paː] ♦ Nennwert *m*, Pari *n*; *at* ~ zum Nennwert; *be on a* ~ *with* gleich *od.* ebenbürtig sein (*dat.*).

**parable** ['pærəbl] Gleichnis *n*.

**parachut|e** ['pærəʃuːt] Fallschirm *m*; **~ist** [~tist] Fallschirmspringer(in).

**parade** [pə'reid] **1.** ✕ (Truppen-)Parade *f*; Zurschaustellung *f*; Promenade *f*; (Um)Zug *m*; *programme* ~ *Radio:* Programmvorschau *f*; *make a* ~ *of et.* zur Schau stellen; **2.** ✕ antreten (lassen); ✕ vorbeimarschieren (lassen); zur Schau stellen; **~-ground** ✕ Exerzier-, Paradeplatz *m*.

**paradise** ['pærədais] Paradies *n*.

**paragon** ['pærəgən] Vorbild *n*; Muster *n*.

**paragraph** ['pærəgraːf] Absatz *m*; Paragraph(zeichen *n*) *m*; kurze Zeitungsnotiz.

**parallel** ['pærəlel] **1.** parallel; **2.** Parallele *f* (*a. fig.*); Gegenstück *n*; Vergleich *m*; *without* (*a*) ~ ohnegleichen; **3.** vergleichen; entsprechen; gleichen; parallel laufen (mit).

**paraly|se** ['pærəlaiz] lähmen; *fig.* unwirksam machen; **~sis** ⚕ [pə-'rælisis] Paralyse *f*, Lähmung *f*.

**paramount** ['pærəmaunt] oberst, höchst, hervorragend; größer, höher stehend (*to* als).

**parapet** ['pærəpit] ✕ Brustwehr *f*; Brüstung *f*; Geländer *n*.

**paraphernalia** [pærəfə'neiljə] *pl.* Ausrüstung *f*; Zubehör *n*, *m*.

**parasite** ['pærəsait] Schmarotzer *m*.

**parasol** [pærə'sol] Sonnenschirm *m*.

**paratroops** ✕ ['pærətruːps] Luftlandetruppen *f/pl.*

**parboil** ['paːbɔil] ankochen.

**parcel** ['paːsl] **1.** Paket *n*; Parzelle *f*; **2.** ~ *out* aus-, aufteilen.

**parch** [paːtʃ] rösten, (aus)dörren.

**parchment** ['paːtʃmənt] Pergament *n*.

**pard** *Am. sl.* [paːd] Partner *m*.

**pardon** ['paːdn] **1.** Verzeihung *f*; ⚖ Begnadigung *f*; **2.** verzeihen; *j.*

begnadigen; **~able** ☐ [~nəbl] verzeihlich.

**pare** [pɛə] (be)schneiden (*a. fig.*); schälen.

**parent** ['pɛərənt] Vater *m*, Mutter *f*; *fig.* Ursache *f*; ~*s pl.* Eltern *pl.*; **~age** [~tidʒ] Herkunft *f*; **~al** [pə-'rentl] elterlich.

**parenthe|sis** [pə'renθisis], *pl.* **~ses** [~siːz] Einschaltung *f*; *typ.* (runde) Klammer.

**paring** ['pɛəriŋ] Schälen *n*, Abschneiden *n*; ~*s pl.* Schalen *f/pl.*, Schnipsel *m/pl.*

**parish** ['pæriʃ] **1.** Kirchspiel *n*, Gemeinde *f*; **2.** Pfarr...; Gemeinde...; ~ *council* Gemeinderat *m*; **~ioner** [pə'riʃənə] Pfarrkind *n*, Gemeindemitglied *n*.

**parity** ['pæriti] Gleichheit *f*.

**park** [paːk] **1.** Park *m*, Anlagen *f/pl.*; Naturschutzgebiet *n*; *mst car-*, Parkplatz *m*; **2.** *mot.* parken; **~ing** *mot.* ['paːkiŋ] Parken *n*; **~ing lot** Parkplatz *m*; **~ing meter** Parkuhr *f*.

**parlance** ['paːləns] Ausdrucksweise *f*.

**parley** ['paːli] **1.** Unterhandlung *f*; **2.** unterhandeln; sich besprechen.

**parliament** ['paːləmənt] Parlament *n*; **~arian** [paːləmen'tɛəriən] Parlamentarier(in); **~ary** ☐ [paːlə'mentəri] parlamentarisch; Parlaments...

**parlo(u)r** ['paːlə] Wohnzimmer *n*; Empfangs-, Sprechzimmer *n*; *beauty* ~ *bsd. Am.* Schönheitssalon *m*; ~ *car Am.* Salonwagen *m*; **~maid** Stubenmädchen *n*.

**parochial** ☐ [pə'roukjəl] Pfarr...; Gemeinde...; *fig.* engstirnig, beschränkt.

**parole** [pə'roul] **1.** ⚖ mündlich; **2.** ✕ Parole *f*; Ehrenwort *n*; *put on* ~ = **3.** ⚖ *bsd. Am.* bedingt freilassen.

**parquet** ['paːkei] Parkett(fußboden *m*) *n*; *Am. thea.* Parkett *n*.

**parrot** ['pærət] **1.** *orn.* Papagei *m* (*a. fig.*); **2.** (nach)plappern.

**parry** ['pæri] abwehren, parieren.

**parsimonious** ☐ [paːsi'mounjəs] sparsam, karg; knauserig.

**parsley** ♣ ['paːsli] Petersilie *f*.

**parson** ['paːsn] Pfarrer *m*; **~age** [~nidʒ] Pfarrei *f*; Pfarrhaus *n*.

**part** [paːt] **1.** Teil *m*; Anteil *m*; Partei *f*; *thea.*, *fig.* Rolle *f*; ♪

*Einzel*-Stimme *f*; Gegend *f*; *a man of ~s* ein fähiger Mensch; *take ~ in s.th.* an e-r Sache teilnehmen; *take in good (bad) ~* gut (übel) aufnehmen; *for my (own) ~* meinerseits; *in ~* teilweise; *on the ~ of* von seiten (*gen.*); *on my ~* meinerseits; **2.** *adv.* teils; **3.** *v/t.* (ab-, ein-, zer)teilen; *Haar* scheiteln; *~ company* sich trennen (*with* von); *v/i.* sich trennen (*with* von); scheiden.

**partake** [pɑː'teik] [*irr.* (*take*)] teilnehmen, teilhaben; *~ of Mahlzeit* einnehmen; grenzen an (*acc.*).

**partial** □ ['pɑːʃəl] Teil...; teilweise, partiell; parteiisch; eingenommen (*to* von, für); **~ity** [pɑːʃi'æliti] Parteilichkeit *f*; Vorliebe *f*.

**particip|ant** [pɑː'tisipənt] Teilnehmer(in); **~ate** [~peit] teilnehmen; **~ation** [pɑːtisi'peiʃən] Teilnahme *f*.

**participle** *gr.* ['pɑːtsipl] Partizip *n*, Mittelwort *n*.

**particle** ['pɑːtikl] Teilchen *n*.

**particular** [pə'tikjulə] **1.** □ *mst* besonder; einzeln; Sonder...; genau; eigen; wählerisch; **2.** Einzelheit *f*; Umstand *m*; *in ~* insbesondere; **~ity** [pətikju'læriti] Besonderheit *f*; Ausführlichkeit *f*; Eigenheit *f*; **~ly** [pə'tikjulʌli] besonders.

**parting** ['pɑːtiŋ] **1.** Trennung *f*; Teilung *f*; Abschied *m*; *Haar*-Scheitel *m*; *~ of the ways bsd. fig.* Scheideweg *m*; **2.** Abschieds...

**partisan** [pɑːti'zæn] Parteigänger (-in); ✕ Partisan *m*; *attr.* Partei...

**partition** [pɑː'tiʃən] **1.** Teilung *f*; Scheidewand *f*; Verschlag *m*, Fach *n*; **2.** *mst ~ off* (ab)teilen.

**partly** ['pɑːtli] teilweise, zum Teil.

**partner** ['pɑːtnə] **1.** Partner(in); **2.** (sich) zs.-tun mit, zs.-arbeiten mit; **~ship** [~ʃip] Teilhaber-, Partnerschaft *f*; † Handelsgesellschaft *f*.

**part-owner** ['pɑːtounə] Miteigentümer(in).

**partridge** *orn.* ['pɑːtridʒ] Rebhuhn *n*.

**part-time** ['pɑːttaim] **1.** *adj.* Teilzeit..., Halbtags...; **2.** *adv.* halbtags.

**party** ['pɑːti] Partei *f*; ✕ Trupp *m*, Kommando *m*; Party *f*, Beteiligte(r) *m*; *co.* Type *f*, Individuum *n*; *~ line pol.* Parteilinie *f*, -direktive *f*.

**pass** [pɑːs] **1.** Paß *m*, Ausweis *m*; Passierschein *m*; Bestehen *n* e-s *Examens*; *univ.* gewöhnlicher Grad; (kritische) Lage; *Fußball*: Paß *m*; Bestreichung *f*, Strich *m*; (Gebirgs-) Paß *m*, Durchgang *m*; *Karten*: Passen *n*; *free ~* Freikarte *f*; **2.** *v/i.* passieren, geschehen; hingenommen werden; *Karten*: passen; (vorbei)gehen, (vorbei)kommen, (vorbei)fahren; vergehen (*Zeit*); sich verwandeln; angenommen werden (*Banknoten*); bekannt sein; vergehen; aussterben; *a. ~ away* sterben; durchkommen (*Gesetz*, *Prüfling*); *~ for* gelten als; *~ off* vonstatten gehen; *~ out* F ohnmächtig werden; *come to ~* geschehen; *bring to ~* bewirken; *v/t.* vorbeigehen od. vorbeikommen od. vorbeifahren an (*dat.*); passieren; kommen od. fahren durch; verbringen; reichen, geben; *Bemerkung* machen, von sich geben; *Banknoten* in Umlauf bringen; *Gesetz* durchbringen, annehmen; *Prüfling* durchkommen lassen; *Prüfung* bestehen; (hinaus-) gehen über (*acc.*); *Urteil* abgeben; *Meinung* äußern; bewegen; streichen mit; *Ball* zuspielen; *Truppen* vorbeimaschieren lassen; **~able** □ ['pɑːsəbl] passierbar; gangbar, gültig (*Geld*); leidlich.

**passage** ['pæsidʒ] Durchgang *m*, Durchfahrt *f*; Überfahrt *f*; Durchreise *f*; Korridor *m*, Gang *m*; Weg *m*; Annahme *f* e-s *Gesetzes*; ♪ Passage *f*; *Text*-Stelle *f*; *bird of ~* Zugvogel *m*.

**passbook** † ['pɑːsbuk] Sparbuch *n*.

**passenger** ['pæsindʒə] Passagier *m*, Fahr-, Fluggast *m*, Reisende(r *m*) *f*.

**passer-by** ['pɑːsə'bai] Vorübergehende(r *m*) *f*, Passant(in).

**passion** ['pæʃən] Leidenschaft *f*; (Gefühls)Ausbruch *m*; Zorn *m*; ♀ *eccl.* Passion *f*; *be in a ~* zornig sein; *in ~* ⚡ im Affekt; ♀ *Week eccl.* Karwoche *f*; **~ate** □ [~nit] leidenschaftlich.

**passive** □ ['pæsiv] passiv (*a. gr.*); teilnahmslos; untätig.

**passport** ['pɑːspɔːt] (Reise)Paß *m*.

**password** ✕ ['pɑːswɑːd] Losung *f*.

**past** [pɑːst] **1.** *adj.* vergangen; *gr.* Vergangenheits...; früher; *for some time ~* seit einiger Zeit; *~ tense gr.* Vergangenheit *f*; **2.** *adv.* vorbei;

**3.** *prp.* nach, über; über ... (*acc.*) hinaus; an ... (*dat.*) vorbei; *half ~ two* halb drei; *~ endurance* unerträglich; *~ hope* hoffnungslos; **4.** Vergangenheit *f* (*a. gr.*).

**paste** [peist] **1.** Teig *m*; Kleister *m*; Paste *f*; **2.** (be)kleben; **~board** ['peistbɔːd] Pappe *f*; *attr.* Papp...

**pastel** [pæs'tel] Pastell(bild) *n*.

**pasteurize** ['pæstəraiz] pasteurisieren, keimfrei machen.

**pastime** ['pɑːstaim] Zeitvertreib *m*.

**pastor** ['pɑːstə] Pastor *m*; Seelsorger *m*; **~al** □ [~ərəl] Hirten...; pastoral.

**pastry** ['peistri] Tortengebäck *n*, Konditorwaren *f/pl.*; Pasteten *f/pl.*; **~-cook** Pastetenbäcker *m*, Konditor *m*.

**pasture** ['pɑːstʃə] **1.** *Vieh-*Weide *f*; Futter *n*; **2.** (ab)weiden.

**pat** [pæt] **1.** Klaps *m*; Portion *f Butter*; **2.** tätscheln; klopfen; **3.** gelegen, gerade recht; bereit.

**patch** [pætʃ] **1.** Fleck *m*; Flicken *m*; Stück *n* Land; ✚ Pflaster *n*; **2.** flicken; **~work** ['pætʃwɔːk] Flickwerk *n*.

**pate** F [peit] Schädel *m*.

**patent** ['peitənt, *Am.* 'pætənt] **1.** offenkundig; patentiert; Patent...; *letters ~* ['pætənt] *pl.* Freibrief *m*; *~ leather* Lackleder *n*; **2.** Patent *n*, Privileg *n*, Freibrief *m*; *~ agent* Patentanwalt *m*; **3.** patentieren, **~ee** [peitən'tiː] Patentinhaber *m*.

**patern|al** □ [pə'təːnl] väterlich; **~ity** [~niti] Vaterschaft *f*.

**path** [pɑːθ], *pl.* **~s** [pɑːðz] Pfad *m*; Weg *m*.

**pathetic** [pə'θetik] (*~ally*) pathetisch; rührend, ergreifend.

**pathos** ['peiθɔs] Pathos *n*.

**patien|ce** ['peiʃəns] Geduld *f*; Ausdauer *f*; Patience *f* (*Kartenspiel*); **~t** [~nt] **1.** □ geduldig; **2.** Patient(in).

**patio** *Am.* ['pætiou] Innenhof *m*, Patio *m*.

**patrimony** ['pætriməni] väterliches Erbteil.

**patriot** ['peitriət] Patriot(in).

**patrol** ✕ [pə'troul] **1.** Patrouille *f*, Streife *f*; *~ wagon Am.* Polizeigefangenenwagen *m*; **2.** (ab)patrouillieren; **~man** [~lmæn] patrouillierender Polizist; Pannenhelfer *m e-s Automobilclubs*.

**patron** ['peitrən] (Schutz)Patron *m*; Gönner *m*; Kunde *m*; **~age** ['pætrənidʒ] Gönnerschaft *f*; Kundschaft *f*; Schutz *m*; **~ize** [~naiz] beschützen; begünstigen; Kunde sein bei; gönnerhaft behandeln.

**patter** ['pætə] *v/i.* platschen; trappeln; *v/t.* (her)plappern.

**pattern** ['pætən] **1.** Muster *n* (*a. fig.*); Modell *n*; **2.** formen (*after, on* nach).

**paunch** ['pɔːntʃ] Wanst *m*.

**pauper** ['pɔːpə] Fürsorgeempfänger(in); **~ize** [~əraiz] arm machen.

**pause** [pɔːz] **1.** Pause *f*; **2.** pausieren.

**pave** [peiv] pflastern; *fig.* Weg bahnen; **~ment** ['peivmənt] Bürgersteig *m*, Gehweg *m*; Pflaster *n*.

**paw** [pɔː] **1.** Pfote *f*, Tatze *f*; **2.** scharren; F befingern; rauh behandeln.

**pawn** [pɔːn] **1.** Bauer *m im Schach*; Pfand *n*; *in od. at ~* verpfändet; **2.** verpfänden; **~broker** ['pɔːnbroukə] Pfandleiher *m*; **~shop** Leihhaus *n*.

**pay** [pei] **1.** (Be)Zahlung *f*; Sold *m*, Lohn *m*; **2.** [*irr.*] *v/t.* (be)zahlen; (be)lohnen; sich lohnen für; *Ehre etc.* erweisen; *Besuch* abstatten; *~ attention od. heed* to achtgeben auf (*acc.*); *~ down* bar bezahlen; *~ off j-n* bezahlen u. entlassen; *j-n* voll auszahlen; *v/i.* zahlen; sich lohnen; *~ for* (für) *et.* bezahlen; **~able** ['peiəbl] zahlbar; fällig; **~-day** Zahltag *m*; **~ee** ✝ [pei'iː] Zahlungsempfänger *m*; **~ing** ['peiiŋ] lohnend; **~master** Zahlmeister *m*; **~ment** ['peimənt] (Be)Zahlung *f*; Lohn *m*, Sold *m*; **~-off** Abrechnung *f* (*a. fig.*); *Am.* F Höhepunkt *m*; **~-roll** Lohnliste *f*.

**pea** ♀ [piː] Erbse *f*.

**peace** [piːs] Frieden *m*, Ruhe *f*; *at ~* friedlich; **~able** □ ['piːsəbl] friedliebend, friedlich; **~ful** □ ['piːsful] friedlich; **~maker** Friedensstifter(in).

**peach** ♀ [piːtʃ] Pfirsich(baum) *m*.

**pea|cock** *orn.* ['piːkɔk] Pfau(hahn) *m*; **~hen** *orn.* ['piːhen] Pfauhenne *f*.

**peak** [piːk] Spitze *f*; Gipfel *m*; *Mützen-*Schirm *m*; *attr.* Spitzen..., Höchst...; **~ed** [piːkt] spitz.

**peal** [piːl] **1.** Geläut *n*; Glockenspiel *n*; Dröhnen *n*; *~s of laughter* dröhnendes Gelächter; **2.** erschallen (lassen); laut verkünden; dröhnen.

**peanut** ['pi:nʌt] Erdnuß *f.*

**pear** ⚓ [pɛə] Birne *f.*

**pearl** [pə:l] **1.** Perle *f (a. fig.)*; attr. Perl(en)...; **2.** tropfen, perlen; ~y ['pə:li] perlenartig.

**peasant** ['pezənt] **1.** Bauer *m*; **2.** bäuerlich; ~ry [~tri] Landvolk *n.*

**peat** [pi:t] Torf *m.*

**pebble** ['pebl] Kiesel(stein) *m.*

**peck** [pek] **1.** Viertelscheffel *m* (9,087 *Liter*); fig. Menge *f*; **2.** picken, hacken (at nach).

**peculate** ['pekjuleit] unterschlagen.

**peculiar** □ [pi'kju:ljə] eigen(tümlich); besonder; seltsam; ~ity [pikju:li'æriti] Eigenheit *f*; Eigentümlichkeit *f.*

**pecuniary** [pi'kju:njəri] Geld...

**pedagog|ics** [pedə'gɔdʒiks] mst sg. Pädagogik *f*; ~ue ['pedəgɔg] Pädagoge *m*; Lehrer *m.*

**pedal** ['pedl] **1.** Pedal *n*; **2.** Fuß...; **3.** Radfahren: fahren, treten.

**pedantic** [pi'dæntik] (~ally) pedantisch.

**peddle** ['pedl] hausieren (mit); ~r Am. [~lə] = pedlar.

**pedestal** ['pedistl] Sockel *m (a. fig.).*

**pedestrian** [pi'destriən] **1.** zu Fuß; nüchtern; **2.** Fußgänger(in); ~ crossing Fußgängerübergang *m.*

**pedigree** ['pedigri:] Stammbaum *m.*

**pedlar** ['pedlə] Hausierer *m.*

**peek** [pi:k] **1.** spähen, gucken, lugen; **2.** flüchtiger Blick.

**peel** [pi:l] **1.** Schale *f*; Rinde *f*; **2.** *a.* ~ off *v/t.* (ab)schälen; *Kleid* abstreifen; *v/i.* sich (ab)schälen.

**peep** [pi:p] **1.** verstohlener Blick; Piepen *n*; **2.** (verstohlen) gucken; *a.* ~ out (hervor(gucken *(a. fig.)*; piepen; ~-hole ['pi:phoul] Guckloch *n.*

**peer** [piə] **1.** spähen, lugen; ~ at angucken; **2.** Gleiche(r *m*) *f*; Pair *m*; ~less □ ['piəlis] unvergleichlich.

**peevish** □ ['pi:viʃ] verdrießlich.

**peg** [peg] **1.** Stöpsel *m*, Dübel *m*, Pflock *m*; *Kleider*-Haken *m*; ♪ Wirbel *m*; *Wäsche*-Klammer *f*; fig. Aufhänger *m*; take s.o. down a ~ or two *f* herabstimmen; **2.** festpflocken; *Grenze* abstecken; ~ away *od.* along *f* darauflosarbeiten; ~-top ['pegtɔp] Kreisel *m.*

**pelican** orn. ['pelikən] Pelikan *m.*

**pellet** ['pelit] Kügelchen *n*; Pille *f*; Schrotkorn *n.*

**pell-mell** ['pel'mel] durcheinander.

**pelt** [pelt] **1.** Fell *n*; † rohe Haut; **2.** *v/t.* bewerfen; *v/i.* niederprasseln.

**pelvis** anat. ['pelvis] Becken *n.*

**pen** [pen] **1.** (Schreib)Feder *f*; Hürde *f*; **2.** schreiben; [irr.] einpferchen.

**penal** □ ['pi:nl] Straf...; strafbar; ~ code Strafgesetzbuch *n*; ~ servitude Zuchthausstrafe *f*; ~ize ['pi:nəlaiz] bestrafen; ~ty ['penlti] Strafe *f*; Sport: Strafpunkt *m*; ~ area Fußball: Strafraum *m*; ~ kick Fußball: Freistoß *m.*

**penance** ['penəns] Buße *f.*

**pence** [pens] *pl.* von *penny.*

**pencil** ['pensl] **1.** Bleistift *m*; **2.** zeichnen; (mit Bleistift) anzeichnen *od.* anstreichen; *Augenbrauen* nachziehen; ~-sharpener Bleistiftspitzer *m.*

**pendant** ['pendənt] Anhänger *m.*

**pending** ['pendiŋ] **1.** ⚖ schwebend; **2.** prp. während; bis zu.

**pendulum** ['pendjuləm] Pendel *n.*

**penetra|ble** □ ['penitrəbl] durchdringbar; ~te [~reit] durchdringen; ergründen; eindringen (in acc.); vordringen (to bis zu); ~tion [peni'treiʃən] Durch-, Eindringen *n*; Scharfsinn *m*; ~tive □ ['penitrətiv] durchdringend *(a. fig.)*; eindringlich; scharfsinnig. [(-in).]

**pen-friend** ['penfrend] Brieffreund]

**penguin** orn. ['peŋgwin] Pinguin *m.*

**penholder** ['penhouldə] Federhalter *m.*

**peninsula** [pi'ninsjulə] Halbinsel *f.*

**peniten|ce** ['penitəns] Buße *f*, Reue *f*; ~t **1.** □ reuig, bußfertig; **2.** Büßer(in); ~tiary [peni'tenʃəri] Besserungsanstalt *f*; Am. Zuchthaus *n.*

**pen|knife** ['pennaif] Taschenmesser *n*; ~man Schönschreiber *m*; Schriftsteller *m*; ~name Schriftstellername *m*, Pseudonym *n.*

**pennant** ⚓ ['penənt] Wimpel *m.*

**penniless** □ ['penilis] ohne Geld.

**penny** ['peni], *pl.* mst **pence** [pens] (englischer) Penny (= 1 *p* = £ 0.01); Am. Cent *m*; Kleinigkeit *f*; ~weight englisches Pennygewicht (1½ Gramm).

**pension** ['penʃən] **1.** Pension *f*, Ruhegehalt *n*; **2.** oft ~ off pensionieren; ~ary, ~er [~nəri, ~nə] Pensionär(in).

**pensive** □ ['pensiv] gedankenvoll.

**pent** [pent] *pret. u. p.p. von* pen 2; ~-**up** aufgestaut (*Zorn etc.*).

**Pentecost** ['pentikɔst] Pfingsten *n.*

**penthouse** ['penthaus] Schutzdach *n*; Dachwohnung *f auf e-m Hochhaus.*

**penu|rious** □ [pi'njuəriəs] geizig; ~**ry** ['penjuri] Armut *f*; Mangel *m.*

**people** ['pi:pl] **1.** Volk *n*, Nation *f*; *coll.* die Leute *pl.*; man; **2.** bevölkern.

**pepper** ['pepə] **1.** Pfeffer *m*; **2.** pfeffern; ~**mint** ♥ Pfefferminze *f*; ~**y** □ [~əri] pfefferig; *fig.* hitzig.

**per** [pə:] per, durch, für; laut; je.

**perambulat|e** [pə'ræmbjuleit] (durch)wandern; bereisen; ~**or** ['præmbjuleitə] Kinderwagen *m.*

**perceive** [pə'si:v] (be)merken, wahrnehmen; empfinden; erkennen.

**per cent** [pə'sent] Prozent *n.*

**percentage** [pə'sentidʒ] Prozentsatz *m*; Prozente *n/pl.*; *fig.* Teil *m.*

**percept|ible** □ [pə'septəbl] wahrnehmbar; ~**ion** [~pʃən] Wahrnehmung(svermögen *n*) *f*; Erkenntnis *f*; Auffassung(skraft) *f.*

**perch** [pə:tʃ] **1.** *ichth.* Barsch *m*; Rute *f* (*5,029 m*); (Sitz)Stange *f für Vögel*; **2.** (sich) setzen; sitzen.

**perchance** [pə'tʃɑ:ns] zufällig; vielleicht.

**percolate** ['pə:kəleit] durchtropfen, durchsickern (lassen); sickern.

**percussion** [pə:'kʌʃən] Schlag *m*; Erschütterung *f*; ♣ Abklopfen *n.*

**perdition** [pə:'diʃən] Verderben *n.*

**peregrination** [perigri'neiʃən] Wanderschaft *f*; Wanderung *f.*

**peremptory** □ [pə'remptəri] bestimmt; zwingend; rechthaberisch.

**perennial** □ [pə'renjəl] dauernd; immerwährend; ♥ perennierend.

**perfect 1.** ['pə:fikt] □ vollkommen, vollendet; gänzlich, völlig; **2.** [~] ~ *tense gr.* Perfekt *n*; **3.** [pə'fekt] vervollkommnen; vollenden; ~**ion** [~kʃən] Vollendung *f*; Vollkommenheit *f*; *fig.* Gipfel *m.*

**perfidious** □ [pə:'fidiəs] treulos (*to* gegen), verräterisch.

**perfidy** ['pə:fidi] Treulosigkeit *f.*

**perforate** ['pə:fəreit] durchlöchern.

**perforce** [pə'fɔ:s] notgedrungen.

**perform** [pə'fɔ:m] verrichten; ausführen; tun; *Pflicht etc.* erfüllen; *thea.*, ♪ aufführen, spielen, vortra-

gen (*a. v/i.*); ~**ance** [~məns] Verrichtung *f*; *thea.* Aufführung *f*; Vortrag *m*; Leistung *f*; ~**er** [~mə] Vortragende(r *m*) *f.*

**perfume 1.** ['pə:fju:m] Wohlgeruch *m*; Parfüm *n*; **2.** [pə'fju:m] parfümieren; ~**ry** [~məri] Parfümerie(n *pl.*) *f.*

**perfunctory** □ [pə'fʌŋktəri] mechanisch; oberflächlich.

**perhaps** [pə'hæps, præps] vielleicht.

**peril** ['peril] **1.** Gefahr *f*; **2.** gefährden; ~**ous** □ [~ləs] gefährlich.

**period** ['piəriəd] Periode *f*; Zeitraum *m*; *gr.* Punkt *m*; langer Satz; (Unterrichts)Stunde *f*; *mst* ~**s** *pl.* ♣ Periode *f*; ~**ic** [piəri'ɔdik] periodisch; ~**ical** [~kəl] **1.** □ periodisch; **2.** Zeitschrift *f.*

**perish** ['periʃ] umkommen, zugrunde gehen; ~**able** □ [~ʃəbl] vergänglich; leicht verderblich; ~**ing** □ [~ʃiŋ] vernichtend, tödlich.

**periwig** ['periwig] Perücke *f.*

**perjur|e** ['pə:dʒə]: ~ *o.s.* falsch schwören; ~**y** [~əri] Meineid *m.*

**perk** [pə:k] *v/i. mst* ~ *up* selbstbewußt auftreten; sich wieder erholen; *v/t.* recken; ~ *o.s.* (*up*) sich putzen.

**perky** □ ['pə:ki] keck, dreist; flott.

**perm** F [pə:m] **1.** Dauerwelle *f*; **2.** *j-m* Dauerwellen machen.

**permanen|ce** ['pə:mənəns] Dauer *f*; ~**t** □ [~nt] dauernd, ständig; dauerhaft; Dauer...; ~ *wave* Dauerwelle *f.*

**permea|ble** □ ['pə:mjəbl] durchlässig; ~**te** [~mieit] durchdringen; eindringen.

**permissi|ble** □ [pə'misəbl] zulässig; ~**on** [~iʃən] Erlaubnis *f.*

**permit 1.** [pə'mit] erlauben, gestatten; **2.** ['pə:mit] Erlaubnis *f*, Genehmigung *f*; Passierschein *m.*

**pernicious** □ [pə:'niʃəs] verderblich; ♣ bösartig.

**perpendicular** □ [pə:pən'dikjulə] senkrecht; aufrecht; steil.

**perpetrate** ['pə:pitreit] verüben.

**perpetu|al** □ [pə'petjuəl] fortwährend, ewig; ~**ate** [~ueit] verewigen.

**perplex** [pə'pleks] verwirren; ~**ity** [~siti] Verwirrung *f.*

**perquisites** ['pə:kwizits] *pl.* Nebeneinkünfte *pl.*

**persecut|e** ['pə:sikju:t] verfolgen;

~ion [pəːsiˈkjuːʃən] Verfolgung *f*; ~or [ˈpəːsikjuːtə] Verfolger *m*.

**persever|ance** [pəːsiˈviərəns] Beharrlichkeit *f*, Ausdauer *f*; ~e [pəːsiˈviə] beharren; aushalten.

**persist** [pəˈsist] beharren (*in* auf *dat.*); ~ence, ~ency [~təns, ~si] Beharrlichkeit *f*; ~ent □ [~nt] beharrlich.

**person** [ˈpəːsn] Person *f* (*a. gr.*); Persönlichkeit *f*; *thea.* Rolle *f*; ~age [~nidʒ] Persönlichkeit *f*; *thea.* Charakter *m*; ~al □ [~nl] persönlich (*a. gr.*); *attr.* Personal...; Privat...; eigen; ~ality [pəːsəˈnæliti] Persönlichkeit *f*; *personalities pl.* persönliche Bemerkungen *f*/*pl.*; ~ate [ˈpəːsəneit] darstellen; sich ausgeben für; ~ify [pəːˈsɔnifai] verkörpern; ~nel [pəːsəˈnel] Personal *n*.

**perspective** [pəˈspektiv] Perspektive *f*; Ausblick *m*, Fernsicht *f*.

**perspex** [ˈpəːspeks] Plexiglas *n*.

**perspicuous** □ [pəˈspikjuəs] klar.

**perspir|ation** [pəːspəˈreiʃən] Schwitzen *n*; Schweiß *m*; ~e [pəsˈpaiə] (aus)schwitzen.

**persua|de** [pəˈsweid] überreden; überzeugen; ~sion [~eiʒən] Überredung *f*; Überzeugung *f*; Glaube *m*; ~sive □ [~eisiv] überredend, überzeugend. [weis.)

**pert** □ [pəːt] keck, vorlaut, nase-)

**pertain** [pəːˈtein] (*to*) gehören (*dat. od. zu*); betreffen (*acc.*).

**pertinacious** □ [pəːtiˈneiʃəs] hartnäckig, zäh.

**pertinent** □ [ˈpəːtinənt] sachdienlich, -gemäß; zur Sache gehörig.

**perturb** [pəːˈtəːb] beunruhigen, stören.

**perus|al** [pəˈruːzəl] sorgfältige Durchsicht *f*; ~e [~uːz] durchlesen; prüfen.

**pervade** [pəːˈveid] durchdringen.

**pervers|e** □ [pəˈvəːs] verkehrt; ⚔ pervers; eigensinnig; vertrackt (*Sache*); ~ion [~əːʃən] Verdrehung *f*; Abkehr *f*; ~ity [~əːsiti] Verkehrtheit *f*; ⚔ Perversität *f*; Eigensinn *m*.

**pervert 1.** [pəˈvəːt] verdrehen; verführen; **2.** ⚔ [ˈpəːvəːt] perverser Mensch.

**pessimism** [ˈpesimizəm] Pessimismus *m*.

**pest** [pest] Pest *f*; Plage *f*; Schädling *m*; ~er [ˈpestə] belästigen.

**pesti|ferous** □ [pesˈtifərəs] krankheiterregend; ~lence [ˈpestiləns] Seuche *f*, *bsd.* Pest *f*; ~lent [~nt] gefährlich; *co.* verdammt; ~lential □ [pestiˈlenʃəl] pestartig; verderbenbringend.

**pet** [pet] **1.** üble Laune; zahmes Tier; Liebling *m*; **2.** Lieblings...; ~ *dog* Schoßhund *m*; ~ *name* Kosename *m*; **3.** (ver)hätscheln; knutschen.

**petal** ♀ [ˈpetl] Blütenblatt *n*.

**petition** [piˈtiʃən] **1.** Bitte *f*; Bittschrift *f*, Eingabe *f*; **2.** bitten, ersuchen; e-e Eingabe machen.

**petrify** [ˈpetrifai] versteinern.

**petrol** *mot.* [ˈpetrəl] Benzin *n*; ~ *station* Tankstelle *f*.

**petticoat** [ˈpetikout] Unterrock *m*.

**pettish** □ [ˈpetiʃ] launisch.

**petty** □ [ˈpeti] klein, geringfügig.

**petulant** □ [ˈpetjulənt] gereizt.

**pew** [pjuː] Kirchensitz *m*, -bank *f*.

**pewter** [ˈpjuːtə] Zinn(gefäße *n*/*pl.*) *n*.

**phantasm** [ˈfæntæzəm] Trugbild *n*.

**phantom** [ˈfæntəm] Phantom *n*, Trugbild *n*; Gespenst *n*.

**Pharisee** [ˈfærisiː] Pharisäer *m*.

**pharmacy** [ˈfɑːməsi] Pharmazie *f*; Apotheke *f*. [Phasen.)

**phase** [feiz] Phase *f*; ~d [feizd] in)

**pheasant** *orn.* [ˈfeznt] Fasan *m*.

**phenomen|on** [fiˈnɔminən], *pl.* ~a [~nə] Phänomen *n*, Erscheinung *f*.

**phial** [ˈfaiəl] Phiole *f*, Fläschchen *n*.

**philander** [fiˈlændə] flirten.

**philanthropist** [fiˈlænθrəpist] Menschenfreund(in).

**philolog|ist** [fiˈlɔlədʒist] Philolog|e *m*, -in *f*; ~y [~dʒi] Philologie *f*.

**philosoph|er** [fiˈlɔsəfə] Philosoph *m*; ~ize [~faiz] philosophieren; ~y [~fi] Philosophie *f*.

**phlegm** [flem] Schleim *m*; Phlegma *n*.

**phone** F [foun] *s. telephone*.

**phonetics** [fouˈnetiks] *pl.* Phonetik *f*, Lautbildungslehre *f*.

**phon(e)y** *Am. sl.* [ˈfouni] **1.** Fälschung *f*; Schwindler *m*; **2.** unecht.

**phosphorus** [ˈfɔsfərəs] Phosphor *m*.

**photograph** [ˈfoutəgrɑːf] **1.** Photographie *f* (*Bild*); **2.** photographieren; ~er [fəˈtɔgrəfə] Photograph (-in); ~y [~fi] Photographie *f*.

**phrase** [freiz] **1.** (Rede)Wendung *f*, Redensart *f*, Ausdruck *m*; **2.** ausdrücken.

**physic|al** □ ['fizikəl] physisch; körperlich; physikalisch; ~ *education*, ~ *training* Leibeserziehung *f*; **~ian** [fi'ziʃən] Arzt *m*; **~ist** ['fizisist] Physiker *m*; **~s** [~iks] *sg.* Physik *f*.

**physique** [fi'zi:k] Körperbau *m*.

**piano** ['pjænou] Klavier *n*.

**piazza** [pi'ætsə] Piazza *f*, (Markt-) Platz *m*; *Am.* große Veranda.

**pick** [pik] Auswahl *f*; = **pickaxe**; 2. auf-, wegnehmen; pflücken; (herum)stochern; *in der* Nase bohren; abnagen; *Schloß* knacken; *Streit* suchen; auswählen; (auf-) picken; bestehlen; ~ *out* auswählen; heraussuchen; ~ *up* aufreißen, aufbrechen; aufnehmen, auflesen; sich *e-e Fremdsprache* aneignen; erfassen; (*im Auto*) mitnehmen, abholen; *Täter* ergreifen; gesund werden; **~-a-back** ['pikəbæk] huckepack; **~axe** Spitzhacke *f*.

**picket** ['pikit] 1. Pfahl *m*; ✕ Feldwache *f*; Streikposten *m*; 2. einpfählen; an-e-n Pfahl binden; mit Streikposten besetzen.

**picking** ['pikiŋ] Picken *n*, Pflücken *n*; Abfall *m*; *mst* ~*s pl.* Nebengewinn *m*.

**pickle** ['pikl] 1. Pökel *m*; Eingepökelte(s) *n*, Pickles *pl.*; F mißliche Lage; 2. (ein)pökeln; ~*d herring* Salzhering *m*.

**pick|lock** ['piklɔk] Dietrich *m*; **~pocket** Taschendieb *m*; **~up** Ansteigen *n*; Tonabnehmer *m*; Kleinlieferwagen *m*; *sl.* Straßenbekanntschaft *f*.

**picnic** ['piknik] Picknick *n*.

**pictorial** [pik'tɔ:riəl] 1. □ malerisch; illustriert; 2. Illustrierte *f*.

**picture** ['piktʃə] 1. Bild *n*, Gemälde *n*; *et.* Bildschönes; ~*s pl.* F Kino *n*; *attr.* Bilder...; *put s.o. in the* ~ j. ins Bild setzen, j. informieren; 2. (aus-) malen; sich *et.* ausmalen; ~ *postcard* Ansichtskarte *f*; **~sque** [piktʃə'resk] malerisch.

**pie** [pai] Pastete *f*; Obsttorte *f*.

**piebald** ['paibɔ:ld] (bunt)scheckig.

**piece** [pi:s] 1. Stück *n*; Geschütz *n*; Gewehr *n*; Teil *n* *e-s Services*; *Schach- etc.* Figur *f*; *a* ~ *of advice* ein Rat; *a* ~ *of news* e-e Neuigkeit; *of a* ~ gleichmäßig; *give s.o. a* ~ *of one's mind* j-m gründlich die Meinung sagen; *take to* ~*s* zerlegen; 2. *a.* ~ *up* flicken, ausbessern; ~ *to-*

*gether* zs.-stellen, -setzen, -stücken, -flicken; ~ *out* ausfüllen; **~meal** ['pi:smi:l] stückweise; **~work** Akkordarbeit *f*.

**pieplant** *Am.* ['paiplɑ:nt] Rhabarber *m*.

**pier** [piə] Pfeiler *m*; Wellenbrecher *m*; Pier *m, f*, Hafendamm *m*, Mole *f*, Landungsbrücke *f*.

**pierce** [piəs] durchbohren; durchdringen; eindringen (in *acc.*).

**piety** ['paiəti] Frömmigkeit *f*; Pietät *f*.

**pig** [pig] Ferkel *n*; Schwein *n*.

**pigeon** ['pidʒin] Taube *f*; **~hole** 1. Fach *n*; 2. in ein Fach legen.

**pig|headed** ['pig'hedid] dickköpfig; **~-iron** ['pigaiən] Roheisen *n*; **~skin** Schweinsleder *n*; **~sty** Schweinestall *m*; **~tail** (Haar)Zopf *m*.

**pike** [paik] ✕ Pike *f*; Spitze *f*; *ichth.* Hecht *m*; Schlagbaum *m*; gebührenpflichtige Straße.

**pile** [pail] 1. (Scheiter)Haufen *m*; Stoß *m* (*Holz*); großes Gebäude; ⚡ Batterie *f*; Pfahl *m*; Haar *n*; Noppe *f*; ~*s pl.* 🕱 Hämorrhoiden *f/pl.*; (*atomic*) ~ *phys.* Atommeiler *m*, Reaktor *m*; 2. *oft* ~ *up*, ~ *on* auf-, anhäufen, aufschichten.

**pilfer** ['pilfə] mausen, stibitzen.

**pilgrim** ['pilgrim] Pilger *m*; **~age** [~midʒ] Pilgerfahrt *f*.

**pill** [pil] Pille *f*.

**pillage** ['pilidʒ] 1. Plünderung *f*; 2. plündern.

**pillar** ['pilə] Pfeiler *m*, Ständer *m*; Säule *f*; **~-box** Briefkasten *m*.

**pillion** *mot.* ['piljən] Soziussitz *m*.

**pillory** ['piləri] 1. Pranger *m*; 2. an den Pranger stellen; anprangern.

**pillow** ['pilou] (Kopf)Kissen *n*; **~-case**, **~-slip** (Kissen)Bezug *m*.

**pilot** ['pailət] 1. ✈ Pilot *m*; ⚓ Lotse *m*; *fig.* Führer *m*; 2. lotsen, steuern; **~-balloon** Versuchsballon *m*.

**pimp** [pimp] 1. Kuppler(in); 2. kuppeln.

**pin** [pin] 1. (Steck-, Krawatten-, Hut- *etc.*)Nadel *f*; Reißnagel *m*; Pflock *m*; ♪ Wirbel *m*; Kegel *m*; 2. (an)heften; befestigen; *fig.* festnageln.

**pinafore** ['pinəfɔ:] Schürze *f*.

**pincers** ['pinsəz] *pl.* Kneifzange *f*.

**pinch** [pintʃ] 1. Kniff *m*; Prise *f* (*Tabak etc.*); Druck *m*, Not *f*;

**2.** v/t. kneifen, zwicken; F klauen; v/i. drücken; in Not sein; knausern.

**pinch-hit** Am. ['pint∫hit] einspringen (for für).

**pincushion** ['pinku∫in] Nadelkissen n.

**pine** [pain] **1.** ♀ Kiefer f, Föhre f; **2.** sich abhärmen; sich sehnen, schmachten; **~-apple** ♀ ['painæpl] Ananas f, **~-cone** Kiefernzapfen m.

**pinion** ['pinjən] **1.** Flügel(spitze f) m; Schwungfeder f; ⊕ Ritzel n (Antriebsrad); **2.** die Flügel beschneiden (dat.); fig. fesseln.

**pink** [piŋk] **1.** ♀ Nelke f; Rosa n; fig. Gipfel m; **2.** rosa(farben).

**pin-money** ['pinmʌni] Nadelgeld n.

**pinnacle** ['pinəkl] △ Zinne f, Spitztürmchen n; (Berg)Spitze f; fig. Gipfel m.

**pint** [paint] Pinte f (0,57 od. Am. 0,47 Liter).

**pioneer** [paiə'niə] **1.** Pionier m (a. ✕); **2.** den Weg bahnen (für).

**pious** □ ['paiəs] fromm, religiös; pflichtgetreu.

**pip** [pip] vet. Pips m; sl. miese Laune; Obstkern m; Auge n auf Würfeln etc.; ✕ Stern m (Rangabzeichen).

**pipe** [paip] **1.** Rohr n, Röhre f; Pfeife f (a. ♪); Flöte f; Lied n e-s Vogels; Luftröhre f; Pipe f (Weinfaß = 477,3 Liter); **2.** pfeifen; quieken; **~-layer** ['paipleiə] Rohrleger m; Am. pol. Drahtzieher m; **~-line** Ölleitung f, Pipeline f; **~r** ['paipə] Pfeifer m.

**piping** ['paipiŋ] **1.** pfeifend; schrill (Stimme); ~ hot siedend heiß; **2.** Rohrnetz n; Schneiderei: Paspel f.

**piquant** □ ['pi:kənt] pikant.

**pique** [pi:k] **1.** Groll m; **2.** j-n reizen; ~ o.s. on sich brüsten mit.

**pira|cy** ['paiərəsi] Seeräuberei f; Raubdruck m von Büchern; **~te** [.rit] **1.** Seeräuber(schiff n) m; Raubdrucker m; **2.** unerlaubt nachdrucken.

**pistol** ['pistl] Pistole f.

**piston** ⊕ ['pistən] Kolben m; **~-rod** Kolbenstange f; **~-stroke** Kolbenhub m.

**pit** [pit] **1.** Grube f (a. ✕, anat.); ♪ Miete f; thea. Parterre n; Pockennarbe f; (Tier)Falle f; Am. Börse: Maklerstand m; Am. Obst-Stein m;

**2.** ♪ einmieten; mit Narben bedecken.

**pitch** [pit∫] **1.** Pech n; Stand(platz) m; Tonhöhe f; Grad m, Stufe f; Steigung f, Neigung f; Wurf m; ♣ Stampfen n; **2.** v/t. werfen; schleudern; Zelt etc. aufschlagen; ♪ stimmen (a. fig.); ~ too high fig. Ziel etc. zu hoch stecken; v/i. ✕ (sich) lagern; fallen; ♣ stampfen; ~ into F herfallen über (acc.).

**pitcher** ['pit∫ə] Krug m.

**pitchfork** ['pit∫fɔ:k] Heu-, Mistgabel f; ♪ Stimmgabel f.

**piteous** □ ['pitiəs] kläglich.

**pitfall** ['pitfɔ:l] Fallgrube f, Falle f.

**pith** [piθ] Mark n; fig. Kern m; Kraft f; **~y** □ ['piθi] markig, kernig.

**pitiable** □ ['pitiəbl] erbärmlich.

**pitiful** □ ['pitiful] mitleidig; erbärmlich, jämmerlich (a. contp.).

**pitiless** □ ['pitilis] unbarmherzig.

**pittance** ['pitəns] Hungerlohn m.

**pity** ['piti] **1.** Mitleid n (on mit); it is a ~ es ist schade; **2.** bemitleiden.

**pivot** ['pivət] **1.** ⊕ Zapfen m; (Tür-) Angel f; fig. Drehpunkt m; **2.** sich drehen (on, upon um).

**pixilated** Am. F ['piksileitid] leicht verrückt.

**placable** □ ['plækəbl] versöhnlich.

**placard** ['plæka:d] **1.** Plakat n; **2.** anschlagen; mit e-m Plakat bekleben.

**place** [pleis] **1.** Platz m; Ort m; Stadt f; Stelle f; Stätte f; Stellung f; Aufgabe f; Anwesen n, Haus n, Wohnung f; ~ of delivery ✝ Erfüllungsort m; give ~ to j-m Platz machen; in ~ of an Stelle (gen.); out of ~ fehl am Platz; **2.** stellen, legen, setzen; j-n anstellen; Auftrag erteilen; I can't place him fig. ich weiß nicht, wo ich ihn hintun soll (identifizieren).

**placid** □ ['plæsid] sanft; ruhig.

**plagiar|ism** ['pleidʒiarizəm] Plagiat n; **~ize** [.raiz] abschreiben.

**plague** [pleig] **1.** Plage f; Seuche f; Pest f; **2.** plagen, quälen.

**plaice** ichth. [pleis] Scholle f.

**plaid** [plæd] schottisches Plaid.

**plain** [plein] **1.** □ flach, eben; klar; deutlich; rein; einfach, schlicht; unscheinbar; offen, ehrlich; einfarbig; **2.** adv. klar, deutlich; **3.** Ebene f, Fläche f; bsd. Am.

Prärie f; ~clothes man ['plein-klouðz mən] Geheimpolizist m; ~ dealing ehrliche Handlungsweise; ~dealing ehrlich.

plainsman ['pleinzmən] Flachlandbewohner m; Am. Präriebewohner m.

plaint|iff ‡‡ ['pleintif] Kläger(in); ~ive □ [~iv] traurig, klagend.

plait [plæt, Am. pleit] 1. Haar- etc. Flechte f; Zopf m; 2. flechten.

plan [plæn] 1. Plan m; 2. e-n Plan machen von od. zu; fig. planen.

plane [plein] 1. flach, eben; 2. Ebene f, Fläche f; ✈ Tragfläche f; Flugzeug n; fig. Stufe f; ⊕ Hobel m; 3. ebnen; (ab)hobeln; ✈ fliegen.

plank [plæŋk] 1. Planke f, Bohle f, Diele f; Am. pol. Programmpunkt m; 2. dielen; verschalen; ~ down sl., Am. F Geld auf den Tisch legen.

plant [plɑ:nt] 1. Pflanze f; ⊕ Anlage f; Fabrik f; 2. (an-, ein)pflanzen (a. fig.); (auf)stellen; anlegen; Schlag verpassen; bepflanzen; besiedeln; ~ation [plæn'teiʃən] Pflanzung f (a. fig.); Plantage f; Besiedelung f; ~er ['plɑ:ntə] Pflanzer m.

plaque [plɑ:k] Platte f; Gedenktafel f.

plash [plæʃ] platschen.

plaster ['plɑ:stə] 1. pharm. Pflaster n; ⊕ Putz m; mst ~ of Paris Gips m, Stuck m; 2. bepflastern; verputzen.

plastic ['plæstik] 1. (~ally) plastisch; Plastik...; 2. oft ~s pl. Plastik(material) n, Kunststoff m.

plat [plæt] s. plait; s. plot 1.

plate [pleit] 1. allg. Platte f; Bild-Tafel f; Schild n; Kupfer-Stich m; Tafelsilber n; Teller m; Am. Baseball: (Schlag)Mal n; ⊕ Grobblech n; 2. plattieren; ⚓ panzern.

platform ['plætfɔ:m] Plattform f; geogr. Hochebene f; 🚂 Bahnsteig m; Am. bsd. Plattform f am Wagenende; Rednerbühne f; pol. Parteiprogramm n; bsd. Am. pol. Aktionsprogramm n im Wahlkampf.

platinum min. ['plætinəm] Platin n.

platitude fig. ['plætitju:d] Plattheit f.

platoon ✕ [plə'tu:n] Zug m.

plat(t)en ['plætən] (Schreibmaschinen)Walze f.

platter ['plætə] (Servier)Platte f.

plaudit ['plɔ:dit] Beifall m.

plausible □ ['plɔ:zəbl] glaubhaft.

play [plei] 1. Spiel n; Schauspiel n; ⊕ Spiel n, Gang m; Spielraum m; 2. spielen; ⊕ laufen; ~ upon einwirken auf (acc.); ~ off fig. ausspielen (against gegen); ~ed out erledigt; ~bill □ [pleibil] Theaterzettel m; ~book thea. Textbuch n; ~boy Playboy m; ~er □ [pleiə] (Schau)Spieler(in); ~-piano elektrisches Klavier; ~fellow Spielgefährt|e m, -in f; ~ful □ [~ful] spielerisch; scherzhaft; ~goer ['pleigouə] Theaterbesucher(in); ~ground Spielplatz m; Schulhof m; ~house Schauspielhaus n; Am. Miniaturhaus n für Kinder; ~mate s. playfellow; ~thing Spielzeug n; ~wright Bühnenautor m, Dramatiker m.

plea [pli:] ‡‡ Einspruch m; Ausrede f; Gesuch n; on the ~ of od. that unter dem Vorwand (gen.) od. daß.

plead [pli:d] v/i. plädieren; ~ for für j-n sprechen; sich einsetzen für; ~ guilty sich schuldig bekennen; v/t. Sache vertreten; als Beweis anführen; ~er ‡‡ ['pli:də] Verteidiger m; ~ing □ [~diŋ] Schriftsatz m.

pleasant □ ['plez̶nt] angenehm; erfreulich; ~ry [~tri] Scherz m, Spaß m.

please [pli:z] v/i. gefallen; belieben; if you ~ iro. stellen Sie sich vor; ~ come in! bitte, treten Sie ein!; v/t. gefallen, angenehm sein; befriedigen; ~ yourself tun Sie, was Ihnen gefällt; be ~d to do et. gerne tun; be ~d with Vergnügen haben an (dat.); ~d erfreut; zufrieden.

pleasing □ ['pli:ziŋ] angenehm.

pleasure ['pleʒə] Vergnügen n, Freude f; Belieben n; attr. Vergnügungs...; at ~ nach Belieben; ~-ground (Vergnügungs)Park m.

pleat [pli:t] 1. (Plissee)Falte f; 2. fälteln, plissieren.

pledge [pledʒ] 1. Pfand n; Zutrinken n; Gelöbnis n; 2. verpfänden; j-m zutrinken; he ~d himself er gelobte.

plenary ['pli:nəri] Voll...

plenipotentiary [plenipə'tenʃəri] Bevollmächtigte(r m) f.

plenteous □ poet. ['plentjəs] voll, reichlich.

**plentiful** 196

**plentiful** □ ['plentiful] reichlich.
**plenty** ['plenti] 1. Fülle f, Überfluß m; ~ of reichlich; 2. F reichlich.
**pliable** □ ['plaiəbl] biegsam; fig. geschmeidig, nachgiebig.
**pliancy** ['plaiənsi] Biegsamkeit f.
**pliers** ['plaiəz] pl. (a pair of ~ pl. eine) (Draht-, Kombi)Zange.
**plight** [plait] 1. Ehre, Wort verpfänden; verloben; 2. Gelöbnis n; Zustand m, (Not)Lage f.
**plod** [plɔd] a. ~ along, ~ on sich dahinschleppen; sich plagen, schuften.
**plot** [plɔt] 1. Platz m; Parzelle f; Plan m; Komplott n, Anschlag m; Intrige f; Handlung f e-s Dramas etc.; 2. v/t. aufzeichnen; planen, anzetteln; v/i. intrigieren.
**plough, **Am. mst. **plow** [plau] 1. Pflug m; 2. pflügen (a. fig.) furchen; ~man ['plaumən] Pflüger m; ~share ['plauʃɛə] Pflugschar f.
**pluck** [plʌk] 1. Mut m, Schneid m, f; Innereien f/pl.; Zug m, Ruck m; 2. pflücken; Vogel rupfen (a. fig.); reißen; ~ at zerren an; ~ up courage Mut fassen; ~y □ ['plʌki] mutig.
**plug** [plʌg] 1. Pflock m; Dübel m; Stöpsel m; ⚡ Stecker m; Zahn-Plombe f; Priem m (Tabak); Am. Radio: Reklamehinweis m; alter Gaul; ~ socket Steckdose f; 2. v/t. zu-, verstopfen; Zahn plombieren; stöpseln; Am. F im Rundfunk etc. Reklame machen für et.
**plum** [plʌm] Pflaume f; Rosine f (a. fig.).
**plumage** ['plu:midʒ] Gefieder n.
**plumb** [plʌm] 1. lotrecht; gerade; richtig; 2. (Blei)Lot n; 3. v/t. lotrecht machen; loten; sondieren (a. fig.); F Wasser- od. Gasleitungen legen in; v/i. F als Rohrleger arbeiten; ~er ['plʌmə] Klempner m, Installateur m; ~ing [~miŋ] Klempnerarbeit f; Rohrleitungen f/pl.
**plume** [plu:m] 1. Feder f; Federbusch m; 2. mit Federn schmücken; die Federn putzen; ~ o.s. on sich brüsten mit.
**plummet** ['plʌmit] Senkblei n.
**plump** [plʌmp] 1. adj. drall, prall, mollig; F □ glatt (Absage etc.); 2.(hin)plumpsen (lassen); 3. Plumps m; 4. F adv. geradewegs.
**plum pudding** ['plʌm'pudiŋ] Plumpudding m.

**plunder** ['plʌndə] 1. Plünderung f; Raub m, Beute f; 2. plündern.
**plunge** [plʌndʒ] 1. (Unter)Tauchen n; (Kopf)Sprung m; Sturz m; make od. take the ~ den entscheidenden Schritt tun; 2. (unter-) tauchen; (sich) stürzen (into in acc.); Schwert etc. stoßen; ⚓ stampfen.
**plunk** [plʌŋk] v/t. Saite zupfen; et. hinplumpsen lassen, hinwerfen; v/i. (hin)plumpsen, fallen.
**pluperfect** gr. ['plu:'pə:fikt] Plusquamperfekt n.
**plural** gr. ['pluərəl] Plural m, Mehrzahl f; ~ity [pluə'ræliti] Vielheit f, Mehrheit f; Mehrzahl f.
**plus** [plʌs] 1. prp. plus; 2. adj. positiv; 3. Plus n; Mehr n.
**plush** [plʌʃ] Plüsch m.
**ply** [plai] 1. Lage f Tuch etc.; Strähne f; fig. Neigung f; 2. v/t. fleißig anwenden; j-m zusetzen, j-n überhäufen; v/i. regelmäßig fahren; ~wood ['plaiwud] Sperrholz n.
**pneumatic** [nju(:)'mætik] 1. (~ally) Luft...; pneumatisch; 2. Luftreifen m.
**pneumonia** ⚕ [nju(:)'mounjə] Lungenentzündung f.
**poach** [poutʃ] wildern; Erde zertreten; ~ed eggs pl. verlorene Eier n/pl.
**poacher** ['poutʃə] Wilddieb m.
**pock** ⚕ [pɔk] Pocke f, Blatter f.
**pocket** ['pɔkit] 1. Tasche f; ⚒ Luft-Loch n; 2. einstecken (a. fig.); Am. pol. Gesetzesvorlage nicht unterschreiben; Gefühl unterdrücken; 3. Taschen...; ~book Notizbuch n; Brieftasche f; Am. Geldbeutel m; Taschenbuch n.
**pod** ♃ [pɔd] Hülse f, Schale f, Schote f.
**poem** ['pouim] Gedicht n.
**poet** ['pouit] Dichter m; ~ess [~tis] Dichterin f; ~ic(al □) [pou'etik(əl)] dichterisch; ~ics [~ks] sg. Poetik f; ~ry ['pouitri] Dichtkunst f; Dichtung f, coll. Dichtungen f/pl.
**poignan|cy** ['pɔinənsi] Schärfe f; ~t [~nt] scharf; fig. eindringlich.
**point** [pɔint] 1. Spitze f; Pointe f; Landspitze f; gr., ⚕, phys. etc. Punkt m; Fleck m, Stelle f; ⚓ Kompaßstrich m; Auge n auf Karten etc.; Grad m; (springender) Punkt; Zweck m; fig. Eigenschaft

*f*; **~s** *pl.* 🚢 Weichen *f*/*pl.*; **~** *of view* Stand-, Gesichtspunkt *m*; *the ~ is that ...* die Sache ist die, daß ...; *make a ~ of s.th.* auf et. bestehen; *in ~ of* in Hinsicht auf (*acc.*); *off od. beside the ~* nicht zur Sache (gehörig); *on the ~ of ger.* im Begriff zu *inf.*; *win on ~s* nach Punkten siegen; *to the ~* zur Sache (gehörig); **2.** *v/t.* (zu)spitzen; *oft ~ out* zeigen, hinweisen auf (*acc.*); punktieren; **~** *at Waffe etc.* richten auf (*acc.*); *v/i.* **~** *at* weisen auf (*acc.*); **~** *to nach e-r Richtung* weisen; **~ed** □ ['pɔintid] spitz(ig), Spitz...; *fig.* scharf; **~er** [~tə] Zeiger *m*; Zeigestock *m*; Hühnerhund *m*; **~less** [~tlis] stumpf; witzlos; zwecklos.

**poise** [pɔiz] **1.** Gleichgewicht *n*; Haltung *f*; **2.** *v/t.* im Gleichgewicht erhalten; *Kopf etc.* tragen, halten; *v/i.* schweben.

**poison** ['pɔizn] **1.** Gift *n*; **2.** vergiften; **~ous** □ [~nəs] giftig (*a. fig.*).

**poke** [pouk] **1.** Stoß *m*, Puff *m*; **2.** *v/t.* stoßen; schüren; *Nase etc. in et.* stecken; **~** *fun at* sich über *j-n* lustig machen; *v/i.* stoßen, stochern.

**poker** ['poukə] Feuerhaken *m*.

**poky** ['pouki] eng; schäbig; erbärmlich. [*m.*\]

**polar** ['poulə] polar; **~** *bear* Eisbär

**Pole¹** [poul] Pole *m*, Polin *f*.

**pole²** [~] Pol *m*; Stange *f*, Mast *m*; Deichsel *f*; (Sprung)Stab *m*.

**polecat** *zo.* ['poulkæt] Iltis *m*; *Am.* Skunk *m*.

**polemic** [po'lemik], *a.* **~al** □ [~kəl] polemisch; feindselig.

**pole-star** ['poulsta:] Polarstern *m*; *fig.* Leitstern *m*.

**police** [pə'li:s] **1.** Polizei *f*; **2.** überwachen; **~man** Polizist *m*; **~office** Polizeipräsidium *n*; **~officer** Polizeibeamte(r) *m*, Polizist *m*; **~station** Polizeiwache *f*.

**policy** ['pɔlisi] Politik *f*; (Welt-) Klugheit *f*; Police *f*; *Am.* Zahlenlotto *n*.

**polio(myelitis)** ['pouliou(maiə-'laitis)] spinale Kinderlähmung.

**Polish¹** ['pouliʃ] polnisch.

**polish²** ['pɔliʃ] **1.** Politur *f*; *fig.* Schliff *m*; **2.** polieren; *fig.* verfeinern.

**polite** □ [pə'lait] artig, höflich; fein; **~ness** [~tnis] Höflichkeit *f*.

**politic** □ ['pɔlitik] politisch; schlau; **~al** □ [pə'litikəl] politisch; staatlich; Staats...; **~ian** [pɔli'tiʃən] Politiker *m*; **~s** ['pɔlitiks] *oft sg.* Staatswissenschaft *f*, Politik *f*.

**polka** ['pɔlkə] Polka *f*; **~** *dot Am.* Punktmuster *n auf Stoff.*

**poll** [poul] **1.** Wählerliste *f*; Stimmenzählung *f*; Wahl *f*; Stimmenzahl *f*; Umfrage *f*; *co.* Kopf *m*; **2.** *v/t. Stimmen* erhalten; *v/i.* wählen; **~book** ['poulbuk] Wählerliste *f*.

**pollen** ♀ ['pɔlin] Blütenstaub *m*.

**polling-district** ['pouliŋdistrikt] Wahlbezirk *m*.

**poll-tax** ['poultæks] Kopfsteuer *f*.

**pollute** [pə'lu:t] beschmutzen, beflecken; entweihen.

**polyp|(e)** *zo.* ['pɔlip], **~us** ⚕ [~pəs] Polyp *m*.

**pommel** ['pʌml] **1.** *Degen-, Sattel*-Knopf *m*; **2.** knuffen, schlagen.

**pomp** [pɔmp] Pomp *m*, Gepränge *n*.

**pompous** □ ['pɔmpəs] prunkvoll; hochtrabend; pompös.

**pond** [pɔnd] Teich *m*, Weiher *m*.

**ponder** ['pɔndə] *v/t.* erwägen; *v/i.* nachdenken; **~able** [~ərəbl] wägbar; **~ous** □ [~rəs] schwer(fällig).

**pontiff** ['pɔntif] Hohepriester *m*; Papst *m*.

**pontoon** ✗ [pɔn'tu:n] Ponton *m*; **~bridge** Schiffsbrücke *f*.

**pony** ['pouni] Pony *n*, Pferdchen *n*.

**poodle** ['pu:dl] Pudel *m*.

**pool** [pu:l] **1.** Teich *m*; Pfütze *f*, Lache *f*; (Schwimm)Becken *n*; (Spiel)Einsatz *m*; ✝ Ring *m*, Kartell *n*; **~** *room Am.* Billardspielhalle *f*; Wettannahmestelle *f*; **2.** ✝ zu e-m Ring vereinigen; *Gelder* zs.-werfen.

**poop** ⚓ [pu:p] Heck *n*; Achterhütte *f*.

**poor** □ [puə] arm(selig); dürftig; schlecht; geringwertig; **~house** ['puəhaus] Armenhaus *n*; **~law** ⚖ Armenrecht *n*; **~ly** [~li] **1.** *adj.* unpäßlich; **2.** *adv.* dürftig; **~ness** ['puənis] Armut *f*.

**pop¹** [pɔp] **1.** Knall *m*; F Sprudel *m*; F Schampus *m*; **2.** *v/t.* knallen lassen; *Am. Mais* rösten; schnell *wohin* tun, stecken; *v/i.* puffen, knallen; *mit adv.* huschen; **~** *in* hereinplatzen.

**pop²** F [~] **1.** populär, beliebt; **2.** Schlager *m*; volkstümliche Musik.

pop³ *Am.* F [⌣] Papa *m*, alter Herr.
popcorn *Am.* ['pɔpkɔːn] Puffmais *m*.
pope [poup] Papst *m*.
poplar ♀ ['pɔplə] Pappel *f*.
poppy ♀ ['pɔpi] Mohn *m*; ⌣cock*Am.*
   F Quatsch *m*.
popu|lace ['pɔpjuləs] Pöbel *m*; ⌣lar
   □ [⌣lə] Volks...; volkstümlich,
   populär; ⌣larity [pɔpju'læriti]
   Popularität *f*.
populat|e ['pɔpjuleit] bevölkern;
   ⌣ion [pɔpju'leiʃən] Bevölkerung *f*.
populous □ ['pɔpjuləs] volkreich.
porcelain ['pɔːslin] Porzellan *n*.
porch [pɔːtʃ] Vorhalle *f*, Portal *n*;
   *Am.* Veranda *f*.
porcupine *zo.* ['pɔːkjupain] Stachelschwein *n*.
pore [pɔː] 1. Pore *f*; 2. *fig.* brüten.
pork [pɔːk] Schweinefleisch *n*; ⌣-
   barrel *Am. sl.* ['pɔːkbærəl] *politisch berechnete* Geldzuwendung
   *der Regierung*; ⌣y F ['pɔːki] 1. fett,
   dick; 2. *Am.* = *porcupine*.
porous □ ['pɔːrəs] porös.
porpoise *ichth.* ['pɔːpəs] Tümmler
   *m*.
porridge ['pɔridʒ] Haferbrei *m*.
port [pɔːt] 1. Hafen *m*; ♩ (Pfort-,
   Lade)Luke *f*; ♩ Backbord *n*; Port-
   wein *m*; 2. ♩ *das Ruder* nach der
   Backbordseite umlegen.
portable ['pɔːtəbl] transportabel.
portal ['pɔːtl] Portal *n*, Tor *n*.
portend [pɔː'tend] vorbedeuten.
portent ['pɔːtent] (*bsd.* üble) Vorbedeutung; Wunder *n*; ⌣ous □
   [pɔː'tentəs] unheilvoll; wunderbar.
porter ['pɔːtə] Pförtner *m*; (Gepäck)Träger *m*; Porterbier *n*.
portion ['pɔːʃən] 1. (An)Teil *m*;
   Portion *f* Essen; Erbteil *n*; Aussteuer *f*; *fig.* Los *n*; 2. teilen; ausstatten.
portly ['pɔːtli] stattlich.
portmanteau [pɔːt'mæntou] Hand-
   koffer *m*.                      [nis *n*.)
portrait ['pɔːtrit] Porträt *n*, Bild-)
portray [pɔː'trei] (ab)malen, porträtieren; schildern; ⌣al [⌣eiəl]
   Porträtieren *n*; Schilderung *f*.
pose [pouz] 1. Pose *f*; 2. (sich) in
   Positur setzen; F sich hinstellen
   (*as* als); *Frage* aufwerfen.
posh *sl.* [pɔʃ] schick, erstklassig.
position [pə'ziʃən] Lage *f*, Stellung *f*
   (*a. fig.*); Stand *m*; *fig.* Standpunkt
   *m*.

positive ['pɔzətiv] 1. □ bestimmt,
   ausdrücklich; feststehend, sicher;
   unbedingt; positiv; überzeugt;
   rechthaberisch; 2. *das* Bestimmte;
   *gr.* Positiv *m*; *phot.* Positiv *n*.
possess [pə'zes] besitzen; beherrschen; *fig.* erfüllen; ⌣ *o.s. of et.* in
   Besitz nehmen; ⌣ed besessen; ⌣ion
   [⌣eʃən] Besitz *m*; *fig.* Besessenheit *f*;
   ⌣ive *gr.* [⌣esiv] 1. □ besitzanzei-
   gend; ⌣ *case* Genitiv *m*; 2. Possessiv-
   pronomen *n*, besitzanzeigendes
   Fürwort; Genitiv *m*; ⌣or [⌣sə]
   Besitzer *m*.
possib|ility [pɔsə'biliti] Möglich-
   keit *f*; ⌣le ['pɔsəbl] möglich; ⌣ly
   [⌣li] möglicherweise, vielleicht; *if I*
   ⌣ *can* wenn ich irgend kann.
post [poust] 1. Pfosten *m*; Posten *m*;
   Stelle *f*, Amt *n*; Post *f*; ⌣ *exchange*
   *Am.* ✕ Einkaufsstelle *f*; 2. *v/t.*
   *Plakat etc.* anschlagen; postieren;
   eintragen; zur Post geben; per Post
   senden; ⌣ *up j-n* informieren; *v/i.*
   (dahin)eilen.
postage ['poustidʒ] Porto *n*; ⌣-
   stamp Briefmarke *f*.
postal □ ['poustəl] 1. postalisch;
   Post...; ⌣ *order* Postanweisung *f*;
   2. *a.* ⌣ *card Am.* Postkarte *f*.
postcard ♩ ['poustkɑːd] Postkarte *f*.
poster ['poustə] Plakat *n*, Anschlag
   *m*.
posterior [pɔs'tiəriə] 1. □ später
   (*to* als); hinter; 2. Hinterteil *n*.
posterity [pɔs'teriti] Nachwelt *f*;
   Nachkommenschaft *f*.
post-free ['poust'friː] portofrei.
post-graduate ['poust'grædjuit] 1.
   nach beendigter Studienzeit; 2.
   Doktorand *m*.
post-haste ['poust'heist] eilig(st).
posthumous □ ['pɔstjuməs] nach-
   geboren; hinterlassen.
post|man ['poustmən] Briefträger
   *m*; ⌣mark 1. Poststempel *m*; 2. abstempeln; ⌣master Postamtsvor-
   steher *m*.
post-mortem ['poust'mɔːtem] 1.
   nach dem Tode; 2. Leichenschau *f*.
post|(-)office ['poustɔfis] Postamt
   *n*; ⌣ *box* Post(schließ)fach *n*; ⌣-
   paid frankiert.
postpone [poust'poun] ver-, aufschieben; ⌣ment [⌣nmənt] Aufschub *m*.
postscript ['pousskript] Postskrip-
   tum *n*.

**postulate 1.** ['pɔstjulit] Forderung *f*; **2.** [‿leit] fordern; (als gegeben) voraussetzen.

**posture** ['pɔstʃə] **1.** Stellung *f*, Haltung *f des Körpers*; **2.** (sich) zurechtstellen; posieren.

**post-war** ['poust'wɔ:] Nachkriegs...

**posy** ['pouzi] Blumenstrauß *m*.

**pot** [pɔt] **1.** Topf *m*; Kanne *f*; Tiegel *m*; **2.** in e-n Topf tun; einlegen.

**potation** [pou'teiʃən] *mst* ‿*s pl.* Trinken *n*, Zecherei *f*; Trunk *m*.

**potato** [pə'teitou], *pl.* ‿**es** Kartoffel *f*.

**pot-belly** ['pɔtbeli] Schmerbauch *m*.

**poten|cy** ['poutənsi] Macht *f*; Stärke *f*; ‿**t** [‿nt] mächtig; stark; ‿**tial** [pɔ'tenʃəl] **1.** potentiell; möglich; **2.** Leistungsfähigkeit *f*.

**pother** ['pɔðə] Aufregung *f*.

**pot|-herb** ['pɔthə:b] Küchenkraut *n*; ‿**house** Kneipe *f*.

**potion** ['pouʃən] (Arznei)Trank *m*.

**potter**[1] ['pɔtə]: ‿ *about* herumwerkeln.

**potter**[2] [‿] Töpfer *m*; ‿**y** [‿əri] Töpferei *f*; Töpferware(n *pl.*) *f*.

**pouch** [pautʃ] **1.** Tasche *f*; Beutel *m*; **2.** einstecken; (sich) beuteln.

**poulterer** ['poultərə] Geflügelhändler *m*.

**poultice** ⚕ ['poultis] Packung *f*.

**poultry** ['poultri] Geflügel *n*.

**pounce** [pauns] **1.** Stoß *m*, Sprung *m*; **2.** sich stürzen (*on, upon* auf *acc.*).

**pound** [paund] **1.** Pfund *n*; ‿ (*sterling*) Pfund *n* Sterling (*abbr.* £ = 100 *pence*); Pfandstall *m*; Tierasyl *n*; **2.** (zer)stoßen; stampfen; schlagen.

**pounder** ['paundə] ...pfünder *m*.

**pour** [pɔ:] *v/t.* gießen, schütten; ‿ *out Getränk* eingießen; *v/i.* sich ergießen, strömen; *it never rains but it* ‿ *s fig.* ein Unglück kommt selten allein.

**pout** [paut] **1.** Schmollen *n*; **2.** *v/t. Lippen* aufwerfen; *v/i.* schmollen.

**poverty** ['pɔvəti] Armut *f*.

**powder** ['paudə] **1.** Pulver *n*; Puder *m*; **2.** pulverisieren; (sich) pudern; bestreuen; ‿**-box** Puderdose *f*.

**power** ['pauə] Kraft *f*; Macht *f*, Gewalt *f*; ⱥ Vollmacht *f*; ⅍ Potenz *f*; *in* ‿ an der Macht, im Amt; ‿**-current** Starkstrom *m*; ‿**ful** □

['pauəful] mächtig, kräftig; wirksam; ‿**less** ['pauəlis] macht-, kraftlos; ‿**-plant** *s.* power-station; ‿

**politics** *oft sg.* Machtpolitik *f*; ‿**-station** Kraftwerk *n*.

**powwow** ['pauwau] Medizinmann *m*; *Am.* F Versammlung *f*.

**practica|ble** □ ['præktikəbl] ausführbar; gangbar (*Weg*); brauchbar; ‿**l** □ [‿əl] praktisch; tatsächlich; eigentlich; sachlich; ‿ *joke* Schabernack *m*; ‿**lly** [‿li] so gut wie.

**practice** ['præktis] **1.** Praxis *f*; Übung *f*; Gewohnheit *f*; Brauch *m*; Praktik *f*; *put into* ‿ in die Praxis umsetzen; **2.** *Am.* = practise.

**practise** [‿] *v/t.* in die Praxis umsetzen; ausüben; betreiben; üben; *v/i.* üben; praktizieren; ‿ *upon j-s Schwäche* ausnutzen; ‿**d** geübt (*P.*).

**practitioner** [præk'tiʃnə] *a.* general ‿ praktischer Arzt; Rechtsanwalt *m*.

**prairie** *Am.* ['prɛəri] Grasebene *f*; Prärie *f*; ‿**-schooner** *Am.* Planwagen *m*.

**praise** [preiz] **1.** Preis *m*, Lob *n*; **2.** loben, preisen.

**praiseworthy** □ ['preizwə:ði] lobenswert.

**pram** F [præm] Kinderwagen *m*.

**prance** [prɑ:ns] sich bäumen; paradieren; einherstolzieren.

**prank** [præŋk] Possen *m*, Streich *m*.

**prate** [preit] **1.** Geschwätz *n*; **2.** schwatzen, plappern.

**prattle** ['prætl] *s.* prate.

**pray** [prei] beten; (er)bitten; bitte!

**prayer** [prɛə] Gebet *n*; Bitte *f*; *oft* ‿*s pl.* Andacht *f*; *Lord's* ‿ Vaterunser *n*; ‿**-book** ['prɛəbuk] Gebetbuch *n*.

**pre...** [pri:; pri] vor(her)...; Vor...; früher.

**preach** [pri:tʃ] predigen; ‿**er** ['pri:tʃə] Prediger(in).

**preamble** [pri:'æmbl] Einleitung *f*.

**precarious** □ [pri'kɛəriəs] unsicher.

**precaution** [pri'kɔ:ʃən] Vorsicht(smaßregel) *f*; ‿**ary** [‿ʃnəri] vorbeugend.

**precede** [pri(:)'si:d] voraus-, vorangehen (*dat.*); ‿**nce**, ‿**ncy** [‿dəns, ‿si] Vortritt *m*, Vorrang *m*; ‿**nt** ['presidənt] Präzedenzfall *m*.

**precept** ['pri:sept] Vorschrift *f*, Regel *f*; ‿**or** [pri'septə] Lehrer *m*.

**precinct** ['priːsiŋkt] Bezirk *m*, bsd.
*Am.* Wahlbezirk *m*, -kreis *m*; ~s *pl.*
Umgebung *f*; Bereich *m*; Grenze *f*;
*pedestrian* ~ Fußgängerzone *f*.

**precious** ['preʃəs] **1.** □ kostbar;
edel; F arg, gewaltig, schön; **2.** F
*adv.* recht, äußerst.

**precipi|ce** ['presipis] Abgrund *m*;
~**tate 1.** [pri'sipiteit] (hinab)stür-
zen; *fig.* fällen; überstürzen; **2.** □
[~tit] übereilt, hastig; **3.** [~] *fig.*
Niederschlag *m*; ~**tation** [prisipi-
'teiʃən] Sturz *m*; Überstürzung *f*,
Hast *f*; *fig.* Niederschlag(en *n*) *m*;
~**tous** □ [pri'sipitəs] steil, jäh.

**précis** ['preisiː] gedrängte Übersicht, Zs.-fassung *f*.

**precis|e** □ [pri'sais] genau; ~**ion**
[~'siʒən] Genauigkeit *f*; Präzision *f*.

**preclude** [pri'kluːd] ausschließen;
vorbeugen (*dat.*); *j-n* hindern.

**precocious** □ [pri'kouʃəs] frühreif;
altklug.

**preconceive** ['priːkən'siːv] vorher
ausdenken; ~**d** vorgefaßt (*Meinung*).

**preconception** ['priːkən'sepʃən]
vorgefaßte Meinung.

**precursor** [priː'kəːsə] Vorläufer *m*.

**predatory** ['predətəri] räuberisch.

**predecessor** ['priːdisesə] Vorgän-
ger *m*.

**predestin|ate** [priː'destineit]
vorherbestimmen; ~**ed** [~nd] aus-
erkoren.

**predetermine** ['priːdi'təːmin] vorher festsetzen; vorherbestimmen.

**predicament** [pri'dikəmənt] (mißliche) Lage.

**predicate 1.** ['predikeit] aussagen;
**2.** *gr.* [~kit] Prädikat *n*, Satzaussage
*f*.

**predict** [pri'dikt] vorhersagen; ~**ion**
[~kʃən] Prophezeiung *f*.

**predilection** [priːdi'lekʃən] Vorliebe *f*.

**predispos|e** ['priːdis'pouz] vorher
geneigt *od.* empfänglich machen
(to für); ~**ition** [~spə'ziʃən]
Geneigtheit *f*; *bsd.* Anfälligkeit *f*
(to für).

**predomina|nce** [pri'dɔminəns] Vor-
herrschaft *f*; Übergewicht *n*; Vor-
macht(stellung) *f*; ~**nt** □ [~nt] vorherrschend; ~**te** [~neit] die Oberhand haben; vorherrschen.

**pre-eminent** □ [pri(ː)'eminənt]
hervorragend.

**pre-emption** [pri(ː)'empʃən] Vor-
kauf(srecht *n*) *m*.

**pre-exist** ['priːig'zist] vorher dasein.

**prefabricate** ['priː'fæbrikeit] vor-
fabrizieren.

**preface** ['prefis] **1.** Vorrede *f*, Vorwort *n*, Einleitung *f*; **2.** einleiten.

**prefect** ['priːfekt] Präfekt *m*; *Schule*:
Vertrauensschüler *m*, Klassen-
sprecher *m*.

**prefer** [pri'fəː] vorziehen; *Gesuch
etc.* vorbringen; *Klage* einreichen;
befördern; ~**able** □ ['prefərəbl]
(to) vorzuziehen(d) (*dat.*); vorzüg-
licher (als); ~**ably** [~li] vorzugs-
weise; besser; ~**ence** [~rəns] Vorliebe *f*; Vorzug *m*; ~**ential** □
[prefə'renʃəl] bevorzugt; Vorzugs-
...; ~**ment** [pri'fəːmənt] Beförderung *f*.

**prefix** ['priːfiks] Präfix *n*, Vorsilbe *f*.

**pregnan|cy** ['pregnənsi] Schwan-
gerschaft *f*; *fig.* Fruchtbarkeit *f*;
Bedeutungsreichtum *m*; ~**t** □ [~nt]
schwanger; *fig.* fruchtbar, inhalts-
voll.

**prejud|ge** ['priː'dʒʌdʒ] vorher (ver-)
urteilen; ~**ice** ['predʒudis] **1.** Vor-
eingenommenheit *f*; Vorurteil *n*;
Schaden *m*; benachteiligen; *e-r S.*
Abbruch tun; ~**d** (vor)eingenommen;
~**icial** □ [predʒu'diʃəl] nachteilig.

**prelate** ['prelit] Prälat *m*.

**preliminary** [pri'liminəri] **1.** □
vorläufig; einleitend; Vor...; **2.** Einleitung *f*.

**prelude** ♪ ['preljuːd] Vorspiel *n*.

**premature** □ [premə'tjuə] *fig.*
frühreif; vorzeitig; vorschnell.

**premeditat|e** [priː'mediteit] vor-
her überlegen; ~**ion** [priː(ː)medi-
'teiʃən] Vorbedacht *m*.

**premier** ['premjə] **1.** erst; **2.** Pre-
mierminister *m*.

**premises** ['premisiz] *pl.* (Gebäude
*pl.* mit) Grundstück *n*, Anwesen *n*;
Lokal *n*.

**premium** ['priːmjəm] Prämie *f*;
Anzahlung *f*; ✝ Agio *n*; Versiche-
rungsprämie *f*; Lehrgeld *n*; at a ~
über pari; sehr gesucht.

**premonition** [priːmə'niʃən] Warnung *f*; (Vor)Ahnung *f*.

**preoccup|ied** [pri(ː)'ɔkjupaid] in
Gedanken verloren; ~**y** [~pai] vorher in Besitz nehmen; ausschließ-

lich beschäftigen; in Anspruch nehmen.

**prep** F [prep] = *preparation, preparatory school*.

**preparat|ion** [prepə'reifən] Vorbereitung *f*; Zubereitung *f*; **~ory** □ [pri'pærətəri] vorbereitend; **~** (*school*) Vorschule *f*.

**prepare** [pri'pɛə] *v/t.* vorbereiten; zurechtmachen; (zu)bereiten; (aus-) rüsten; *v/i.* sich vorbereiten; sich anschicken; **~d** □ bereit.

**prepay** ['pri:'pei] [*irr. (pay)*] vorausbezahlen; frankieren.

**preponderan|ce** [pri'pondərəns] Übergewicht *n*; **~nt** □ [~nt] überwiegend; **~te** [~reit] überwiegen.

**preposition** *gr.* [prepə'zifən] Präposition *f*, Verhältniswort *n*.

**prepossess** [pri:pə'zes] günstig stimmen; **~ing** □ [~siŋ] einnehmend.

**preposterous** [pri'pɔstərəs] widersinnig, albern; grotesk.

**prerequisite** ['pri:'rekwizit] Vorbedingung *f*, Voraussetzung *f*.

**prerogative** [pri'rɔgətiv] Vorrecht *n*.

**presage** ['presidʒ] **1.** Vorbedeutung *f*; Ahnung *f*; **2.** vorbedeuten; ahnen; prophezeien.

**prescribe** [pris'kraib] vorschreiben; ♂ verschreiben.

**prescription** [pris'kripfən] Vorschrift *f*, Verordnung *f*; ♂ Rezept *n*.

**presence** ['prezns] Gegenwart *f*; Anwesenheit *f*; Erscheinung *f*; **~ of mind** Geistesgegenwart *f*.

**present¹** ['preznt] **1.** □ gegenwärtig; anwesend, vorhanden; jetzig; laufend (*Jahr etc.*); vorliegend (*Fall etc.*); **~ tense** *gr.* Präsens *n*; **2.** Gegenwart *f*, *gr. a.* Präsens *n*; Geschenk *n*; *at* **~** jetzt; *for the* **~** einstweilen.

**present²** [pri'zent] präsentieren; (dar)bieten; (vor)zeigen; *j-n* vorstellen; vorschlagen; (über)reichen; (be)schenken.

**presentation** [prezen'teifən] Dar-, Vorstellung *f*; Ein-, Überreichung *f*; Schenkung *f*; Vorzeigen *n*, Vorlage *f*.

**presentiment** [pri'zentimənt] Vorgefühl *n*, Ahnung *f*.

**presently** ['prezntli] sogleich, bald (darauf), alsbald; *Am.* zur Zeit.

**preservati|on** [prezə(:)'veifən] Bewahrung *f*, Erhaltung *f*; **~ve** [pri'zə:vətiv] **1.** bewahrend; **2.** Schutz-, Konservierungsmittel *n*.

**preserve** [pri'zə:v] **1.** bewahren, behüten; erhalten; einmachen; *Wild* hegen; **2.** *hunt.* Gehege *n* (*a. fig.*); *mst* **~s** *pl.* Eingemachte(s) *n*.

**preside** [pri'zaid] den Vorsitz führen (*over* bei).

**presiden|cy** ['prezidənsi] Vorsitz *m*; Präsidentschaft *f*; **~t** [~nt] Präsident *m*, Vorsitzende(r) *m*; *Am.* ♀ Direktor *m*.

**press** [pres] **1.** Druck *m der Hand*; (*Wein- etc.*)Presse *f*; *die Presse* (*Zeitungen*); Druckerei *f*; Verlag *m*; Druck(en *n*) *m*; *a. printing-* Druckerpresse *f*; Menge *f*; *fig.* Druck *m*, Last *f*, Andrang *m*; Schrank *m*; **2.** *v/t.* (aus)pressen; drücken; lasten auf (*dat.*); (be)drängen; dringen auf (*acc.*); aufdrängen (*on dat.*); bügeln; *be* **~ed for time** es eilig haben; *v/i.* drücken; (sich) drängen; **~** *for* sich eifrig bemühen um; **~** *on* weitereilen; **~** (*up*)*on* eindringen auf (*acc.*); **~ agency** Nachrichtenbüro *n*; **~ agent** Reklameagent *m*; **~ button** Druckknopf *m*; **~ing** □ ['presiŋ] dringend; **~ure** ['prefə] Druck *m* (*a. fig.*); Drang(sal *f*) *m*.

**prestige** [pres'ti:ʒ] Prestige *n*.

**presum|able** □ [pri'zju:məbl] vermutlich; **~e** [pri'zju:m] *v/t.* annehmen; vermuten; voraussetzen; *v/i.* vermuten; sich erdreisten; anmaßend sein; **~** (*up*)*on* pochen auf (*acc.*); ausnutzen, mißbrauchen.

**presumpt|ion** [pri'zʌmpfən] Mutmaßung *f*, Wahrscheinlichkeit *f*; Anmaßung *f*; **~ive** □ [~ptiv] mutmaßlich; **~uous** □ [~tjuəs] überheblich; anmaßend.

**presuppos|e** [pri:sə'pouz] voraussetzen; **~ition** [pri:sʌpə'zifən] Voraussetzung *f*.

**preten|ce**, *Am.* **~se** [pri'tens] Vortäuschung *f*; Vorwand *m*; Schein *m*, Verstellung *f*.

**pretend** [pri'tend] vorgeben; vortäuschen; heucheln; Anspruch erheben (*to auf acc.*); **~ed** □ angeblich.

**pretension** [pri'tenfən] Anspruch *m* (*to auf acc.*); Anmaßung *f*.

**preterit(e)** *gr.* ['pretərit] Präteritum *n*, Vergangenheitsform *f*.

**pretext** ['pri:tekst] Vorwand *m*.

**pretty** ['priti] **1.** □ hübsch, niedlich; nett; **2.** *adv.* ziemlich.

**prevail** [pri'veil] die Oberhand haben *od.* gewinnen; (vor)herrschen; maßgebend *od.* ausschlaggebend sein; ~ (up)on s.o. j-n dazu bewegen, *et.* zu tun; **~ing** [~liŋ] (vor)herrschend.

**prevalent** □ ['prevələnt] vorherrschend, weit verbreitet.

**prevaricate** [pri'værikeit] Ausflüchte machen.

**prevent** [pri'vent] verhüten, *e-r* S. vorbeugen; *j-n* hindern; **~ion** [~nʃən] Verhinderung *f*; Verhütung *f*; **~ive** [~ntiv] **1.** □ vorbeugend; **2.** Schutzmittel *n*.

**preview** [pri:'vju:] Vorschau *f*; Vorbesichtigung *f*.

**previous** □ ['pri:vjəs] vorhergehend; vorläufig; Vor...; ~ to vor (*dat.*); **~ly** vorher, früher.

**pre-war** ['pri:'wɔ:] Vorkriegs...

**prey** [prei] **1.** Raub *m*, Beute *f*; *beast of* ~ Raubtier *n*; *bird of* ~ Raubvogel *m*; *be a* ~ to geplagt werden von; **2.** ~ (up)on rauben, plündern; fressen; *fig.* nagen an (*dat.*).

**price** [prais] **1.** Preis *m*; Lohn *m*; **2.** *Waren* auszeichnen; die Preise festsetzen für; (ab)schätzen; **~less** ['praislis] unschätzbar; unbezahlbar.

**prick** [prik] **1.** Stich *m*; Stachel *m* (*a. fig.*); **2.** *v/t.* (durch)stechen; *fig.* peinigen; *a.* ~ *out Muster* punktieren; ~ *up one's ears* die Ohren spitzen; *v/i.* stechen; **~le** ['prikl] Stachel *m*, Dorn *m*; **~ly** [~li] stachelig.

**pride** [praid] **1.** Stolz *m*; Hochmut *m*; *take* ~ *in* stolz sein auf (*acc.*); **2.** ~ *o.s.* sich brüsten (*on, upon* mit).

**priest** [pri:st] Priester *m*.

**prig** [prig] Tugendbold *m*, selbstgerechter Mensch; Pedant *m*.

**prim** □ [prim] steif; zimperlich.

**prima|cy** ['praiməsi] Vorrang *m*; **~rily** [~ərili] in erster Linie; **~ry** □ [~ri] **1.** ursprünglich; hauptsächlich; Ur..., Anfangs..., Haupt...; Elementar...; höchst; ⚡, ♂ Primär...; **2.** *a.* ~ *meeting Am.* Wahlversammlung *f*; **~ry school** Elementar-, Grundschule *f*.

**prime** [praim] **1.** □ erst; wichtigst; Haupt...; vorzüglich(st); ~ *cost* ✝

Selbstkosten *pl.*; ~ *minister* Ministerpräsident *m*; ~ *number* Primzahl *f*; **2.** *fig.* Blüte(zeit) *f*; Beste(s) *n*; höchste Vollkommenheit; **3.** *v/t.* vorbereiten; *Pumpe* anlassen; instruieren; F vollaufen lassen (*betrunken machen*); *paint.* grundieren.

**primer** ['praimə] Fibel *f*, Elementarbuch *n*. [lich; Ur...]

**primeval** [prai'mi:vəl] uranfäng-]

**primitive** ['primitiv] **1.** □ erst, ursprünglich; Stamm...; primitiv; **2.** *gr.* Stammwort *n*.

**primrose** ♀ ['primrouz] Primel *f*.

**prince** [prins] Fürst *m*; Prinz *m*; **~ss** [prin'ses, *vor npr.* 'prinses] Fürstin *f*; Prinzessin *f*.

**principal** ['prinsəpl] **1.** □ erst, hauptsächlich(st); Haupt...; ~ *parts pl. gr.* Stammformen *f/pl. des vb.*; **2.** Hauptperson *f*; Vorsteher *m*; *bsd. Am.* (Schul)Direktor *m*, Rektor *m*; ✝ Chef *m*; ⚖ Hauptschuldige(r) *m*; ✝ Kapital *n*; **~ity** [prinsi'pæliti] Fürstentum *n*.

**principle** ['prinsəpl] Prinzip *n*; Grund(satz) *m*; Ursprung *m*; *on* ~ grundsätzlich, aus Prinzip.

**print** [print] **1.** Druck *m*; (Finger- *etc.*)Abdruck *m*; bedruckter Kattun, Druckstoff *m*; Stich *m*; *phot.* Abzug *m*; *Am.* Zeitungsdrucksache *f*; *out of* ~ vergriffen; **2.** (ab-, auf-, be)drucken; *phot.* kopieren; *fig.* einprägen (*on dat.*); in Druckbuchstaben schreiben; **~er** ['printə] (Buch)Drucker *m*.

**printing** ['printiŋ] Druck *m*; Drucken *n*; *phot.* Abziehen *n*, Kopieren *n*; **~-ink** Druckerschwärze *f*; **~-office** (Buch)Druckerei *f*; **~-press** Druckerpresse *f*.

**prior** ['praiə] **1.** früher, älter (*to* als); **2.** *adv.* ~ *to* vor (*dat.*); **3.** *eccl.* Prior *m*; **~ity** [prai'ɔriti] Priorität *f*; Vorrang *m*; Vorfahrtsrecht *n*.

**prism** ['prizəm] Prisma *n*.

**prison** ['prizn] Gefängnis *n*; **~er** [~nə] Gefangene(r) *m*, Häftling *m*; *take s.o.* ~ j-n gefangennehmen.

**privacy** ['praivəsi] Zurückgezogenheit *f*; Geheimhaltung *f*.

**private** ['praivit] **1.** □ privat; Privat...; persönlich; vertraulich; geheim; **2.** ✗ (gewöhnlicher) Soldat; *in* ~ privatim; im geheimen.

**privation** [prai'veiʃən] Mangel *m*, Entbehrung *f*.

**privilege** ['privilidʒ] **1.** Privileg n; Vorrecht n; **2.** bevorrechten.

**privy** ['privi] **1.** □ ～ to eingeweiht in (acc.); ♀ Council Staatsrat m; ♀ Councillor Geheimer Rat; ♀ Seal Geheimsiegel n; **2.** ⚖ Mitinteressent m (to an dat.); Abort m.

**prize** [praiz] **1.** Preis m, Prämie f; ⚓ Beute f; (Lotterie)Gewinn m; **2.** preisgekrönt, Preis...; **3.** (hoch)schätzen; aufbrechen (öffnen); ～fighter ['praizfaitə] Berufsboxer m.

**pro** [prou] für.

**probab|ility** [prɔbə'biliti] Wahrscheinlichkeit f; ～le □ ['prɔbəbl] wahrscheinlich.

**probation** [prə'beiʃən] Probe f, Probezeit f; ⚖ Bewährungsfrist f; ～ officer Bewährungshelfer m.

**probe** [proub] **1.** ⚕ Sonde f; fig. Untersuchung f; lunar ～ Mondsonde f; **2.** a. ～ into sondieren; untersuchen.

**probity** ['proubiti] Redlichkeit f.

**problem** ['prɔbləm] Problem n; ⯑ Aufgabe f; ～atic(al □) [prɔbli'mætik(əl)] problematisch, zweifelhaft. [n; Handlungsweise f.\]

**procedure** [prə'si:dʒə] Verfahren/

**proceed** [prə'si:d] weitergehen; fortfahren; vor sich gehen; vorgehen; univ. promovieren; ～ from von od. aus et. kommen; ausgehen von; ～ to zu et. übergehen; ～ing [～diŋ] Vorgehen n; Handlung f; ～s pl. ⚖ Verfahren n; Verhandlungen f/pl., (Tätigkeits)Bericht m; ～s ['prousi:dz] pl. Ertrag m, Gewinn m.

**process** ['prouses] **1.** Fortschreiten n, Fortgang m; Vorgang m; Verlauf m der Zeit; Prozeß m, Verfahren n; in ～ im Gange; in ～ of construction im Bau (befindlich); **2.** gerichtlich belangen; ⊕ bearbeiten; ～ion [prə'seʃən] Prozession f.

**proclaim** [prə'kleim] proklamieren; erklären; ausrufen.

**proclamation** [prɔklə'meiʃən] Proklamation f; Bekanntmachung f; Erklärung f.

**proclivity** [prə'kliviti] Neigung f.

**procrastinate** [prou'kræstineit] zaudern.

**procreate** ['proukrieit] (er)zeugen.

**procurat|ion** [prɔkjuə'reiʃən] Vollmacht f; † Prokura f; ～or ['prɔkjuəreitə] Bevollmächtigte(r) m.

**procure** [prə'kjuə] v/t. be-, verschaffen; v/i. Kuppelei treiben.

**prod** [prɔd] **1.** Stich m; Stoß m; fig. Ansporn m; **2.** stechen; stoßen; fig. anstacheln.

**prodigal** ['prɔdigəl] **1.** □verschwenderisch; the ～ son der verlorene Sohn; **2.** Verschwender(in).

**prodig|ious** □ [prə'didʒəs] erstaunlich, ungeheuer; ～y ['prɔdidʒi] Wunder n (a. fig.); Ungeheuer n; oft infant ～ Wunderkind n.

**produce 1.** [prə'dju:s] vorbringen, vorführen, vorlegen; beibringen; hervorbringen, produzieren, erzeugen; Zinsen etc. (ein)bringen; verlängern; Film etc. herausbringen; **2.** ['prɔdju:s] (Natur)Erzeugnis(se pl.) n, Produkt n; Ertrag m; ～r [prə'dju:sə] Erzeuger m, Hersteller m; Film: Produzent m; thea. Regisseur m.

**product** ['prɔdʌkt] Produkt n, Erzeugnis n; ～ion [prə'dʌkʃən] Hervorbringung f; Vorlegung f; Beibringung f; Produktion f, Erzeugung f; thea. Herausbringen n; Erzeugnis n; ～ive □ [～ktiv] schöpferisch; produktiv, erzeugend; ertragreich; fruchtbar; ～iveness [～vnis], ～ivity [prɔdʌk'tiviti] Produktivität f.

**prof** Am. F [prɔf] Professor m.

**profan|ation** [prɔfə'neiʃən] Entweihung f; ～e [prə'fein] **1.** □ profan; weltlich; uneingeweiht; gottlos; **2.** entweihen; ～ity [～'fæniti] Gottlosigkeit f; Fluchen n.

**profess** [prə'fes] (sich) bekennen (zu); erklären; Reue etc. bekunden; Beruf ausüben; lehren; ～ed □ erklärt; angeblich; Berufs...; ～ion [～eʃən] Bekenntnis n; Erklärung f; Beruf m; ～ional [～nl] **1.** □ Berufs...; Amts...; berufsmäßig; freiberuflich; ～ men Akademiker m/pl.; **2.** Fachmann m; Sport: Berufsspieler m; Berufskünstler m; ～or [～esə] Professor m.

**proffer** ['prɔfə] **1.** anbieten; **2.** Anerbieten n.

**proficien|cy** [prə'fiʃənsi] Tüchtigkeit f; ～t [～nt] **1.** □ tüchtig; bewandert; **2.** Meister m.

**profile** ['proufail] Profil n.

**profit** ['prɔfit] **1.** Vorteil m, Nutzen m, Gewinn m; **2.** v/t. j-m Nutzen bringen; v/i. ～ by Nutzen ziehen aus; ausnutzen; **~able** □ [~təbl] nützlich, vorteilhaft, einträglich; **~eer** [prɔfi'tiə] 1. Schiebergeschäfte machen; 2. Profitmacher *m*, Schieber *m*; **~sharing** ['prɔfitʃeəriŋ] Gewinnbeteiligung *f*.

**profligate** ['prɔfligit] 1. □ liederlich; 2. liederlicher Mensch.

**profound** □ [prə'faund] tief; tiefgründig; gründlich; *fig.* dunkel.

**profundity** [prə'fʌnditi] Tiefe *f*.

**profus|e** □ [prə'fju:s] verschwenderisch; übermäßig, überreich; **~ion** *fig.* [~u:ʒən] Überfluß *m*.

**progen|itor** [prou'dʒenitə] Vorfahr *m*, Ahn *m*; **~y** ['prɔdʒini] Nachkommen(schaft *f*) *m*/*pl.*; Brut *f*.

**prognos|is** *s* [prɔg'nousis], *pl.* **~es** [~si:z] Prognose *f*.

**prognostication** [prɔgnɔsti'keiʃən] Vorhersage *f*.

**program(me)** ['prougræm] Programm *n*.

**progress** 1. ['prougres] Fortschritt(e *pl.*) *m*; Vorrücken *n* (*a.* ✕); Fortgang *m*; *in* ~ im Gang; 2. [prə'gres] fortschreiten; **~ion** [prə'greʃən] Fortschreiten *n*; ♬ Reihe *f*; **~ive** [~esiv] 1. □ fortschreitend; fortschrittlich; 2. *pol.* Fortschrittler *m*.

**prohibit** [prə'hibit] verbieten; verhindern; **~ion** [proui'biʃən] Verbot *n*; Prohibition *f*; **~ionist** [~ʃnist] *bsd. Am.* Prohibitionist *m*; **~ive** □ [prə'hibitiv] verbietend; Sperr...; unerschwinglich.

**project** 1. ['prɔdʒekt] Projekt *n*; Vorhaben *n*, Plan *m*; 2. [prə'dʒekt] *v*/*t.* planen; (ent)werfen; ♬ projizieren; *v*/*i.* vorspringen; **~ile** ['prɔdʒiktail] Projektil *n*, Geschoß *n*; **~ion** [prə'dʒekʃən] Werfen *n*; Entwurf *m*; Vorsprung *m*; ♬, *ast.*, *phot.* Projektion *f*; **~or** [~ktə] ♀ Gründer *m*; *opt.* Projektor *m*.

**proletarian** [proule'teəriən] 1. proletarisch; 2. Proletarier(in).

**prolific** □ [prə'lifik] (~ally) fruchtbar.

**prolix** □ ['prouliks] weitschweifig.

**prolo|gue**, *Am. a.* **~g** ['proulɔg] Prolog *m*.

**prolong** [prə'lɔŋ] verlängern.

**promenade** [prɔmi'nɑ:d] 1. Promenade *f*; 2. promenieren.

**prominent** □ ['prɔminənt] hervorragend (*a. fig.*); *fig.* prominent.

**promiscuous** □ [prə'miskjuəs] un-

ordentlich, verworren; gemeinsam; unterschiedlos.

**promis|e** ['prɔmis] 1. Versprechen *n*; *fig.* Aussicht *f*; 2. versprechen; **~ing** □ [~siŋ] vielversprechend; **~sory** [~səri] versprechend; ~ *note* ♀ Eigenwechsel *m*.

**promontory** ['prɔməntri] Vorgebirge *n*.

**promot|e** [prə'mout] *et.* fördern; *j-n* befördern; *bsd. Am. Schule*: versetzen; *parl.* unterstützen; ♀ gründen; *bsd. Am. Verkauf durch Werbung* steigern; **~ion** [~ouʃən] Förderung *f*; Beförderung *f*; ♀ Gründung *f*.

**prompt** [prɔmpt] 1. □ schnell; bereit(willig); sofortig; pünktlich; 2. *j-n* veranlassen; *Gedanken* eingeben; *j-m* vorsagen, soufflieren; **~er** ['prɔmptə] Souffleu|r *m*, -se *f*; **~ness** [~tnis] Schnelligkeit *f*; Bereitschaft *f*.

**promulgate** ['prɔməlgeit] verkünden, verbreiten.

**prone** □ [proun] mit dem Gesicht nach unten (liegend); hingestreckt; ~ *to fig.* geneigt *od.* neigend zu.

**prong** [prɔŋ] Zinke *f*; Spitze *f*.

**pronoun** *gr.* ['prounaun] Pronomen *n*, Fürwort *n*.

**pronounce** [prə'nauns] aussprechen; verkünden; erklären (für).

**pronto** *Am.* F ['prɔntou] sofort.

**pronunciation** [prənʌnsi'eiʃən] Aussprache *f*.

**proof** [pru:f] 1. Beweis *m*; Probe *f*, Versuch *m*; *typ.* Korrekturbogen *m*; *typ.*, *phot.* Probeabzug *m*; 2. fest; *in Zssgn:* ...fest, ...dicht, ...sicher; **~reader** *typ.* ['pru:fri:də] Korrektor *m*.

**prop** [prɔp] 1. Stütze *f* (*a. fig.*); 2. *a.* ~ *up* (unter)stützen.

**propaga|te** ['prɔpəgeit] (sich) fortpflanzen; verbreiten; **~tion** [prɔpə'geiʃən] Fortpflanzung *f*; Verbreitung *f*.

**propel** [prə'pel] (vorwärts-, an-) treiben; **~ler** [~lə] Propeller *m*, (Schiffs-, Luft)Schraube *f*.

**propensity** [prə'pensiti] Neigung *f*.

**proper** □ ['prɔpə] eigen(tümlich); eigentlich; zusammen richtig; anständig; **~ty** [~əti] Eigentum *n*, Besitz *m*; Vermögen *n*; Eigenschaft *f*.

**prophe|cy** ['prɔfisi] Prophezeiung *f*; **~sy** [~sai] prophezeien.

**prophet** ['prɔfit] Prophet m.

**propi|tiate** [prə'piʃieit] günstig stimmen, versöhnen; **~tious** □ [~ʃəs] gnädig; günstig.

**proportion** [prə'pɔːʃən] 1. Verhältnis n; Gleichmaß n; (An)Teil m; **~s** pl. (Aus)Maße n/pl.; 2. in ein Verhältnis bringen; **~al** □ [~nl] im Verhältnis (to zu); **~ate** □ [~ʃnit] angemessen.

**propos|al** [prə'pouzəl] Vorschlag m, (a. Heirats)Antrag m; Angebot n; Plan m; **~e** [~ouz] v/t. vorschlagen; e-n Toast ausbringen auf (acc.); **~** to o.s. sich vornehmen; v/i. beabsichtigen; anhalten (to um); **~ition** [prɔpə'ziʃən] Vorschlag m, Antrag m; Behauptung f; Problem n.

**propound** [prə'paund] Frage etc. vorlegen; vorschlagen.

**propriet|ary** [prə'praiətəri] Eigentümer..., Eigentums...; Besitz(er)...; gesetzlich geschützt (bsd. Arzneimittel); **~or** [~tə] Eigentümer m; **~y** [~ti] Richtigkeit f; Schicklichkeit f; the proprieties pl. die Anstandsformen f/pl. [m.]

**propulsion** ⊕ [prə'pʌlʃən] Antrieb]

**prorate** Am. [prou'reit] anteilmäßig verteilen.

**prosaic** [prou'zeiik] (~ally) fig. prosaisch (nüchtern, trocken).

**proscribe** [prous'kraib] ächten.

**proscription** [prous'kripʃən] Ächtung f; Acht f; Verbannung f.

**prose** [prouz] 1. Prosa f; 2. prosaisch.

**prosecut|e** ['prɔsikjuːt] (a. gerichtlich) verfolgen; Gewerbe etc. betreiben; verklagen; **~ion** [prɔsi'kjuːʃən] Verfolgung f e-s Plans etc.; Betreiben n e-s Gewerbes etc.; gerichtliche Verfolgung; **~or** ⚹ ['prɔsikjuːtə] Kläger m; Anklagevertreter m; public **~** Staatsanwalt m.

**prospect** 1. ['prɔspekt] Aussicht f (a. fig.); Anblick m; ✝ Interessent m; 2. [prəs'pekt] ⚒ schürfen; bohren (for nach Öl); **~ive** □ [~tiv] vorausblickend; voraussichtlich; **~us** [~təs] (Werbe)Prospekt m.

**prosper** ['prɔspə] v/i. Erfolg haben, gedeihen, blühen; v/t. segnen; **~ity** [prɔs'periti] Gedeihen n; Wohlstand m; Glück n; fig. Blüte f; **~ous** □ ['prɔspərəs] glücklich, gedeihlich; fig. blühend; günstig.

**prostitute** ['prɔstitjuːt] 1. Dirne f; 2. zur Dirne machen; (der Schande) preisgeben, feilbieten (a. fig.).

**prostrat|e** 1. ['prɔstreit] hingestreckt; erschöpft; daniederliegend; demütig; gebrochen; 2. [prɔs'treit] niederwerfen; fig. niederschmettern; entkräften; **~ion** [~eiʃən] Niederwerfung f; Fußfall m; fig. Demütigung f; Entkräftung f.

**prosy** fig. ['prouzi] prosaisch; langweilig.

**protagonist** [prou'tægənist] thea. Hauptfigur f; fig. Vorkämpfer(in).

**protect** [prə'tekt] (be)schützen; **~ion** [~kʃən] Schutz m; Wirtschaftsschutz m, Schutzzoll m; **~ive** [~ktiv] schützend; Schutz...; **~** duty Schutzzoll m; **~or** [~tə] (Be)Schützer m; Schutz-, Schirmherr m; **~orate** [~ərit] Protektorat n.

**protest** 1. ['proutest] Protest m; Einspruch m; 2. [prə'test] beteuern; protestieren; reklamieren.

**Protestant** ['prɔtistənt] 1. protestantisch; 2. Protestant(in).

**protestation** [proutes'teiʃən] Beteuerung f; Verwahrung f.

**protocol** ['proutəkɔl] 1. Protokoll n; 2. protokollieren.

**prototype** ['proutətaip] Urbild n; Prototyp m, Modell n.

**protract** [prə'trækt] in die Länge ziehen, hinziehen.

**protru|de** [prə'truːd] (sich) (her)vorstrecken; (her)vorstehen, (her)vortreten (lassen); **~sion** [~uːʃən] Vorstrecken n; (Her)Vorstehen n, (Her)Vortreten n.

**protuberance** [prə'tjuːbərəns] Hervortreten n; Auswuchs m, Höcker m.

**proud** □ [praud] stolz (of auf acc.).

**prove** [pruːv] v/t. be-, er-, nachweisen; prüfen; erleben, erfahren; v/i. sich herausstellen od. erweisen (als); ausfallen; **~n** ['pruːvən] erwiesen; bewährt.

**provenance** ['prɔvinəns] Herkunft f.

**provender** ['prɔvində] Futter n.

**proverb** ['prɔvəb] Sprichwort n.

**provide** [prə'vaid] v/t. besorgen, beschaffen, liefern; bereitstellen; versehen, versorgen; ⚹ vorsehen, festsetzen; v/i. (vor)sorgen; **~d** (that) vorausgesetzt, daß; sofern.

**providen|ce** ['prɔvidəns] Vorsehung f; Voraussicht f; Vorsorge f; **~t** □

[͟ʌnt] vorausblickend; vorsorglich; haushälterisch; **͟tial** □ [prɔviˈden-ʃəl] durch die *göttliche* Vorsehung bewirkt; glücklich.

**provider** [prəˈvaidə] Ernährer *m der Familie*; Lieferant *m*.

**provinc|e** [ˈprɔvins] Provinz *f*; *fig.* Gebiet *n*; Aufgabe *f*; **͟ial** [prəˈvin-ʃəl] **1.** provinziell; kleinstädtisch; **2.** Provinzbewohner(in).

**provision** [prəˈviʒən] Beschaffung *f*; Vorsorge *f*; ⚖ Bestimmung *f*; Vorkehrung *f*, Maßnahme *f*; Vorrat *m*; **͟s** *pl.* Proviant *m*, Lebensmittel *pl.*; **͟al** □ [͟nl] provisorisch.

**proviso** [prəˈvaizou] Vorbehalt *m*.

**provoca|tion** [prɔvəˈkeiʃən] Herausforderung *f*; **͟ive** [prəˈvɔkətiv] herausfordernd; (auf)reizend.

**provoke** [prəˈvouk] auf-, anreizen; herausfordern.

**provost** [ˈprɔvəst] Leiter *m e-s College*; *schott.* Bürgermeister *m*; ✕ [prəˈvou]: ~ *marshal* Kommandeur *m* der Militärpolizei.

**prow** ⚓ [prau] Bug *m*, Vorschiff *n*.

**prowess** [ˈprauis] Tapferkeit *f*.

**prowl** [praul] **1.** *v/i.* umherstreifen; *v/t.* durchstreifen; **2.** Umherstreifen *n*; **~car** *Am.* [ˈpraulkɑ:] Streifenwagen *m der Polizei*.

**proximity** [prɔkˈsimiti] Nähe *f*.

**proxy** [ˈprɔksi] Stellvertreter *m*; Stellvertretung *f*; Vollmacht *f*; *by* ~ in Vertretung.

**prude** [pru:d] Prüde *f*, Spröde *f*; Zimperliese *f*.

**pruden|ce** [ˈpru:dəns] Klugheit *f*, Vorsicht *f*; **͟t** □ [͟nt] klug, vorsichtig.

**prud|ery** [ˈpru:dəri] Prüderie *f*, Sprödigkeit *f*, Zimperlichkeit *f*; **͟ish** □ [͟diʃ] prüde, zimperlich, spröde.

**prune** [pru:n] **1.** Backpflaume *f*; **2.** ✄ beschneiden (*a. fig.*); *a.* ~ *away*, ~ *off* wegschneiden.

**prurient** □ [ˈpruəriənt] geil, lüstern.

**pry** [prai] **1.** neugierig gucken; ~ *into* s-e Nase stecken in (*acc.*); ~ *open* aufbrechen; ~ *up* hochheben; **2.** Hebel(bewegung *f*) *m*.

**psalm** [sɑ:m] Psalm *m*.

**pseudo|...** [ˈpsju:dou] Pseudo..., falsch; **͟nym** [͟dənim] Deckname *m*.

**psychiatr|ist** [saiˈkaiətrist] Psychia-

ter *m* (*Nervenarzt*); **͟y** [͟ri] Psychiatrie *f*.

**psychic(al** □) [ˈsaikik(əl)] psychisch, seelisch.

**psycholog|ical** □ [saikəˈlɔdʒikəl] psychologisch; **͟ist** [saiˈkɔlədʒist] Psycholog|e *m*, -in *f*; **͟y** [͟dʒi] Psychologie *f* (*Seelenkunde*).

**pub** F [pʌb] Kneipe *f*, Wirtschaft *f*.

**puberty** [ˈpju:bəti] Pubertät *f*.

**public** [ˈpʌblik] **1.** □ öffentlich; staatlich, Staats...; allbekannt; ~ *spirit* Gemeinsinn *m*; **2.** Publikum *n*; Öffentlichkeit *f*; **~an** [͟kən] Gastwirt *m*; **~ation** [pʌbliˈkeiʃən] Bekanntmachung *f*; Veröffentlichung *f*; Verlagswerk *n*; *monthly* ~ Monatsschrift *f*; **~ house** Wirtshaus *n*; **~ity** [pʌbˈlisiti] Öffentlichkeit *f*; Propaganda *f*, Reklame *f*, Werbung *f*; **~ library** Volksbücherei *f*; **~ relations** *pl.* Verhältnis *n* zur Öffentlichkeit; Public Relations *pl.*; **~ school** Public School *f*, Internatsschule *f*.

**publish** [ˈpʌbliʃ] bekanntmachen, veröffentlichen; *Buch etc.* herausgeben, verlegen; **~ing house** Verlag *m*; **~er** [͟ʃə] Herausgeber *m*, Verleger *m*; **~s** *pl.* Verlag(sanstalt *f*) *m*.

**pucker** [ˈpʌkə] **1.** Falte *f*; **2.** falten; Falten werfen; runzeln.

**pudding** [ˈpudin] Pudding *m*; Süßspeise *f*; Auflauf *m*; Wurst *f*; *black* ~ Blutwurst *f*.

**puddle** [ˈpʌdl] Pfütze *f*.

**pudent** [ˈpju:dənt] verschämt.

**puerile** □ [ˈpjuərail] kindisch.

**puff** [pʌf] **1.** Hauch *m*; Zug *m beim Rauchen*; (Dampf-, Rauch)Wölkchen *n*; Puderquaste *f*; (aufdringliche) Reklame; **2.** *v/t.* (auf)blasen, pusten; paffen; anpreisen; ~ *out* sich (auf)blähen; ~ *up Preise* hochtreiben; **~ed** *eyes* geschwollene Augen; *v/i.* paffen; pusten; **~-paste** [ˈpʌfpeist] Blätterteig *m*; **~y** [ˈpʌfi] böig; kurzatmig; geschwollen; dick; bauschig.

**pug** [pʌg], **~-dog** [ˈpʌgdɔg] Mops *m*.

**pugnacious** [pʌgˈneiʃəs] kämpferisch; kampflustig; streitsüchtig.

**pug-nose** [ˈpʌgnouz] Stupsnase *f*.

**puissant** [ˈpju(:)isnt] mächtig.

**puke** [pju:k] (sich) erbrechen.

**pull** [pul] **1.** Zug *m*; Ruck *m*; *typ.*

**pursuant**

Abzug *m*; Ruderpartie *f*; Griff *m*; Vorteil *m*; **2.** ziehen; zerren; reißen; zupfen; pflücken; rudern; ~ *about* hin- u. herzerren; ~ *down* niederreißen; ~ in einfahren (*Zug*); ~ *off* zustande bringen; *Preis* erringen; ~ *out* heraus-, hinausfahren; ausscheren; ~ *round* wiederherstellen; ~ *through* j-n durchbringen; ~ *o.s. together* sich zs.-nehmen; ~ *up Wagen* anhalten; halten; ~ *up with*, ~ *up to* einholen.

**pulley** ⊕ ['puli] Rolle *f*; Flaschenzug *m*; Riemenscheibe *f*.

**pull-over** ['puləuvə] Pullover *m*; **~-up** Halteplatz *m*, Raststätte *f*.

**pulp** [pʌlp] Brei *m*; *Frucht-, Zahn-*Mark *n*; ⊕ Papierbrei *m*; *a.* ~ *magazine* Am. Schundillustrierte *f*.

**pulpit** ['pulpit] Kanzel *f*.

**pulpy** □ ['pʌlpi] breiig; fleischig.

**puls|ate** [pʌl'seit] pulsieren; schlagen; **~e** [pʌls] Puls(schlag) *m*.

**pulverize** ['pʌlvəraiz] *v/t.* pulverisieren; *v/i.* zu Staub werden.

**pumice** ['pʌmis] Bimsstein *m*.

**pump** [pʌmp] **1.** Pumpe *f*; Pumps *m*; **2.** pumpen; F j-n aushorchen.

**pumpkin** ♀ ['pʌmpkin] Kürbis *m*.

**pun** [pʌn] **1.** Wortspiel *n*; **2.** ein Wortspiel machen.

**Punch**[1] [pʌntʃ] Kasperle *m*.

**punch**[2] [~] **1.** ⊕ Punze(n *m*) *f*, Locheisen *n*, Locher *m*; Lochzange *f*; (*Faust*)Schlag *m*; Punsch *m*; **2.** punzen, durchbohren; lochen; knuffen, puffen; *Am.* Vieh treiben, hüten.

**puncher** ['pʌntʃə] Locheisen *n*; Locher *m*; F Schläger *m*; *Am.* Cowboy *m*.

**punctilious** [pʌŋk'tiliəs] peinlich (genau), spitzfindig; förmlich.

**punctual** □ ['pʌŋktjuəl] pünktlich; **~ity** [pʌŋktju'æliti] Pünktlichkeit *f*.

**punctuat|e** ['pʌŋktjueit] (inter-)punktieren; *fig.* unterbrechen; **~ion** *gr.* [pʌŋktju'eiʃən] Interpunktion *f*.

**puncture** ['pʌŋktʃə] **1.** Punktur *f*, Stich *m*; Reifenpanne *f*; **2.** (durch-)stechen; platzen (*Luftreifen*).

**pungen|cy** ['pʌndʒənsi] Schärfe *f*; **~t** [~nt] stechend, beißend, scharf.

**punish** ['pʌniʃ] (be)strafen; **~able** □ [~ʃəbl] strafbar; **~ment** [~ʃmənt] Strafe *f*, Bestrafung *f*.

**punk** *Am.* [pʌŋk] Zunderholz *n*;

Zündmasse *f*; F *fig.* Mist *m*, Käse *m*.

**puny** □ ['pjuːni] winzig; schwächlich.

**pupa** *zo.* ['pjuːpə] Puppe *f*.

**pupil** ['pjuːpl] *anat.* Pupille *f*; Schüler(in); Mündel *m, n*.

**puppet** ['pʌpit] Marionette *f* (*a. fig.*); **~-show** Puppenspiel *n*.

**pup(py)** [pʌp, 'pʌpi] Welpe *m*, junger Hund; *fig.* Laffe *m*, Schnösel *m*.

**purchase** ['pəːtʃəs] **1.** (An-, Ein-) Kauf *m*; Erwerb(ung *f*) *m*; Anschaffung *f*; ⊕ Hebevorrichtung *f*; *fig.* Ansatzpunkt *m*; *make* ~*s* Einkäufe machen; **2.** kaufen; *fig.* erkaufen; anschaffen; ⊕ aufwinden; **~r** [~sə] Käufer(in).

**pure** □ [pjuə] *allg.* rein; *eng S.*: lauter; echt; gediegen; theoretisch; **~-bred** *Am.* ['pjuəbred] reinrassig.

**purgat|ive** ℳ ['pəːgətiv] **1.** abführend; **2.** Abführmittel *n*; **~ory** [~təri] Fegefeuer *n*.

**purge** [pəːdʒ] **1.** ℳ Abführmittel *n*; *pol.* Säuberung *f*; **2.** *mst fig.* reinigen; *pol.* säubern; ℳ abführen.

**purify** ['pjuərifai] reinigen; läutern.

**Puritan** ['pjuəritən] **1.** Puritaner (-in); **2.** puritanisch.

**purity** ['pjuəriti] Reinheit *f* (*a. fig.*).

**purl** [pəːl] murmeln (*Bach*).

**purlieus** ['pəːljuːz] *pl.* Umgebung *f*.

**purloin** [pəː'lɔin] entwenden.

**purple** ['pəːpl] **1.** purpurn, purpurrot; **2.** Purpur *m*; **3.** (sich) purpurn färben.

**purport** ['pəːpət] **1.** Sinn *m*; Inhalt *m*; **2.** besagen; beabsichtigen; vorgeben.

**purpose** ['pəːpəs] **1.** Vorsatz *m*; Absicht *f*, Zweck *m*; Entschlußkraft *f*; *for the* ~ *of ger.* um zu *inf.*; *on* ~ absichtlich; *to the* ~ zweckdienlich; *to no* ~ vergebens; **2.** vorhaben, bezwecken; **~ful** □ [~sful] zweckmäßig; absichtlich; zielbewußt; **~less** □ [~slis] zwecklos; ziellos; **~ly** [~li] vorsätzlich.

**purr** [pəː] schnurren (*Katze*).

**purse** [pəːs] **1.** Börse *f*, Geldbeutel *m*; Geld(preis *m*) *n*; *public* ~ Staatssäckel *m*; **2.** *oft* ~ *up Mund* spitzen; *Stirn* runzeln; *Augen* zs.-kneifen.

**pursuan|ce** [pə'sjuː(:)əns] Verfolgung *f*; *in* ~ *of* zufolge (*dat.*); **~t** □ [~nt]: ~ *to* zufolge, gemäß, entsprechend (*dat.*).

**pursu|e** [pə'sjuː] verfolgen (*a. fig.*); streben nach; *e-m Beruf etc.* nachgehen; fortsetzen, fortfahren; **~er** [~juː(ː)ə] Verfolger(in); **~it** [~juːt] Verfolgung *f*; *mst* **~s** *pl.* Beschäftigung *f*.

**purvey** [pə'vei] *Lebensmittel* liefern; **~or** [~eiə] Lieferant *m*.

**pus** [pʌs] Eiter *m*.

**push** [puʃ] **1.** (An-, Vor)Stoß *m*; Schub *m*; Druck *m*; Notfall *m*; Energie *f*; Unternehmungsgeist *m*; Elan *m*; **2.** stoßen; schieben; drängen; *Knopf* drücken; (an)treiben; *a.* **~** *through* durchführen; *Anspruch etc.* durchdrücken; **~** *s.th. on s.o.* j-m *etc.* aufdrängen; **~** *one's way* sich durch- *od.* vordrängen; **~** *along*, **~** *on*, **~** *forward* weitermachen, -gehen, -fahren *etc.*; **~-button** ⚡ ['puʃbʌtn] Druckknopf *m*; **~-over** *Am. fig.* Kinderspiel *n*; leicht zu beeinflussender Mensch.

**pusillanimous** □ [pjuːsi'læniməs] kleinmütig.

**puss** [pus] Kätzchen *n*, Katze *f* (*a. fig.* = *Mädchen*); **~y** ['pusi], *a.* **~-cat** Mieze *f*, Kätzchen *n*; **~yfoot** *Am.* F leisetreten, sich zurückhalten.

**put** [put] (*irr.*) *v/t.* setzen, legen, stellen, stecken, tun, machen; *Frage* stellen, vorlegen; werfen; ausdrücken, sagen; **~** *about Gerüchte etc.* verbreiten; ⚓ wenden; **~** *across sl.* drehen, schaukeln; **~** *back* zurückstellen; **~** *by Geld* zurücklegen; **~** *down* niederlegen, -setzen, -werfen; aussteigen lassen; notieren; zuschreiben (*to dat.*); unterdrücken; **~** *forth Kräfte* aufbieten; *Knospen etc.* treiben; **~** *forward Meinung etc.* vorbringen, **~** *o.s. forward* sich hervortun; **~** *in* hinein-, hereinst(r)ecken; *Anspruch* erheben; *Gesuch* einreichen; *Urkunde* vorlegen; anstellen; **~** *off* auf-, verschieben; vertrösten; abbringen; hindern; *fig.* ablegen; **~**

*on Kleid* anziehen, *Hut* aufsetzen; *fig.* annehmen; an-, einschalten; vergrößern; **~** *on airs* sich aufspielen; **~** *on weight* zunehmen; **~** *out* ausmachen, (aus)löschen; verrenken; (her)ausstrecken; verwirren; *j-m* Ungelegenheiten bereiten; *Kraft* aufbieten; *Geld* ausleihen; **~** *right* in Ordnung bringen; **~** *through teleph.* verbinden (*to mit*); **~** *to* hinzufügen; **~** *to death* hinrichten; **~** *to the rack od. torture auf* die Folter spannen; **~** *up* aufstellen *etc.*; errichten, bauen; *Waren* anbieten; *Miete* erhöhen; ver-, wegpacken; *Widerstand* leisten; *Kampf* liefern; *Gäste* unterbringen; *Bekanntmachung* anschlagen; *v/i.* **~** *off*, **~** *out*, **~** *to sea* ⚓ auslaufen; **~** *in* ⚓ einlaufen; **~** *up at* einkehren *od.* absteigen in (*dat.*); **~** *up for* sich bewerben um; **~** *up with* sich gefallen lassen; sich abfinden mit.

**putrefy** ['pjuːtrifai] (ver)faulen.

**putrid** □ ['pjuːtrid] faul, verdorben; *sl.* scheußlich, saumäßig; **~ity** [pjuː'triditi] Fäulnis *f*.

**putty** ['pʌti] **1.** Kitt *m*; **2.** kitten.

**puzzle** ['pʌzl] **1.** schwierige Aufgabe, Rätsel *n*; Verwirrung *f*; Geduldspiel *n*; **2.** *v/t.* irremachen; *j-m* Kopfzerbrechen machen; **~** *out* austüfteln; *v/i.* sich den Kopf zerbrechen; **~-headed** konfus.

**pygm|(a)ean** [pig'miːən] zwerghaft; **~y** ['pigmi] Zwerg *m*; *attr.* zwerghaft.

**pyjamas** [pə'dʒɑːməz] *pl.* Schlafanzug *m*.

**pyramid** ['pirəmid] Pyramide *f*; **~al** □ [pi'ræmidl] pyramidal.

**pyre** ['paiə] Scheiterhaufen *m*.

**pyrotechnic|(al** □) [pairou'teknik(əl)] pyrotechnisch, Feuerwerks...; **~s** *pl.* Feuerwerk *n* (*a. fig.*).

**Pythagorean** [paiθægə'riː(ː)ən] **1.** pythagoreisch; **2.** Pythagoreer *m*.

**pyx** *eccl.* [piks] Monstranz *f*.

# Q

**quack** [kwæk] **1.** Quaken *n*; Scharlatan *m*; Quacksalber *m*, Kurpfuscher *m*; Marktschreier *m*; **2.** quacksalberisch; **3.** quaken; quacksalbern (an *dat.*); **~ery** ['kwækəri] Quacksalberei *f*.

**quadrangle** ['kwɔdræŋgl] Viereck *n*; Innenhof *m e-s College*.

**quadrennial** □ [kwɔ'dreniəl] vierjährig; vierjährlich.

**quadru|ped** ['kwɔdruped] Vierfüßer *m*; **~ple** [.pl] **1.** □ vierfach; **2.** (sich) vervierfachen; **~plets** [.lits] *pl.* Vierlinge *m/pl.*

**quagmire** ['kwægmaiə] Sumpf (-land *n*) *m*, Moor *n*.

**quail¹** *orn.* [kweil] Wachtel *f*.

**quail²** [.] verzagen; beben.

**quaint** □ [kweint] anheimelnd, malerisch; putzig; seltsam.

**quake** [kweik] **1.** beben, zittern (*with, for* vor *dat.*); **2.** Erdbeben *n*.

**Quaker** ['kweikə] Quäker *m*.

**quali|fication** [kwɔlifi'keiʃən] (erforderliche) Befähigung; Einschränkung *f*; *gr.* nähere Bestimmung; **~fy** ['kwɔlifai] *v/t.* befähigen; (be-)nennen; *gr.* näher bestimmen; einschränken, mäßigen; mildern; *v/i.* seine Befähigung nachweisen; **~ty** [.iti] Eigenschaft *f*, Beschaffenheit *f*; ♱ Qualität *f*; vornehmer Stand.

**qualm** [kwɔ:m] plötzliche Übelkeit; Zweifel *m*; Bedenken *n*.

**quandary** ['kwɔndəri] verzwickte Lage, Verlegenheit *f*.

**quantity** ['kwɔntiti] Quantität *f*, Menge *f*; großer Teil.

**quantum** ['kwɔntəm] Menge *f*, Größe *f*, Quantum *n*; Anteil *m*.

**quarantine** ['kwɔrənti:n] **1.** Quarantäne *f*; **2.** unter Quarantäne stellen.

**quarrel** ['kwɔrəl] **1.** Zank *m*, Streit *m*; **2.** (sich) zanken, streiten; **~some** □ [.ləm] zänkisch; streitsüchtig.

**quarry** ['kwɔri] **1.** Steinbruch *m*; *fig.* Fundgrube *f*; (Jagd)Beute *f*; **2.** *Steine* brechen; *fig.* stöbern.

**quart** [kwɔ:t] Quart *n* (1,136 *l*).

**quarter** ['kwɔ:tə] **1.** Viertel *n*, vierter Teil; *bsd.* Viertelstunde *f*; Vierteljahr *n*, Quartal *n*; Viertelzentner *m*; *Am.* 25 Cent; Keule *f*, Viertel *n*

*e-s geschlachteten Tieres*; Stadtviertel *n*; (Himmels)Richtung *f*, Gegend *f*; ⚔ Gnade *f*, Pardon *m*; **~s** *pl.* Quartier *n* (*a.* ⚔), Unterkunft *f*; *fig.* Kreise *m/pl.*; *live in close* **~s** beengt wohnen; *at close* **~s** dicht aufeinander; *come to close* **~s** handgemein werden; **2.** vierteln, vierteilen; beherbergen; ⚔ einquartieren; **~back** *Am. Sport:* Abwehrspieler *m*; **~-day** Quartalstag *m*; **~-deck** Achterdeck *n*; **~ly** [.əli] **1.** vierteljährlich; **2.** Vierteljahresschrift *f*; **~master** ⚔ Quartiermeister *m*.

**quartet(te)** ♪ [kwɔ:'tet] Quartett *n*.

**quarto** ['kwɔ:tou] Quart(format) *n*.

**quash** ♣♣ [kwɔʃ] aufheben, verwerfen; unterdrücken.

**quasi** ['kwɑ:zi(:)] gleichsam, sozusagen; Quasi..., Schein...

**quaver** ['kweivə] **1.** Zittern *n*; ♪ Triller *m*; **2.** mit zitternder Stimme sprechen *od.* singen; trillern.

**quay** [ki:] Kai *m*; Uferstraße *f*.

**queasy** □ ['kwi:zi] empfindlich (*Magen, Gewissen*); heikel, mäkelig; ekelhaft.

**queen** [kwi:n] Königin *f*; **~ bee** Bienenkönigin *f*; **~like** ['kwi:nlaik], **~ly** [.li] wie eine Königin, königlich.

**queer** [kwiə] sonderbar, seltsam; wunderlich; komisch; homosexuell.

**quench** [kwentʃ] *fig. Durst etc.* löschen, stillen; kühlen; *Aufruhr* unterdrücken.

**querulous** □ ['kweruləs] quengelig, mürrisch, verdrossen.

**query** ['kwiəri] **1.** Frage(zeichen *n*) *f*; **2.** (be)fragen; (be-, an)zweifeln.

**quest** [kwest] **1.** Suche(n *n*) *f*, Nachforschen *n*; **2.** suchen, forschen.

**question** ['kwestʃən] **1.** Frage *f*; Problem *n*; Untersuchung *f*; Streitfrage *f*, Zweifel *m*; Sache *f*, Angelegenheit *f*; *beyond (all)* **~** ohne Frage; *in* **~** fraglich; *call in* **~** anzweifeln; *that is out of the* **~** das steht außer *od.* kommt nicht in Frage; **2.** befragen; bezweifeln; **~able** □ [.nəbl] fraglich; fragwürdig; **~er** [.nə] Fragende(r *m*) *f*;

**~-mark** Fragezeichen *n*; **~naire** [kwestiɔ'nɛə] Fragebogen *m*.

**queue** [kju:] **1.** Reihe *f v. Personen etc.*, Schlange *f*; Zopf *m*; **2.** *mst ~ up* (in e-r Reihe) anstehen, Schlange stehen.

**quibble** ['kwibl] **1.** Wortspiel *n*; Spitzfindigkeit *f*; Ausflucht *f*; **2.** *fig.* ausweichen; witzeln.

**quick** [kwik] **1.** schnell, rasch; voreilig; lebhaft; gescheit; beweglich; lebendig; scharf (*Gehör etc.*); **2.** lebendes Fleisch; *the ~* die Lebenden; *to the ~* (bis) ins Fleisch; *fig.* (bis) ins Herz, tief; *cut s.o. to the ~* j-n aufs empfindlichste kränken; **~en** ['kwikən] *v/t.* beleben; beschleunigen; *v/i.* aufleben; sich regen; **~ly** [~kli] schnell, rasch; **~ness** [~knis] Lebhaftigkeit *f*; Schnelligkeit *f*; Voreiligkeit *f*; Schärfe *f des Verstandes etc.*; **~sand** Triebsand *m*; **~set** Setzling *m, bsd.* Hagedorn *m*; *a.* ~ *hedge* lebende Hecke; **~-sighted** scharfsichtig; **~silver** *min.* Quecksilber *n*; **~-witted** schlagfertig.

**quid**[1] [kwid] Priem *m* (*Kautabak*).

**quid**[2] *sl.* [~] Pfund *n* Sterling.

**quiescen|ce** [kwai'esns] Ruhe *f*, Stille *f*; **~t** □ [~nt] ruhend; *fig.* ruhig, still.

**quiet** ['kwaiət] **1.** □ ruhig, still; **2.** Ruhe *f*; *on the ~* (*sl. on the q.t.*) unter der Hand, im stillen; **3.** *a.* ~ *down* (sich) beruhigen; **~ness** [~tnis], **~ude** ['kwaiitju:d] Ruhe *f*, Stille *f*.

**quill** [kwil] **1.** Federkiel *m*; *fig.* Feder *f*; Stachel *m des Igels etc.*; **2.** rund fälteln; **~ing** ['kwilin] Rüsche *f*, Krause *f*; **~-pen** Gänsefeder *f zum Schreiben*.

**quilt** [kwilt] **1.** Steppdecke *f*; **2.** steppen; wattieren.

**quince** ♀ [kwins] Quitte *f*.

**quinine** *pharm.* [kwi'ni:n, *Am.* 'kwainain] Chinin *n*.

**quinquennial** □ [kwin'kweniəl] fünfjährig; fünfjährlich.

**quinsy** ⚕ ['kwinzi] Mandelentzündung *f*.

**quintal** ['kwintl] (Doppel)Zentner *m*.

**quintessence** [kwin'tesns] Quintessenz *f*, Kern *m*, Inbegriff *m*.

**quintuple** ['kwintjupl] **1.** □ fünffach; **2.** (sich) verfünffachen; **~ts** [~lits] *pl.* Fünflinge *m/pl.*

**quip** [kwip] Stich(elei *f*) *m*; Witz (-wort *n*) *m*; Spitzfindigkeit *f*.

**quirk** [kwə:k] Spitzfindigkeit *f*; Witz(elei *f*) *m*; Kniff *m*; Schnörkel *m*; Eigentümlichkeit *f*; △ Hohlkehle *f*.

**quisling** ['kwizlin] Quisling *m*, Kollaborateur *m*.

**quit** [kwit] **1.** *v/t.* verlassen; aufgeben; *Am.* aufhören (mit); vergelten; *Schuld* tilgen; *v/i.* aufhören; ausziehen (*Mieter*); *give notice to ~* kündigen; **2.** quitt; frei, los.

**quite** [kwait] ganz, gänzlich; recht; durchaus; ~ *a hero* ein wirklicher Held; ~ *(so)!*, ~ *that!* ganz recht; ~ *the thing* F große Mode.

**quittance** ['kwitəns] Quittung *f*.

**quitter** *Am.* F ['kwitə] Drückeberger *m*.

**quiver**[1] ['kwivə] zittern, beben.

**quiver**[2] [~] Köcher *m*.

**quiz** [kwiz] **1.** Prüfung *f*, Test *m*; Quiz *n*; belustigter Blick; **2.** (aus-) fragen; prüfen; necken, foppen; anstarren, blicken; **~zical** □ ['kwizikəl] spöttisch; komisch.

**quoit** [kɔit] Wurfring *m*; **~s** *pl.* Wurfringspiel *n*.

**Quonset** *Am.* ['kwɔnsit] *a.* ~ *hut* Wellblechbaracke *f*.

**quorum** *parl.* ['kwɔ:rəm] beschlußfähige Mitgliederzahl.

**quota** ['kwoutə] Quote *f*, Anteil *m*, Kontingent *n*.

**quotation** [kwou'teiʃən] Anführung *f*, Zitat *n*; ♰ Preisnotierung *f*; Kostenvoranschlag *m*; **~-marks** *pl.* Anführungszeichen *n/pl.*

**quote** [kwout] anführen, zitieren; ♰ berechnen, notieren (*at* mit).

**quoth** † [kwouθ]: ~ *I* sagte ich; ~ *he* sagte er.

**quotidian** [kwɔ'tidiən] (all)täglich.

**quotient** ⅍ ['kwouʃənt] Quotient *m*.

# R

**rabbi** ['ræbai] Rabbiner *m.*
**rabbit** ['ræbit] Kaninchen *n.*
**rabble** ['ræbl] Pöbel(haufen) *m.*
**rabid** □ ['ræbid] tollwütig (*Tier*); *fig.* wild, wütend.
**rabies** *vet.* ['reibi:z] Tollwut *f.*
**raccoon** [rə'ku:n] = *racoon.*
**race** [reis] **1.** Geschlecht *n*, Stamm *m*; Rasse *f*, Schlag *m*; Lauf *m* (*a. fig.*); Wettrennen *n*; Strömung *f*; **~s** *pl.* Pferderennen *n*; **2.** rennen; rasen; um die Wette laufen (mit); ⊕ leer laufen; **~course** ['reiskɔːs] Rennbahn *f*, -strecke *f*; **~horse** Rennpferd *n*; **~r** ['reisə] Rennpferd *n*; Rennboot *n*; Rennwagen *m.*
**racial** ['reiʃəl] Rassen...
**racing** ['reisiŋ] Rennsport *m*; *attr.* Renn...
**rack** [ræk] **1.** Gestell *n*; Kleiderständer *m*; Gepäcknetz *n*; Raufe *f*, Futtergestell *n*; Folter(bank) *f*; *go to ~ and ruin* völlig zugrunde gehen; **2.** strecken; foltern, quälen (*a. fig.*); *~ one's brains* sich den Kopf zermartern.
**racket** ['rækit] **1.** *Tennis:* Schläger *m*; Lärm *m*; Trubel *m*; *Am.* F Schwindel(geschäft *n*) *m*; Strapaze *f*; **2.** lärmen; sich amüsieren; **~eer** *Am.* [ræki'tiə] Erpresser *m*; **~eering** *Am.* [~əriŋ] Erpresserwesen *n*; **~y** ['rækiti] ausgelassen.
**racoon** *zo.* [rə'ku:n] Waschbär *m.*
**racy** □ ['reisi] kraftvoll, lebendig; stark; würzig; urwüchsig.
**radar** ['reidə] Radar(gerät) *n.*
**radian|ce, ~cy** ['reidjəns, ~si] Strahlen *n*; **~t** □ [~nt] strahlend, leuchtend.
**radiat|e** ['reidieit] (aus)strahlen; strahlenförmig ausgehen; **~ion** [reidi'eiʃən] (Aus)Strahlung *f*; **~or** ['reidieitə] Heizkörper *m*; *mot.* Kühler *m.*
**radical** ['rædikəl] **1.** □ Wurzel..., Grund...; gründlich; eingewurzelt; *pol.* radikal; **2.** *pol.* Radikale(r *m*) *f.*
**radio** ['reidiou] **1.** Radio *n*; Funk(-spruch) *m*; **~ drama, ~ play** Hörspiel *n*; **~ set** Radiogerät *n*; **2.** funken; **~active** radioaktiv; **~graph** [~ougra:f] **1.** Röntgenbild *n*; **2.** ein Röntgenbild machen von; **~tele-**

**gram** Funktelegramm *n*; **~-therapy** Strahlen-, Röntgentherapie *f.*
**radish** ♀ ['rædiʃ] Rettich *m*; (*red*) **~** Radieschen *n.*
**radius** ['reidjəs] Radius *m.*
**raffle** ['ræfl] **1.** Tombola *f*, Verlosung *f*; **2.** verlosen.
**raft** [rɑːft] **1.** Floß *n*; **2.** flößen; **~er** ['rɑːftə] ⊕ (Dach)Sparren *m.*
**rag¹** [ræg] Lumpen *m*; Fetzen *m*; Lappen *m.*
**rag²** *sl.* [~] **1.** Unfug *m*; Radau *m*; **2.** Unfug treiben (mit); *j-n* aufziehen; *j-n* beschimpfen; herumtollen, Radau machen.
**ragamuffin** ['rægəmʌfin] Lumpenkerl *m*; Gassenjunge *m.*
**rage** [reidʒ] **1.** Wut *f*, Zorn *m*, Raserei *f*; Sucht *f*, Gier *f* (*for* nach); Manie *f*; Ekstase *f*; *it is all the ~* es ist allgemein Mode; **2.** wüten, rasen.
**rag-fair** ['rægfɛə] Trödelmarkt *m.*
**ragged** □ ['rægid] rauh; zottig; zackig; zerlumpt.
**ragman** ['rægmən] Lumpensammler *m.*
**raid** [reid] **1.** (feindlicher) Überfall, Streifzug *m*; (Luft)Angriff *m*; Razzia *f*; **2.** einbrechen in (*acc.*); überfallen.
**rail¹** [reil] schimpfen.
**rail²** [~] **1.** Geländer *n*; Stange *f*; 🚆 Schiene *f*; *off the ~s* entgleist; *fig.* in Unordnung; *by ~* per Bahn; **2.** *a. ~ in, ~ off* mit e-m Geländer umgeben.
**railing** ['reiliŋ], *a. ~s pl.* Geländer *n*; Staket *n.*
**raillery** ['reiləri] Spötterei *f.*
**railroad** *Am.* ['reilroud] Eisenbahn *f.*
**railway** ['reilwei] Eisenbahn *f*; **~man** Eisenbahner *m.*
**rain** [rein] **1.** Regen *m*; **2.** regnen; **~bow** ['reinbou] Regenbogen *m*; **~coat** Regenmantel *m*; **~fall** Regenmenge *f*; **~-proof 1.** regendicht; **2.** Regenmantel *m*; **~y** □ ['reini] regnerisch; Regen...; *a ~ day fig.* Notzeiten *f/pl.*
**raise** [reiz] *oft ~ up* heben; (*oft fig.*) erheben; errichten; erhöhen (*a. fig.*); Geld *etc.* aufbringen; Anleihe aufnehmen; verursachen; *fig.* er-

14*

wecken; anstiften; züchten, ziehen; *Belagerung etc.* aufheben.

**raisin** ['reizn] Rosine *f*.

**rake** [reik] **1.** Rechen *m*, Harke *f*; Wüstling *m*; Lebemann *m*; **2.** *v/t.* (zs.-)harken; zs.-scharren; *fig.* (durch)stöbern; **~-off** *Am. sl.* ['reikɔ:f] Schwindelprofit *m*.

**rakish** □ ['reikiʃ] schnittig; liederlich, ausschweifend; verwegen; salopp.

**rally** ['ræli] **1.** Sammeln *n*; Treffen *n*; *Am.* Massenversammlung *f*; Erholung *f*; *mot.* Rallye *f*; **2.** (sich ver)sammeln; sich erholen; necken.

**ram** [ræm] **1.** *zo.*, *ast.* Widder *m*; ⊕, ⚓ Ramme *f*; **2.** (fest)rammen; ⚓ rammen.

**rambl|e** ['ræmbl] **1.** Streifzug *m*; **2.** umherstreifen; abschweifen; **~er** [~ə] Wanderer *m*; ♀ Kletterrose *f*; **~ing** [~iŋ] weitläufig.

**ramify** ['ræmifai] (sich) verzweigen.

**ramp** [ræmp] Rampe *f*; **~ant** □ ['ræmpənt] wuchernd; *fig.* zügellos.

**rampart** ['ræmpa:t] Wall *m*.

**ramshackle** ['ræmʃækl] wack(e)lig.

**ran** [ræn] *pret.* von run 1.

**ranch** [ra:ntʃ, *Am.* ræntʃ] Ranch *f*, Viehfarm *f*; **~er** ['ra:ntʃə, *Am.* 'ræntʃə], **~man** Rancher *m*, Viehzüchter *m*; Farmer *m*.

**rancid** □ ['rænsid] ranzig.

**ranco(u)r** ['ræŋkə] Groll *m*, Haß *m*.

**random** ['rændəm] **1.** *at* ~ aufs Geratewohl, blindlings; **2.** ziel-, wahllos; zufällig.

**rang** [ræŋ] *pret.* von ring[1] 1.

**range** [reindʒ] **1.** Reihe *f*; (Berg-) Kette *f*; ♥ Kollektion *f*, Sortiment *n*; Herd *m*; Raum *m*; Umfang *m*, Bereich *m*; Reichweite *f*; Schußweite *f*; (ausgedehnte) Fläche; Schießstand *m*; **2.** *v/t.* (ein)reihen, ordnen; *Gebiet etc.* durchstreifen; ⚓ längs *et.* fahren; *v/i.* in e-r Reihe *od.* Linie stehen; (umher-) streifen; sich erstrecken, reichen; **~r** ['reindʒə] Förster *m*; Aufseher *m* e-s Parks; *Am.* Förster *m*; ✕ Nahkampfspezialist *m*.

**rank** [ræŋk] **1.** Reihe *f*, Linie *f*; ✕ Glied *n*; Klasse *f*; Rang *m*, Stand *m*; *the* ~*s pl.*, *the* ~ *and file* die Mannschaften *f/pl.*; *fig.* die große Masse; **2.** *v/t.* (ein)reihen, (ein-) ordnen; *v/i.* sich reihen, sich ordnen; gehören (*with* zu); e-e

Stelle einnehmen (*above* über *dat.*); ~ *as* gelten als; **3.** üppig; ranzig; stinkend.

**rankle** *fig.* ['ræŋkl] nagen.

**ransack** ['rænsæk] durchwühlen, durchstöbern, durchsuchen; ausrauben.

**ransom** ['rænsəm] **1.** Lösegeld *n*; Auslösung *f*; **2.** loskaufen; erlösen.

**rant** [rænt] **1.** Schwulst *m*; **2.** Phrasen dreschen; mit Pathos vortragen.

**rap** [ræp] **1.** Klaps *m*; Klopfen *n*; *fig.* Heller *m*; **2.** schlagen, klopfen.

**rapaci|ous** □ [rə'peiʃəs] raubgierig; **~ty** [rə'pæsiti] Raubgier *f*.

**rape** [reip] **1.** Raub *m*; Entführung *f*; Notzucht *f*, Vergewaltigung *f*; ♀ Raps *m*; **2.** rauben; vergewaltigen.

**rapid** ['ræpid] **1.** □ schnell, reißend, rapid(e); steil; **2.** ~*s pl.* Stromschnelle(n *pl.*) *f*; **~ity** [rə'piditi] Schnelligkeit *f*.

**rapprochement** *pol.* [ræ'prɔʃmã:ŋ] Wiederannäherung *f*.

**rapt** [ræpt] entzückt; versunken; **~ure** ['ræptʃə] Entzücken *n*; *go into* ~*s* in Entzücken geraten.

**rare** □ [rɛə] selten; *phys.* dünn.

**rarebit** ['rɛəbit]: *Welsh* ~ geröstete Käseschnitte.

**rarefy** ['rɛərifai] (sich) verdünnen.

**rarity** ['rɛəriti] Seltenheit *f*; Dünnheit *f*.

**rascal** ['ra:skəl] Schuft *m*; *co.* Gauner *m*; **~ity** [ra:s'kæliti] Schurkerei *f*; **~ly** ['ra:skəli] schuftig; erbärmlich.

**rash**[1] □ [ræʃ] hastig, vorschnell; übereilt; unbesonnen; waghalsig.

**rash**[2] ✗ [~] Hautausschlag *m*.

**rasher** ['ræʃə] Speckschnitte *f*.

**rasp** [ra:sp] **1.** Raspel *f*; **2.** raspeln; *j-m* ~ weh(e) tun; kratzen; krächzen.

**raspberry** ['ra:zbəri] Himbeere *f*.

**rat** [ræt] *zo.* Ratte *f*; *pol.* Überläufer *m*; *smell a* ~ Lunte *od.* den Braten riechen; ~*s!* Quatsch!

**rate** [reit] **1.** Verhältnis *n*, Maß *n*, Satz *m*; Rate *f*; Preis *m*; Gebühr *f*; Taxe *f*; (Gemeinde)Abgabe *f*; Steuer *f*; Grad *m*, Rang *m*; *bsd.* ⚓ Klasse *f*; Geschwindigkeit *f*; *at any* ~ auf jeden Fall; ~ *of exchange* (Umrechnungs)Kurs *m*; ~ *of interest* Zinsfuß *m*; **2.** (ein)schätzen; besteuern; ~ *among* rechnen, zählen zu (*dat.*); ausschelten.

**rather** ['ra:ðə] eher, lieber; vielmehr; besser gesagt; ziemlich; ~! F und ob!; *I had od.* would ~ *do* ich möchte lieber tun.

**ratify** ['rætifai] ratifizieren.

**rating** ['reitiŋ] Schätzung *f*; Steuersatz *m*; ⚓ Dienstgrad *m*; ⚓ (Segel-) Klasse *f*; Matrose *m*; Schelte(n *n*) *f*.

**ratio** ℞ *etc.* ['reiʃiou] Verhältnis *n*.

**ration** ['ræʃən] **1.** Ration *f*, Zuteilung *f*; **2.** rationieren.

**rational** □ ['ræʃənl] vernunftgemäß; vernünftig, (*a.* ℞) rational; **~ity** [ræʃə'næliti] Vernunft(mäßigkeit) *f*; **~ize** ['ræʃnəlaiz] rationalisieren; wirtschaftlich gestalten.

**rat race** ['ræt 'reis] sinnlose Hetze; rücksichtsloses Aufstiegsstreben.

**ratten** ['rætn] sabotieren.

**rattle** ['rætl] **1.** Gerassel *n*; Geklapper *n*; Geplapper *n*; Klapper *f*; (Todes)Röcheln *n*; **2.** rasseln (mit); klappern; plappern; röcheln; ~ *off* herunterrasseln; **~-brain**, **~-pate** Hohl-, Wirrkopf *m*; **~snake** Klapperschlange *f*; **~trap** *fig.* Klapperkasten *m* (*Fahrzeug*).

**rattling** ['rætliŋ] **1.** *adj.* rasselnd; *fig.* scharf (*Tempo*); **2.** *adv.* sehr, äußerst.

**raucous** □ ['rɔːkəs] heiser, rauh.

**ravage** ['rævidʒ] **1.** Verwüstung *f*; **2.** verwüsten; plündern.

**rave** [reiv] rasen, toben; schwärmen (*about, of* von).

**ravel** ['rævəl] *v/t.* verwickeln; ~ (*out*) auftrennen; *fig.* entwirren; *v/i. a.* ~ *out* ausfasern, aufgehen.

**raven** *orn.* ['reivn] Rabe *m*.

**raven**|**ing** ['rævniŋ], **~ous** □ ['rævinəs] gefräßig; heißhungrig; raubgierig.

**ravine** [rə'viːn] Hohlweg *m*; Schlucht *f*.

**ravings** ['reiviŋz] *pl.* Delirien *n/pl.*

**ravish** ['ræviʃ] entzücken; vergewaltigen; rauben; **~ing** □ [~ʃiŋ] hinreißend, entzückend; **~ment** [~ʃmənt] Schändung *f*; Entzücken *n*.

**raw** □ [rɔː] roh; Roh...; wund; rauh (*Wetter*); ungeübt, unerfahren; **~-boned** ['rɔːbound] knochig, hager; **~ hide** Rohleder *n*.

**ray** [rei] Strahl *m*; *fig.* Schimmer *m*.

**rayon** ['reiɔn] Kunstseide *f*.

**raze** [reiz] *Haus etc.* abreißen; *Festung* schleifen; tilgen.

**razor** ['reizə] Rasiermesser *n*; Rasierapparat *m*; **~-blade** Rasierklinge *f*; **~-edge** *fig. des* Messers Schneide *f*, kritische Lage.

**razz** *Am. sl.* [ræz] aufziehen.

**re...** [riː] wieder...; zurück...; neu...; um...

**reach** [riːtʃ] **1.** Ausstrecken *n*; Griff *m*; Reichweite *f*; Fassungskraft *f*, Horizont *m*; Flußstrecke *f*; *beyond* ~, *out of* ~ unerreichbar; *within easy* ~ leicht erreichbar; **2.** *v/i.* reichen; langen, greifen; sich erstrecken; *v/t.* (hin-, her)reichen, (hin-, her)langen; ausstrecken; erreichen.

**react** [ri(:)'ækt] reagieren (*to auf acc.*); (ein)wirken (*on, upon* auf *acc.*); sich auflehnen (*against* gegen).

**reaction** [ri(:)'ækʃən] Reaktion *f* (*a. pol.*); **~ary** [~ʃnəri] **1.** reaktionär; **2.** Reaktionär(in).

**reactor** *phys.* [ri(:)'æktə] Reaktor *m*.

**read 1.** [riːd] [*irr.*] lesen; deuten; (an)zeigen (*Thermometer*); studieren; sich *gut etc.* lesen; lauten; ~ *to s.o.* j-m vorlesen; **2.** [red] *pret. u. p.p. von* 1; **3.** [~] *adj.* belesen; **~able** □ ['riːdəbl] lesbar; leserlich; lesenswert; **~er** ['riːdə] (Vor)Leser(in); *typ.* Korrektor *m*; Lektor *m*; *univ.* Dozent *m*; Lesebuch *n*.

**readi**|**ly** ['redili] *adv.* gleich, leicht; gern; **~ness** [~inis] Bereitschaft *f*; Bereitwilligkeit *f*; Schnelligkeit *f*.

**reading** ['riːdiŋ] Lesen *n*; Lesung *f* (*a. parl.*); Stand *m* des *Thermometers*; Belesenheit *f*; Lektüre *f*; Lesart *f*; Auffassung *f*; *attr.* Lese...

**readjust** ['riːə'dʒʌst] wieder in Ordnung bringen; wieder anpassen; **~ment** [~tmənt] Wiederanpassung *f*; Neuordnung *f*.

**ready** □ ['redi] bereit, fertig; bereitwillig; im Begriff (*to do zu* tun); schnell; gewandt; leicht; zur Hand; ✝ bar; ~ *for use* gebrauchsfertig; *make od. get* ~ (sich) fertig machen; **~-made** fertig, Konfektions...

**reagent** ℞ [ri(:)'eidʒənt] Reagens *n*.

**real** □ [riəl] wirklich, tatsächlich; real; echt; ~ *estate* Grundbesitz *m*, Immobilien *pl.*; **~ism** ['riəlizəm] Realismus *m*; **~istic** [riə'listik] (~*ally*) realistisch; sachlich; wirklichkeitsnah; **~ity** [ri(:)'æliti] Wirklichkeit *f*; **~ization** [riəlai'zeiʃən]

**realize**                                                214

Verwirklichung *f*; Erkenntnis *f*;
✝ Realisierung *f*; **~ize** ['riəlaiz]
sich klarmachen; erkennen; verwirklichen; realisieren, zu Geld
machen; **~ly** [~li] wirklich, in der
Tat.

**realm** [relm] Königreich *n*; Reich *n*.

**realt|or** *Am.* ['riəltə] Grundstücks-
makler *m*; **~y** ⚓ [~ti] Grundeigen-
tum *n*.

**reap** [ri:p] *Korn* schneiden; *Feld*
mähen; *fig.* ernten; **~er** ['ri:pə]
Schnitter(in); Mähmaschine *f*.

**reappear** ['ri:ə'piə] wieder erscheinen.

**rear** [riə] 1. *v/t.* auf-, großziehen;
züchten; *v/i.* sich aufrichten;
2. Rück-, Hinterseite *f*; *mot.*, ⚓
Heck *n*; ✗ Nachhut *f*; *at the ~ of,
in (the) ~ of* hinter (*dat.*); 3. Hinter...,
Nach...; *~ wheel drive* Hinterrad-
antrieb *m*; **~-admiral** ⚓ ['riə-
'ædmərəl] Konteradmiral *m*;
**~-guard** ✗ Nachhut *f*; **~-lamp**
*mot.* Schlußlicht *n*.

**rearm** ['ri:'ɑ:m] (wieder)aufrüsten;
**~ament** [~məmənt] Aufrüstung *f*.

**rearmost** ['riəmoust] hinterst.

**rearward** ['riəwəd] 1. *adj.* rückwärtig; 2. *adv. a.* **~s** rückwärts.

**reason** ['ri:zn] 1. Vernunft *f*; Verstand *m*; Recht *n*, Billigkeit *f*; Ursache *f*, Grund *m*; *by ~ of* wegen;
*for this ~* aus diesem Grund; *listen
to ~* Vernunft annehmen; *it stands
to ~ that* es leuchtet ein, daß; 2.
*v/i.* vernünftig denken; schließen;
urteilen; argumentieren; *v/t. a.
~ out* durchdenken; *~ away* fort-
disputieren; *~ s.o. into (out of)
s.th.* j-m et. ein- (aus)reden;
**~able** □ [~nəbl] vernünftig; billig;
angemessen; leidlich.

**reassure** [ri:ə'ʃuə] wieder versi-
chern; (wieder) beruhigen.

**rebate** ['ri:beit] ✝ Rabatt *m*, Abzug
*m*; Rückzahlung *f*.

**rebel** 1. ['rebl] Rebell *m*; Aufrührer
*m*; 2. [~] rebellisch; 3. [ri'bel] sich
auflehnen; **~lion** [~ljən] Empörung
*f*; **~lious** [~jəs] = *rebel* 2.

**rebirth** ['ri:'bə:θ] Wiedergeburt *f*.

**rebound** [ri'baund] 1. zurückprallen; 2. Rückprall *m*, Rückschlag *m*.

**rebuff** [ri'bʌf] 1. Zurück-, Abwei-
sung *f*; 2. zurück-, abweisen.

**rebuild** ['ri:'bild] [*irr.* (*build*)] wie-
der(auf)bauen.

**rebuke** [ri'bju:k] 1. Tadel *m*;
2. tadeln.

**rebut** [ri'bʌt] zurückweisen.

**recall** [ri'kɔ:l] 1. Zurückrufung *f*;
Abberufung *f*; Widerruf *m*; *beyond
~, past ~* unwiderruflich; 2. zu-
rückrufen; ab(be)rufen; (sich) erinnern an (*acc.*); widerrufen; ✝
*Kapital* kündigen.

**recapitulate** [ri:kə'pitjuleit] kurz
wiederholen, zs.-fassen.

**recapture** ['ri:'kæptʃə] wieder (gefangen)nehmen; ✗ zurückerobern.

**recast** ['ri:'kɑ:st] [*irr.* (*cast*)] ⊕ um-
gießen; umformen, neu gestalten.

**recede** [ri(:)'si:d] zurücktreten.

**receipt** [ri'si:t] 1. Empfang *m*;
Eingang *m* v. *Waren*; Quittung *f*;
(Koch)Rezept *n*; **~s** *pl.* Einnahmen
*f/pl.*; 2. quittieren.

**receiv|able** [ri'si:vəbl] annehmbar;
✝ noch zu fordern(d), ausstehend;
**~e** [ri'si:v] empfangen; erhalten;
bekommen; aufnehmen; annehmen;
anerkennen; **~ed** anerkannt;
**~er** [~və] Empfänger *m*; *teleph.*
Hörer *m*; Hehler *m*; Steuer- etc.
Einnehmer *m*; *official ~* ⚖ Masse-
verwalter *m*.

**recent** □ ['ri:snt] neu; frisch; modern; *~ events* *pl. die* jüngsten Ereignisse *n/pl.*; **~ly** [~tli] neulich,
vor kurzem.

**receptacle** [ri'septəkl] Behälter *m*.

**reception** [ri'sepʃən] Aufnahme *f*
(*a. fig.*), (*a.* Radio)Empfang *m*;
Annahme *f*; **~ist** [~nist] Empfangs-
dame *f*, -herr *m*; **~-room** Emp-
fangszimmer *n*.

**receptive** □ [ri'septiv] empfänglich, aufnahmefähig (*of* für).

**recess** [ri'ses] Pause *f*; *bsd. parl.*
Ferien *pl.*; (entlegener) Winkel,
Nische *f*; **~es** *pl. fig.* Tiefe(n *pl.*) *f*;
**~ion** [~eʃən] Zurückweichen *n*, Zurücktreten *n*; ✝ Konjunkturrück-
gang *m*, rückläufige Bewegung *f*.

**recipe** ['resipi] Rezept *n*.

**recipient** [ri'sipiənt] Empfänger(in).

**reciproc|al** [ri'siprəkəl] wechsel-,
gegenseitig; **~ate** [~keit] *v/i.* sich
erkenntlich zeigen; ⊕ sich hin- und
herbewegen; *v/t. Glückwünsche etc.*
erwidern; **~ity** [resi'prɔsiti] Ge-
genseitigkeit *f*.

**recit|al** [ri'saitl] Bericht *m*; Erzäh-
lung *f*; ♪ (Solo)Vortrag *m*, Konzert *n*; **~ation** [resi'teiʃən] Her-

sagen *n*; Vortrag *m*; **~e** [ri'sait] vortragen; aufsagen; berichten.
**reckless** ☐ ['reklis] unbekümmert; rücksichtslos; leichtsinnig.
**reckon** ['rekən] *v/t.* rechnen; *a.* ~ *for*, ~ *as* schätzen als, halten für; ~ *up* zs.-zählen; *v/i.* rechnen; denken, vermuten; ~ (*up*)*on* sich verlassen auf (*acc.*); **~ing** ['reknin] Rechnen *n*; (Ab-, Be)Rechnung *f*.
**reclaim** [ri'kleim] wiedergewinnen; *j-n* bessern; zivilisieren; urbar machen.
**recline** [ri'klain] (sich) (zurück-) lehnen; ~ *upon fig.* sich stützen auf.
**recluse** [ri'klu:s] Einsiedler(in).
**recogni|tion** [rekəg'niʃən] Anerkennung *f*; Wiedererkennen *n*; **~ze** ['rekəgnaiz] anerkennen; (wieder-) erkennen.
**recoil** [ri'kɔil] **1.** zurückprallen; **2.** Rückstoß *m*, -lauf *m*.
**recollect**[1] [rekə'lekt] sich erinnern an (*acc.*).
**re-collect**[2] ['ri:kə'lekt] wieder sammeln; ~ o.s. sich fassen.
**recollection** [rekə'lekʃən] Erinnerung *f* (of an *acc.*); Gedächtnis *n*.
**recommend** [rekə'mend] empfehlen; **~ation** [rekəmen'deiʃən] Empfehlung *f*; Vorschlag *m*.
**recompense** ['rekəmpens] **1.** Belohnung *f*, Vergeltung *f*; Ersatz *m*; **2.** belohnen, vergelten; entschädigen; ersetzen.
**reconcil|e** ['rekənsail] aus-, versöhnen; in Einklang bringen; schlichten; **~iation** [rekənsili'eiʃən] Ver-, Aussöhnung *f*.
**recondition** ['ri:kən'diʃən] wieder herrichten; ⊕ überholen.
**reconn|aissance** ⚔ [ri'kɔnisəns] Aufklärung *f*, Erkundung *f*; *fig.* Übersicht *f*; **~oitre**, *Am.* **~oiter** [rekə'nɔitə] erkunden, auskundschaften.
**reconsider** ['ri:kən'sidə] wieder erwägen; nochmals überlegen.
**reconstitute** ['ri:'kɔnstitju:t] wiederherstellen.
**reconstruct** ['ri:kəns'trʌkt] wiederaufbauen; **~ion** [ˌkʃən] Wiederaufbau *m*, Wiederherstellung *f*.
**reconvert** ['ri:kən'vəːt] umstellen.
**record 1.** ['rekɔːd] Aufzeichnung *f*; ⚖ Protokoll *n*; schriftlicher Bericht *m*; Ruf *m*, Leumund *m*; Wiedergabe *f*; Schallplatte *f*; *Sport:* Re-

kord *m*; *place on* ~ schriftlich niederlegen; ♀ Office Staatsarchiv *n*; *off the* ~ *Am.* inoffiziell; **2.** [ri'kɔːd] auf-, verzeichnen; *auf Schallplatte etc.* aufnehmen; **~er** [ˌdə] Registrator *m*; Stadtrichter *m*; Aufnahmegerät *n*, *bsd.* Tonbandgerät *n*; ♪ Blockflöte *f*; **~ing** [ˌdin] *Radio:* Aufzeichnung *f*, Aufnahme *f*; **~-player** Plattenspieler *m*.
**recount** [ri'kaunt] erzählen.
**recoup** [ri'ku:p] *j-n* entschädigen (*for* für); *et.* wieder einbringen.
**recourse** [ri'kɔːs] Zuflucht *f*; *have* ~ *to* s-e Zuflucht nehmen zu.
**recover** [ri'kʌvə] *v/t.* wiedererlangen, wiederfinden; wieder einbringen, wiedergutmachen; *Schulden etc.* eintreiben; *be* ~*ed* wiederhergestellt sein; *v/i.* sich erholen; genesen; **~y** [ˌəri] Wiedererlangung *f*; Wiederherstellung *f*; Genesung *f*; Erholung *f*.
**recreat|e** ['rekrieit] *v/t.* erfrischen; *v/i. a.* ~ o.s. sich erholen; **~ion** [rekri'eiʃən] Erholung(spause) *f*.
**recrimination** [rikrimi'neiʃən] Gegenbeschuldigung *f*; Gegenklage *f*.
**recruit** [ri'kru:t] **1.** Rekrut *m*; *fig.* Neuling *m*; **2.** erneuern, ergänzen; *Truppe* rekrutieren; ⚔ Rekruten ausheben; sich erholen.
**rectangle** ⚖ ['rektæŋgl] Rechteck *n*.
**recti|fy** ['rektifai] berichtigen; verbessern; ⚡, *Radio:* gleichrichten; **~tude** [ˌitju:d] Geradheit *f*.
**rector** ['rektə] Pfarrer *m*; Rektor *m*; **~y** [ˌəri] Pfarrei *f*; Pfarrhaus *n*.
**recumbent** ☐ [ri'kʌmbənt] liegend.
**recuperate** [ri'kju:pəreit] wiederherstellen; sich erholen.
**recur** [ri'kəː] zurück-, wiederkehren (*to* zu), zurückkommen (*to auf acc.*); ~ *to j-m* wieder einfallen; **~rence** [ri'kʌrəns] Wieder-, Rückkehr *f*; **~rent** ☐ [ˌnt] wiederkehrend.
**red** [red] **1.** rot; ~ *heat* Rotglut *f*; ~ *herring* Bückling *m*; ~ *tape* Amtsschimmel *m*; **2.** Rot *n*; (*bsd. pol.*) Rote(r *m*) *f*; *be in the* ~ *Am.* F in Schulden stecken.
**red|breast** ['redbrest] *a. robin* ~ Rotkehlchen *n*; **~cap** Militärpolizist *m*; *Am.* Gepäckträger *m*; **~den** ['redn] (sich) röten; erröten; **~dish** ['rediʃ] rötlich.
**redecorate** ['ri:'dekəreit] *Zimmer* renovieren (lassen).

**redeem** [ri'di:m] zurück-, loskaufen; ablösen; *Versprechen* einlösen; büßen; entschädigen für; erlösen; **2er** *eccl.* [.~mə] Erlöser *m*, Heiland *m*.

**redemption** [ri'dempʃən] Rückkauf *m*; Auslösung *f*; Erlösung *f*.

**red|-handed** ['red'hændid]: *catch od. take s.o.* ~ j-n auf frischer Tat ertappen; **~head** Rotschopf *m*; Hitzkopf *m*; **~-headed** rothaarig; **~hot** rotglühend; *fig.* hitzig; **2 Indian** Indianer(in); **~letter day** Festtag *m*; *fig.* Freuden-, Glückstag *m*; **~ness** ['rednis] Röte *f*.

**redolent** ['redoulənt] duftend.

**redouble** [ri'dʌbl] (sich) verdoppeln.

**redoubt** ✗ [ri'daut] Redoute *f*; **~able** *rhet.* [.~təbl] fürchterlich.

**redound** [ri'daund]: ~ to beitragen *od.* gereichen *od.* führen zu.

**redress** [ri'dres] **1.** Abhilfe *f*; Wiedergutmachung *f*; ⚖ Entschädigung *f*; **2.** abhelfen (*dat.*); wiedergutmachen.

**red|-tapism** ['red'teipizəm] Bürokratismus *m*; **~tapist** [.~ist] Bürokrat *m*.

**reduc|e** [ri'dju:s] *fig.* zurückführen, bringen (*to auf, in acc.*, zu); verwandeln (*to in acc.*); verringern, vermindern; einschränken; *Preise* herabsetzen; (be)zwingen; ♂, ♈ reduzieren; ⚙ einrenken; ~ *to writing* schriftlich niederlegen; **~tion** [ri'dʌkʃən] Reduktion *f*; Verwandlung *f*; Herabsetzung *f*, (Preis)Nachlaß *m*, Rabatt *m*; Verminderung *f*; Verkleinerung *f*; ⚙ Einrenkung *f*.

**redundant** □ [ri'dʌndənt] überflüssig; übermäßig; weitschweifig.

**reed** [ri:d] Schilfrohr *n*; Rohrflöte *f*.

**re-education** ['ri:edju(:)'keiʃən] Umschulung *f*, Umerziehung *f*.

**reef** [ri:f] (Felsen)Riff *n*; ⚓ Reff *n*.

**reefer** ['ri:fə] Seemannsjacke *f*; *Am. sl.* Marihuana-Zigarette *f*.

**reek** [ri:k] **1.** Rauch *m*, Dampf *m*; Dunst *m*; **2.** rauchen, dampfen (*with von*); *unangenehm* riechen.

**reel** [ri:l] **1.** Haspel *f*; (Garn-, Film)Rolle *f*, Spule *f*; **2.** *v/t.* haspeln; wickeln, spulen; *v/i.* wirbeln; schwanken; taumeln.

**re-elect** ['ri:i'lekt] wiederwählen.

**re-enter** [ri:'entə] wieder eintreten (*in acc.*).

**re-establish** ['ri:is'tæbliʃ] wiederherstellen.

**refection** [ri'fekʃən] Erfrischung *f*.

**refer** [ri'fə:]: ~ *to* ver-, überweisen an (*acc.*); sich beziehen auf (*acc.*); erwähnen (*acc.*); zuordnen (*dat.*); befragen (*acc.*), nachschlagen in (*dat.*); zurückführen auf (*acc.*), zuschreiben (*dat.*); **~ee** [refə'ri:] Schiedsrichter *m*; *Boxen*: Ringrichter *m*; **~ence** ['refrəns] Referenz *f*, Empfehlung *f*, Zeugnis *n*; Verweisung *f*; Bezugnahme *f*; Anspielung *f*; Beziehung *f*; Auskunft (-geber *m*) *f*; *in* od. *with* ~ *to* in betreff (*gen.*), in bezug auf (*acc.*); ~ *book* Nachschlagewerk *n*; ~ *library* Handbibliothek *f*; ~ *number* Aktenzeichen *n*; *make* ~ *to* et. erwähnen.

**referendum** [refə'rendəm] Volksentscheid *m*.

**refill 1.** ['ri:fil] Nachfüllung *f*; Ersatzfüllung *f*; **2.** ['ri:'fil] (sich) wieder füllen, auffüllen.

**refine** [ri'fain] (sich) verfeinern *od.* veredeln; ⊕ raffinieren; (sich) läutern (*a. fig.*); klügeln; ~ (*up*)*on et.* verfeinern, verbessern; **~ment** [.~nmənt] Verfeinerung *f*, Vered(e)lung *f*; Läuterung *f*; Feinheit *f*, Bildung *f*; Spitzfindigkeit *f*; **~ry** [.~nəri] ⊕ Raffinerie *f*; *metall.* (Eisen)Hütte *f*.

**refit** ⚓ ['ri:'fit] *v/t.* ausbessern; neu ausrüsten; *v/i.* ausgebessert werden.

**reflect** [ri'flekt] *v/t.* zurückwerfen, reflektieren; zurückstrahlen, widerspiegeln (*a. fig.*); zum Ausdruck bringen; *v/i.* ~ (*up*)*on* nachdenken über (*acc.*); sich abfällig äußern über (*acc.*); ein schlechtes Licht werfen auf (*acc.*); **~ion** [.~kʃən] Zurückstrahlung *f*, Widerspiegelung *f*; Reflex *m*; Spiegelbild *n*; Überlegung *f*; Gedanke *m*; abfällige Bemerkung *f*; Makel *m*; **~ive** □ [.~ktiv] zurückstrahlend; nachdenklich.

**reflex** ['ri:fleks] **1.** Reflex...; **2.** Widerschein *m*, Reflex *m* (*a. physiol.*).

**reflexive** □ [ri'fleksiv] zurückwirkend; *gr.* reflexiv, rückbezüglich.

**reforest** ['ri:'fɔrist] aufforsten.

**reform**[1] [ri'fɔ:m] **1.** Verbesserung *f*, Reform *f*; **2.** verbessern, reformieren; (sich) bessern.

**re-form**² ['ri:'fɔ:m] (sich) neu bilden; ✕ sich wieder formieren.

**reform|ation** [refə'meiʃən] Umgestaltung f; Besserung f; eccl. ♀ Reformation f; **~atory** [ri'fɔ:mətəri] **1.** bessernd; **2.** Besserungsanstalt f; **~er** [ri'fɔ:mə] eccl. Reformator m; bsd. pol. Reformer m.

**refract|ion** [ri'frækʃən] Strahlenbrechung f; **~ory** □ [~ktəri] widerspenstig; hartnäckig; ⊕ feuerfest.

**refrain** [ri'frein] **1.** sich enthalten (from gen.), unterlassen (from acc.); **2.** Kehrreim m, Refrain m.

**refresh** [ri'freʃ] (sich) erfrischen; auffrischen; **~ment** [~ʃmənt] Erfrischung f (a. Getränk etc.).

**refrigerat|e** [ri'fridʒəreit] kühlen; **~or** [~tə] Kühlschrank m, -raum m; **~ car** Kühlwagen m.

**refuel** ['ri:'fjuəl] tanken.

**refuge** ['refju:dʒ] Zuflucht(sstätte) f; a. street-~ Verkehrsinsel f; **~e** [refju(:)'dʒi:] Flüchtling m; **~ camp** Flüchtlingslager n.

**refulgent** □ [ri'fʌldʒənt] strahlend.

**refund** [ri:'fʌnd] zurückzahlen.

**refurbish** [ri'fə:biʃ] aufpolieren.

**refusal** [ri'fju:zəl] abschlägige Antwort; (Ver)Weigerung f; Vorkaufsrecht n (of auf acc.).

**refuse**¹ [ri'fju:z] v/t. verweigern; abweisen, ablehnen; scheuen vor (dat.); v/i. sich weigern; scheuen (Pferd). [fall m, Müll m.⟩

**refuse**² ['refju:s] Ausschuß m; Ab-⟩

**refute** [ri'fju:t] widerlegen.

**regain** [ri'gein] wiedergewinnen.

**regal** □ ['ri:gəl] königlich; Königs-.

**regale** [ri'geil] v/t. festlich bewirten; v/i. schwelgen (on in dat.).

**regard** [ri'gɑ:d] **1.** fester Blick; (Hoch)Achtung f, Rücksicht f; Beziehung f; with ~ to im Hinblick auf (acc.); kind ~s herzliche Grüße; **2.** ansehen; (be)achten; betrachten; betreffen; as ~s ... was ... anbetrifft; **~ing** [~din] hinsichtlich (gen.); **~less** □ [~dlis]: ~ of ohne Rücksicht auf (acc.).

**regenerate** [ri'dʒenəreit] (sich) erneuern; (sich) regenerieren; (sich) neu bilden; ♀ [~rit] wiedergeboren.

**regent** ['ri:dʒənt] **1.** herrschend; **2.** Regent m.

**regiment** ✕ ['redʒimənt] **1.** Regiment n; **2.** [~ment] organisieren; **~als** ✕ [redʒi'mentlz] pl. Uniform f.

**region** ['ri:dʒən] Gegend f, Gebiet n; fig. Bereich m; **~al** □ [~nl] örtlich; Orts...

**register** ['redʒistə] **1.** Register n, Verzeichnis n; ⊕ Schieber m, Ventil n; ♪ Register n; Zählwerk n; cash ~ Registrierkasse f; **2.** registrieren od. eintragen (lassen); (an-)zeigen, auf-, verzeichnen; Postsache einschreiben (lassen), Gepäck aufgeben; sich polizeilich melden.

**registr|ar** [redʒis'trɑ:] Registrator m; Standesbeamte(r) m; **~ation** [~reiʃən] Eintragung f; ~ fee Anmeldegebühr f; **~y** ['redʒistri] Eintragung f; Registratur f; Register n; ~ office Standesamt n.

**regress**, **~ion** [ri'gres, ri'greʃən] Rückkehr f; fig. Rückgang m.

**regret** [ri'gret] **1.** Bedauern n; Schmerz m; **2.** bedauern; Verlust beklagen; **~ful** □ [~tful] bedauernd; **~fully** [~li] mit Bedauern; **~table** □ [~təbl] bedauerlich.

**regular** □ ['regjulə] regelmäßig; regelrecht, richtig; ordentlich; pünktlich; ✕ regulär; **~ity** [regju-'læriti] Regelmäßigkeit f; Richtigkeit f, Ordnung f.

**regulat|e** ['regjuleit] regeln, ordnen; regulieren; **~ion** [regju'leiʃən] **1.** Regulierung f; Vorschrift f, Bestimmung f; **2.** vorschriftsmäßig.

**rehash** fig. ['ri:'hæʃ] **1.** wieder durchkauen od. aufwärmen; **2.** Aufguß m.

**rehears|al** [ri'hə:səl] thea., ♪ Probe f; Wiederholung f; **~e** [ri'hə:s] thea. proben; wiederholen; aufsagen.

**reign** [rein] **1.** Regierung f; fig. Herrschaft f; **2.** herrschen, regieren.

**reimburse** [ri:im'bə:s] j-n entschädigen; Kosten wiedererstatten.

**rein** [rein] **1.** Zügel m; **2.** zügeln.

**reindeer** zo. ['reindiə] Ren(tier)n.

**reinforce** [ri:in'fɔ:s] verstärken; **~ment** [~smənt] Verstärkung f.

**reinstate** ['ri:in'steit] wieder einsetzen; wieder instand setzen.

**reinsure** ['ri:in'ʃuə] rückversichern.

**reiterate** [ri:'itəreit] (dauernd) wiederholen.

**reject** [ri'dʒekt] ver-, wegwerfen; ablehnen, ausschlagen; zurückweisen; **~ion** [~kʃən] Verwerfung f; Ablehnung f; Zurückweisung f.

**rejoic|e** [ri'dʒɔis] v/t. erfreuen; v/i. sich freuen (at, in über acc.); **~ing**

[˷siŋ] **1.** □ freudig; **2.** *oft* ˷s *pl.* Freude(nfest *n*) *f.*

**rejoin** [ri:'dʒɔin] (sich) wieder vereinigen (mit); wieder zurückkehren zu; [ri'dʒɔin] erwidern.

**rejuvenate** [ri'dʒu:vineit] verjüngen. [entzünden.\

**rekindle** ['ri:'kindl] (sich) wieder\

**relapse** [ri'læps] **1.** Rückfall *m*; **2.** zurückfallen, rückfällig werden.

**relate** [ri'leit] *v/t.* erzählen; in Beziehung bringen; *v/i.* sich beziehen (*to* auf *acc.*); ˷d verwandt (*to* mit).

**relation** [ri'leiʃən] Erzählung *f*; Beziehung *f*; Verhältnis *n*; Verwandtschaft *f*; Verwandte(r *m*) *f*; *in* ˷ *to* in bezug auf (*acc.*); ˷ship [˷nʃip] Verwandtschaft *f*; Beziehung *f.*

**relative** ['relativ] **1.** □ bezüglich (*to* gen.); *gr.* relativ; verhältnismäßig; entsprechend; **2.** *gr.* Relativpronomen *n*; Verwandte(r *m*) *f.*

**relax** [ri'læks] (sich) lockern; mildern; nachlassen (in *dat.*); (sich) entspannen, ausspannen; milder werden; ˷ation [ri:læk'seiʃən] Lockerung *f*; Nachlassen *n*; Entspannung *f*, Erholung *f.*

**relay**[1] **1.** [ri'lei] frisches Gespann; Ablösung *f*; ['ri:'lei] ⚡ Relais *n*; *Radio:* Übertragung *f*; **2.** [˷] *Radio:* übertragen.

**re-lay**[2] ['ri:'lei] Kabel *etc.* neu verlegen.

**relay-race** ['ri:leireis] *Sport:* Staffellauf *m.*

**release** [ri'li:s] **1.** Freilassung *f*; *fig.* Befreiung *f*; Freigabe *f*; *Film: oft first* ˷ Uraufführung *f*; ⊕, *phot.* Auslöser *m*; **2.** freilassen; erlösen; freigeben; *Recht* aufgeben, übertragen; *Film* uraufführen; ⊕ auslösen.

**relegate** ['religeit] verbannen; verweisen (*to* an *acc.*).

**relent** [ri'lent] sich erweichen lassen; ˷less □ [˷tlis] unbarmherzig.

**relevant** ['relivənt] sachdienlich; zutreffend; wichtig, erheblich.

**reliab|ility** [rilaiə'biliti] Zuverlässigkeit *f*; ˷le □ [ri'laiəbl] zuverlässig.

**reliance** [ri'laiəns] Ver-, Zutrauen *n*; Verlaß *m.*

**relic** ['relik] Überrest *m*; Reliquie *f*; ˷t [˷kt] Witwe *f.*

**relief** [ri'li:f] Erleichterung *f*; (angenehme) Unterbrechung; Unterstützung *f*; ⚔ Ablösung *f*; ⚔ Entsatz *m*; Hilfe *f*; ⚑ *etc.* Relief *n*; ˷ *works pl.* Notstandsarbeiten *f/pl.*

**relieve** [ri'li:v] erleichtern; mildern, lindern; *Arme etc.* unterstützen; ⚔ ablösen; ⚔ entsetzen; ₴ (ab)helfen (*dat.*); befreien; hervortreten lassen; (angenehm) unterbrechen.

**religion** [ri'lidʒən] Religion *f*; Ordensleben *n*; *fig.* Ehrensache *f.*

**religious** □ [ri'lidʒəs] Religions...; religiös; *eccl.* Ordens...; gewissenhaft.

**relinquish** [ri'liŋkwiʃ] aufgeben; verzichten auf (*acc.*); loslassen.

**relish** ['reliʃ] **1.** (Bei)Geschmack *m*; Würze *f*; Genuß *m*; **2.** gern essen; Geschmack finden an (*dat.*); schmackhaft machen.

**reluctan|ce** [ri'lʌktəns] Widerstreben *n*; *bsd. phys.* Widerstand *m*; ˷t □ [˷nt] widerstrebend, widerwillig.

**rely** [ri'lai]: ˷ (*up*)*on* sich verlassen (auf *acc.*), bauen auf (*acc.*).

**remain** [ri'mein] **1.** (ver)bleiben; übrigbleiben; **2.** ˷s *pl.* Überbleibsel *n/pl.*, Überreste *m/pl.*; sterbliche Reste *m/pl.*; ˷der [˷ndə] Rest *m.*

**remand** [ri'ma:nd] **1.** (₴ in die Untersuchungshaft) zurückschikken; **2.** (Zurücksendung *f* in die) Untersuchungshaft *f*; *prisoner on* ˷ Untersuchungsgefangene(r *m*) *f*; ˷ *home* Jugendstrafanstalt *f.*

**remark** [ri'ma:k] **1.** Beachtung *f*; Bemerkung *f*; **2.** *v/t.* bemerken; *v/i.* sich äußern; ˷able □ [˷kəbl] bemerkenswert; merkwürdig.

**remedy** ['remidi] **1.** (Heil-, Hilfs-, Gegen-, Rechts)Mittel *n*; (Ab-) Hilfe *f*; **2.** heilen; abhelfen (*dat.*).

**rememb|er** [ri'membə] sich erinnern an (*acc.*); denken an (*acc.*); beherzigen; ˷ *me to her* grüße sie von mir; ˷rance [˷brəns] Erinnerung *f*; Gedächtnis *n*; Andenken *n*; ˷s *pl.* Empfehlungen *f/pl.*, Grüße *m/pl.*

**remind** [ri'maind] erinnern (*of* an *acc.*); ˷er [˷də] Mahnung *f.*

**reminiscen|ce** [remi'nisns] Erinnerung *f*; ˷t □ [˷nt] (sich) erinnernd.

**remiss** □ [ri'mis] schlaff, (nach-) lässig; ˷ion [˷iʃən] Sünden-Vergebung *f*; Erlassung *f v. Strafe etc.*; Nachlassen *n*.

**remit** [ri'mit] *Sünden* vergeben; *Schuld etc.* erlassen; nachlassen in (*dat.*); überweisen; **∼tance** [∼təns] (Geld)Sendung *f*; † Rimesse *f*.

**remnant** ['remnənt] (Über)Rest *m*.

**remodel** ['ri:'mɔdl] umbilden.

**remonstra|nce** [ri'mɔnstrəns] Vorstellung *f*, Einwendung *f*; **∼te** [∼treit] Vorstellungen machen (on über *acc.*; with s.o. j-m); einwenden.

**remorse** [ri'mɔ:s] Gewissensbisse *m/pl.*; **∼less** □ [∼slis] hart(herzig).

**remote** □ [ri'mout] entfernt, entlegen; **∼ness** [∼tnis] Entfernung *f*.

**remov|al** [ri'mu:vəl] Entfernen *n*; Beseitigung *f*; Umzug *m*; Entlassung *f*; **∼ van** Möbelwagen *m*; **∼e** [∼u:v] **1.** *v/t.* entfernen; wegräumen, wegrücken; beseitigen; entlassen; *v/i.* (aus-, um-, ver)ziehen; **2.** Entfernung *f*; Grad *m*; *Schule*: Versetzung *f*; Abteilung *f* e-r *Klasse*; **∼er** [∼və] (Möbel)Spediteur *m*.

**remunerat|e** [ri'mju:nəreit] (be-)lohnen; entschädigen; **∼ive** □ [∼rətiv] lohnend.

**Renaissance** [rə'neisəns] Renaissance *f*.

**renascen|ce** [ri'næsns] Wiedergeburt *f*; Renaissance *f*; **∼t** [∼nt] wieder wachsend.

**rend** [rend] [*irr.*] (zer)reißen.

**render** ['rendə] wieder-, zurückgeben; *Dienst etc.* leisten; *Ehre etc.* erweisen; *Dank* abstatten; übersetzen; ♪ vortragen; darstellen; interpretieren; *Grund* angeben; † *Rechnung* überreichen; übergeben; machen (zu); *Fett* auslassen; **∼ing** [∼əriŋ] Wiedergabe *f*; Interpretation *f*; Übersetzung *f*, Wiedergabe *f*; △ Rohbewurf *m*.

**rendition** [ren'diʃən] Wiedergabe *f*.

**renegade** ['renigeid] Abtrünnige(r *m*) *f*.

**renew** [ri'nju:] erneuern; **∼al** [∼u(:)əl] Erneuerung *f*.

**renounce** [ri'nauns] entsagen (*dat.*); verzichten auf (*acc.*); verleugnen.

**renovate** [ri'nouveit] erneuern.

**renown** [ri'naun] Ruhm *m*, Ansehen *n*; **∼ed** [∼nd] berühmt, namhaft.

**rent¹** [rent] **1.** *pret. u. p.p. von* rend; **2.** Riß *m*; Spalte *f*.

**rent²** [∼] **1.** Miete *f*; Pacht *f*; **2.** (ver)mieten, (ver)pachten; **∼al** ['rentl] (Einkommen *n* aus) Miete *f od.* Pacht *f*.

**renunciation** [rinʌnsi'eiʃən] Entsagung *f*; Verzicht *m* (of auf *acc.*).

**repair¹** [ri'pɛə] **1.** Ausbesserung *f*, Reparatur *f*; **∼s** *pl.* Instandsetzungsarbeiten *f/pl.*; **∼ shop** Reparaturwerkstatt *f*; in good **∼** in gutem (baulichen) Zustand, gut erhalten; out of **∼** baufällig; **2.** reparieren, ausbessern; erneuern; wiedergutmachen.

**repair²** [∼]: **∼ to** sich begeben nach.

**reparation** [repə'reiʃən] Ersatz *m*; Entschädigung *f*; make **∼s** *pol.* Reparationen leisten.

**repartee** [repɑ:'ti:] schlagfertige Antwort; Schlagfertigkeit *f*.

**repast** [ri'pɑ:st] Mahl(zeit *f*) *n*.

**repay** [ri:'pei] [*irr.* (*pay*)] *et.* zurückzahlen; *fig.* erwidern; *et.* vergelten; *j-n* entschädigen; **∼ment** [∼eimənt] Rückzahlung *f*.

**repeal** [ri'pi:l] **1.** Aufhebung *f von Gesetzen*; **2.** aufheben, widerrufen.

**repeat** [ri'pi:t] **1.** (sich) wiederholen; aufsagen; nachliefern; aufstoßen (*Essen*); **2.** Wiederholung *f*; oft **∼ order** Nachbestellung *f*; ♪ Wiederholungszeichen *n*.

**repel** [ri'pel] zurückstoßen, zurücktreiben, zurückweisen; *fig.* abstoßen.

**repent** [ri'pent] bereuen; **∼ance** [∼təns] Reue *f*; **∼ant** [∼nt] reuig.

**repercussion** [ri:pə'kʌʃən] Rückprall *m*; *fig.* Rückwirkung *f*.

**repertory** ['repətəri] *thea.* Repertoire *n*; *fig.* Fundgrube *f*.

**repetition** [repi'tiʃən] Wiederholung *f*; Aufsagen *n*; Nachbildung *f*.

**replace** [ri'pleis] wieder hinstellen *od.* einsetzen; ersetzen; an *j-s* Stelle treten; **∼ment** [∼smənt] Ersatz *m*.

**replant** [ri:'plɑ:nt] umpflanzen.

**replenish** [ri'pleniʃ] wieder auffüllen; **∼ment** [∼ʃmənt] Auffüllung *f*; Ergänzung *f*.

**replete** [ri'pli:t] angefüllt, voll.

**replica** ['replikə] Nachbildung *f*.

**reply** [ri'plai] **1.** antworten, erwidern (to auf *acc.*); **2.** Erwiderung *f*.

**report** [ri'pɔ:t] **1.** Bericht *m*; Gerücht *n*; *guter* Ruf; Knall *m*; *school* **∼** (Schul)Zeugnis *n*; **2.** berichten (über *acc.*); (sich) melden; anzeigen; **~er** [~tə] Berichterstatter(in).

**repos|e** [ri'pouz] **1.** *allg.* Ruhe *f*; **2.** *v/t.* ausruhen; (aus)ruhen lassen; ~ *trust etc. in* Vertrauen *etc.* setzen auf (*acc.*); *v/i. a.* ~ *o.s.* (sich) ausruhen; ruhen; beruhen (*on* auf *dat.*); **~itory** [ri'pɔzitəri] Verwahrungsort *m*; Warenlager *n*; *fig.* Fundgrube *f*.

**reprehend** [repri'hend] tadeln.

**represent** [repri'zent] darstellen; verkörpern; *thea.* aufführen; schildern; bezeichnen (*as* als); vertreten; **~ation** [reprizən'teiʃən] Darstellung *f*; *thea.* Aufführung *f*; Vorstellung *f*; Vertretung *f*; **~ative** □ [repri'zentətiv] **1.** dar-, vorstellend (*of acc.*); vorbildlich; (stell)vertretend; *parl.* repräsentativ; typisch; **2.** Vertreter(in); *House of* ♀s *Am. parl.* Repräsentantenhaus *n*.

**repress** [ri'pres] unterdrücken; **~ion** [~eʃən] Unterdrückung *f*.

**reprieve** [ri'pri:v] **1.** (Gnaden)Frist *f*; Aufschub *m*; **2.** *j-m* Aufschub *od.* eine Gnadenfrist gewähren.

**reprimand** ['reprimɑːnd] **1.** Verweis *m*; **2.** *j-m* e-n Verweis geben.

**reprisal** [ri'praizəl] Repressalie *f*.

**reproach** [ri'proutʃ] **1.** Vorwurf *m*; Schande *f*; **2.** vorwerfen (*s.o. with s.th. j-m et.*); Vorwürfe machen; **~ful** □ [~sful] vorwurfsvoll.

**reprobate** ['reproubeit] **1.** verkommen, verderbt; **2.** verkommenes Subjekt *n*; **3.** mißbilligen; verdammen.

**reproduc|e** [ri:prə'dju:s] wiedererzeugen; (sich) fortpflanzen; wiedergeben, reproduzieren; **~tion** [~'dʌkʃən] Wiedererzeugung *f*; Fortpflanzung *f*; Reproduktion *f*.

**reproof** [ri'pru:f] Vorwurf *m*, Tadel *m*.

**reprov|al** [ri'pru:vəl] Tadel *m*, Rüge *f*; **~e** [~u:v] tadeln, rügen.

**reptile** *zo.* ['reptail] Reptil *n*.

**republic** [ri'pʌblik] Republik *f*; **~an** [~kən] **1.** republikanisch; **2.** Republikaner(in).

**repudiate** [ri'pju:dieit] nicht anerkennen; ab-, zurückweisen.

**repugnan|ce** [ri'pʌgnəns] Abneigung *f*, Widerwille *m*; **~t** □ [~nt] abstoßend; widerwärtig.

**repuls|e** [ri'pʌls] **1.** Zurück-, Abweisung *f*; **2.** zurück-, abweisen;

**~ive** □ [~siv] abstoßend; widerwärtig.

**reput|able** □ ['repjutəbl] achtbar; ehrbar, anständig; **~ation** [repju(:)'teiʃən] (*bsd.* guter) Ruf, Ansehen *n*; **~e** [ri'pju:t] **1.** Ruf *m*; **2.** halten für; **~ed** vermeintlich; angeblich.

**request** [ri'kwest] **1.** Gesuch *n*, Bitte *f*; Ersuchen *n*; † Nachfrage *f*; *by* ~ *on* ~ auf Wunsch; *in* (*great*) ~ (sehr) gesucht, begehrt; ~ *stop* Bedarfshaltestelle *f*; **2.** *um et.* bitten *od.* ersuchen; *j-n* bitten; *et.* erbitten.

**require** [ri'kwaiə] verlangen, fordern; brauchen, erfordern; **~d** erforderlich; **~ment** [~əmənt] (An-)Forderung *f*; Erfordernis *n*.

**requisit|e** ['rekwizit] **1.** erforderlich; **2.** Erfordernis *n*; Bedarfs-, Gebrauchsartikel *m*; *toilet* ~s *pl.* Toilettenartikel *m/pl.*; **~ion** [rekwi'ziʃən] **1.** Anforderung *f*; ⚔ Requisition *f*; **2.** anfordern; ⚔ requirieren.

**requital** [ri'kwaitl] Vergeltung *f*.

**requite** [ri'kwait] *j-m et.* vergelten.

**rescind** [ri'sind] aufheben.

**rescission** [ri'siʒən] Aufhebung *f*.

**rescue** ['reskju:] **1.** Rettung *f*; (⚖ gewaltsame) Befreiung; **2.** retten; (⚖ gewaltsam) befreien.

**research** [ri'sə:tʃ] Forschung *f*; Untersuchung *f*; Nachforschung *f*; **~er** [~ʃə] Forscher *m*.

**resembl|ance** [ri'zembləns] Ähnlichkeit *f* (*to* mit); **~e** [ri'zembl] gleichen, ähnlich sein (*dat.*).

**resent** [ri'zent] übelnehmen; **~ful** □ [~tful] übelnehmerisch; ärgerlich; **~ment** [~tmənt] Ärger *m*; Groll *m*.

**reservation** [rezə'veiʃən] Vorbehalt *m*; *Am.* Indianerreservation *f*; Vorbestellung *f von Zimmern etc.*

**reserve** [ri'zə:v] **1.** Vorrat *m*; † Rücklage *f*; Reserve *f* (*a. fig.*, ⚔); Zurückhaltung *f*, Verschlossenheit *f*; Vorsicht *f*; Vorbehalt *m*; *Sport:* Ersatzmann *m*; **2.** aufbewahren, aufsparen; vorbehalten; zurückliegen; *Platz etc.* reservieren; **~d** □ *fig.* zurückhaltend; reserviert.

**reservoir** ['rezəvwa:] Behälter *m für Wasser etc.*; Sammel-, Staubecken *n*; *fig.* Reservoir *n*.

**reside** [ri'zaid] wohnen; (orts)ansässig sein; ~ *in* innewohnen (*dat.*);

~nce ['rezidəns] Wohnen n; Orts-ansässigkeit f; (Wohn)Sitz m; Residenz f; ~ permit Aufenthaltsgenehmigung f; ~nt [~nt] 1. wohnhaft; ortsansässig; 2. Ortsansässige(r m) f, Einwohner(in).

residu|al [ri'zidjuəl] übrigbleibend; ~e ['rezidju:] Rest m; Rückstand m; 🜍 Reinnachlaß m.

resign [ri'zain] v/t. aufgeben; Amt niederlegen; überlassen; ~ o.s. to sich ergeben in (acc.), sich abfinden mit; v/i. zurücktreten; ~ation [rezig'neiʃən] Rücktritt m; Ergebung f; Entlassungsgesuch n; ~ed ~ ergeben, resigniert.

resilien|ce [ri'ziliəns] Elastizität f; ~t [~nt] elastisch, fig. spannkräftig.

resin ['rezin] 1. Harz n; 2. harzen.

resist [ri'zist] widerstehen (dat.); sich widersetzen (dat.); ~ance [~təns] Widerstand m; attr. Widerstands...; line of least ~ Weg m des geringsten Widerstands; ~ant [~nt] widerstehend; widerstandsfähig.

resolut|e □ ['rezəlu:t] entschlossen; ~ion [rezə'lu:ʃən] (Auf)Lösung f; Entschluß m; Entschlossenheit f; Resolution f.

resolve [ri'zolv] 1. v/t. auflösen; fig. lösen; Zweifel etc. beheben; entscheiden; v/i. a. ~ o.s. sich auflösen; beschließen; ~ (up)on sich entschließen zu; 2. Entschluß m; Am. Beschluß m; ~d □ entschlossen.

resonan|ce ['reznəns] Resonanz f; ~t □ [~nt] nach-, widerhallend.

resort [ri'zɔ:t] 1. Zuflucht f; Besuch m; Aufenthalt(sort) m; Erholungsort m; health ~ Kurort m; seaside ~ Seebad n; summer ~ Sommerfrische f; 2. ~ to oft besuchen; seine Zuflucht nehmen zu.

resound [ri'zaund] widerhallen (lassen).

resource [ri'sɔ:s] natürlicher Reichtum; Hilfsquelle f, -mittel n; Zuflucht f; Findigkeit f; Zeitvertreib m, Entspannung f; ~ful □ [~sful] findig.

respect [ris'pekt] 1. Rücksicht f (to, of auf acc.); Beziehung f; Achtung f; ~s pl. Empfehlungen f/pl.; 2. v/t. (hoch)achten; Rücksicht nehmen auf (acc.); betreffen; ~able □ [~təbl] achtbar; ansehnlich, anständig; bsd. ✝ solid; ~ful □ [~tful] ehrerbietig; yours ~ly hochach-

tungsvoll; ~ing [~tiŋ] hinsichtlich (gen.); ~ive □ [~iv] jeweilig; we went to our ~ places wir gingen jeder an seinen Platz; ~ively [~vli] beziehungsweise; je.

respirat|ion [respə'reiʃən] Atmen n; Atemzug m; ~or ['respəreitə] Atemfilter m; 🜍 Atemgerät n; Gasmaske f.

respire [ris'paiə] atmen; aufatmen.

respite ['respait] Frist f; Stundung f.

resplendent □ [ris'plendənt] glänzend.

respond [ris'pond] antworten, erwidern; ~ to reagieren auf (acc.).

response [ris'pons] Antwort f, Erwiderung f; fig. Reaktion f.

responsi|bility [risponsə'biliti]Verantwortlichkeit f; Verantwortung f; ✝ Zahlungsfähigkeit f; ~ble [ris'ponsəbl] verantwortlich; verantwortungsvoll; ✝ zahlungsfähig.

rest [rest] 1. Rest m; Ruhe f; Rast f; Schlaf m; fig. Tod m; Stütze f; Pause f; 2. v/i. ruhen; rasten; schlafen; (sich) lehnen, sich stützen (on auf acc.); ~ (up)on fig. beruhen auf (dat.); in e-m Zustand bleiben; v/t. (aus)ruhen lassen; stützen.

restaurant ['restərɔ̃:ŋ, ~rɔnt] Gaststätte f.

rest-cure 🜍 ['restkjuə] Liegekur f.

restful ['restful] ruhig, geruhsam.

resting-place ['restiŋpleis] Ruheplatz m, -stätte f.

restitution [resti'tju:ʃən] Wiederherstellung f; Rückerstattung f.

restive □ ['restiv] widerspenstig.

restless ['restlis] ruhelos; rastlos; unruhig; ~ness [~snis] Ruhelosigkeit f; Rastlosigkeit f; Unruhe f.

restorat|ion [restə'reiʃən] Wiederherstellung f; Wiedereinsetzung f; Rekonstruktion f, Nachbildung f; ~ive [ris'tɔrətiv] 1. stärkend; 2. Stärkungsmittel n.

restore [ris'tɔ:] wiederherstellen; wiedereinsetzen (to in acc.); wiedergeben (to health wieder gesund machen.

restrain [ris'trein] zurückhalten (from von); in Schranken halten; unterdrücken; einsperren; ~t [~nt] Zurückhaltung f; Beschränkung f; Zwang m; Zwangshaft f.

restrict [ris'trikt] be-, einschrän-

**restriction**

ken; **~ion** [~kʃən] Be-, Einschränkung f; Vorbehalt m.
**result** [ri'zʌlt] **1.** Ergebnis n, Folge
f, Resultat n; **2.** folgen, sich ergeben
(from aus); **~** in hinauslaufen auf
(acc.), zur Folge haben.
**resume** [ri'zju:m] wiedernehmen,
-erlangen; wiederaufnehmen; zs.-
fassen; **~ption** [ri'zʌmpʃən] Zu-
rücknahme f; Wiederaufnahme f.
**resurgent** [ri'sə:dʒənt] sich wieder-
erhebend, wieder aufkommend.
**resurrection** [rezə'rekʃən] Wieder-
aufleben n; ♀ eccl. (Wieder)Aufer-
stehung f.
**resuscitate** [ri'sʌsiteit] wiederer-
wecken, wiederbeleben.
**retail 1.** ['ri:teil] Einzelhandel m;
by **~** im Einzelverkauf; **2.** [~] Ein-
zelhandels...; **3.** [ri:'teil]
im kleinen verkaufen; **~er** [~ə]
Einzelhändler(in).
**retain** [ri'tein] behalten (a. fig.);
zurück-, festhalten; beibehalten;
Anwalt nehmen.
**retaliat|e** [ri'tælieit] v/t. Unrecht
vergelten; v/i. sich rächen; **~ion**
[ritæli'eiʃən] Vergeltung f.
**retard** [ri'tɑ:d] verzögern; aufhalten; verspäten.
**retention** [ri'tenʃən] Zurück-, Behalten n; Beibehaltung f.
**reticent** ['retisənt] verschwiegen;
schweigsam; zurückhaltend.
**retinue** ['retinju:] Gefolge n.
**retir|e** [ri'taiə] v/t. zurückziehen;
pensionieren; v/i. sich zurückziehen; zurück-, abtreten; in den
Ruhestand treten; **~ed** ☐ zurückgezogen; im Ruhestand (lebend);
entlegen; **~ pay** Pension f; **~ement**
[~əmənt] Sichzurückziehen n; Aus-,
Rücktritt m; Ruhestand m; Zurückgezogenheit f; Ruhegehalt n; **~ing** [~ərin] zurückhaltend; schüchtern; **~ pension**
Ruhegehalt n.
**retort** [ri'tɔ:t] **1.** Erwiderung f; ♔
Retorte f; **2.** erwidern.
**retouch** ['ri:'tʌtʃ] et. überarbeiten;
phot. retuschieren.
**retrace** [ri'treis] zurückverfolgen;
**~ one's steps** zurückgehen.
**retract** [ri'trækt] (sich) zurückziehen; ⊕ einziehen; widerrufen.
**retread** ['ri:tred] **1.** Reifen rund-
erneuern; **2.** runderneuerter Reifen.
**retreat** [ri'tri:t] **1.** Rückzug m; Zu-

rückgezogenheit f; Zuflucht(sort m)
f; ♔ Zapfenstreich m; beat a ~ fig.
es aufgeben; **2.** sich zurückziehen;
fig. zurücktreten.
**retrench** [ri'trentʃ] (sich) einschränken; kürzen; Wort etc. streichen; ♔ verschanzen.
**retribution** [retri'bju:ʃən] Vergeltung f.
**retrieve** [ri'tri:v] wiederbekommen;
wiederherstellen; wiedergutmachen; hunt. apportieren.
**retro|...** ['retrou] (zu)rück...; **~ac-
tive** [retrou'æktiv] rückwirkend;
**~grade** ['retrougreid] **1.** rückläufig;
**2.** zurückgehen; **~gression** [re-
trou'greʃən] Rückw-, Niedergang m;
**~spect** ['retrouspekt] Rückblick m;
**~spective** ☐ [retrou'spektiv] zu-
rückblickend; rückwirkend.
**retry** ⚖ ['ri:'trai] Prozeß wiederaufnehmen.
**return** [ri'tə:n] **1.** Rückkehr f; Wiederkehr f; parl. Wiederwahl f; oft
**~s** pl. ♔ Gewinn m, Ertrag m; Um-
satz m; ♔ Rückfall m; Rückgabe f,
Rückzahlung f; Vergeltung f; Erwiderung f; Gegenleistung f; Dank
m; amtlicher Bericht; Wahlergebnis
n; Steuererklärung f; F Rückfahr-
karte f; attr. Rück...; many happy
**~s** of the day herzliche Glückwünsche zum Geburtstag; in ~ dafür;
als Ersatz (for für); by ~ (of post)
postwendend; **~ ticket** Rückfahr-
karte f; **2.** v/i. zurückkehren; wiederkehren; v/t. zurückgeben; zu-
rücktun; zurückzahlen; zurück-
senden; Dank abstatten; erwidern;
berichten, angeben; parl. wählen;
Gewinn abwerfen.
**reunification** pol. ['ri:ju:nifi'keiʃən]
Wiedervereinigung f.
**reunion** ['ri:'ju:njən] Wiedervereinigung f; Treffen n, Zs.-kunft f.
**reval|orization** ♔ [ri:vælərai'zei-
ʃən] Aufwertung f; **~uation** [~lju-
'eiʃən] Neubewertung f.
**revamp** ⊕ ['ri:'væmp] vorschuhen;
Am. F aufmöbeln; erneuern.
**reveal** [ri'vi:l] enthüllen; offenbaren; **~ing** [~liŋ] aufschlußreich.
**revel** ['revl] **1.** Lustbarkeit f; Gelage n; **2.** ausgelassen sein; schwelgen; zechen.
**revelation** [revi'leiʃən] Enthüllung
f; Offenbarung f.
**revel|(l)er** ['revlə] Feiernde(r m) f;

Zecher *m*; **~ry** [~lri] Gelage *n*; Lustbarkeit *f*, Rummel *m*; Orgie *f*.

**revenge** [ri'vendʒ] **1.** Rache *f*; *Sport:* Revanche *f*; **2.** rächen; **~ful** □ [~dʒful] rachsüchtig; **~r** [~dʒə] Rächer(in).

**revenue** ['revinju:] Einkommen *n*; **~s** *pl.* Einkünfte *pl.*; **~ board**, **~ office** Finanzamt *n*.

**reverberate** [ri'və:bəreit] zurückwerfen; zurückstrahlen; widerhallen.

**revere** [ri'viə] (ver)ehren; **~nce** ['revərəns] **1.** Verehrung *f*; Ehrfurcht *f*; **2.** (ver)ehren; **~nd** [~nd] **1.** ehrwürdig; **2.** Geistliche(r) *m*.

**reverent(ial)** □ ['revərənt, ~rə'renʃəl] ehrerbietig, ehrfurchtsvoll.

**reverie** ['revəri] Träumerei *f*.

**revers|al** [ri'və:səl] Umkehrung *f*; Umschwung *m*; ⚖ Umstoßung *f*; ⊕ Umsteuerung *f*; **~e** [~ə:s] **1.** Gegenteil *n*; Kehrseite *f*; Rückschlag *m*; **2.** □ umgekehrt; Rück(wärts)...; **~** (*gear*) *mot.* Rückwärtsgang *m*; **~ side** linke *Stoff*-Seite; **3.** umkehren, umdrehen; *Urteil* umstoßen; ⊕ umsteuern; **~ion** [~ə:ʃən] Umkehrung *f*; Rückkehr *f*; ⚖ Heimfall *m*; *biol.* Rückartung *f*.

**revert** [ri'və:t] um-, zurückkehren; *biol.* zurückarten; *Blick* wenden.

**review** [ri'vju:] **1.** Nachprüfung *f*; ⚖ Revision *f*; ✕, ⚓ Parade *f*; Rückblick *m*; Überblick *m*; Rezension *f*; Zeitschrift *f*; *pass s.th. in ~* et. Revue passieren lassen; **2.** (über-, nach)prüfen; zurückblicken auf (*acc.*); überblicken; ✕, ⚓ besichtigen; rezensieren; **~er** [~u(:)ə] Rezensent *m*.

**revile** [ri'vail] schmähen, beschimpfen.

**revis|e** [ri'vaiz] überarbeiten, durchsehen, revidieren; **~ion** [ri'viʒən] Revision *f*; Überarbeitung *f*.

**reviv|al** [ri'vaivəl] Wiederbelebung *f*; Wiederaufleben *n*, Wiederaufblühen *n*; Erneuerung *f*; *fig.* Erweckung *f*; **~e** [~aiv] wiederbeleben; wieder aufleben (lassen); erneuern; wieder aufblühen.

**revocation** [revə'keiʃən] Widerruf *m*; Aufhebung *f*.

**revoke** [ri'vouk] *v/t.* widerrufen; *v/i. Karten:* nicht bedienen.

**revolt** [ri'voult] **1.** Revolte *f*, Empörung *f*, Aufruhr *m*; **2.** *v/i.* sich empören; abfallen; *v/t. fig.* abstoßen.

**revolution** [revə'lu:ʃən] Umwälzung *f*, Umdrehung *f*; *pol.* Revolution *f*; **~ary** [~ʃnəri] **1.** revolutionär; **2.** *a.* **~ist** [~ʃnist] Revolutionär(in); **~ize** [~ʃnaiz] aufwiegeln; umgestalten.

**revolv|e** [ri'vɔlv] *v/i.* sich drehen (*about, round* um); *v/t.* umdrehen; *fig.* erwägen; **~ing** [~viŋ] sich drehend; Dreh...

**revue** *thea.* [ri'vju:] Revue *f*; Kabarett *n*.

**revulsion** [ri'vʌlʃən] *fig.* Umschwung *m*; ⚕ Ableitung *f*.

**reward** [ri'wɔ:d] **1.** Belohnung *f*; Vergeltung *f*; **2.** belohnen; vergelten.

**rewrite** ['ri:'rait] [*irr. (write)*] neu (*od.* um)schreiben.

**rhapsody** ['ræpsədi] Rhapsodie *f*; *fig.* Schwärmerei *f*; Wortschwall *m*.

**rhetoric** ['retərik] Rhetorik *f*.

**rheumatism** ⚕ ['ru:mətizəm] Rheumatismus *m*.

**rhubarb** ♧ ['ru:ba:b] Rhabarber *m*.

**rhyme** [raim] **1.** Reim *m* (*to* auf *acc.*); Vers *m*; *without ~ or reason* ohne Sinn u. Verstand; **2.** (sich) reimen.

**rhythm** ['riðəm] Rhythmus *m*; **~ic(al** □) ['riðmik(əl)] rhythmisch.

**Rialto** *Am.* [ri'æltou] Theaterviertel *n* e-r *Stadt, bsd. in New York.*

**rib** [rib] **1.** Rippe *f*; **2.** rippen; *sl.* aufziehen, necken.

**ribald** ['ribəld] lästerlich; unflätig; **~ry** [~dri] Zoten *f/pl.*; derbe Späße *m/pl.*

**ribbon** ['ribən] Band *n*; Streifen *m*; **~s** *pl.* Fetzen *m/pl.*; Zügel *m/pl.*; **~ building**, **~ development** Reihenbau *m*.

**rice** [rais] Reis *m*.

**rich** □ [ritʃ] reich (*in* an *dat.*); reichlich; prächtig, kostbar; ergiebig, fruchtbar; voll (*Ton*); schwer (*Speise, Wein, Duft*); satt (*Farbe*); **~es** ['ritʃiz] *pl.* Reichtum *m*, Reichtümer *m/pl.*; **~ness** [~ʃnis] Reichtum *m*; Fülle *f*.

**rick** ⚘ [rik] (Heu)Schober *m*.

**ricket|s** ⚕ ['rikits] *sg. od. pl.* Rachitis *f*; **~y** [~ti] rachitisch; wack(e)lig (*Möbel*).

**rid** [rid] [*irr.*] befreien, frei machen (*of* von); *get ~ of* loswerden.

**ridden** ['ridn] **1.** *p.p. von* ride 2;

**riddle**

. *in Zssgn*: bedrückt *od.* geplagt von …

**riddle** ['ridl] 1. Rätsel *n*; grobes Sieb; 2. sieben; durchlöchern.

**ride** [raid] 1. Ritt *m*; Fahrt *f*; Reitweg *m*; 2. [*irr.*] *v/i.* reiten; rittlings sitzen; fahren; treiben; schweben; liegen; *v/t.* Pferd *etc.* reiten; *Land* durchreiten; **~r** ['raidə] Reiter(in); Fahrende(r *m*) *f*.

**ridge** [ridʒ] 1. (Gebirgs)Kamm *m*, Grat *m*; △ First *m*; ✗ Rain *m*; 2. (sich) furchen.

**ridicul|e** ['ridikjuːl] 1. Hohn *m*, Spott *m*; 2. lächerlich machen; **~ous** □ [ri'dikjuləs] lächerlich.

**riding** ['raidiŋ] Reiten *n*; *attr.* Reit… [*~ with* voll von.]

**rife** □ [raif] häufig; vorherrschend;}

**riff-raff** ['rifræf] Gesindel *n*.

**rifle** ['raifl] 1. Gewehr *n*; 2. (aus-)plündern; **~man** ✗ Schütze *m*.

**rift** [rift] Riß *m*, Sprung *m*; Spalte *f*.

**rig¹** [rig] 1. *Markt etc.* manipulieren; 2. Schwindelmanöver *n*.

**rig²** [~] 1. ⚓ Takelung *f*; F Aufmachung *f*; 2. auftakeln; *~ s.o. out* j-n versorgen *od.* ausrüsten; j-n herausputzen *od.* herrichten; **~ging** ⚓ ['rigiŋ] Takelage *f*.

**right** [rait] 1. □ recht; richtig; recht (*Ggs. left*); *be ~* recht haben; *all ~!* alles in Ordnung!; ganz recht!; *put od. set ~* in Ordnung bringen; berichtigen; 2. *adv.* recht, richtig; gerade; direkt; ganz (und gar); *~ away* sogleich; *~ on* geradeaus; 3. Recht *n*; Rechte *f*, rechte Seite *od.* Hand; *the ~s and wrongs* der wahre Sachverhalt; *by ~ of* auf Grund (*gen.*); *on od. to the ~* rechts; *~ of way* Wegerecht *n*; Vorfahrt(s-recht *n*) *f*; 4. *j-m* Recht verschaffen; *et.* in Ordnung bringen; ⚓ (sich) aufrichten; **~-down** ['rait'daun] regelrecht, ausgemacht; wirklich; **~eous** □ ['raitʃəs] rechtschaffen; **~ful** □ ['raitful] recht(mäßig); gerecht.

**rigid** □ ['ridʒid] starr; *fig. a.* streng, hart; **~ity** [ri'dʒiditi] Starrheit *f*; Strenge *f*, Härte *f*.

**rigmarole** ['rigməroul] Geschwätz *n*.

**rigor** ✗ ['raigɔː] Fieberfrost *m*.

**rigo(u)r** ['rigə] Strenge *f*, Härte *f*.

**rigorous** □ ['rigərəs] streng, rigoros.

**rim** [rim] 1. Felge *f*; Radkranz *m*; Rand *m*; 2. rändern; einfassen.

**rime** [raim] Reim *m*; Rauhreif *m*.

**rind** [raind] Rinde *f*, Schale *f*; *Speck*-Schwarte *f*.

**ring¹** [riŋ] 1. Klang *m*; Geläut(e) *n*; Klingeln *n*; Rufzeichen *n*; Anruf *m*; *give s.o. a ~* j-n anrufen; 2. [*irr.*] läuten; klingen (lassen); erschallen (*with* von); *~ again* widerhallen; *~ off teleph.* das Gespräch beenden; *~ the bell* klingeln; *~ s.o. up* j-n *od.* bei j-m anrufen.

**ring²** [~] 1. Ring *m*; Kreis *m*; 2. beringen; *mst ~ in, ~ round, ~ about* umringen; **~leader** ['riŋliːdə] Rädelsführer *m*; **~let** ['riŋlit] (Ringel)Locke *f*.

**rink** [riŋk] Eisbahn *f*; Rollschuhbahn *f*.

**rinse** [rins] *oft ~ out* (aus)spülen.

**riot** ['raiət] 1. Tumult *m*; Aufruhr *m*; Orgie *f* (*a. fig.*); *run ~* durchgehen; (sich aus)toben; 2. Krawall machen, im Aufruhr sein; toben; schwelgen; **~er** ['raiətə] Aufrührer(in); Randalierer *m*; **~ous** □ ['raiətəs] aufrührerisch; lärmend; liederlich (*Leben*).

**rip** [rip] 1. Riß *m*; 2. (auf)trennen; (auf-, zer)reißen; (dahin)sausen.

**ripe** □ [raip] reif; **~n** ['raipən] reifen; **~ness** ['raipnis] Reife *f*.

**ripple** ['ripl] 1. kleine Welle; Kräuselung *f*; Geriesel *n*; 2. (sich) kräuseln; rieseln.

**rise** [raiz] 1. (An-, Auf)Steigen *n*; Anschwellen *n*; (Preis-, Gehalts-)Erhöhung *f*; *fig.* Aufstieg *m*; Steigung *f*; Anhöhe *f*; Ursprung *m*; *take (one's) ~* entstehen; entspringen; 2. [*irr.*] sich erheben, aufstehen; die Sitzung schließen; steigen; aufsteigen (*a. fig.*); auferstehen; aufgehen (*Sonne, Samen*); anschwellen; sich empören; entspringen (*Fluß*); *~ to* sich e-r Lage gewachsen zeigen; *~n* [rizn] *p.p. von* rise 2; **~r** ['raizə] *early ~* Frühaufsteher(in).

**rising** ['raiziŋ] 1. (Auf)Steigen *n*; Steigung *f*; *ast.* Aufgang *m*; Aufstand *m*; 2. heranwachsend (*Generation*).

**risk** [risk] 1. Gefahr *f*, Wagnis *n*; ✝ Risiko *n*; *run the ~* Gefahr laufen; 2. wagen, riskieren; **~y** □ ['riski] gefährlich, gewagt.

**rit|e** [rait] Ritus *m*, Brauch *m*; **~ual** ['ritjuəl] 1. rituell; 2. Ritual *n*.

**rival** ['raivəl] 1. Nebenbuhler(in); Rivale *m*; 2. rivalisierend; ✝ Konkurrenz...; 3. wetteifern (mit); **~ry** [⁓lri] Rivalität *f*; Wetteifer *m*.

**rive** [raiv] *[irr.]* (sich) spalten; **~n** ['rivən] *p.p. von* rive.

**river** ['rivə] Fluß *m*; Strom *m* (*a. fig.*); **~side** 1. Flußufer *n*; 2. am Wasser (gelegen).

**rivet** ['rivit] 1. ⊕ Niet(e *f*) *m*; 2. (ver)nieten; *fig.* heften (*to an acc.*; *on, upon auf acc.*); fesseln.

**rivulet** ['rivjulit] Bach *m*, Flüßchen *n*.

**road** [roud] Straße *f* (*a. fig.*), Weg *m*; *Am.* = railroad; *mst* **~s** *pl.* ⚓ Reede *f*; **~stead** ⚓ ['roudsted] Reede *f*; **~ster** [⁓tə] Roadster *m*, offener Sportwagen; **~way** Fahrbahn *f*.

**roam** [roum] *v/i.* umherstreifen, wandern; *v/t.* durchstreifen.

**roar** [rɔ:] 1. brüllen; brausen, tosen, donnern; 2. Gebrüll *n*; Brausen *n*; Krachen *n*, Getöse *n*; brüllendes Gelächter.

**roast** [roust] 1. rösten, braten; 2. geröstet; gebraten; **~ meat** Braten *m*.

**rob** [rɔb] (be)rauben; **~ber** ['rɔbə] Räuber *m*; **~bery** [⁓əri] Raub (-überfall) *m*; Räuberei *f*.

**robe** [roub] (Amts)Robe *f*, Talar *m*; (Staats)Kleid *n*; *Am.* Morgenrock *m*.

**robin** *orn.* ['rɔbin] Rotkehlchen *n*.

**robust** □ [rə'bʌst] robust, kräftig.

**rock** [rɔk] 1. Felsen *m*; Klippe *f*; Gestein *n*; Zuckerstange *f*; **~ crystal** Bergkristall *m*; 2. schaukeln; (ein)wiegen.

**rocker** ['rɔkə] Kufe *f*; *Am.* Schaukelstuhl *m*; Rocker *m*, Halbstarke(r) *m*.

**rocket** ['rɔkit] Rakete *f*; *attr.* Raketen...; **~-powered** mit Raketenantrieb; **~ry** [⁓tri] Raketentechnik *f*.

**rocking-chair** ['rɔkintʃeə] Schaukelstuhl *m*.

**rocky** ['rɔki] felsig; Felsen...

**rod** [rɔd] Rute *f*; Stab *m*; ⊕ Stange *f*; Meßrute *f* (5½ *yards*); *Am. sl.* Pistole *f*.

**rode** [roud] *pret. von* ride 2.

**rodent** ['roudənt] Nagetier *n*.

**rodeo** *Am.* [rou'deiou] Rodeo *m*;

Zusammentreiben *n*; Cowboyturnier *n*.

**roe¹** [rou] Reh *n*.

**roe²** *ichth.* [⁓] *a.* hard **~** Rogen *m*; soft **~** Milch *f*.

**rogu|e** [roug] Schurke *m*; Schelm *m*; **~ish** ['rougiʃ] schurkisch; schelmisch.

**roister** ['rɔistə] krakeelen.

**role, rôle** *thea.* [roul] Rolle *f* (*a. fig.*).

**roll** [roul] 1. Rolle *f*; ⊕ Walze *f*; Brötchen *n*, Semmel *f*; Verzeichnis *n*; Urkunde *f*; (Donner)Rollen *n*; (Trommel)Wirbel *m*; ⚓ Schlingern *n*; 2. *v/t.* rollen; wälzen; walzen; Zigarette drehen; **~ up** zs.-rollen; einwickeln; *v/i.* rollen; sich wälzen; wirbeln (*Trommel*); ⚓ schlingern; **~-call** ✕ ['roulkɔ:l] Appell *m*; **~er** ['roulə] Rolle *f*, Walze *f*; Sturzwelle *f*; **~ coaster** *Am.* Achterbahn *f*; **~ skate** Rollschuh *m*.

**rollicking** ['rɔlikiŋ] übermütig.

**rolling** ['rouliŋ] rollend; Roll..., Walz...; **~ mill** ⊕ Walzwerk *n*.

**Roman** ['roumən] 1. römisch; 2. Römer(in); *mst* ♀ *typ.* Antiqua *f*.

**romance¹** [rə'mæns] 1. (Ritter-, Vers)Roman *m*; Abenteuer-, Liebesroman *m*; Romanze *f* (*a. fig.*); *fig.* Märchen *n*; Romantik *f*; 2. *fig.* aufschneiden.

**Romance²** *ling.* [⁓]: **~ languages** romanische Sprachen *f/pl.*

**romancer** [rə'mænsə] Romanschreiber(in); Aufschneider(in).

**Romanesque** [roumə'nesk] 1. romanisch; 2. romanischer Baustil.

**romantic** [rə'mæntik] (**~ally**) romantisch; **~ism** [⁓isizəm] Romantik *f*; **~ist** [⁓ist] Romantiker(in).

**romp** [rɔmp] 1. Range *f*; Wildfang *m*; Balgerei *f*; 2. sich balgen, toben; **~er(s)** [rɔmpə(z)] Spielanzug *m*.

**rood** [ru:d] Kruzifix *n*; Viertelmorgen *m* (10,117 Ar).

**roof** [ru:f] 1. Dach *n*; **~ of the mouth** Gaumen *m*; 2. *a.* **~ over** überdachen; **~ing** ['ru:fiŋ] 1. Bedachung *f*; 2. Dach...; **~ felt** Dachpappe *f*.

**rook** [ruk] 1. *Schach:* Turm *m*; *fig.* Gauner *m*; *orn.* Saatkrähe *f*; 2. betrügen.

**room** [rum] 1. Raum *m*; Platz *m*; Zimmer *n*; Möglichkeit *f*; **~s** *pl.* Wohnung *f*; *in my* **~** an meiner Stelle; 2. *Am.* wohnen; **~er** ['rumə] *bsd. Am.* Untermieter(in); ~**ing-house** ['ruminhaus] *bsd. Am.* Miets-, Logierhaus *n*; ~**mate** Stubenkamerad *m*; ~**y** □ ['rumi] geräumig.

**roost** [ru:st] **1.** Schlafplatz *m e-s Vogels*; Hühnerstange *f*; Hühnerstall *m*; **2.** sich (zum Schlaf) niederhocken; *fig.* übernachten; ~**er** ['ru:stə] Haushahn *m.*

**root** [ru:t] **1.** Wurzel *f*; **2.** (ein)wurzeln; (auf)wühlen; ~ *for Am.* sl. Stimmung machen für; ~ **out** ausrotten; ~ **out** *od.* **up** ausgraben; ~**ed** ['ru:tid] eingewurzelt; ~**er** *Am. sl.* ['ru:tə] Fanatiker *m für et.*

**rope** [roup] **1.** Tau *n*, Seil *n*; Strick *m*; Schnur *f Perlen etc.*; *be at the end of one's* ~ F mit s-m Latein zu Ende sein; *know the* ~*s* sich auskennen; **2.** mit e-m Seil befestigen *od.* (*mst* ~ *in od.* **off** *od.* **out**) absperren; anseilen; ~**way** ['roupwei] Seilbahn *f.*

**ropy** ['roupi] klebrig, zähflüssig.

**rosary** *eccl.* ['rouzəri] Rosenkranz *m.*

**rose**[1] [rouz] & Rose *f*; (Gießkannen)Brause *f*; Rosenrot *n.*

**rose**[2] [~] *pret. von* **rise 2.**

**rosebud** ['rouzbʌd] Rosenknospe *f*; *Am.* hübsches Mädchen; Debütantin *f.*

**rosin** ['rɔzin] (Geigen)Harz *n.*

**rostrum** ['rɔstrəm] Rednertribüne *f.*

**rosy** □ ['rouzi] rosig.

**rot** [rɔt] **1.** Fäulnis *f*; *sl.* Quatsch *m*; **2.** *v/t.* faulen lassen; Quatsch machen mit *j-m*; *v/i.* verfaulen, vermodern.

**rota**|**ry** ['routəri] drehend; Rotations...; ~**te** [rou'teit] (sich) drehen, (ab)wechseln; ~**tion** [~'eiʃən] Umdrehung *f*; Kreislauf *m*; Abwechs(e)lung *f*; ~**tory** ['routətəri] *s. rotary*; abwechselnd.

**rote** [rout]: *by* ~ auswendig.

**rotten** □ ['rɔtn] verfault, faul(ig); mod(e)rig; morsch (*alle a. fig.*); *sl.* saumäßig, dreckig.

**rotund** □ [rou'tʌnd] rund; voll (*Stimme etc.*); hochtrabend.

**rouge** [ru:ʒ] **1.** Rouge *n*; Silberputzmittel *n*; **2.** Rouge auflegen (auf *acc.*).

**rough** [rʌf] **1.** □ rauh; roh; grob; *fig.* ungehobelt; ungefähr (*Schätzung*); ~ *and ready* grob (gearbeitet);

Not..., Behelfs...; ~ *copy* roher Entwurf; **2.** Rauhe *n*, Grobe *n*; Lümmel *m*; **3.** (an-, auf)rauhen; ~ *it* sich mühsam durchschlagen; ~**cast** ['rʌfka:st] **1.** ⊕ Rohputz *m*; **2.** unfertig; **3.** ⊕ roh verputzen; roh entwerfen; ~**en** ['rʌfən] rauh machen *od.* werden; ~**neck** *Am. sl.* Rabauke *m*; ~**ness** [~nis] Rauheit *f*; Roheit *f*; Grobheit *f*; ~**shod**: *ride* ~ *over* rücksichtslos behandeln.

**round** [raund] **1.** □ rund; voll (*Stimme etc.*); flott (*Gangart*); gerundet (*Stil*); unverblümt; ~ *game* Gesellschaftsspiel *n*; ~ *trip* Rundreise *f*; **2.** *adv.* rund-, ringsum(her); *a.* ~ *about* in der Runde; *all* ~ ringsum; *fig.* ohne Unterschied; *all the year* ~ das ganze Jahr hindurch; **3.** *prp.* um ... herum; **4.** Rund *n*, Kreis *m*; Runde *f*; Kreislauf *m*; (Leiter)Sprosse *f*; Rundgesang *m*; *Lach- etc.*Salve *f*; *100* ~*s* ✕ *100* Schuß; **5.** *v/t.* runden; herumgehen *od.* herumfahren um; ~ *off* abrunden; ~ *up* einkreisen; *v/i.* sich runden; sich umdrehen; ~**about** ['raundəbaut] **1.** umschweifig; **2.** Umweg *m*; Karussell *n*; Kreisverkehr *m*; ~**ish** [~diʃ] rundlich; ~**up** Einkreisung *f*; Razzia *f.*

**rous**|**e** [rauz] *v/t.* wecken; ermuntern; aufjagen; (auf)reizen; ~ *o.s.* sich aufraffen; *v/i.* aufwachen; ~**ing** ['rauzin] brausend (*Beifall etc.*).

**roustabout** *Am.* ['raustəbaut] ungelernter (*mst* Hafen)Arbeiter.

**rout** [raut] **1.** Rotte *f*; wilde Flucht; *a. put to* ~ vernichtend schlagen; **2.** aufwühlen.

**route** [ru:t, ✕ *a.* raut] Weg *m*; ✕ Marschroute *f.*

**routine** [ru:'ti:n] **1.** Routine *f*; **2.** üblich; Routine...

**rove** [rouv] umherstreifen, umherwandern.

**row**[1] [rou] **1.** Reihe *f*; Ruderfahrt *f*; **2.** rudern.

**row**[2] F [rau] **1.** Spektakel *m*; Krach *m*; Schlägerei *f*; **2.** ausschimpfen

**row-boat** ['roubout] Ruderboot *n.*

**rower** ['rouə] Ruder|er *m*, -in *f.*

**royal** □ ['rɔiəl] königlich; prächtig; ~**ty** [~lti] Königtum *n*, -reich *n*; Königswürde *f*; königliche Persönlichkeit; Tantieme *f.*

**rub** [rʌb] **1.** Reiben *n*; Schwierigkeit *f*; *fig.* Stichelei *f*; Unannehm-

227

**run**

lichkeit *f*; **2.** *v/t.* reiben; (ab)wischen; (wund)scheuern; schleifen; ~ *down* abreiben; ~ *in* einreiben; *fig.* betonen; ~ *off* abreiben; ~ *out* auslöschen; ~ *up* auffrischen; verreiben; *v/i.* sich reiben; *fig.* ~ *along* od. on od. *through* sich durchschlagen.

**rubber** ['rʌbə] **1.** Gummi *n*, *m*; Radiergummi *m*; Masseur *m*; Wischtuch *n*; *Whist:* Robber *m*; ~s *pl. Am.* Gummischuhe *m/pl.*; **2.** Gummi...; ~ *check Am. sl.* geplatzter Scheck; **~neck** *Am. sl.* **1.** Gaffer(in); **2.** sich den Hals verrenken; mithören; **~ stamp** Gummistempel *m*; *Am.* F *fig.* Nachbeter *m*; **~-stamp** automatisch gutheißen.

**rubbish** ['rʌbiʃ] Schutt *m*; Abfall *m*; Kehricht *m*; *fig.* Schund *m*; Unsinn *m*.

**rubble** ['rʌbl] Schutt *m*.

**rube** *Am.sl.* [ru:b] Bauernlümmel *m*.

**ruby** ['ru:bi] Rubin(rot *n*) *m*.

**rucksack** ['ruksæk] Rucksack *m*.

**rudder** ['rʌdə] ♣ (Steuer)Ruder *n*; ✈ Seitenruder *n*.

**rudd|iness** ['rʌdinis] Röte *f*; **~y** ['rʌdi] rot; rotbäckig.

**rude** □ [ru:d] unhöflich; unanständig; heftig, unsanft; ungebildet; einfach, kunstlos; robust; roh.

**rudiment** *biol.* ['ru:dimənt] Ansatz *m*; ~s *pl.* Anfangsgründe *m/pl.*

**rueful** □ ['ru:ful] reuig; traurig.

**ruff** [rʌf] Halskrause *f*.

**ruffian** ['rʌfjən] Rohling *m*; Raufbold *m*; Schurke *m*.

**ruffle** ['rʌfl] **1.** Krause *f*, Rüsche *f*; Kräuseln *n*; *fig.* Unruhe *f*; **2.** kräuseln; zerdrücken; zerknüllen; *fig.* aus der Ruhe bringen; stören.

**rug** [rʌg] (Reise-, Woll)Decke *f*; Vorleger *m*, Brücke *f*; **~ged** □ ['rʌgid] rauh (*a. fig.*); uneben; gefurcht.

**ruin** [ruin] **1.** Ruin *m*, Zs.-bruch *m*; Untergang *m*; *mst.* ~s *pl.* Ruine(n *pl.*) *f*, Trümmer *pl.*; **2.** ruinieren; zugrunde richten; zerstören; verderben; **~ous** □ ['ruinəs] ruinenhaft, verfallen; verderblich; ruinös.

**rul|e** [ru:l] **1.** Regel *f*; Vorschrift *f*; Ordnung *f*; Satzung *f*; Herrschaft *f*; Lineal *n*; *as a* ~ in der Regel; ~(s) *of the road* Straßenverkehrsordnung *f*; **2.** *v/t.* regeln; leiten; beherrschen; verfügen; liniieren; ~

*out* ausschließen; *v/i.* herrschen; **~er** ['ru:lə] Herrscher(in); Lineal *n*.

**rum** [rʌm] Rum *m*; *Am.* Alkohol *m*.

**Rumanian** [ru(:)'meinjən] **1.** rumänisch; **2.** Rumän|e *m*, -in *f*; Rumänisch *n*.

**rumble** ['rʌmbl] **1.** Rumpeln *n*; *a.* **~-seat** *Am. mot.* Notsitz *m*; *Am.* F Fehde *f* zwischen Gangsterbanden; **2.** rumpeln, rasseln; grollen (*Donner*).

**rumina|nt** ['ru:minənt] **1.** wiederkäuend; **2.** Wiederkäuer *m*; **~te** [~neit] wiederkäuen; *fig.* nachsinnen.

**rummage** ['rʌmidʒ] **1.** Durchsuchung *f*; Ramsch *m*, Restwaren *f/pl.*; **2.** *v/t.* durchsuchen, durchstöbern, durchwühlen; *v/i.* wühlen.

**rumo(u)r** ['ru:mə] **1.** Gerücht *n*; **2.** (als Gerücht) verbreiten; *it is ~ed* es geht das Gerücht. [*m.*]

**rump** *anat.* [rʌmp] Steiß *m*; Rumpf]

**rumple** ['rʌmpl] zerknittern; zerren, (zer)zausen.

**rum-runner** *Am.* ['rʌmrʌnə] Alkoholschmuggler *m*.

**run** [rʌn] **1.** [*irr.*] *v/i. allg.* laufen; rennen (*Mensch, Tier*); eilen; zerlaufen (*Farbe etc.*); umgehen (*Gerücht etc.*); lauten (*Text*); gehen (*Melodie*); ✝ sich stellen (*Preis*); ~ *across s.o.* j-m in die Arme laufen; ~ *away* davonlaufen; ~ *down* ablaufen (*Uhr etc.*); *fig.* herunterkommen; ~ *dry* aus-, vertrocknen; ~ *for parl.* kandidieren für; ~ *into* geraten in (*acc.*); werden zu; *j-m* in die Arme laufen; ~ *low* zur Neige gehen; ~ *mad* verrückt werden; ~ *off* weglaufen; ~ *on* fortfahren; ~ *out*, ~ *short* zu Ende gehen; ~ *through* durchmachen; durchlesen; ~ *to* sich belaufen auf (*acc.*); sich entwickeln zu; ~ *up to* sich belaufen auf (*acc.*); *Weg* einschlagen; laufen lassen; *Hand etc.* gleiten lassen; stecken, stoßen; transportieren; *Flut* ergießen; *Geschäft* betreiben, leiten; *hunt.* verfolgen, hetzen; um die Wette rennen mit; schmuggeln; heften; ~ *the blockade* die Blockade brechen; ~ *down* umrennen; zu Strecke bringen; *fig.* schlecht machen; herunterwirtschaften; be ~ *down* abgearbeitet sein; ~ *errands* Botengänge machen; ~ *in mot.* ein-

*15**

fahren; F *Verbrecher* einbuchten; ~ off ablaufen lassen; ~ out hinausjagen; ~ over überfahren; *Text* überfliegen; ~ s.o. through j-n durchbohren; ~ up *Preis, Neubau etc.* emporttreiben; *Rechnung etc.* auflaufen lassen; **2.** Laufen *n*, Rennen *n*, Lauf *m*; Verlauf *m*; Fahrt *f* e-s *Schiffes*; Reihe *f*; Folge *f*; Serie *f*; Reise *f*, Ausflug *m*; ♀ Andrang *m*; Ansturm *m*; *Am.* Bach *m*; *Am.* Laufmasche *f*; *Vieh-*Trift *f*; freie Benutzung; Art *f*, Schlag *m*; the common ~ die große Masse; *have a* ~ *of* 20 *nights thea.* 20mal nacheinander gegeben werden; *in the long* ~ auf die Dauer, am Ende; *in the short* ~ fürs nächste.

**run|about** *mot.* ['rʌnəbaut] kleiner (Sport)Wagen; **~away** Ausreißer *m*.

**rune** [ru:n] Rune *f*.

**rung**[1] [rʌŋ] *p.p. von* ring[1] 2.

**rung**[2] [~] (Leiter)Sprosse *f* (a. *fig.*).

**run-in** ['rʌn'in] *Sport:* Einlauf *m*; *Am.* F Krach *m*, Zs.-stoß *m* (*Streit*).

**run|let** ['rʌnlit], **~nel** ['rʌnl] Rinnsal *n*; Rinnstein *m*.

**runner** ['rʌnə] Läufer *m*; Bote *m*; (Schlitten)Kufe *f*; Schieber *m am Schirm*; ♀ Ausläufer *m*; **~up** [~ər'ʌp] *Sport:* Zweitbeste(r *m*) *f*, Zweite(r *m*) *f*.

**running** ['rʌniŋ] **1.** laufend; *two days* ~ zwei Tage nacheinander; ~ *hand* Kurrentschrift *f*; **2.** Rennen *n*; **~board** Trittbrett *n*.

**runt** [rʌnt] *zo.* Zwergrind *n*; *fig.* Zwerg *m*; *attr.* Zwerg...

**runway** ['rʌnwei] ♀ Rollbahn *f*; *hunt.* Wechsel *m*; Holzrutsche *f*; ~ *watching* Ansitzjagd *f*.

**rupture** ['rʌptʃə] **1.** Bruch *m* (a. ♀); **2.** brechen; sprengen.

**rural** □ ['ruərəl] ländlich; Land...

**ruse** [ru:z] List *f*, Kniff *m*.

**rush** [rʌʃ] **1.** ♀ Binse *f*; Jagen *n*, Hetzen *n*, Stürmen *n*; (An)Sturm *m*; Andrang *m*; ♱ stürmische Nachfrage; ~ *hour(s pl.)* Hauptverkehrszeit *f*; **2.** *v/i.* stürzen, jagen, hetzen, stürmen; ~ *at* sich stürzen auf (*acc.*); ~ *into print et.* überstürzt veröffentlichen; *v/t.* jagen, hetzen; drängen; ✕ *u. fig.* stürmen; *sl.* neppen.

**russet** ['rʌsit] braunrot; grob.

**Russian** ['rʌʃən] **1.** russisch; **2.** Russe *m*, -in *f*; Russisch *n*.

**rust** [rʌst] **1.** Rost *m*; **2.** (ver-, ein-) rosten (lassen) (a. *fig.*).

**rustic** ['rʌstik] **1.** (~ally) ländlich; bäurisch; Bauern...; **2.** Bauer *m*.

**rustle** ['rʌsl] **1.** rascheln (mit *od.* in *dat.*); rauschen; *Am.* F sich ranhalten; *Vieh* stehlen; **2.** Rascheln *n*.

**rust|less** ['rʌstlis] rostfrei; **~y** [~ti] rostig; eingerostet (a. *fig.*); verschossen (*Stoff*); rostfarben.

**rut** [rʌt] Wagenspur *f*; *bsd. fig.* ausgefahrenes Geleise; *hunt.* Brunst *f*, Brunft *f*.

**ruthless** □ ['ru:θlis] unbarmherzig, rücksichts-, skrupellos.

**rutted** ['rʌtid] ausgefahren (*Weg*).

**rutty** ['rʌti] ausgefahren (*Weg*).

**rye** ♀ [rai] Roggen *m*.

# S

**sable** ['seibl] Zobel(pelz) *m*; Schwarz *n*.

**sabotage** ['sæbətɑ:3] **1.** Sabotage *f*; **2.** sabotieren.

**sabre** ['seibə] Säbel *m*.

**sack** [sæk] **1.** Plünderung *f*; Sack *m*; *Am.* Tüte *f*; Sackkleid *n*; Sakko *m*, *n*; *give (get) the* ~ F entlassen (werden); den Laufpaß geben (bekommen); **2.** plündern; einsacken; F rausschmeißen; *j-m* den Laufpaß

geben; **~cloth** ['sækklɔθ], **~ing** ['sækiŋ] Sackleinwand *f*.

**sacrament** *eccl.* ['sækrəmənt] Sakrament *n*.

**sacred** □ ['seikrid] heilig; geistlich.

**sacrifice** ['sækrifais] **1.** Opfer *n*; *at a* ~ ♱ mit Verlust; **2.** opfern; ~ mit Verlust verkaufen.

**sacrileg|e** ['sækrilidʒ] Kirchenraub *m*, -schändung *f*; Sakrileg *n*; **~ious** □ [sækri'lidʒəs] frevelhaft.

**sad** □ [sæd] traurig; jämmerlich, kläglich; schlimm, arg; dunkel.

**sadden** ['sædn] (sich) betrüben.

**saddle** ['sædl] **1.** Sattel *m*; **2.** satteln; *fig.* belasten; **~r** [˘lə] Sattler *m*.

**sadism** ['sædizəm] Sadismus *m*.

**sadness** ['sædnis] Traurigkeit *f*, Trauer *f*, Schwermut *f*.

**safe** [seif] **1.** □ *allg.* sicher; unversehrt; zuverlässig; **2.** Safe *m*, *n*, Geldschrank *m*; Speiseschrank *m*; **~-blower** *Am.* ['seifblouə] Geldschrankknacker *m*; **~ conduct** freies Geleit; Geleitbrief *m*; **~guard 1.** Schutz *m*; **2.** sichern, schützen.

**safety** ['seifti] Sicherheit *f*; **~-belt** *mot.* Sicherheitsgurt *m*; **~ island** Verkehrsinsel *f*; **~-lock** Sicherheitsschloß *n*; **~-pin** Sicherheitsnadel *f*; **~ razor** Rasierapparat *m*.

**saffron** ['sæfrən] Safran(gelb *n*) *m*.

**sag** [sæg] durchsacken; ⊕ durchhängen; ♣ (ab)sacken (*a. fig.*).

**sagacious** [sə'geiʃəs] scharfsinnig; **~ty** [sə'gæsiti] Scharfsinn *m*.

**sage** [seidʒ] **1.** □ klug, weise; **2.** Weise(r) *m*; ♀ Salbei *m*, *f*.

**said** [sed] *pret. u. p.p. von* say 1.

**sail** [seil] **1.** Segel *n*; Fahrt *f*; Windmühlenflügel *m*; (Segel-)Schiff(e *pl.*) *n*; set ~ in See stechen; **2.** *v/i.* (ab)segeln, fahren, *fig.* schweben; *v/t.* befahren, Schiff führen; **~-boat** *Am.* ['seilbout] Segelboot *n*; **~er** ['seilə] Segler *m* (*Schiff*); **~ing-ship** ['seiliŋʃip], **~ing-vessel** [˘ŋvesl] Segelschiff *n*; **~or** ['seilə] Seemann *m*, Matrose *m*; be a good (bad) ~ (nicht) seefest sein; **~-plane** Segelflugzeug *n*.

**saint** [seint] **1.** Heilige(r *m*) *f*; [*vor npr.* snt] Sankt...; **2.** heiligsprechen; **~ly** ['seintli] *adj.* heilig, fromm.

**saith** † *od. poet.* [seθ] 3. *sg. pres. von* say 1.

**sake** [seik]: for the ~ of um ... (*gen.*) willen; for my ~ meinetwegen; for God's ~ um Gottes willen.

**salad** ['sæləd] Salat *m*.

**salary** ['sæləri] **1.** Besoldung *f*; Gehalt *n*; **2.** besolden; **~-earner** [˘iə:nə] Gehaltsempfänger(in).

**sale** [seil] (Aus)Verkauf *m*; Absatz *m*; Auktion *f*; for ~, on ~ zum Verkauf, zu verkaufen, verkäuflich.

**sal(e)able** ['seiləbl] verkäuflich.

**sales|man** ['seilzmən] Verkäufer *m*; **~woman** Verkäuferin *f*.

**salient** □ ['seiljənt] vorspringend; *fig.* hervorragend, hervortretend; Haupt...

**saline** ['seilain] salzig; Salz...

**saliva** [sə'laivə] Speichel *m*.

**sallow** ['sælou] blaß; gelblich.

**sally** ['sæli] **1.** ✕ Ausbruch *m*; witziger Einfall *m*; **2.** *a.* ~ out ✕ ausbrechen; ~ forth, ~ out sich aufmachen.

**salmon** *ichth.* ['sæmən] Lachs *m*, Salm *m*.

**saloon** [sə'lu:n] Salon *m*; (Gesellschafts)Saal *m*; erste Klasse *auf Schiffen*; *Am.* Kneipe *f*.

**salt** [so:lt] **1.** Salz *n*; *fig.* Würze *f*; old ~ alter Seebär; **2.** salzig; gesalzen; Salz...; Pökel...; **3.** (ein)salzen; pökeln; **~-cellar** [˘selə] Salzfäßchen *n*; **~petre**, *Am.* **~peter** [˘pi:tə] Salpeter *m*; **~-water** Salzwasser...; **~y** [˘ti] salzig.

**salubrious** □ [sə'lu:briəs], **salutary** □ ['sæljutəri] heilsam, gesund.

**salutation** [sælju(:)'teiʃən] Gruß *m*, Begrüßung *f*; Anrede *f*; **~e** [sə'lu:t] **1.** Gruß *m*; *co.* Kuß *m*; ✕ Salut *m*; **2.** (be)grüßen; ✕ salutieren.

**salvage** ['sælvidʒ] **1.** Bergung(sgut *n*) *f*; Bergegeld *n*; **2.** bergen.

**salvation** [sæl'veiʃən] Erlösung *f*; (Seelen)Heil *n*; *fig.* Rettung *f*; ♀ Army Heilsarmee *f*.

**salve¹** [sælv] retten, bergen.

**salve²** [sɑ:v] **1.** Salbe *f*; *fig.* Balsam *m*; **2.** *mst fig.* (ein)salben; beruhigen.

**salvo** ['sælvou] Vorbehalt *m*; ✕ Salve *f* (*fig.* Beifall).

**same** [seim]: the ~ der-, die-, dasselbe; all the ~ trotzdem; it is all the ~ to me es ist mir (ganz) gleich.

**samp** *Am.* [sæmp] grobgemahlener Mais.

**sample** ['sɑ:mpl] **1.** Probe *f*, Muster *n*; **2.** bemustern; (aus)probieren.

**sanatorium** [sænə'tɔ:riəm] (*bsd.* Lungen)Sanatorium *n*; Luftkurort *m*.

**sanct|ify** ['sæŋktifai] heiligen, weihen; **~imonious** □ [sæŋkti'mounjəs] scheinheilig; **~ion** ['sæŋkʃən] **1.** Sanktion *f*; Bestätigung *f*; Genehmigung *f*; Zwangsmaßnahme *f*; **2.** bestätigen, genehmigen; **~ity** [˘ktiti] Heiligkeit *f*; **~uary** [˘tjuəri]

**sand** 230

Heiligtum *n*; *das* Allerheiligste; Asyl *n*, Freistätte *f*.

**sand** [sænd] **1.** Sand *m*; ~s *pl*. Sand(-massen *f/pl.*) *m*; Sandwüste *f*; Sandbank *f*; **2.** mit Sand bestreuen.

**sandal** ['sændl] Sandale *f*.

**sand|-glass** ['sændglɑːs] Sanduhr *f*; **~-hill** Sanddüne *f*; **~piper** *orn*. Flußuferläufer *m*.

**sandwich** ['sænwidʒ] **1.** Sandwich *n*; **2.** *a*. ~ in einlegen, einklemmen.

**sandy** ['sændi] sandig; sandfarben.

**sane** [sein] geistig gesund; vernünftig (*Antwort etc.*).

**sang** [sæŋ] *pret. von* sing.

**sanguin|ary** □ ['sæŋgwinəri] blutdürstig; blutig; ~e [~win] leichtblütig; zuversichtlich; vollblütig.

**sanitarium** *Am*. [sæni'tɛəriəm] = *sanatorium*.

**sanitary** □ ['sænitəri] Gesundheits...; gesundheitlich; ⊕ Sanitär...; ~ towel Damenbinde *f*.

**sanit|ation** [sæni'teiʃən] Gesundheitspflege *f*; sanitäre Einrichtung; **~y** ['sæniti] gesunder Verstand.

**sank** [sæŋk] *pret. von* sink 1.

**Santa Claus** [sæntə'klɔːz] Nikolaus *m*.

**sap** [sæp] **1.** ♀ Saft *m*; *fig*. Lebenskraft *f*; ✗ Sappe *f*; **2.** untergraben (*a. fig.*); *sl*. büffeln; **~less** ['sæplis] saft-, kraftlos; **~ling** [~liŋ] junger Baum; *fig*. Grünschnabel *m*.

**sapphire** *min*. ['sæfaiə] Saphir *m*.

**sappy** ['sæpi] saftig; *fig*. kraftvoll.

**sarcasm** ['sɑːkæzəm] bitterer Spott.

**sardine** *ichth*. [sɑː'diːn] Sardine *f*.

**sash** [sæʃ] Schärpe *f*; Fensterrahmen *m*. [benster *n*.]

**sash-window** ['sæʃwindou] Schie-]

**Satan** ['seitən] Satan *m*.

**satchel** ['sætʃəl] Schulmappe *f*.

**sate** [seit] (über)sättigen.

**sateen** [sæ'tiːn] Satin *m*.

**satellite** ['sætəlait] Satellit(enstaat) *m*.

**satiate** ['seiʃieit] (über)sättigen.

**satin** ['sætin] Seidensatin *m*.

**satir|e** ['sætaiə] Satire *f*; **~ist** ['sætərist] Satiriker *m*; **~ize** [~raiz] verspotten.

**satisfaction** [sætis'fækʃən] Befriedigung *f*; Genugtuung *f*; Zufriedenheit *f*; Sühne *f*; Gewißheit *f*.

**satisfactory** □ [sætis'fæktəri] befriedigend, zufriedenstellend.

**satisfy** ['sætisfai] befriedigen; genügen (*dat*.); zufriedenstellen; überzeugen; *Zweifel* beheben.

**saturate** ⌒ *u. fig*. ['sætʃəreit] sättigen.

**Saturday** ['sætədi] Sonnabend *m*, Samstag *m*.

**saturnine** ['sætəːnain] düster, finster.

**sauce** [sɔːs] **1.** (*oft kalte*) Soße; *Am*. Kompott *n*; *fig*. Würze *f*; F Frechheit *f*; **2.** würzen; F frech werden zu *j-m*; **~-boat** ['sɔːsbout] Soßenschüssel *f*; **~pan** Kochtopf *m*; Kasserolle *f*; **~r** ['sɔːsə] Untertasse *f*.

**saucy** □ F ['sɔːsi] frech; dreist.

**saunter** ['sɔːntə] **1.** Schlendern *n*; Bummel *m*; **2.** (umher)schlendern; bummeln.

**sausage** ['sɔsidʒ] Wurst *f*.

**savage** ['sævidʒ] **1.** □ wild; roh, grausam; **2.** Wilde(r *m*) *f*; *fig*. Barbar *m*; **~ry** [~dʒəri] Wildheit *f*; Barbarei *f*.

**savant** ['sævənt] Gelehrte(r) *m*.

**save** [seiv] **1.** retten; erlösen; bewahren; (er)sparen; schonen; **2.** *rhet. prp. u. cj*. außer; ~ *for* bis auf (*acc.*); ~ *that* nur daß.

**saver** ['seivə] Retter(in); Sparer(in).

**saving** ['seiviŋ] **1.** □ sparsam; **2.** Rettung *f*; ~s *pl*. Ersparnisse *f/pl*.

**savings|-bank** ['seiviŋzbæŋk] Sparkasse *f*; **~-deposit** Spareinlage *f*.

**savio(u)r** ['seivjə] Retter *m*; *Saviour eccl*. Heiland *m*.

**savo(u)r** ['seivə] **1.** Geschmack *m*; *fig*. Beigeschmack *m*; **2.** *fig*. schmecken, riechen (*of* nach).

**savo(u)ry**[1] □ ['seivəri] schmackhaft; appetitlich; pikant.

**savo(u)ry**[2] ♀ [~] Bohnenkraut *n*.

**saw**[1] [sɔː] *pret. von* see[1].

**saw**[2] [~] Spruch *m*.

**saw**[3] [~] **1.** [*irr.*] sägen; **2.** Säge *f*; **~dust** ['sɔːdʌst] Sägespäne *m/pl*.; **~mill** Sägewerk *n*; **~n** [sɔːn] *p.p. von* saw[3] 1.

**Saxon** ['sæksn] **1.** sächsisch; *ling. oft* germanisch; **2.** Sachse *m*, Sächsin *f*.

**say** [sei] **1.** [*irr.*] sagen; hersagen; berichten; ~ *grace* das Tischgebet sprechen; *that is to* ~ das heißt; *you don't* ~ *so!* was Sie nicht sagen! *I* ~ sag(en Sie) mal; ich muß schon sagen; *he is said to be* ... er soll ...

sein; *no sooner said than done* gesagt, getan; **2.** Rede *f*, Wort *n*; *it is my ~ now* jetzt ist die Reihe zu reden an mir; *have a* od. *some* (no) *~ in s.th.* et. (nichts) zu sagen haben bei et.; **~ing** ['seiiŋ] Rede *f*; Redensart *f*; Ausspruch *m*; *it goes without ~* es versteht sich von selbst.

**scab** [skæb] *&*, *&* Schorf *m*; *vet.* Räude *f*; *sl.* Streikbrecher *m*.

**scabbard** ['skæbəd] *Säbel-*Scheide *f*.

**scabrous** ['skeibrəs] heikel.

**scaffold** ['skæfəld] (Bau)Gerüst *n*; Schafott *n*; **~ing** [~diŋ] (Bau)Gerüst *n*.

**scald** [skɔ:ld] **1.** Verbrühung *f*; **2.** verbrühen; *Milch* abkochen.

**scale¹** [skeil] **1.** Schuppe *f*; Kesselstein *m*; *&* Zahnstein *m*; Waagschale *f*; *(a pair of) ~s pl.* (eine) Waage; **2.** (sich) abschuppen, ablösen; *⊕ Kesselstein* abklopfen; *& Zähne* vom Zahnstein reinigen; wiegen.

**scale²** [~] **1.** Stufenleiter *f*; *♪* Tonleiter *f*; Skala *f*; Maßstab *m*; *fig.* Ausmaß *n*; **2.** ersteigen; *~ up (down)* maßstabsgetreu vergrößern (verkleinern).

**scallop** ['skɔləp] **1.** *zo.* Kammuschel *f*; *⊕* Langette *f*; **2.** ausbogen.

**scalp** [skælp] **1.** Kopfhaut *f*; Skalp *m*; **2.** skalpieren.

**scaly** ['skeili] schuppig; voll Kesselstein.

**scamp** [skæmp] **1.** Taugenichts *m*; **2.** pfuschen; **~er** ['skæmpə] **1.** (umher)tollen; hetzen; **2.** *fig.* Hetzjagd *f*.

**scan** [skæn] *Verse* skandieren; absuchen; *fig.* überfliegen.

**scandal** ['skændl] Skandal *m*; Ärgernis *n*; Schande *f*; Klatsch *m*; **~ize** [~dəlaiz] Anstoß erregen bei *j-m*; **~ous** □ [~ləs] skandalös, anstößig; schimpflich; klatschhaft.

**Scandinavian** [skændi'neivjən] **1.** skandinavisch; **2.** Skandinavier (-in).

**scant** *lit.* [skænt] **1.** knapp, kärglich; **2.** knausern mit, sparen an (*dat.*); **~y** □ ['skænti] knapp, spärlich; kärglich, dürftig.

**scape|goat** ['skeipgout] Sündenbock *m*; **~grace** [~greis] Taugenichts *m*.

**car** [ska:] **1.** Narbe *f*; *fig.* (Schand-) Fleck *m*, Makel *m*; Klippe *f*; **2.** *v/t.* schrammen; *v/i.* vernarben.

**scarc|e** [skɛəs] knapp; rar; selten; **~ely** ['skɛəsli] kaum; **~ity** [~siti] Mangel *m*; Knappheit *f*; Teuerung *f*.

**scare** [skɛə] **1.** er-, aufschrecken; verscheuchen; **~d** verstört; ängstlich; **2.** Panik *f*; **~crow** ['skɛəkrou] Vogelscheuche *f* (*a. fig.*); **~head** (**~ing**) Riesenschlagzeile *f*.

**scarf** [ska:f], *pl. ~s, scarves* [~fs, ska:vz] Schal *m*; Hals-, Kopftuch *n*; Krawatte *f*; *✕* Schärpe *f*.

**scarlet** ['ska:lit] **1.** Scharlach(rot *n*) *m*; **2.** scharlachrot; *~ fever & Scharlach m; ~ runner & Feuerbohne f.*

**scarred** [ska:d] narbig.

**scarves** [ska:vz] *pl. von scarf.*

**scathing** *fig.* ['skeiðiŋ] vernichtend.

**scatter** ['skætə] (sich) zerstreuen; aus-, verstreuen; (sich) verbreiten.

**scavenger** ['skævindʒə] Straßenkehrer *m*.

**scenario** [si'nɑ:riou] *Film:* Drehbuch *n*.

**scene** [si:n] Szene *f*; Bühne(nbild *n*) *f*; Schauplatz *m*; *~s pl.* Kulissen *f/pl.*; **~ry** ['si:nəri] Szenerie *f*; Bühnenausstattung *f*; Landschaft *f*.

**scent** [sent] **1.** (Wohl)Geruch *m*; Duft *m*; Parfüm *n*; *hunt.* Witterung(svermögen *n*) *f*; Fährte *f*; **2.** wittern; parfümieren; **~less** ['sentlis] geruchlos.

**sceptic** ['skeptik] Skeptiker(in); **~al** □ [~kəl] skeptisch.

**scept|re**, *Am.* **~er** ['septə] Zepter *n*.

**schedule** ['ʃedju:l, *Am.* 'skedju:l] **1.** Verzeichnis *n*; Tabelle *f*; *Am.* Fahrplan *m*; *on ~* fahrplanmäßig; **2.** auf-, verzeichnen; festsetzen.

**scheme** [ski:m] **1.** Schema *n*; Zs.-stellung *f*; Plan *m*; **2.** *v/t.* planen; *v/i.* Pläne machen; Ränke schmieden.

**schism** ['sizəm] (Kirchen)Spaltung *f*.

**scholar** ['skɔlə] Gelehrte(r) *m*; *univ.* Stipendiat *m*; † Schüler(in); **~ly** *adj.* [~əli] gelehrt; **~ship** [~əʃip] Gelehrsamkeit *f*; Wissenschaftlichkeit *f*; *univ.* Stipendium *n*.

**scholastic** [skə'læstik] **1.** (~ally) *phls.* scholastisch; schulmäßig; *Schul...*; **2.** *phls.* Scholastiker *m*.

**school** [sku:l] **1.** Schwarm *m*; Schule *f* (*a. fig.*); *univ.* Fakultät *f*; Disziplin *f*; Hochschule *f*; *at ~ auf* *od.* in der Schule; **2.** schulen, erziehen; **~boy** ['sku:lbɔi] Schüler *m*; **~fellow** Mitschüler(in); **~girl** Schülerin *f*; **~ing** [~liŋ] (Schul)Ausbildung *f*; **~master** Lehrer *m* (*bsd. e-r höheren Schule*); **~mate** Mitschüler(in); **~mistress** Lehrerin *f* (*bsd. e-r höheren Schule*); **~teacher** (*bsd.* Volksschul)Lehrer (-in).

**schooner** ['sku:nə] ♣ Schoner *m*; *Am.* großes Bierglas; = *prairie-schooner.*

**science** ['saiəns] Wissenschaft *f*; Naturwissenschaft(en *pl.*) *f*; Technik *f.*

**scientific** [saiən'tifik] (~ally) (*engS.* natur)wissenschaftlich; kunstgerecht.

**scientist** ['saiəntist] (*bsd.* Natur-) Wissenschaftler *m.*

**scintillate** ['sintileit] funkeln.

**scion** ['saiən] Sproß *m*, Sprößling *m.*

**scissors** ['sizəz] *pl.* (*a pair of ~ pl.* eine) Schere.

**scoff** [skɔf] **1.** Spott *m*; **2.** spotten.

**scold** [skould] **1.** zänkisches Weib; **2.** (aus)schelten, schimpfen.

**scon(e)** [skɔn] weiches Teegebäck.

**scoop** [sku:p] **1.** Schaufel *f*, Schippe *f*; Schöpfeimer *m*, -kelle *f*; F Coup *m*, gutes Geschäft; F Exklusivmeldung *f*; **2.** (aus)schaufeln; einscheffeln.

**scooter** ['sku:tə] (Kinder)Roller *m*; Motorroller *m.*

**scope** [skoup] Bereich *m*; *geistiger* Gesichtskreis; Spielraum *m.*

**scorch** [skɔ:tʃ] *v/t.* versengen, verbrennen; *v/i.* F (dahin)rasen.

**score** [skɔ:] **1.** Kerbe *f*; Zeche *f*, Rechnung *f*; 20 Stück; *Sport:* Punktzahl *f*; (Tor)Stand *m*; Grund *m*; ♪ Partitur *f*; **~s of** viele; **four** **~** achtzig; **run up ~s** Schulden machen; **on the ~ of** wegen (*gen.*); **2.** (ein)kerben; anschreiben; *Sport:* (Punkte) machen; *Fußball:* ein Tor schießen; gewinnen; instrumentieren; *Am.* F scharfe Kritik üben an (*dat.*).

**scorn** [skɔ:n] **1.** Verachtung *f*; Spott *m*; **2.** verachten; verschmähen; **~ful** □ ['skɔ:nful] verächtlich.

**Scotch** [skɔtʃ] **1.** schottisch; **2.** Schottisch *n*; **the ~** die Schotten *pl.*; **~man** ['skɔtʃmən] Schotte *m.*

**scot-free** ['skɔt'fri:] straflos.

**Scots** [skɔts], **~man** ['skɔtsmən] = *Scotch(man).*

**scoundrel** ['skaundrəl] Schurke *m.*

**scour** ['skauə] *v/t.* scheuern; reinigen; durchstreifen, absuchen; *v/i.* eilen.

**scourge** [skə:dʒ] **1.** Geißel *f*; **2.** geißeln.

**scout** [skaut] **1.** Späher *m*, Kundschafter *m*; ♣ Aufklärungsfahrzeug *n*; ✈ Aufklärer *m*; *mot.* Mitglied *n* der Straßenwacht; (Boy) ♀ Pfadfinder *m*; **~ party** ✕ Spähtrupp *m*; **2.** (aus)kundschaften, spähen; verächtlich zurückweisen.

**scowl** [skaul] **1.** finsteres Gesicht; **2.** finster blicken.

**scrabble** ['skræbl] (be)kritzeln; scharren; krabbeln.

**scrag** *fig.* [skræg] Gerippe *n* (*dürrer Mensch etc.*).

**scramble** ['skræmbl] **1.** klettern; sich balgen (*for* um); **~d eggs** *pl.* Rührei *n*; **2.** Kletterei *f*; Balgerei *f.*

**scrap** [skræp] **1.** Stückchen *n*; (Zeitungs)Ausschnitt *m*, Bild *n* zum *Einkleben*; Altmaterial *n*; Schrott *m*; **~s** *pl.* Reste *m/pl.*; **2.** ausrangieren; verschrotten; **~-book** ['skræpbuk] Sammelalbum *n.*

**scrap|e** [skreip] **1.** Kratzen *n*, Scharren *n*; Kratzfuß *m*; Not *f*, Klemme *f*; **2.** schrap(p)en; (ab)schaben; (ab)kratzen; scharren; (entlang)streifen; **~er** ['skreipə] Kratzeisen *n.*

**scrap|-heap** ['skræphi:p] Abfall-, Schrotthaufen *m*; **~-iron** Alteisen *n*, Schrott *m.*

**scratch** [skrætʃ] **1.** Schramme *f*; *Sport:* Startlinie *f*; **2.** zs.-gewürfelt; *Zufalls...*; *Sport:* ohne Vorgabe; **3.** (zer)kratzen; (zer)schrammen; *parl. u. Sport:* streichen; **~ out** ausstreichen.

**scrawl** [skrɔ:l] **1.** kritzeln; **2.** Gekritzel *n.*

**scrawny** *Am.* F ['skrɔ:ni] dürr.

**scream** [skri:m] **1.** Schrei *m*; Gekreisch *n*; **he is a ~** F er ist zum Schreien komisch; **2.** schreien, kreischen.

**screech** [skri:tʃ] *s.* **scream**; **~owl** *orn.* ['skri:tʃaul] Käuzchen *n.*

**screen** [skri:n] **1.** Wand-, OfenSchutzschirm *m*; *fig.* Schleier *m* (Film)Leinwand *f*; *der* Film; Sandsieb *n*; (Fliegen)Gitter *n*; **2.** (ab-

schirmen; (be)schützen; ✕ tarnen;
auf der Leinwand zeigen; verfil-
men; (durch)sieben; **~ play** Drehbuch *n*; Fernsehfilm *n*.
**screw** [skru:] **1.** Schraube *f*; ⚓
Propeller *m*; **2.** (fest)schrauben; *fig.*
bedrängen; ver-, umdrehen; **~ up**
festschrauben; **~ up one's courage**
Mut fassen; **~ball** *Am. sl.* ['skru:-
bɔ:l] komischer Kauz; **~driver**
Schraubenzieher *m*; **~jack** Wagenheber *m*; **~propeller** Schiffs-,
Flugzeugschraube *f*.
**scribble** ['skribl] **1.** Gekritzel *n*;
**2.** kritzeln.                          [*skimp etc.*]
**scrimp** [skrimp], **~y** ['skrimpi] =]
**scrip** ⚓ [skrip] Interimsschein(e *pl.*)
*m*.
**script** [skript] Schrift *f*; Schreib-
schrift *f*; Manuskript *n*; *Film*:
Drehbuch *n*.
**Scripture** ['skriptʃə] *mst the Holy*
**~s** *pl.* die Heilige Schrift.
**scroll** [skroul] Schriftrolle *f*, Liste*f*;
⚐ Schnecke *f*; Schnörkel *m*.
**scrub** [skrʌb] **1.** Gestrüpp *n*; Zwerg
*m*; *Am. Sport*: zweite (Spieler-)
Garnitur; **2.** schrubben, scheuern.
**scrubby** ['skrʌbi] struppig; schäbig.
**scrup|le** ['skru:pl] **1.** Skrupel *m*,
Zweifel *m*, Bedenken *n*; **2.** Bedenken haben; **~ulous** □ [‿pjuləs]
(allzu) bedenklich; gewissenhaft;
ängstlich.
**scrutin|ize** ['skru:tinaiz] (genau)
prüfen; **~y** [‿ni] forschender Blick;
genaue (*bsd.* Wahl)Prüfung.
**scud** [skʌd] **1.** (Dahin)Jagen *n*; (da-
hintreibende) Wolkenfetzen *m/pl.*;
Bö *f*; **2.** eilen, jagen; gleiten.
**scuff** [skʌf] schlurfen, schlorren.
**scuffle** ['skʌfl] **1.** Balgerei *f*, Rauferei *f*; **2.** sich balgen, raufen.
**scull** ⚓ [skʌl] **1.** kurzes Ruder;
**2.** rudern, skullen.
**scullery** ['skʌləri] Spülküche *f*.
**sculptor** ['skʌlptə] Bildhauer *m*.
**sculpture** ['skʌlptʃə] **1.** Plastik *f*;
Bildhauerkunst *f*, Skulptur *f*;
**2.** (heraus)meißeln, formen.
**scum** *fig.* [skʌm] (Ab)Schaum *m*.
**scurf** [skə:f] (Haut)Schuppen *f/pl.*
**scurrilous** ['skʌriləs] gemein.
**scurry** ['skʌri] hasten, rennen.
**scurvy**[1] ⚕ ['skə:vi] Skorbut *m*.
**scurvy**[2] [‿] (hunds)gemein.
**scuttle** ['skʌtl] **1.** Kohlenbehälter *m*;
**2.** eilen; *fig.* sich drücken.

**scythe** ⚒ [saið] Sense *f*.
**sea** [si:] See *f*, Meer *n* (*a. fig.*);
hohe Welle; *at* **~** auf See; *fig.* rat-
los; **~board** ['si:bɔ:d] Küste(nge-
biet *n*) *f*; **~coast** Küste *f*; **~faring**
['si:fɛəriŋ] seefahrend; **~food** eß-
bare Seefische *pl.*; Meeresfrüchte
*pl.*; **~going** Hochsee...; **~gull**
(See)Möwe *f*.
**seal** [si:l] **1.** *zo.* Seehund *m*, Robbe *f*;
Siegel *n*; Stempel *m*; Bestätigung *f*;
**2.** versiegeln; *fig.* besiegeln; **~ up**
(fest) verschließen; ⊕ abdichten.
**sea-level** ['si:levl] Meeresspiegel
*m*.
**sealing-wax** ['si:liŋwæks] Siegellack *m*.
**seam** [si:m] **1.** Saum *m*; (*a.* ⊕)
Naht *f*; ⊕ Fuge *f*; *geol.* Flöz *n*;
Narbe *f*; **2.** schrammen; furchen.
**seaman** ['si:mən] Seemann *m*,
Matrose *m*.
**seamstress** ['semstris] Näherin *f*.
**sea|-plane** ['si:plein] Wasserflug-
zeug *n*; **~power** Seemacht *f*.
**sear** [siə] **1.** dürr, welk; **2.** austrocknen, versengen; ✗ brennen;
*fig.* verhärten.
**search** [sə:tʃ] **1.** Suchen *n*, Forschen
*n*; Unter-, Durchsuchung *f*; *in* **~** *of*
auf der Suche nach; **2.** *v/t.* durch-,
untersuchen; ✗ sondieren; erforschen; durchdringen; *v/i.* suchen,
forschen (*for* nach); **~ into** ergründen; **~ing** □ ['sə:tʃiŋ] forschend,
prüfend; eingehend (*Prüfung etc.*);
**~light** (Such)Scheinwerfer *m*;
**~-warrant** ⚖ Haussuchungsbe-
fehl *m*.
**sea|-shore** ['si:'ʃɔ:] Seeküste *f*;
**~sick** seekrank; **~side** Strand *m*,
Küste *f*; **~ place,** **~ resort** Seebad *n*;
*go to the* **~** an die See gehen.
**season** ['si:zn] **1.** Jahreszeit *f*;
(rechte) Zeit; Saison *f*; F *für*
**~-ticket**; *cherries are in* **~** jetzt ist
Kirschenzeit; *out of* **~** zur Unzeit;
*with the compliments of the* **~**
mit den besten Wünschen zum
Fest; **2.** *v/t.* reifen (lassen); würzen; abhärten (*to* gegen); *v/i.* ablagern; **~able** □ [‿nəbl] zeitgemäß;
rechtzeitig; **~al** □ ['si:zənl] Saison...;
periodisch; **~ing** ['si:zniŋ] Würze *f*.
**~-ticket** ⚒ Zeitkarte *f*; *thea.* Abonnement *n*.
**seat** [si:t] **1.** Sitz *m* (*a. fig.*); Sessel
*m*, Stuhl *m*, Bank *f*; (Sitz)Platz *m*;

Landsitz *m*; Gesäß *n*: Schauplatz *m*; **2.** (hin)setzen; e-n Hosenboden einsetzen in (*acc.*); fassen, Sitzplätze haben für; ~ed sitzend; ...sitzig; *be* ~ed sitzen; sich setzen; **~-belt** 🐝 ['si:tbelt] Sicherheitsgurt *m*.

**sea|-urchin** *zo.* ['si:'ə:tʃin] Seeigel *m*; **~ward** ['si:wəd] **1.** *adj.* seewärts gerichtet; **2.** *adv. a.* ~s seewärts; **~weed** ♀ (See)Tang *m*; **~worthy** seetüchtig.

**secede** [si'si:d] sich trennen.

**secession** [si'seʃən] Lossagung *f*; Abfall *m*; **~ist** [~ʃnist] Abtrünnige(r *m*) *f*.

**seclu|de** [si'klu:d] abschließen, absondern; **~ded** einsam; zurückgezogen; abgelegen; **~sion** [~u:ʒən] Abgeschlossen-, Abgeschiedenheit *f*.

**second** ['sekənd] **1.** □ zweite(r, -s); nächste(r, -s); geringer (*to* als); *on* ~ *thoughts* bei genauerer Überlegung; **2.** Zweite(r, -s); Sekundant *m*; Beistand *m*; Sekunde *f*; ~s *pl.* Waren *pl.* zweiter Wahl; **3.** sekundieren (*dat.*); unterstützen; **~ary** □ [~dəri] sekundär; untergeordnet; Neben...; Hilfs...; Sekundär...; **~ary school** höhere Schule; weiterführende Schule; **~-hand** aus zweiter Hand; gebraucht; antiquarisch; **~ly** [~dli] zweitens; **~-rate** zweiten Ranges; zweitklassig.

**secre|cy** ['si:krisi] Heimlichkeit *f*; Verschwiegenheit *f*; **~t** [~it] **1.** □ geheim; Geheim...; verschwiegen; verborgen; **2.** Geheimnis *n*; *in* ~ insgeheim; *be in the* ~s, *be taken into the* ~ eingeweiht sein.

**secretary** ['sekrətri] Schriftführer *m*; Sekretär(in); ♀ *of State* Staatssekretär *m*, Minister *m*; *Am.* Außenminister *m*.

**secret|e** [si'kri:t] verbergen; absondern; **~ion** [~i:ʃən] Absonderung *f*; **~ive** [~i:tiv] *fig.* verschlossen; geheimtuerisch.

**section** ['sekʃən] 🔪 Sektion *f*; (Durch)Schnitt *m*; Teil *m*; Abschnitt *m*, Paragraph *m*; *typ.* Absatz *m*; Abteilung *f*; Gruppe *f*.

**secular** □ ['sekjulə] weltlich.

**secur|e** [si'kjuə] **1.** □ sicher; **2.** (sich *et.*) sichern; schützen; festmachen; **~ity** [~əriti] Sicherheit *f*; Sorglosigkeit *f*; Gewißheit *f*; Schutz *m*;

Kaution *f*; *securities pl.* Wertpapiere *n/pl.*

**sedan** [si'dæn] Limousine *f*; *a.* ~*-chair* Sänfte *f*.

**sedate** □ [si'deit] gesetzt; ruhig.

**sedative** *mst* 🟥 ['sedətiv] **1.** beruhigend; **2.** Beruhigungsmittel *n*.

**sedentary** □ ['sedntəri] sitzend; seßhaft.

**sediment** ['sedimənt] (Boden)Satz *m*; *geol.* Ablagerung *f*.

**sediti|on** [si'diʃən] Aufruhr *m*; **~ous** □ [~ʃəs] aufrührerisch.

**seduc|e** [si'dju:s] verführen; **~tion** [si'dakʃən] Verführung *f*; **~tive** □ [~ktiv] verführerisch.

**sedulous** □ ['sedjuləs] emsig.

**see¹** [si:] [*irr.*] *v/i.* sehen; *fig.* einsehen; *I* ~ ich verstehe; ~ *about* s.th. sich um et. kümmern; ~ *through* s.o. *od.* s.th. j-n *od.* et. durchschauen; ~ *to* achten auf (*acc.*); *v/t.* sehen; beobachten; einsehen; sorgen (*daß et. geschieht*); besuchen; *Arzt* aufsuchen; ~ s.o. *home* j-n nach Hause begleiten; ~ *off Besuch etc.* wegbringen; ~ *out Besuch* hinausbegleiten; *et.* zu Ende erleben; ~ s.th. *through* et. durchhalten; ~ s.o. *through* j-m durchhelfen; *live to* ~ erleben.

**see²** [si:] (erz)bischöflicher Stuhl.

**seed** [si:d] **1.** Same(n) *m*, Saat(gut *n*) *f*; (Obst)Kern *m*; Keim *m* (*a. fig.*); *go od. run to* ~ in Samen schießen; *fig.* herunterkommen; **2.** *v/t.* (be-)säen; entkernen; *v/i.* in Samen schießen; **~less** ['si:dlis] kernlos (*Obst*); **~ling** ♪ [~liŋ] Sämling *m*; **~y** ['si:di] schäbig; F elend.

**seek** [si:k] [*irr.*] suchen (nach); begehren; trachten nach.

**seem** [si:m] (er)scheinen; **~ing** □ ['si:miŋ] anscheinend; scheinbar; **~ly** ['si:mli] schicklich.

**seen** [si:n] *p.p. von* see¹.

**seep** [si:p] durchsickern, tropfen.

**seer** ['si(:)ə] Seher(in), Prophet(in).

**seesaw** ['si:sɔ:] **1.** Wippen *f*; Wippe *f*, Wippschaukel *f*; **2.** wippen; *fig.* schwanken.

**seethe** [si:ð] sieden, kochen.

**segment** ['segmənt] Abschnitt *m*.

**segregat|e** ['segrigeit] absondern, trennen; **~ion** [segri'geiʃən] Absonderung *f*; Rassentrennung *f*.

**seiz|e** [si:z] ergreifen, fassen; mit Beschlag belegen; *fig.* erfassen; *a.*

~ *upon* sich *e-r S. od. j-s* bemächtigen; **~ure** ['si:ʒə] Ergreifung *f*; ⚖ Beschlagnahme *f*; ⚕ plötzlicher Anfall.

**seldom** *adv.* ['seldəm] selten.

**select** [si'lekt] **1.** auswählen, auslesen, aussuchen; **2.** auserwählt; erlesen; exklusiv; **~ion** [‿kʃən] Auswahl *f*, Auslese *f*; **~man** *Am.* Stadtrat *m in den Neuenglandstaaten.*

**self** [self] **1.** *pl.* **selves** [selvz] Selbst *n*, Ich *n*; Persönlichkeit *f*; **2.** *pron.* selbst; ~ *of.* F = *myself etc.*; **3.** *adj.* ⚘ einfarbig; **~-centered** ['self-'sentəd] egozentrisch; **~-command** Selbstbeherrschung *f*; **~-conceit** Eigendünkel *m*; **~-conceited** dünkelhaft; **~-confidence** Selbstvertrauen *n*; **~-conscious** befangen, gehemmt; **~-contained** (in sich) abgeschlossen; *fig.* verschlossen; **~-control** Selbstbeherrschung *f*; **~-defence**, *Am.* **~-defense** Selbstverteidigung *f*; *in* ~ in (der) Notwehr; **~-denial** Selbstverleugnung *f*; **~-employed** selbständig (*Handwerker etc.*); **~-evident** selbstverständlich; **~-government** Selbstverwaltung *f*, Autonomie *f*; **~-indulgent** bequem; zügellos; **~-interest** Eigennutz *m*; **~ish** □ [‿fiʃ] selbstsüchtig; **~-possession** Selbstbeherrschung *f*; **~-reliant** [‿fri-'laiənt] selbstsicher; **~-righteous** selbstgerecht; **~-seeking** [‿f'si:kiŋ] **~-willed** eigenwillig.

**sell** [sel] (*irr.*) *v/t.* verkaufen (*a. fig.*); *Am.* aufschwatzen; *v/i.* handeln; gehen (*Ware*); ~ *off*, ~ *out* ✝ ausverkaufen; **~er** [‿'selə] Verkäufer *m*; *good etc.* ~ ✝ gut *etc.* gehende Ware.

**selves** [selvz] *pl. von* self *1.*

**semblance** ['sembləns] Anschein *m*; Gestalt *f*.

**semi...** ['semi] halb...; Halb...; **~colon** Strichpunkt *m*; **~-detached house** Doppelhaus(hälfte *f*) *n*; **~-final** *Sport:* Vorschlußrunde *f*.

**seminary** ['seminəri] (Priester)Seminar *n*; *fig.* Schule *f*.

**sempstress** ['sempstris] Näherin *f*.

**senate** ['senit] Senat *m*.

**senator** ['senətə] Senator *m*.

**send** [send] (*irr.*) senden, schicken; (*mit adj. od. p.pr.*) machen; ~ *for* kommen lassen, holen (lassen); ~ *forth* aussenden; veröffentlichen;

~ *in* einsenden; einreichen; ~ *up* in die Höhe treiben; ~ *word* mitteilen.

**senil|e** ['si:nail] greisenhaft, senil; **~ity** [si'niliti] Greisenalter *n*.

**senior** ['si:njə] **1.** älter; dienstälter; Ober...; ~ *partner* ✝ Chef *m*; **2.** Ältere(r) *m*; Dienstältere(r) *m*; Senior *m*; *he is my ~ by a year* er ist ein Jahr älter als ich; **~ity** [si:ni-'ɔriti] höheres Alter *od.* Dienstalter.

**sensation** [sen'seiʃən] (Sinnes-) Empfindung *f*, Gefühl *n*; Eindruck *m*; Sensation *f*; **~al** □ [‿nl] Empfindungs...; sensationell.

**sense** [sens] **1.** *allg.* Sinn *m* (*of* für); Empfindung *f*, Gefühl *n*; Verstand *m*; Bedeutung *f*; Ansicht *f*; *in (out of) one's ~s* bei (von) Sinnen; *bring s.o. to his ~* j-n zur Vernunft bringen; *make ~* Sinn haben (*S.*); *talk ~* vernünftig reden; **2.** spüren.

**senseless** □ ['senslis] sinnlos, bewußtlos; gefühllos; **~ness** [‿snis] Sinnlosigkeit *f*; Bewußt-, Gefühllosigkeit *f*.

**sensibility** [sensi'biliti] Sensibilität *f*, Empfindungsvermögen *n*; Empfindlichkeit *f*; *sensibilities pl.* Empfindsamkeit *f*, Zartgefühl *n*.

**sensible** □ ['sensəbl] verständig, vernünftig; empfänglich (*of* für); fühlbar; *be ~ of* sich *e-r S.* bewußt sein; *et.* empfinden.

**sensitiv|e** □ ['sensitiv] empfindlich (*to* für); Empfindungs...; feinfühlig; **~eness** [‿vnis], **~ity** [sensi-'tiviti] Empfindlichkeit *f* (*to* für).

**sensual** □ ['sensjuəl] sinnlich.

**sensuous** □ ['sensjuəs] sinnlich; Sinnes...; sinnenfreudig.

**sent** [sent] *pret. u. p.p. von* send.

**sentence** ['sentəns] **1.** ⚖ Urteil *n*; *gr.* Satz *m*; *serve one's ~* s-e Strafe absitzen; **2.** verurteilen.

**sententious** □ [sen'tenʃəs] sentenziös; salbungsvoll; salbaderisch.

**sentient** □ ['senʃənt] empfindend.

**sentiment** ['sentimənt] (seelische) Empfindung, Gefühl *n*; Meinung *f*; *s. sentimentality*; **~al** □ [senti'mentl] empfindsam; sentimental; **~ality** [sentimen'tæliti] Sentimentalität *f*.

**sent|inel** ⚔ ['sentinl], **~ry** ⚔ [‿tri] Schildwache *f*, Posten *m*.

**separa|ble** □ ['sepərəbl] trennbar; **~te 1.** □ ['seprit] (ab)getrennt, gesondert, besonder, separat, für separation										236

sich; **2.** ['sepəreit] (sich) trennen; (sich) absondern; (sich) scheiden; **~tion** [sepə'reiʃən] Trennung *f*, Scheidung *f*.

**sepsis** ~ ['sepsis] Sepsis *f*, Blutvergiftung *f*.

**September** [səp'tembə] September *m*.

**septic** ~ ['septik] septisch.

**sepul|chral** [si'pʌlkrəl] Grab...; Toten...; *fig.* düster; **~chre,** *Am.* **~cher** ['sepəlkə] Grab(stätte *f*) *n*; **~ture** [-ltʃə] Begräbnis *n*.

**sequel** ['si:kwəl] Folge *f*; Nachspiel *n*; (Roman)Fortsetzung *f*.

**sequen|ce** ['si:kwəns] Aufeinander-, Reihenfolge *f*; *Film:* Szene *f*; **~** *of tenses gr.* Zeitenfolge *f*; **~t** [~nt] aufeinanderfolgend.

**sequestrate** ~ [si'kwestreit] *Eigentum* einziehen; beschlagnahmen.

**serenade** [seri'neid] **1.** ♪ Serenade *f*, Ständchen *n*; **2.** *j-m* ein Ständchen bringen.

**seren|e** □ [si'ri:n] klar, heiter; ruhig; **~ity** [si'reniti] Heiterkeit *f*; Ruhe *f*.

**serf** [sə:f] Leibeigene(r *m*) *f*, Hörige(r *m*) *f*; *fig.* Sklave *m*.

**sergeant** ['sɑ:dʒənt] ✕ Feldwebel *m*, Wachtmeister *m*; (Polizei)Wachtmeister *m*.

**serial** □ ['siəriəl] **1.** fortlaufend, reihenweise, Serien...; Fortsetzungs...; **2.** Fortsetzungsroman *m*.

**series** ['siəri:z] *sg. u. pl.* Reihe *f*; Serie *f*; Folge *f*; *biol.* Gruppe *f*.

**serious** □ ['siəriəs] *allg.* ernst; ernsthaft, ernstlich; *be* **~** *es im* Ernst meinen; **~ness** [~snis] Ernst (-haftigkeit *f*) *m*.

**sermon** ['sə:mən] (*iro.* Straf)Predigt *f*.

**serpent** ['sə:pənt] Schlange *f*; **~ine** [~tain] schlangengleich, -förmig; Serpentinen...

**serum** ['siərəm] Serum *n*.

**servant** ['sə:vənt] Diener(in); *a. domestic* **~** Dienstbote *m*, Bedienstete(r *m*) *f*; Dienstmädchen *n*.

**serve** [sə:v] **1.** *v/t.* dienen (*dat.*); *Zeit* abdienen; bedienen; *Speisen* reichen; *Speisen* auftragen; behandeln; nützen, dienlich sein (*dat.*); *Zweck* erfüllen; *Tennis:* angeben; (*it*) **~s** *him right* (das) geschieht ihm recht; *s. sentence;* **~** *out et.* austeilen; *v/i.* dienen (*a.* ✕; *as, for* als,

zu); bedienen; nützen, zweckmäßig sein; **~** *at table* servieren; **2.** *Tennis:* Aufschlag *m*.

**service** ['sə:vis] **1.** Dienst *m*; Bedienung *f*; Gefälligkeit *f*; *a. divine* **~** Gottesdienst *m*; Betrieb *m*; Verkehr *m*; Nutzen *m*; Gang *m von Speisen;* Service *n*; ⚡ Zustellung *f*; *Tennis:* Aufschlag *m*; *be at s.o.'s* **~** *j-m zu Diensten stehen;* **2.** ⊕ warten, pflegen; **~able** □ [-əbl] dienlich, nützlich; benutzbar; strapazierfähig; **~** *station* Tankstelle *f*; Werkstatt *f*.

**servil|e** □ ['sə:vail] sklavisch (*a. fig.*); unterwürfig; kriecherisch; **~ity** [sə:'viliti] Unterwürfigkeit *f*, Kriecherei *f*.

**serving** ['sə:viŋ] Portion *f*.

**servitude** ['sə:vitju:d] Knechtschaft *f*; Sklaverei *f*.

**session** ['seʃən] (*a.* Gerichts)Sitzung *f*; *be in* **~** tagen.

**set** [set] **1.** [*irr.*] *v/t.* setzen; stellen; legen; zurechtstellen; (ein)richten; ordnen; *Aufgabe, Wecker* stellen; *Messer* abziehen; *Edelstein* fassen; festsetzen; erstarren lassen; *Haar* legen; ~ *Knochenbruch* einrichten; **~** *s.o. laughing j-n* zum Lachen bringen; **~** *sail* Segel setzen; **~** *one's teeth* die Zähne zs.-beißen; **~** *aside* beiseite stellen *od.* legen; *fig.* verwerfen; **~** *at ease* beruhigen; **~** *at rest* beruhigen; *Frage* entscheiden; **~** *store by* Wert legen auf (*acc.*); **~** *forth* darlegen; **~** *off* hervorheben; anrechnen; **~** *up* auf-, er-, einrichten; aufstellen; *j-n* etablieren; *v/i. ast.* untergehen; gerinnen, fest werden; laufen (*Flut etc.*); sitzen (*Kleid etc.*); **~** *about s.th.* sich an et. machen; **~** *about s.o.* F über *j-n* herfallen; **~** *forth* aufbrechen; **~** *off* aufbrechen; **~** *(up)on* anfangen; angreifen; **~** *out* aufbrechen; **~** *to* sich daran machen; **~** *up* sich niederlassen; **~** *up for* sich aufspielen als; **2.** fest; starr; festgesetzt, bestimmt; vorgeschrieben; **~** *(up)on* versessen auf (*acc.*); **~** *with* besetzt mit; *Barometer:* **~** *fair* beständig; *hard* **~** in großer Not; **~** *speech* wohlüberlegte Rede; **3.** Reihe *f*, Folge *f*, Serie *f*, Sammlung *f*; Satz *m*; Garnitur *f*; Service *n*; *Radio*-Gerät *n*; ✝ Kollektion *f*; Gesellschaft *f*; Sippschaft *f*; ⚲ Setzling *m*; *Tennis*: Satz *m*; Neigung *f*; Richtung *f*; Sitz *m e-s Kleides etc.*; *poet.* Untergang *m der Sonne*; *thea.* Bühnenausstattung *f*.

**set|-back** ['setbæk] *fig.* Rückschlag *m*; **~down** *fig.* Dämpfer *m*; **~off** Kontrast *m*; *fig.* Ausgleich *m*.

**settee** [se'ti:] *kleines* Sofa.

**setting** ['setiŋ] Setzen *n*; Einrichten *n*; Fassung *f e-s Edelsteins*; Lage *f*; Schauplatz *m*; Umgebung *f*; *thea.* Ausstattung *f*; *fig.* Umrahmung *f*; ♪ Komposition *f*; (*Sonnen- etc.*) Untergang *m*; ⊕ Einstellung *f*.

**settle** ['setl] **1.** Sitzbank *f*; **2.** *v/t.* (*fest*)setzen; *Kind etc.* versorgen, ausstatten; *j-n* etablieren; regeln; *Geschäft* abschließen, abmachen, erledigen; *Frage* entscheiden; *Rechnung* begleichen; ordnen; beruhigen; *Streit* beilegen; *Rente* aussetzen; ansiedeln; *Land* besiedeln; *v/i.* sich senken (*Haus*); *oft* ~ *down* sich niederlassen; *a.* ~ *in* sich einrichten; sich legen (*Wut etc.*); beständig werden (*Wetter*); sich entschließen; ~ *down to* sich widmen (*dat.*); **~d** fest; beständig; *auf Rechnungen*: bezahlt; **~ment** [~lmənt] Erledigung *f*; Übereinkunft *f*; (Be)Siedlung *f*; ⚖ (Eigentums)Übertragung *f*; **~r** [~lə] Siedler *m*.

**set|-to** F ['set'tu:] Kampf *m*; Schlägerei *f*; **~up** F Aufbau *m*; *Am. sl.* abgekartete Sache.

**seven** ['sevn] **1.** sieben; **2.** Sieben *f*; **~teen**(**th**) [~n'ti:n(θ)] siebzehn (-te[r, -s]); **~th** [~nθ] **1.** ☐ sieben(en)-te(r, -s); **2.** Sieb(en)tel *n*; **~thly** [~θli] sieben(en)tens; **~tieth** [~ntiiθ] siebzigste(r, -s); **~ty** [~ti] **1.** siebzig; **2.** Siebzig *f*.

**sever** ['sevə] (sich) trennen; (auf-) lösen; zerreißen.

**several** ☐ ['sevrəl] mehrere, verschiedene; einige; einzeln; besonder; getrennt; **~ly** [~li] besonders, einzeln.

**severance** ['sevərəns] Trennung *f*.

**sever|e** ☐ [si'viə] streng; rauh (*Wetter*); hart (*Winter*); scharf (*Tadel*); ernst (*Mühe*); heftig (*Schmerz etc.*); schlimm, schwer (*Unfall etc.*); **~ity** [si'veriti] Strenge *f*, Härte *f*; Schwere *f*; Ernst *m*.

**sew** [sou] [*irr.*] nähen; heften.

**sewage** ['sju(:)idʒ] Abwasser *n*.

**sewer**[1] ['souə] Näherin *f*.

**sewer**[2] ['sjuə] Abwasserkanal *m*; **~age** [~əridʒ] Kanalisation *f*.

**sew|ing** ['souiŋ] Nähen *n*; Näherei *f*; *attr.* Näh...; **~n** [soun] *p.p. von* sew.

**sex** [seks] Geschlecht *n*.

**sexton** ['sekstən] Küster *m*, Totengräber *m*.

**sexual** ☐ ['seksjuəl] geschlechtlich; Geschlechts...; sexuell; Sexual...

**shabby** ☐ ['ʃæbi] schäbig; gemein.

**shack** *Am.* [ʃæk] Hütte *f*, Bude *f*.

**shackle** ['ʃækl] **1.** Fessel *f* (*fig. mst pl.*); **2.** fesseln.

**shade** [ʃeid] **1.** Schatten *m*, Dunkel *n* (*a. fig.*); *Lampen- etc.* Schirm *m*; Schattierung *f*; *Am.* Rouleau *n*; *fig.* Spur *f*, Kleinigkeit *f*; **2.** beschatten; verdunkeln (*a. fig.*); abschirmen; schützen; schattieren; ~ *away*, ~ *off* allmählich übergehen (*lassen*) (*into in acc.*).

**shadow** ['ʃædou] **1.** Schatten *m* (*a. fig.*); Phantom *n*; Spur *f*, Kleinigkeit *f*; **2.** beschatten; (*mst* ~ *forth od. out*) andeuten; versinnbildlichen; *j-n* beschatten, überwachen; **~y** [~oui] schattig, dunkel; schattenhaft; wesenlos.

**shady** ['ʃeidi] schattenspendend; schattig; dunkel; F zweifelhaft.

**shaft** [ʃɑ:ft] Schaft *m*; Stiel *m*; Pfeil *m* (*a. fig.*); *poet.* Strahl *m*; ⊕ Welle *f*; Deichsel *f*; ⚒ Schacht *m*.

**shaggy** ['ʃægi] zottig.

**shake** [ʃeik] **1.** [*irr.*] *v/t.* schütteln, rütteln; erschüttern; ~ *down* herunterschütteln; *Stroh etc.* hinschütten; ~ *hands* sich die Hände geben *od.* schütteln; ~ *up Bett* aufschütteln; *fig.* aufrütteln; *v/i.* zittern, beben, wackeln, wanken (*with* vor *dat.*); ♪ trillern; **2.** Schütteln *n*; Erschütterung *f*; Beben *n*; ♪ Triller *m*; **~down** ['ʃeik'daun] **1.** Notlager *n*; *Am. sl.* Erpressung *f*; **2.** *adj.*: ~ *cruise* ⚓ Probefahrt *f*; **~hands** *pl.* Händedruck *m*; **~n** ['ʃeikən] **1.** *p.p. von* shake 1; **2.** *adj.* erschüttert.

**shaky** ☐ ['ʃeiki] wack(e)lig (*a. fig.*); (sch)wankend; zitternd, zitterig.

**shall** [ʃæl] [*irr.*] *v/aux.* soll; werde.

**shallow** ['ʃælou] **1.** seicht, flach; *fig.* oberflächlich; **2.** Untiefe *f*; **3.** (sich) verflachen.

**sham** 238

sham [ʃæm] **1.** falsch; Schein...; **2.** Trug *m*; Täuschung *f*; Schwindler(in); **3.** *v/t.* vortäuschen; *v/i.* sich verstellen; simulieren; ~ ill (-ness) sich krank stellen.

shamble [ˈʃæmbl] watscheln; ~s *pl. od. sg.* Schlachthaus *n*; *fig.* Schlachtfeld *n*.

shame [ʃeim] **1.** Scham *f*; Schande *f*; for ~!, ~ on you! pfui!, schäm dich! put to ~ beschämen; **2.** beschämen; *j-m* Schande machen; ~faced □ [ˈʃeimfeist] schamhaft, schüchtern; ~ful □ [~ful] schändlich, beschämend; ~less □ [ˈʃeimlis] schamlos.

shampoo [ʃæmˈpuː] **1.** Shampoo *n*; Haarwäsche *f*; **2.** *Haare* waschen.

shamrock [ˈʃæmrɔk] Kleeblatt *n*.

shank [ʃæŋk] (Unter)Schenkel *m*; ⚓ Stiel *m*; (⚓ Anker)Schaft *m*.

shanty [ˈʃænti] Hütte *f*, Bude *f*.

shape [ʃeip] **1.** Gestalt *f*, Form *f* (*a. fig.*); Art *f*; **2.** *v/t.* gestalten, formen, bilden; anpassen (to *dat.*); *v/i.* sich entwickeln; ~d ...förmig; ~less [ˈʃeiplis] formlos; ~ly [~li] wohlgestaltet.

share [ʃɛə] **1.** (An)Teil *m*; Beitrag *m*; ✝ Aktie *f*; ⚒ Kux *m*; have a ~ in teilhaben an (*dat.*); go ~s teilen; **2.** *v/t.* teilen; *v/i.* teilhaben (in *dat.*); ~cropper *Am.* [ˈʃɛəkrɔpə] kleiner Farmpächter; ~holder ✝ Aktionär(in).

shark [ʃɑːk] *ichth.* Hai(fisch) *m*; Gauner *m*; *Am. sl.* Kanone *f* (Experte).

sharp [ʃɑːp] **1.** □ *allg.* scharf (*a. fig.*); spitz; schneidend, stechend; schrill; hitzig; schnell; pfiffig, schlau, gerissen; C ~ ♪ Cis *n*; **2.** *adv.* ♪ zu hoch; F pünktlich; look ~! (mach) schnell!; **3.** ♪ Kreuz *n*; durch ein Kreuz erhöhte Note; F Gauner *m*; ~en [ˈʃɑːpən] (ver-)schärfen; spitzen; ~ener [ˈʃɑːpnə] Messer-Schärfer *m*; Bleistift-Spitzer *m*; ~er [ˈʃɑːpə] Gauner *m*; ~ness [ˈʃɑːpnis] Schärfe *f* (*a. fig.*); ~set [ˈʃɑːpˈset] hungrig; erpicht; ~sighted scharfsichtig; ~witted scharfsinnig.

shatter [ˈʃætə] zerschmettern, zerschlagen; *Nerven etc.* zerrütten.

shave [ʃeiv] **1.** [*irr.*] (sich) rasieren; (ab)schälen; haarscharf vorbeigehen *od.* vorbeifahren *od.* vorbeikom-

men an (*dat.*); **2.** Rasieren *n*, Rasur *f*; have a ~ sich rasieren (lassen); a close ~ ein Entkommen mit knapper Not; ~n [ˈʃeivn] *p.p. von* shave 1.

shaving [ˈʃeiviŋ] **1.** Rasieren *n*; *pl.* (*bsd.* Hobel)Späne *m/pl.*; **2.** Rasier...

shawl [ʃɔːl] Schal *m*, Kopftuch *n*.

she [ʃiː] **1.** sie; **2.** Sie *f*; *zo.* Weibchen *n*; **3.** *adj. in Zssgn:* weiblich, ...weibchen *n*; ~dog Hündin *f*.

sheaf [ʃiːf], *pl.* **sheaves** [ʃiːvz] Garbe *f*; Bündel *n*.

shear [ʃiə] **1.** [*irr.*] scheren; *fig.* rupfen; **2.** ~s *pl.* große Schere.

sheath [ʃiːθ] Scheide *f*; ~e [ʃiːð] (in die Scheide) stecken; einhüllen; ⊕ bekleiden, beschlagen.

sheaves [ʃiːvz] *pl. von* sheaf.

shebang *Am. sl.* [ʃəˈbæŋ] Bude *f*, Laden *m*.

shed[1] [ʃed] [*irr.*] aus-, vergießen; verbreiten; *Blätter etc.* abwerfen.

shed[2] [~] Schuppen *m*; Stall *m*.

sheen [ʃiːn] Glanz *m* (*bsd. Stoff*).

sheep [ʃiːp] Schaf(e *pl.*) *n*; Schafleder *n*; ~cot [ˈʃiːpkɔt] = sheepfold; ~dog Schäferhund *m*; ~fold Schafhürde *f*; ~ish □ [ˈʃiːpiʃ] blöd(e), einfältig; ~man *Am.* Schafzüchter *m*; ~skin Schaffell *n*; Schafleder *n*; F Diplom *n*.

sheer [ʃiə] rein; glatt; *Am.* hauchdünn; steil; senkrecht; direkt.

sheet [ʃiːt] Bett-, Leintuch *n*, Laken *n*; (*Glas- etc.*)Platte *f*; ⊕ ...blech *n*; Blatt *n*, Bogen *m* Papier; ⚓ Schot(e) *f*; the rain came down in ~s es regnete in Strömen; ~ iron Eisenblech *n*; ~ lightning [ˈʃiːtlaitniŋ] Wetterleuchten *n*.

shelf [ʃelf], *pl.* **shelves** [ʃelvz] Brett *n*, Regal *n*, Fach *n*; Riff *n*; on the ~ *fig.* ausrangiert.

shell [ʃel] **1.** Schale *f*, Hülse *f*, Muschel *f*; Gehäuse *n*; Gerippe *n* e-s Hauses; ✗ Granate *f*; **2.** schälen, enthülsen; ✗ bombardieren; ~fire [ˈʃelfaiə] Granatfeuer *n*; ~fish *zo.* Schalentier *n*; ~proof bombensicher.

shelter [ˈʃeltə] **1.** Schuppen *m*; Schutz-, Obdach *n*; *fig.* Schutz *m*, Schirm *m*; **2.** *v/t.* (be)schützen; (be)schirmen; Zuflucht gewähren (*dat.*); *v/i. a.* take ~ Schutz suchen.

**shelve** [ʃelv] mit Brettern *od.* Regalen versehen; auf ein Brett stellen; *fig.* zu den Akten legen; *fig.* beiseite legen; sich allmählich neigen.

**shelves** [ʃelvz] *pl. von* shelf.

**shenanigan** *Am.* F [ʃiˈnænɪgən] Gaunerei *f*; Humbug *m*.

**shepherd** [ˈʃepəd] **1.** Schäfer *m*, Hirt *m*; **2.** (be)hüten; leiten.

**sherbet** [ˈʃɜːbət] Brauselimonade *f*; *(Art)* (Speise)Eis *n*.

**shield** [ʃiːld] **1.** (Schutz)Schild *m*; Wappenschild *m*, *n*; **2.** (be)schirmen *(from vor dat., gegen).*

**shift** [ʃift] **1.** Veränderung *f*, Verschiebung *f*, Wechsel *m*; Notbehelf *m*; List *f*, Kniff *m*; Ausflucht *f*; (Arbeits)Schicht *f*; *make* ~ es möglich machen (*to inf.* zu *inf.*); sich behelfen; sich durchschlagen; **2.** *v/t.* (ver-, weg)schieben; wechseln; verändern; *Platz, Szene* verlegen, verlagern; *v/i.* wechseln; sich verlagern; sich behelfen; ~ *for o.s.* sich selbst helfen; ~**less** □ [ˈʃiftlis] hilflos; faul; ~**y** □ [~ti] *fig.* gerissen; unzuverlässig.

**shilling** † [ˈʃiliŋ] *englischer* Schilling.

**shin** [ʃin] **1.** *a.* ~-**bone** Schienbein *n*; **2.** ~ *up* hinaufklettern.

**shine** [ʃain] **1.** Schein *m*; Glanz *m*; **2.** [*irr.*] *v/i.* scheinen; leuchten; *fig.* glänzen, strahlen; *v/t.* blank putzen.

**shingle** [ˈʃiŋgl] Schindel *f*; *Am.* F (Aushänge)Schild *n*; Strandkiesel *m/pl.*; ~*s pl.* & Gürtelrose *f*.

**shiny** □ [ˈʃaini] blank, glänzend.

**ship** [ʃip] **1.** Schiff *n*; *Am.* F Flugzeug *n*; **2.** an Bord nehmen *od.* bringen; verschiffen, versenden; ♪ heuern; ~**board** [ˈʃipbɔːd]: *on* ~ ♪ an Bord; ~**ment** [ˈʃipmənt] Verschiffung *f*; Versand *m*; Schiffsladung *f*; ~**owner** Reeder *m*; ~**ping** [ˈʃipiŋ] Verschiffung *f*; Schiffe *n/pl.*, Flotte *f*; *attr.* Schiffs...; Verschiffungs..., Verlade...; ~**wreck 1.** Schiffbruch *m*; **2.** scheitern (lassen); ~**wrecked** schiffbrüchig; ~**yard** Schiffswerft *f*.

**shire** [ˈʃaiə, *in Zssgn* ...ʃiə] Grafschaft *f*.

**shirk** [ʃɜːk] sich drücken (um *et.*); ~**er** [ˈʃɜːkə] Drückeberger *m*.

**shirt** [ʃɜːt] Herrenhemd *n*; *a.* ~-**waist** *Am.* Hemdbluse *f*; ~-**sleeve** [ˈʃɜːtsliːv] **1.** Hemdsärmel *m*;

**2.** hemdsärmelig; informell; ~ *diplomacy bsd. Am.* offene Diplomatie.

**shiver** [ˈʃivə] **1.** Splitter *m*; Schauer *m*; **2.** zersplittern; schau(d)ern; (er)zittern; frösteln; ~**y** [~əri] fröstelnd.

**shoal** [ʃoul] **1.** Schwarm *m*, Schar *f*; Untiefe *f*; **2.** flacher werden; **3.** seicht.

**shock** [ʃɔk] **1.** Garbenhaufen *m*; (Haar)Schopf *m*; Stoß *m*; Anstoß *m*; Erschütterung *f*, Schlag *m*; ⚕ (Nerven)Schock *m*; **2.** *fig.* verletzen; empören, Anstoß erregen bei; erschüttern; ~**ing** □ [ˈʃɔkiŋ] anstößig; empörend; haarsträubend.

**shod** [ʃɔd] *pret. u. p.p. von* shoe 2.

**shoddy** [ˈʃɔdi] **1.** Reißwolle *f*; *fig.* Schund *m*; *Am.* Protz *m*; **2.** falsch; minderwertig; *Am.* protzig.

**shoe** [ʃuː] **1.** Schuh *m*; Hufeisen *n*; **2.** [*irr.*] beschuhen; beschlagen; ~**black** [ˈʃuːblæk] Schuhputzer *m*; ~**blacking** Schuhwichse *f*; ~**horn** Schuhanzieher *m*; ~-**lace** Schnürsenkel *m*; ~**maker** Schuhmacher *m*; ~-**string** Schnürsenkel *m*.

**shone** [ʃɔn] *pret. u. p.p. von* shine 2.

**shook** [ʃuk] *pret. von* shake 1.

**shoot** [ʃuːt] **1.** *fig.* Schuß *m*; Schößling *m*; **2.** [*irr.*] *v/t.* (ab)schießen; erschießen; werfen, stoßen; *Film* aufnehmen, drehen; *fig.* unter *e-r Brücke etc.* hindurchschießen, über *et.* hinwegschießen; ⚕ treiben; ♪ (ein)spritzen; *v/i.* schießen; stechen *(Schmerz)*; daherschießen; stürzen; *a.* ~ *forth* ausschlagen; ~ *ahead* vorwärtsschießen; ~**er** [ˈʃuːtə] Schütze *m*.

**shooting** [ˈʃuːtiŋ] **1.** Schießen *n*; Schießerei *f*; Jagd *f*; *Film:* Dreharbeiten *f/pl.*; **2.** stechend *(Schmerz)*; ~-**gallery** Schießstand *m*, -**bude** *f*; ~-**range** Schießplatz *m*; ~ *star* Sternschnuppe *f*.

**shop** [ʃɔp] **1.** Laden *m*, Geschäft *n*; Werkstatt *f*, Betrieb *m*; *talk* ~ fachsimpeln; *mst go* ~**ping** einkaufen gehen; ~-**assistant** [ˈʃɔpəsistənt] Verkäufer(in); ~**keeper** Ladeninhaber(in); ~-**lifter** [ˈʃɔpliftə] Ladendieb *m*; ~**man** Ladengehilfe *m*; ~**per** [ˈʃɔpə] Käufer(in); ~**ping** [ˈʃɔpiŋ] Einkaufen *n*; *attr.* Einkaufs...; ~ *centre* Einkaufszentrum *n*; ~-**steward** Betriebsrat *m*;

**~walker** ['ʃɔpwɔːkə] Aufsichtsherr *m*, -dame *f*; **~window** Schaufenster *n*.

**shore** [ʃɔː] **1.** Küste *f*, Ufer *n*; Strand *m*; Stütze *f*; *on* ~ an Land; **2.** ~ *up* abstützen.

**shorn** [ʃɔːn] *p.p. von* shear 1.

**short** [ʃɔːt] **1.** *adj.* kurz (*a. fig.*); klein; knapp; mürbe (*Gebäck*); wortkarg; *in* ~ kurz(um); ~ *of* knapp an (*dat.*); **2.** *adv.* ~ *of* abgesehen von; *come od. fall* ~ *of et.* nicht erreichen; *cut* ~ plötzlich unterbrechen; *run* ~ (*of*) ausgehen (*Vorräte*); *stop* ~ *of* zurückschrecken vor (*dat.*); **~age** ['ʃɔːtidʒ] Fehlbetrag *m*; Gewichtsverlust *m*; Knappheit *f*; **~coming** Unzulänglichkeit *f*; Fehler *m*; Mangel *m*; ~ *cut* Abkürzungsweg *m*; **~dated** † auf kurze Sicht; **~en** ['ʃɔːtn] *v/t.* ab-, verkürzen; *v/i.* kürzer werden; **~ening** [~niŋ] Backfett *n*; **~hand** Kurzschrift *f*; ~ *typist* Stenotypistin *f*; **~ly** ['ʃɔːtli] *adv.* kurz; bald; **~ness** ['ʃɔːtnis] Kürze *f*; Mangel *m*; **~sighted** kurzsichtig; **~term** kurzfristig; **~winded** kurzatmig.

**shot** [ʃɔt] **1.** *pret. u. p.p. von* shoot 2; **2.** Schuß *m*; Geschoß *n*, Kugel *f*; Schrot(korn) *n*; Schußweite *f*; Schütze *m*; *Sport*: Stoß *m*, Schlag *m*, Wurf *m*; *phot., Film*: Aufnahme *f*; ✗ Spritze *f*; *have a* ~ *at et.* versuchen; *not by a long* ~ F noch lange nicht; *big* ~ F großes Tier; **~gun** ['ʃɔtgʌn] Schrotflinte *f*; ~ *marriage Am.* F Mußheirat *f*.

**should** [ʃud, ʃəd] *pret. von* shall.

**shoulder** ['ʃəuldə] **1.** Schulter *f* (*a. v. Tieren; fig. Vorsprung*); Achsel *f*; **2.** auf die Schulter *od. fig.* auf sich nehmen; ✗ schultern; drängen; **~blade** *anat.* Schulterblatt *n*; **~strap** Träger *m am Kleid*; ✗ Schulter-, Achselstück *n*.

**shout** [ʃaut] **1.** lauter Schrei *od.* Ruf; Geschrei *n*; **2.** laut schreien.

**shove** [ʃʌv] **1.** Schub *m*, Stoß *m*; **2.** schieben, stoßen.

**shovel** ['ʃʌvl] **1.** Schaufel *f*; **2.** schaufeln.

**show** [ʃou] **1.** [*irr.*] *v/t.* zeigen; ausstellen; erweisen; beweisen; ~ *in* hereinführen; ~ *off* zur Geltung bringen; ~ *out* hinausgeleiten; ~ *round* herumführen; ~ *up* hinaufführen; entlarven; *v/i. a.* ~ *up* sich

zeigen; zu sehen sein; ~ *off* angeben, prahlen, sich aufspielen; **2.** Schau(stellung) *f*; Ausstellung *f*; Auf-, Vorführung *f*; Anschein *m*; *on* ~ zu besichtigen; ~ *business* ['ʃoubiznis] Unterhaltungsindustrie *f*; Schaugeschäft *n*; **~case** Schaukasten *m*, Vitrine *f*; **~down** Aufdecken *n* der Karten (*bsd. Am. a. fig.*); *fig.* Kraftprobe *f*.

**shower** ['ʃauə] **1.** (Regen)Schauer *m*; Dusche *f*; *fig.* Fülle *f*; **2.** *v/t.* herabschütten (*a. fig.*); überschütten; *v/i.* sich ergießen; **~y** ['ʃauəri] regnerisch.

**show|n** [ʃoun] *p.p. von* show 1; **~room** ['ʃourum] Ausstellungsraum *m*; **~window** Schaufenster *n*; **~y** □ ['ʃoui] prächtig; protzig.

**shrank** [ʃræŋk] *pret. von* shrink.

**shred** [ʃred] **1.** Stückchen *n*; Schnitz(el *n*) *m*; Fetzen *m* (*a. fig.*); **2.** [*irr.*] (zer)schnitzeln; zerfetzen.

**shrew** [ʃruː] zänkisches Weib.

**shrewd** □ [ʃruːd] scharfsinnig, schlau.

**shriek** [ʃriːk] **1.** (Angst)Schrei *m*; Gekreisch *n*; **2.** kreischen, schreien.

**shrill** [ʃril] **1.** □ schrill, gellend; **2.** schrillen, gellen; schreien.

**shrimp** [ʃrimp] *zo.* Krabbe *f*; *fig.* Knirps *m*.

**shrine** [ʃrain] Schrein *m*; Altar *m*.

**shrink** [ʃriŋk] [*irr.*] (ein-, zs.-) schrumpfen (lassen); einlaufen; sich zurückziehen; zurückschrecken (*from, at* vor *dat.*); **~age** ['ʃriŋkidʒ] Einlaufen *n*, Zs.- schrumpfen *n*; Schrumpfung *f*; *fig.* Verminderung *f*.

**shrivel** ['ʃrivl] einschrumpfen (lassen).

**shroud** [ʃraud] **1.** Leichentuch *n*; *fig.* Gewand *n*; **2.** in ein Leichentuch einhüllen; *fig.* hüllen.

**Shrove|tide** ['ʃrouvtaid] Fastnachtszeit *f*; **~ Tuesday** Fastnachtsdienstag *m*.

**shrub** [ʃrʌb] Strauch *m*; Busch *m*; **~bery** ['ʃrʌbəri] Gebüsch *n*.

**shrug** [ʃrʌg] **1.** (die Achseln) zucken; **2.** Achselzucken *n*.

**shrunk** [ʃrʌŋk] *p.p. von* shrink; **~en** ['ʃrʌŋkən] *adj.* (ein)geschrumpft.

**shuck** *bsd. Am.* [ʃʌk] **1.** Hülse *f*, Schote *f*; ~*s!* F Quatsch!; **2.** enthülsen.

**shudder** ['ʃʌdə] **1.** schaudern; (er-)beben; **2.** Schauder *m.*

**shuffle** ['ʃʌfl] **1.** schieben; *Karten:* mischen; schlurfen; Ausflüchte machen; ~ **off** von sich schieben; abstreifen; **2.** Schieben *n*; Mischen *n*; Schlurfen *n*; Ausflucht *f*; Schiebung *f.*

**shun** [ʃʌn] (ver)meiden.

**shunt** [ʃʌnt] **1.** ⚙ Rangieren *n*; ⚡ Weiche *f*; ⚡ Nebenschluß *m*; **2.** ⚙ rangieren; ⚡ nebenschließen; *fig.* verschieben.

**shut** [ʃʌt] [*irr.*] (sich) schließen; zumachen; ~ **down** *Betrieb* schließen; ~ **up**, ein~, verschließen; einsperren; ~ **up!** F halt den Mund!; **~ter** ['ʃʌtə] Fensterladen *m*; *phot.* Verschluß *m.*

**shuttle** ['ʃʌtl] **1.** ⊕ Schiffchen *n*; Pendelverkehr *m*; **2.** pendeln.

**shy** [ʃai] **1.** □ scheu; schüchtern; **2.** (zurück)scheuen (*at* vor *dat.*).

**shyness** ['ʃainis] Schüchternheit *f*; Scheu *f.*

**shyster** *sl.*, *bsd. Am.* ['ʃaistə] gerissener Kerl; Winkeladvokat *m.*

**Siberian** [sai'biəriən] **1.** sibirisch; **2.** Sibirier(in).

**sick** [sik] krank (*of an dat.*; *with* vor *dat.*); übel; überdrüssig; **be** ~ **for** sich sehnen nach; **be** ~ **of** genug haben von; **go** ~, **report** ~ sich krank melden; **~-benefit** ['sikbenifit] Krankengeld *n*; **~en** ['sikn] *v/i.* krank werden; kränkeln; ~ **at** sich ekeln vor (*dat.*); *v/t.* krank machen; anekeln.

**sickle** ['sikl] Sichel *f.*

**sick|-leave** ['sikli:v] Krankheitsurlaub *m*; **~ly** [~li] kränklich; schwächlich; bleich, blaß; ungesund (*Klima*); ekelhaft; matt (*Lächeln*); **~ness** ['siknis] Krankheit *f*; Übelkeit *f.*

**side** [said] **1.** *allg.* Seite *f*; ~ **by Seite** an Seite; **take** ~ **with Partei** ergreifen für; **2.** Seiten...; Neben...; **3.** Partei ergreifen (*with* für); **~board** ['saidbɔ:d] Anrichte(tisch *m*) *f*, Sideboard *n*; **~car** *mot.* Beiwagen *m*; **~d** ...seitig; **~light** Streiflicht *n*; **~long 1.** *adv.* seitwärts; **2.** *adj.* seitlich; Seiten...; **~stroke** Seitenschwimmen *n*; **~track 1.** ⚡ Nebengleis *n*; **2.** auf ein Nebengleis schieben; *bsd. Am.* *fig.* aufschieben; beiseite schieben;

**~walk** *bsd. Am.* Bürgersteig *m*; **~ward(s)** [~wəd(z)], **~ways** seitlich; seitwärts.

**siding** ⚡ ['saidiŋ] Nebengleis *n.*

**sidle** ['saidl] seitwärts gehen.

**siege** [si:dʒ] Belagerung *f*; **lay** ~ **to** belagern.

**sieve** [siv] **1.** Sieb *n*; **2.** (durch-)sieben.

**sift** [sift] sieben; *fig.* sichten; prüfen.

**sigh** [sai] **1.** Seufzer *m*; **2.** seufzen; sich sehnen (*after*, *for* nach).

**sight** [sait] **1.** Sehvermögen *n*, Sehkraft *f*; *fig.* Auge *n*; Anblick *m*; Visier *n*; Sicht *f*; **~s** *pl.* Sehenswürdigkeiten *f/pl.*; **at** ~, **a. on** ~ beim Anblick; ♪ vom Blatt; **†** nach Sicht; **catch** ~ **of** erblicken, zu Gesicht bekommen; **lose** ~ **of** aus den Augen verlieren; **within** ~ in Sicht; **know by** ~ vom Sehen kennen; **2.** sehen; (an)visieren; **~ed** ['saitid] ...sichtig; **~ly** ['saitli] ansehnlich, stattlich; **~seeing** ['saitsi:iŋ] Besichtigung *f* von Sehenswürdigkeiten; **~seer** Tourist(in).

**sign** [sain] **1.** Zeichnen *n*; Wink *m*; Schild *n*; **in** ~ **of** zum Zeichen (*gen.*); **2.** *v/i.* winken, Zeichen geben; *v/t.* (unter)zeichnen, unterschreiben.

**signal** ['signl] **1.** Signal *n*; Zeichen *n*; **2.** bemerkenswert, außerordentlich; **3.** signalisieren; **~ize** [~nəlaiz] auszeichnen; = **signal 3.**

**signat|ory** ['signətəri] **1.** Unterzeichner *m*; **2.** unterzeichnend; ~ **powers** *pl.* Signatarmächte *f/pl.*; **~ure** [~nitʃə] Signatur *f*; Unterschrift *f*; ~ **tune** *Radio:* Kennmelodie *f.*

**sign|board** ['sainbɔ:d] (Aushänge-)Schild *n*; **~er** ['sainə] Unterzeichner(in).

**signet** ['signit] Siegel *n.*

**signific|ance** [sig'nifikəns] Bedeutung *f*; **~ant** [~nt] bedeutsam; bezeichnend (*of* für); **~ation** [signi-fi'keiʃən] Bedeutung *f.*

**signify** ['signifai] bezeichnen, andeuten; kundgeben; bedeuten.

**signpost** ['sainpoust] Wegweiser *m.*

**silence** ['sailəns] **1.** (Still)Schweigen *n*; Stille *f*, Ruhe *f*; ~! Ruhe! ¡put od. reduce to ~ = **2.** zum Schweigen bringen; **~r** [~sə] ⊕ Schalldämpfer *m*; *mot.* Auspufftopf *m.*

**silent** □ ['sailənt] still; schweigend;

schweigsam; stumm; ~ *partner* †
stiller Teilhaber.
**silk** [silk] Seide *f*; *attr.* Seiden...;
**~en** □ ['silkən] seiden; **~-stocking**
*Am.* vornehm; **~worm** Seiden-
raupe *f*; **~y** □ [~ki] seid(en)ig.
**sill** [sil] Schwelle *f*; Fensterbrett *n*.
**silly** □ ['sili] albern, töricht.
**silt** [silt] 1. Schlamm *m*; 2. *mst* ~ *up*
verschlammen.
**silver** ['silvə] 1. Silber *n*; 2. silbern;
Silber...; 3. versilbern; silberig *od.*
silberweiß werden (lassen); **~ware**
*Am.* Tafelsilber *n*; **~y** □ [~əri] silber-
glänzend; silberhell.
**similar** □ ['similə] ähnlich, gleich;
**~ity** [simi'læriti] Ähnlichkeit *f*.
**simile** ['simili] Gleichnis *n*.
**similitude** [si'militju:d] Gestalt *f*;
Ebenbild *n*; Gleichnis *n*.
**simmer** ['simə] sieden *od.* brodeln
(lassen); *fig.* kochen, gären (*Gefühl,
Aufstand*); ~ *down* ruhig(er) werden.
**simper** ['simpə] 1. einfältiges Lächeln; 2. einfältig lächeln.
**simple** □ ['simpl] einfach; schlicht;
einfältig; arglos; **~-hearted**,
**~-minded** arglos, naiv; **~ton**
[~ltən] Einfaltspinsel *m*.
**simpli|city** [sim'plisiti] Einfach-
heit *f*; Klarheit *f*; Schlichtheit *f*;
Einfalt *f*; **~fication** [simplifi'kei-
ʃən] Vereinfachung *f*; **~fy** ['simpli-
fai] vereinfachen.
**simply** ['simpli] einfach; bloß.
**simulate** ['simjuleit] vortäuschen;
(er)heucheln; sich tarnen als.
**simultaneous** □ [siməl'teinjəs]
gleichzeitig.
**sin** [sin] 1. Sünde *f*; 2. sündigen.
**since** [sins] 1. *prp.* seit; 2. *adv.*
seitdem; 3. *cj.* seit(dem); da (ja).
**sincer|e** □ [sin'siə] aufrichtig;
*Yours* **~ly** Ihr ergebener; **~ity**
[~'seriti] Aufrichtigkeit *f*.
**sinew** ['sinju:] Sehne *f*; *fig. mst.* ~*s*
*pl.* Nerven(kraft *f*) *m/pl.*; ~ Seele *f*;
**~y** [~ju(:)i] sehnig; nervig, stark.
**sinful** □ ['sinful] sündig, sündhaft,
böse.
**sing** [siŋ] [*irr.*] singen; besingen;
~ *to s.o.* j-m vorsingen.
**singe** [sindʒ] (ver)sengen.
**singer** ['siŋə] Sänger(in).
**singing** ['siŋiŋ] Gesang *m*, Singen *n*;
~ *bird* Singvogel *m*.
**single** ['siŋgl] 1. □ einzig; einzeln;

Einzel...; einfach; ledig, unverheiratet; *book-keeping by* ~ *entry* einfache Buchführung; ~ *file* Gänsemarsch *m*; 2. einfache Fahrkarte;
*mst* ~*s sg. Tennis:* Einzel *n*; 3. ~ *out*
auswählen, aussuchen; **~-breasted**
einreihig (*Jacke etc.*); **~-engined**
✈ einmotorig; **~-handed** eigen-
händig, allein; **~-hearted** □,
**~-minded** □ aufrichtig; zielstre-
big; **~t** [~lit] Unterhemd *n*; **~-track**
eingleisig.
**singular** ['siŋgjulə] 1. □ einzigartig; eigenartig; sonderbar; 2. ~
*number gr.* Singular *m*, Einzahl *f*;
**~ity** [siŋgju'læriti] Einzigartigkeit
*f*; Sonderbarkeit *f*.
**sinister** □ ['sinistə] unheilvoll; böse.
**sink** [siŋk] 1. [*irr.*] *v/i.* sinken; nie-
der-, unter-, versinken; sich sen-
ken; eindringen; erliegen; *v/t.*
(ver)senken; *Brunnen* bohren; *Geld*
festlegen; *Namen etc.* aufgeben;
2. Ausguß *m*; **~ing** ['siŋkiŋ] (Ver-)
Sinken *n*; Versenken *n*; ♣ Schwä-
che(gefühl *n*) *f*; Senkung *f*; †
Tilgung *f*; ~ *fund* (Schulden)Til-
gungsfonds *m*.
**sinless** ['sinlis] sündenlos, -frei.
**sinner** ['sinə] Sünder(in).
**sinuous** □ ['sinjuəs] gewunden.
**sip** [sip] 1. Schlückchen *n*; 2. schlürfen; nippen; langsam trinken.
**sir** [sə:] Herr *m*; ♀ Sir (*Titel*).
**sire** ['saiə] *mst poet.* Vater *m*; Vorfahr *m*; *zo.* Vater(tier *n*) *m*.
**siren** ['saiərin] Sirene *f*.
**sirloin** ['sə:lɔin] Lendenstück *n*.
**sissy** *Am.* ['sisi] Weichling *m*.
**sister** ['sistə] Schwester *f* (*a.* Ordens-, Ober-)
Schwester *f*; **~hood** [~hud]
Schwesternschaft *f*; **~-in-law**
[~ərinlɔ:] Schwägerin *f*; **~ly** [~əli]
schwesterlich.
**sit** [sit] [*irr.*] *v/i.* sitzen; Sitzung
halten, tagen; *fig.* liegen; ~ *down*
sich setzen; ~ *up* aufrecht sitzen;
aufbleiben; *v/t.* setzen; sitzen auf
(*dat.*).
**site** [sait] Lage *f*; (Bau)Platz *m*.
**sitting** ['sitiŋ] Sitzung *f*; **~-room**
Wohnzimmer *n*.
**situat|ed** ['sitjueitid] gelegen; *be* ~
liegen, gelegen sein; **~ion** [sitju-
'eiʃən] Lage *f*; Stellung *f*.
**six** [siks] 1. sechs; 2. Sechs *f*; **~teen**
['siks'ti:n] sechzehn; **~teenth** [~nθ]
sechzehnte(r, -s); **~th** [siksθ]

**slantwise**

**1.** sechste(r, -s); **2.** Sechstel n; ~thly ['siksθli] sechstens; ~tieth [~stiiθ] sechzigste(r, -s); ~ty [~ti] **1.** sechzig; **2.** Sechzig f.

**size** [saiz] **1.** Größe f; Format n; **2.** nach der Größe ordnen; ~ up F j-n abschätzen; ~d von ... Größe.

**siz(e)able** □ ['saizəbl] ziemlich groß.

**sizzle** ['sizl] zischen; knistern; brutzeln; *sizzling hot* glühend heiß.

**skat|e** [skeit] **1.** Schlittschuh m; ~roller~, Rollschuh m; **2.** Schlitt~ od. Rollschuh laufen; ~er ['skeitə] Schlittschuh-, Rollschuhläufer(in).

**skedaddle** F [ski'dædl] abhauen.

**skeesicks** *Am.* F ['ski:ziks] Nichtsnutz m.

**skein** [skein] Strähne f, Docke f.

**skeleton** ['skelitn] Skelett n; Gerippe n; Gestell n; *attr.* Skelett...; ✕ Stamm...; ~ key Nachschlüssel m.

**skeptic** ['skeptik] s. sceptic.

**sketch** [sketʃ] **1.** Skizze f; Entwurf m; Umriß m; **2.** skizzieren, entwerfen.

**ski** [ski:] **1.** pl. a. ski Schi m, Ski m; **2.** Schi od. Ski laufen.

**skid** [skid] **1.** Hemmschuh m, Bremsklotz m; ✂ (Gleit)Kufe f; Rutschen n; mot. Schleudern n; **2.** v/t. hemmen; v/i. (aus)rutschen.

**skiddoo** *Am. sl.* [ski'du:] abhauen.

**ski|er** ['ski:ə] Schi-, Skiläufer(in); ~ing ['ski:iŋ] Schi-, Skilauf(en n) m.

**skilful** □ ['skilful] geschickt; kundig.

**skill** [skil] Geschicklichkeit f, Fertigkeit f; ~ed [skild] geschickt; gelernt; ~ worker Facharbeiter m.

**skillful** *Am.* ['skilful] s. skilful.

**skim** [skim] **1.** abschöpfen; abrahmen; dahingleiten über (acc.); Buch überfliegen; ~ through (durch)blättern; **2.** ~ milk Magermilch f.

**skimp** [skimp] j-n knapp halten; sparen (mit et.); ~y □ ['skimpi] knapp, dürftig.

**skin** [skin] **1.** Haut f; Fell n; Schale f; **2.** v/t. (ent)häuten; abbalgen; schälen; ~ off F abstreifen; v/i. a. ~ over zuheilen; ~-deep ['skin'di:p] (nur) oberflächlich; ~flint Knicker m; ~ny [~ni] mager.

**skip** [skip] **1.** Sprung m; **2.** v/i. hüpfen, springen; seilhüpfen; v/t. überspringen.

**skipper** ['skipə] ✂ Schiffer m; ✂, ✕, Sport: Kapitän m.

**skirmish** ['skə:miʃ] **1.** ✕ Scharmützel n; **2.** plänkeln.

**skirt** [skə:t] **1.** (Damen)Rock m; (Rock)Schoß m; *oft* ~s pl. Rand m, Saum m; **2.** umsäumen; (sich) entlangziehen (an dat.); entlangfahren; ~ing-board ['skə:tiŋbɔ:d] Scheuerleiste f.

**skit** [skit] Stichelei f; Satire f; ~tish □ ['skitiʃ] ungebärdig.

**skittle** ['skitl] Kegel m; play (at) ~s Kegel schieben; ~alley Kegelbahn f.

**skulduggery** *Am.* F [skʌl'dʌgəri] Gemeinheit f.

**skulk** [skʌlk] schleichen; sich verstecken; lauern; sich drücken; ~er ['skʌlkə] Drückeberger m.

**skull** [skʌl] Schädel m.

**sky** [skai] *oft* skies pl. Himmel m; ~lark ['skaila:k] **1.** orn. Feldlerche f; **2.** Ulk treiben; ~light Oberlicht n; Dachfenster n; ~line Horizont m; Silhouette f; ~-rocket F emporschnellen; ~scraper Wolkenkratzer m; ~ward(s) ['skaiwəd(z)] himmelwärts.

**slab** [slæb] Platte f; Scheibe f; Fliese f.

**slack** [slæk] **1.** schlaff; locker; (nach)lässig; ✝ flau; **2.** ✂ Lose n (loses Tauende); ✝ Flaute f; Kohlengrus m; **3.** = slacken; = slake; ~en ['slækən] schlaff machen od. werden; verringern; nachlassen; (sich) lockern; (sich) entspannen; (sich) verlangsamen; ~s pl. (lange) Hose.

**slag** [slæg] Schlacke f.

**slain** [slein] p.p. von slay.

**slake** [sleik] Durst, Kalk löschen; fig. stillen.

**slam** [slæm] **1.** Zuschlagen n; Knall m; **2.** Tür etc. zuschlagen, zuknallen; et. auf den Tisch etc. knallen.

**slander** ['sla:ndə] **1.** Verleumdung f; **2.** verleumden; ~ous □ [~ərəs] verleumderisch.

**slang** [slæŋ] **1.** Slang m; Berufssprache f; lässige Umgangssprache; **2.** j-n wüst beschimpfen.

**slant** [sla:nt] **1.** schräge Fläche; Abhang m; Neigung f; *Am.* Standpunkt m; **2.** schräg legen od. liegen; sich neigen; ~ing adj., □ ['sla:ntiŋ], ~wise adv. [~twaiz] schief, schräg.

**slap** [slæp] 1. Klaps *m*, Schlag *m*;
2. klapsen; schlagen; klatschen;
**~jack** *Am.* ['slæpdʒæk] *Art* Pfannkuchen *m*; **~stick** (Narren)Prit-
sche *f*; *a.* ~ *comedy thea.* Posse *f*,
Burleske *f*.

**slash** [slæʃ] 1. Hieb *m*; Schnitt *m*;
Schlitz *m*; 2. (auf)schlitzen; schlagen, hauen; verreißen (*Kritiker*).

**slate** [sleit] 1. Schiefer *m*; Schiefer-
tafel *f*; *bsd. Am.* Kandidatenliste *f*;
2. mit Schiefer decken; heftig kritisieren; *Am.* F *für e-n Posten* vorschlagen; **~pencil** ['sleit'pensl]
Griffel *m*.

**slattern** ['slætə(:)n] Schlampe *f*.

**slaughter** ['slɔːtə] 1. Schlachten *n*;
Gemetzel *n*; 2. schlachten; niedermetzeln; **~house** Schlachthaus *n*.

**Slav** [slɑːv] 1. Slav|e *m*, -in *f*;
2. slawisch.

**slave** [sleiv] 1. Sklav|e *m*, -in *f* (*a.
fig.*); 2. F sich placken, schuften.

**slaver** ['slævə] 1. Geifer *m*, Sabber
*m*; 2. (be)geifern, F (be)sabbern.

**slav|ery** ['sleivəri] Sklaverei *f*; F
Plackerei *f*; **~ish** □ [~viʃ] sklavisch.

**slay** *rhet.* [slei] [*irr.*] erschlagen;
töten.

**sled** [sled] = *sledge* 1.

**sledge¹** [sledʒ] 1. Schlitten *m*;
2. Schlitten fahren.

**sledge²** [~] *a.* **~hammer** Schmiede-
hammer *m*.

**sleek** [sliːk] 1. □ glatt, geschmeidig;
2. glätten; **~ness** ['sliːknis] Glätte *f*.

**sleep** [sliːp] 1. [*irr.*] *v/i.* schlafen; ~
(*up*)*on* od. *over et.* beschlafen; *v/t.*
*j-n für die Nacht* unterbringen; ~
*away Zeit* verschlafen; 2. Schlaf *m*;
go to ~ einschlafen; **~er** ['sliːpə]
Schläfer(in); ⊕ Schwelle *f*; Schlafwagen *m*; **~ing** [~piŋ] schlafend;
Schlaf...; **2ing Beauty** Dorn-
röschen *n*; **~ing-car(riage)** ⊕
Schlafwagen *m*; **~ing partner** †
stiller Teilhaber; **~less** □ [~plis]
schlaflos; **~walker** Schlafwandl-
er(in); **~y** □ [~pi] schläfrig; verschlafen.

**sleet** [sliːt] 1. Graupelregen *m*;
2. graupeln; **~y** ['sliːti] graupe-
lig.

**sleeve** [sliːv] Ärmel *m*; ⊕ Muffe *f*;
**~link** ['sliːvliŋk] Manschettenknopf *m*.

**sleigh** [slei] 1. (*bsd.* Pferde)Schlitten
*m*; 2. (im) Schlitten fahren.

**sleight** [slait]: **~of-hand** Taschenspielerei *f*; Kunststück *n*.

**slender** □ ['slendə] schlank;
schmächtig; schwach; dürftig.

**slept** [slept] *pret. u. p.p. von sleep* 1.

**sleuth** [sluːθ], **~hound** [~θ-
haund] Blut-, Spürhund *m* (*a. fig.*).

**slew** [sluː] *pret. von slay.*

**slice** [slais] 1. Schnitte *f*, Scheibe *f*,
Stück *n*; Teil *m*, *n*; 2. (in) Schei-
ben schneiden; aufschneiden.

**slick** F [slik] 1. *adj.* glatt; *fig.* raffiniert; 2. *adv.* direkt; 3. *a.* ~ *paper
Am. sl.* vornehme Zeitschrift; **~er**
*Am.* F ['slikə] Regenmantel *m*; gerissener Kerl.

**slid** [slid] *pret. u. p.p. von slide* 1.

**slide** [slaid] 1. [*irr.*] gleiten (lassen);
rutschen; schlittern; ausgleiten;
geraten (*into in acc.*); *let things* ~
die Dinge laufen lassen; 2. Gleiten
*n*; Rutsche *f*; ⊕ Schieber *m*; Dia-
positiv *n*; *a. land.* ~ Erdrutsch *m*;
**~rule** ['slaidruːl] Rechenschieber
*m*.

**slight** [slait] 1. □ schmächtig;
schwach; gering, unbedeutend;
2. Geringschätzung *f*; 3. geringschätzig behandeln; unbeachtet
lassen.

**slim** [slim] 1. □ schlank; dünn;
schmächtig; dürftig; *sl.* schlau, gerissen; 2. e-e Schlankheitskur machen.

**slim|e** [slaim] Schlamm *m*; Schleim
*m*; **~y** ['slaimi] schlammig; schlei-
mig.

**sling** [sliŋ] 1. Schleuder *f*; Trag-
riemen *m*; ✠ Schlinge *f*, Binde *f*;
Wurf *m*; 2. [*irr.*] schleudern; auf-
umhängen; *a.* ~ *up* hochziehen.

**slink** [sliŋk] [*irr.*] schleichen.

**slip** [slip] 1. *v/i.* schlüpfen, gleiten, rutschen; ausgleiten; aus-
rutschen; *oft* ~ *away* entschlüpfen;
sich versehen; *v/t.* schlüpfen *od.*
gleiten lassen; loslassen; entschlüpfen, entgleiten (*dat.*); ~ *in Bemerkun-
dazwischenwerfen; ~ *into* hinein-
stecken *od.* hineinschlüpfen in (*acc.*);
~ *on* (*off*) *Kleid* über-, (ab)streifen;
*have* ~*ped s.o.'s memory* j-m ent-
fallen sein; 2. (Aus)Gleiten *n*; Fehltritt *m* (*a. fig.*); Versehen *n*; (Flüch-
tigkeits)Fehler *m*; Verstoß *m*; Streifen *m*; Zettel *m*; Unterkleid *n*; *a.*
**~way** ♣ Helling *f*; (Kissen)Über-
zug *m*; **~s** *pl.* Badehose *f*; *give s.o.*

*the* ~ j-m entwischen; ~**per** ['slipə]
Pantoffel *m*, Hausschuh *m*; ~**pery**
□ [~əri] schlüpfrig; ~**shod** [~ʃɔd]
schlampig, nachlässig; ~**t** [slipt]
*pret. u. p.p. von slip 1.*

**slit** [slit] **1.** Schlitz *m*; Spalte *f*;
**2.** [*irr.*] (auf-, zer)schlitzen.

**sliver** ['slivə] Splitter *m.*

**slobber** ['slɔbə] **1.** Sabber *m*; Ge-
sabber *n*; **2.** F (be)sabbern.

**slogan** ['slougən] Schlagwort *n*,
Losung *f*; (Werbe)Slogan *m.*

**sloop** ⏚ [slu:p] Schaluppe *f.*

**slop** [slɔp] **1.** Pfütze *f*; ~*s pl.* Spül-,
Schmutzwasser *n*; Krankenspeise *f*;
**2.** *v/t.* verschütten; *v/i.* überlaufen.

**slope** [sloup] **1.** (Ab)Hang *m*; Neigung *f*; **2.** schräg legen; ⊕ ab-
schrägen; abfallen; schräg verlaufen; (sich) neigen.

**sloppy** □ ['slɔpi] naß, schmutzig;
schlampig; F labb(e)rig; rührselig.

**slops** [slɔps] *pl.* billige Konfektions-
kleidung; ⏚ Kleidung *f* u. Bettzeug *n.*

**slot** [slɔt] Schlitz *m.*

**sloth** [slouθ] Faulheit *f*; *zo.* Faul-
tier *n.*

**slot-machine** ['slɔtməʃiːn] (Waren-
*od.* Spiel)Automat *m.*

**slouch** [slautʃ] **1.** faul herumhängen;
F herumlatschen; **2.** schlaffe Haltung; ~ *hat* Schlapphut *m.*

**slough**[1] [slau] Sumpf(loch *n*) *m.*

**slough**[2] [slʌf] Haut abwerfen.

**sloven** ['slʌvn] unordentlicher
Mensch; F Schlampe *f*; ~**ly** [~nli]
liederlich.

**slow** [slou] **1.** □ langsam (*of in dat.*);
schwerfällig; lässig; *be* ~ nach-
gehen (*Uhr*); **2.** *adv.* langsam;
**3.** *oft* ~ *down od. up. off v/t.* verlangsamen; *v/i.* langsam(er) werden
*od.* gehen *od.* fahren; ~**coach**
['sloukoutʃ] Langweiler *m*; altmodischer Mensch; ~**motion
picture** Zeitlupenaufnahme *f*;
~**worm** *zo.* Blindschleiche *f.*

**sludge** [slʌdʒ] Schlamm *m*; Matsch
*m.*

**slug** [slʌg] **1.** Stück *n* Rohmetall;
*zo.* Wegschnecke *f*; *Am.* F (Faust-)
Schlag *m*; **2.** *Am.* F hauen.

**slugg|ard** ['slʌgəd] Faulenzer(in);
~**ish** □ [~giʃ] träge, faul.

**sluice** [slu:s] **1.** Schleuse *f*; **2.** ausströmen (lassen); ausspülen; wa-
schen.

**slum** [slʌm] schmutzige Gasse; ~*s
pl.* Elendsviertel *n*, Slums *pl.*

**slumber** ['slʌmbə] **1.** *a.* ~*s pl.*
Schlummer *m*; **2.** schlummern.

**slump** [slʌmp] *Börse:* **1.** fallen,
stürzen; **2.** (Kurs-, Preis)Sturz *m.*

**slung** [slʌŋ] *pret. u. p.p. von sling 2.*

**slunk** [slʌŋk] *pret. u. p.p. von slink.*

**slur** [sləː] **1.** Fleck *m*; *fig.* Tadel *m*;
♩ Bindebogen *m*; **2.** *v/t.* oft ~ *over*
übergehen; ♩ *Töne* binden.

**slush** [slʌʃ] Schlamm *m*; Matsch *m*;
F Kitsch *m.*

**slut** [slʌt] F Schlampe *f*; Nutte *f.*

**sly** □ [slai] schlau, verschmitzt;
hinterlistig; *on the* ~ heimlich.

**smack** [smæk] **1.** (Bei)Geschmack
*m*; Prise *f Salz etc.*; *fig.* Spur *f*;
Schmatz *m*; Schlag *m*, Klatsch *m*,
Klaps *m*; **2.** schmecken (*of nach*);
e-n Beigeschmack haben; klatschen,
knallen (*mit*); schmatzen (*mit*);
j-m e-n Klaps geben.

**small** [smɔːl] **1.** *allg.* klein; unbedeutend; *fig.* kleinlich; niedrig;
wenig; *feel* ~, *look* ~ sich gedemü-
tigt fühlen; *the* ~ *hours die frühen
Morgenstunden f/pl.*; *in a* ~ *way*
bescheiden; **2.** dünner Teil; ~*s pl.*
F Leibwäsche *f*; ~ *of the back anat.*
Kreuz *n*; ~**arms** ['smɔːlɑːmz] *pl.*
Handfeuerwaffen *f/pl.*; ~**change**
Kleingeld *n*; *fig.* triviale Bemerkungen *f/pl.*; ~**ish** [~iʃ] ziemlich klein;
~**pox** ⚕ [~pɔks] Pocken *f/pl.*;
~ **talk** Plauderei *f*; ~**time** *Am.* F
unbedeutend.

**smart** [smɑːt] **1.** □ scharf; gewandt; geschickt; gescheit; gerissen; schmuck, elegant, adrett;
forsch; ~ *aleck Am.* F Neunmalklu-
ge(r) *m*; **2.** Schmerz *m*; **3.** schmerzen; leiden; ~**money** ['smɑːtmʌni]
Schmerzensgeld *n*; ~**ness** [~tnis]
Klugheit *f*; Schärfe *f*; Gewandtheit *f*; Gerissenheit *f*; Eleganz *f.*

**smash** [smæʃ] **1.** *v/t.* zertrümmern;
*fig.* vernichten; (zer)schmettern;
*v/i.* zerschellen; zs.-stoßen; *fig.*
zs.-brechen; **2.** Zerschmettern *n*;
Krach *m*; Zs.-bruch *m* (*a.* ♱);
*Tennis:* Schmetterball *m*; ~**up**
['smæʃʌp] Zs.-stoß *m*; Zs.-bruch *m.*

**smattering** ['smætəriŋ] oberflächliche Kenntnis.

**smear** [smiə] **1.** (be)schmieren; *fig.*
beschmutzen; **2.** Schmiere *f*;
Fleck *m.*

**smell** 246

**smell** [smel] **1.** Geruch *m*; **2.** [*irr.*]
riechen (*of* nach *et.*); *a.* ~ *at* riechen
an (*dat.*); **~y** ['smeli] übelriechend.
**smelt¹** [smelt] *pret. u. p.p. von*
smell¹.
**smelt²** [⏑] schmelzen.
**smile** [smail] **1.** Lächeln *n*; **2.** lächeln.
**smirch** [smə:tʃ] besudeln.
**smirk** [smə:k] grinsen.
**smite** [smait] [*irr.*] schlagen; heimsuchen; *schwer* treffen; quälen.
**smith** [smiθ] Schmied *m*.
**smithereens** ['smiðə'ri:nz] *pl.*
Stücke *n/pl.*, Splitter *m/pl*, Fetzen
*m/pl.*
**smithy** ['smiði] Schmiede *f*.
**smitten** ['smitn] **1.** *p.p. von* smite;
**2.** *adj.* ergriffen; betroffen; *fig.*
hingerissen (*with* von).
**smock** [smɔk] **1.** fälteln; **2.** Kittel
*m*; **~-frock** ['smɔk'frɔk] Bauern-
kittel *m*.
**smog** [smɔg] Smog *m*, Gemisch *n*
von Nebel und Rauch.
**smoke** [smouk] **1.** Rauch *m*; *have
a* ~ (eine) rauchen; **2.** rauchen;
dampfen; (aus)räuchern; **~-dried**
['smoukdraid] geräuchert; **~r** [⏑kə]
Raucher *m*; ⛴ F Raucherwagen *m*,
-abteil *n*; **~-stack** ⛴, ⚓ Schornstein *m*.
**smoking** ['smoukiŋ] Rauchen *n*;
*attr.* Rauch(er)...; **~-compartment**
⛴ Raucherabteil *n*.
**smoky** □ ['smouki] rauchig; ver-
räuchert.
**smolder** *Am.* ['smouldə] = smoul-\
**smooth** [smu:ð] **1.** □ glatt; *fig.*
fließend; mild; schmeichlerisch;
**2.** glätten; ebnen (*a. fig.*); plätten;
mildern; *a.* ~ *over*, ~ *away fig.*
wegräumen; **~ness** ['smu:ðnis]
Glätte *f*.
**smote** [smout] *pret. von* smite.
**smother** ['smʌðə] ersticken.
**smoulder** ['smouldə] schwelen.
**smudge** [smʌdʒ] **1.** (be)schmutzen;
(be)schmieren; **2.** Schmutzfleck *m*.
**smug** [smʌg] selbstzufrieden.
**smuggle** ['smʌgl] schmuggeln; **~r**
[⏑lə] Schmuggler(in).
**smut** [smʌt] Schmutz *m*; Ruß(fleck)
*m*; Zoten *f/pl.*; **2.** beschmutzen.
**smutty** □ ['smʌti] schmutzig.
**snack** [snæk] Imbiß *m*; **~-bar**
['snækbɑ:], **~-counter** Snackbar *f*,
Imbißstube *f*.

**snaffle** ['snæfl] Trense *f*.
**snag** [snæg] (Ast-, Zahn)Stumpf *m*;
*fig.* Haken *m*; *Am.* Baumstumpf *m*
(*bsd. unter Wasser*).
**snail** *zo.* [sneil] Schnecke *f*.
**snake** *zo.* [sneik] Schlange *f*.
**snap** [snæp] **1.** Schnappen *n*, Biß *m*;
Knack(s) *m*; Knall *m*; *fig.* Schwung
*m*, Schmiß *m*; Schnappschloß *n*;
*phot.* Schnappschuß *m*; *cold* ~
Kältewelle *f*; **2.** *v/i.* schnappen (*at*
nach); zuschnappen (*Schloß*); krachen; knacken; (zer)brechen;
knallen; schnauzen; ~ *at s.o.* j-n an-
schnauzen; ~ *into it!* *Am. sl.* mach
schnell!, Tempo!; ~ *out of it! Am.
sl.* hör auf damit!; komm, komm!;
*v/t.* (er)schnappen; (zu)schnappen
lassen; *phot.* knipsen; zerbrechen; ~
*out Wort* hervorstoßen; ~ *up* weg-
schnappen; **~-fastener** ['snæpfɑ:s-
nə] Druckknopf *m*; **~-pish** □ [⏑piʃ]
bissig; schnippisch; **~-py** [⏑pi] bissig; F flott; **~shot** Schnappschuß *m*,
Photo *n*, Momentaufnahme *f*.
**snare** [snɛə] **1.** Schlinge *f*; **2.** fangen; *fig.* umgarnen.
**snarl** [snɑ:l] **1.** knurren; murren;
**2.** Knurren *n*; Gewirr *n*.
**snatch** [snætʃ] **1.** schneller Griff;
Ruck *m*; Stückchen *n*; **2.** schnappen; ergreifen; an sich reißen; nehmen; ~ *at* greifen nach.
**sneak** [sni:k] **1.** *v/i.* schleichen; F
petzen; *v/t.* F stibitzen; **2.** Schlei-
cher *m*; F Petzer *m*; **~ers** ['sni:kəz]
*pl.* F leichte Segeltuchschuhe *m/pl*.
**sneer** [sniə] **1.** Hohnlächeln *n*;
Spott *m*; **2.** hohnlächeln; spotten;
spötteln.
**sneeze** [sni:z] **1.** niesen; **2.** Niesen *n*.
**snicker** ['snikə] kichern; wiehern.
**sniff** [snif] schnüffeln, schnuppern;
riechen; die Nase rümpfen.
**snigger** ['snigə] kichern.
**snip** [snip] **1.** Schnitt *m*; Schnipsel
*m*, *n*; **2.** schnippeln, schnipseln;
knipsen.
**snipe** [snaip] **1.** *orn.* (Sumpf-)
Schnepfe *f*; **2.** ⚔ aus dem Hinter-
halt (ab)schießen; **~r** ⚔ ['snaipə]
Scharf-, Heckenschütze *m*.
**snivel** ['snivl] schniefen; schluchzen;
plärren.
**snob** [snɔb] Großtuer *m*; Snob *m*;
**~bish** □ ['snɔbiʃ] snobistisch.
**snoop** *Am.* [snu:p] **1.** *fig.* (herum-)
schnüffeln; **2.** Schnüffler(in).

**snooze** F [snu:z] **1.** Schläfchen n; **2.** dösen.

**snore** [snɔ:] schnarchen.

**snort** [snɔ:t] schnauben, schnaufen.

**snout** [snaut] Schnauze f; Rüssel m.

**snow** [snou] **1.** Schnee m; **2.** (be-)schneien; be ~ed under fig. erdrückt werden; **~bound** ['snoubaund] eingeschneit; **~capped**, **~clad**, **~covered** schneebedeckt; **~drift** Schneewehe f; **~drop** ♀ Schneeglöckchen n; **~y** [ ]('snoui) schneeig; schneebedeckt, verschneit; schneeweiß.

**snub** [snʌb] **1.** schelten, anfahren; **2.** Verweis m; **~nosed** ['snʌbnouzd] stupsnasig.

**snuff** [snʌf] **1.** Schnuppe f e-r Kerze; Schnupftabak m; **2.** a. take ~ schnupfen; Kerze putzen; **~le** ['snʌfl] schnüffeln; näseln.

**snug** [ ] [snʌg] geborgen, behaglich; eng anliegend; **~gle** ['snʌgl] (sich) schmiegen od. kuscheln (to an acc.).

**so** [sou] so; deshalb; also; I hope ~ ich hoffe es; are you tired? ~ I am bist du müde? Ja; you are tired, ~ am I du bist müde, ich auch; ~ far bisher.

**soak** [souk] v/t. einweichen; durchnässen; (durch)tränken; auf-, einsaugen; v/i. weichen; durchsickern.

**soap** [soup] **1.** Seife f; soft ~ Schmierseife f; **2.** (ein)seifen **~box** ['soupbɔks] Seifenkiste f; improvisierte Rednertribüne; **~y** [ ]('soupi) seifig; fig. unterwürfig.

**soar** [sɔ:] sich erheben, sich aufschwingen; schweben; ✈ segelfliegen.

**sob** [sɔb] **1.** Schluchzen n; **2.** schluchzen.

**sober** ['soubə] **1.** [ ] nüchtern; **2.** (sich) ernüchtern; **~ness** [ ~nis], **sobriety** [sou'braiəti] Nüchternheit f.

**so-called** ['sou'kɔ:ld] sogenannt.

**soccer** F ['sɔkə] (Verbands)Fußball m (Spiel).

**sociable** ['souʃəbl] **1.** [ ] gesellig; gemütlich; **2.** gesellige Beisammensein.

**social** ['souʃəl] **1.** [ ] gesellschaftlich; gesellig, sozial(istisch), Sozial...; ~ insurance Sozialversicherung f; ~ services pl. Sozialeinrichtungen f/pl.; **2.** geselliges Beisammensein; **~ism** [ ~lizəm] Sozialismus m;

**~ist** [ ~ist] **1.** Sozialist(in); **2.** a. **~istic** [souʃə'listik] (~ally) sozialistisch; **~ize** ['souʃəlaiz] sozialisieren; verstaatlichen.

**society** [sə'saiəti] Gesellschaft f; Verein m, Klub m.

**sociology** [sousi'ɔlədʒi] Sozialwissenschaft f.

**sock** [sɔk] Socke f; Einlegesohle f.

**socket** ['sɔkit] (Augen-, Zahn)Höhle f; (Gelenk)Pfanne f; ⊕ Muffe f; ⚡ Fassung f; ⚡ Steckdose f.

**sod** [sɔd] **1.** Grasnarbe f; Rasen (-stück n) m; **2.** mit Rasen bedecken.

**soda** ['soudə] Soda f, n; **~fountain** Siphon m; Am. Erfrischungshalle f, Eisdiele f.

**sodden** ['sɔdn] durchweicht; teigig.

**soft** [sɔft] **1.** [ ] allg. weich; engS.: mild; sanft; sacht, leise; zart, zärtlich; weichlich; F einfältig; ~ drink F alkoholfreies Getränk; **2.** adv. weich; **3.** F Trottel m; **~en** ['sɔfn] weich machen; (sich) erweichen; mildern; **~headed** schwachsinnig; **~hearted** gutmütig.

**soggy** ['sɔgi] durchnäßt; feucht.

**soil** [sɔil] **1.** Boden m, Erde f; Fleck m; Schmutz m; **2.** (be)schmutzen; beflecken.

**sojourn** ['sɔdʒə:n] **1.** Aufenthalt m; **2.** sich aufhalten.

**solace** ['sɔləs] **1.** Trost m; **2.** trösten.

**solar** ['soulə] Sonnen...

**sold** [sould] pret. u. p.p. von sell.

**solder** ['sɔldə] Lot n; **2.** löten.

**soldier** ['souldʒə] Soldat m; **~like**, **~ly** [ ~li] soldatisch; **~y** [ ~əri] Militär n.

**sole¹** [ ] [soul] alleinig, einzig; ~ agent Alleinvertreter m.

**sole²** [ ~ ] **1.** Sohle f; **2.** besohlen.

**solemn** [ ] ['sɔləm] feierlich; ernst; **~ity** [sə'lemniti] Feierlichkeit f; Steifheit f; **~ize** ['sɔləmnaiz] feiern; feierlich vollziehen.

**solicit** [sə'lisit] (dringend) bitten; ansprechen, belästigen; **~ation** [səlisi'teiʃən] dringende Bitte; **~or** [sə'lisitə] ⚖ Anwalt m; Am. Agent m, Werber m; **~ous** [ ] [ ~təs] besorgt; ~ of begierig nach; ~ to inf. bestrebt zu inf.; **~ude** [ ~tju:d] Sorge f, Besorgnis f; Bemühung f.

**solid** ['sɔlid] **1.** [ ] fest; dauerhaft; haltbar; derb; massiv; ⚖ körperlich, Raum...; fig. gediegen; solid;

triftig; solidarisch; _a ~ hour_ e-e volle Stunde; **2.** (fester) Körper; **~arity** [sɔli'dæriti] Solidarität _f_; **~ify** [sə'lidifai] (sich) verdichten; **~ity** [~iti] Solidität _f_; Gediegenheit _f_.

**soliloquy** [sə'liləkwi] Selbstgespräch _n_, Monolog _m_.

**solit|ary** [ ] ['sɔlitəri] einsam; einzeln; einsiedlerisch; **~ude** [~tju:d] Einsamkeit _f_; Verlassenheit _f_; Öde _f_.

**solo** ['soulou] Solo _n_; ✈ Alleinflug _m_; **~ist** [~ouist] Solist(in).

**solu|ble** ['sɔljubl] löslich; (auf)lösbar; **~tion** [sə'lu:ʃən] (Auf)Lösung _f_; ⊕ Gummilösung _f_.

**solve** [sɔlv] lösen; **~nt** ['sɔlvənt] **1.** (auf)lösend; † zahlungsfähig; **2.** Lösungsmittel _n_.

**somb|re,** _Am._ **~er** [ ] ['sɔmbə] düster.

**some** [sʌm, səm] irgendein; etwas; einige, manche _pl._; _Am._ F prima; _~ 20 miles_ etwa 20 Meilen; _in ~ degree, to ~ extent_ einigermaßen; **~body** ['sʌmbədi] jemand; **~ day** eines Tages; **~how** irgendwie; _~ or other_ so oder so; **~one** jemand.

**somersault** ['sʌməsɔ:lt] Salto _m_; Rolle _f_, Purzelbaum _m_; _turn a ~_ e-n Purzelbaum schlagen.

**some|thing** ['sʌmθiŋ] (irgend) etwas; _~ like_ so etwas wie, so ungefähr; **~time** **1.** einmal, dereinst; **2.** ehemalig; **~times** manchmal; **~what** etwas, ziemlich; **~where** irgendwo(hin).

**somniferous** [ ] [sɔm'nifərəs] einschläfernd.

**son** [sʌn] Sohn _m_.

**song** [sɔŋ] Gesang _m_; Lied _n_; Gedicht _n_; _for a mere od. an old ~_ für e-n Pappenstiel; **~bird** ['sɔŋbə:d] Singvogel _m_; **~ster** ['sɔŋstə] Singvogel _m_; Sänger _m_.

**sonic** ['sɔnik] Schall...

**son-in-law** ['sʌninlɔ:] Schwiegersohn _m_.

**sonnet** ['sɔnit] Sonett _n_.

**sonorous** [ ] [sə'nɔ:rəs] klangvoll.

**soon** [su:n] bald; früh; gern; _as od. so ~ as_ sobald als _od._ wie; _~er_ ['su:nə] eher; früher; lieber; _no ~ ... than kaum ... als; no ~ said than done_ gesagt, getan.

**soot** [sut] **1.** Ruß _m_; **2.** verrußen.

**sooth** [su:θ]: _in ~_ in Wahrheit, für-

wahr; **~e** [su:ð] beruhigen; mildern; **~sayer** ['su:θseiə] Wahrsager(in).

**sooty** [ ] ['suti] rußig.

**sop** [sɔp] **1.** eingeweichter Brocken; _fig._ Bestechung _f_; **2.** eintunken.

**sophist|icate** [sə'fistikeit] verdrehen; verfälschen; **~icated** kultiviert, raffiniert; intellektuell; blasiert; hochentwickelt, kompliziert; **~ry** ['sɔfistri] Spitzfindigkeit _f_.

**sophomore** _Am._ ['sɔfəmɔ:] Student _m_ im zweiten Jahr.

**soporific** [sɔupə'rifik] **1.** (_~ally_) einschläfernd; **2.** Schlafmittel _n_.

**sorcer|er** ['sɔ:sərə] Zauberer _m_; **~ess** [~ris] Zauberin _f_; Hexe _f_; **~y** [~ri] Zauberei _f_.

**sordid** [ ] ['sɔ:did] schmutzig, schäbig (_bsd. fig._).

**sore** [sɔ:] **1.** [ ] schlimm, entzündet; wund; weh; empfindlich; _~ throat_ Halsweh _n_; **2.** wunde Stelle; **~head** _Am._ F ['sɔ:hed] **1.** mürrischer Mensch; **2.** enttäuscht.

**sorrel** ['sɔrəl] **1.** rötlichbraun (_bsd. Pferd_); **2.** Fuchs _m_ (_Pferd_).

**sorrow** ['sɔrou] **1.** Sorge _f_; Kummer _m_, Leid _n_; Trauer _f_; **2.** trauern; sich grämen; **~ful** [ ] ['sɔrəful] traurig, betrübt; elend.

**sorry** [ ] ['sɔri] betrübt, bekümmert; traurig; (_I am_) (_so_) _~!_ es tut mir (sehr) leid; Verzeihung!; _I am ~ for him_ er tut mir leid; _we are ~ to say_ wir müssen leider sagen.

**sort** [sɔ:t] **1.** Sorte _f_, Art _f_; _what ~ of_ was für; _of a ~, of ~s_ F so was wie; _~ of_ F gewissermaßen; _out of ~s_ F unpäßlich; verdrießlich; **2.** sortieren; _~ out_ (aus)sondern.

**sot** [sɔt] Trunkenbold _m_.

**sough** [sau] **1.** Sausen _n_; **2.** rauschen.

**sought** [sɔ:t] _pret. u. p.p. von seek_.

**soul** [soul] Seele _f_ (_a. fig._).

**sound** [saund] **1.** [ ] _allg._ gesund; ganz; vernünftig; gründlich; fest; † sicher; ⚖ gültig; **2.** Ton _m_, Schall _m_, Laut _m_, Klang _m_; ♪ Sonde _f_; Meerenge _f_; Fischblase _f_; **3.** (er)tönen, (er)klingen; erschallen (lassen); sich _gut etc._ anhören; sondieren; ⚓ loten; ✈ abhorchen; **~film** ['saundfilm] Tonfilm _m_; **~ing** ⚓ [~diŋ] Lotung _f_; _~s pl._ lotbare Wassertiefe; **~less** [ ] [~dlis] lautlos; **~ness** [~dnis] Gesundheit _f_; **~-proof** schalldicht; **~track**

**spear**

*Film:* Tonspur *f;* **~-wave** Schallwelle *f.*

**soup¹** [su:p] Suppe *f.*

**soup²** *Am. sl. mot.* [~] **1.** Stärke *f;* **2.** ~ *up* Motor frisieren.

**sour** [sauə] **1.** □ sauer; *fig.* bitter; mürrisch; **2.** *v/t.* säuern; *fig.* vererbittern; *v/i.* sauer (*fig.* bitter) werden.

**source** [sɔ:s] Quelle *f;* Ursprung *m.*

**sour|ish** ['sauəriʃ] säuerlich; **~-ness** ['sauəniʃ] Säure *f; fig.* Bitterkeit *f.*

**souse** [saus] eintauchen; (mit Wasser) begießen; *Fisch etc.* einlegen, einpökeln.

**south** [sauθ] **1.** Süd(en *m*); **2.** Süd...; südlich; **~-east** ['sauθ'i:st] **1.** Südosten *m;* **2.** *a.* **~-eastern** [sauθ-'i:stən] südöstlich.

**souther|ly** ['sʌðəli], **~-n** [~ən] südlich; Süd...; **~-ner** [~nə] Südländer(in), *Am.* Südstaatler(in).

**southernmost** ['sʌðənmoust] südlichst.

**southpaw** *Am.* ['sauθpɔ:] *Baseball:* Linkshänder *m.*

**southward(s)** *adv.* ['sauθwəd(z)] südwärts, nach Süden.

**south|-west** ['sauθ'west] **1.** Südwesten *m;* **2.** südwestlich; **~-wester** [sauθ'westə] Südwestwind *m;* ♺ Südwester *m;* **~-westerly**, **~-western** südwestlich.

**souvenir** ['su:vəniə] Andenken *n.*

**sovereign** ['sɔvrin] **1.** □ höchst; unübertrefflich; unumschränkt; **2.** Herrscher(in); Sovereign *m* (20-Schilling-Stück); ~**ty** [~rənti] Oberherrschaft *f,* Landeshoheit *f.*

**soviet** ['souviet] Sowjet *m; attr.* Sowjet...

**sow¹** [sau] *zo.* Sau *f,* (Mutter-) Schwein *n;* ⊕ Sau *f,* Massel *f.*

**sow²** [sou] [*irr.*] (aus)säen, ausstreuen; besäen; **~n** [soun] *p.p. von* **sow².**

**spa** [spa:] Heilbad *n;* Kurort *m.*

**space** [speis] **1.** (Welt)Raum *m;* Zwischenraum *m;* Zeitraum *m;* **2.** *typ.* sperren; **~-craft** ['speiskra:ft], **~-ship** Raumschiff *n;* **~-suit** Raumanzug *m.*

**spacious** □ ['speiʃəs] geräumig, weit, umfassend.

**spade** [speid] Spaten *m; Kartenspiel:* Pik *n.*

**span¹** [spæn] **1.** Spanne *f;* Spann-

weite *f; Am.* Gespann *n;* **2.** (um-, über)spannen; (aus)messen.

**span²** [~] *pret. von* **spin 1.**

**spangle** ['spæŋgl] **1.** Flitter *m;* **2.** (mit Flitter) besetzen; *fig.* übersäen.

**Spaniard** ['spænjəd] Spanier(in).

**Spanish** ['spæniʃ] **1.** spanisch; **2.** Spanisch *n.*

**spank** F [spæŋk] **1.** verhauen; **2.** Klaps *m;* **~-ing** ['spæŋkiŋ] **1.** □ schnell, scharf; **2.** F Haue *f,* Tracht *f* Prügel.

**spanner** ⊕ ['spænə] Schraubenschlüssel *m.*

**spar** [spa:] **1.** ♺ Spiere *f;* ✈ Holm *m;* **2.** boxen; *fig.* sich streiten.

**spare** [spɛə] **1.** □ spärlich, sparsam; mager; überzählig, überschüssig; Ersatz...; Reserve...; ~ *hours* Mußestunden *f/pl.;* ~ *room* Gastzimmer *n;* ~ *time* Freizeit *f;* **2.** ⊕ Ersatzteil *m, n;* **3.** (ver)schonen; erübrigen; entbehren; (übrig)haben für; (er)sparen; sparen mit.

**sparing** □ ['spɛəriŋ] sparsam.

**spark** [spa:k] **1.** Funke(n) *m; fig.* flotter Kerl; Galan *m;* **2.** Funken sprühen; **~-(ing)-plug** *mot.* ['spa:k-(iŋ)plʌg] Zündkerze *f.*

**sparkle** ['spa:kl] **1.** Funke(n) *m;* Funkeln *n; fig.* sprühendes Wesen; **2.** funkeln; blitzen; schäumen; *sparkling wine* Schaumwein *m.*

**sparrow** *orn.* ['spærou] Sperling *m,* Spatz *m;* **~-hawk** *orn.* Sperber *m.*

**sparse** □ [spa:s] spärlich, dünn.

**spasm** ✦ ['spæzm] Krampf *m;* **~-odic(al** □) ✦ [spæz'mɔdik(əl)] krampfhaft, -artig; *fig.* sprunghaft.

**spat¹** [spæt] (Schuh)Gamasche *f.*

**spat²** [~] *pret. u. p.p. von* **spit²** 2.

**spatter** ['spætə] (be)spritzen.

**spawn** [spɔ:n] **1.** Laich *m; fig. contp.* Brut *f;* **2.** laichen; *fig.* aushecken.

**speak** [spi:k] [*irr.*] *v/i.* sprechen; reden; ~ *out,* ~ *up* laut sprechen; offen reden; ~ *to j-n od.* mit *j-m* sprechen; *v/t.* (aus)sprechen; äußern; **~-easy** *Am. sl.* ['spi:ki:zi] Flüsterkneipe *f* (*ohne Konzession*); **~-er** [~kə] Sprecher(in), Redner(in); *parl.* Vorsitzende(r) *m;* **~-ing-trumpet** [~kiŋtrʌmpit] Sprachrohr *n.*

**spear** [spiə] **1.** Speer *m,* Spieß *m;* Lanze *f;* **2.** (auf)spießen.

**special** ['speʃəl] **1.** □ besonder; Sonder...; speziell; Spezial...; **2.** Hilfspolizist m; Sonderausgabe f; Sonderzug m; Am. Sonderangebot n; Am. (Tages)Spezialität f; **⁓ist** [⁓list] Spezialist m; **⁓ity** [speʃɪˈælɪti] Besonderheit f; Spezialfach n; † Spezialität f; **⁓ize** [ˈspeʃəlaiz] besonders anführen; (sich) spezialisieren; **⁓ty** [⁓lti] s. speciality.

**specie** [ˈspiːʃiː] Metall-, Hartgeld n; **⁓s** [⁓iːz] pl. u. sg. Art f, Spezies f.

**speci|fic** [spiˈsifik] (⁓ally) spezifisch; besonder; bestimmt; **⁓fy** [ˈspesifai] spezifizieren, einzeln angeben; **⁓men** [⁓imin] Probe f, Exemplar n.

**specious** □ [ˈspiːʃəs] blendend, bestechend; trügerisch; Schein...

**speck** [spek] **1.** Fleck m; Stückchen n; **2.** flecken; **⁓le** [ˈspekl] **1.** Fleckchen n; **2.** flecken, sprenkeln.

**spectacle** [ˈspektəkl] Schauspiel n; Anblick m; (a pair of) **⁓s** pl. (eine) Brille.

**spectacular** [spekˈtækjulə] □ **1.** eindrucksvoll; auffallend, spektakulär; **2.** Am. F Galarevue f.

**spectator** [spekˈteitə] Zuschauer m.

**spect|ral** □ [ˈspektrəl] gespenstisch; **⁓re,** Am. **⁓er** [⁓tə] Gespenst n.

**speculat|e** [ˈspekjuleit] grübeln, nachsinnen; † spekulieren; **⁓ion** [spekjuˈleiʃən] theoretische Betrachtung; Grübelei f; † Spekulation f; **⁓ive** □ [ˈspekjulətiv] grüblerisch; theoretisch; † spekulierend; **⁓or** [⁓leitə] Denker m; † Spekulant m.

**sped** [sped] pret. u. p.p. von speed 2.

**speech** [spiːtʃ] Sprache f; Rede f, Ansprache f; make a ⁓ e-e Rede halten; **⁓day** [ˈspiːtʃdei] Schule: (Jahres)Schlußfeier f; **⁓less** □ [⁓flis] sprachlos.

**speed** [spiːd] **1.** Geschwindigkeit f; Schnelligkeit f; Eile f; ⊕ Drehzahl f; **2.** [irr.] v/i. schnell fahren, rasen; ⁓ up (pret. u. p.p. ⁓ed) die Geschwindigkeit erhöhen; v/t. j-m Glück verleihen; befördern; ⁓ up (pret. u. p.p. ⁓ed) beschleunigen; **⁓limit** [ˈspiːdlimit] Geschwindigkeitsbegrenzung f; **⁓ometer** mot. [spiˈdɔmitə] Geschwindigkeitsmesser m, Tachometer n; **⁓way** Motorradrennbahn f; bsd. Am. Schnellstraße f; **⁓y** □ [⁓di] schnell.

**spell** [spel] **1.** (Arbeits)Zeit f, ⊕ Schicht f; Weilchen n; Zauber (-spruch) m; **2.** abwechseln mit j-m; [irr.] buchstabieren; richtig schreiben; bedeuten; **⁓binder** Am. ['spelbaində] fesselnder Redner; **⁓bound** fig. (fest)gebannt; **⁓er** bsd. Am. [⁓lə] Fibel f; **⁓ing** [⁓liŋ] Rechtschreibung f; **⁓ing-book** Fibel f.

**spelt** [spelt] pret. u. p.p. von spell 2.

**spend** [spend] [irr.] verwenden; (Geld) ausgeben; verbrauchen; verschwenden; verbringen; ⁓ o.s. sich erschöpfen; **⁓thrift** ['spendθrift] Verschwender m.

**spent** [spent] **1.** pret. u. p.p. von spend; **2.** adj. erschöpft, matt.

**sperm** [spəːm] Same(n) m.

**spher|e** [sfiə] Kugel f; Erd-, Himmelskugel f; fig. Sphäre f; (Wirkungs)Kreis m; Bereich m; fig. Gebiet n; **⁓ical** □ ['sferikəl] sphärisch; kugelförmig.

**spice** [spais] **1.** Gewürz(e pl.) n; fig. Würze f; Anflug m; **2.** würzen.

**spick and span** [ˈspikənˈspæn] frisch u. sauber; schmuck; funkelnagelneu.

**spicy** □ ['spaisi] würzig; pikant.

**spider** zo. ['spaidə] Spinne f.

**spiel** Am. sl. [spiːl] Gequassel n.

**spigot** ['spigət] (Faß)Zapfen m.

**spike** [spaik] **1.** Stift m; Spitze f; Dorn m; Stachel m; Sport: Laufdorn m; mot. Stelze m; ♀ Ähre f; **2.** festnageln; mit eisernen Stacheln versehen.

**spill** [spil] **1.** [irr.] v/t. verschütten; vergießen; F Reiter etc. abwerfen; schleudern; v/i. überlaufen; **2.** F Sturz m.

**spilt** [spilt] pret. u. p.p. von spill 1; cry over ⁓ milk über et. jammern, was doch nicht zu ändern ist.

**spin** [spin] **1.** [irr.] spinnen (a. fig.); wirbeln; sich drehen; Münze hochwerfen; sich et. ausdenken; erzählen; ✈ trudeln; ⁓ along dahinrasen; ⁓ s.th. out et. in die Länge ziehen; **2.** Drehung f; Spritztour f; ✈ Trudeln n.

**spinach** ♀ ['spinidʒ] Spinat m.

**spinal** anat. ['spainl] Rückgrat...; ⁓ column Wirbelsäule f; ⁓ cord, ⁓ marrow Rückenmark n.

**spindle** ['spindl] Spindel f.

**spot**

**spin-drier** ['spindraiə] Wäsche-
schleuder f.

**spine** [spain] anat. Rückgrat n;
Dorn m; (Gebirgs)Grat m; (Buch-)
Rücken m.

**spinning|-mill** ['spiniŋmil] Spin-
nerei f; **~wheel** Spinnrad n.

**spinster** ['spinstə] unverheiratete
Frau; (alte) Jungfer.

**spiny** ['spaini] dornig.

**spiral** ['spaiərəl] **1.** □ spiralig; ~
staircase Wendeltreppe f; **2.** Spirale f; fig. Wirbel m.

**spire** ['spaiə] Turm-, Berg- etc.
Spitze f; Kirch(spitze f) m.

**spirit** ['spirit] **1.** allg. Geist m; Sinn
m; Temperament n, Leben n; Mut
m; Gesinnung f; Spiritus m; Sprit
m, Benzin n; ~s pl. Spirituosen
pl.; high (low) ~s pl. gehobene
(gedrückte) Stimmung; **2.** ~ away
od. off wegzaubern; **~ed** □ geistvoll; temperamentvoll; mutig; **~less**
□ [~tlis] geistlos; temperamentlos;
mutlos.

**spiritual** □ ['spiritjuəl] geistig;
geistlich; geistvoll; **~ism** [~lizəm]
Spiritismus m.

**spirituous** ['spiritjuəs] alkoholisch.

**spirt** [spə:t] (hervor)spritzen.

**spit**[1] [spit] **1.** Bratspieß m; Landzunge f; **2.** aufspießen.

**spit**[2] [~] **1.** Speichel m; F Ebenbild
n; **2.** [irr.] (aus)spucken; fauchen;
sprühen (fein regnen).

**spite** [spait] **1.** Bosheit f; Groll m;
in ~ of trotz (gen.); **2.** ärgern; kränken; **~ful** □ ['spaitful] boshaft,
gehässig.

**spitfire** ['spitfaiə] Hitzkopf m.

**spittle** ['spitl] Speichel m, Spucke
f.

**spittoon** [spi'tu:n] Spucknapf m.

**splash** [splæʃ] **1.** Spritzfleck m;
P(l)atschen n; **2.** (be)spritzen;
p(l)atschen; planschen; (hin)kleck-
sen.

**splay** [splei] **1.** Ausschrägung f;
**2.** auswärts gebogen; **3.** v/t. aus-
schrägen; v/i. ausgeschrägt sein;
**~foot** ['spleifut] Spreizfuß m.

**spleen** [spli:n] anat. Milz f; üble
Laune, Ärger m.

**splend|id** □ ['splendid] glänzend,
prächtig, herrlich; **~o(u)r** □ [~də]
Glanz m, Pracht f, Herrlichkeit f.

**splice** [splais] (ver)spleißen.

**splint** ✀ [splint] **1.** Schiene f;

**2.** schienen; **~er** ['splintə] **1.** Splitter m; **2.** (zer)splittern.

**split** [split] **1.** Spalt m, Riß m; fig.
Spaltung f; **2.** gespalten; **3.** [irr.]
v/t. (zer)spalten; zerreißen; (sich)
et. teilen; ~ hairs Haarspalterei treiben; ~ one's sides with laughter sich
totlachen; v/i. sich spalten; platzen;
**~ting** ['splitiŋ] heftig, rasend
(Kopfschmerz).

**splutter** ['splʌtə] s. sputter.

**spoil** [spoil] **1.** oft ~s pl. Beute f,
Raub m; fig. Ausbeute f; Schutt m;
~s pl. pol. bsd. Am. Futterkrippe f;
**2.** [irr.] (be)rauben; plündern; verderben; verwöhnen; Kind verziehen; **~sman** Am. pol. ['spoilzmən]
Postenjäger m; **~-sport** Spielver-
derber(in); ~s system Am. pol.
Futterkrippensystem n.

**spoilt** [spoilt] pret. u. p.p. von spoil 2.

**spoke** [spouk] **1.** pret. von speak;
**2.** Speiche f; (Leiter)Sprosse f; **~n**
['spoukən] p.p. von speak; **~sman**
[~ksmən] Wortführer m.

**sponge** [spʌndʒ] **1.** Schwamm m;
**2.** v/t. mit e-m Schwamm (ab)wi-
schen; ~ up aufsaugen; v/i. schma-
rotzen; **~-cake** ['spʌndʒ'keik] Bis-
kuitkuchen m; **~r** F fig. [~dʒə]
Schmarotzer(in).

**spongy** ['spʌndʒi] schwammig.

**sponsor** ['spɒnsə] **1.** Pate m; Bürge
m; Förderer m; Auftraggeber m für
Werbesendungen; **2.** Pate stehen
bei; fördern; **~ship** [~ʃip] Paten-,
Gönnerschaft f.

**spontane|ity** [spɒntə'ni:iti] Frei-
willigkeit f; eigener Antrieb; **~ous**
□ [spɒn'teinjəs] freiwillig, von
selbst (entstanden); Selbst...; spontan; unwillkürlich; unvermittelt.

**spook** [spu:k] Spuk m; **~y** ['spu:ki]
geisterhaft, Spuk...

**spool** [spu:l] **1.** Spule f; **2.** spulen.

**spoon** [spu:n] **1.** Löffel m; **2.** löffeln;
**~ful** ['spu:nful] Löffelvoll m.

**sporadic** [spə'rædik] (~ally) spora-
disch, verstreut.

**spore** ♀ [spɔ:] Spore f, Keimkorn n.

**sport** [spɔ:t] **1.** Sport m; Spiel n;
fig. Spielball m; Scherz m; sl. feiner
Kerl; ~s pl. allg. Sport m; Sport-
fest n; **2.** v/i. sich belustigen; spielen; v/t. F protzen mit; **~ive** □
['spɔ:tiv] lustig; scherzhaft; **~sman**
[~tsmən] Sportler m.

**spot** [spɔt] **1.** allg. Fleck m; Tupfen

*m*; Makel *m*; Stelle *f*; ✦ Leberfleck *m*; ✦ Pickel *m*; Tropfen *m*; *a* ~ of etwas; *on the* ~ auf der Stelle; sofort; **2.** sofort liefer- *od.* zahlbar; **3.** (be)flecken; ausfindig machen; erkennen; **~less** ☐ ['spɔtlis] fleckenlos; **~light** *thea.* Scheinwerfer (-licht *n*) *m*; **~ter** [~tə] Beobachter *m*; *Am.* Kontrolleur *m*; **~ty** [~ti] fleckig.

**spouse** [spauz] Gatte *m*; Gattin *f*.

**spout** [spaut] **1.** Tülle *f*; Strahlrohr *n*; (Wasser)Strahl *m*; **2.** (aus)spritzen; *f* salbadern.

**sprain** ✦ [sprein] **1.** Verstauchung *f*; **2.** verstauchen.

**sprang** [spræŋ] *pret. von* spring ☐.

**sprat** *ichth.* [spræt] Sprotte *f*.

**sprawl** [sprɔ:l] sich rekeln, ausgestreckt daliegen; ♀ wuchern.

**spray** [sprei] **1.** zerstäubte Flüssigkeit; Sprühregen *m*; Gischt *m*; Spray *m*, *n*; = *sprayer*; **2.** zerstäuben; *et.* besprühen; **~er** ['spreiə] Zerstäuber *m*.

**spread** [spred] **1.** [*irr.*] *v/t. a.* ~ out ausbreiten; (aus)dehnen; verbreiten; belegen; *Butter etc.* aufstreichen; *Brot etc.* bestreichen; ~ *the table* den Tisch decken; *v/i.* sich aus- *od.* verbreiten; **2.** Aus-, Verbreitung *f*; Spannweite *f*; Fläche *f*; *Am. Bett- etc.* Decke *f*; *Brot*-Aufstrich *m*; ⊦ Festschmaus *m*.

**spree** ⊦ [spri:] Spaß *m*, Jux *m*; Zechgelage *n*; Orgie *f*; *Kauf- etc.* Welle *f*.

**sprig** [sprig] Sproß *m*, Reis *n* (*a.* fig.); ⊕ Zwecke *f*, Stift *m*.

**sprightly** ['spraitli] lebhaft, munter.

**spring** [spriŋ] **1.** Sprung *m*, Satz *m*; (Sprung)Feder *f*; Federkraft *f*, Elastizität *f*; Triebfeder *f*; Quelle *f*; *fig.* Ursprung *m*; Frühling *m*; **2.** [*irr.*] *v/t.* springen lassen; (zer)sprengen; *Wild* aufjagen; ~ *a leak* ♣ leck werden; ~ *a surprise on s.o.* j-n überraschen; *v/i.* springen; entspringen; ♀ aufgehen; ~ *up* aufkommen (*Ideen etc.*); **~board** ['sprinbɔ:d] Sprungbrett *n*; ~ **tide** Springflut *f*; **~tide**, **~time** Frühling(szeit *f*) *m*; **~y** ☐ [~ŋi] federnd.

**sprinkl|e** ['spriŋkl] (be)streuen; (be)sprengen; **~er** [~lə] Berieselungsanlage *f*; Rasensprenger *m*;

**~ing** [~liŋ] Sprühregen *m*; *a* ~ of ein wenig, ein paar.

**sprint** [sprint] *Sport:* **1.** sprinten; spurten; **2.** Sprint *m*; Kurzstreckenlauf *m*; Endspurt *m*; **~er** ['sprintə] Sprinter *m*, Kurzstreckenläufer *m*.

**sprite** [sprait] Geist *m*, Kobold *m*.

**sprout** [spraut] **1.** sprießen, wachsen (lassen); **2.** ♀ Sproß *m*; (*Brussels*) ~s *pl.* Rosenkohl *m*.

**spruce**[1] ☐ [spru:s] schmuck, nett.

**spruce**[2] ♀ [~] *a.* ~ *fir* Fichte *f*, Rottanne *f*.

**sprung** [sprʌŋ] *pret.* (✎) *u. p.p.* *von* spring 2.

**spry** [sprai] munter, flink.

**spun** [spʌn] *pret. u. p.p. von* spin 1.

**spur** [spə:] **1.** Sporn *m* (*a. zo.*, ♀); *fig.* Ansporn *m*; Vorsprung *m*, Ausläufer *m e-s Berges*; *on the* ~ *of the moment* der Eingebung des Augenblicks folgend; spornstreichs; **2.** (an)spornen.

**spurious** ☐ ['spjuəriəs] unecht, gefälscht.

**spurn** [spə:n] verschmähen, verächtlich zurückweisen.

**spurt** [spə:t] **1.** alle s-e Kräfte zs.-nehmen; *Sport:* spurten; *s.* spirt; **2.** plötzliche Anstrengung, Ruck *m*; *Sport:* Spurt *m*.

**sputter** ['spʌtə] **1.** Gesprudel *n*; **2.** (hervor)sprudeln, spritzen.

**spy** [spai] **1.** Späher(in); Spion(in); **2.** (er)spähen; erblicken; spionieren; **~glass** ['spaigla:s] Fernglas *n*; **~hole** Guckloch *n*.

**squabble** ['skwɔbl] **1.** Zank *m*, Kabbelei *f*; **2.** (sich) zanken.

**squad** [skwɔd] Rotte *f*, Trupp *m*; **~ron** ['skwɔdrən] ✕ Schwadron *f*; ✈ Staffel *f*; ♣ Geschwader *n*.

**squalid** ☐ ['skwɔlid] schmutzig, armselig.

**squall** [skwɔ:l] **1.** ♣ Bö *f*; Schrei *m*; ~s *pl.* Geschrei *n*; **2.** schreien.

**squalor** ['skwɔlə] Schmutz *m*.

**squander** ['skwɔndə] verschwenden.

**square** [skwɛə] **1.** ☐ viereckig; quadratisch; rechtwinklig; eckig; passend, stimmend; in Ordnung; direkt; quitt, gleich; ehrlich, offen; ⊦ altmodisch, spießig; ~ *measure* Flächenmaß *n*; ~ *mile* Quadratmeile *f*; **2.** Quadrat *n*; Viereck *n*; *Schach*-Feld *n*; *öffentlicher* Platz;

Winkelmaß *n*; F altmodischer Spießer; 3. *v/t.* viereckig machen; einrichten (*with* nach), anpassen (*dat.*); **✝** be-, ausgleichen; *v/i.* passen (*with* zu); übereinstimmen; **~built** ['skwɛə'bilt] vierschrötig; **~ dance** Quadrille *f*; **~toes** *sg.* F Pedant *m*.

**squash**[1] [skwɔʃ] 1. Gedränge *n*; Fruchtsaft *m*; Platsch(en *n*) *m*; Rakettspiel *n*; 2. (zer-, zs.-)quetschen; drücken.

**squash**[2] ⚘ [~] Kürbis *m*.

**squat** [skwɔt] 1. kauernd; untersetzt; 2. hocken, kauern; **~ter** ['skwɔtə] *Am.* Schwarzsiedler *m*; *Australien*: Schafzüchter *m*.

**squawk** [skwɔ:k] 1. kreischen, schreien; 2. Gekreisch *n*, Geschrei *n*.

**squeak** [skwi:k] quieken, quietschen.

**squeal** [skwi:l] quäken; gell schreien; quieken.

**squeamish** □ ['skwi:miʃ] empfindlich; mäkelig; heikel; penibel.

**squeeze** [skwi:z] 1. (sich) drücken, (sich) quetschen; auspressen; *fig.* (be)drängen; 2. Druck *m*; Gedränge *n*; **~r** ['skwi:zə] Presse *f*.

**squelch** F [skwelʧ] zermalmen.

**squid** *zo.* [skwid] Tintenfisch *m*.

**squint** [skwint] schielen; blinzeln.

**squire** ['skwaiə] 1. Gutsbesitzer *m*; (Land)Junker *m*; *Am.* F (Friedens-) Richter *m*; 2. *e-e Dame* begleiten.

**squirm** F [skwə:m] sich winden.

**squirrel** *zo.* ['skwirəl, *Am.* 'skwə:-rəl] Eichhörnchen *n*.

**squirt** [skwə:t] 1. Spritze *f*; Strahl *m*; F Wichtigtuer *m*; 2. spritzen.

**stab** [stæb] 1. Stich *m*; 2. *v/t.* (er-) stechen; *v/i.* stechen (*at* nach).

**stabili|ty** [stə'biliti] Stabilität *f*; Standfestig-, Beständigkeit *f*; **~ze** ['steibilaiz] stabilisieren (*a.* ✈).

**stable**[1] □ ['steibl] stabil, fest.

**stable**[2] [~] 1. Stall *m*; 2. einstallen.

**stack** [stæk] 1. ✓ (Heu-, Stroh-, Getreide)Schober *m*; Stapel *m*; Schornstein(reihe *f*) *m*; Regal *n*; **~s** *pl. Am.* Hauptmagazin *n* e-r *Bibliothek*; F Haufen *m*; 2. aufstapeln.

**stadium** ['steidjəm] *Sport*: Stadion *n*, Sportplatz *m*, Kampfbahn *f*.

**staff** [stɑ:f] 1. Stab *m* (*a.* ✗), Stock *m*; Stütze *f*; ♪ Notensystem *n*; Personal *n*; Belegschaft *f*; Beam-

ten-, Lehrkörper *m*; 2. (mit Personal, Beamten *od.* Lehrern) besetzen.

**stag** *zo.* [stæg] Hirsch *m*.

**stage** [steidʒ] 1. Bühne *f*, Theater *n*; *fig.* Schauplatz *m*; Stufe *f*, Stadium *n*; Teilstrecke *f*, Etappe *f*; Haltestelle *f*; Gerüst *n*, Gestell *n*; 2. inszenieren; **~coach** ['steidʒkoutʃ] Postkutsche *f*; **~craft** dramatisches Talent; Theatererfahrung *f*; **~ direction** Bühnenanweisung *f*; **~ fright** Lampenfieber *n*; **~ manager** Regisseur *m*.

**stagger** ['stægə] 1. *v/i.* (sch)wanken, taumeln; *fig.* stutzen; *v/t.* ins Wanken bringen; staffeln; 2. Schwanken *n*; Staffelung *f*.

**stagna|nt** □ ['stægnənt] stehend (*Wasser*); stagnierend; stockend; träg; ✝ still; **~te** [~neit] stocken.

**staid** □ [steid] gesetzt, ruhig.

**stain** [stein] 1. Fleck(en) *m* (*a. fig.*); Beize *f*; 2. fleckig machen; *fig.* beflecken; beizen, färben; *od. glass* buntes Glas; **~less** □ ['steinlis] ungefleckt; *fig.* fleckenlos; rostfrei.

**stair** [stɛə] Stufe *f*; **~s** *pl.* Treppe *f*, Stiege *f*; **~case** ['stɛəkeis], **~way** Treppe(nhaus *n*) *f*.

**stake** [steik] 1. Pfahl *m*; Marterpfahl *m*; (Spiel)Einsatz *m* (*a. fig.*); **~s** *pl. Pferderennen*: Preis *m*; Rennen *n*; *pull up* **~s** *Am.* F abhauen; *be at* **~** auf dem Spiel stehen; 2. (um)pfählen; aufs Spiel setzen; **~ out**, **~ off** abstecken.

**stale** □ [steil] alt; schal, abgestanden; verbraucht (*Luft*); fad.

**stalk** [stɔ:k] 1. Stengel *m*, Stiel *m*; Halm *m*; *hunt.* Pirsch *f*; 2. *v/i.* einherstolzieren; heranschleichen; *hunt.* pirschen; *v/t.* beschleichen.

**stall** [stɔ:l] 1. (Pferde)Box *f*; (Verkaufs)Stand *m*, Marktbude *f*; *thea.* Sperrsitz *m*; 2. *v/t.* einstallen; *Motor* abwürgen; *v/i. mot.* aussetzen.

**stallion** ['stæljən] Hengst *m*.

**stalwart** □ ['stɔ:lwət] stramm, stark.

**stamina** ['stæminə] Ausdauer *f*.

**stammer** ['stæmə] 1. stottern, stammeln; 2. Stottern *n*.

**stamp** [stæmp] 1. (Auf)Stampfen *n*; ⊕ Stampfe(r *m*) *f*; Stempel *m* (*a. fig.*); (Brief)Marke *f*; Gepräge *n*; Art *f*; 2. (auf)stampfen; prägen; stanzen; (ab)stempeln (*a. fig.*); frankieren.

**stampede** [stæm'pi:d] **1.** Panik *f*, wilde Flucht; **2.** *v/i.* durchgehen; *v/t.* in Panik versetzen.

**stanch** [stɑ:ntʃ] **1.** hemmen; stillen; **2.** □ fest; zuverlässig; treu.

**stand** [stænd] **1.** [*irr.*] *v/i. allg.* stehen; sich befinden; beharren; *mst ~ still* stillstehen, stehenbleiben; bestehen (bleiben); ~ *against j-m* widerstehen; ~ *aside* beiseite treten; ~ *back* zurücktreten; ~ *by* dabeistehen; *fig.* (fest) stehen zu; helfen; bereitstehen; ~ *for* kandidieren für; bedeuten; eintreten für; F *sich et. gefallen lassen;* ~ *in* einspringen; *in with* sich gut stellen mit; ~ *off* zurücktreten (von); ~ *off!* weg da!; ~ *on* (*fig.* be)stehen auf; ~ *out* hervorstehen; sich abheben (*against* gegen); standhalten (*dat.*); ~ *over* stehen *od.* liegen bleiben; ~ *pat Am.* F stur bleiben; ~ *to* bleiben bei; ~ *up* aufstehen; sich erheben; ~ *up for* eintreten für; ~ *up to* sich zur Wehr setzen gegen; standhalten (*dat.*); ~ *upon* (*fig.* be)stehen auf (*dat.*); *v/t.* (hin)stellen; aushalten, (v)ertragen; über sich ergehen lassen; F spendieren; **2.** Stand *m*; Standplatz *m*; Bude *f*; Standpunkt *m*; Stillstand *m*; Ständer *m*; Tribüne *f*; *bsd. Am.* Zeugenstand *m*; *make a od.* one's ~ *against* standhalten (*dat.*).

**standard** ['stændəd] **1.** Standarte *f*, Fahne *f*; Standard *m*, Norm *f*, Regel *f*, Maßstab *m*; Niveau *n*; Stufe *f*; Münzfuß *m*; Währung *f*; Ständer *m*, Mast *m*; **2.** maßgebend; Normal...; **~ize** [~daiz] norm(ier)en.

**stand-by** ['stændbai] Beistand *m*.

**standee** [stæn'di:] Stehende(r) *m*; *Am.* Stehplatzinhaber *m*.

**standing** ['stændiŋ] **1.** □ stehend; fest; (be)ständig; ~ *orders pl. parl.* Geschäftsordnung *f*; **2.** Stellung *f*, Rang *m*, Ruf *m*; Dauer *f*; *of long ~* alt; **~-room** Stehplatz *m*.

**stand|off** *Am.* ['stændɔ:f] Unentschieden *n*; Dünkel *m*; **~offish** [~d'ɔ:fiʃ] zurückhaltend; **~patter** *Am. pol.* [stænd'pætə] sturer Konservativer; **~point** ['stændpɔint] Standpunkt *m*; **~still** Stillstand *m*; **~-up**: ~ *collar* Stehkragen *m*.

**stank** [stæŋk] *pret. von* stink 2.

**stanza** ['stænzə] Stanze *f*; Strophe *f*.

**staple**[1] ['steipl] Haupterzeugnis *n*; Hauptgegenstand *m*; *attr.* Haupt...

**staple**[2] [~] Krampe *f*; Heftklammer *f*.

**star** [stɑ:] **1.** Stern *m*; *thea.* Star *m*; *~s and Stripes pl. Am.* Sternenbanner *n*; **2.** mit Sternen schmücken; *thea., fig.* die Hauptrolle spielen.

**starboard** ♦ ['stɑ:bəd] **1.** Steuerbord *n*; **2.** *Ruder* steuerbord legen.

**starch** [stɑ:tʃ] **1.** (Wäsche)Stärke *f*; *fig.* Steifheit *f*; **2.** stärken.

**stare** [stɛə] **1.** Starren *n*; Staunen *n*; starrer Blick; **2.** starren, staunen.

**stark** [stɑ:k] **1.** *adj.* starr; bar, völlig (*Unsinn*); **2.** *adv.* völlig.

**starlight** ['stɑ:lait] Sternenlicht *n*.

**starling** *orn.* ['stɑ:liŋ] Star *m*.

**starlit** ['stɑ:lit] sternenklar.

**star|ry** ['stɑ:ri] Stern(en)...; gestirnt; **~-spangled** ['stɑ:spæŋgld] sternenbesät; *♀ Banner Am.* Sternenbanner *n*.

**start** [stɑ:t] **1.** Auffahren *n*, Stutzen *n*; Ruck *m*; *Sport:* Start *m*; Aufbruch *m*; Anfang *m*; *fig.* Vorsprung *m*; *get the ~ of s.o.* j-m zuvorkommen; **2.** *v/i.* aufspringen, auffahren; stutzen; *Sport:* starten; abfahren; aufbrechen; *mot.* anspringen; anfangen (on mit; *doing zu* tun); *v/t.* in Gang bringen; *mot.* anlassen; *Sport:* starten (lassen); aufjagen; *fig.* anfangen; veranlassen (*doing* zu tun); **~er** ['stɑ:tə] *Sport:* Starter *m*; Läufer *m*; *mot.* Anlasser *m*.

**start|le** ['stɑ:tl] (er-, auf)schrecken; **~ing** [~liŋ] bestürzend, überraschend, aufsehenerregend.

**starv|ation** [stɑ:'veiʃən] (Ver)Hungern *n*, Hungertod *m*; *attr.* Hunger...; **~e** [stɑ:v] verhungern (lassen); *fig.* verkümmern (lassen).

**state** [steit] **1.** Zustand *m*; Stand *m*; Staat *m*; *pol. mst ♀* Staat *m*; *attr.* Staats...; *in ~* feierlich; **2.** angeben; darlegen, darstellen; feststellen; melden; *Regel etc.* aufstellen; *♀ Department Am. pol.* Außenministerium *n*; **~ly** ['steitli] stattlich; würdevoll; erhaben; **~ment** [~tmənt] Angabe *f*; Aussage *f*; Darstellung *f*; Feststellung *f*; Aufstellung *f*; ♥ (*of account* Konto-) Auszug *m*; **~room** Staatszimmer *n*; ♦ Einzelkabine *f*; **~side** *Am.* F **1.** *adj.* USA-..., Heimat...; **2.** *adv.*:

go ~ heimkehren; **~sman** [⁓smən] Staatsmann m.

**static** ['stætik] statisch, Ruhe...

**station** ['steiʃən] **1.** Stand(ort) m; Stelle f; Stellung f; ✕, ♣, ⚙ Station f; Bahnhof m; Rang m, Stand m; **2.** aufstellen, postieren, stationieren; **~ary** □ [⁓nəri] stillstehend; feststehend; **~ery** [⁓] Schreibwaren f/pl.; **~master** ⚙ Stationsvorsteher m; **~ wagon** Am. mot. Kombiwagen m.

**statistics** [stə'tistiks] pl. Statistik f.

**statu|ary** ['stætjuəri] Bildhauer (-kunst f) m; **~e** [⁓ju:] Standbild n, Plastik f, Statue f.

**stature** ['stætʃə] Statur f, Wuchs m.

**status** ['steitəs] Zustand m; Stand m.

**statute** ['stætju:t] Statut n, Satzung f; (Landes)Gesetz n.

**staunch** [stɔ:ntʃ] s. stanch.

**stave** [steiv] **1.** Faßdaube f; Strophe f; **2.** [irr.] mst ~ in ein Loch schlagen in (acc.); ~ off abwehren.

**stay** [stei] **1.** ♣ Stag n; ⊕ Strebe f; Stütze f; Aufschub m; Aufenthalt m; **~s** pl. Korsett n; **2.** bleiben, wohnen; (sich) aufhalten; Ausdauer haben; hemmen; aufschieben; Hunger vorläufig stillen; stützen; **~er** [⁓] Sport: Steher m.

**stead** [sted] Stelle f, Statt f; **~fast** □ ['stedfəst] fest, unerschütterlich; standhaft; unverwandt (Blick).

**steady** ['stedi] **1.** □ (be)ständig, stetig; sicher; fest; ruhig; gleichmäßig; unerschütterlich; zuverlässig; **2.** stetig od. sicher machen od. werden; (sich) festigen; stützen; (sich) beruhigen; **3.** Am. F feste Freundin, fester Freund.

**steal** [sti:l] **1.** [irr.] v/t. stehlen (a. fig.); v/i. sich stehlen od. schleichen; **2.** Am. Diebstahl m.

**stealth** [stelθ] Heimlichkeit f; by ~ heimlich; **~y** □ ['stelθi] verstohlen.

**steam** [sti:m] **1.** Dampf m; Dunst m; attr. Dampf...; **2.** v/i. dampfen; ~ up beschlagen (Glas); v/t. ausdünsten; dämpfen; **~er** ♣ ['sti:mə] Dampfer m; **~y** □ [⁓mi] dampfig; dampfend; dunstig.

**steel** [sti:l] **1.** Stahl m; **2.** stählern; Stahl...; **3.** (ver)stählen.

**steep** [sti:p] **1.** steil, jäh; F toll; **2.** einweichen; einlegen; eintauchen; tränken; fig. versenken.

**steeple** ['sti:pl] Kirchturm m; **~chase** Sport: Hindernisrennen n.

**steer¹** [stiə] junger Ochse.

**steer²** [⁓] steuern; **~age** f ['stiərid3] Steuerung f; Zwischendeck n; **~ing-wheel** [⁓riŋwi:l] Steuerrad n; mot. Lenkrad n; **~sman** ♣ [⁓əzmən] Rudergänger m.

**stem** [stem] **1.** (Baum-, Wort-) Stamm m; Stiel m; Stengel m; ♣ Vordersteven m; **2.** Am. (ab)stammen (from von); sich stemmen gegen, ankämpfen gegen.

**stench** [stentʃ] Gestank m.

**stencil** ['stensl] Schablone f; typ. Matrize f. [(graph(in).]

**stenographer** [ste'nɔgrəfə] Steno- |

**step¹** [step] **1.** Schritt m, Tritt m; fig. Strecke f; Fußstapfe f; (Treppen)Stufe f; Trittbrett n; **~s** pl. Trittleiter f; **2.** v/i. schreiten; treten, gehen; ~ out ausschreiten; v/t. ~ off, ~ out abschreiten; ~ up ankurbeln.

**step²** [⁓] in Zssgn Stief...; **~father** ['stepfa:ðə] Stiefvater m; **~mother** Stiefmutter f.

**steppe** [step] Steppe f.

**stepping-stone** fig. ['stepiŋstoun] Sprungbrett n.

**steril|e** ['sterail] unfruchtbar; steril; **~ity** [ste'riliti] Sterilität f; **~ize** ['sterilaiz] sterilisieren.

**sterling** ['stə:liŋ] vollwertig, echt; gediegen; ✝ Sterling m (Währung).

**stern** [stə:n] **1.** □ ernst; finster, streng, hart; **2.** ♣ Heck n; **~ness** ['stə:nnis] Ernst m; Strenge f; **~post** ♣ Hintersteven m.

**stevedore** ♣ ['sti:vidɔ:] Stauer m.

**stew** [stju:] **1.** schmoren, dämpfen; **2.** Schmorgericht n; F Aufregung f.

**steward** ['stjuəd] Verwalter m; ♣, ✈ Steward m; (Fest)Ordner m; **~ess** ♣, ✈ ['stjuədis] Stewardeß f.

**stick** [stik] **1.** Stock m; Stecken m; Stab m; (Besen- etc.)Stiel m; Stange f; F Klotz m (unbeholfener Mensch); **~s** pl. Kleinholz n; the **~s** pl. Am. F die hintere Provinz; **2.** [irr.] v/i. stecken (bleiben); haften; kleben (to an dat.); ~ at nothing vor nichts zurückscheuen; ~ out, ~ up hervorstehen; F standhalten; ~ to bleiben bei; v/t. (ab)stechen; (an)stecken, (an)heften; (an)kleben; F ertragen; **~ing-plaster** ['stikiŋpla:stə] Heftpflaster n.

**sticky** □ ['stiki] kleb(e)rig; zäh.
**stiff** □ [stif] steif; starr; hart; fest;
mühsam; stark (*Getränk*); *be bored*
~ F zu Tode gelangweilt sein; *keep*
*a ~ upper lip* die Ohren steifhalten;
**~en** ['stifn] (sich) (ver)steifen;
**~-necked** [~'nekt] halsstarrig.
**stifle** ['staifl] ersticken (*a. fig.*).
**stigma** ['stigmə] (Brand-, Schand-)
Mal *n*; Stigma *n*; **~tize** [~ətaiz]
brandmarken.
**stile** [stail] Zauntritt *m*, Zaunüber-
gang *m*.
**still** [stil] **1.** *adj.* still; **2.** *adv.* noch
(immer); **3.** *cj.* doch, dennoch;
**4.** stillen; beruhigen; **5.** Destillier-
apparat *m*; **~born** ['stilbɔ:n] tot-
geboren; **~ life** Stilleben *n*; **~ness**
Stille *f*, Ruhe *f*.
**stilt** [stilt] Stelze *f*; **~ed** ['stiltid]
gespreizt, hochtrabend, geschraubt.
**stimul|ant** ['stimjulənt] **1.** ~ stimu-
lierend; **2.** ⚕ Reizmittel *n*; Genußmittel *n*; Anreiz *m*; **~ate** [~leit]
(an)reizen; anregen; **~ation** [stimju-
'leiʃən] Reizung *f*, Antrieb *m*; **~us**
['stimjuləs] Antrieb *m*; Reizmittel *n*.
**sting** [stiŋ] **1.** Stachel *m*; Stich *m*,
Biß *m*; *fig.* Schärfe *f*; Antrieb *m*;
**2.** [*irr.*] stechen; brennen; schmerzen; (an)treiben.
**sting|iness** ['stindʒinis] Geiz *m*; **~y**
□ ['stindʒi] geizig; knapp, karg.
**stink** [stiŋk] **1.** Gestank *m*; **2.** [*irr.*]
*v/i.* stinken; *v/t.* verstänkern.
**stint** [stint] **1.** Einschränkung *f*;
Arbeit *f*; **2.** knausern mit; einschränken; *j-n* knapp halten.
**stipend** ['staipend] Gehalt *n*.
**stipulat|e** ['stipjuleit] *a.* ~ *for* aus-
bedingen, ausmachen, vereinbaren;
**~ion** [stipju'leiʃən] Abmachung *f*;
Klausel *f*, Bedingung *f*.
**stir** [stə:] **1.** Regung *f*; Bewegung *f*;
Rühren *n*; Aufregung *f*; Aufsehen
*n*; **2.** (sich) rühren; umrühren, bewegen; aufregen; ~ *up* aufrühren;
aufrütteln.
**stirrup** ['stirəp] Steigbügel *m*.
**stitch** [stitʃ] **1.** Stich *m*; Masche *f*;
Seitenstechen *n*; **2.** nähen; heften.
**stock** [stɔk] **1.** (Baum)Strunk *m*;
Pfropfunterlage *f*; Griff *m*, Kolben
*m e-s Gewehrs*; Stamm *m*, Herkunft *f*; Rohstoff *m*; (Fleisch-,
Gemüse)Brühe *f*; Vorrat *m*, (Waren)Lager *n*; (Wissens)Schatz *m*;
*a. live~* Vieh(bestand *m*) *n*; ✝

Stammkapital *n*; Anleihekapital *n*; **~s**
*pl.* Effekten *pl.*; Aktien *f/pl.*; Staatspapiere *n/pl.*; **~s** *pl.* ♻ Stapel *m*; *in*
(*out of*) ~ (nicht) vorrätig; *take ~* ✝
Inventur machen; *take ~ of fig.* sich
klarwerden über (*acc.*); **2.** vorrätig;
ständig; gängig; Standard...; **3.** versorgen; *Waren* führen; ✝ vorrätig
haben.
**stockade** [stɔ'keid] Staket *n*.
**stock|-breeder** ['stɔkbri:də] Vieh-
züchter *m*; **~broker** ✝ Börsen-
makler *m*; ~ **exchange** ✝ Börse *f*;
**~farmer** Viehzüchter *m*; **~holder**
✝ Aktionär(in).
**stockinet** [stɔki'net] Trikot *n*.
**stocking** ['stɔkiŋ] Strumpf *m*.
**stock|jobber** ✝ ['stɔkdʒɔbə] Börsen-
makler *m*; **~market** ✝ Börse *f*;
**~still** unbeweglich; **~taking** Inventur *f*; **~y** ['stɔki] stämmig.
**stog|ie, ~y** *Am.* ['stougi] billige
Zigarre.
**stoic** ['stouik] **1.** stoisch; **2.** Stoiker
*m*.
**stoker** ['stoukə] Heizer *m*.
**stole** [stoul] *pret. von steal 1*; **~n**
['stoulən] *p.p. von steal 1*.
**stolid** □ ['stɔlid] schwerfällig;
gleichmütig; stur.
**stomach** ['stʌmək] **1.** Magen *m*;
Leib *m*, Bauch *m*; *fig.* Lust *f*; **2.** verdauen, vertragen; *fig.* ertragen.
**stomp** *Am.* [stɔmp] (auf)stampfen.
**stone** [stoun] **1.** Stein *m*; (Obst-)
Kern *m*; *Gewichtseinheit von 6,35 kg*;
**2.** steinern; Stein...; **3.** steinigen;
entsteinen; **~-blind** ['stoun'blaind]
stockblind; **~-dead** mausetot;
**~ware** [~nwea] Steingut *n*.
**stony** ['stouni] steinig; *fig.* steinern.
**stood** [stud] *pret. u. p.p. von stand 1*.
**stool** [stu:l] Schemel *m*; ⚕ Stuhl-
gang *m*; **~pigeon** *Am.* ['stu:l-
pidʒin] Lockvogel *m*; Spitzel *m*.
**stoop** [stu:p] **1.** *v/i.* sich bücken;
sich erniedrigen *od.* herablassen;
krumm gehen; *v/t.* neigen; **2.** ge-
beugte Haltung; *Am.* Veranda *f*.
**stop** [stɔp] **1.** *v/t.* anhalten; hindern;
aufhören; *a.* ~ *up* (ver)stopfen;
*Zahn* plombieren; (ver)sperren;
*Zahlung* einstellen; *Lohn* einbehal-
ten; *v/i.* stehenbleiben; aufhören;
halten; F bleiben; ~ *dead*, ~ *short*
plötzlich anhalten; ~ *over* halt-
machen; **2.** (Ein)Halt *m*; Pause *f*;
Hemmung *f*; ⊕ Anschlag *m*; Auf-

**strenuous**

hören *n*, Ende *n*; Haltestelle *f*; *mst* full ~ *gr.* Punkt *m*; **~gap** ['stɔpgæp] Notbehelf *m*; **~page** [~pidʒ] Verstopfung *f*; (Zahlungs- *etc.*)Einstellung *f*; Sperrung *f*; (Lohn)Abzug *m*; Aufenthalt *m*; ⊕ Hemmung *f*; Betriebsstörung *f*; (Verkehrs-) Stockung *f*; **~per** [~pə] Stöpsel *m*; **~ping** ⚙ [~piŋ] Plombe *f*.

**storage** ['stɔ:ridʒ] Lagerung *f*, Aufbewahrung *f*; Lagergeld *n*.

**store** [stɔ:] **1.** Vorrat *m*; *fig.* Fülle *f*; Lagerhaus *n*; *Am.* Laden *m*; **~s** *pl.* Kauf-, Warenhaus *n*; in ~ vorrätig, auf Lager; **2.** *a.* ~ up (auf)speichern; (ein)lagern; versorgen; **~house** Lagerhaus *n*; *fig.* Schatzkammer *f*; **~keeper** Lagerverwalter *m*; *Am.* Ladenbesitzer *m*.

**stor(e)y** ['stɔ:ri] Stock(werk *n*) *m*.

**storeyed** ['stɔ:rid] mit ... Stockwerken, ...stöckig.

**storied** [~] *s.* storeyed.

**stork** [stɔ:k] Storch *m*.

**storm** [stɔ:m] **1.** Sturm *m*; Gewitter *n*; **2.** stürmen; toben; **~y** ['stɔ:mi] stürmisch.

**story** ['stɔ:ri] Geschichte *f*; Erzählung *f*; Märchen *n*; *thea.* Handlung *f*; F Lüge *f*; short ~ Kurzgeschichte *f*.

**stout** [staut] **1.** □ stark, kräftig; derb; dick; tapfer; **2.** Starkbier *n*.

**stove** [stouv] **1.** Ofen *m*; Herd *m*; **2.** *pret. u. p.p. von* stave 2.

**stow** [stou] (ver)stauen, packen; **~away** ⚓ ['stouəwei] blinder Passagier.

**straddle** ['strædl] (die Beine) spreizen; rittlings sitzen auf (*dat.*); *Am. fig.* es mit beiden Parteien halten; schwanken.

**straggl|e** ['strægl] verstreut *od.* einzeln liegen; umherstreifen; bummeln; *fig.* abschweifen; ⚙ wuchern; **~ing** □ [~liŋ] weitläufig, lose.

**straight** [streit] **1.** *adj.* gerade; *fig.* aufrichtig, ehrlich; glatt (*Haar*); *Am.* pur, unverdünnt; *Am. pol.* hundertprozentig; put ~ in Ordnung bringen; **2.** *adv.* gerade(wegs); geradeaus; direkt; sofort; ~ away sofort; ~ out rundheraus; **~en** ['streitn] gerademachen; ~ werden; ~ out in Ordnung bringen; **~forward** □ [streit'fɔ:wəd] gerade; ehrlich, redlich.

**strain** [strein] **1.** Abstammung *f*;

Art *f*; ⊕ Spannung *f*; (Über)Anstrengung *f*; starke Inanspruchnahme (*on gen.*); Druck *m*; ⚙ Zerrung *f*; Ton *m*; *mst* ~s *pl.* ♪ Weise *f*; Hang *m* (*of* zu); **2.** *v/t.* (an)spannen; (über)anstrengen; überspannen; ⊕ beanspruchen; ⚙ zerren; durchseihen; *v/i.* sich spannen; sich anstrengen; sich abmühen (*after* um); zerren (*at* an *dat.*); **~er** ['streinə] Durchschlag *m*; Filter *m*; Sieb *n*.

**strait** [streit] (*in Eigennamen* ~s *pl.*) Meerenge *f*, Straße *f*; **~s** *pl.* Not (-lage) *f*; ~ jacket Zwangsjacke *f*; **~ened** ['streitnd] dürftig; in Not.

**strand** [strænd] **1.** Strand *m*; Strähne *f* (*a. fig.*); **2.** auf den Strand setzen; *fig.* stranden (lassen).

**strange** □ [streindʒ] fremd (*a. fig.*); seltsam; **~r** ['streindʒə] Fremde(r) *m*.

**strangle** ['stræŋgl] erwürgen.

**strap** [stræp] **1.** Riemen *m*; Gurt *m*; Band *n*; **2.** an-, festschnallen; mit Riemen peitschen.

**stratagem** ['strætidʒəm] (Kriegs-)List *f*.

**strateg|ic** [strə'ti:dʒik] (~ally) strategisch; **~y** ['strætidʒi] Kriegskunst *f*, Strategie *f*.

**strat|um** *geol.* ['stra:təm], *pl.* **~a** [~tə] Schicht *f* (*a. fig.*), Lage *f*.

**straw** [strɔ:] **1.** Stroh(halm *m*) *n*; **2.** Stroh...; ~ vote *Am.* Probeabstimmung *f*; **~berry** ['strɔ:bəri] Erdbeere *f*.

**stray** [strei] **1.** irregehen; sich verirren; abirren; umherschweifen; **2.** *a.* ~ed verirrt; vereinzelt; **3.** verirrtes Tier.

**streak** [stri:k] **1.** Strich *m*, Streifen *m*; *fig.* Ader *f*, Spur *f*; kurze Periode; ~ of lightning Blitzstrahl *m*; **2.** streifen; jagen, F flitzen.

**stream** [stri:m] **1.** Bach *m*; Strom *m*; Strömung *f*; **2.** *v/i.* strömen; triefen; flattern; *v/t.* strömen lassen; ausströmen; **~er** ['stri:mə] Wimpel *m*; (fliegendes) Band; Lichtstrahl *m*; *typ.* Schlagzeile *f*.

**street** [stri:t] Straße *f*; **~-car** *Am.* ['stri:tka:] Straßenbahn(wagen *m*) *f*.

**strength** [streŋθ] Stärke *f*, Kraft *f*; on the ~ of auf ... hin, auf Grund (*gen.*); **~en** ['streŋθən] *v/t.* stärken; kräftigen; bestärken; *v/i.* erstarken.

**strenuous** □ ['strenjuəs] rührig, emsig; eifrig; anstrengend.

**stress** [stres] **1.** Druck *m*; Nachdruck *m*; Betonung *f* (*a. gr.*); *fig.* Schwergewicht *n*; Ton *m*; *psych.* Stress *m*; **2.** betonen.

**stretch** [stretʃ] **1.** *v/t.* strecken; (aus)dehnen; *mst ~ out* ausstrecken; (an)spannen; *fig.* überspannen; *Gesetz* zu weit auslegen; *v/i.* sich (er-)strecken; sich dehnen (lassen); **2.** Strecken *n*; Dehnung *f*; (An-)Spannung *f*; Übertreibung *f*, Überschreitung *f*; Strecke *f*, Fläche *f*; **~er** ['stretʃə] Tragbahre *f*; Streckvorrichtung *f*.

**strew** [struː] [*irr.*] (be)streuen; **~n** [~uːn] *p.p. von* strew.

**stricken** ['strikən] **1.** *p.p. von* strike 2; **2.** *adj.* ge-, betroffen.

**strict** [strikt] streng; genau; **~ly** *speaking* strenggenommen; **~ness** ['striktnis] Genauigkeit *f*; Strenge *f*.

**stridden** ['stridn] *p.p. von* stride 1.

**stride** [straid] **1.** [*irr.*] *v/t.* über-, durchschreiten; **2.** (weiter) Schritt.

**strident** □ ['straidnt] kreischend.

**strife** [straif] Streit *m*, Hader *m*.

**strike** [straik] **1.** Streik *m*; (Öl-, Erz)Fund *m*; *fig.* Treffer *m*; ✕ (Luft)Angriff *m auf ein Einzelziel*; *Am. Baseball:* Verlustpunkt *m*; *be on ~* streiken; **2.** [*irr.*] *v/t.* treffen, stoßen; schlagen; gegen *od.* auf (*acc.*) schlagen *od.* stoßen; stoßen *od.* treffen auf (*acc.*); *Flagge etc.* streichen; *Ton* anschlagen; auffallen (*dat.*); ergreifen; *Handel* abschließen; *Streichholz, Licht* anzünden; *Wurzel* schlagen; *Pose* annehmen; *Bilanz* ziehen; *~* anstimmen; *Freundschaft* schließen; *v/i.* schlagen; ♣ auf Grund stoßen; streiken; *~ home* (richtig) treffen; **~r** ['straikə] Streikende(r) *m*.

**striking** □ ['straikiŋ] Schlag...; auffallend; eindrucksvoll; treffend.

**string** [striŋ] **1.** Schnur *f*; Bindfaden *m*; Band *n*; *Am.* F Bedingung *f*; (Bogen)Sehne *f*; ♪ Faser *f*; ♪ Saite *f*; Reihe *f*, Kette *f*; **~s** *pl.* ♪ Saiteninstrumente *n/pl.*, Streicher *m/pl.*; *pull the ~s* der Drahtzieher sein; **2.** [*irr.*] spannen; aufreihen; besaiten (*a. fig.*), bespannen; (ver-, zu)schnüren; *Bohnen* abziehen; *Am. sl. j-n* verkohlen; *be strung up* angespannt *od.* erregt sein; **~band** ♪ ['striŋbænd] Streichorchester *n*.

**stringent** □ ['strindʒənt] streng, scharf; bindend, zwingend; knapp.

**stringy** ['striŋi] faserig; zäh.

**strip** [strip] **1.** entkleiden (*a. fig.*); (sich) ausziehen; abziehen; *fig.* entblößen, berauben; ⊕ auseinandernehmen; ♣ abtakeln; *a. ~ off* ausziehen, abstreifen; **2.** Streifen *m.*

**stripe** [straip] Streifen *m*; ✕ Tresse *f*.

**stripling** ['stripliŋ] Bürschchen *n.*

**strive** [straiv] [*irr.*] streben; sich bemühen; ringen (*for um*); **~n** ['strivn] *p.p. von* strive.

**strode** [stroud] *pret. von* stride 1.

**stroke** [strouk] **1.** Schlag *m* (*a.* ✍); Streich *m*; Stoß *m*; Strich *m*; *~ of luck* Glücksfall *m*; **2.** streiche(l)n.

**stroll** [stroul] **1.** schlendern; umherziehen; **2.** Bummel *m*; Spaziergang *m*; **~er** ['stroulə] Bummler(in), Spaziergänger(in); *Am.* (Falt)Sportwagen *m.*

**strong** □ [strɔŋ] *allg.* stark; kräftig; energisch, eifrig; fest; schwer (*Speise etc.*); **~-box** ['strɔŋbɔks] Stahlkassette *f*; **~hold** Festung *f*; *fig.* Bollwerk *n*; **~-room** Stahlkammer *f*; **~-willed** eigenwillig.

**strop** [strɔp] **1.** Streichriemen *m*; **2.** *Messer* abziehen.

**strove** [strouv] *pret. von* strive.

**struck** [strʌk] *pret. u. p.p. von* strike 2.

**structure** ['strʌktʃə] Bau(werk *n*) *m*; Struktur *f*, Gefüge *n*; Gebilde *n.*

**struggle** ['strʌgl] **1.** sich (ab)mühen; kämpfen, ringen; sich sträuben; **2.** Kampf *m*; Ringen *n*; Anstrengung *f.*

**strung** [strʌŋ] *pret. u. p.p. von* string 2.

**strut** [strʌt] **1.** *v/i.* stolzieren; *v/t.* ⊕ abstützen; **2.** Stolzieren *n*; ⊕ Strebe(balken *m*) *f*; Stütze *f.*

**stub** [stʌb] **1.** (Baum)Stumpf *m*; Stummel *m*; *Am.* Kontrollabschnitt *m*; **2.** (aus)roden; sich *den Fuß* stoßen.

**stubble** ['stʌbl] Stoppel(n *pl.*) *f.*

**stubborn** □ ['stʌbən] eigensinnig; widerspenstig; stur; hartnäckig.

**stuck** [stʌk] *pret. u. p.p. von* stick 2; **~-up** ['stʌk'ʌp] F hochnäsig.

**stud** [stʌd] **1.** (Wand)Pfosten *m*; Ziernagel *m*; Knauf *m*; Manschetten-, Kragenknopf *m*; Gestüt *n*; **2.** beschlagen; besetzen; **~-book** ['stʌdbuk] Gestütbuch *n.*

**student** ['stju:dənt] Student(in).
**studied** □ ['stʌdid] einstudiert; gesucht; gewollt.
**studio** ['stju:diou] Atelier *n*; Studio *n*; *Radio*: Aufnahme-, Senderaum *m*.
**studious** □ ['stju:djəs] fleißig; bedacht; bemüht; geflissentlich.
**study** ['stʌdi] **1.** Studium *n*; Studier-, Arbeitszimmer *n*; *paint. etc.* Studie *f*; *be in a brown* ~ versunken sein; **2.** (ein)studieren; sich *et.* genau ansehen; sich bemühen um.
**stuff** [stʌf] **1.** Stoff *m*; Zeug *n*; *fig.* Unsinn *m*; **2.** *v/t.* (voll-, aus)stopfen; ~ed shirt *Am. sl.* Fatzke *m*; *v/i.* sich vollstopfen; **~ing** ['stʌfiŋ] Füllung *f*; **~y** □ [~fi] dumpf(ig), muffig, stickig; *fig.* verärgert.
**stultify** ['stʌltifai] lächerlich machen, blamieren; *et.* hinfällig machen.
**stumble** ['stʌmbl] **1.** Stolpern *n*; Fehltritt *m*; **2.** stolpern; straucheln; ~ *upon* stoßen auf (*acc.*).
**stump** [stʌmp] **1.** Stumpf *m*, Stummel *m*; **2.** *v/t.* F verblüffen; *Am.* F herausfordern; ~ *the country* als Wahlredner im Land umherziehen; *v/i.* (daher)stapfen; **~y** □ ['stʌmpi] gedrungen; plump.
**stun** [stʌn] betäuben (*a. fig.*).
**stung** [stʌŋ] *pret. u. p.p. von* sting 2.
**stunk** [stʌŋk] *pret. u. p.p. von* stink 2.
**stunning** □ ['stʌniŋ] toll, famos.
**stunt**[1] F [stʌnt] Kraft-, Kunststück *n*; (Reklame)Trick *m*; Sensation *f*.
**stunt**[2] [~] im Wachstum hindern; **~ed** ['stʌntid] verkümmert.
**stup|efy** ['stju:pifai] *fig.* betäuben; verblüffen; verdummen; **~endous** □ [stju(:)'pendəs] erstaunlich; **~id** □ ['stju:pid] dumm, einfältig, stumpfsinnig; blöd; **~idity** [stju(:)-'piditi] Dummheit *f*; Stumpfsinn *m*; **~or** ['stju(:)pə] Erstarrung *f*, Betäubung *f*.
**sturdy** ['stə:di] derb, kräftig, stark; stämmig; stramm; handfest.
**stutter** ['stʌtə] **1.** stottern; **2.** Stottern *n*.
**sty**[1] [stai] Schweinestall *m*, Koben *m*.
**sty**[2], **stye** ⚕ [~] Gerstenkorn *n* am Auge.
**style** [stail] **1.** Stil *m*; Mode *f*; Betitelung *f*; **2.** (be)nennen, betiteln.

**stylish** □ ['stailiʃ] stilvoll; elegant; **~ness** [~ʃnis] Eleganz *f*.
**stylo** F ['stailou], **~graph** [~ləgra:f] Tintenkuli *m*.
**suave** □ [swa:v] verbindlich; mild.
**sub...** [sʌb] *mst* Unter..., unter...; Neben...; Hilfs...; fast ...
**subdeb** *Am.* F [sʌb'deb] Backfisch *m*, junges Mädchen.
**subdivision** ['sʌbdiviʒən] Unterteilung *f*; Unterabteilung *f*.
**subdue** [səb'dju:] unterwerfen; bezwingen; bändigen; unterdrücken; verdrängen; dämpfen.
**subject 1.** ['sʌbdʒikt] **1.** unterworfen; untergeben, abhängig; untertan; unterliegend (*to dat.*); *be* ~ *to* neigen zu; **2.** *adv.* ~ *to* vorbehaltlich (*gen.*); **3.** Untertan *m*, Staatsangehörige(r *m*) *f*; *phls.*, *gr.* Subjekt *n*; *a.* ~ *matter* Thema *n*, Gegenstand *m*; **4.** [səb'dʒekt] unterwerfen; *fig.* aussetzen; **~ion** [~kʃən] Unterwerfung *f*. [chen.\]
**subjugate** ['sʌbdʒugeit] unterjo-]
**subjunctive** *gr.* [səb'dʒʌŋktiv] *a.* ~ *mood* Konjunktiv *m.*
**sub|lease** ['sʌb'li:s], **~let** [*irr.* (*let*)] untervermieten.
**sublime** □ [sə'blaim] erhaben.
**submachine-gun** ['sʌbmə'ʃi:ngʌn] Maschinenpistole *f*.
**submarine** ['sʌbməri:n] **1.** unterseeisch; **2.** ⚓ Unterseeboot *n*.
**submerge** [səb'mə:dʒ] untertauchen; überschwemmen.
**submiss|ion** [səb'miʃən] Unterwerfung *f*; Unterbreitung *f*; **~ive** □ [~isiv] unterwürfig.
**submit** [səb'mit] (sich) unterwerfen; anheimstellen; unterbreiten, einreichen; *fig.* sich fügen *od.* ergeben (*to* in *acc.*).
**subordinate 1.** [sə'bɔ:dnit] untergeordnet; untergeben; ~ *clause gr.* Nebensatz *m*; **2.** [~] Untergebene(r *m*) *f*; **3.** [~dineit] unterordnen.
**suborn** [sʌ'bɔ:n] verleiten.
**subscribe** [səb'skraib] *v/t. Geld* stiften (*to* für); *Summe* zeichnen; *s-n Namen* setzen (*to* unter *acc.*); unterschreiben mit; *v/i.* ~ *to Zeitung etc.* abonnieren; *e-r Meinung* zustimmen, *et.* unterschreiben; **~r** [~bə] (Unter)Zeichner(in); Abonnent(in); *teleph.* Teilnehmer(in).
**subscription** [səb'skripʃən] (Unter-)Zeichnung *f*; Abonnement *n*.

**subsequent** □ ['sʌbsikwent] folgend; später; ∿ly hinterher.

**subservient** □ [səb'sə:vjənt] dienlich; dienstbar; unterwürfig.

**subsid|e** [səb'said] sinken, sich senken; *fig.* sich setzen; sich legen (*Wind*); ∿ *into* verfallen in (*acc.*); **∿iary** [∿'sidjəri] **1.** □ Hilfs...; Neben...; untergeordnet; **2.** Tochtergesellschaft *f*; Filiale *f*; **∿ize** ['sʌbsidaiz] mit Geld unterstützen; subventionieren; **∿y** [∿di] Beihilfe *f*; Subvention *f*.

**subsist** [səb'sist] bestehen; leben (*on, by* von); **∿ence** [∿təns] Dasein *n*; (Lebens)Unterhalt *m*.

**substance** ['sʌbstəns] Substanz *f*; Wesen *n*; *fig.* Hauptsache *f*; Inhalt *m*; Wirklichkeit *f*; Vermögen *n*.

**substantial** □ [səb'stænʃəl] wesentlich; wirklich; kräftig; stark; solid; vermögend; namhaft (*Summe*).

**substantiate** [səb'stænʃieit] beweisen, begründen, dartun.

**substantive** *gr.* ['sʌbstəntiv] Substantiv *n*, Hauptwort *n*.

**substitut|e** ['sʌbstitju:t] **1.** an die Stelle setzen *od.* treten (*for* von); unterschieben (*for* statt); **2.** Stellvertreter *m*; Ersatz *m*; **∿ion** [sʌbsti-'tju:ʃən] Stellvertretung *f*; Ersatz *m*.

**subterfuge** ['sʌbtəfju:dʒ] Ausflucht *f*.

**subterranean** □ [sʌbtə'reinjən] unterirdisch.

**sub-title** ['sʌbtaitl] Untertitel *m*.

**subtle** □ ['sʌtl] fein(sinnig); subtil; spitzfindig; **∿ty** [∿lti] Feinheit *f*.

**subtract** A [səb'trækt] abziehen, subtrahieren.

**subtropical** ['sʌb'trɔpikəl] subtropisch.

**suburb** ['sʌbə:b] Vorstadt *f*, Vorort *m*; **∿an** [sə'bə:bən] vorstädtisch.

**subvention** [səb'venʃən] **1.** Subvention *f*; **2.** subventionieren.

**subver|sion** [sʌb'və:ʃən] Umsturz *m*; **∿sive** [∿:siv] zerstörend (*of acc.*); subversiv; **∿t** [∿:t] (um-)stürzen; untergraben.

**subway** ['sʌbwei] (*bsd.* Fußgänger-)Unterführung *f*; *Am.* Untergrundbahn *f*.

**succeed** [sək'si:d] Erfolg haben; glücken, gelingen; (nach)folgen (*dat.*); ∿ *to* übernehmen; erben.

**success** [sək'ses] Erfolg *m*; **∿ful** □ [∿sful] erfolgreich; **∿ion** [∿eʃən]

(Nach-, Erb-, Reihen)Folge *f*; Nachkommenschaft *f*; *in* ∿ nacheinander; **∿ive** [∿esiv] aufeinanderfolgend; **∿or** [∿sə] Nachfolger(in).

**succo(u)r** ['sʌkə] **1.** Hilfe *f*; **2.** helfen.

**succulent** □ ['sʌkjulənt] saftig.

**succumb** [sə'kʌm] unter-, erliegen.

**such** [sʌtʃ] solch(er, -e, -es); derartig; so groß; ∿ *a man* ein solcher Mann; ∿ *as* die, welche.

**suck** [sʌk] **1.** (ein)saugen; saugen an (*dat.*); aussaugen; lutschen; **2.** Saugen *n*; **∿er** ['sʌkə] Saugorgan *n*; ♀ Wurzelsproß *m*; *Am.* Einfaltspinsel *m*; **∿le** [∿kl] säugen, stillen; **∿ling** [∿liŋ] Säugling *m*.

**suction** ['sʌkʃən] (An)Saugen *n*; Sog *m*; *attr.* Saug...

**sudden** □ ['sʌdn] plötzlich; *all of a* ∿ ganz plötzlich.

**suds** [sʌdz] *pl.* Seifenlauge *f*; Seifenschaum *m*; **∿y** *Am.* ['sʌdzi] schaumig, seifig.

**sue** [sju:] *v/t.* verklagen; ∿ *out* erwirken; *v/i.* nachsuchen (*for* um); klagen.

**suède** [sweid] (feines) Wildleder.

**suet** [sjuit] Nierenfett *n*; Talg *m*.

**suffer** ['sʌfə] *v/i.* leiden (*from an dat.*); *v/t.* erleiden, erdulden, (zu-)lassen; **∿ance** [∿rəns] Duldung *f*; **∿er** [∿rə] Leidende(r *m*) *f*; Dulder(in); **∿ing** [∿riŋ] Leiden *n*.

**suffice** [sə'fais] genügen; ∿ *it to say* es sei nur gesagt.

**sufficien|cy** [sə'fiʃənsi] genügende Menge; Auskommen *n*; **∿t** [∿nt] genügend, ausreichend.

**suffix** *gr.* ['sʌfiks] **1.** anhängen; **2.** Nachsilbe *f*, Suffix *n*.

**suffocate** ['sʌfəkeit] ersticken.

**suffrage** ['sʌfridʒ] (Wahl)Stimme *f*; Wahl-, Stimmrecht *n*.

**suffuse** [sə'fju:z] übergießen; überziehen.

**sugar** ['ʃugə] **1.** Zucker *m*; **2.** zuckern; **∿-basin**, *Am.* **∿-bowl** Zuckerdose *f*; **∿-cane** ♀ Zuckerrohr *n*; **∿-coat** überzuckern, versüßen; **∿y** [∿əri] zuckerig; zuckersüß.

**suggest** [sə'dʒest] vorschlagen, anregen; nahelegen; vorbringen; *Gedanken* eingeben; andeuten; denken lassen an (*acc.*); **∿ion** [∿tʃən] Anregung *f*; Rat *m*, Vorschlag *m*; Suggestion *f*; Eingebung *f*; Andeutung *f*; ~**ive** □ [~tiv] anregend; andeutend (*of acc.*); gehaltvoll; zweideutig.

**suicide** ['sjuisaid] **1.** Selbstmord *m*; Selbstmörder(in); **2.** *Am.* Selbstmord begehen.

**suit** [sju:t] **1.** (Herren)Anzug *m*; (Damen)Kostüm *n*; Anliegen *n*; (Heirats)Antrag *m*; *Karten:* Farbe *f*; *st* Prozeß *m*; **2.** *v/t. j-m* passen, zusagen, bekommen; *j-n* kleiden, *j-m* stehen, passen zu (*Kleidungsstück etc.*); ~ *oneself* tun, was e-m beliebt; ~ *s.th.* to et. anpassen (*dat.*); be geeignet sein (*for* für), passen (*to* zu); *v/i.* passen; ~**able** □ ['sju:təbl] passend, geeignet; entsprechend; ~**case** (Hand)Koffer *m*; ~**e** [swi:t] Gefolge *n*; (Reihen)Folge *f*; ♪ Suite *f*; *a.* ~ *of rooms* Zimmerflucht *f*; Garnitur *f*, (Zimmer)Einrichtung *f*; ~**or** ['sju:tə] Freier *m*; *st* Kläger(in).

**sulk** [sʌlk] schmollen, bocken; ~**i-ness** ['sʌlkinis] üble Laune; ~**s** *pl.* = *sulkiness*; ~**y** ['sʌlki] **1.** verdrießlich; launisch; schmollend; **2.** *Sport:* Traberwagen *m*, Sulky *n*.

**sullen** □ ['sʌlən] verdrossen, mürrisch.

**sully** ['sʌli] *mst fig.* beflecken.

**sulphur** 🜍 ['sʌlfə] Schwefel *m*; ~**ic** [sʌl'fjuərik] Schwefel...

**sultriness** ['sʌltrinis] Schwüle *f*.

**sultry** □ ['sʌltri] schwül; *fig.* heftig, hitzig.

**sum** [sʌm] **1.** Summe *f*; Betrag *m*; *fig.* Inbegriff *m*; Inhalt *m*; Rechenaufgabe *f*; *do* ~*s* rechnen; **2.** *mst* ~ *up* zs.-rechnen; zs.-fassen.

**summar|ize** ['sʌməraiz] (kurz) zs.-fassen; ~**y** [~ri] **1.** □ kurz (zs.-gefaßt); *st* Schnell...; **2.** (kurze) Inhaltsangabe, Auszug *m*.

**summer** ['sʌmə] Sommer *m*; ~ *resort* Sommerfrische *f*; ~ *school* Ferienkurs *m*; ~**ly** [~əli], ~**y** [~əri] sommerlich.

**summit** ['sʌmit] Gipfel *m* (*a. fig.*).

**summon** ['sʌmən] auffordern; (be-)rufen; *st* vorladen; *Mut etc.* aufbieten; ~**s** Aufforderung *f*; *st* Vorladung *f*.

**sumptuous** □ ['sʌmptjuəs] kostbar.

**sun** [sʌn] **1.** Sonne *f*; *attr.* Sonnen...; **2.** (sich) sonnen; ~**-bath** ['sʌnbɑ:θ]

Sonnenbad *n*; ~**beam** Sonnenstrahl *m*; ~**burn** Sonnenbräune *f*; Sonnenbrand *m*.

**Sunday** ['sʌndi] Sonntag *m*.

**sun|-dial** ['sʌndaiəl] Sonnenuhr *f*; ~**down** Sonnenuntergang *m*.

**sundr|ies** ['sʌndriz] *pl. bsd.* ✝ Verschiedene(s) *n*; Extraausgaben *f/pl.*; ~**y** [~ri] verschiedene.

**sung** [sʌŋ] *p.p. von* sing.

**sun-glasses** ['sʌnglɑ:siz] *pl.* (*a pair of* ~) *pl.* eine) Sonnenbrille *f*.

**sunk** [sʌŋk] *pret. u. p.p. von* sink 1.

**sunken** ['sʌŋkən] **1.** *p.p. von* sink 1; **2.** *adj.* versunken; *fig.* eingefallen.

**sun|ny** □ ['sʌni] sonnig; ~**rise** Sonnenaufgang *m*; ~**set** Sonnenuntergang *m*; ~**shade** Sonnenschirm *m*; ~**shine** Sonnenschein *m*; ~**stroke** ⚕ Sonnenstich *m*.

**sup** [sʌp] zu Abend essen.

**super** F ['sju:pə] erstklassig, prima, super.

**super|...** ['sju:pə] Über..., über...; Ober..., ober...; Groß...; ~**abundant** □ [sju:pərə'bʌndənt] überreichlich; überschwenglich; ~**annuate** [~'rænjueit] pensionieren; ~**d** ausgedient; veraltet (*S.*).

**superb** □ [sju(:)'pə:b] prächtig, herrlich.

**super|charger** *mot.* ['sju:pətʃɑ:dʒə] Kompressor *m*; ~**cilious** [sju:pə-'siliəs] hochmütig; ~**ficial** □ [~ə'fiʃəl] oberflächlich; ~**fine** ['sju:pə-'fain] extrafein; ~**fluity** [sju:pə-'flu(:)iti] Überfluß *m*; ~**fluous** □ [sju(:)'pə:fluəs] überflüssig; ~**heat** ⊕ [sju:pə'hi:t] überhitzen; ~**human** □ [~'hju:mən] übermenschlich; ~**impose** [sju:pərim'pouz] darauf-, darüberlegen; ~**induce** [~rin'dju:s] noch hinzufügen; ~**intend** [sju:prin'tend] die Oberaufsicht haben über (*acc.*); überwachen; ~**intendent** [~dənt] **1.** Leiter *m*, Direktor *m*; (Ober)Aufseher *m*, Inspektor *m*; **2.** aufsichtführend.

**superior** [sju(:)'piəriə] **1.** □ ober; höher(stehend); vorgesetzt; besser, hochwertiger; überlegen (*to dat.*); vorzüglich; **2.** Höherstehende(r *m*) *f*, *bsd.* Vorgesetzte(r *m*) *f*; *eccl.* Obere(r) *m*; *mst Lady* ♀, *Mother* ♀ *eccl.* Oberin *f*; ~**ity** [sju(:)piəri'ɔriti] Überlegenheit *f*.

**super|lative** [sju(:)'pə:lətiv] **1.** □

höchst; überragend; **2.** *a.* ~ degree
*gr.* Superlativ *m*; **~market** Supermarkt *m*; **~natural** □ [sju:pə'nætʃrəl] übernatürlich; **~numerary**
[~'nju:mərəri] **1.** überzählig;
**2.** Überzählige(r *m*) *f*; *thea.* Statist
(-in); **~scription** [~ə'skripʃən]
Über-, Aufschrift *f*; **~sede** [~'si:d]
ersetzen; verdrängen; absetzen;
*fig.* überholen; **~sonic** *phys.* [sju:-
pə'sɔnik] Überschall...; **~stition**
[sju:pə'stiʃən] Aberglaube *m*; **~
stitious** □ [~ʃəs] abergläubisch;
**~vene** [~ə'vi:n] noch hinzukommen; unerwartet eintreten; **~vise**
['sju:pəvaiz] beaufsichtigen, überwachen; **~vision** [sju:pə'viʒən]
(Ober)Aufsicht *f*; Beaufsichtigung
*f*; **~visor** ['sju:pəvaizə] Aufseher *m*,
Inspektor *m*.

**supper** ['sʌpə] Abendessen *n*; the
(Lord's) ♀ das Heilige Abendmahl.

**supplant** [sə'plɑ:nt] verdrängen.

**supple** ['sʌpl] geschmeidig (machen).

**supplement 1.** ['sʌplimənt] Ergänzung *f*; Nachtrag *m*; (Zeitungsetc.)Beilage *f*; **2.** [~ment] ergänzen;
**~al** □ [sʌpli'mentl], **~ary** [~təri]
Ergänzungs...; nachträglich; Nachtrags...

**suppliant** ['sʌpliənt] **1.** □ demütig
bittend, flehend; **2.** Bittsteller(in).

**supplicat|e** ['sʌplikeit] demütig
bitten, anflehen; **~ion** [sʌpli'keiʃən]
demütige Bitte.

**supplier** [sə'plaiə] Lieferant(in).

**supply** [sə'plai] **1.** liefern; *e-m Mangel* abhelfen; *e-e Stelle* ausfüllen;
vertreten; ausstatten, versorgen;
ergänzen; **2.** Lieferung *f*; Versorgung *f*; Zufuhr *f*; Vorrat *m*; Bedarf
*m*; Angebot *n*; (Stell)Vertretung *f*;
*mst supplies pl. parl.* Etat *m*.

**support** [sə'pɔ:t] **1.** □ Stütze *f*; Hilfe *f*;
⊕ Träger *m*; Unterstützung *f*; Lebensunterhalt *m*; **2.** (unter)stützen;
unterhalten, sorgen für (*Familie
etc.*); aufrechterhalten; (v)ertragen.

**suppose** [sə'pouz] annehmen; voraussetzen; vermuten; *he is* ~*d to do*
*er soll tun*; ~ *we go* gehen wir; wie
wär's, wenn wir gingen.

**supposed** □ [sə'pouzd] vermeintlich; **~ly** [~zidli] vermutlich.

**supposition** [sʌpə'ziʃən] Voraus-

setzung *f*; Annahme *f*; Vermutung *f*.

**suppress** [sə'pres] unterdrücken;
**~ion** [~eʃən] Unterdrückung *f*.

**suppurate** ['sʌpjuəreit] eitern.

**suprem|acy** [sju'preməsi] Oberhoheit *f*; Vorherrschaft *f*; Überlegenheit *f*; Vorrang *m*; **~e** □
[sju(:)'pri:m] höchst; oberst;
Ober...; größt.

**surcharge** [sə:'tʃɑ:dʒ] **1.** überladen;
Zuschlag *od.* Nachgebühr erheben
von *j-m*; **2.** ['sə:tʃɑ:dʒ] Überladung
*f*; (Straf)Zuschlag *m*; Nachgebühr
*f*; Überdruck *m auf Briefmarken*.

**sure** □ [ʃuə] *allg.* sicher; *to be* ~!,
~ *enough!*, *Am.* ~! F sicher(lich)!;
**~ly** ['ʃuəli] sicherlich; **~ty** ['ʃuəti]
Bürge *m*.

**surf** [sə:f] Brandung *f*.

**surface** ['sə:fis] **1.** (Ober)Fläche *f*;
✈ Tragfläche *f*; **2.** ♣ auftauchen
(*U-Boot*).

**surf|-board** ['sə:fbɔ:d] Wellenreiterbrett *n*; **~-boat** Brandungsboot
*n*.

**surfeit** ['sə:fit] **1.** Übersättigung *f*;
Ekel *m*; **2.** (sich) überladen.

**surf-riding** ['sə:fraidiŋ] *Sport:*
Wellenreiten *n*.

**surge** [sə:dʒ] **1.** Woge *f*; **2.** wogen.

**surg|eon** ['sə:dʒən] Chirurg *m*;
**~ery** [~əri] Chirurgie *f*; Sprechzimmer *n*; ~ *hours pl.* Sprechstunde(n *pl.*) *f*.

**surgical** □ ['sə:dʒikəl] chirurgisch.

**surly** □ ['sə:li] mürrisch; grob.

**surmise 1.** [sə:'maiz] Vermutung *f*;
Argwohn *m*; **2.** [sə:'maiz] vermuten; argwöhnen.

**surmount** [sə:'maunt] übersteigen;
überragen; *fig.* überwinden.

**surname** ['sə:neim] Zu-, Nachname *m*.

**surpass** *fig.* [sə:'pɑ:s] übersteigen,
übertreffen; **~ing** [~iŋ] überragend.

**surplus** ['sə:pləs] **1.** Überschuß *m*,
Mehr *n*; **2.** überschüssig; Über...

**surprise** [sə'praiz] **1.** Überraschung
*f*; ✕ Überrump(e)lung *f*; **2.** überraschen; ✕ überrumpeln.

**surrender** [sə'rendə] **1.** Übergabe *f*,
Ergebung *f*; Kapitulation *f*; Aufgeben *n*; **2.** *v/t.* übergeben; aufgeben; *v/i. a.* ~ *o.s.* sich ergeben.

**surround** [sə'raund] umgeben; ✕
umzingeln; **~ing** [~diŋ] umliegend;
**~ings** *pl.* Umgebung *f*.

**surtax** [ˈsəːtæks] Steuerzuschlag *m*.

**survey 1.** [səˈvei] überblicken; mustern; begutachten; *surv.* vermessen; **2.** [ˈsəːvei] Überblick *m* (*a. fig.*); Besichtigung *f*; Gutachten *n*; *surv.* Vermessung *f*; **~or** [sə(ː)-ˈveiə] Land-, Feldmesser *m*.

**surviv|al** [səˈvaivəl] Über-, Fortleben *n*; Überbleibsel *n*; **~e** [~aiv] überleben; noch leben; fortleben; am Leben bleiben; bestehen bleiben; **~or** [~və] Überlebende(r *m*) *f*.

**suscept|ible** □ [səˈseptəbl], **~ive** [~tiv] empfänglich (*of, to* für); empfindlich (*gegen*); *be ~ of et.* zulassen.

**suspect 1.** [səsˈpekt] (be)argwöhnen; in Verdacht haben, argwöhnen; vermuten, befürchten; **2.** [ˈsʌspekt] Verdächtige(r *m*) *f*; **3.** [~] = **~ed** [səsˈpektid] verdächtig.

**suspend** [səsˈpend] (auf)hängen; aufschieben; in der Schwebe lassen; *Zahlung* einstellen; aussetzen; suspendieren, sperren; **~ed** schwebend; **~er** [~də] Strumpf-, Sockenhalter *m*; **~s** *pl. Am.* Hosenträger *m*/*pl.*

**suspens|e** [səsˈpens] Ungewißheit *f*; Unentschiedenheit *f*; Spannung *f*; **~ion** [~nʃən] Aufhängung *f*; Aufschub *m*; Einstellung *f*; Suspendierung *f*, Amtsenthebung *f*; Sperre *f*; **~ion bridge** Hängebrücke *f*; **~ive** □ [~nsiv] aufschiebend.

**suspici|on** [səsˈpiʃən] Verdacht *m*; Argwohn *m*; *fig.* Spur *f*; **~ous** □ [~ʃəs] argwöhnisch; verdächtig.

**sustain** [səsˈtein] stützen; *fig.* aufrechterhalten; aushalten; erleiden; ⅛ anerkennen; **~ed** anhaltend; ununterbrochen.

**sustenance** [ˈsʌstinəns] (Lebens-)Unterhalt *m*; Nahrung *f*.

**svelte** [svelt] schlank (*Frau*).

**swab** [swɔb] **1.** Aufwischmop *m*; ⚕ Tupfer *m*; Abstrich *m*; **2.** aufwischen.

**swaddl|e** [ˈswɔdl] *Baby* wickeln; **~ing-clothes** *mst fig.* [~liŋklouðz] *pl.* Windeln *f*/*pl.*

**swagger** [ˈswægə] **1.** stolzieren; prahlen, renommieren; **2.** F elegant.

**swale** *Am.* [sweil] Mulde *f*, Niederung *f*.

**swallow** [ˈswɔlou] **1.** *orn.* Schwalbe *f*; Schlund *m*; Schluck *m*; **2.** (hinunter-, ver)schlucken; *fig.* Ansicht *etc.* begierig aufnehmen.

**swam** [swæm] *pret. von* swim 1.

**swamp** [swɔmp] **1.** Sumpf *m*; **2.** überschwemmen (*a. fig.*); versenken; **~y** [ˈswɔmpi] sumpfig.

**swan** [swɔn] Schwan *m*.

**swank** *sl.* [swæŋk] **1.** Angabe *f*, Protzerei *f*; **2.** angeben, protzen; **~y** [ˈswæŋki] protzig, angeberisch.

**swap** F [swɔp] **1.** Tausch *m*; **2.** (ver-, aus)tauschen.

**sward** [swɔːd] Rasen *m*.

**swarm** [swɔːm] **1.** Schwarm *m*; Haufe(n) *m*, Gewimmel *n*; **2.** schwärmen; wimmeln (*with* von).

**swarthy** □ [ˈswɔːði] dunkelfarbig.

**swash** [swɔʃ] plan(t)schen.

**swat** [swɔt] *Fliege* klatschen.

**swath** ↗ [swɔːθ] Schwade(n *m*) *f*.

**swathe** [sweið] (ein)wickeln.

**sway** [swei] **1.** Schaukeln *n*; Einfluß *m*; Herrschaft *f*; **2.** schaukeln; beeinflussen; beherrschen.

**swear** [swɛə] [*irr.*] (be)schwören; fluchen; *~ s.o. in* j-n vereidigen.

**sweat** [swet] **1.** Schweiß *m*; *by the ~ of one's brow* im Schweiße seines Angesichts; *all of a ~* F in Schweiß gebadet (*a. fig.*); **2.** [*irr.*] *v/i.* schwitzen; *v/t.* (aus)schwitzen; in Schweiß bringen; *Arbeiter* ausbeuten; **~er** [ˈswetə] Sweater *m*, Pullover *m*; Trainingsjacke *f*; *fig.* Ausbeuter *m*; **~y** [~ti] schweißig; verschwitzt.

**Swede** [swiːd] Schwed|e *m*, -in *f*.

**Swedish** [ˈswiːdiʃ] **1.** schwedisch; **2.** Schwedisch *n*.

**sweep** [swiːp] **1.** [*irr.*] fegen (*a. fig.*), kehren; *fig.* streifen; bestreichen (*a.* ⚔); (majestätisch) (dahin)rauschen; **2.** (*fig.* Dahin)Fegen *n*; Kehren *n*; Schwung *m*; Biegung *f*; Spielraum *m*, Bereich *m*; Schornsteinfeger *m*; *make a clean ~* reinen Tisch machen (*of* mit); **~er** [ˈswiːpə] (Straßen)Feger *m*; Kehrmaschine *f*; **~ing** □ [~piŋ] weitgehend; schwungvoll; **~ings** *pl.* Kehricht *m*, Müll *m*.

**sweet** [swiːt] **1.** □ süß; lieblich; freundlich; frisch; duftend; *have a ~ tooth* ein Leckermaul sein; **2.** Liebling *m*; Süßigkeit *f*, Bonbon *m*, *n*; Nachtisch *m*; **~en** [ˈswiːtn] (ver)süßen; **~heart** Liebling *m*,

Liebste(r *m*) *f*; **~ish** [~tiʃ] süßlich;
**~meat** Bonbon *m*, *n*; kandierte
Frucht; **~ness** [~tnis] Süßigkeit *f*;
Lieblichkeit *f*; **~ pea** ♀ Garten-
wicke *f*.

**swell** [swel] **1.** [*irr.*] *v/i.* (an)schwel-
len; sich blähen; sich (aus)bauchen;
*v/t.* an schwellen lassen; aufblä-
hen; **2.** F fein; *sl.* prima; **3.** Anschwellen *n*; Schwellung *f*; ♉ Dü-
nung *f*; F feiner Herr; **~ing** ['swe-
liŋ] Geschwulst *f*.

**swelter** ['sweltə] vor Hitze umkommen.

**swept** [swept] *pret. u. p.p. von*
**sweep** 1.

**swerve** [swə:v] **1.** (plötzlich) abbiegen; **2.** (plötzliche) Wendung.

**swift** □ [swift] schnell, eilig, flink;
**~ness** ['swiftnis] Schnelligkeit *f*.

**swill** [swil] **1.** Spülicht *n*; Schweine-
trank *m*; **2.** spülen; saufen.

**swim** [swim] **1.** [*irr.*] (durch-)
schwimmen; schweben; *my head
~s* mir schwindelt; **2.** Schwimmen
*n*; *be in the ~* auf dem laufenden
sein; **~ming** ['swimiŋ] **1.** Schwimmen *n*; **2.** Schwimm...; **~-bath**
(*bsd.* Hallen)Schwimmbad *n*; **~-pool**
Schwimmbecken *n*; **~-suit** Badeanzug *m*.

**swindle** ['swindl] **1.** (be)schwin-
deln; **2.** Schwindel *m*.

**swine** [swain] Schwein(e *pl.*) *n*.

**swing** [swiŋ] **1.** [*irr.*] schwingen,
schwanken; F baumeln; (sich)
schaukeln; schwenken; sich drehen;
**2.** Schwingen *n*; Schwung *m*;
Schaukel *f*; Spielraum *m*; *in full ~*
in vollem Gange; **~-door** ['swiŋdɔ:]
Drehtür *f*.

**swinish** □ ['swainiʃ] schweinisch.

**swipe** [swaip] **1.** aus vollem Arm
schlagen; **2.** starker Schlag.

**swirl** [swə:l] **1.** (herum)wirbeln,
strudeln; **2.** Wirbel *m*, Strudel *m*.

**Swiss** [swis] **1.** schweizerisch,
Schweizer...; **2.** Schweizer(in); *the
~ pl.* die Schweizer *m/pl.*

**switch** [switʃ] **1.** Gerte *f*; ♎ Weiche
*f*; ⚡ Schalter *m*; falscher Zopf;
**2.** peitschen; ♎ rangieren; ⚡ (um-)
schalten; *fig.* wechseln, überleiten;
**~ on** (*off*) ⚡ ein- (aus)schalten; **~-
board** ⚡ ['switʃbɔ:d] Schaltbrett *n*,
-tafel *f*.

**swivel** ⊕ ['swivl] Drehring *m*; *attr.*
Dreh...

**swollen** ['swoulən] *p.p. von* swell 1.

**swoon** [swu:n] **1.** Ohnmacht *f*;
**2.** in Ohnmacht fallen.

**swoop** [swu:p] **1.** *~ down on od. upon*
(herab)stoßen auf (*acc.*) (*Raubvogel*); überfallen; **2.** Stoß *m*.

**swop** F [swɔp] *s.* swap.

**sword** [sɔ:d] Schwert *n*, Degen
*m*.

**swordsman** ['sɔ:dzmən] Fechter *m*.

**swore** [swɔ:] *pret. von* swear.

**sworn** [swɔ:n] *p.p. von* swear.

**swum** [swʌm] *p.p. von* swim 1.

**swung** [swʌŋ] *pret. u. p.p. von*
swing 1.

**sycamore** ♀ ['sikəmɔ:] Bergahorn
*m*; *Am.* Platane *f*.

**sycophant** ['sikəfənt] Kriecher *m*.

**syllable** ['siləbl] Silbe *f*.

**syllabus** ['siləbəs] (*bsd.* Vorlesungs-)
Verzeichnis *n*; (*bsd.* Lehr)Plan *m*.

**sylvan** ['silvən] waldig, Wald...

**symbol** ['simbəl] Symbol *n*, Sinnbild *n*; **~ic(al** □) [sim'bɔlik(əl)]
sinnbildlich; **~ism** ['simbəlizəm]
Symbolik *f*.

**symmetr|ical** □ [si'metrikəl] eben-
mäßig; **~y** ['simitri] Ebenmaß *n*.

**sympath|etic** [simpə'θetik] (**~ally**)
mitfühlend; sympathisch; *~ strike*
Sympathiestreik *m*; **~ize** ['sim-
pəθaiz] sympathisieren, mitfühlen;
**~y** [~θi] Sympathie *f*, Mitgefühl *n*.

**symphony** ♪ ['simfəni] Symphonie *f*.

**symptom** ['simptəm] Symptom *n*.

**synchron|ize** ['siŋkrənaiz] *v/i.*
gleichzeitig sein; *v/t.* als gleichzeitig
zs.-stellen; *Uhren* auf ea. abstimmen; *Tonfilm:* synchronisieren;
**~ous** □ [~nəs] gleichzeitig.

**syndicate 1.** ['sindikit] Syndikat *n*;
**2.** [~keit] zu e-m Syndikat verbinden.

**synonym** ['sinənim] Synonym *n*;
**~ous** □ [si'nɔniməs] sinnverwandt.

**synop|sis** [si'nɔpsis], *pl.* **~ses** [~si:z]
zs.-fassende Übersicht.

**syntax** *gr.* ['sintæks] Syntax *f*.

**synthe|sis** ['sinθisis], *pl.* **~ses** [~si:z]
Synthese *f*, Verbindung *f*; **~tic(al**
□) [sin'θetik(əl)] synthetisch.

**syringe** ['sirindʒ] **1.** Spritze *f*;
**2.** (be-, ein-, aus)spritzen.

**syrup** ['sirəp] Sirup *m*.

**system** ['sistim] System *n*; Organismus *m*, Körper *m*; Plan *m*, Ordnung *f*; **~atic** [sisti'mætik] (**~ally**)
systematisch.

# T

**tab** [tæb] Streifen *m*; Schildchen *n*; Anhänger *m*; Schlaufe *f*, Aufhänger *m*; F Rechnung *f*, Konto *n*.

**table** ['teibl] **1.** Tisch *m*, Tafel *f*; Tisch-, Tafelrunde *f*; Tabelle *f*, Verzeichnis *n*; *Bibel:* Gesetzestafel *f*; *s.* **~-land**; *at* ~ bei Tisch; *turn the* ~s den Spieß umdrehen (*on gegen*); **2.** auf den Tisch legen; tabellarisch anordnen.

**tableau** ['tæblou], *pl.* **~x** [~ouz] lebendes Bild.

**table|-cloth** ['teiblklɔθ] Tischtuch *n*; **~-land** Tafelland *n*, Plateau *n*, Hochebene *f*; **~-linen** Tischwäsche *f*; **~-spoon** Eßlöffel *m*.

**tablet** ['tæblit] Täfelchen *n*; (Gedenk)Tafel *f*; (Schreib- *etc.*)Block *m*; Stück *n* Seife; Tablette *f*.

**table-top** ['teibltɔp] Tischplatte *f*.

**taboo** [tə'bu:] **1.** tabu, unantastbar; verboten; **2.** Tabu *n*; Verbot *n*; **3.** verbieten.

**tabulate** ['tæbjuleit] tabellarisch ordnen.

**tacit** □ ['tæsit] stillschweigend; **~urn** □ [~tə:n] schweigsam.

**tack** [tæk] **1.** Stift *m*, Zwecke *f*; Heftstich *m*; ♦ Halse *f*; ♦ Gang *m* *beim Lavieren*; *fig.* Weg *m*; **2.** *v/t.* (an)heften; *fig.* (an)hängen; *v/i.* ♦ wenden; *fig.* lavieren.

**tackle** ['tækl] **1.** Gerät *n*; ♦ Takel-, Tauwerk *n*; ⊕ Flaschenzug *m*; **2.** (an)packen; in Angriff nehmen; fertig werden mit; *j-n* angehen (*for* um).

**tacky** ['tæki] klebrig; *Am.* F schäbig.

**tact** [tækt] Takt *m*, Feingefühl *n*; **~ful** □ ['tæktful] taktvoll.

**tactics** ['tæktiks] Taktik *f*.

**tactless** □ ['tæktlis] taktlos.

**tadpole** *zo.* ['tædpoul] Kaulquappe*f*.

**taffeta** ['tæfitə] Taft *m*.

**taffy** *Am.* ['tæfi] = **toffee**; F Schmus *m*, Schmeichelei *f*.

**tag** [tæg] **1.** (Schnürsenkel)Stift *m*; Schildchen *n*, Etikett *n*; Redensart *f*, Zitat *n*; Zusatz *m*; loses Ende; Fangen *n* (*Kinderspiel*); **2.** etikettieren, auszeichnen; anhängen (*to, onto an acc.*); ~ *after* herlaufen hinter (*dat.*); ~ *together* ein-ea.-reihen.

**tail** [teil] **1.** Schwanz *m*; Schweif *m*; hinteres Ende, Schluß *m*; ~s *pl.*

Rückseite *f* *e-r Münze*; F Frack *m*; *turn* ~ davonlaufen; ~s *up* in Hochstimmung; **2.** ~ *after s.o.* j-m nachlaufen; ~ *s.o. off Am.* j-n beschatten; ~ *away*, ~ *off* abflauen, sich verlieren; zögernd enden; **~-coat** ['teil'kout] Frack *m*; **~-light** *mot. etc.* ['teillait] Rück-, Schlußlicht *n*.

**tailor** ['teilə] **1.** Schneider *m*; **2.** schneidern; **~-made** Schneider..., Maß...

**taint** [teint] **1.** Flecken *m*, Makel *m*; ⚕ Ansteckung *f*; *fig. krankhafter* Zug; Verderbnis *f*; **2.** beflecken; verderben; ⚕ anstecken.

**take** [teik] **1.** [*irr.*] *v/t.* nehmen; an-, ab-, auf-, ein-, fest-, hin-, wegnehmen; (weg)bringen; *Speise* (zu sich) nehmen; *Maßnahme, Gelegenheit* ergreifen; *Eid, Gelübde, Examen* ablegen; *phot.* aufnehmen; *et. gut etc.* aufnehmen; *Beleidigung* hinnehmen; fassen, ergreifen; fangen; *fig.* fesseln; sich *e-e Krankheit* holen; erfordern; brauchen; *Zeit* dauern; auffassen; halten, ansehen (*for* für); *I* ~ *it* verstehe, daß; ~ *breath* verschnaufen; ~ *comfort* sich trösten; ~ *compassion on* Mitleid empfinden mit; sich erbarmen (*gen.*); ~ *counsel* beraten; ~ *a drive* e-e Fahrt machen; ~ *fire* Feuer fangen; ~ *in hand* unternehmen; ~ *hold of* ergreifen; ~ *pity on* Mitleid haben mit; ~ *place* stattfinden; spielen (*Handlung*); ~ *a seat* Platz nehmen; ~ *a walk* e-n Spaziergang machen; ~ *my word for it* verlaß dich drauf; ~ *about* herumführen; ~ *along* mitnehmen; ~ *down* herunternehmen; notieren; ~ *for* halten für; ~ *from j-m* wegnehmen; abziehen von; ~ *in* enger machen; *Zeitung* halten; aufnehmen (*als Gast etc.*); einschließen; verstehen; erfassen; F *j-n* reinlegen; ~ *off* ab-, wegnehmen; *Kleid* ausziehen, *Hut* abnehmen; ~ *on* an-, übernehmen; *Arbeiter etc.* einstellen; *Fahrgäste* zusteigen lassen; ~ *out* heraus-, entnehmen; *Fleck* entfernen; *j-n* ausführen; *Versicherung* abschließen; ~ *to pieces* auseinandernehmen; ~ *up* aufnehmen; sich *e-r S.* annehmen; *Raum, Zeit* in Anspruch nehmen; *v/i.* wirken, ein-, anschlagen; gefallen, ziehen; ~ *after j-m* nachschlagen; ~ *off* abspringen; ⚹ aufsteigen, starten; ~ *on* F Anklang finden; ~ *over* die Amtsgewalt übernehmen; ~ *to* liebgewinnen; *fig.* sich verlegen auf (*acc.*); Zuflucht nehmen zu; sich ergeben (*dat.*); ~ *up* F sich bessern (*Wetter*); ~ *up with* sich anfreunden mit; *that won't ~ with me* das verfängt bei mir nicht; **2.** Fang *m*; *Geld*-Einnahme *f*; *Film:* Szene(naufnahme) *f*; **~-in** F ['teik'in] Reinfall *m*; **~n** ['teikən] *von take 1*; *be* ~ besetzt sein; *be* ~ *with* entzückt sein von; *be* ~ *ill* krank werden; **~-off** ['teikɔːf] Karikatur *f*; Absprung *m*; ⚹ Start *m*.

**taking** ['teikiŋ] **1.** □ F anziehend, fesselnd, einnehmend; ansteckend; **2.** (An-, Ab-, Auf-, Ein-, Ent-, Hin-, Weg- *etc.*)Nehmen *n*; Inbesitznahme *f*; ⚔ Einnahme *f*; F Aufregung *f*; **~s** *pl.* ✝ Einnahmen *f/pl.*

**tale** [teil] Erzählung *f*, Geschichte *f*; Märchen *n*, Sage *f*; *it tells its own* ~ es spricht für sich selbst; **~-bearer** ['teilbɛərə] Zuträger(in).

**talent** ['tælənt] Talent *n*, Begabung *f*, Anlage *f*; **~ed** [~tid] talentvoll, begabt.

**talk** [tɔːk] **1.** Gespräch *n*; Unterredung *f*; Plauderei *f*; Vortrag *m*; Geschwätz *n*; **2.** sprechen, reden (*von et.*); plaudern; **~ative** □ ['~kətiv] gesprächig, geschwätzig; **~er** ['tɔːkə] Schwätzer(in); Sprechende(r *m*) *f*.

**tall** [tɔːl] groß, lang, hoch; F übertrieben, unglaublich; *that's a* ~ *order* F das ist ein bißchen viel verlangt.

**tallow** ['tælou] *ausgelassener* Talg.

**tally** ['tæli] **1.** Kerbholz *n*; Gegenstück *n* (*of zu*); Kennzeichen *n*; **2.** übereinstimmen.

**talon** *orn.* ['tælən] Kralle *f*, Klaue *f*.

**tame** [teim] **1.** □ zahm; folgsam; harmlos; lahm, fad(e); **2.** (be)zähmen, bändigen.

**Tammany** *Am.* ['tæməni] New Yorker Demokraten-Vereinigung.

**tamper** ['tæmpə]: ~ *with* sich (unbefugt) zu schaffen machen mit; *j-n* zu bestechen suchen; *Urkunde* fälschen.

**tan** [tæn] **1.** Lohe *f*; Lohfarbe *f*;

(Sonnen)Bräune *f*; **2.** lohfarben; **3.** gerben; bräunen.

**tang** [tæŋ] Beigeschmack *m*; *scharfer* Klang; ♀ Seetang *m*.

**tangent** ['tændʒənt] Å Tangente *f*; *fly od. go off at a* ~ vom Gegenstand abspringen.

**tangerine** ♀ [tændʒə'riːn] Mandarine *f*.

**tangible** □ ['tændʒəbl] fühlbar, greifbar (*a. fig.*); klar.

**tangle** ['tæŋgl] **1.** Gewirr *n*; Verwicklung *f*; **2.** (sich) verwirren, verwickeln.

**tank** [tæŋk] **1.** Zisterne *f*, Wasserbehälter *m*; ⊕, ⚔ Tank *m*; **2.** tanken. [(Bier)Krug *m*.\]

**tankard** ['tæŋkəd] Kanne *f*, *bsd.* 

**tanner** ['tænə] Gerber *m*; **~y** [~əri] Gerberei *f*.

**tantalize** ['tæntəlaiz] quälen.

**tantamount** ['tæntəmaunt] gleichbedeutend (mit).

**tantrum** F ['tæntrəm] Koller *m*.

**tap** [tæp] **1.** leichtes Klopfen; (Wasser-, Gas-, Zapf)Hahn *m*; Zapfen *m*; Schankstube *f*; F Sorte *f*; **~s** *pl.* *Am.* ⚔ Zapfenstreich *m*; **2.** pochen, klopfen, tippen (auf, an, gegen *acc.*); an-, abzapfen; **~dance** ['tæpdɑːns] Stepptanz *m*.

**tape** [teip] schmales Band; *Sport:* Zielband *n*; *tel.* Papierstreifen *m*; Tonband *n*; *red* ~ Bürokratismus *m*; **~measure** ['teipmeʒə] Bandmaß *n*.

**taper** ['teipə] **1.** dünne Wachskerze; **2.** *adj.* spitz (zulaufend); schlank; **3.** *v/i.* spitz zulaufen; *v/t.* zuspitzen.

**tape| recorder** ['teiprikɔːdə] Tonbandgerät *n*; ~ **recording** Tonbandaufnahme *f*.

**tapestry** ['tæpistri] Gobelin *m*.

**tapeworm** ['teipwəːm] Bandwurm*m*.

**tap-room** ['tæprum] Schankstube *f*.

**tar** [tɑː] **1.** Teer *m*; **2.** teeren.

**tardy** □ ['tɑːdi] langsam; spät.

**tare** ✝ [tɛə] Tara *f*.

**target** ['tɑːgit] (Schieß)Scheibe *f*; *fig.* Ziel(scheibe *f*) *n*; Ziel(leistung *f*) *n*; Soll *n*; ~ *practice* Scheibenschießen *n*.

**tariff** ['tærif] (*bsd. Zoll*)Tarif *m*.

**tarnish** ['tɑːniʃ] **1.** *v/t.* ⊕ trüb *od.* blind machen; *fig.* trüben; *v/i.* trüb werden, anlaufen; **2.** Trübung *f*; Belag *m*.

**tarry**[1] *lit.* ['tæri] säumen, zögern; verweilen.

**tarry**[2] ['tɑ:ri] teerig.

**tart** [tɑ:t] **1.** □ sauer, herb; *fig.* scharf, schroff; **2.** (Obst)Torte *f*; *sl.* Dirne *f*.

**tartan** ['tɑ:tən] Tartan *m*; Schottentuch *n*; Schottenmuster *n*.

**task** [tɑ:sk] **1.** Aufgabe *f*; Arbeit *f*; *take to ~* zur Rede stellen; **2.** beschäftigen; in Anspruch nehmen.

**tassel** ['tæsəl] Troddel *f*, Quaste *f*.

**taste** [teist] **1.** Geschmack *m*; (Kost)Probe *f*; Lust *f* (*for* zu); **2.** kosten, schmecken; versuchen; genießen; **~ful** □ ['teistful] geschmackvoll; **~less** □ [~tlis] geschmacklos.

**tasty** □ F ['teisti] schmackhaft.

**ta-ta** ['tæ'tɑ:] *int.* auf Wiedersehen!

**tatter** ['tætə] **1.** zerfetzen; **2.** ~*s pl.* Fetzen *m/pl.*

**tattle** ['tætl] **1.** schwatzen; tratschen; **2.** Geschwätz *n*; Tratsch *m*.

**tattoo** [tə'tu:] **1.** ✕ Zapfenstreich *m*; Tätowierung *f*; **2.** *fig.* trommeln; tätowieren.

**taught** [tɔ:t] *pret. u. p.p. von* teach.

**taunt** [tɔ:nt] **1.** Stichelei *f*, Spott *m*; **2.** verhöhnen, verspotten.

**taut** ♟ [tɔ:t] steif, straff; schmuck.

**tavern** ['tævən] Schenke *f*.

**tawdry** □ ['tɔ:dri] billig; kitschig.

**tawny** ['tɔ:ni] lohfarben.

**tax** [tæks] **1.** Steuer *f*, Abgabe *f*; *fig.* Inanspruchnahme *f* (*on, upon gen.*); **2.** besteuern; *fig.* stark in Anspruch nehmen; ✍ *Kosten* schätzen; auf e-e harte Probe stellen; *j-n* zur Rede stellen; *~ s.o. with s.th.* j-n e-r S. beschuldigen; **~ation** [tæk'seiʃən] Besteuerung *f*; Steuer(n *pl.*) *f*; *bsd.* ✍ Schätzung *f*.

**taxi** F ['tæksi] **1.** = ~*cab*; **2.** mit e-m Taxi fahren; ✈ rollen; **~cab** Taxi *n*, (Auto)Droschke *f*.

**taxpayer** ['tækspeiə] Steuerzahler *m*.

**tea** [ti:] Tee *m*; *high ~, meat ~* frühes Abendbrot mit Tee.

**teach** [ti:tʃ] [*irr.*] lehren, unterrichten, *j-m et.* beibringen; **~able** □ ['ti:tʃəbl] gelehrig; lehrbar; **~er** [~ʃə] Lehrer(in); **~-in** [~ʃ'in] (politische) Diskussion *als Großveranstaltung.*

**tea|-cosy** ['ti:kouzi] Teewärmer *m*; **~cup** Teetasse *f*; *storm in a ~ fig.*

Sturm *m* im Wasserglas; **~kettle** Wasserkessel *m*.

**team** [ti:m] Team *n*, Arbeitsgruppe *f*; Gespann *n*; *bsd. Sport*: Mannschaft *f*; **~ster** ['ti:mstə] Gespannführer *m*; *Am.* LKW-Fahrer *m*; **~-work** Zusammenarbeit *f*, Teamwork *n*; Zusammenspiel *n*.

**teapot** ['ti:pɔt] Teekanne *f*.

**tear**[1] [tɛə] **1.** [*irr.*] zerren, (zer)reißen; rasen, stürmen; **2.** Riß *m*.

**tear**[2] [tiə] Träne *f*.

**tearful** □ ['tiəful] tränenreich.

**tea-room** ['ti:rum] Tearoom *m*, Teestube *f*, Café *n*.

**tease** [ti:z] **1.** necken, hänseln; quälen; **2.** Necker *m*; Quälgeist *m*.

**teat** [ti:t] Zitze *f*; Brustwarze *f*; (Gummi)Sauger *m*.

**technic|al** □ ['teknikəl] technisch; gewerblich, Gewerbe...; fachlich, Fach...; **~ality** [tekni'kæliti] technische Eigentümlichkeit *od.* Einzelheit; Fachausdruck *m*; **~ian** [tek'niʃən] Techniker *m*.

**technique** [tek'ni:k] Technik *f*, Verfahren *n*.

**technology** [tek'nɔlədʒi] Gewerbekunde *f*; *school of ~* Technische Hochschule.

**teddy boy** F ['tedibɔi] Halbstarke(r) *m*.

**tedious** □ ['ti:djəs] langweilig, ermüdend; weitschweifig.

**tee** [ti:] *Sport*: Mal *n*, Ziel *n*; *Golf*: Abschlagmal *n*.

**teem** [ti:m] wimmeln, strotzen (*with* von).

**teens** [ti:nz] *pl.* Lebensjahre *n/pl.* von 13—19.

**teeny** F ['ti:ni] winzig.

**teeth** [ti:θ] *pl. von* tooth; **~e** [ti:ð] zahnen.

**teetotal(l)er** [ti:'toutlə] Abstinenzler(in).

**telecast** ['telikɑ:st] **1.** Fernsehsendung *f*; **2.** [*irr.* (*cast*)] im Fernsehen übertragen.

**telecourse** *Am.* F ['telikɔ:s] Fernsehlehrgang *m*.

**telegram** ['teligræm] Telegramm *n*.

**telegraph** ['teligrɑ:f] **1.** Telegraph *m*; **2.** Telegraphen...; **3.** telegraphieren; **~ic** [teli'græfik] (*~ally*) telegraphisch; telegrammäßig (*Stil*); **~y** [ti'legrəfi] Telegraphie *f*.

**telephon|e** ['telifoun] **1.** Telephon *n*, Fernsprecher *m*; **2.** telephonieren; anrufen; **~e booth** Telephonzelle *f*; **~ic** [teli'fɔnik] (*~ally*) telephonisch; **~y** [ti'lefəni] Fernsprechwesen *n*.

**telephoto** *phot.* ['teli'foutou] *a.* **~ lens** Teleobjektiv *n*.

**teleprinter** ['teliprintə] Fernschreiber *m*.

**telescope** ['teliskoup] **1.** *opt.* Fernrohr *n*; **2.** (sich) ineinanderschieben.

**teletype** ['telitaip] Fernschreiber *m*.

**televis|e** ['telivaiz] im Fernsehen übertragen; **~ion** [ˌ~'viʒən] Fernsehen *n*; *watch* **~** fernsehen; **~ion set, ~or** [ˌ~'vaizə] Fernsehapparat *m*.

**tell** [tel] [*irr.*] *v/t.* zählen; sagen, erzählen; erkennen; **~** *s.o. to do s.th.* j-m sagen, er solle et. tun; **~ off** abzählen; auswählen; F abkanzeln; *v/i.* erzählen (*of, about* von); (aus)plaudern; sich auswirken; sitzen (*Hieb etc.*); **~er** ['telə] (Er)Zähler *m*; **~ing** □ ['teliŋ] wirkungsvoll; **~tale** ['telteil] **1.** Klatschbase *f*; ⊕ Anzeiger *m*; **2.** *fig.* verräterisch.

**temerity** [ti'meriti] Unbesonnenheit *f*, Verwegenheit *f*.

**temper** ['tempə] **1.** mäßigen, mildern; *Kalk etc.* anrühren; *Stahl* anlassen; **2.** ⊕ Härte(grad *m*) *f*; (Gemüts)Ruhe *f*, Gleichmut *m*; Temperament *n*, Wesen *n*; Stimmung *f*; Wut *f*; *lose one's* **~** in Wut geraten; **~ament** [ˌ~rəmənt] Temperament *n*; **~amental** □ [tempərə'mentl] anlagebedingt; launisch; **~ance** ['tempərəns] Mäßigkeit *f*; Enthaltsamkeit *f*; **~ate** □ [ˌ~rit] gemäßigt; zurückhaltend; maßvoll; mäßig; **~ature** [ˌ~pritʃə] Temperatur *f*.

**tempest** ['tempist] Sturm *m*; Gewitter *n*; **~uous** □ [tem'pestjəs] stürmisch; ungestüm.

**temple** ['templ] Tempel *m*; *anat.* Schläfe *f*.

**tempor|al** □ ['tempərəl] zeitlich; weltlich; **~ary** □ [ˌ~əri] zeitweilig; vorläufig; vorübergehend; Not...; (Aus)Hilfs..., Behelfs...; **~ize** [ˌ~raiz] Zeit zu gewinnen suchen.

**tempt** [tempt] *j-n* versuchen; verleiten; verlocken; **~ation** [temp'teiʃən] Versuchung *f*; Reiz *m*; **~ing** □ ['temptiŋ] verführerisch.

**ten** [ten] **1.** zehn; **2.** Zehn *f*.

**tenable** ['tenəbl] haltbar (*Theorie etc.*); verliehen (*Amt*).

**tenaci|ous** □ [ti'neiʃəs] zäh; festhaltend (*of an dat.*); gut (*Gedächtnis*); **~ty** [ti'næsiti] Zähigkeit *f*; Festhalten *n*; Verläßlichkeit *f des Gedächtnisses*.

**tenant** ['tenənt] Pächter *m*; Mieter *m*.

**tend** [tend] *v/i.* (*to*) gerichtet sein (auf *acc.*); hinstreben (zu); abzielen (auf *acc.*); neigen (zu); *v/t.* pflegen; hüten; ⊕ bedienen; **~ance** ['tendəns] Pflege *f*; Bedienung *f*; **~ency** [ˌ~si] Richtung *f*; Neigung *f*; Zweck *m*.

**tender** ['tendə] **1.** □ zart; weich; empfindlich; heikel (*Thema*); zärtlich; **2.** Angebot *n*; Kostenanschlag *m*; 🚂, ⚓ Tender *m*; *legal* **~** gesetzliches Zahlungsmittel; **3.** anbieten; *Entlassung* einreichen; **~foot** *Am.* F Neuling *m*, Anfänger *m*; **~loin** *bsd. Am.* Filet *n*; *Am.* berüchtigtes Viertel; **~ness** [ˌ~nis] Zartheit *f*; Zärtlichkeit *f*.

**tendon** *anat.* ['tendən] Sehne *f*.

**tendril** ♀ ['tendril] Ranke *f*.

**tenement** ['tenimənt] Wohnhaus *n*; (*bsd. Miet*)Wohnung *f*; **~ house** Mietshaus *n*.

**tennis** ['tenis] Tennis(spiel) *n*; **~court** Tennisplatz *m*.

**tenor** ['tenə] Fortgang *m*, Verlauf *m*; Inhalt *m*; ♪ Tenor *m*.

**tens|e** [tens] **1.** *gr.* Zeit(form) *f*, Tempus *n*; **2.** □ gespannt (*a. fig.*); straff; **~ion** ['tenʃən] Spannung *f*.

**tent** [tent] **1.** Zelt *n*; **2.** zelten.

**tentacle** *zo.* ['tentəkl] Fühler *m*; Fangarm *m e-s Polypen*.

**tentative** □ ['tentətiv] versuchend; Versuchs...; **~ly** versuchsweise.

**tenth** [tenθ] **1.** zehnte(r, -s); **2.** Zehntel *n*; **~ly** ['tenθli] zehntens.

**tenuous** □ ['tenjuəs] dünn; zart, fein; dürftig.

**tenure** ['tenjuə] Besitz(art *f*, -dauer *f*) *m*.

**tepid** □ ['tepid] lau(warm).

**term** [tə:m] **1.** (bestimmte) Zeit, Frist *f*, Termin *m*; Zahltag *m*; Amtszeit *f*; 🏛 Sitzungsperiode *f*; Semester *n*, Quartal *n*, Trimester *n*; Tertial *n*; ♈, *phls.* Glied *n*; (Fach-)Ausdruck *m*, Wort *n*, Bezeichnung *f*; Begriff *m*; **~s** *pl.* Bedingungen *f/pl.*; Beziehungen *f/pl.*; *be on good* (*bad*) **~s with** gut (schlecht) stehen mit; *come to* **~s**, *make* **~s** sich einígen; **2.** (be)nennen; bezeichnen (als).

**termagant** ['tə:məgənt] **1.** □ zanksüchtig; **2.** Zankteufel m (*Weib*).

**termina|l** ['tə:minl] **1.** □ End...; letzt; ~ly terminweise; **2.** Endstück n; ⚡ Pol m; *Am.* 🚌 Endstation f; ~te [~neit] begrenzen; (be)endigen; ~tion [tə:mi'neiʃən] Beendigung f; Ende n; gr. Endung f.

**terminus** ['tə:minəs] Endstation f.

**terrace** ['terəs] Terrasse f; Häuserreihe f; ~-house Reihenhaus n; ~d [~st] terrassenförmig.

**terrestrial** □ [ti'restriəl] irdisch; Erd...; *bsd. zo.*, ♀ Land...

**terrible** □ ['terəbl] schrecklich.

**terri|fic** [tə'rifik] (~ally) fürchterlich, schrecklich; F ungeheuer, großartig; ~fy ['terifai] v/t. erschrecken.

**territor|ial** [teri'tɔ:riəl] **1.** □ territorial; Land...; Bezirks...; ♀ *Force* Territorialarmee f; **2.** ⚔ Angehörige(r) m der Territorialarmee; ~y ['teritəri] Territorium n, (Hoheits-, Staats)Gebiet n.

**terror** ['terə] Terror m, Entsetzen n; ~ize [~əraiz] terrorisieren.

**terse** □ [tə:s] knapp; kurz u. bündig.

**test** [test] **1.** Probe f; Untersuchung f; (Eignungs)Prüfung f; Test m; 🔬 Reagens n; **2.** probieren, prüfen, testen.

**testament** ['testəmənt] Testament n.                              [m, f.]

**testicle** *anat.* ['testikl] Hode(n m)

**testify** ['testifai] (be)zeugen; (als Zeuge) aussagen (*on* über *acc.*).

**testimon|ial** [testi'mounjəl] (Führungs)Zeugnis n; Zeichen n der Anerkennung; ~y ['testiməni] Zeugnis n; Beweis m.

**test-tube** 🔬 ['testtju:b] Reagenzglas n.

**testy** □ ['testi] reizbar, kribbelig.

**tether** ['teðə] **1.** Halterstrick m; *fig.* Spielraum m; *at the end of one's* ~ *fig.* am Ende s-r Kraft; **2.** anbinden.

**text** [tekst] Text m; Bibelstelle f; ~book ['tekstbuk] Leitfaden m, Lehrbuch n.

**textile** ['tekstail] **1.** Textil..., Web...; **2.** ~s pl. Webwaren f/pl., Textilien pl.

**texture** ['tekstʃə] Gewebe n; Gefüge n.

**than** [ðæn, ðən] als.

**thank** [θæŋk] **1.** danken (*dat.*); ~ you, *bei Ablehnung* no, ~ you danke; **2.** ~s pl. Dank m; ~s! vielen Dank!; danke (schön)!; ~s to dank (*dat.*); ~ful □ ['θæŋkful] dankbar; ~less □ [~klis] undankbar; ~sgiving [~ksgivin] Danksagung f; Dankfest n; ♀ (*Day*) *bsd. Am.* (Ernte)Dankfest n.

**that** [ðæt, ðət] **1.** pl. **those** [ðouz] pron. jene(r, -s); der, die, das; der-, die-, das(jenige); welche(r, -s); **2.** cj. daß; damit.

**thatch** [θætʃ] **1.** Dachstroh n; Strohdach n; **2.** mit Stroh decken.

**thaw** [θɔ:] **1.** Tauwetter n; (Auf-) Tauen n; **2.** (auf)tauen.

**the** [ðiː; *vor Vokalen* ði; *vor Konsonanten* ðə] **1.** *art.* der, die, das; **2.** *adv.* desto, um so; ~ ... ~ ... je ... desto ...

**theat|re**, *Am.* ~er ['θiətə] Theater n; *fig.* (Kriegs)Schauplatz m; ~ric(al □) [θi'ætrik(əl)] Theater...; theatralisch.

**thee** *Bibel, poet.* [ðiː] dich; dir.

**theft** [θeft] Diebstahl m.

**their** [ðɛə] ihr(e); ~s [~z] der (die, das) ihrige od. ihre.

**them** [ðem, ðəm] sie (*acc. pl.*); ihnen.

**theme** [θiːm] Thema n; Aufgabe f.

**themselves** [ðem'selvz] sie (*acc. pl.*) selbst; sich selbst.

**then** [ðen] **1.** *adv.* dann; damals; da; *by* ~ bis dahin; inzwischen; *every now and* ~ alle Augenblicke; *there and* ~ sogleich; *now* ~ nun denn; **2.** *cj.* denn, also, folglich; **3.** *adj.* damalig.

**thence** *lit.* [ðens] daher; von da.

**theolog|ian** [θiə'loudʒiən] Theologe m; ~y [θi'ɔlədʒi] Theologie f.

**theor|etic(al □)** [θiə'retik(əl)] theoretisch; ~ist ['θiərist] Theoretiker m; ~y [~ri] Theorie f.

**therap|eutic** [θerə'pju:tik] **1.** (~ally) therapeutisch; **2.** ~s mst. sg. Therapeutik f; ~y ['θerəpi] Therapie f, Heilbehandlung f.

**there** [ðɛə] da, dort; darin; dorthin; na!; ~ is, ~ are es gibt, es ist, es sind; ~about(s) ['ðɛərəbaut(s)] da herum; so ungefähr ...; ~after [ðɛər'ɑ:ftə] danach; ~by ['ðɛə'bai] dadurch, damit; ~fore ['ðɛəfɔ:] darum, deswegen; deshalb, daher;

**~upon** ['ðeərə'pɔn] darauf(hin); **~with** [ðeə'wið] damit.

**thermal** ['θə:məl] **1.** □ Thermal...; *phys.* Wärme...; **2.** Aufwind *m.*

**thermo|meter** [θə'mɔmitə] Thermometer *n*; **~s** [θə'mɔmɔs] *a.* ~ flask, ~ bottle Thermosflasche *f.*

**these** [ði:z] *pl. von* this.

**thes|is** ['θi:sis], *pl.* **~es** [θi:si:z] These *f*; Dissertation *f.*

**they** [ðei] sie (*pl.*).

**thick** [θik] **1.** □ *allg.* dick; dicht; trüb; legiert (*Suppe*); heiser; dumm; *pred.* F dick befreundet; ~ with dicht besetzt mit; **2.** dickster Teil; *fig.* Brennpunkt *m*; *in the* ~ *of* mitten in (*dat.*); **~en** ['θikən] (sich) verdicken; (sich) verstärken; legieren; (sich) verdichten; **~et** ['θikit] Dickicht *n*; **~-headed** dumm; **~ness** ['θiknis] Dicke *f*, Stärke *f*; Dichte *f*; **~-set** dicht (gepflanzt); untersetzt; **~-skinned** *fig.* dickfellig.

**thief** [θi:f], *pl.* **thieves** [θi:vz] Dieb(in); **thieve** [θi:v] stehlen.

**thigh** [θai] (Ober)Schenkel *m.*

**thimble** ['θimbl] Fingerhut *m.*

**thin** [θin] **1.** □ *allg.* dünn; leicht; mager; spärlich, dürftig; schwach; fadenscheinig (*bsd. fig.*); **2.** verdünnen; (sich) lichten; abnehmen.

**thine** *Bibel, poet.* [ðain] dein; der (die, das) deinige *od.* deine.

**thing** [θiŋ] Ding *n*; Sache *f*; Geschöpf *n*; ~s *pl.* Sachen *f/pl.*; die Dinge *n/pl.* (*Umstände*); the ~ F das Richtige; richtig; die Hauptsache; ~s are going better es geht jetzt besser.

**think** [θiŋk] [*irr.*] *v/i.* denken (*of an acc.*); nachdenken; sich besinnen; meinen, glauben; gedenken (to *inf.* zu *inf.*); *v/t.* (sich) *et.* denken; halten für; ~ much etc. of viel etc. halten von; ~ s.th. over (sich) et. überlegen, über et. nachdenken.

**third** [θə:d] **1.** dritte(r, -s); **2.** Drittel *n*; **~ly** ['θə:dli] drittens; **~-rate** ['θə:d'reit] drittklassig.

**thirst** [θə:st] **1.** Durst *m*; **2.** dürsten; **~y** □ ['θə:sti] durstig; dürr (*Boden*).

**thirt|een** ['θə:'ti:n] dreizehn; **~eenth** [~nθ] dreizehnte(r, -s); **~ieth** ['θə:tiiθ] dreißigste(r, -s); **~y** ['θə:ti] dreißig.

**this** [ðis], *pl.* **these** [ði:z] diese(r, -s); ~ morning heute morgen.

**thistle** ♣ ['θisl] Distel *f.*

**thong** [θɔŋ] (Leder-, Peitschen-) Riemen *m.*

**thorn** ♣ [θɔ:n] Dorn *m*; **~y** ['θɔ:ni] dornig, stach(e)lig; beschwerlich.

**thorough** □ ['θʌrə] vollkommen; vollständig; vollendet; gründlich; **~ly** *a.* durchaus; **~bred** Vollblüter *m*; *attr.* Vollblut...; **~fare** Durchgang *m*, Durchfahrt *f*; Hauptverkehrsstraße *f*; **~going** gründlich; tatkräftig.

**those** [ðouz] *pl. von* that **1.**

**thou** *Bibel, poet.* [ðau] du.

**though** [ðou] obgleich, obwohl, wenn auch; zwar; aber, doch; freilich; *as* ~ als ob.

**thought** [θɔ:t] **1.** *pret. u. p.p. von* think; **2.** Gedanke *m*; (Nach)Denken *n*; on second ~s nach nochmaliger Überlegung; **~ful** □ ['θɔ:tful] gedankenvoll, nachdenklich; rücksichtsvoll (*of* gegen); **~less** □ ['θɔ:tlis] gedankenlos; unbesonnen; rücksichtslos (*of* gegen).

**thousand** ['θauzənd] **1.** tausend; **2.** Tausend *n*; **~th** [~ntθ] **1.** tausendste(r, -s); **2.** Tausendstel *n.*

**thrash** [θræʃ] (ver)dreschen, (ver-) prügeln; (hin und her) schlagen; *s. thresh*; **~ing** ['θræʃiŋ] Dresche *f*, Tracht *f* Prügel; *s. threshing.*

**thread** [θred] **1.** Faden *m* (*a. fig.*); Zwirn *m*, Garn *n*; ⊕ (Schrauben-) Gewinde *n*; **2.** einfädeln; sich durchwinden (durch); durchziehen; **~bare** ['θredbɛə] fadenscheinig.

**threat** [θret] Drohung *f*; **~en** ['θretn] (be-, an)drohen; **~ening** [~niŋ] bedrohlich.

**three** [θri:] **1.** drei; **2.** Drei *f*; **~fold** ['θri:fould] dreifach; **~pence** † ['θrepəns] Dreipence(stück *n*) *m/pl.*; **~score** ['θri:'skɔ:] sechzig.

**thresh** [θreʃ] ✔ (aus)dreschen; *s. thrash*; ~ out *fig.* durchdreschen; **~er** ['θreʃə] Drescher *m*; Dreschmaschine *f*; **~ing** [~ʃiŋ] Dreschen *n*; **~ing-machine** Dreschmaschine *f.*

**threshold** ['θreʃhould] Schwelle *f.*

**threw** [θru:] *pret. von* throw **1.**

**thrice** [θrais] dreimal.

**thrift** [θrift] Sparsamkeit *f*, Wirtschaftlichkeit *f*; **~less** □ ['θriftlis] verschwenderisch; **~y** □ [~ti] sparsam; *poet.* gedeihend.

**thrill** [θril] **1.** *v/t.* durchdringen,

durchschauern; *fig.* packen, aufwühlen; aufregen; *v/i.* (er)beben; **2.** Schauer *m*; Beben *n*; aufregendes Erlebnis; Sensation *f*; **~er** F ['θrilə] Reißer *m*, Thriller *m*, Schauerroman *m*, Schauerstück *n*; **~ing** [‚liŋ] spannend.

**thrive** [θraiv] [*irr.*] gedeihen; *fig.* blühen; Glück haben; **~n** ['θrivn] *p.p. von* thrive.

**throat** [θrout] Kehle *f*; Hals *m*; Gurgel *f*; Schlund *m*; *clear one's* ~ sich räuspern.

**throb** [θrɔb] **1.** pochen, klopfen, schlagen; pulsieren; **2.** Pochen *n*; Schlagen *n*; Pulsschlag *m*.

**throes** [θrouz] *pl.* Geburtswehen *f/pl.*           [Thrombose *f.*]

**thrombosis** 🤚 [θrɔm'bousis)]

**throne** [θroun] Thron *m*.

**throng** [θrɔŋ] **1.** Gedränge *n*; Menge *f*, Schar *f*; **2.** sich drängen (in *dat.*); anfüllen mit.

**throstle** *orn.* ['θrɔsl] Drossel *f*.

**throttle** ['θrɔtl] **1.** erdrosseln; (ab)drosseln; **2.** ⊕ Drosselklappe *f*.

**through** [θru:] **1.** durch; **2.** Durchgangs...; durchgehend; **~out** [θru(:)'aut] **1.** *prp.* überall in (*dat.*); **2.** *adv.* durch u. durch, ganz und gar, durchweg.

**throve** [θrouv] *pret. von* thrive.

**throw** [θrou] **1.** [*irr.*] (ab)werfen; schleudern; *Am.* F *Wettkampf etc.* betrügerisch verlieren; würfeln; ⊕ schalten; ~ *off* (die Jagd) beginnen; ~ *over* aufgeben; ~ *up* in die Höhe werfen; erbrechen; *fig.* hinwerfen; **2.** Wurf *m*; **~n** [θroun] *p.p. von* throw 1.

**thru** *Am.* [θru:] = through.

**thrum** [θrʌm] klimpern (auf *dat.*).

**thrush** *orn.* [θrʌʃ] Drossel *f.*

**thrust** [θrʌst] **1.** Stoß *m*; Vorstoß *m*; ⊕ Druck *m*, Schub *m*; **2.** [*irr.*] stoßen; ~ *o.s. into* sich drängen in (*acc.*); ~ *upon s.o.* j-m aufdrängen.

**thud** [θʌd] **1.** dumpf aufschlagen, F bumsen; **2.** dumpfer (Auf)Schlag, F Bums *m*.

**thug** [θʌg] Strolch *m*.

**thumb** [θʌm] **1.** Daumen *m*; Tom ♀ Däumling *m im Märchen*; **2.** *Buch etc.* abgreifen; ~ *a lift* per Anhalter fahren; **~tack** *Am.* ['θʌmtæk] Reißzwecke *f*.

**thump** [θʌmp] **1.** F Bums *m*; F Puff *m*; **2.** *v/t.* F bumsen *od.* pochen auf

(*acc.*) *od.* gegen; F knuffen, puffen; *v/i.* F (auf)bumsen.

**thunder** ['θʌndə] **1.** Donner *m*; **2.** donnern; **~bolt** Blitz *m* (*u.* Donner *m*); **~clap** Donnerschlag *m*; **~ous** □ [‚ərəs] donnernd; **~storm** Gewitter *n*; **~struck** wie vom Donner gerührt.

**Thursday** ['θə:zdi] Donnerstag *m*.

**thus** [ðʌs] so; also, somit.

**thwart** [θwɔ:t] **1.** durchkreuzen; hintertreiben; **2.** Ruderbank *f*.

**thy** *Bibel, poet.* [ðai] dein(e).

**tick¹** *zo.* [tik] Zecke *f.*

**tick²** [‚] **1.** Ticken *n*; (Vermerk-)Häkchen *n*; **2.** *v/i.* ticken; *v/t.* anhaken; ~ *off* abhaken.

**tick³** [‚] Inlett *n*; Matratzenbezug *m.*

**ticket** ['tikit] **1.** Fahrkarte *f*, -schein *m*; Flugkarte *f*; Eintrittskarte *f*; (Straf)Zettel *m*; (Preis- *etc.*)Schildchen *n*; *pol.* (Wahl-, Kandidaten-)Liste *f*; **2.** etikettieren, *Ware* auszeichnen; **~machine** Fahrkartenautomat *m*; ~ *office*, ~ *window* *bsd. Am.* Fahrkartenschalter *m*.

**tickle** ['tikl] kitzeln (*a. fig.*); **~ish** □ [‚liʃ] kitzlig; heikel.

**tidal** ['taidl]: ~ *wave* Flutwelle *f*.

**tide** [taid] **1.** Gezeit(en *pl.*) *f*; Ebbe *f* und Flut *f*; *fig.* Strom *m*, Flut *f*; *in Zssgn: rechte* Zeit; *high* ~ Flut *f*; *low* ~ Ebbe *f*; **2.** ~ *over fig.* hinwegkommen *od.* j-m hinweghelfen über (*acc.*).

**tidings** ['taidiŋz] *pl. od. sg.* Neuigkeiten *f/pl.*, Nachrichten *f/pl.*

**tidy** ['taidi] **1.** ordentlich, sauber, reinlich; F ganz schön, beträchtlich (*Summe*); **2.** Behälter *m*; Abfallkorb *m*; **3.** *a.* ~ *up* zurechtmachen; ordnen; aufräumen.

**tie** [tai] **1.** Band *n* (*a. fig.*); Schleife *f*; Krawatte *f*, Schlips *m*; Bindung *f*; *fig.* Fessel *f*, Verpflichtung *f*; *Sport:* Punkt-, *parl.* Stimmengleichheit *f*; *Sport:* Entscheidungsspiel *n*; 🛏 *Am.* Schwelle *f*; **2.** *v/t.* (ver)binden; ~ *down fig.* binden (to *an acc.*); ~ *up* zu-, an-, ver-, zs.-binden; *v/i. Sport:* punktgleich sein.

**tier** [tiə] Reihe *f*; Rang *m*.

**tie-up** ['taiʌp] (Ver)Bindung *f*; ✝ Fusion *f*; Stockung *f*; *bsd. Am.* Streik *m*.

**tiffin** ['tifin] Mittagessen *n.*

**tiger** ['taigə] *zo.* Tiger *m*; *Am.* F Beifallsgebrüll *n*.

**tight** [tait] **1.** □ dicht; fest; eng; knapp (sitzend); straff, prall; knapp; F beschwipst; *be in a ~ place od. corner* F in der Klemme sein; **2.** *adv.* fest; *hold ~* festhalten; **~en** ['taitn] *a. ~ up* (sich) zs.-ziehen; *Gürtel* enger schnallen; **~fisted** knick(e)rig; **~ness** ['taitnis] Festigkeit *f*, Dichtigkeit *f*; Straffheit *f*; Knappheit *f*; Enge *f*; Geiz *m*; **~s** [taits] *pl.* Trikot *n*.

**tigress** ['taigris] Tigerin *f*.

**tile** [tail] **1.** (Dach)Ziegel *m*; Kachel *f*; Fliese *f*; **2.** mit Ziegeln *etc.* decken; kacheln; fliesen.

**till**[1] [til] Laden(tisch)kasse *f*.

**till**[2] [~] **1.** *prp.* bis (zu); **2.** *cj.* bis.

**till**[3] ✓ [~] bestellen, bebauen; **~age** ['tilidʒ] (Land)Bestellung *f*; Ackerbau *m*; Ackerland *n*.

**tilt** [tilt] **1.** Plane *f*; Neigung *f*, Kippe *f*; Stoß *m*; Lanzenbrechen *n* (*a. fig.*); **2.** kippen; *~ against* anrennen gegen.

**timber** ['timbə] **1.** (Bau-, Nutz-) Holz *n*; Balken *m*; Baumbestand *m*, Bäume *m/pl.*; **2.** zimmern.

**time** [taim] **1.** Zeit *f*; Mal *n*; Takt *m*; Tempo *n*; *~ and again* immer wieder; *at a ~* zugleich; *for the ~ being* einstweilen; *have a good ~* es gut haben; sich amüsieren; *in ~*, *on ~* zur rechten Zeit, rechtzeitig; **2.** zeitlich festsetzen; zeitlich abpassen; die Zeitdauer messen; **~-hono(u)red** ['taimǝnǝd] altehrwürdig; **~ly** ['taimli] (recht)zeitig; **~-piece** Uhr *f*; **~-sheet** Anwesenheitsliste *f*; **~-table** Terminkalender *m*; Fahr-, Stundenplan *m*.

**tim|id** □ ['timid], **~orous** □ ['timǝrǝs] furchtsam; schüchtern.

**tin** [tin] **1.** Zinn *n*; Weißblech *n*; (Konserven)Büchse *f*; **2.** verzinnen; in Büchsen einmachen, eindosen.

**tincture** ['tiŋktʃǝ] **1.** Farbe *f*; Tinktur *f*; *fig.* Anstrich *m*; **2.** färben.

**tinfoil** ['tin'foil] Stanniol *n*.

**tinge** [tindʒ] **1.** Färbung *f*; *fig.* Anflug *m*, Spur *f*; **2.** färben; *fig.* e-n Anstrich geben (*dat.*).

**tingle** ['tiŋgl] klingen; prickeln.

**tinker** ['tiŋkǝ] basteln (*at an dat.*).

**tinkle** ['tiŋkl] klingeln (mit).

**tin|-opener** ['tinoupnǝ] Dosenöffner *m*; **~plate** Weißblech *n*.

**tinsel** ['tinsǝl] Flitter(werk *n*) *m*; Lametta *n*.

**tin-smith** ['tinsmiθ] Klempner *m*.

**tint** [tint] **1.** Farbe *f*; (Farb)Ton *m*, Schattierung *f*; **2.** färben; (ab-) tönen.

**tiny** ['taini] winzig, klein.

**tip** [tip] **1.** Spitze *f*; Mundstück *n*; Trinkgeld *n*; Tip *m*, Wink *m*; leichter Stoß; Schuttabladeplatz *m*; **2.** mit e-r Spitze versehen; (um-) kippen; *j-m* ein Trinkgeld geben; *a. ~ off j-m* e-n Wink geben.

**tipple** ['tipl] zechen, picheln.

**tipsy** ['tipsi] angeheitert.

**tiptoe** ['tiptou] **1.** auf Zehenspitzen gehen; **2.** *on ~* auf Zehenspitzen.

**tire**[1] ['taiǝ] (Rad-, Auto)Reifen *m*.

**tire**[2] [~] ermüden, müde machen *od.* werden; **~d** □ müde; **~less** □ ['taiǝlis] unermüdlich; **~some** □ ['taiǝsǝm] ermüdend; lästig.

**tiro** ['taiǝrou] Anfänger *m*.

**tissue** ['tisju:, *Am.* 'tiʃu:] Gewebe *n*; **~-paper** Seidenpapier *n*.

**tit**[1] [tit] = *teat*.

**tit**[2] *orn.* [~] Meise *f*.

**titbit** ['titbit] Leckerbissen *m*.

**titillate** ['titileit] kitzeln.

**title** ['taitl] **1.** (Buch-, Ehren)Titel *m*; Überschrift *f*; ⚖ Anspruch *m*; **2.** betiteln; **~d** *bsd.* ad(e)lig.

**titmouse** *orn.* ['titmaus] Meise *f*.

**titter** ['titǝ] **1.** kichern; **2.** Kichern *n*.

**tittle** ['titl] Pünktchen *n*; *fig.* Tüttelchen *n*; **~-tattle** [~ltætl] Schnickschnack *m*.

**to** [tu:, tu, tǝ] *prp.* zu (*a. adv.*); gegen, nach, an, in, auf; bis an (*acc.*); zu; für; *~ me etc.* mir *etc.*; *I weep ~ think of it* ich weine, wenn ich daran denke; *here's ~ you!* auf Ihr Wohl!, Prosit!

**toad** *zo.* [toud] Kröte *f*; **~stool** ['toudstu:l] (größerer Blätter)Pilz; Giftpilz *m*; **~y** ['toudi] **1.** Speichellecker *m*; **2.** *fig.* vor *j-m* kriechen.

**toast** [toust] **1.** Toast *m*, geröstetes Brot; Trinkspruch *m*; **2.** toasten, rösten; *fig.* wärmen; trinken auf (*acc.*).

**tobacco** [tǝ'bækou] Tabak *m*; **~nist** [~kǝnist] Tabakhändler *m*.

**toboggan** [tǝ'bɔgǝn] **1.** Toboggan *m*; Rodelschlitten *m*; **2.** rodeln.

**today** [tǝ'dei] heute.

**toddle** ['tɔdl] unsicher gehen; zotteln.

**toddy** ['tɔdi] *Art* Grog *m*.

**to-do** F [tə'du:] Lärm *m*, Aufheben *n*.

**toe** [tou] **1.** Zehe *f*; Spitze *f*; **2.** mit den Zehen berühren.

**toff|ee, ~y** ['tɔfi] Sahnebonbon *m*, *n*, Toffee *n*.

**together** [tə'geðə] zusammen; zugleich; nacheinander.

**toil** [tɔil] **1.** schwere Arbeit; Mühe *f*, F Plackerei *f*; **2.** sich plagen.

**toilet** ['tɔilit] Toilette *f*; **~-paper** Toilettenpapier *n*; **~-table** Frisiertoilette *f*.　　　　　　　　　[*n*.]

**toils** [tɔilz] *pl.* Schlingen *f/pl.*, Netz]

**toilsome** □ ['tɔilsəm] mühsam.

**token** ['toukən] Zeichen *n*; Andenken *n*, Geschenk *n*; ~ *money* Notgeld *n*; *in* ~ *of* zum Zeichen (*gen.*).

**told** [tould] *pret. u. p.p. von* tell.

**tolera|ble** □ ['tɔlərəbl] erträglich; **~nce** [~əns] Duldsamkeit *f*; **~nt** □ [~nt] duldsam (*of* gegen); **~te** [~reit] dulden; ertragen; **~tion** [tɔlə'reiʃən] Duldung *f*.

**toll** [toul] **1.** Zoll *m* (*a. fig.*); Wege-, Brücken-, Marktgeld *n*; *fig.* Tribut *m*; ~ *of the road* die Verkehrsopfer *n/pl.*; **2.** läuten; **~-bar** ['toulba:]; **~-gate** Schlagbaum *m*.

**tomato** ♀ [tə'ma:tou, *Am.* tə'meitou], *pl.* **~es** Tomate *f*.

**tomb** [tu:m] Grab(mal) *n*.

**tomboy** ['tɔmbɔi] Range *f*.

**tombstone** ['tu:mstoun] Grabstein *m*.

**tom-cat** ['tɔm'kæt] Kater *m*.

**tomfool** ['tɔm'fu:l] Hansnarr *m*.

**tomorrow** [tə'mɔrou] morgen.

**ton** [tʌn] Tonne *f* (*Gewichtseinheit*).

**tone** [toun] **1.** Ton *m*; Klang *m*; Laut *m*; *out of* ~ verstimmt; **2.** e-n Ton geben (*dat.*); stimmen; *paint.* abtönen; ~ *down* (sich) abschwächen, mildern.

**tongs** [tɔŋz] *pl.* (*a pair of* ~ *pl.* eine) Zange.

**tongue** [tʌŋ] Zunge *f*; Sprache *f*; Landzunge *f*; (Schuh)Lasche *f*; *hold one's* ~ den Mund halten; **~-tied** [~taid] sprachlos; schweigsam; stumm.

**tonic** ['tɔnik] **1.** (~*ally*) tonisch; 💊 stärkend; **2.** ♪ Grundton *m*; 💊 Stärkungsmittel *n*, Tonikum *n*.

**tonight** [tə'nait] heute abend *od.* nacht.

**tonnage** ⚓ ['tʌnidʒ] Tonnengehalt *m*; Lastigkeit *f*; Tonnengeld *n*.

**tonsil** *anat.* ['tɔnsl] Mandel *f*; **~itis** 🩺 [tɔnsi'laitis] Mandelentzündung *f*.

**too** [tu:] zu, allzu; auch, noch dazu.

**took** [tuk] *pret. von* take **1**.

**tool** [tu:l] Werkzeug *n*, Gerät *n*; **~-bag** ['tu:lbæg], **~-kit** Werkzeugtasche *f*.

**toot** [tu:t] **1.** blasen, tuten; **2.** Tuten *n*.

**tooth** [tu:θ] *pl.* **teeth** [ti:θ] Zahn *m*; **~ache** ['tu:θeik] Zahnschmerzen *pl.* **~brush** Zahnbürste *f*; **~less** □ ['tu:θlis] zahnlos; **~paste** Zahnpasta *f*; **~pick** Zahnstocher *m*; **~some** □ ['tu:θsəm] schmackhaft.

**top** [tɔp] **1.** oberstes Ende; Oberteil *n*; Gipfel *m* (*a. fig.*); Wipfel *m*; Kopf *m* e-r Seite; *mot. Am.* Verdeck *n*; *fig.* Haupt *n*, Erste(r) *m*; *Stiefel*-Stulpe *f*; Kreisel *m*; *at the* ~ *of one's voice* aus voller Kehle; *on* ~ obenauf; obendrein; **2.** ober(er, -e, -es); oberst; höchst; **3.** oben bedecken; *fig.* übertragen; vorangehen in (*dat.*); als erste(r) stehen auf *e-r* Liste; **~-boots** ['tɔp'bu:ts] *pl.* Stulpenstiefel *m/pl.*

**toper** ['toupə] Zecher *m*.

**tophat** F ['tɔp'hæt] Zylinderhut *m*.

**topic** ['tɔpik] Gegenstand *m*, Thema *n*; **~al** □ [~kəl] lokal; aktuell.

**topmost** ['tɔpmoust] höchst, oberst.

**topple** ['tɔpl] (um)kippen.

**topsyturvy** □ ['tɔpsi'tə:vi] auf den Kopf gestellt; das Oberste zuunterst; drunter und drüber.

**torch** [tɔ:tʃ] Fackel *f*; *electric* ~ Taschenlampe *f*; **~light** ['tɔ:tʃlait] Fackelschein *m*; ~ *procession* Fackelzug *m*.

**tore** [tɔ:] *pret. von* tear[11].

**torment 1.** ['tɔ:ment] Qual *f*, Marter *f*; **2.** [tɔ:'ment] martern, quälen.

**torn** [tɔ:n] *p.p. von* tear[1].

**tornado** [tɔ:'neidou], *pl.* **~es** Wirbelsturm *m*, Tornado *m*.

**torpedo** [tɔ:'pi:dou], *pl.* **~es 1.** Torpedo *m*; **2.** ⚓ torpedieren (*a. fig.*).

**torp|id** □ ['tɔ:pid] starr; apathisch; träg; **~idity** [tɔ:'piditi], **~or** ['tɔ:pə] Erstarrung *f*, Betäubung *f*.

**torrent** ['tɔrənt] Sturz-, Gießbach *m*; (reißender) Strom *m*; **~ial** □ [tɔ'renʃəl] gießbachartig; strömend; *fig.* ungestüm.

**torrid** ['tɔrid] brennend heiß.

**tortoise** zo. ['tɔːtəs] Schildkröte f.
**tortuous** □ ['tɔːtjuəs] gewunden.
**torture** ['tɔːtʃə] **1.** Folter f, Marter f, Tortur f; **2.** foltern, martern.
**toss** [tɔs] **1.** Werfen n, Wurf m; Zurückwerfen n (Kopf); **2.** a. ~ about (sich) hin und her werfen; schütteln; (mit adv.) werfen; a. ~ up hochwerfen; ~ off Getränk hinunterstürzen; Arbeit hinhauen; a. ~ up losen (for um); ~-up ['tɔsʌp] Losen n; fig. etwas Zweifelhaftes.
**tot** F [tɔt] Knirps m (kleines Kind).
**total** ['toutl] **1.** □ ganz, gänzlich; total; gesamt; **2.** Gesamtbetrag m; **3.** sich belaufen auf (acc.); summieren; ~itarian [toutæli'teəriən] totalitär; ~ity [tou'tæliti] Gesamtheit f.
**totter** ['totə] wanken, wackeln.
**touch** [tʌtʃ] **1.** (sich) berühren; anrühren, anfassen; stoßen an (acc.); betreffen; fig. rühren; erreichen; ♩ anschlagen; a bit ~ed fig. ein bißchen verrückt; ~ at ♪ anlegen in (dat.); ~ up auffrischen; retuschieren; **2.** Berührung f; Gefühl(sinn m) n; Anflug m, Zug m; Fertigkeit f; ♩ Anschlag m; (Pinsel-)Strich m; ~-and-go ['tʌtʃən'gou] gewagte Sache; it is ~ es steht auf des Messers Schneide; ~ing [~ʃiŋ] rührend; ~stone Prüfstein m; ~y [~ʃi] empfindlich; heikel.
**tough** [tʌf] zäh (a. fig.); schwer, hart; grob, brutal, übel; ~en ['tʌfn] zäh machen od. werden; ~ness [~nis] Zähigkeit f.
**tour** [tuə] **1.** (Rund)Reise f, Tour (-nee) f; conducted ~ Führung f; Gesellschaftsreise f; **2.** (be)reisen; ~ist ['tuərist] Tourist(in); ~ agency, ~ bureau, ~ office Reisebüro n; ~ season Reisezeit f.                    [n.]
**tournament** ['tuənəmənt] Turnier
**tousle** ['tauzl] (zer)zausen.
**tow** [tou] **1.** Schleppen n; take in ~ ins Schlepptau nehmen; **2.** (ab-)schleppen; treideln; ziehen.
**toward(s)** [tə'wɔːd(z)] gegen; nach ... zu, auf ... (acc.) zu; (als Beitrag) zu.
**towel** ['tauəl] **1.** Handtuch n; **2.** abreiben; ~rack Handtuchhalter m.
**tower** ['tauə] **1.** Turm m; fig. Hort m, Bollwerk n; sich erheben; ~ing □ ['tauəriŋ] (turm)hoch; rasend (Wut).

**town** [taun] **1.** Stadt f; **2.** Stadt...; städtisch; ~ clerk Stadtsyndikus m; ~ council Stadtrat m (Versammlung); ~ councillor Stadtrat m (Person); ~ hall Rathaus n; ~sfolk ['taunzfouk] pl. Städter pl.; ~ship ['taunʃip] Stadtgemeinde f; Stadtgebiet n; ~sman ['taunzmən] (Mit)Bürger m; ~speople [~zpiːpl] pl. = townsfolk.
**toxi|c(al** □) ['tɔksik(əl)] giftig; Gift...; ~n [~in] Giftstoff m.
**toy** [tɔi] **1.** Spielzeug n; Tand m; ~s pl. Spielwaren f/pl.; **2.** Spiel(zeug)...; Miniatur...; Zwerg...; **3.** spielen; ~book ['tɔibuk] Bilderbuch n.
**trace** [treis] **1.** Spur f (a. fig.); Strang m; **2.** nachspüren (dat.); fig. verfolgen; herausfinden; (auf-)zeichnen; (durch)pausen.
**tracing** ['treisiŋ] Pauszeichnung f.
**track** [træk] **1.** Spur f; Sport: Bahn f; Rennstrecke f; Pfad m; Gleis n; ~ events pl. Laufdisziplinen f/pl.; **2.** nachspüren (dat.); verfolgen; ~ down, ~ out aufspüren.
**tract** [trækt] Fläche f, Strecke f; Gegend f; Traktat n, Abhandlung f.
**tractable** □ ['træktəbl] lenk-, fügsam.
**tract|ion** ['trækʃən] Ziehen n, Zug m; ~ engine Zugmaschine f; ~or ⊕ [~ktə] Trecker m, Traktor m.
**trade** [treid] **1.** Handel m; Gewerbe n; Handwerk n; Am. Kompensationsgeschäft n; **2.** Handel treiben; handeln; ~ on ausnutzen; ~ mark ✝ Warenzeichen n, Schutzmarke f; ~ price Händlerpreis m; ~r ['treidə] Händler m; ~sman [~dzmən] Geschäftsmann m; ~ union Gewerkschaft f; ~ wind ♩ Passatwind m.
**tradition** [trə'diʃən] Tradition f, Überlieferung f; ~al □ [~nl] traditionell.
**traffic** ['træfik] **1.** Verkehr m; Handel m; **2.** handeln (in mit); ~ jam Verkehrsstauung f; ~ light Verkehrsampel f.
**traged|ian** [trə'dʒiːdjən] Tragiker m; thea. Tragöd|e m, -in f; ~y ['trædʒidi] Tragödie f.
**tragic(al** □) ['trædʒik(əl)] tragisch.
**trail** [treil] **1.** fig. Schweif m; Schleppe f; Spur f; Pfad m; **2.** v/t. hinter sich (her)ziehen; verfolgen;

*v/i.* (sich) schleppen; ⚬ kriechen; ~ **blazer** *Am.* Bahnbrecher *m*; ~**er** ['treilə] (Wohnwagen)Anhänger *m*; ⚬ Kriechpflanze *f*; *Film:* Vorschau *f*.

**train** [trein] **1.** (Eisenbahn)Zug *m*; *allg.* Zug *m*; Gefolge *n*; Reihe *f*, Folge *f*, Kette *f*; Schleppe *f* am *Kleid;* **2.** erziehen; schulen; abrichten; ausbilden; trainieren; (sich) üben; ~**ee** [trei'ni:] in der Ausbildung Begriffene(r) *m*; ~**er** ['treinə] Ausbilder *m*; Trainer *m*.

**trait** [trei] (Charakter)Zug *m*.

**traitor** ['treitə] Verräter *m*.

**tram** [træm] *s.* ~*-car*, ~*way;* ~**-car** ['træmka:] Straßenbahnwagen *m*.

**tramp** [træmp] **1.** Getrampel *n*; Wanderung *f*; Tramp *m*, Landstreicher *m*; **2.** trampeln, treten; (durch)wandern; ~**le** ['træmpl] (zer)trampeln.

**tramway** ['træmwei] Straßenbahn *f.*

**trance** [tra:ns] Trance *f.*

**tranquil** ☐ ['trænkwil] ruhig; gelassen; ~(**l**)**ity** [træn'kwiliti] Ruhe *f*; Gelassenheit *f*; ~(**l**)**ize** ['trænkwilaiz] beruhigen; ~(**l**)**izer** [~zə] Beruhigungsmittel *n.*

**transact** [træn'zækt] abwickeln, abmachen; ~**ion** [~kʃən] Verrichtung *f*; Geschäft *n*, Transaktion *f*; ~**s** *pl.* (Tätigkeits)Bericht(e *pl.*) *m.*

**transalpine** ['trænz'ælpain] transalpin(isch).

**transatlantic** ['trænzət'læntik] transatlantisch, Transatlantik...

**transcend** [træn'send] überschreiten, übertreffen; hinausgehen über *(acc.);* ~**ence**, ~**ency** [~dəns, ~si] Überlegenheit *f*; *phls.* Transzendenz *f.*

**transcribe** [træns'kraib] abschreiben; *Kurzschrift* übertragen.

**transcript** ['trænskript], ~**ion** [træns'kripʃən] Abschrift *f*; Umschrift *f.*

**transfer 1.** [træns'fə:] *v/t.* übertragen; versetzen, verlegen; *v/i.* übertreten; *Am.* umsteigen; **2.** ['trænsfə(:)] Übertragung *f*; ✝ Transfer *m*; Versetzung *f*, Verlegung *f*; *Am.* Umsteigefahrschein *m*; ~**able** [træns'fə:rəbl] übertragbar.

**transfigure** [træns'figə] umgestalten; verklären.

**transfix** [træns'fiks] durchstechen;

~**ed** *fig.* versteinert, starr (*with* vor *dat.*).

**transform** [træns'fɔ:m] umformen; um-, verwandeln; ~**ation** [trænsfə'meiʃən] Umformung *f*; Um-, Verwandlung *f.*

**transfus**|**e** [træns'fju:z] ✛ *Blut etc.* übertragen; *fig.* einflößen; *fig.* durchtränken; ~**ion** [~u:ʒən] *(bsd.* ✛ Blut)Übertragung *f*, Transfusion *f.*

**transgress** [træns'gres] *v/t.* überschreiten; übertreten, verletzen; *v/i.* sich vergehen; ~**ion** [~eʃən] Überschreitung *f*; Vergehen *n*; ~**or** [~esə] Übertreter *m.*

**transient** ['trænziənt] **1.** = *transitory;* **2.** *Am.* Durchreisende(r *m*) *f.*

**transit** ['trænsit] Durchgang *m*; Durchgangsverkehr *m.*

**transition** [træn'siʒən] Übergang *m.*

**transitive** ☐ *gr.* ['trænsitiv] transitiv.

**transitory** ☐ ['trænsitəri] vorübergehend; vergänglich, flüchtig.

**translat**|**e** [træns'leit] übersetzen, übertragen; überführen; *fig.* umsetzen; ~**ion** [~eiʃən] Übersetzung *f*, Übertragung *f*; *fig.* Auslegung *f*; ~**or** [~eitə] Übersetzer(in).

**translucent** [trænz'lu:snt] durchscheinend; *fig.* hell.

**transmigration** [trænzmai'greiʃən] (Aus)Wanderung *f*; Seelenwanderung *f.*

**transmission** [trænz'miʃən] Übermittlung *f*; *biol.* Vererbung *f*; *phys.* Fortpflanzung *f*; *mot.* Getriebe *n*; *Radio:* Sendung *f.*

**transmit** [trænz'mit] übermitteln, übersenden; übertragen; senden; *biol.* vererben; *phys.* fortpflanzen; ~**ter** [~tə] Übermittler(in); *tel. etc.* Sender *m.*

**transmute** [trænz'mju:t] um-, verwandeln.

**transparent** ☐ [træns'pɛərənt] durchsichtig (*a. fig.*).

**transpire** [træns'paiə] ausdünsten, ausschwitzen; *fig.* durchsickern.

**transplant** [træns'pla:nt] um-, verpflanzen; ~**ation** [trænspla:n'teiʃən] Verpflanzung *f.*

**transport 1.** [træns'pɔ:t] fortschaffen, befördern, transportieren; *fig.* hinreißen; **2.** ['trænspɔ:t] Fortschaffen *n*; Beförderung *f*; Transport *m*; Verkehr *m*; Beförderungsmittel *n*; Transportschiff *n*; Verzückung *f*; *be in* ~s außer sich sein; **~ation** [trænspɔ'teiʃən] Beförderung *f*, Transport *m*.

**transpose** [træns'pouz] versetzen, umstellen; *♪* transponieren.

**transverse** □ ['trænzvɔ:s] quer laufend; Quer...

**trap** [træp] **1.** Falle *f* (*a. fig.*); Klappe *f*; **2.** (in e-r Falle) fangen, in die Falle locken; fig. ertappen; **~door** ['træpdɔ:] Falltür *f*; *thea.* Versenkung *f*.

**trapeze** [trə'pi:z] *Zirkus*: Trapez *n*.

**trapper** ['træpə] Trapper *m*, Fallensteller *m*, Pelzjäger *m*.

**trappings** *fig.* ['træpiŋz] *pl.* Schmuck *m*, Putz *m*.

**traps** F [træps] *pl.* Siebensachen *pl.*

**trash** [træʃ] Abfall *m*; *fig.* Plunder *m*; Unsinn *m*, F Blech *n*; Kitsch *m*; **~y** □ ['træʃi] wertlos, kitschig.

**travel** ['trævl] **1.** *v/i.* reisen; sich bewegen; wandern; *v/t.* bereisen; **2.** *das* Reisen; ⊕ Lauf *m*; ~s *pl.* Reisen *f/pl.*; **~(l)er** [~lə] Reisende(r) *m*; ~'s cheque (*Am.* check) Reisescheck *m*.

**traverse** ['trævə(:)s] **1.** Durchquerung *f*; **2.** (über)queren; durchqueren; *fig.* durchkreuzen.

**travesty** ['trævisti] **1.** Travestie *f*; Karikatur *f*; **2.** travestieren; verulken.

**trawl** [trɔ:l] **1.** (Grund)Schleppnetz *n*; **2.** mit dem Schleppnetz fischen; **~er** ['trɔ:lə] Trawler *m*.

**tray** [trei] (Servier)Brett *n*, Tablett *n*; Ablage *f*; *pen*-~ Federschale *f*.

**treacher|ous** □ ['tretʃərəs] verräterisch, treulos; (heim)tückisch; trügerisch; **~y** [~ri] Verrat *m*, Verräterei *f*, Treulosigkeit *f*; Tücke *f*.

**treacle** ['tri:kl] Sirup *m*.

**tread** [tred] **1.** [*irr.*] treten; schreiten; **2.** Tritt *m*, Schritt *m*; Lauffläche *f*; **~le** ['tredl] Pedal *n*; Tritt *m*; **~mill** Tretmühle *f*.

**treason** ['tri:zn] Verrat *m*; **~able** □ [~nəbl] verräterisch.

**treasure** ['treʒə] **1.** Schatz *m*, Reichtum *m*; ~ trove Schatzfund *m*; **2.** *Schätze* sammeln, aufhäufen; **~r** [~ərə] Schatzmeister *m*, Kassenwart *m*.

**treasury** ['treʒəri] Schatzkammer *f*; (*bsd.* Staats)Schatz *m*; ♀ **Bench**

*parl.* Ministerbank *f*; ♀ **Board**, *Am.* ♀ **Department** Finanzministerium *n*.

**treat** [tri:t] **1.** *v/t.* behandeln; betrachten; ~ *s.o. to s.th.* j-m et. spendieren; *v/i.* ~ *of* handeln von; ~ *with* unterhandeln mit; **2.** Vergnügen *n*; *school* ~ Schulausflug *m*; *it is my* ~ F es geht auf meine Rechnung; **~ise** ['tri:tiz] Abhandlung *f*; **~ment** [~tmənt] Behandlung *f*; *♂* Kur *f*; *follow-up* ~ *♂* Nachkur *f*; **~y** [~ti] Vertrag *m*.

**treble** ['trebl] **1.** □ dreifach; **2.** Dreifache(s) *n*; *♪* Diskant *m*, Sopran *m*; **3.** (sich) verdreifachen.

**tree** [tri:] Baum *m*.

**trefoil** ♀ ['trefɔil] Klee *m*.

**trellis** ['trelis] **1.** *♪* Spalier *n*; **2.** vergittern; *♪* am Spalier ziehen.

**tremble** ['trembl] zittern.

**tremendous** □ [tri'mendəs] schrecklich, furchtbar; F kolossal, riesig.

**tremor** ['tremə] Zittern *n*, Beben *n*.

**tremulous** □ ['tremjuləs] zitternd, bebend.

**trench** [trentʃ] **1.** (Schützen)Graben *m*; Furche *f*; **2.** *v/t.* mit Gräben durchziehen; *♪* umgraben; ~ (*up*)*on* eingreifen in (*acc.*); **~ant** □ ['trentʃənt] scharf.

**trend** [trend] **1.** Richtung *f*; *fig.* Lauf *m*; *fig.* Strömung *f*; Tendenz *f*; **2.** sich erstrecken, laufen.

**trepidation** [trepi'deiʃən] Zittern *n*, Beben *n*; Bestürzung *f*.

**trespass** ['trespəs] **1.** Übertretung *f*; **2.** unbefugt eindringen (*on, upon* in *acc.*); über Gebühr in Anspruch nehmen; **~er** *♂♀* [~ sə] Rechtsverletzer *m*; Unbefugte(r *m*) *f*.

**tress** [tres] Haarlocke *f*, -flechte *f*.

**trestle** ['tresl] Gestell *n*, Bock *m*.

**trial** ['traiəl] Versuch *m*; Probe *f*, Prüfung *f* (*a. fig.*); Plage *f*; *♂♀* Verhandlung *f*, Prozeß *m*; *on* ~ auf Probe; vor Gericht; *give s.o. a* ~ es mit j-m versuchen; ~ **run** Probefahrt *f*.

**triang|le** ['traiæŋgl] Dreieck *n*; **~ular** □ [trai'æŋgjulə] dreieckig.

**tribe** [traib] Stamm *m*; Geschlecht *n*; *contp.* Sippe *f*; ♀, *zo.* Klasse *f*.

**tribun|al** [trai'bju:nl] Richterstuhl *m*; Gericht(shof *m*) *n*; **~e** ['tribju:n] Tribun *m*; Tribüne *f*.

**tribut|ary** ['tribjutəri] **1.** □ zinspflichtig; *fig.* helfend; Neben...;

**2.** Nebenfluß *m*; ~e [~juːt] Tribut *m* (*a. fig.*), Zins *m*; Anerkennung *f*.

**trice** [trais]: *in a* ~ im Nu.

**trick** [trik] **1.** Kniff *m*, List *f*, Trick *m*; Kunstgriff *m*, -stück *m*; Streich *m*; Eigenheit *f*; **2.** betrügen; herausputzen; ~ery ['trikəri] Betrügerei *f*.

**trickle** ['trikl] tröpfeln, rieseln.

**trick**|**ster** ['trikstə] Gauner *m*; ~y □ [~ki] verschlagen; F heikel; verzwickt, verwickelt, schwierig.

**tricycle** ['traisikl] Dreirad *n*.

**trident** ['traidənt] Dreizack *m*.

**trifl**|**e** ['traifl] **1.** Kleinigkeit *f*; Lappalie *f*; *a* ~ ein bißchen, ein wenig, etwas; **2.** *v/i.* spielen, spaßen; *v/t.* ~ *away* verschwenden; ~**ing** □ [~liŋ] geringfügig; unbedeutend.

**trig** [trig] **1.** hemmen; **2.** schmuck.

**trigger** ['trigə] Abzug *m am Gewehr*; *phot.* Auslöser *m*.

**trill** [tril] **1.** Triller *m*; gerolltes R; **2.** trillern; *bsd.* das R rollen.

**trillion** ['triljən] Trillion *f*; *Am.* Billion *f*.

**trim** [trim] **1.** □ ordentlich; schmuck; gepflegt; **2.** (richtiger) Zustand; Ordnung *f*; **3.** zurechtmachen; (~ *up* aus)putzen, schmücken; besetzen; stutzen; beschneiden; ✄, ⚓ trimmen; ~**ming** ['trimiŋ] *mst* ~*s pl.* Besatz *m*, Garnierung *f*.

**Trinity** *eccl.* ['triniti] Dreieinigkeit *f*.

**trinket** ['triŋkit] wertloses Schmuckstück; ~*s pl.* F Kinkerlitzchen *pl.*

**trip** [trip] **1.** Reise *f*, Fahrt *f*; Ausflug *m*, Spritztour *f*; Stolpern *n*, Fallen *n*; Fehltritt *m* (*a. fig.*); *fig.* Versehen *n*, Fehler *m*; **2.** *v/i.* trippeln; stolpern; *e-n* Fehltritt tun (*a. fig.*); *fig.* e-n Fehler machen; *v/t.* *a.* ~ *up j-m* ein Bein stellen (*a. fig.*).

**tripartite** ['trai'pɑːtait] dreiteilig.

**tripe** [traip] Kaldaunen *f/pl.*

**triple** □ ['tripl] dreifach; ~**ts** [~lits] *pl.* Drillinge *m/pl.*

**triplicate 1.** ['triplikit] dreifach; **2.** [~keit] verdreifachen.

**tripod** ['traipɔd] Dreifuß *m*; *phot.* Stativ *n.*

**tripper** F ['tripə] Ausflügler(in).

**trite** □ [trait] abgedroschen, platt.

**triturate** ['tritjureit] zerreiben.

**triumph** ['traiəmf] **1.** Triumph *m*, Sieg *m*; **2.** triumphieren; ~**al** [trai'Amfəl] Sieges..., Triumph...; ~**ant** □ [~ənt] triumphierend.

**trivial** □ ['triviəl] bedeutungslos; unbedeutend; trivial; alltäglich.

**trod** [trɔd] *pret. von* tread 1; ~**den** ['trɔdn] *p.p. von* tread 1.

**troll** [troul] (vor sich hin)trällern.

**troll(e)y** ['trɔli] Karren *m*; Draisine *f*; Servierwagen *m*; ⚡ Kontaktrolle *f e-s Oberleitungsfahrzeugs*; *Am.* Straßenbahnwagen *m*; ~**bus** O(berleitungs)bus *m.*                          [Hure *f.*]

**trollop** ['trɔləp] F Schlampe *f*;]

**trombone** ♪ [trɔm'boun] Posaune *f.*

**troop** [truːp] **1.** Truppe *f*; Schar *f*; ✕ (Reiter)Zug *m*; **2.** sich scharen, sich sammeln; ~ *away*, ~ *off* abziehen; ~*ing the colour*(s) ✕ Fahnenparade *f*; ~**er** ☆ ['truːpə] Kavallerist *m.*

**trophy** ['troufi] Trophäe *f.*

**tropic** ['trɔpik] Wendekreis *m*; ~*s pl.* Tropen *pl.*; ~(**al** □) [~k(ə)l] tropisch.

**trot** [trɔt] **1.** Trott *m*, Trab *m*; **2.** traben (lassen).

**trouble** ['trʌbl] **1.** Unruhe *f*; Störung *f*; Kummer *m*, Not *f*; Mühe *f*; Plage *f*; Unannehmlichkeiten *f/pl.*; *ask od. look for* ~ sich (selbst) Schwierigkeiten machen; *take* (*the*) ~ sich (die) Mühe machen; **2.** stören, beunruhigen, belästigen; quälen, plagen; Mühe machen (*dat.*); (sich) bemühen; ~ *s.o. for j-n* bemühen um; ~**man**, ~**shooter** *Am.* F Störungssucher *m*; ~**some** □ [~səm] beschwerlich, lästig.

**trough** [trɔf] (Futter)Trog *m*; Backtrog *m*, Mulde *f.*

**trounce** F [trauns] *j-n* verhauen.

**troupe** *thea.* [truːp] Truppe *f.*

**trousers** ['trauzəz] *pl.* (*a pair of* ~ *pl.* eine) (lange) Hose; Hosen *f/pl.*

**trousseau** ['truːsou] Aussteuer *f.*

**trout** *ichth.* [traut] Forelle(n *pl.*) *f.*

**trowel** ['trauəl] Maurerkelle *f.*

**truant** ['tru(ː)ənt] **1.** müßig; **2.** Schulschwänzer *m*; *fig.* Bummler *m.*

**truce** [truːs] Waffenstillstand *m.*

**truck** [trʌk] **1.** (offener) Güterwagen; Last(kraft)wagen *m*, Lkw *m*; Transportkarren *m*; Tausch (-handel) *m*; Verkehr *m*; Naturallohnsystem *n*; *Am.* Gemüse *n*; **2.** (ver)tauschen; ~**farm** *Am.* ['trʌkfɑːm] Gemüsegärtnerei *f.*

**truckle** ['trʌkl] zu Kreuze kriechen.
**truculent** □ ['trʌkjulənt] wild, roh.
**trudge** [trʌdʒ] wandern; sich (dahin)schleppen, mühsam gehen.
**true** [tru:] wahr; echt, wirklich; treu; genau; richtig; *it is ~* gewiß, freilich, zwar; *come ~* sich bewahrheiten; in Erfüllung gehen; *~ to nature* naturgetreu.
**truism** ['tru(:)izm] Binsenwahrheit f.
**truly** ['tru:li] wirklich; wahrhaft; aufrichtig; genau; treu; *Yours ~* Hochachtungsvoll.
**trump** [trʌmp] **1.** Trumpf m; **2.** (über)trumpfen; *~ up* erdichten; *~ery* ['trʌmpəri] Plunder m.
**trumpet** ['trʌmpit] **1.** Trompete f; **2.** trompeten; *fig.* ausposaunen.
**truncheon** ['trʌntʃən] (Polizei-) Knüppel m; Kommandostab m.
**trundle** ['trʌndl] rollen.
**trunk** [trʌŋk] (Baum)Stamm m; Rumpf m; Rüssel m; *großer* Koffer; *~-call* teleph. ['trʌŋkkɔ:l] Ferngespräch n; *~-exchange* teleph. Fernamt n; *~-line* 🚂 Hauptlinie f; teleph. Fernleitung f; *~s* [trʌŋks] pl. Turnhose f; Badehose f; Herrenunterhose f.
**trunnion** ⊕ ['trʌnjən] Zapfen m.
**truss** [trʌs] **1.** Bündel n, Bund n; 🌿 Büschel m; △ Binder m, Gerüst n; **2.** (zs.-)binden; △ stützen.
**trust** [trʌst] **1.** Vertrauen n; Glaube m; Kredit m; Pfand n; Verwahrung f; ⚖ Treuhand f; ✝ Ring m, Trust m; *~ company* Treuhandgesellschaft f; *in ~* zu treuen Händen; **2.** v/t. (ver)trauen (dat.); anvertrauen, übergeben (s.o. with s.th., s.th. to s.o. j-m et.); zuversichtlich hoffen; v/i. vertrauen (in, to auf acc.); *~ee* [trʌs'ti:] Sach-, Verwalter m; ⚖ Treuhänder m; *~ful* □ ['trʌstful], *~ing* [~tiŋ] vertrauensvoll; *~worthy* [~twə:ði] vertrauenswürdig; zuverlässig.
**truth** [tru:θ], pl. *~s* [tru:ðz] Wahrheit f; Wirklichkeit f; Wahrhaftigkeit f; Genauigkeit f; *~ful* □ ['tru:θful] wahrhaft(ig).
**try** [trai] **1.** versuchen, probieren; prüfen; ⚖ verhandeln über et. od. gegen j-n; vor Gericht stellen; aburteilen; *die Augen* etc. angreifen; sich bemühen od. bewerben; *~ on Kleid* anprobieren; **2.** Versuch m;

**~ing** □ ['traiiŋ] anstrengend; kritisch.
**Tsar** [zɑ:] Zar m.
**T-shirt** ['ti:ʃə:t] kurzärmeliges Sporthemd.
**tub** [tʌb] **1.** Faß n, Zuber m; Kübel m; Badewanne f; F (Wannen)Bad n.
**tube** [tju:b] Rohr n; (Am. bsd. Radio)Röhre f; Tube f; (Luft-) Schlauch m; Tunnel m; F (Londoner) Untergrundbahn f.
**tuber** 🌿 ['tju:bə] Knolle f; *~culosis* [tju(:)bə:kju'lousis] Tuberkulose f.
**tubular** □ ['tju:bjulə] röhrenförmig.
**tuck** [tʌk] **1.** Falte f; Abnäher m; **2.** ab-, aufnähen; packen, stecken; *~ up* hochschürzen, aufkrempeln; *in e-e Decke* etc. einwickeln.
**Tuesday** ['tju:zdi] Dienstag m.
**tuft** [tʌft] Büschel n, Busch m; (Haar)Schopf m.
**tug** [tʌg] **1.** Zug m, Ruck m; ⚓ Schlepper m; *fig.* Anstrengung f; **2.** ziehen, zerren; ⚓ schleppen; sich mühen.
**tuition** [tju(:)'iʃən] Unterricht m; Schulgeld n.
**tulip** 🌿 ['tju:lip] Tulpe f.
**tumble** ['tʌmbl] **1.** v/i. fallen, purzeln; taumeln; sich wälzen; v/t. werfen; zerknüllen; **2.** Sturz m; Wirrwarr m; *~down* baufällig; *~r* [~ə] Becher m; orn. Tümmler m.
**tumid** □ ['tju:mid] geschwollen.
**tummy** F ['tʌmi] Bäuchlein n, Magen m.
**tumo(u)r** ⚕ ['tju:mə] Tumor m.
**tumult** ['tju:mʌlt] Tumult m; *~uous* □ [tju(:)'mʌltjuəs] stürmisch.
**tun** [tʌn] Tonne f, Faß n.
**tuna** ichth. ['tu:nə] Thunfisch m.
**tune** [tju:n] **1.** Melodie f, Weise f; ♪ Stimmung f (a. fig.); *in ~* (gut-)gestimmt; *out of ~* verstimmt; **2.** stimmen (a. fig.); *~ in Radio:* einstellen; *~ up die Instrumente* stimmen; *fig. Befinden* etc. heben; mot. die Leistung erhöhen; *~ful* □ ['tju:nful] melodisch; *~less* □ [~nlis] unmelodisch.
**tunnel** ['tʌnl] **1.** Tunnel m; 🚂 Stollen m; **2.** e-n Tunnel bohren (durch).
**tunny** ichth. ['tʌni] Thunfisch m.
**turbid** □ ['tə:bid] trüb; dick.
**turb|ine** ⊕ ['tə:bin] Turbine f;

**~o-jet** ['tɔ:bou'dʒet] Strahlturbine f; **~o-prop** [ˌou'prɔp] Propeller-turbine f.

**turbot** ichth. ['tɔ:bət] Steinbutt m.

**turbulent** □ ['tɔ:bjulənt] unruhig; ungestüm; stürmisch, turbulent.

**tureen** [tə'ri:n] Terrine f.

**turf** [tɔ:f] **1.** Rasen m; Torf m; Rennbahn f; Rennsport m; **2.** mit Rasen bedecken; **~y** ['tɔ:fi] rasenbedeckt.

**turgid** □ ['tɔ:dʒid] geschwollen.

**Turk** [tɔ:k] Türk|e m, -in f.

**turkey** ['tɔ:ki] orn. Truthahn m, -henne f, Pute(r m) f; Am. sl. thea., Film: Pleite f, Versager m.

**Turkish** ['tɔ:kiʃ] türkisch.

**turmoil** ['tɔ:mɔil] Aufruhr m, Unruhe f; Durcheinander n.

**turn** [tɔ:n] **1.** v/t. drehen; (um)wenden, umkehren; lenken; verwandeln; abbringen; abwehren; übertragen; bilden; drechseln; verrückt machen; **~** a corner um eine Ecke biegen; **~** s.o. against j-n aufbringen gegen; **~** aside abwenden; **~** away abwenden; abweisen; **~** down umbiegen; Gas etc. kleinstellen; Decke etc. zurückschlagen; ablehnen; **~** off ableiten (a. fig.); hinauswerfen; wegjagen; **~** off (on) ab- (an)drehen, ab- (ein)schalten; **~** out hinauswerfen; Fabrikat herausbringen; Gas etc. ausdrehen; **~** over umwenden; fig. übertragen; **†** umsetzen; überlegen; **~** up nach oben richten; hochklappen; umwenden; Hose etc. auf-, umschlagen; Gas etc. aufdrehen; v/i. sich (um)drehen; sich wenden; sich umwenden; umschlagen (Wetter etc.); Christ, grau etc. werden; a. **~** sour sauer werden (Milch); **~** about sich umdrehen; **~** kehrtmachen; **~** back zurückkehren; **~** in einkehren; F zu Bett gehen; **~** off abbiegen; **~** on sich drehen um; **~** out ausfallen, ausgehen; sich herausstellen als; **~** to sich zuwenden (dat.), sich wenden an (acc.); werden zu; **~** up auftauchen; **~** upon sich wenden gegen; **2.** (Um)Drehung f; Biegung f; Wendung f; Neigung f; Wechsel m; Gestalt f, Form f; Spaziergang m; Reihe(nfolge) f; Dienst(leistung f) m; F Schreck m; at every **~** auf Schritt und Tritt; by od. in **~s** der Reihe nach, abwechselnd; it is my

**~** ich bin an der Reihe; take **~s** mit-ea. abwechseln; does it serve your **~?** entspricht das Ihren Zwecken?; **~coat** ['tɔ:nkout] Abtrünnige(r) m; **~er** ['tɔ:nə] Drechsler m; **~ery** [ˌɔri] Drechslerei f; Drechslerarbeit f.

**turning** ['tɔ:niŋ] Drechseln n; Wendung f; Biegung f; Straßenecke f; (Weg)Abzweigung f; Querstraße f; **~-point** fig. Wendepunkt m.

**turnip** ♀ ['tɔ:nip] (bsd. weiße) Rübe.

**turn|key** ['tɔ:nki:] Schließer m; **~out** ['tɔ:n'aut] Ausstaffierung f; Arbeitseinstellung f; **†** Gesamtproduktion f; Umsatz m; **~over** ['tɔ:nouvə] **†** Umsatz m; Verschiebung f; **~pike** Schlagbaum m; (gebührenpflichtige) Schnellstraße; **~stile** Drehkreuz n.                          [pentin n.\

**turpentine** [🜨] ['tɔ:pəntain] Ter-]

**turpitude** ['tɔ:pitju:d] Schändlichkeit f.

**turret** ['tʌrit] Türmchen n; ✕, ⚓ Panzerturm m; ✈ Kanzel f.

**turtle** ['tɔ:tl] zo. Schildkröte f; orn. mst **~-dove** Turteltaube f.

**tusk** [tʌsk] Fangzahn m; Stoßzahn m; Hauer m.

**tussle** ['tʌsl] **1.** Rauferei f, Balgerei f; **2.** raufen, sich balgen.

**tussock** ['tʌsək] Büschel n.

**tut** [tʌt] ach was!; Unsinn!

**tutelage** ['tju:tilidʒ] 🙖 Vormundschaft f; Bevormundung f.

**tutor** ['tju:tə] **1.** (Privat-, Haus-) Lehrer m; univ. Tutor m; Am.univ. Assistent m mit Lehrauftrag; 🙖 Vormund m; **2.** unterrichten, schulen, erziehen; fig. beherrschen; **~ial** [tju(:)'tɔ:riəl] univ. Unterrichtsstunde f e-s Tutors; attr. Lehrer...; Tutoren...

**tuxedo** Am. [tʌk'si:dou] Smoking m.

**TV** ['ti:'vi:] Fernsehen n; Fernsehapparat m; attr. Fernseh...

**twaddle** ['twɔdl] **1.** Geschwätz n; **2.** schwatzen, quatschen.

**twang** [twæŋ] **1.** Schwirren n; mst nasal **~** näselnde Aussprache; **2.** schwirren (lassen); klimpern; näseln.

**tweak** [twi:k] zwicken.

**tweet** [twi:t] zwitschern.

**tweezers** ['twi:zəz] pl. (a pair of **~** pl. eine) Pinzette f.

**twelfth** [twelfθ] **1.** zwölfte(r, -s);

**2.** Zwölftel n; **2-night** ['twelfθnait] Dreikönigsabend m.

**twelve** [twelv] zwölf.

**twent|ieth** ['twentiiθ] **1.** zwanzigste(r, -s); **2.** Zwanzigstel n; **~y** [~ti] zwanzig.

**twice** [twais] zweimal.

**twiddle** ['twidl] (sich) drehen; mit et. spielen.

**twig** [twig] Zweig m, Rute f.

**twilight** ['twailait] Zwielicht n; Dämmerung f (a. fig.).

**twin** [twin] **1.** Zwillings...; doppelt; **2.** Zwilling m; **~-engined** ✈ ['twinendʒind] zweimotorig.

**twine** [twain] **1.** Bindfaden m, Schnur f; Zwirn m; **2.** zs.-drehen; verflechten; (sich) schlingen od. winden; umschlingen, umranken.

**twinge** [twindʒ] Zwicken n; Stich m; bohrender Schmerz.

**twinkle** ['twiŋkl] **1.** funkeln, blitzen; huschen; zwinkern; **2.** Funkeln n, Blitzen n; (Augen)Zwinkern n, Blinzeln n.

**twirl** [twɔ:l] **1.** Wirbel m; **2.** wirbeln.

**twist** [twist] **1.** Drehung f; Windung f; Verdrehung f; Verdrehtheit f; Neigung f; (Gesichts)Verzerrung f; Garn n; Kringel m, Zopf m (Backwaren); **2.** (sich) drehen od. winden; zs.-drehen; verdrehen, verziehen, verzerren.

**twit** fig. [twit] j-n aufziehen.

**twitch** [twitʃ] **1.** zupfen (an dat.); zucken; **2.** Zupfen n; Zuckung f.

**twitter** ['twitə] **1.** zwitschern; **2.** Gezwitscher n; be in a ~ zittern.

**two** [tu:] **1.** zwei; in ~ entzwei; put ~ and ~ together sich et. zs.-reimen; **2.** Zwei f; in ~s zu zweien; **~-bit**

Am. F ['tu:bit] 25-Cent...; fig. unbedeutend, Klein...; **~-edged** ['tu:-'edʒd] zweischneidig; **~fold** ['tu:-fould] zweifach; **~pence** ['tʌpəns] zwei Pence; **~penny** ['tʌpni] zwei Pence wert; **~-piece** ['tu:pi:s] zweiteilig; **~-seater** mot. ['tu:'si:tə] Zweisitzer m; **~-storey** ['tu:stɔ:ri], **~-storied** zweistöckig; **~-stroke** mot. Zweitakt...; **~-way** Doppel...; ~ adapter ⚡ Doppelstecker m; ~ traffic Gegenverkehr m.

**tycoon** Am. F [tai'ku:n] Industriekapitän m, Industriemagnat m.

**tyke** [taik] Köter m; Kerl m.

**type** [taip] Typ m; Urbild n; Vorbild n; Muster n; Art f; Sinnbild n; typ. Type f, Buchstabe m; true to ~ artecht; set in ~ setzen; **~write** ['taiprait] [irr. (write)] (mit der) Schreibmaschine schreiben; **~writer** Schreibmaschine f; ~ ribbon Farbband n.

**typhoid** 🏥 ['taifoid] **1.** typhös; ~ fever = **2.** (Unterleibs)Typhus m.

**typhoon** [tai'fu:n] Taifun m.

**typhus** 🏥 ['taifəs] Flecktyphus m.

**typi|cal** ⬜ ['tipikəl] typisch; richtig; bezeichnend, kennzeichnend; **~fy** [~ifai] typisch sein für; versinnbildlichen; **~st** ['taipist] a. shorthand ~ Stenotypistin f.

**tyrann|ic(al** ⬜) [ti'rænik(əl)] tyrannisch; **~ize** ['tirənaiz] tyrannisieren; **~y** [~ni] Tyrannei f.

**tyrant** ['taiərənt] Tyrann(in).

**tyre** ['taiə] s. tire 1.

**tyro** ['taiərou] s. tiro.

**Tyrolese** [tirə'li:z] **1.** Tiroler(in); **2.** tirolisch, Tiroler...

**Tzar** [zɑ:] Zar m.

# U

**ubiquitous** ⬜ [ju(:)'bikwitəs] allgegenwärtig, überall zu finden(d).

**udder** ['ʌdə] Euter n.

**ugly** ⬜ ['ʌgli] häßlich; schlimm.

**ulcer** 🏥 ['ʌlsə] Geschwür n; (Eiter-) Beule f; **~ate** 🏥 [~əreit] eitern (lassen); **~ous** 🏥 [~rəs] geschwürig.

**ulterior** ⬜ [ʌl'tiəriə] jenseitig; fig. weiter; tiefer liegend, versteckt.

**ultimate** ⬜ ['ʌltimit] letzt; endlich; End...; **~ly** [~tli] zu guter Letzt.

**ultimat|um** ['ʌlti'meitəm], pl. a. **~a** [~tə] Ultimatum n.

**ultimo** ✝ ['ʌltimou] vorigen Monats.

**ultra** ['ʌltrə] übermäßig; Ultra...,
ultra...; **~fashionable** ['ʌltrə'fæʃə-
nəbl] hypermodern; **~modern**
hypermodern.

**umbel** ♀ ['ʌmbəl] Dolde *f*.

**umbrage** ['ʌmbridʒ] Anstoß *m*
(*Ärger*); Schatten *m*.

**umbrella** [ʌm'brelə] Regenschirm
*m*; *fig*. Schirm *m*, Schutz *m*; ✂ Ab-
schirmung *f*.

**umpire** ['ʌmpaiə] **1.** Schiedsrichter
*m*; **2.** Schiedsrichter sein.

**un...** [ʌn] un...; Un...; ent...; nicht...

**unabashed** ['ʌnə'bæʃt] unverfroren;
unerschrocken.

**unabated** ['ʌnə'beitid] unvermin-
dert.

**unable** ['ʌn'eibl] unfähig, außerstande.

**unaccommodating** ['ʌnə'kɔmədei-
tiŋ] unnachgiebig.

**unaccountable** □ ['ʌnə'kauntəbl]
unerklärlich; seltsam; nicht zur
Rechenschaft verpflichtet.

**unaccustomed** ['ʌnə'kʌstəmd] ungewohnt; ungewöhnlich.

**unacquainted** ['ʌnə'kweintid]: ~
*with* unbekannt mit, *e-r S* unkundig.

**unadvised** □ ['ʌnəd'vaizd] unbedacht; unberaten.

**unaffected** □ ['ʌnə'fektid] unberührt; ungerührt; ungekünstelt.

**unaided** ['ʌn'eidid] ohne Unterstützung; (ganz) allein; bloß (*Auge*).

**unalter|able** □ [ʌn'ɔːltərəbl] un-
veränderlich; **~ed** ['ʌn'ɔːltəd] unverändert.

**unanim|ity** [juːnə'nimiti] Einmü-
tigkeit *f*; **~ous** □ [juː(ː)'næniməs]
einmütig, einstimmig.

**unanswer|able** □ [ʌn'ɑːnsərəbl]
unwiderleglich; **~ed** ['ʌn'ɑːnsəd]
unbeantwortet.

**unapproachable** □ [ʌnə'prəutʃəbl]
unzugänglich.

**unapt** □ [ʌn'æpt] ungeeignet.

**unashamed** □ ['ʌnə'ʃeimd] schamlos.

**unasked** ['ʌn'ɑːskt] unverlangt;
ungebeten.

**unassisted** □ ['ʌnə'sistid] ohne
Hilfe *od*. Unterstützung.

**unassuming** □ ['ʌnə'sjuːmiŋ] anspruchslos, bescheiden.

**unattached** ['ʌnə'tætʃt] nicht gebunden; ungebunden, ledig, frei.

**unattractive** □ [ʌnə'træktiv] we-

nig anziehend, reizlos; uninteressant.

**unauthorized** ['ʌn'ɔːθəraizd] unberechtigt, unbefugt.

**unavail|able** ['ʌnə'veiləbl] nicht
verfügbar; **~ing** [.liŋ] vergeblich.

**unavoidable** □ [ʌnə'vɔidəbl] unvermeidlich.

**unaware** [ʌnə'wɛə] ohne Kenntnis; *be ~ of et*. nicht merken; **~s**
[.ɛəz] unversehens, unvermutet;
versehentlich.

**unbacked** ['ʌn'bækt] ohne Unterstützung; ungedeckt (*Scheck*).

**unbag** ['ʌn'bæg] aus dem Sack
holen *od*. lassen.

**unbalanced** ['ʌn'bælənst] nicht im
Gleichgewicht befindlich; unaus-
geglichen; geistesgestört.

**unbearable** □ [ʌn'bɛərəbl] unerträglich.

**unbeaten** ['ʌn'biːtn] ungeschlagen;
unbetreten (*Weg*).

**unbecoming** □ ['ʌnbi'kʌmiŋ] un-
kleidsam; unziemlich, unschicklich.

**unbeknown** F ['ʌnbi'nəun] unbekannt.

**unbelie|f** ['ʌnbi'liːf] Unglaube *m*;
**~vable** □ [ʌnbi'liːvəbl] unglaublich; **~ving** □ ['ʌnbi'liːviŋ] ungläubig.

**unbend** ['ʌn'bend] [*irr. (bend)*]
(sich) entspannen; freundlich werden, auftauen; **~ing** [.diŋ] un-
biegsam; *fig*. unbeugsam.

**unbias(s)ed** ['ʌn'baiəst] vorur-
teilsfrei, unbefangen, unbeeinflußt.

**unbid(den)** ['ʌn'bid(n)] ungehei-
ßen, unaufgefordert; ungebeten.

**unbind** ['ʌn'baind] [*irr. (bind)*] losbinden, befreien; lösen.

**unblushing** □ [ʌn'blʌʃiŋ] schamlos.

**unborn** ['ʌn'bɔːn] (noch) unge-
boren.

**unbosom** [ʌn'buzəm] offenbaren.

**unbounded** □ [ʌn'baundid] unbegrenzt; schrankenlos.

**unbroken** □ ['ʌn'brəukən] ungebro-
chen; unversehrt; ununterbrochen.

**unbutton** ['ʌn'bʌtn] aufknöpfen.

**uncalled-for** [ʌn'kɔːldfɔː] unge-
rufen; unverlangt (*S*.); unpassend.

**uncanny** □ [ʌn'kæni] unheimlich.

**uncared-for** ['ʌn'kɛədfɔː] unbeachtet, vernachlässigt.

**unceasing** □ [ʌn'siːsiŋ] unaufhörlich.

**unceremonious** □ ['ʌnseri'mou-njəs] ungezwungen; formlos.

**uncertain** □ [ʌn'sə:tn] unsicher; ungewiß; unbestimmt; unzuverlässig; **~ty** [~nti] Unsicherheit *f*.

**unchallenged** ['ʌn'tʃælindʒd] unangefochten.

**unchang|eable** □ [ʌn'tʃeindʒəbl] unveränderlich, unwandelbar; **~ed** ['ʌn'tʃeindʒd] unverändert; **~ing** [~'ʌn'tʃeindʒiŋ] unveränderlich.

**uncharitable** □ [ʌn'tʃæritəbl] lieblos; unbarmherzig; unfreundlich.

**unchecked** ['ʌn'tʃekt] ungehindert.

**uncivil** □ ['ʌn'sivl] unhöflich; **~ized** [~vilaizd] unzivilisiert.

**unclaimed** ['ʌn'kleimd] nicht beansprucht; unzustellbar (*bsd. Brief*).

**unclasp** ['ʌn'klɑ:sp] auf-, loshaken, auf-, losschnallen; aufmachen.

**uncle** ['ʌŋkl] Onkel *m*.

**unclean** □ ['ʌn'kli:n] unrein.

**unclose** ['ʌn'klouz] (sich) öffnen.

**uncomely** ['ʌn'kʌmli] reizlos; unpassend.

**uncomfortable** □ [ʌn'kʌmfətəbl] unbehaglich, ungemütlich; unangenehm.

**uncommon** □ [ʌn'kɔmən] ungewöhnlich.

**uncommunicative** □ ['ʌnkə'mju:nikətiv] wortkarg, schweigsam.

**uncomplaining** □ ['ʌnkəm'pleiniŋ] klaglos; ohne Murren; geduldig.

**uncompromising** □ [ʌn'kɔmprəmaiziŋ] kompromißlos.

**unconcern** ['ʌnkən'sə:n] Unbekümmertheit *f*; Gleichgültigkeit *f*; **~ed** □ [~nd] unbekümmert; unbeteiligt.

**unconditional** □ ['ʌnkən'diʃənl] unbedingt; bedingungslos.

**unconfirmed** ['ʌnkən'fə:md] unbestätigt; *eccl.* nicht konfirmiert.

**unconnected** □ ['ʌnkə'nektid] unverbunden.

**unconquer|able** □ [ʌn'kɔŋkərəbl] unüberwindlich; **~ed** ['ʌn'kɔŋkəd] unbesiegt.

**unconscionable** □ [ʌn'kɔnʃnəbl] gewissenlos; F unverschämt, übermäßig.

**unconscious** □ [ʌn'kɔnʃəs] unbewußt; bewußtlos; **~ness** [~snis] Bewußtlosigkeit *f*.

**unconstitutional** □ ['ʌnkɔnsti'tju:-ʃənl] verfassungswidrig.

**uncontroll|able** □ [ʌnkən'trouləbl] unkontrollierbar; unbändig; **~ed** ['ʌnkən'trould] unbeaufsichtigt; *fig.* unbeherrscht.

**unconventional** □ ['ʌnkən'venʃənl] unkonventionell; ungezwungen.

**unconvinc|ed** ['ʌnkən'vinst] nicht überzeugt; **~ing** [~siŋ] nicht überzeugend.

**uncork** ['ʌn'kɔ:k] entkorken.

**uncount|able** □ [ʌn'kauntəbl] unzählbar; **~ed** [~tid] ungezählt.

**uncouple** ['ʌn'kʌpl] loskoppeln.

**uncouth** □ [ʌn'ku:θ] ungeschlacht.

**uncover** [ʌn'kʌvə] aufdecken, freilegen; entblößen.

**unct|ion** ['ʌŋkʃən] Salbung *f* (*a. fig.*); Salbe *f*; **~uous** □ ['ʌŋktjuəs] fettig, ölig; *fig.* salbungsvoll.

**uncult|ivated** ['ʌn'kʌltiveitjd], **~ured** [~tʃəd] unkultiviert.

**undamaged** ['ʌn'dæmidʒd] unbeschädigt.

**undaunted** □ [ʌn'dɔ:ntid] unerschrocken.

**undeceive** ['ʌndi'si:v] *j-n* aufklären.

**undecided** □ ['ʌndi'saidid] unentschieden; unentschlossen.

**undefined** □ ['ʌndi'faind] unbestimmt; unbegrenzt.

**undemonstrative** □ ['ʌndi'mɔn-strətiv] zurückhaltend.

**undeniable** □ [ʌndi'naiəbl] unleugbar; unbestreitbar.

**under** ['ʌndə] **1.** *adv.* unten; darunter; **2.** *prp.* unter; **3.** *adj.* unter; *in Zssgn:* unter...; Unter...; mangelhaft ...; **~bid** [~'bid] *irr.* (*bid*) unterbieten; **~brush** [~brʌʃ] Unterholz *n*; **~carriage** ✈ (Flugzeug)Fahrwerk *n*; *mot.* Fahrgestell *n*; **~clothes**, **~clothing** Unterkleidung *f*, Unterwäsche *f*; **~cut** [~'kʌt] *Preise* unterbieten; **~dog** [~dɔg] Unterlegene(r) *m*; Unterdrückte(r) *m*; **~done** [~'dʌn] nicht gar; **~estimate** [~r'estimeit] unterschätzen; **~fed** [~'fed] unterernährt; **~go** [ʌndə'gou] *irr.* (*go*) erdulden; sich unterziehen (*dat.*); **~graduate** [~'grædjuit] Student (-in); **~ground** ['ʌndəgraund] **1.** unterirdisch; Untergrund...; **2.** Untergrundbahn *f*; **~growth** Unterholz *n*; **~hand** unter der Hand; heimlich; **~lie** [ʌndə'lai] *irr.* (*lie*) zugrunde liegen (*dat.*); **~line** [~'lain] unterstreichen; **~ling** ['ʌndəliŋ] Untergeordnete(r) *m*;

**∼mine** [ˌʌndəˈmain] unterminieren; *fig.* untergraben; schwächen; **∼most** [ˈʌndəmoust] unterst; **∼neath** [ʌndəˈniːθ] **1.** *prp.* unter (-halb); **2.** *adv.* unten; darunter; **∼pin** [ˌ'pin] untermauern; **∼plot** [ˈʌndəplɔt] Nebenhandlung *f*; **∼privileged** [ˌ'privilidʒd] benachteiligt; **∼rate** [ʌndəˈreit] unterschätzen; **∼secretary** [ˈʌndəˈsekrətəri] Unterstaatssekretär *m*; **∼sell †** [ˌ'sel] [*irr.* (sell)] *j-n* unterbieten; *Ware* verschleudern; **∼signed** [ˌsaind] Unterzeichnete(r) *m*; **∼sized** [ˌ'saizd] zu klein; **∼staffed** [ʌndəˈstɑːft] unterbesetzt; **∼stand** [ˌ'stænd] [*irr.* (stand)] *allg.* verstehen; sich verstehen auf (*acc.*); (als sicher) annehmen; auffassen; (sinngemäß) ergänzen; *make o.s. understood* sich verständlich machen; *an understood thing* e-e abgemachte Sache; **∼standable** [ˌ'dəbl] verständlich; **∼standing** [ˌ'diŋ] Verstand *m*; Einvernehmen *n*; Verständigung *f*; Abmachung *f*; Voraussetzung *f*; **∼state** [ˈʌndəˈsteit] zu gering angeben; abschwächen; **∼statement** Unterbewertung *f*; Understatement *n*, Untertreibung *f*; **∼take** [ʌndəˈteik] [*irr.* (take)] unternehmen; übernehmen; sich verpflichten; **∼taker** [ˈʌndəteikə] Bestattungsinstitut *n*; **∼taking** [ʌndəˈteikiŋ] Unternehmung *f*; Verpflichtung *f*; [ˈʌndəteikiŋ] Leichenbestattung *f*; **∼tone** leiser Ton; **∼value** [ˈʌndəˈvælju:] unterschätzen; **∼wear** [ˌ'wɛə] Unterkleidung *f*, Unterwäsche *f*; **∼wood** Unterholz *n*; **∼write** [*irr.* (write)] *Versicherung* abschließen; **∼writer** Versicherer *m*.

**undeserv|ed** □ [ˈʌndiˈzəːvd] unverdient; **∼ing** [ˌviŋ] unwürdig.

**undesigned** □ [ˈʌndiˈzaind] unbeabsichtigt, absichtslos.

**undesirable** [ˈʌndiˈzairəbl] **1.** □ unerwünscht; **2.** unerwünschte Person.

**undeviating** □ [ʌnˈdiːvieitiŋ] unentwegt.

**undignified** □ [ʌnˈdignifaid] würdelos.

**undisciplined** [ʌnˈdisiplind] zuchtlos, undiszipliniert; ungeschult.

**undisguised** □ [ˈʌndisˈgaizd] unverkleidet; unverhohlen.

**undisputed** □ [ˈʌndisˈpjuːtid] unbestritten.

**undo** [ˈʌnˈduː] [*irr.* (do)] aufmachen; (auf)lösen; ungeschehen machen, aufheben; vernichten; **∼ing** [ˌuˈduː)iŋ] Aufmachen *n*; Ungeschehenmachen *n*; Vernichtung *f*; Verderben *n*; **∼ne** [ˈʌnˈdʌn] erledigt, vernichtet.

**undoubted** □ [ʌnˈdautid] unzweifelhaft, zweifellos.

**undreamt** [ʌnˈdremt]: **∼-of** ungeahnt.

**undress** [ˈʌnˈdres] **1.** (sich) entkleiden *od.* ausziehen; **2.** Hauskleid *n*; **∼ed** unbekleidet; unangezogen; nicht zurechtgemacht.

**undue** □ [ˈʌnˈdjuː] ungebührlich; übermäßig; † noch nicht fällig.

**undulat|e** [ˈʌndjuleit] wogen; wallen; wellig sein; **∼ion** [ʌndjuˈleiʃən] wellenförmige Bewegung.

**undutiful** □ [ˈʌnˈdjuːtiful] ungehorsam, pflichtvergessen.

**unearth** [ʌnˈəːθ] ausgraben; *fig.* aufstöbern; **∼ly** [ʌnˈəːθli] überirdisch.

**uneas|iness** [ʌnˈiːzinis] Unruhe *f*; Unbehagen *n*; **∼y** □ [ʌnˈiːzi] unbehaglich; unruhig; unsicher.

**uneducated** [ʌnˈedjukeitid] unerzogen; ungebildet.

**unemotional** □ [ˈʌniˈmouʃənl] leidenschaftslos; passiv; nüchtern.

**unemploy|ed** [ˈʌnimˈplɔid] **1.** unbeschäftigt; arbeitslos; unbenutzt; **2.**: *the ∼ pl.* die Arbeitslosen *pl.*; **∼ment** [ˌəmənt] Arbeitslosigkeit *f*.

**unending** □ [ʌnˈendiŋ] endlos.

**unendurable** □ [ˈʌninˈdjuərəbl] unerträglich.

**unengaged** [ˈʌninˈgeidʒd] frei.

**unequal** □ [ˈʌnˈiːkwəl] ungleich; nicht gewachsen (*to dat.*); **∼(l)ed** [ˌld] unvergleichlich, unerreicht.

**unerring** □ [ˈʌnˈəːriŋ] unfehlbar.

**unessential** □ [ˈʌniˈsenʃəl] unwesentlich, unwichtig (*to für*).

**uneven** □ [ˈʌnˈiːvən] uneben; ungleich(mäßig); ungerade (*Zahl*).

**uneventful** □ [ˈʌniˈventful] ereignislos; ohne Zwischenfälle.

**unexampled** [ʌnigˈzɑːmpld] beispiellos.

**unexceptionable** □ [ʌnikˈsepʃnəbl] untadelig; einwandfrei.

**unexpected** □ [ˈʌniksˈpektid] unerwartet.

**unexplained** [ˈʌniksˈpleind] unerklärt.

**unfading** □ [ʌnˈfeidiŋ] nicht welkend; unvergänglich; echt (*Farbe*).

**unfailing** □ [ʌnˈfeiliŋ] unfehlbar; nie versagend; unerschöpflich; *fig.* treu.

**unfair** □ [ˈʌnˈfɛə] unehrlich; unfair; ungerecht.

**unfaithful** □ [ˈʌnˈfeiθful] un(ge)treu, treulos; nicht wortgetreu.

**unfamiliar** [ˈʌnfəˈmiljə] unbekannt; ungewohnt.

**unfasten** [ˈʌnˈfɑːsn] aufmachen; lösen; ⁓ed unbefestigt, lose.

**unfathomable** □ [ʌnˈfæðəməbl] unergründlich.

**unfavo(u)rable** □ [ˈʌnˈfeivərəbl] ungünstig.

**unfeeling** □ [ʌnˈfiːliŋ] gefühllos.

**unfilial** □ [ˈʌnˈfiljəl] respektlos, pflichtvergessen (*Kind*).

**unfinished** [ˈʌnˈfiniʃt] unvollendet; unfertig.

**unfit 1.** □ [ˈʌnˈfit] ungeeignet, unpassend; **2.** [ʌnˈfit] untauglich machen.

**unfix** [ˈʌnˈfiks] losmachen, lösen.

**unfledged** [ˈʌnˈfledʒd] ungefiedert; (noch) nicht flügge; *fig.* unreif.

**unflinching** □ [ʌnˈflintʃiŋ] fest entschlossen, unnachgiebig.

**unfold** [ʌnˈfould] (sich) entfalten *od.* öffnen; [ʌnˈfould] klarlegen; enthüllen.

**unforced** □ [ˈʌnˈfɔːst] ungezwungen.

**unforeseen** [ˈʌnfɔːˈsiːn] unvorhergesehen.

**unforgettable** □ [ˈʌnfəˈgetəbl] unvergeßlich. [söhnlich.\

**unforgiving** [ˈʌnfəˈgiviŋ] unver-/

**unforgotten** [ˈʌnfəˈgɔtn] unvergessen.

**unfortunate** □ [ʌnˈfɔːtʃnit] **1.** □ unglücklich; **2.** Unglückliche(r *m*) *f*; ⁓ly [⁓tli] unglücklicherweise, leider.

**unfounded** □ [ˈʌnˈfaundid] unbegründet; grundlos.

**unfriendly** [ˈʌnˈfrendli] unfreundlich; ungünstig.

**unfurl** [ʌnˈfɔːl] entfalten, aufrollen.

**unfurnished** [ˈʌnˈfɔːniʃt] unmöbliert.

**ungainly** [ʌnˈgeinli] unbeholfen, plump.

**ungenerous** □ [ˈʌnˈdʒenərəs] unedelmütig; nicht freigebig.

**ungentle** □ [ˈʌnˈdʒentl] unsanft.

**ungodly** □ [ʌnˈgɔdli] gottlos.

**ungovernable** □ [ʌnˈgʌvənəbl] unlenksam; zügellos, unbändig.

**ungraceful** □ [ˈʌnˈgreisful] ungraziös, ohne Anmut; unbeholfen.

**ungracious** □ [ˈʌnˈgreiʃəs] ungnädig; unfreundlich.

**ungrateful** □ [ʌnˈgreitful] undankbar.

**unguarded** □ [ˈʌnˈgɑːdid] unbewacht; unvorsichtig; unbeschützt.

**unguent** [ˈʌŋgwənt] Salbe *f*.

**unhampered** [ˈʌnˈhæmpəd] ungehindert. [schön.\

**unhandsome** □ [ʌnˈhænsəm] un-/

**unhandy** □ [ʌnˈhændi] unhandlich; ungeschickt; unbeholfen.

**unhappy** □ [ʌnˈhæpi] unglücklich.

**unharmed** [ʌnˈhɑːmd] unversehrt.

**unhealthy** □ [ʌnˈhelθi] ungesund.

**unheard-of** [ʌnˈhɔːdɔv] unerhört.

**unheed|ed** [ˈʌnˈhiːdid] unbeachtet, unbewacht; ⁓ing [⁓diŋ] sorglos.

**unhesitating** □ [ʌnˈheziteitiŋ] ohne Zögern; unbedenklich.

**unholy** [ʌnˈhouli] unheilig; gottlos.

**unhono(u)red** [ʌnˈhɔnəd] ungeehrt; uneingelöst (*Pfand, Scheck*).

**unhook** [ˈʌnˈhuk] auf-, aushaken.

**unhoped-for** [ʌnˈhouptfɔː] unverhofft.

**unhurt** [ˈʌnˈhɔːt] unverletzt.

**unicorn** [ˈjuːnikɔːn] Einhorn *n*.

**unification** [juːnifiˈkeiʃən] Vereinigung *f*; Vereinheitlichung *f*.

**uniform** [ˈjuːnifɔːm] **1.** □ gleichförmig, gleichmäßig; einheitlich; **2.** Dienstkleidung *f*; Uniform *f*; **3.** uniformieren; ⁓ity [juːniˈfɔːmiti] Gleichförmigkeit *f*, Gleichmäßigkeit *f*.

**unify** [ˈjuːnifai] verein(ig)en; vereinheitlichen.

**unilateral** □ [ˈjuːniˈlætərəl] einseitig.

**unimagina|ble** □ [ʌniˈmædʒinəbl] undenkbar; ⁓tive □ [ˈʌniˈmædʒinətiv] einfallslos.

**unimportant** □ [ˈʌnimˈpɔːtənt] unwichtig.

**unimproved** [ˈʌnimˈpruːvd] nicht kultiviert, unbebaut (*Land*); unverbessert.

**uninformed** [ˈʌninˈfɔːmd] nicht unterrichtet.

**uninhabit|able** [ˈʌninˈhæbitəbl] unbewohnbar; ⁓ed [⁓tid] unbewohnt.

**uninjured** ['ʌn'indʒəd] unbeschädigt, unverletzt.

**unintelligible** □ ['ʌnin'telidʒəbl] unverständlich.

**unintentional** □ ['ʌnin'tenʃənl] unabsichtlich.

**uninteresting** □ ['ʌn'intristiŋ] uninteressant.

**uninterrupted** □ ['ʌnintə'rʌptid] ununterbrochen.

**union** ['juːnjən] Vereinigung *f*; Verbindung *f*; Union *f*, Verband *m*; Einigung *f*; Einigkeit *f*; Verein *m*, Bund *m*; *univ.* (Debattier)Klub *m*; Gewerkschaft *f*; **~ist** [~nist] Gewerkschaftler *m*; ♀ **Jack** Union Jack *m* (*britische Nationalflagge*); **~ suit** *Am.* Hemdhose *f*.

**unique** □ [juː'niːk] einzigartig, einmalig.

**unison** ♪ *u. fig.* ['juːnizn] Einklang *m*.

**unit** ['juːnit] Einheit *f*; ♀ Einer *m*; **~e** [juː'nait] (sich) vereinigen, verbinden; **~ed** vereinigt, vereint; **~y** ['juːniti] Einheit *f*; Einigkeit *f*.

**univers|al** □ [juːni'vəːsəl] allgemein; allumfassend; Universal..., Welt...; **~ality** [juːnivəː'sæliti] Allgemeinheit *f*; umfassende Bildung, Vielseitigkeit *f*; **~e** ['juːnivəːs] Weltall *n*, Universum *n*; **~ity** [juːni'vəːsiti] Universität *f*.

**unjust** □ ['ʌn'dʒʌst] ungerecht; **~ifiable** □ [ʌn'dʒʌstifaiəbl] nicht zu rechtfertigen(d), unverantwortlich.

**unkempt** ['ʌn'kempt] ungepflegt.

**unkind** □ [ʌn'kaind] unfreundlich.

**unknow|ing** □ ['ʌn'nouiŋ] unwissend; unbewußt; **~n** [~oun] **1.** unbekannt; unbewußt; **~ to me** ohne mein Wissen; **2.** Unbekannte(r *m*, -s *n*) *f*.

**unlace** ['ʌn'leis] aufschnüren.

**unlatch** ['ʌn'lætʃ] aufklinken.

**unlawful** □ ['ʌn'lɔːful] ungesetzlich; *weitS.* unrechtmäßig.

**unlearn** ['ʌn'ləːn] [*irr.* (*learn*)] verlernen.

**unless** [ən'les] wenn nicht, außer wenn; es sei denn, daß.

**unlike** ['ʌn'laik] **1.** *adj.* □ ungleich; **2.** *prp.* anders als; **~ly** [ʌn'laikli] unwahrscheinlich.

**unlimited** [ʌn'limitid] unbegrenzt.

**unload** ['ʌn'loud] ent-, ab-, ausladen; *Ladung* löschen.

**unlock** ['ʌn'lɔk] aufschließen; *Waffe* entsichern; **~ed** unverschlossen.

**unlooked-for** [ʌn'luktfɔː] unerwartet.

**unloose**, **~n** ['ʌn'luːs, ʌn'luːsn] lösen, losmachen.

**unlov|ely** ['ʌn'lʌvli] reizlos, unschön; **~ing** [~viŋ] lieblos.

**unlucky** □ [ʌn'lʌki] unglücklich.

**unmake** ['ʌn'meik] [*irr.* (*make*)] vernichten; rückgängig machen; umbilden; *Herrscher* absetzen.

**unman** ['ʌn'mæn] entmannen.

**unmanageable** □ [ʌn'mænidʒəbl] unlenksam, widerspenstig.

**unmarried** ['ʌn'mærid] unverheiratet, ledig.

**unmask** ['ʌn'mɑːsk] (sich) demaskieren; *fig.* entlarven.

**unmatched** ['ʌn'mætʃt] unerreicht; unvergleichlich.

**unmeaning** □ [ʌn'miːniŋ] nichtssagend.

**unmeasured** [ʌn'meʒəd] ungemessen; unermeßlich.

**unmeet** ['ʌn'miːt] ungeeignet.

**unmentionable** [ʌn'menʃnəbl] nicht zu erwähnen(d), unnennbar.

**unmerited** ['ʌn'meritid] unverdient.

**unmindful** □ [ʌn'maindful] unbedacht; sorglos; ohne Rücksicht.

**unmistakable** □ ['ʌnmis'teikəbl] unverkennbar; unmißverständlich.

**unmitigated** [ʌn'mitigeitid] ungemildert; richtig; *fig.* Erz...

**unmolested** ['ʌnmou'lestid] unbelästigt.

**unmounted** ['ʌn'mauntid] unberitten; nicht gefaßt (*Stein*); unaufgezogen (*Bild*); unmontiert.

**unmoved** □ ['ʌn'muːvd] unbewegt, ungerührt.

**unnamed** ['ʌn'neimd] ungenannt.

**unnatural** □ [ʌn'nætʃrəl] unnatürlich.

**unnecessary** □ [ʌn'nesisəri] unnötig.

**unneighbo(u)rly** ['ʌn'neibəli] nicht gutnachbarlich.

**unnerve** ['ʌn'nəːv] entnerven.

**unnoticed** ['ʌn'noutist] unbemerkt.

**unobjectionable** □ ['ʌnəb'dʒekʃnəbl] einwandfrei.

**unobserv|ant** □ ['ʌnəb'zəːvənt] unachtsam; **~ed** □ [~vd] unbemerkt.

# unobtainable

**unobtainable** ['ʌnəb'teinəbl] unerreichbar.

**unobtrusive** □ ['ʌnəb'truːsiv] unaufdringlich, bescheiden.

**unoccupied** ['ʌn'ɔkjupaid] unbesetzt; unbewohnt; unbeschäftigt.

**unoffending** ['ʌnə'fendiŋ] harmlos.

**unofficial** □ ['ʌnə'fiʃəl] nichtamtlich, inoffiziell.

**unopposed** ['ʌnə'pouzd] ungehindert.

**unostentatious** □ ['ʌnɔstən'teiʃəs] anspruchslos; unauffällig; schlicht.

**unowned** ['ʌn'ound] herrenlos.

**unpack** ['ʌn'pæk] auspacken.

**unpaid** ['ʌn'peid] unbezahlt; unbelohnt; ⚭ unfrankiert.

**unparalleled** [ʌn'pærəleld] beispiellos, ohnegleichen.

**unperceived** □ ['ʌnpə'siːvd] unbemerkt.

**unperturbed** [ʌnpə(ː)'təːbd] ruhig, gelassen.

**unpleasant** □ [ʌn'pleznt] unangenehm; unerfreulich; **~ness** [~tnis] Unannehmlichkeit *f.*

**unpolished** □ ['ʌn'pɔliʃt] unpoliert; *fig.* ungebildet.

**unpolluted** ['ʌnpə'luːtid] unbefleckt.

**unpopular** □ ['ʌn'pɔpjulə] unpopulär, unbeliebt; **~ity** ['ʌnpɔpju'læriti] Unbeliebtheit *f.*

**unpracti|cal** □ ['ʌn'præktikəl] unpraktisch; **~sed**, *Am.* **~ced** [ʌn'præktist] ungeübt.

**unprecedented** □ [ʌn'presidəntid] beispiellos; noch nie dagewesen.

**unprejudiced** □ [ʌn'predʒudist] unbefangen, unvoreingenommen.

**unpremeditated** □ ['ʌnpri'medi teitid] unbeabsichtigt.

**unprepared** □ ['ʌnpri'pɛəd] unvorbereitet.

**unpreten|ding** □ ['ʌnpri'tendiŋ], **~tious** [~nʃəs] anspruchslos.

**unprincipled** [ʌn'prinsəpld] ohne Grundsätze; gewissenlos.

**unprivileged** [ʌn'priviliʤd] sozial benachteiligt; arm.

**unprofitable** □ [ʌn'prɔfitəbl] unnütz.

**unproved** ['ʌn'pruːvd] unerwiesen.

**unprovided** ['ʌnprə'vaidid] nicht versehen (*with* mit); **~** *for* unversorgt, mittellos.

**unprovoked** □ ['ʌnprə'voukt] ohne Grund.

**unqualified** □ ['ʌn'kwɔlifaid] ungeeignet; unberechtigt; [ʌn'kwɔlifaid] unbeschränkt.

**unquestion|able** □ [ʌn'kwestʃənəbl] unzweifelhaft, fraglos; **~ed** [~nd] ungefragt; unbestritten.

**unquote** ['ʌn'kwout] *Zitat* beenden.

**unravel** [ʌn'rævəl] (sich) entwirren; enträtseln.

**unready** □ ['ʌn'redi] nicht bereit *od.* fertig; unlustig, zögernd.

**unreal** □ ['ʌn'riəl] unwirklich; **~istic** ['ʌnriə'listik] (~ally) wirklichkeitsfremd, unrealistisch.

**unreasonable** □ [ʌn'riːznəbl] unvernünftig; grundlos; unmäßig.

**unrecognizable** □ ['ʌn'rekəgnaizəbl] nicht wiederzuerkennen(d).

**unredeemed** □ ['ʌnri'diːmd] unerlöst; uneingelöst; ungemildert.

**unrefined** ['ʌnri'faind] ungeläutert; *fig.* ungebildet.

**unreflecting** □ ['ʌnri'flektiŋ] gedankenlos.

**unregarded** ['ʌnri'gɑːdid] unbeachtet; unberücksichtigt.

**unrelated** ['ʌnri'leitid] ohne Beziehung (*to* zu).

**unrelenting** □ ['ʌnri'lentiŋ] erbarmungslos; unerbittlich.

**unreliable** ['ʌnri'laiəbl] unzuverlässig.

**unrelieved** □ ['ʌnri'liːvd] ungelindert; ununterbrochen.

**unremitting** □ ['ʌnri'mitiŋ] unablässig, unaufhörlich; unermüdlich.

**unrepining** □ ['ʌnri'painiŋ] klaglos; unverdrossen.

**unrequited** □ ['ʌnri'kwaitid] unerwidert; unbelohnt.

**unreserved** □ ['ʌnri'zəːvd] rückhaltlos; unbeschränkt; ohne Vorbehalt.

**unresisting** □ ['ʌnri'zistiŋ] widerstandslos.

**unresponsive** ['ʌnris'pɔnsiv] unempfänglich (*to* für).

**unrest** ['ʌn'rest] Unruhe *f.*

**unrestrained** □ ['ʌnris'treind] ungehemmt; unbeschränkt.

**unrestricted** □ ['ʌnris'triktid] uneingeschränkt.

**unriddle** ['ʌn'ridl] enträtseln.

**unrighteous** □ ['ʌn'raitʃəs] ungerecht; unredlich.

**unripe** ['ʌn'raip] unreif.

**unrival(l)ed** [ʌn'raivəld] unvergleichlich, unerreicht, einzigartig.

**unroll** ['ʌn'roul] ent-, aufrollen.

**unruffled** ['ʌn'rʌfld] glatt; ruhig.

**unruly** [ʌn'ru:li] ungebärdig.

**unsafe** □ ['ʌn'seif] unsicher.

**unsal(e)able** ['ʌn'seiləbl] unverkäuflich.

**unsanitary** ['ʌn'sænitəri] unhygienisch.

**unsatisfactory** □ ['ʌnsætis'fæktəri] unbefriedigend; unzulänglich; **_ied** ['ʌn'sætisfaid] unbefriedigt; **_ying** □ [_aiiŋ] = *unsatisfactory*.

**unsavo(u)ry** □ ['ʌn'seivəri] unappetitlich (*a. fig.*), widerwärtig.

**unsay** ['ʌn'sei] [*irr.* (*say*)] zurücknehmen, widerrufen.

**unscathed** ['ʌn'skeiðd] unversehrt.

**unschooled** ['ʌn'sku:ld] ungeschult; unverbildet.

**unscrew** ['ʌn'skru:] *v/t.* ab-, los-, aufschrauben; *v/i.* sich abschrauben lassen.

**unscrupulous** □ [ʌn'skru:pjuləs] bedenkenlos; gewissenlos; skrupellos.

**unsearchable** □ [ʌn'sə:tʃəbl] unerforschlich; unergründlich.

**unseason|able** □ [ʌn'si:znəbl] unzeitig; *fig.* ungelegen; **_ed** ['ʌn'si:znd] nicht abgelagert (*Holz*); *fig.* nicht abgehärtet; ungewürzt.

**unseat** ['ʌn'si:t] des Amtes entheben; abwerfen.

**unseemly** [ʌn'si:mli] unziemlich.

**unseen** ['ʌn'si:n] ungesehen; unsichtbar.

**unselfish** □ ['ʌn'selfiʃ] selbstlos, uneigennützig; **_ness** [_ʃnis] Selbstlosigkeit *f*.

**unsettle** ['ʌn'setl] in Unordnung bringen; verwirren; erschüttern; **_d** nicht festgesetzt; unbeständig; **†** unbezahlt; unerledigt; ohne festen Wohnsitz; unbesiedelt.

**unshaken** ['ʌn'ʃeikən] unerschüttert; unerschütterlich.

**unshaven** ['ʌn'ʃeivn] unrasiert.

**unship** ['ʌn'ʃip] ausschiffen.

**unshrink|able** ['ʌn'ʃriŋkəbl] nicht einlaufend (*Stoff*); **_ing** □ [ʌn-'ʃriŋkiŋ] unverzagt.

**unsightly** [ʌn'saitli] häßlich.

**unskil(l)ful** □ ['ʌn'skilful] ungeschickt; **_led** [_ld] ungelernt.

**unsoci|able** [ʌn'souʃəbl] ungesellig; **_al** [_ʃəl] ungesellig; unsozial.

**unsolder** ['ʌn'sɔldə] los-, ablöten.

**unsolicited** ['ʌnsə'lisitid] nicht gefragt (*S.*); unaufgefordert (*P.*).

**unsolv|able** ['ʌn'sɔlvəbl] unlösbar; **_ed** [_vd] ungelöst.

**unsophisticated** ['ʌnsə'fistikeitid] unverfälscht; ungekünstelt; unverdorben, unverbildet.

**unsound** □ ['ʌn'saund] ungesund; verdorben; wurmstichig; morsch; nicht stichhaltig (*Beweis*); verkehrt.

**unsparing** □ [ʌn'spɛəriŋ] freigebig; schonungslos, unbarmherzig.

**unspeakable** □ [ʌn'spi:kəbl] unsagbar; unsäglich.

**unspent** ['ʌn'spent] unverbraucht; unerschöpft.

**unspoil|ed, _t** ['ʌn'spɔilt] unverdorben; unbeschädigt; nicht verzogen (*Kind*).

**unspoken** ['ʌn'spoukən] ungesagt; **_-of** unerwähnt.

**unstable** □ ['ʌn'steibl] nicht (stand)fest; unbeständig; unstet(ig); labil.

**unsteady** □ ['ʌn'stedi] unstet(ig), unsicher; schwankend; unbeständig; unsolid; unregelmäßig.

**unstrained** ['ʌn'streind] unfiltriert; *fig.* ungezwungen.

**unstrap** ['ʌn'stræp] los-, abschnallen.

**unstressed** ['ʌn'strest] unbetont.

**unstring** ['ʌn'striŋ] [*irr.* (*string*)] *Saite* entspannen.

**unstudied** ['ʌn'stʌdid] ungesucht; ungekünstelt; natürlich.

**unsubstantial** □ ['ʌnsəb'stænʃəl] wesenlos; gegenstandslos; inhaltlos; gehaltlos; dürftig.

**unsuccessful** □ ['ʌnsək'sesful] erfolglos, ohne Erfolg.

**unsuitable** □ ['ʌn'sju:təbl] unpassend; unangemessen.

**unsurpassed** ['ʌnsə(:)'pɑ:st] unübertroffen.

**unsuspect|ed** ['ʌnsəs'pektid] unverdächtig; unvermutet; **_ing** [_tiŋ] nichts ahnend; arglos.

**unsuspicious** □ ['ʌnsəs'piʃəs] nicht argwöhnisch, arglos.

**unswerving** □ [ʌn'swə:viŋ] unentwegt.

**untangle** [ʌn'tæŋgl] entwirren.

**untarnished** ['ʌn'tɑːniʃt] unbefleckt; ungetrübt.

**unteachable** ['ʌn'tiːtʃəbl] unbelehrbar (P.); unlehrbar (S.).

**untenanted** ['ʌn'tənəntid] unvermietet, unbewohnt.

**unthankful** □ ['ʌn'θæŋkful] undankbar.

**unthink|able** [ʌn'θiŋkəbl] undenkbar; ~ing □ ['ʌn'θiŋkiŋ] gedankenlos.

**unthought** ['ʌn'θɔːt] unbedacht; ~-of unvermutet.

**unthrifty** □ ['ʌn'θrifti] verschwenderisch; nicht gedeihend.

**untidy** □ [ʌn'taidi] unordentlich.

**untie** ['ʌn'tai] aufbinden, aufknüpfen; Knoten etc. lösen; j-n losbinden.

**until** [ən'til] 1. prp. bis; 2. cj. bis (daß); not ~ erst wenn od. als.

**untimely** [ʌn'taimli] unzeitig; vorzeitig; ungelegen.

**untiring** □ [ʌn'taiəriŋ] unermüdlich.

**unto** ['ʌntu] = to.

**untold** ['ʌn'tould] unerzählt; ungezählt; unermeßlich, unsäglich.

**untouched** ['ʌn'tʌtʃt] unberührt; fig. ungerührt; phot. unretuschiert.

**untried** ['ʌn'traid] unversucht; unerprobt; ꝛꞔ noch nicht verhört.

**untrod, ~den** ['ʌn'trɔd, ~dn] unbetreten.

**untroubled** ['ʌn'trʌbld] ungestört.

**untrue** □ ['ʌn'truː] unwahr; untreu.

**untrustworthy** □ ['ʌn'trʌstwəːði] unzuverlässig, nicht vertrauenswürdig.

**unus|ed** ['ʌn'juːzd] ungebraucht; [~uːst] nicht gewöhnt (to an acc.; zu inf.); ~ual □ [ʌn'juːʒuəl] ungewöhnlich; ungewohnt.

**unutterable** □ [ʌn'ʌtərəbl] unaussprechlich.

**unvarnished** fig. ['ʌn'vɑːniʃt] ungeschminkt.

**unvarying** □ [ʌn'vɛəriiŋ] unveränderlich.

**unveil** [ʌn'veil] entschleiern, enthüllen.

**unversed** ['ʌn'vəːst] unbewandert, unerfahren (in in dat.).

**unvouched** ['ʌn'vautʃt] a. ~-for unverbürgt, unbezeugt.

**unwanted** ['ʌn'wɔntid] unerwünscht.

**unwarrant|able** □ [ʌn'wɔrəntəbl] unverantwortlich; ~ed [~tid] unberechtigt; ['ʌn'wɔrəntid] unverbürgt.

**unwary** □ [ʌn'wɛəri] unbedachtsam.

**unwelcome** [ʌn'welkəm] unwillkommen.

**unwholesome** ['ʌn'houlsəm] ungesund; schädlich.

**unwieldy** □ [ʌn'wiːldi] unhandlich; ungefüge; sperrig.

**unwilling** □ ['ʌn'wiliŋ] un-, widerwillig, abgeneigt.

**unwind** ['ʌn'waind] [irr. (wind)] auf-, loswickeln; (sich) abwickeln.

**unwise** □ ['ʌn'waiz] unklug.

**unwitting** □ [ʌn'witiŋ] unwissentlich; unbeabsichtigt.

**unworkable** ['ʌn'wəːkəbl] undurchführbar; ⊕ nicht betriebsfähig.

**unworthy** □ [ʌn'wəːði] unwürdig.

**unwrap** ['ʌn'ræp] auswickeln, auspacken, aufwickeln.

**unwrought** ['ʌn'rɔːt] unbearbeitet, roh; Roh...

**unyielding** □ [ʌn'jiːldiŋ] unnachgiebig.

**up** [ʌp] 1. adv. (her-, hin)auf; aufwärts, empor; oben; auf(gestanden); aufgegangen (Sonne); hoch; abgelaufen, um (Zeit); Am. Baseball: am Schlag: ~ and about wieder auf den Beinen; be hard ~ in Geldschwierigkeiten sein; ~ against a task e-r Aufgabe gegenüber; ~ to bis (zu); it is ~ to me to do es ist an mir, zu tun; what are you ~ to there? was macht ihr da? what's ~? sl. was ist los? 2. prp. hinauf; ~ the river flußaufwärts; 3. adj.: ~ train Zug m nach der Stadt; 4.: the ~s and downs das Auf und Ab, Höhen und Tiefen des Lebens; 5. F (sich) erheben; hochfahren; hochtreiben.

**up|-and-coming** Am. F ['ʌpən'kʌmiŋ] unternehmungslustig; ~braid [ʌp'breid] schelten; ~bringing ['ʌpbriŋiŋ] Erziehung f; ~country ['ʌp'kʌntri] landeinwärts (gelegen); ~heaval [ʌp'hiːvəl] Umbruch m; ~hill ['ʌp'hil] bergan; mühsam; ~hold [ʌp'hould] [irr. (hold)] aufrecht(er)halten; stützen; ~holster [~lstə] Möbel (auf)polstern; Zimmer dekorieren; ~hol-

**sterer** [‿ərə] Tapezierer *m*, Dekorateur *m*, Polsterer *m*; **‿holstery** [‿ri] Polstermöbel *n/pl.*; Möbelstoffe *m/pl.*; Tapeziererarbeit *f*.

**up|keep** ['ʌpki:p] Instandhaltung(skosten *pl.*) *f*; Unterhalt *m*; **‿land** ['ʌplənd] Hoch-, Oberland *n*; **‿lift 1.** [ʌp'lift] (empor-, er)heben; **2.** ['ʌplift] Erhebung *f*; *fig.* Aufschwung *m*.

**upon** [ə'pɔn] = on.

**upper** ['ʌpə] ober; Ober...; **‿most** oberst, höchst.

**up|raise** [ʌp'reiz] erheben; **‿rear** [ʌp'riə] aufrichten; **‿right 1.** □ ['ʌp'rait] aufrecht; ~ *piano ♪* Klavier *n*; *fig.* ['ʌprait] rechtschaffen; **2.** Pfosten *m*; Ständer *m*; **‿rising** [ʌp-'raiziŋ] Erhebung *f*, Aufstand *m*.

**uproar** ['ʌprɔ:] Aufruhr *m*; **‿ious** □ [ʌp'rɔ:riəs] tobend; tosend.

**up|root** [ʌp'ru:t] entwurzeln; (her-)ausreißen; **‿set** [ʌp'set] [*irr.* (set)] umwerfen; (um)stürzen; außer Fassung *od.* in Unordnung bringen; stören; verwirren; *be* ~ außer sich sein; **‿shot** ['ʌpʃɔt] Ausgang *m*; **‿side** ['ʌpsaid] *adv.*: ~ *down* das Oberste zuunterst; verkehrt; **‿stairs** ['ʌp'stɛəz] die Treppe hinauf, (nach) oben; **‿start** ['ʌp-'sta:t] Emporkömmling *m*; **‿state** *Am.* ['ʌp'steit] Hinterland *n e-s Staates*; **‿stream** ['ʌp'stri:m] fluß-, stromaufwärts; **‿-to-date** ['ʌptə'deit] modern, neuzeitlich; **‿town** ['ʌp-'taun] im *od.* in den oberen Stadtteil; *Am.* im Wohn- *od.* Villenviertel; **‿turn** [ʌp'tə:n] nach oben kehren; **‿ward(s)** ['ʌpwəd(z)] aufwärts (gerichtet).

**uranium** ⚗ [juə'reinjəm] Uran *n*.

**urban** ['ə:bən] städtisch; Stadt...; **‿e** □ [ə:'bein] höflich; gebildet.

**urchin** ['ə:tʃin] Bengel *m*.

**urge** [ə:dʒ] **1.** *oft* ~ *on* j-n drängen, (an)treiben; dringen in *j-n*; dringen auf *et.*; *Recht* geltend machen; **2.** Drang *m*; **‿ncy** ['ə:dʒənsi] Dringlichkeit *f*; Drängen *n*; **‿nt** □ [‿nt] dringend; dringlich; eilig.

**urin|al** ['juərinl] Harnglas *n*; Bedürfnisanstalt *f*; **‿ate** [‿neit] urinieren; **‿e** [‿in] Urin *m*, Harn *m*.

**urn** [ə:n] Urne *f*; Tee- *etc.* Maschine *f*.

**us** [ʌs, əs] uns; *of* ~ unser.

**usage** ['ju:zidʒ] Brauch *m*, Gepflogenheit *f*; Sprachgebrauch *m*; Behandlung *f*, Verwendung *f*, Gebrauch *m*.

**usance** ✝ ['ju:zəns] Wechselfrist *f*.

**use 1.** [ju:s] Gebrauch *m*; Benutzung *f*; Verwendung *f*; Gewohnheit *f*, Übung *f*; Brauch *m*; Nutzen *m*; *(of) no* ~ unnütz, zwecklos; *have no* ~ *for* keine Verwendung haben für; *Am.* F nicht mögen; **2.** [ju:z] gebrauchen; benutzen, verwenden; behandeln; ~ *up* ver-, aufbrauchen; *I ‿d to do* ich pflegte zu tun, früher tat ich; **‿d** [ju:zd] ge-, verbraucht; [ju:st] gewöhnt (*to an acc.*); gewohnt (*to zu od. acc.*); **‿ful** □ ['ju:sful] brauchbar; nützlich; Nutz...; **‿less** □ ['ju:slis] nutz-, zwecklos, unnütz.

**usher** ['ʌʃə] **1.** Türhüter *m*, Pförtner *m*; Gerichtsdiener *m*; Platzanweiser *m*; **2.** *mst.* ~ *in* (hin)einführen, anmelden; **‿ette** [ʌʃə'ret] Platzanweiserin *f*.

**usual** □ ['ju:ʒuəl] gewöhnlich; üblich; gebräuchlich.

**usurer** ['ju:ʒərə] Wucherer *m*.

**usurp** [ju:'zə:p] sich *et.* widerrechtlich aneignen, an sich reißen; **‿er** [‿pə] Usurpator *m*.

**usury** ['ju:ʒuri] Wucher(zinsen *pl.*) *m*.

**utensil** [ju:(:)'tensl] Gerät *n*; Geschirr *n*.

**uterus** *anat.* ['ju:tərəs] Gebärmutter *f*.

**utility** [ju:(:)'tiliti] **1.** Nützlichkeit *f*, Nutzen *m*; *public* ~ öffentlicher Versorgungsbetrieb; **2.** Gebrauchs..., Einheits...

**utiliz|ation** [ju:tilai'zeiʃən] Nutzbarmachung *f*; Nutzanwendung *f*; **‿e** ['ju:tilaiz] sich *et.* zunutze machen.

**utmost** ['ʌtmoust] äußerst.

**Utopian** [ju:'toupjən] **1.** utopisch; **2.** Utopist(in), Schwärmer(in).

**utter** ['ʌtə] **1.** □ *fig.* äußerst; völlig, gänzlich; **2.** äußern; *Seufzer etc.* ausstoßen, von sich geben; *Falschgeld etc.* in Umlauf setzen; **‿ance** ['ʌtərəns] Äußerung *f*, Ausdruck *m*; Aussprache *f*; **‿most** ['ʌtəmoust] äußerst.

**uvula** *anat.* ['ju:vjulə] Zäpfchen *n*.

# V

**vacan|cy** ['veikənsi] Leere *f*; leerer *od.* freier Platz; Lücke *f*; offene Stelle; **~t** □ [~nt] leer (*a. fig.*); frei (*Zeit, Zimmer*); offen (*Stelle*); unbesetzt, vakant (*Amt*).

**vacat|e** [və'keit, *Am.* 'veikeit] räumen, Stelle aufgeben, aus *e-m* Amt scheiden; **~ion** [və'keiʃən, *Am.* vei'keiʃən] **1.** (Schul)Ferien *pl.*; *bsd. Am.* Urlaub *m*; Räumung *f*; Niederlegung *f e-s Amtes*; **2.** *Am.* Urlaub machen; **~ionist** *Am.* [~nist] Ferienreisende(r *m*) *f*.

**vaccin|ate** ['væksineit] impfen; **~ation** [væksi'neiʃən] Impfung *f*; **~e** ['væksi:n] Impfstoff *m*.

**vacillate** ['væsileit] schwanken.

**vacu|ous** □ ['vækjuəs] *fig.* leer, geistlos; **~um** *phys.* [~uəm] Vakuum *n*; **~ cleaner** Staubsauger *m*; **~ flask**, **~ bottle** Thermosflasche *f*.

**vagabond** ['vægəbɔnd] **1.** vagabundierend; **2.** Landstreicher *m*.

**vagary** ['veigəri] wunderlicher Einfall, Laune *f*, Schrulle *f*.

**vagrant** ['veigrənt] **1.** wandernd; *fig.* unstet; **2.** Landstreicher *m*, Vagabund *m*; Strolch *m*.

**vague** □ [veig] unbestimmt; unklar.

**vain** □ [vein] eitel, eingebildet; leer; nichtig; vergeblich; *in* **~** vergebens, umsonst; **~glorious** □ [vein'glɔ:riəs] prahlerisch.

**vale** [veil] *poet. od. in Namen*: Tal *n*.

**valediction** [væli'dikʃən] Abschied(sworte *n/pl.*) *m*.

**valentine** ['væləntain] Valentinsschatz *m*, -gruß *m* (*am Valentinstag, 14. Februar, erwählt, gesandt.*).

**valerian** ♀ [və'liəriən] Baldrian *m*.

**valet** ['vælit] **1.** (Kammer)Diener *m*; **2.** Diener sein bei *j-m*; *j-n* bedienen.

**valetudinarian** ['vælitju:di'neəriən] **1.** kränklich; **2.** kränklicher Mensch; Hypochonder *m*.

**valiant** □ ['væljənt] tapfer.

**valid** □ ['vælid] triftig, richtig, stichhaltig; (rechts)gültig; *be* **~** gelten; **~ity** [və'liditi] Gültigkeit *f*; Triftig-, Richtigkeit *f*.

**valise** [və'li:z] Reisetasche *f*; ✕ Tornister *m*.

**valley** ['væli] Tal *n*.

**valo(u)r** ['vælə] Tapferkeit *f*.

**valuable** ['væljuəbl] **1.** □ wertvoll; **2.** **~s** *pl.* Wertsachen *f/pl.*

**valuation** [vælju'eiʃən] Abschätzung *f*; Taxwert *m*.

**value** ['vælju:] **1.** Wert *m*; Währung *f*; *give* (*get*) *good* **~** (*for one's money*) ✝ reell bedienen (bedient werden); **2.** (ab)schätzen; *fig.* schätzen; **~less** [~julis] wertlos.

**valve** [vælv] Klappe *f*; Ventil *n*; *Radio*: Röhre *f*.

**vamoose** *Am. sl.* [və'mu:s] *v/i.* abhauen; *v/t.* räumen (*verlassen*).

**vamp** F [væmp] **1.** Vamp *m* (*verführerische Frau*); **2.** neppen.

**vampire** ['væmpaiə] Vampir *m*.

**van** [væn] Möbelwagen *m*; Lieferwagen *m*; 🚋 Pack-, Güterwagen *m*; ✕ Vorhut *f*.

**vane** [vein] Wetterfahne *f*; (Windmühlen-, Propeller)Flügel *m*.

**vanguard** ✕ ['vænga:d] Vorhut *f*.

**vanilla** ♀ [və'nilə] Vanille *f*.

**vanish** ['væniʃ] (ver)schwinden.

**vanity** ['væniti] Eitelkeit *f*, Einbildung *f*; Nichtigkeit *f*; **~ bag** Kosmetiktäschchen *n*.

**vanquish** ['væŋkwiʃ] besiegen.

**vantage** ['va:ntidʒ] *Tennis*: Vorteil *m*; **~-ground** günstige Stellung.

**vapid** □ ['væpid] schal; fad(e).

**vapor|ize** ['veipəraiz] verdampfen, verdunsten (lassen); **~ous** □ [~rəs] dunstig; nebelhaft.

**vapo(u)r** ['veipə] Dunst *m*; Dampf *m*.

**varia|ble** □ ['veəriəbl] veränderlich; **~nce** [~əns] Veränderung *f*; Uneinigkeit *f*; *be at* **~** uneinig sein; (sich) widersprechen; *set at* **~** entzweien; **~nt** [~nt] **1.** abweichend; **2.** Variante *f*; **~tion** [veəri'eiʃən] Abänderung *f*; Schwankung *f*; Abweichung *f*; ♪ Variation *f*.

**varicose** 🦵 ['værikous] Krampfader(n)...; **~ vein** Krampfader *f*.

**varie|d** □ ['veərid] verschieden, verändert, mannigfaltig; **~gate** [~igeit] bunt gestalten; **~ty** [və'raiəti] Mannigfaltigkeit *f*, Vielzahl *f*; *biol.* Abart *f*; ✝ Auswahl *f*; Menge *f*; **~ show** Varietévorstellung *f*; **~ theatre** Varieté(theater) *n*.

**various** □ ['veəriəs] verschiedene,

mehrere; mannigfaltig; verschie-
denartig.

**varmint** sl. ['vɑːmint] kleiner Racker.

**varnish** ['vɑːniʃ] **1.** Firnis m, Lack m; fig. (äußerer) Anstrich; **2.** firnissen, lackieren; fig. beschönigen.

**vary** ['vɛəri] (sich) (ver)ändern; wechseln (mit et.); abweichen.

**vase** [vɑːz] Vase f.

**vassal** ['væsəl] Vasall m; attr. Vasallen...

**vast** □ [vɑːst] ungeheuer, gewaltig, riesig, umfassend, weit.

**vat** [væt] Faß n; Bottich m; Kufe f.

**vaudeville** Am. ['voudəvil] Varieté n.

**vault** [vɔːlt] **1.** Gewölbe n; Wölbung f; Stahlkammer f; Gruft f; bsd. Sport: Sprung m; wine-~Weinkeller m; **2.** (über)wölben; bsd. Sport: springen (über acc.).

**vaulting-horse** ['vɔːltiŋhɔːs] Turnen: Pferd n.

**vaunt** lit. [vɔːnt] (sich) rühmen.

**veal** [viːl] Kalbfleisch n; roast ~ Kalbsbraten m.

**veer** [viə] (sich) drehen.

**vegeta|ble** ['vedʒitəbl] **1.** Pflanzen..., pflanzlich; **2.** Pflanze f; mst ~s pl. Gemüse n; **~rian** [vedʒi'tɛəriən] **1.** Vegetarier(in); **2.** vegetarisch; **~te** ['vedʒiteit] vegetieren; **~tive** □ [~tətiv] vegetativ; wachstumsfördernd.

**vehemen|ce** ['viːimans] Heftigkeit f; Gewalt f; **~t** □ [~nt] heftig; ungestüm.

**vehicle** ['viːikl] Fahrzeug n, Beförderungsmittel n; fig. Vermittler m, Träger m; Ausdrucksmittel n.

**veil** [veil] **1.** Schleier m; Hülle f; **2.** (sich) verschleiern (a. fig.).

**vein** [vein] Ader f (a. fig.); Anlage f; Neigung f; Stimmung f.

**velocipede** [vi'lɔsipiːd] Am. (Kinder)Dreirad n; hist. Veloziped n.

**velocity** [vi'lɔsiti] Geschwindigkeit f.

**velvet** ['velvit] **1.** Samt m; hunt. Bast m; **2.** Samt...; samten; **~y** [~ti] samtig.

**venal** ['viːnl] käuflich, feil.

**vend** [vend] verkaufen; **~er, ~or** ['vendə, ~dɔː] Verkäufer m, Händler m.

**veneer** [vi'niə] **1.** Furnier n; **2.** furnieren; fig. bemänteln.

**venera|ble** □ ['venərəbl] ehrwürdig; **~te** [~reit] (ver)ehren; **~tion** [venə'reiʃən] Verehrung f.

**venereal** [vi'niəriəl] Geschlechts...

**Venetian** [vi'niːʃən] **1.** venetianisch; ~ blind (Stab)Jalousie f; **2.** Venetianer(in).

**vengeance** ['vendʒəns] Rache f; with a ~ F und wie, ganz gehörig.

**venial** □ ['viːnjəl] verzeihlich.

**venison** ['venzn] Wildbret n.

**venom** ['venəm] (bsd. Schlangen-)Gift n; fig. Gift n; Gehässigkeit f; **~ous** □ [~məs] giftig.

**venous** □ ['viːnəs] Venen...; venös.

**vent** [vent] **1.** Öffnung f; Luft-, Spundloch n; Auslaß m; Schlitz m; give ~ to s-m Zorn etc. Luft machen; **2.** fig. Luft machen (dat.).

**ventilat|e** ['ventileit] ventilieren, (be-, ent-, durch)lüften; fig. erörtern; **~ion** [venti'leiʃən] Ventilation f, Lüftung f; fig. Erörterung f; **~or** ['ventileitə] Ventilator m.

**ventral** anat. ['ventrəl] Bauch...

**ventriloquist** [ven'triləkwist] Bauchredner m.

**ventur|e** ['ventʃə] **1.** Wagnis n; Risiko n; Abenteuer n; Spekulation f; at a ~ auf gut Glück; **2.** (sich) wagen; riskieren; **~esome** □ [~əsəm], **~ous** □ [~ərəs] verwegen, kühn.

**veracious** □ [ve'reiʃəs] wahrhaft.

**verb** gr. [vəːb] Verb(um) n, Zeitwort n; **~al** □ ['vəːbəl] wörtlich; mündlich; **~iage** ['vəːbiidʒ] Wortschwall m; **~ose** □ [vəː'bous] wortreich. [reif.\]

**verdant** □ ['vəːdənt] grün; fig. un-\]

**verdict** ['vəːdikt] ǰǰ (Urteils-)Spruch m der Geschworenen; fig. Urteil n; bring in od. return a ~ of guilty auf schuldig erkennen.

**verdigris** ['vəːdigris] Grünspan m.

**verdure** ['vəːdʒə] Grün n.

**verge** [vəːdʒ] **1.** Rand m, Grenze f; on the ~ of am Rande (gen.); dicht vor (dat.); **2.** sich (hin)neigen; ~ (up)on grenzen an (acc.).

**veri|fy** ['verifai] (nach)prüfen; beweisen; bestätigen; **~similitude** [verisi'militjuːd] Wahrscheinlichkeit f; **~table** □ ['veritəbl] wahr (-haftig).

**vermic|elli** [vəːmi'seli] Fadennudeln f/pl.; **~ular** [vəː'mikjulə] wurmartig.

**vermilion** [vəˈmiljən] **1.** Zinnoberrot n; **2.** zinnoberrot.

**vermin** [ˈvəːmin] Ungeziefer n;
*hunt.* Raubzeug n; *fig.* Gesindel n;
**~ous** [~nəs] voller Ungeziefer.

**vernacular** [vəˈnækjulə] **1.** □ einheimisch; Volks...; **2.** Landes-,
Muttersprache f; Jargon m.

**versatile** □ [ˈvəːsətail] wendig.

**verse** [vəːs] Vers(e pl.) m; Strophe f;
Dichtung f; **~d** [~st] bewandert.

**versify** [ˈvəːsifai] v/t. in Verse bringen; v/i. Verse machen.

**version** [ˈvəːʃən] Übersetzung f;
Fassung f, Darstellung f; Lesart f.

**versus** bsd. ᵗᵗ₎ [ˈvəːsəs] gegen.

**vertebra** *anat.* [ˈvəːtibrə], *pl.* **~e**
[~riː] Wirbel m.

**vertical** □ [ˈvəːtikəl] vertikal, senkrecht.

**vertig|inous** □ [vəːˈtidʒinəs]
schwindelig; schwindelnd (*Höhe*);
**~o** [ˈvəːtigou] Schwindel(anfall) m.

**verve** [veəv] Schwung m, Verve f.

**very** [ˈveri] **1.** *adv.* sehr; *the ~ best*
das allerbeste; **2.** *adj.* wirklich;
eben; bloß; *the ~ same* ebendersel-
be; *in the ~ act* auf frischer Tat;
gerade dabei; *the ~ thing* gerade
das; *the ~ thought* der bloße Gedanke; *the ~ stones* sogar die Steine;
*the veriest rascal* der größte Schuft.

**vesicle** [ˈvesikl] Bläs-chen n.

**vessel** [ˈvesl] Gefäß n (a. anat., ♀,
fig.); ⚓ Fahrzeug n, Schiff n.

**vest** [vest] **1.** Unterhemd n; Weste f;
**2.** v/t. bekleiden (with mit); j-n einsetzen (in in acc.); et. übertragen
(in s.o. j-m); v/i. verliehen werden.

**vestibule** [ˈvestibjuːl] Vorhof m
(a. anat.); Vorhalle f; Hausflur m;
bsd. Am. 🚃 Korridor m zwischen
zwei D-Zug-Wagen; ~ train D-Zug
m.

**vestige** [ˈvestidʒ] Spur f.

**vestment** [ˈvestmənt] Gewand n.

**vestry** [ˈvestri] *eccl.* Sakristei f;
Gemeindevertretung f; Gemeinde-
saal m; **~man** Gemeindevertreter m.

**vet** F [vet] **1.** Tierarzt m; Am. ✕
Veteran m; **2.** co. verarzten; gründlich prüfen.

**veteran** [ˈvetərən] **1.** ausgedient;
erfahren; **2.** Veteran m.

**veterinary** [ˈvetərinəri] **1.** tierärzt-
lich; **2.** a. ~ surgeon Tierarzt m.

**veto** [ˈviːtou] **1.** pl. **~es** Veto n;
**2.** sein Veto einlegen gegen.

**vex** [veks] ärgern; schikanieren;
**~ation** [vekˈseiʃən] Verdruß m;
Ärger(nis n) m; **~atious** [~ʃəs]
ärgerlich.

**via** [vaiə] über, via.

**viaduct** [ˈvaiədʌkt] Viadukt m,
Überführung f.

**vial** [ˈvaiəl] Phiole f, Fläschchen n.

**viand** [ˈvaiənd] mst. ~s pl. Lebensmittel n/pl.

**vibrat|e** [vaiˈbreit] vibrieren; zit-
tern; **~ion** [~eiʃən] Schwingung f,
Zittern n, Vibrieren n, Erschütterung f.

**vicar** *eccl.* [ˈvikə] Vikar m; **~age**
[~əridʒ] Pfarrhaus n.

**vice¹** [vais] Laster n; Fehler m;
Unart f; ⊕ Schraubstock m.

**vice²** prp. [ˈvaisi] an Stelle von.

**vice³** [vais] F Stellvertreter m; attr.
Vize..., Unter...; **~roy** [ˈvaisrɔi]
Vizekönig m.

**vice versa** [ˈvaisiˈvəːsə] umgekehrt.

**vicinity** [viˈsiniti] Nachbarschaft f;
Nähe f.

**vicious** □ [ˈviʃəs] lasterhaft; bösartig; boshaft; fehlerhaft.

**vicissitude** [viˈsisitjuːd] Wandel m,
Wechsel m; **~s** pl. Wechselfälle
m/pl.

**victim** [ˈviktim] Opfer n; **~ize**
[~maiz] (hin)opfern; fig. j-n herein-
legen.

**victor** [ˈviktə] Sieger m; **2ian** hist.
[vikˈtɔːriən] Viktorianisch; **~ious**
□ [~iəs] siegreich; Sieges...; **~y**
[ˈviktəri] Sieg m.

**victual** [ˈvitl] **1.** (sich) verpflegen od.
verproviantieren; **2.** mst ~s pl.
Lebensmittel n/pl., Proviant m;
**~(l)er** [~lə] Lebensmittellieferant m.

**video** [ˈvidiou] Fernseh...

**vie** [vai] wetteifern.

**Viennese** [vieˈniːz] **1.** Wiener(in);
**2.** Wiener..., wienerisch.

**view** [vjuː] **1.** Sicht f, Blick m;
Besichtigung f; Aussicht f (of auf
acc.); Anblick m; Ansicht f (a. fig.);
Absicht f; *at first* ~ auf den ersten
Blick; *in* ~ sichtbar, zu sehen; *in* ~
*of* im Hinblick auf (acc.); fig. angesichts (gen.); on ~ zu besichtigen
*with a* ~ *to inf.* od. *of ger.* in der Absicht zu inf.; *have* (keep) *in* ~ im
Auge haben (behalten); **2.** ansehen
besichtigen; fig. betrachten; **~er**
[ˈvjuːə] Betrachter(in), Zuschauer
(-in); **~less** [ˈvjuːlis] ohne eigene

Meinung; *poet.* unsichtbar; **~point** Gesichts-, Standpunkt *m*.

**vigil** ['vidʒil] Nachtwache *f*; **~ance** [~ləns] Wachsamkeit *f*; **~ant** □ [~nt] wachsam.

**vigo|rous** □ ['vigərəs] kräftig; energisch; nachdrücklich; **~(u)r** ['vigə] Kraft *f*; Vitalität *f*; Nachdruck *m*.

**viking** ['vaikiŋ] **1.** Wiking(er) *m*; **2.** wikingisch, Wikinger...

**vile** □ [vail] gemein; abscheulich.

**vilify** ['vilifai] verunglimpfen.

**village** ['vilidʒ] Dorf *n*; **~green** Dorfanger *m*, -wiese *f*; **~r** [~dʒə] Dorfbewohner(in).

**villain** ['vilən] Schurke *m*, Schuft *m*, Bösewicht *m*; **~ous** □ [~nəs] schurkisch; F scheußlich; **~y** [~ni] Schurkerei *f*.

**vim** F [vim] Schwung *m*, Schneid *m*.

**vindicat|e** ['vindikeit] rechtfertigen (*from* gegen); verteidigen; **~ion** [vindi'keiʃən] Rechtfertigung *f*.

**vindictive** □ [vin'diktiv] rachsüchtig.

**vine** ♀ [vain] Wein(stock) *m*, Rebe *f*; **~gar** ['vinigə] (Wein)Essig *m*; **~-growing** ['vaingrouiŋ] Weinbau *m*; **~yard** ['vinjəd] Weinberg *m*.

**viola** ♪ [vi'oulə] Bratsche *f*.

**violat|e** ['vaiəleit] verletzen; *Eid etc.* brechen; vergewaltigen, schänden; **~ion** [vaiə'leiʃən] Verletzung *f*; (Eid- *etc.*-)Bruch *m*; Vergewaltigung *f*, Schändung *f*.

**violen|ce** ['vaiələns] Gewalt(samkeit, -tätigkeit) *f*; Heftigkeit *f*; **~t** □ [~nt] gewaltsam; gewalttätig; heftig.

**violet** ♀ ['vaiəlit] Veilchen *n*.

**violin** ♪ [vaiə'lin] Violine *f*, Geige *f*.

**V.I.P., VIP** ['vi:ai'pi:] F hohes Tier.

**viper** *zo.* ['vaipə] Viper *f*, Natter *f*.

**virago** [vi'rɑːgou] Zankteufel *m*.

**virgin** ['vəːdʒin] **1.** Jungfrau *f*; **2.** *a.* **~al** □ [~nl] jungfräulich; Jungfern...; **~ity** [vəː'dʒiniti] Jungfräulichkeit *f*.

**viril|e** ['virail] männlich; Mannes...; **~ity** [vi'riliti] Männlichkeit *f*.

**virtu** [vəː'tuː]: *article of* ~ Kunstgegenstand *m*; **~al** □ ['vəːtjuəl] eigentlich; **~ally** [~li] praktisch; **~e** ['vəːtjuː] Tugend *f*; Wirksamkeit *f*;

Vorzug *m*, Wert *m*; *in od. by* ~ *of* kraft, vermöge (*gen.*); *make a* ~ *of necessity* aus der Not e-e Tugend machen; **~osity** [vəːtju'ɔsiti] Virtuosität *f*; **~ous** □ ['vəːtjuəs] tugendhaft.

**virulent** □ ['virulənt] giftig; *⚕* virulent; *fig.* bösartig.

**virus** *⚕* ['vaiərəs] Virus *n*; *fig.* Gift *n*.

**visa** ['viːzə] Visum *n*, Sichtvermerk *m*; **~ed** [~əd] mit e-m Sichtvermerk *od.* Visum versehen.

**viscose** *⚗* ['viskous] Viskose *f*; ~ *silk* Zellstoffseide *f*.

**viscount** ['vaikaunt] Vicomte *m*; **~ess** [~tis] Vicomtesse *f*.

**viscous** □ ['viskəs] zähflüssig.

**vise** *Am.* [vais] Schraubstock *m*.

**visé** ['viːzei] = *visa*.

**visib|ility** [vizi'biliti] Sichtbarkeit *f*; Sichtweite *f*; **~le** □ ['vizəbl] sichtbar; *fig.* (er)sichtlich; *pred.* zu sehen (*S.*); zu sprechen (*P.*).

**vision** ['viʒən] Sehvermögen *n*, Sehkraft *f*; *fig.* Seherblick *m*; Vision *f*, Erscheinung *f*; **~ary** ['viʒnəri] **1.** phantastisch; **2.** Geisterseher(in); Phantast(in).

**visit** ['vizit] **1.** *v/t.* besuchen; besichtigen; *fig.* heimsuchen; *et.* vergelten, *v/i.* Besuche machen; *Am.* sich unterhalten, plaudern (*with* mit); **2.** Besuch *m*; Besichtigung *f*; *fig.* Heimsuchung *f*; **~or** ['vizitə] Besucher(in), Gast *m*; Inspektor *m*.

**vista** ['vistə] Durchblick *m*; Rückod. Ausblick *m*.

**visual** □ ['vizjuəl] Seh...; Gesichts-...; **~ize** [~laiz] (sich) vor Augen stellen, sich ein Bild machen von.

**vital** □ ['vaitl] **1.** Lebens...; lebenswichtig, wesentlich; lebensgefährlich; ~ *parts pl.* = **2.** **~s** *pl.* lebenswichtige Organe *n/pl.*; edle Teile *m/pl.*; **~ity** [vai'tæliti] Lebenskraft *f*; Vitalität *f*; **~ize** ['vaitəlaiz] beleben.

**vitamin(e)** ['vitəmin] Vitamin *n*.

**vitiate** ['viʃieit] verderben; beeinträchtigen; hinfällig (*⚖* ungültig) machen.

**vitreous** □ ['vitriəs] Glas...; gläsern.

**vituperate** [vi'tjuːpəreit] schelten; schmähen, beschimpfen.

**vivaci|ous** □ [vi'veiʃəs] lebhaft; **~ty** [vi'væsiti] Lebhaftigkeit *f*.

**vivid** □ ['vivid] lebhaft, lebendig.

**vivify** ['vivifai] (sich) beleben.

**vixen** ['viksn] Füchsin *f*; zänkisches Weib.

**vocabulary** [və'kæbjuləri] Wörterverzeichnis *n*; Wortschatz *m*.

**vocal** □ ['voukəl] stimmlich; Stimm...; gesprochen; laut; ♩ Vokal..., Gesang...; klingend; *gr.* stimmhaft; **~ist** [~list] Sänger(in); **~ize** [~laiz] (*gr.* stimmhaft) aussprechen; singen.

**vocation** [vou'keiʃən] Berufung *f*; Beruf *m*; **~al** □ [~nl] beruflich; Berufs...

**vociferate** [vou'sifəreit] schreien.

**vogue** [voug] Beliebtheit *f*; Mode *f*.

**voice** [vɔis] 1. Stimme *f*; *active (passive)* ~ *gr.* Aktiv *n* (Passiv *n*); *give* ~ *to* Ausdruck geben (*dat.*); 2. äußern, ausdrücken; *gr.* stimmhaft aussprechen.

**void** [vɔid] 1. leer; ᵗ₂ ungültig; ~ *of* frei von; arm an (*dat.*); ohne; 2. Leere *f*; Lücke *f*; 3. entleeren; ungültig machen, aufheben.

**volatile** ['vɔlətail] ♫ flüchtig (*a. fig.*); flatterhaft.

**volcano** [vɔl'keinou], *pl.* **~es** Vulkan *m*.

**volition** [vou'liʃən] Wollen *n*; Wille(nskraft *f*) *m*.

**volley** ['vɔli] 1. Salve *f*; (Geschoß- *etc.*)Hagel *m*; *fig.* Schwall *m*; *Tennis:* Flugball *m*; 2. *mst* ~ *out* e-n Schwall *von Worten etc.* von sich geben; Salven abgeben; *fig.* hageln; dröhnen; **~ball** *Sport:* Volleyball *m*, Flugball *m*.

**volt** ⚡ [voult] Volt *n*; **~age** ⚡ ['voultidʒ] Spannung *f*; **~meter** ⚡ Volt-, Spannungsmesser *m*.

**volub|ility** [vɔlju'biliti] Redegewandtheit *f*; **~le** □ ['vɔljubl] (rede)gewandt.

**volum|e** ['vɔljum] Band *m* *e-s Buches*; Volumen *n*; *fig.* Masse *f*, große Menge; (*bsd.* Stimm)Umfang *m*; ~ *of sound Radio:* Lautstärke *f*; **~inous** [və'lju:minəs] vielbändig; umfangreich, voluminös.

**volunt|ary** □ ['vɔləntəri] freiwillig; willkürlich; **~eer** [vɔlən'tiə] 1. Freiwillige(r *m*) *f*; *attr.* Freiwilligen...;

2. *v/i.* freiwillig dienen; sich freiwillig melden; sich erbieten; *v/t.* anbieten; sich *e-e Bemerkung* erlauben.

**voluptu|ary** [və'lʌptjuəri] Wollüstling *m*; **~ous** □ [~uəs] wollüstig; üppig.

**vomit** ['vɔmit] 1. (sich) erbrechen; *fig.* (aus)speien, ausstoßen; 2. Erbrochene(s) *n*; Erbrechen *n*.

**voraci|ous** □ [vɔ'reiʃəs] gefräßig; gierig; **~ty** [vɔ'ræsiti] Gefräßigkeit *f*; Gier *f*.

**vort|ex** ['vɔ:teks], *pl. mst* **~ices** ['vɔ:tisi:z] Wirbel *m*, Strudel *m* (*mst fig.*).

**vote** [vout] 1. (Wahl)Stimme *f*; Abstimmung *f*; Stimmrecht *n*; Beschluß *m*, Votum *n*; ~ *of no confidence* Mißtrauensvotum *n*; *cast a* ~ (s)eine Stimme abgeben; *take a* ~ *on s.th.* über et. abstimmen; 2. *v/t.* stimmen für; *v/i.* (ab)stimmen; wählen; ~ *for* stimmen für; F für et. sein; et. vorschlagen; **~r** ['voutə] Wähler(in).

**voting** ['voutiŋ] Abstimmung *f*; *attr.* Wahl...; ~ **machine** Stimmenzählmaschine *f*; **~paper** Stimmzettel *m*.

**vouch** [vautʃ] verbürgen; ~ *for* bürgen für; **~er** ['vautʃə] Beleg *m*, Unterlage *f*; Gutschein *m*; Zeuge *m*; **~safe** [vautʃ'seif] gewähren, geruhen.

**vow** [vau] 1. Gelübde *n*; (Treu)Schwur *m*; 2. *v/t.* geloben.

**vowel** *gr.* ['vauəl] Vokal *m*, Selbstlaut *m*.

**voyage** ['vɔidʒ] 1. *längere* (See-, Flug)Reise; 2. reisen, fahren; **~r** ['vɔiədʒə] (See)Reisende(r *m*) *f*.

**vulgar** ['vʌlgə] 1. □ gewöhnlich, gemein, vulgär, pöbelhaft; ~ *tongue* Volkssprache *f*; 2.: *the* ~ der Pöbel; **~ism** [~ərizəm] vulgärer Ausdruck; **~ity** [vʌl'gæriti] Gemeinheit *f*; **~ize** ['vʌlgəraiz] gemein machen; erniedrigen; populär machen.

**vulnerable** □ ['vʌlnərəbl] verwundbar; *fig.* angreifbar.

**vulpine** ['vʌlpain] Fuchs...; fuchsartig; schlau, listig.

**vulture** *orn.* ['vʌltʃə] Geier *m*.

**vying** ['vaiiŋ] wetteifernd.

# W

**wacky** *Am. sl.* ['wæki] verrückt.

**wad** [wɔd] **1.** (Watte)Bausch *m*; Polster *n*; Pfropf(en) *m*; Banknotenbündel *n*; **2.** wattieren; polstern; zs.-pressen; zustopfen; **~ding** ['wɔdiŋ] Wattierung *f*; Watte *f*.

**waddle** ['wɔdl] watscheln, wackeln.

**wade** [weid] *v/i.* waten; *fig.* sich hindurcharbeiten; *v/t.* durchwaten.

**wafer** ['weifə] Waffel *f*; Oblate *f*; *eccl.* Hostie *f*.

**waffle** ['wɔfl] **1.** Waffel *f*; **2.** F quasseln.

**waft** [wɑːft] **1.** wehen, tragen; **2.** Hauch *m*.

**wag** [wæg] **1.** wackeln (mit); wedeln (mit); **2.** Schütteln *n*; Wedeln *n*; Spaßvogel *m*.

**wage¹** [weidʒ] *Krieg* führen.

**wage²** [~] *mst* ~s *pl.* Lohn *m*; **~earner** ['weidʒəːnə] Lohnempfänger *m*.

**wager** ['weidʒə] **1.** Wette *f*; **2.** wetten.

**waggish** □ ['wægiʃ] schelmisch.

**waggle** F ['wægl] wackeln (mit).

**wag(g)on** ['wægən] (Roll-, Güter-) Wagen *m*; **~er** [~nə] Fuhrmann *m*.

**wagtail** *orn.* ['wægteil] Bachstelze *f*.

**waif** [weif] herrenloses Gut; Strandgut *n*; Heimatlose(r *m*) *f*.

**wail** [weil] **1.** (Weh)Klagen *n*; **2.** (weh)klagen.

**wainscot** ['weinskət] (Holz)Täfelung *f*.

**waist** [weist] Taille *f*; schmalste Stelle; ♣ Mitteldeck *n*; **~coat** ['weiskout] Weste *f*; **~line** ['weistlain] *Schneiderei:* Taille *f*.

**wait** [weit] **1.** *v/i.* warten (*for* auf *acc.*); *a.* ~ *at* (*Am.* on) *table* bedienen, servieren; ~ (up)on *j-n* bedienen; *j-n* aufwarten; ~ *and see* abwarten; *v/t.* abwarten; mit *dem Essen* warten (*for* auf *j-n*); **2.** Warten *n*, Aufenthalt *m*; *lie in* ~ *for s.o.* j-m auflauern; **~er** ['weitə] Kellner *m*; Tablett *n*.

**waiting** ['weitiŋ] Warten *n*; Dienst *m*; *in* ~ diensttuend; **~-room** Wartezimmer *n*; ♣ *etc.* Wartesaal *m*.

**waitress** ['weitris] Kellnerin *f*.

**waive** [weiv] verzichten auf (*acc.*), aufgeben; **~r** ⚖ ['weivə] Verzicht *m*.

**wake** [weik] **1.** ♣ Kielwasser *n* (*a. fig.*); Totenwache *f*; Kirmes *f*; **2.** [*irr.*] *v/i. a.* ~ *up* aufwachen; *v/t. a.* ~ *up* (auf)wecken; erwecken; *fig.* wachrufen; **~ful** □ ['weikful] wachsam; schlaflos; **~n** ['weikən] *s.* wake 2.

**wale** *bsd. Am.* [weil] Strieme *f*.

**walk** [wɔːk] **1.** *v/i.* (zu Fuß) gehen; spazierengehen; wandern; Schritt gehen; ~ *out* F streiken; ~ *out on sl.* im Stich lassen; *v/t.* führen; *Pferd* Schritt gehen lassen; (durch)wandern; umhergehen auf *od.* in (*dat.*); **2.** (Spazier)Gang *m*; Spazierweg *m*; ~ *of life* Lebensstellung *f*, Beruf *m*; **~er** ['wɔːkə] Fuß-, Spaziergänger(in).

**walkie-talkie** ✕ ['wɔːki'tɔːki] tragbares Sprechfunkgerät.

**walking** ['wɔːkiŋ] Spazierengehen *n*, Wandern *n*; *attr.* Spazier...; Wander...; ~ *papers pl. Am.* F Entlassung(spapiere *n/pl.*) *f*; Laufpaß *m*; **~stick** Spazierstock *m*; **~tour** (Fuß)Wanderung *f*.

**walk|-out** *Am.* ['wɔːkaut] Ausstand *m*; **~over** Kinderspiel *n*, leichter Sieg.

**wall** [wɔːl] **1.** Wand *f*; Mauer *f*; **2.** mit Mauern umgeben; ~ *up* zumauern.

**wallet** ['wɔlit] Ränzel *n*; Brieftasche *f*.

**wallflower** *fig.* ['wɔːlflauə] Mauerblümchen *n*.

**wallop** F ['wɔləp] *j-n* verdreschen.

**wallow** ['wɔlou] sich wälzen.

**wall|-paper** ['wɔːlpeipə] Tapete *f*; **~socket** ⚡ Steckdose *f*.

**walnut** ♣ ['wɔːlnət] Walnuß(baum *m*) *f*.

**walrus** *zo.* ['wɔːlrəs] Walroß *n*.

**waltz** [wɔːls] **1.** Walzer *m*; **2.** Walzer tanzen.

**wan** □ [wɔn] blaß, bleich, fahl.

**wand** [wɔnd] (Zauber)Stab *m*.

**wander** ['wɔndə] wandern; umherschweifen, umherwandern; *fig.* abschweifen; irregehen; phantasieren.

**wane** [wein] **1.** abnehmen (*Mond*); *fig.* schwinden; **2.** Abnehmen *n*.

**wangle** *sl.* ['wæŋgl] *v/t.* deichseln, hinkriegen; *v/i.* mogeln.

**want** [wɔnt] **1.** Mangel *m* (*of* an

*dat.*); Bedürfnis *n*; Not *f*; **2.** *v/i.*: be ~ing fehlen; es fehlen lassen (*in* an *dat.*); unzulänglich sein; ~ *for* Not leiden an (*dat.*); *it* ~s of es fehlt an (*dat.*); ~ *v/t.* bedürfen (*gen.*), brauchen; nicht haben; wünschen, (haben) wollen; *it* ~s *s.th.* es fehlt an et. (*dat.*); *he* ~s energy es fehlt ihm an Energie; ~ed gesucht; ~**-ad** F ['wɔntæd] Kleinanzeige *f*; Stellenangebot *n*, -gesuch *n*.

**wanton** ['wɔntən] **1.** □ geil; üppig; mutwillig; **2.** Dirne *f*; **3.** umhertollen.

**war** [wɔː] **1.** Krieg *m*; *attr.* Kriegs...; *make* ~ Krieg führen (*upon* gegen); **2.** (ea. wider)streiten.

**warble** ['wɔːbl] trillern; singen.

**ward** [wɔːd] **1.** Gewahrsam *m*; Vormundschaft *f*; Mündel *n*; Schützling *m*; Gefängniszelle *f*; Abteilung *f*, Station *f*, Krankenzimmer *n*; (Stadt)Bezirk *m*; ⊕ Einschnitt *m im Schlüsselbart*; **2.** ~ *off* abwehren, ~**en** ['wɔːdn] Aufseher *m*; (Luftschutz)Wart *m*; *univ.* Rektor *m*; ~**er** ['wɔːdə] (Gefangenen)Wärter *m*; ~**robe** ['wɔːdroub] Garderobe *f*; Kleiderschrank *m*; ~ *trunk* Schrankkoffer *m*.

**ware** [wɛə] Ware *f*; Geschirr *n*.

**warehouse 1.** ['wɛəhaus] (Waren-)Lager *n*; Speicher *m*; **2.** [~auz] auf Lager bringen, einlagern.

**war|fare** ['wɔːfɛə] Krieg(führung *f*) *m*; ~**head** ✗ Sprengkopf *m e-r Rakete etc.*

**wariness** ['wɛərinis] Vorsicht *f*.

**warlike** ['wɔːlaik] kriegerisch.

**warm** [wɔːm] **1.** □ warm (*a. fig.*); heiß; *fig.* hitzig; **2.** F Erwärmung *f*; **3.** *v/t. a.* ~ *up* (auf-, an-, er)wärmen; *v/i. a.* ~ *up* warm werden, sich erwärmen; ~**th** [wɔːmθ] Wärme *f*.

**warn** [wɔːn] warnen (*of, against* vor *dat.*); verwarnen; ermahnen; verständigen; ~**ing** ['wɔːniŋ] (Ver-)Warnung *f*; Mahnung *f*; Kündigung *f*.

**warp** [wɔːp] *v/i.* sich verziehen (*Holz*); *v/t. fig.* verdrehen, verzerren; beeinflussen; *j-n* abbringen (*from* von).

**warrant** ['wɔrənt] **1.** Vollmacht *f*; Rechtfertigung *f*; Berechtigung *f*; ⚖ (Vollziehungs)Befehl *m*; Berechtigungsschein *m*; ~ *of arrest* ⚖ Haftbefehl *m*; **2.** bevollmächtigen;

*j-n* berechtigen; *et.* rechtfertigen; verbürgen; ✝ garantieren; ~**y** [~ti] Garantie *f*; Berechtigung *f*.

**warrior** ['wɔriə] Krieger *m*.

**wart** [wɔːt] Warze *f*; Auswuchs *m*.

**wary** □ ['wɛəri] vorsichtig, behutsam; wachsam.

**was** [wɔz, wəz] *1. und 3. sg. pret. von* be; *pret. pass. von* be; *he* ~ *to have come er hätte kommen sollen.*

**wash** [wɔʃ] **1.** *v/t.* waschen; (um-)spülen; ~ *up* abwaschen, spülen; *v/i.* sich waschen (lassen); waschecht sein (*a. fig.*); spülen, schlagen (*Wellen*); **2.** Waschen *n*; Wäsche *f*; Wellenschlag *m*; Spülwasser *n*; *contp.* Gewäsch *n*; *mouth-*~ Mundwasser *n*; ~**able** ['wɔʃəbl] waschbar; ~**-basin** Waschbecken *n*; ~**cloth** Waschlappen *m*; ~**er** ['wɔʃə] Wäscherin *f*; Waschmaschine *f*; ⊕ Unterlagscheibe *f*; ~**erwoman** Waschfrau *f*; ~**ing** ['wɔʃiŋ] **1.** Waschen *n*; Wäsche *f*; ~s *pl.* Spülicht *n*; **2.** Wasch...; ~**ing-up** Abwaschen *n*; ~**rag** *bsd. Am.* Waschlappen *m*; ~**y** ['wɔʃi] wässerig.

**wasp** [wɔsp] Wespe *f*.

**wastage** ['weistidʒ] Abgang *m*, Verlust *m*; Vergeudung *f*.

**waste** [weist] **1.** wüst, öde; unbebaut; überflüssig; Abfall...; *lay* ~ verwüsten; ~ *paper* Altpapier *n*; **2.** Verschwendung *f*, Vergeudung *f*; Abfall *m*; Einöde *f*, Wüste *f*; **3.** *v/t.* verwüsten; verschwenden; verzehren; *v/i.* verschwendet werden; ~**ful** □ ['weistful] verschwenderisch; ~**-paper-basket** [weist'peipəbɑːskit] Papierkorb *m*; ~**-pipe** ['weistpaip] Abflußrohr *n*.

**watch** [wɔtʃ] **1.** Wache *f*; Taschenuhr *f*; **2.** *v/i.* wachen; ~ *for* warten auf (*acc.*); ~ *out* F aufpassen; *v/t.* bewachen; beobachten; achtgeben auf (*acc.*); *Gelegenheit* abwarten; ~**dog** ['wɔtʃdɔg] Wachhund *m*; ~**ful** □ [~ʃful] wachsam, achtsam; ~**-maker** Uhrmacher *m*; ~**man** (Nacht)Wächter *m*; ~**word** Losung *f*.

**water** ['wɔːtə] **1.** Wasser *n*; Gewässer *n*; *drink the* ~s Brunnen trinken; **2.** *v/t.* bewässern; (be-)sprengen; (be)gießen; mit Wasser versorgen; tränken; verwässern (*a. fig.*); *v/i.* wässern (*Mund*); tränen (*Augen*); Wasser einnehmen; ~

**closet** (Wasser)Klosett *n*; **~col-o(u)r** Aquarell(malerei *f*) *n*; **~course** Wasserlauf *m*; **~cress** & Brunnenkresse *f*; **~fall** Wasserfall *m*; **~front** Ufer *n*, *bsd. Am. städtisches* Hafengebiet; **~ga(u)ge** ⊕ Wasserstands(an)zeiger *m*; Pegel *m*.

**watering** ['wɔ:tǝrin]: **~can** Gießkanne *f*; **~place** Wasserloch *n*; Tränke *f*; Bad(eort *m*) *n*; Seebad *n*; **~pot** Gießkanne *f*.

**water|-level** ['wɔ:tǝlevl] Wasserspiegel *m*; Wasserstand(slinie *f*) *m*; ⊕ Wasserwaage *f*; **~man** Fährmann *m*; Bootsführer *m*; Ruderer *m*; **~proof 1.** wasserdicht; **2.** Regenmantel *m*; **3.** imprägnieren; **~shed** Wasserscheide *f*; Stromgebiet *n*; **~side 1.** Fluß-, Seeufer *n*; **2.** am Wasser (gelegen); **~tight** wasserdicht; *fig.* unangreifbar; **~way** Wasserstraße *f*; **~works** *oft sg.* Wasserwerk *n*; **~y** [~ǝri] wässerig.

**watt** ⚡ [wɔt] Watt *n*.

**wattle** ['wɔtl] **1.** Flechtwerk *n*; **2.** aus Flechtwerk herstellen.

**wave** [weiv] **1.** Welle *f*; Woge *f*; Winken *n*; **2.** *v/t.* wellig machen, wellen; schwingen; schwenken; ~ *s.o. aside* j-n beiseite winken; *v/i.* wogen, wehen, flattern; winken; **~-length** *phys.* ['weivleŋθ] Wellenlänge *f*.

**waver** ['weivǝ] (sch)wanken; flakkern.

**wavy** ['weivi] wellig; wogend.

**wax¹** [wæks] **1.** Wachs *n*; Siegellack *m*; Ohrenschmalz *n*; **2.** wachsen; bohnern.

**wax²** [~] zunehmen (*Mond*).

**wax|en** *fig.* ['wæksǝn] wächsern; **~y** [□] [~si] wachsartig; weich.

**way** [wei] **1.** *mst* Weg *m*; Straße *f*; Art u. Weise *f*; *eigene* Art; Strecke *f*; Richtung *f*; F Gegend *f*; ⚓ Fahrt *f*; *fig.* Hinsicht *f*; Zustand *m*; ⚓ Helling *f*; ~ *in* Eingang *m*; ~ *out* Ausgang *m*; *fig.* Ausweg *m*; right of ~ ⚡ Wegerecht *n*; *bsd. mot.* Vorfahrt(srecht *n*) *f*; *this* ~ hierher, hier entlang; *by the* ~ übrigens; *by* ~ *of* durch; *on the* ~, *on one's* ~ unterwegs; *out of the* ~ ungewöhnlich; *under* ~ in Fahrt; *give* ~ zurückgeben; *mot.* die Vorfahrt lassen (*to dat.*); nachgeben; abgelöst werden (*to von*); sich hingeben (*to*

*dat.*); *have one's* ~ s-n Willen haben; *lead the* ~ vorangehen; **2.** *adv.* weit; **~bill** ['weibil] Frachtbrief *m*; **~farer** ['weifɛǝrǝ] Wanderer *m*; **~lay** [wei'lei] [*irr.* (*lay*)] j-m auflauern; **~side 1.** Wegrand *f*; **2.** am Wege; ~ *station* *Am.* Zwischenstation *f*; ~ *train* *Am.* Bummelzug *m*; **~ward** □ ['weiwǝd] starrköpfig, eigensinnig.

**we** [wi:, wi] wir.

**weak** □ [wi:k] schwach; schwächlich; dünn (*Getränk*); **~en** [wi:kǝn] *v/t.* schwächen; *v/i.* schwach werden; **~ling** ['wi:kliŋ] Schwächling *m*; **~ly** [□li] schwächlich; **~-minded** ['wi:k'maindid] schwachsinnig; schwach; **~ness** ['wi:knis] Schwächef.

**weal** [wi:l] Wohl *n*; Strieme *f*.

**wealth** [welθ] Wohlstand *m*; Reichtum *m*; *fig.* Fülle *f*; **~y** □ ['welθi] reich; wohlhabend.

**wean** [wi:n] entwöhnen; ~ *s.o. from s.th.* j-m et. abgewöhnen.

**weapon** ['wepǝn] Waffe *f*.

**wear** [wɛǝ] **1.** [*irr.*] *v/t.* am Körper tragen; zur Schau tragen; *a.* ~ *away*, ~ *down*, ~ *off*, ~ *out* abnutzen, abtragen, verbrauchen; erschöpfen; ermüden; zermürben; *v/i.* sich *gut etc.* tragen *od.* halten; *a.* ~ *off od. out* sich abnutzen *od.* abtragen; *fig.* sich verlieren; ~ *on* vergehen; **2.** Tragen *n*; (Be)Kleidung *f*; Abnutzung *f*; *for hard* ~ strapazierfähig; *the worse for* ~ abgetragen; ~ *and tear* Verschleiß *m*.

**wear|iness** ['wiǝrinis] Müdigkeit *f*; Ermüdung *f*; (Be)Überdruß *m*; **~i-some** □ [~isǝm] ermüdend; langweilig; **~y** ['wiǝri] **1.** □ müde; *fig.* überdrüssig; ermüdend; anstrengend; **2.** ermüden.

**weasel** *zo.* ['wi:zl] Wiesel *n*.

**weather** ['weðǝ] **1.** Wetter *n*, Witterung *f*; **2.** *v/t.* dem Wetter aussetzen; ⚓ Sturm abwettern; *fig.* überstehen; *v/i.* verwittern; **~-beaten** vom Wetter mitgenommen; **~bureau** Wetteramt *n*; **~chart** Wetterkarte *f*; **~forecast** Wetterbericht *m*, -vorhersage *f*; **~-worn** verwittert.

**weav|e** [wi:v] [*irr.*] weben; wirken; flechten; *fig.* ersinnen, erfinden; sich schlängeln; **~er** ['wi:vǝ] Weber *m*.

**weazen** ['wi:zn] verhutzelt.

**web** [web] Gewebe n; orn. Schwimm-
haut f; **~bing** ['webiŋ] Gurtband
n.

**wed** [wed] heiraten; fig. verbinden
(to mit); **~ding** ['wediŋ] 1. Hochzeit f; 2. Hochzeits...; Braut...;
Trau...; **~ring** Ehe-, Trauring m.

**wedge** [wedʒ] 1. Keil m; 2. (ver-)
keilen; a. **~ in** (hin)einzwängen.

**wedlock** ['wedlɔk] Ehe f.

**Wednesday** ['wenzdi] Mittwoch m.

**wee** [wi:] klein, winzig; a **~ bit** ein
klein wenig.

**weed** [wi:d] 1. Unkraut n; 2. jäten;
säubern (of von); **~ out** ausmerzen;
**~-killer** ['wi:dkilə] Unkrautvertil-
gungsmittel n; **~s** pl. mst widow's **~**
Witwenkleidung f; **~y** ['wi:di] voll
Unkraut, verkrautet; fig. lang auf-
geschossen.

**week** [wi:k] Woche f; this day **~**
heute in od. vor e-r Woche; **~day**
['wi:kdei] Wochentag m; **~end**
['wi:k'end] Wochenende n; **~ly**
['wi:kli] 1. wöchentlich; 2. a. **~**
paper Wochenblatt n, Wochen(zeit)-
schrift f.

**weep** [wi:p] [irr.] weinen; tropfen;
**~ing** ['wi:piŋ] Trauer...; **~ willow**
♃ Trauerweide f.

**weigh** [wei] v/t. (ab)wiegen, fig.
ab-, erwägen; **~ anchor** ♃ den Anker lichten; **~ed down** niederge-
beugt; v/i. wiegen (a. fig.); ausschlaggebend sein; **~ (up)on** lasten
auf (dat.).

**weight** [weit] 1. Gewicht n (a. fig.);
Last f (a. fig.); fig. Bedeutung f;
Wucht f; 2. beschweren; fig. belasten; **~y** □ ['weiti] (ge)wichtig;
wuchtig.

**weir** [wiə] Wehr n; Fischreuse f.

**weird** [wiəd] Schicksals...; unheimlich; f sonderbar, seltsam.

**welcome** ['welkəm] 1. willkommen;
you are **~ to** inf. es steht Ihnen
frei, zu inf.; (you are) **~!** gern geschehen!, bitte sehr!; 2. Will-
komm(en n) m; 3. willkommen
heißen; fig. begrüßen.

**weld** ⊕ [weld] (zs.-)schweißen.

**welfare** ['welfeə] Wohlfahrt f; **~**
**centre** Fürsorgeamt n; **~ state**
Wohlfahrtsstaat m; **~ work** Fürsorge f, Wohlfahrtspflege f; **~**
**worker** Fürsorger(in).

**well¹** [wel] 1. Brunnen m; fig.
Quelle f; ⊕ Bohrloch n; Treppen-,

Aufzugs-, Licht-, Luftschacht m;
2. quellen.

**well²** [~] 1. wohl; gut; ordentlich;
gründlich; gesund; **~ off** in guten
Verhältnissen, wohlhabend; I am
not **~** mir ist nicht wohl; 2. int.
nun!, F na!; **~-being** ['wel'bi:iŋ]
Wohl(sein) n; **~-born** von guter
Herkunft; **~-bred** wohlerzogen;
**~-defined** deutlich, klar umrissen;
**~-favo(u)red** gut aussehend; **~-**
**intentioned** wohlmeinend; gut
gemeint; **~ known**, **~-known** bekannt; **~-mannered** mit guten
Manieren; **~-nigh** ['welnai] beinahe; **~ timed** rechtzeitig; **~-to-do**
['weltə'du:] wohlhabend; **~-wisher**
Gönner m, Freund m; **~-worn** abgetragen; fig. abgedroschen.

**Welsh** [welʃ] 1. walisisch; 2. Walisisch n; the **~** pl. die Waliser pl.; **~**
**rabbit** überbackene Käseschnitte.

**welt** [welt] ⊕ Rahmen m, Schuh-
Rahmen m; Einfassung f; Strieme f.

**welter** ['weltə] 1. rollen, sich wälzen; 2. Wirrwarr m, Durcheinander n.

**wench** [wentʃ] Mädchen n; Dirne f.

**went** [went] pret. von go 1.

**wept** [wept] pret. u. p.p. von weep.

**were** [wəː, wə] 1. pret. pl. u. 2. sg.
von be; 2. pret. pass. von be;
3. subj. pret. von be.

**west** [west] 1. West(en m); 2. West...;
westlich; westwärts; **~erly** ['wes-
təli], **~ern** [~ən] westlich; **~erner**
[~nə] Am. Weststaatler(in); Abend-
länder(in); **~ward(s)** [~twəd(z)]
westwärts.

**wet** [wet] 1. naß, feucht; Am. den
Alkoholhandel gestattend; 2. Nässe
f; Feuchtigkeit f; 3. [irr.] naß
machen, anfeuchten.

**wetback** Am. sl. ['wetbæk] illegaler
Einwanderer aus Mexiko.

**wether** ['weðə] Hammel m.

**wet-nurse** ['wetnəːs] Amme f.

**whack** F [wæk] 1. verhauen; 2. Hieb
m.

**whale** [weil] Wal m; **~bone** ['weil-
boun] Fischbein n; **~-oil** Tran m;
**~r** ['weilə] Walfischfänger m.

**whaling** ['weiliŋ] Walfischfang m.

**wharf** [wɔːf], pl. a. **wharves** [wɔːvz]
Kai m, Anlegeplatz m.

**what** [wɔt] 1. was; das, was; know
**~'s ~** Bescheid wissen; 2. was?;

wie?; wieviel?; welch(er, -e, -es)?; was für ein(e)?; ~ *about* ...? wie steht's mit ...?; ~ *for*? wozu?; ~ *of it*? was ist denn dabei?; ~ *next*? was sonst noch?; *iro.* was denn noch alles?; ~ *a blessing!* was für ein Segen!; **3.** ~ *with* ... ~ *with* ... teils durch ... teils durch ...; ~ **(so)ever** [wɔt(sou)'evə] was *od.* welcher auch (immer).

**wheat** ♀ [wi:t] Weizen *m.*
**wheedle** ['wi:dl] beschwatzen; ~ *s.th. out of s.o.* j-m et. abschwatzen.
**wheel** [wi:l] **1.** Rad *n*; Steuer *n*; *bsd. Am.* F Fahrrad *n*; Töpferscheibe *f*; Drehung *f*; ⚔ Schwenkung *f*; **2.** rollen, fahren, schieben; sich drehen; sich umwenden; ⚔ schwenken; F radeln; ~**barrow** ['wi:lbærou] Schubkarren *m.*
**chair** Rollstuhl *m*; ~**ed** mit Rädern; fahrbar; ...räd(e)rig.
**wheeze** [wi:z] schnaufen, keuchen.
**whelp** [welp] **1.** *zo.* Welpe *m*; *allg.* Junge(s) *n*; F Balg *m*, *n* (*ungezogenes Kind*); **2.** (Junge) werfen.
**when** [wen] **1.** wann?; **2.** wenn; als; während *od.* da doch; und da.
**whence** [wens] woher, von wo.
**when(so)ever** [wen(sou)'evə] immer *od.* jedesmal wenn; sooft (als).
**where** [wɛə] wo; wohin; ~**about(s) 1.** ['wɛərə'bauts] wo herum; **2.** [~əbauts] Aufenthalt *m*; ~**as** [~r'æz] wohingegen, während (doch); ~**at** [~'æt] wobei, worüber, worauf; ~**by** [wɛə'bai] wodurch; ~**fore** ['wɛəfɔ:] weshalb; ~**in** [wɛər'in] worin; *od.* [~r'ɔv] wovon; ~**upon** [~rə'pɔn] worauf(hin); ~**ver** [~r'evə] wo(hin) (auch) immer; ~**withal** ['wɛəwiðɔ:l] Erforderliche(s) *n*; Mittel *n/pl.*
**whet** [wet] wetzen, schärfen; anstacheln.
**whether** ['weðə] ob; ~ *or no so*| [oder so.]
**whetstone** ['wetstoun] Schleifstein *m.*
**whey** [wei] Molke *f.*
**which** [witʃ] **1.** welche(r, -s)?; **2.** der, die, das; was; ~**ever** [~ʃ'evə] welche(r, -s) (auch) immer.
**whiff** [wif] **1.** Hauch *m*; Zug *m beim Rauchen*; Zigarillo *n*; **2.** paffen.
**while** [wail] **1.** Weile *f*; Zeit *f*; *for a* ~ e-e Zeitlang; *worth* ~ der Mühe wert; **2.** *mst* ~ *away* Zeit verbringen; **3.** *a.* **whilst** [wailst] während.

**whim** [wim] Schrulle *f*, Laune *f.*
**whimper** ['wimpə] wimmern.
**whim|sical** □ ['wimzikəl] wunderlich; ~**sy** ['wimzi] Grille *f*, Laune *f.*
**whine** [wain] winseln; wimmern.
**whinny** ['wini] wiehern.
**whip** [wip] **1.** *v/t.* peitschen; geißeln (*a. fig.*); j-n verprügeln; schlagen (F *a. fig.*); umsäumen; werfen; reißen; ~ *in parl.* zs.-trommeln; ~ *on Kleidungsstück* überwerfen; ~ *up* antreiben; aufraffen; *v/i.* springen, flitzen; **2.** Peitsche *f*; Geißel *f.*
**whippet** *zo.* ['wipit] Whippet *m* (*kleiner englischer Rennhund*).
**whipping** ['wipiŋ] Prügel *pl.*; ~**top** Kreisel *m.*
**whippoorwill** *orn.* ['wippuəwil] Ziegenmelker *m.*
**whirl** [wə:l] **1.** wirbeln; (sich) drehen; **2.** Wirbel *m*, Strudel *m*; ~**pool** ['wə:lpu:l] Strudel *m*; ~**wind** Wirbelwind *m.*
**whir(r)** [wə:] schwirren.
**whisk** [wisk] **1.** Wisch *m*; Staubwedel *m*; *Küche*: Schneebesen *m*; Schwung *m*; **2.** *v/t.* (ab-, weg)wischen, (ab-, weg)fegen; wirbeln (mit); schlagen; *v/i.* huschen, flitzen; ~**er** ['wiskə] Barthaar *n*; *mst* ~*s pl.* Backenbart *m.*
**whisper** ['wispə] **1.** flüstern; **2.** Geflüster *n.*
**whistle** ['wisl] **1.** pfeifen; **2.** Pfeife *f*; Pfiff *m*; F Kehle *f*; ~**stop** *Am.* 🚩 Haltepunkt *m*; *fig.* Kaff *n*; *pol.* kurzes Auftreten e-s Kandidaten im *Wahlkampf.*
**Whit** [wit] *in Zssgn:* Pfingst...
**white** [wait] **1.** *allg.* weiß; rein; F anständig; **2.** Weiß(e) *n*; Weiße(r *m*) *f* (*Rasse*); ~**collar** ['wait'kɔlə] geistig, Kopf..., Büro...; ~ *workers pl.* Angestellte *pl.*; ~ **heat** Weißglut *f*; ~ *lie* fromme Lüge; ~**n** ['waitn] weiß machen *od.* werden; bleichen; ~**ness** [~nis] Weiße *f*; Blässe *f*; ~**wash 1.** Tünche *f*; **2.** weißen; *fig.* rein waschen.
**whither** *lit.* ['wiðə] wohin.
**whitish** ['waitiʃ] weißlich.
**Whitsun** ['witsn] Pfingst...; ~**tide** Pfingsten *pl.*
**whittle** ['witl] schnitze(l)n; ~ *away* verkleinern, schwächen.
**whiz(z)** [wiz] zischen, sausen.
**who** [hu:, hu] **1.** welche(r, -s); der, die, das; **2.** wer?

**whodun(n)it** *sl.* [hu:'dʌnit] Krimi (-nalroman, -nalfilm) *m*.

**whoever** [hu(:)'evə] wer auch immer.

**whole** [houl] **1.** □ ganz; heil, unversehrt; *made out of ~ cloth Am.* F frei erfunden; **2.** Ganze(s) *n*; *(up)on the ~* im ganzen; im allgemeinen; **~-hearted** □ ['houl'hɑ:-tid] aufrichtig; **~-meal bread** ['houlmi:l bred] Vollkorn-, Schrotbrot *n*; **~sale** **1.** *mst ~ trade* Großhandel *m*; **2.** Großhandels...; Engros...; *fig.* Massen...; *~ dealer =* **~saler** [⸗lə] Großhändler *m*; **~some** □ [⸗səm] gesund.

**wholly** *adv.* ['houli] ganz, gänzlich.

**whom** [hu:m, hum] *acc. von* who.

**whoop** [hu:p] **1.** Schrei *m*, Geschrei *n*; **2.** laut schreien; *~ it up Am. sl.* laut feiern; **~ee** *Am.* F ['wupi:] Freudenfest *n*; *make ~* auf die Pauke hauen; **~ing-cough** ✻ ['hu:-piŋkɔf] Keuchhusten *m*.

**whore** [hɔ:] Hure *f*.

**whose** [hu:z] *gen. von* who.

**why** [wai] **1.** warum, weshalb; *~ so?* wieso?; **2.** ei!; ja!; (je) nun.

**wick** [wik] Docht *m*.

**wicked** □ ['wikid] *moralisch* böse, schlimm; **~ness** [⸗dnis] Bosheit *f*.

**wicker** ['wikə] aus Weide geflochten; Weiden...; Korb...; *~ basket* Weidenkorb *m*; *~ chair* Korbstuhl *m*.

**wicket** ['wikit] Pförtchen *n*; *Kricket:* Dreistab *m*, Tor *n*; **~-keeper** Torhüter *m*.

**wide** [waid] *a.* □ *u. adv.* weit; ausgedehnt; weitgehend; großzügig; breit; weitab; *~ awake* völlig *(od.* hell)wach; aufgeweckt *(schlau);* *3 feet ~* 3 Fuß breit; **~n** ['waidn] (sich) erweitern; **~-open** ['waid'ou-pən] weit geöffnet; *Am. sl.* großzügig *in der Gesetzesdurchführung;* **~spread** weitverbreitet, ausgedehnt.

**widow** ['widou] Witwe *f*; *attr.* Witwen...; **~er** [⸗ouə] Witwer *m*.

**width** [widθ] Breite *f*, Weite *f*.

**wield** *lit.* [wi:ld] handhaben.

**wife** [waif], *pl.* **wives** [waivz] (Ehe-) Frau *f*; Gattin *f*; Weib *n*; **~ly** ['waifli] fraulich.

**wig** [wig] Perücke *f*.

**wigging** F ['wigiŋ] Schelte *f*.

**wild** [waild] **1.** □ wild; toll; unbändig; abenteuerlich; planlos; *run ~* wild (auf)wachsen; *talk ~* (wild) darauflos reden; *~ for od.* *about* (ganz) verrückt nach; **2.** *mst* *~s pl.* Wildnis *f*; **~cat** ['waildkæt] **1.** *zo.* Wildkatze *f*; *Am.* Schwindelunternehmen *n*; *bsd. Am.* wilde Ölbohrung; **2.** wild *(Streik)*; Schwindel...; **~erness** ['wildnis] Wildnis *f*, Wüste *f*; Einöde *f*; **~fire:** *like ~* wie ein Lauffeuer.

**wile** [wail] List *f*; *mst ~s pl.* Tücke *f*.

**wil(l)ful** □ ['wilful] eigensinnig; vorsätzlich.

**will** [wil] **1.** Wille *m*; Wunsch *m*; Testament *n*; *of one's own free ~* aus freien Stücken; **2.** *[irr.] v/aux.:* *he ~ come* er wird kommen; *er kommt gewöhnlich; I ~ do it* ich will es tun; **3.** wollen; *durch* Willenskraft zwingen; entscheiden; *tt̃* vermachen.

**willing** □ ['wiliŋ] willig, bereit (-willig); *pred.* gewillt (*to inf.* zu); **~ness** [⸗ŋnis] (Bereit)Willigkeit *f*.

**will-o'-the-wisp** ['wiləðəwisp] Irrlicht *n*.

**willow** ♀ ['wilou] Weide *f*.

**willy-nilly** ['wili'nili] wohl oder übel.

**wilt** [wilt] (ver)welken.

**wily** □ ['waili] schlau, verschmitzt.

**win** [win] **1.** *[irr.] v/t.* gewinnen; erringen; erlangen, erreichen; *j-n* dazu bringen *(to do zu tun);* *~ s.o. over* j-n für sich gewinnen; *v/i.* gewinnen; siegen; **2.** *Sport:* Sieg *m*.

**wince** [wins] (zs.-)zucken.

**winch** [wintʃ] Winde *f*; Kurbel *f*.

**wind¹** [wind, *poet.a.* waind] **1.** Wind *m*; Atem *m*, Luft *f*; ✻ Blähung *f*; ♩ Blasinstrumente *n/pl.;* **2.** wittern; außer Atem bringen; verschnaufen lassen.

**wind²** [waind] *[irr.] v/t.* winden; wickeln; *Horn* blasen; *~ up Uhr* aufziehen; *Geschäft* abwickeln; ✝ liquidieren; *v/i.* sich winden; sich schlängeln.

**wind|bag** ['windbæg] Schwätzer *m*; **~fall** Fallobst *n*; Glücksfall *m*.

**winding** ['waindiŋ] **1.** Windung *f*; **2.** □ sich windend; *~ stairs pl.* Wendeltreppe *f*; **~sheet** Leichentuch *n*.

**wind-instrument** ♩ ['windinstru-mənt] Blasinstrument *n*.

**windlass** ⊕ ['windləs] Winde *f*.

**windmill** ['winmil] Windmühle f.
**window** ['windou] Fenster n;
Schaufenster n; **~-dressing** Schaufensterdekoration f; fig. Aufmachung f, Mache f; **~-shade** Am.
Rouleau n; **~-shopping** Schaufensterbummel m.

**wind|pipe** ['windpaip] Luftröhre f;
**~-screen**, Am. **~-shield** mot.
Windschutzscheibe f; **~ wiper**
Scheibenwischer m.
**windy** ['windi] windig (a. fig.
inhaltlos); geschwätzig.

**wine** [wain] Wein m; **~press**
['wainpres] Kelter f.
**wing** [win] 1. Flügel m (a. ⚔ u. ⚕).
Schwinge f; F co. Arm m; mot.
Kotflügel m; ✈ Tragfläche f; ⚔,
✈ Geschwader n; **~s** pl. Kulissen
f/pl.; take **~** weg-, auffliegen; on
the **~** im Fluge; 2. fig. beflügeln;
fliegen.

**wink** [wink] 1. Blinzeln n, Zwinkern
n; not get a **~** of sleep kein Auge
zutun; **~** forty; 2. blinzeln, zwinkern (mit); **~** at ein Auge zudrücken bei et.; j-m zublinzeln.

**winn|er** ['winə] Gewinner(in); Sieger(in); **~ing** ['winin] 1. □ einnehmend, gewinnend; 2. **~s** pl.
Gewinn m.                       [nehmend.]

**winsome** ['winsəm] gefällig, einf
**wint|er** ['wintə] 1. Winter m;
2. überwintern; **~ry** [\_tri] winterlich; fig. frostig.

**wipe** [waip] (ab-, auf)wischen; reinigen; (ab)trocknen; **~** out wegwischen; (aus)löschen; fig. vernichten; tilgen.

**wire** [waiə] 1. Draht m; Leitung f;
F Telegramm n; pull the **~s** der
Drahtzieher sein; s-e Beziehungen
spielen lassen; 2. (ver)drahten; telegraphieren; **~drawn** ['waiədrɔːn]
spitzfindig; **~less** ['waiəlis] 1. □
drahtlos; Funk...; 2. a. **~** set Radio
(-apparat m) n; on the **~** im Rundfunk; 3. funken; **~-netting** ['waiə-
'netin] Drahtgeflecht n.
**wiry** ['waiəri] drahtig, sehnig.

**wisdom** ['wizdəm] Weisheit f;
Klugheit f; **~** tooth Weisheitszahn
m.
**wise** [waiz] 1. □ weise, verständig;
klug; erfahren; **~** guy Am. sl.
Schlauberger m; 2. Weise f, Art f.
**wise-crack** F ['waizkræk] 1. witzige
Bemerkung; 2. witzeln.

**wish** [wiʃ] 1. wünschen; wollen; **~**
for (sich) er. wünschen; **~** well (ill)
wohl- (übel)wollen; 2. Wunsch m;
**~ful** □ ['wiʃful] sehnsüchtig; **~**
thinking Wunschdenken n.
**wisp** [wisp] Wisch m; Strähne f.
**wistful** □ ['wistful] sehnsüchtig.

**wit** [wit] 1. Witz m; a. **~s** pl. Verstand m; witziger Kopf; be at one's
**~'s** end mit s-r Weisheit zu Ende
sein; keep one's **~s** about one e-n
klaren Kopf behalten; 2.: to **~** nämlich, das heißt.

**witch** [witʃ] Hexe f, Zauberin f;
**~craft** ['witʃkraːft], **~ery** [\_ʃəri]
Hexerei f; **~-hunt** pol. Hexenjagd
f (Verfolgung politisch verdächtiger
Personen).

**with** [wið] mit; nebst; bei; von;
durch; vor (dat.); **~** it sl. schwer
auf der Höhe.
**withdraw** [wið'drɔː] [irr. (draw)]
v/t. ab-, ent-, zurückziehen; zurücknehmen; Geld abheben; v/i.
sich zurückziehen; abtreten; **~al**
[\_ɔːəl] Zurückziehung f; Rückzug
m.
**wither** ['wiðə] v/i. (ver)welken;
verdorren; austrocknen; v/t. welk
machen.
**with|hold** [wið'hould] [irr. (hold)]
zurückhalten; et. vorenthalten; **~in**
[wi'ðin] 1. adv. lit. im Innern,
drin(nen); zu Hause; 2. prp. in(nerhalb); **~** doors im Hause; **~** call in
Rufweite; **~out** [wi'ðaut] 1. adv. lit.
(dr)außen; äußerlich; 2. prp. ohne;
lit. außerhalb; zugleich; **~stand** [wið'stænd]
[irr. (stand)] widerstehen (dat.).
**witness** ['witnis] 1. Zeug|e m, -in f;
bear **~** Zeugnis ablegen (to für; of
von); in **~** of zum Zeugnis (gen.);
2. (be)zeugen; Zeuge sein von et.;
**~-box**, Am. **~** stand Zeugenstand
m.
**wit|ticism** ['witisizəm] Witz m;
**~ty** □ ['witi] witzig; geistreich.
**wives** [waivz] pl. von wife.
**wiz** Am. sl. [wiz] Genie n; **~ard**
['wizəd] Zauberer m; Genie n.
**wizen(ed)** ['wizn(d)] schrump(e)lig.
**wobble** ['wɔbl] schwanken; wackeln.
**woe** [wou] Weh n, Leid n; **~** is me!
wehe mir!; **~begone** ['woubigɔn]
jammervoll; **~ful** □ ['wouful]
jammervoll, traurig, elend.
**woke** [wouk] pret. u. p.p. von wake 2;
**~n** ['woukən] p.p. von wake 2.

**wold** [would] (hügeliges) Heideland.
**wolf** [wulf] **1.** zo. pl. **wolves**
[wulvz] Wolf m; **2.** verschlingen;
**~ish** □ ['wulfiʃ] wölfisch; Wolfs...
**woman** ['wumən], pl. **women** ['wi-
min] **1.** Frau f; Weib n; **2.** weiblich;
**~ doctor** Ärztin f; **~ student** Studentin f; **~hood** [~nhud] die
Frauen f/pl.; Weiblichkeit f; **~ish**
□ [~niʃ] weibisch; **~kind** [~n-
'kaind] Frauen(welt f) f/pl.; **~like**
[~nlaik] fraulich; **~ly** [~li] weiblich.
**womb** [wu:m] anat. Gebärmutter f;
Mutterleib m; fig. Schoß m.
**women** ['wimin] pl. von **woman**;
**~folk(s)**, **~kind** die Frauen f/pl.; F
Weibervolk n.
**won** [wʌn] pret. u. p.p. von **win** 1.
**wonder** ['wʌndə] **1.** Wunder n;
Verwunderung f; **2.** sich wundern;
gern wissen mögen, sich fragen;
**~ful** □ [~əful] wunderbar, -voll;
**~ing** □ [~əriŋ] staunend, verwun-
dert.
**won't** [wount] = **will not.**
**wont** [~] **1.** pred. gewohnt; be ~ to
inf. pflegen zu inf.; **2.** Gewohnheit
f; **~ed** [wountid] gewohnt.
**woo** [wu:] werben um; locken.
**wood** [wud] Wald m, Gehölz n;
Holz n; Faß n; ♪ Holzblasinstrument
(-e pl.) n; touch ~! unberufen!; **~-
chuck** zo. ['wudtʃʌk] Waldmurmel-
tier n; **~cut** Holzschnitt m; **~cutter**
n; Holzfäller m; Kunst: Holzschneider
m; **~ed** ['wudid] bewaldet; **~en**
['wudn] hölzern (a. fig.); Holz...;
**~man** Förster m; Holzfäller m;
**~pecker** orn. ['wudpekə] Specht m;
**~sman** ['wudzmən] s. woodman;
**~wind** ♪ Holzblasinstrument n; oft
~s pl. ♪ Holzbläser m/pl.; **~work**
Holzwerk n; **~y** ['wudi] waldig;
holzig.
**wool** [wul] Wolle f; **~-gathering**
['wulgæðəriŋ] Geistesabwesenheit
f; **~(l)en** ['wulin] **1.** wollen; Woll-
...; **2.** ~s pl. Wollsachen f/pl.;
**~(l)y** ['wuli] **1.** wollig; Woll...; be-
legt (Stimme); verschwommen;
**2.** woollies pl. F Wollsachen f/pl.
**word** [wə:d] **1.** mst Wort n; engS.:
Vokabel f; Nachricht f; ✗ Lo-
sung(swort n) f; Versprechen n;
Befehl m; Spruch m; ~s pl. Wörter n/pl.; Worte n/pl.; fig. Wort-
wechsel m; Text m e-s Liedes;

have a ~ with mit j-m sprechen;
**2.** (in Worten) ausdrücken, (ab-)
fassen; **~ing** ['wə:diŋ] Wortlaut m,
Fassung f; **~-splitting** Wortklau-
berei f.
**wordy** □ ['wə:di] wortreich; Wort...
**wore** [wɔ:] pret. von **wear** 1.
**work** [wə:k] **1.** Arbeit f; Werk n;
attr. Arbeits...; ~s pl. ⊕ (Uhr-,
Feder)Werk n; ✗ Befestigungen
pl.; ~s sg. Werk n, Fabrik f; ~ of art
Kunstwerk n; at ~ bei der Arbeit;
be in ~ Arbeit haben; be out of ~
arbeitslos sein; set to ~, set od. go
about one's ~ an die Arbeit gehen;
~s council Betriebsrat m; **2.** [a. irr.]
v/i. arbeiten (a. fig.); wirken; gären; sich hindurch- etc. arbeiten;
~ at arbeiten an (dat.); ~ out herauskommen (Summe); v/t. (be)arbei-
ten; arbeiten lassen; betreiben;
Maschine etc. bedienen; (be)wirken;
ausrechnen, Aufgabe lösen; ~ one's
way sich durcharbeiten; ~ off abarbeiten; Gefühl abreagieren; † abstoßen; ~ out ausarbeiten; lösen;
ausrechnen; ~ up hochbringen; aufregen; verarbeiten (into zu).
**work|able** □ ['wə:kəbl] bearbei-
tungs-, betriebsfähig; ausführbar;
**~aday** [~ədei] Alltags...; **~day**
Werktag m; **~er** ['wə:kə] Arbeiter
(-in); **~house** Armenhaus n; Am.
Besserungsanstalt f, Arbeitshaus n.
**working** ['wə:kiŋ] **1.** Bergwerk n;
Steinbruch m; Arbeits-, Wirkungs-
weise f; **2.** arbeitend; Arbeits...;
Betriebs...; **~class** Arbeiter...; **~-
day** Werk-, Arbeitstag m; **~ hours**
pl. Arbeitszeit f.
**workman** ['wə:kmən] Arbeiter m;
Handwerker m; **~like** [~nlaik]
kunstgerecht; **~ship** [~nʃip] Kunst-
fertigkeit f.
**work|out** Am. F ['wə:kaut] mst
Sport: (Konditions)Training n;
Erprobung f; **~shop** Werkstatt f;
**~woman** Arbeiterin f.
**world** [wə:ld] allg. Welt f; a ~ of
e-e Unmenge (von); bring (come)
into the ~ zur Welt bringen (kommen); think the ~ of alles halten
von; in the ~ of alles halten
**worldly** ['wə:ldli] weltlich; Welt...;
**~-wise** [~i'waiz] weltklug.
**world|-power** pol. ['wə:ldpauə]
Weltmacht f; **~-wide** weltweit;
weltumspannend; Welt...

**worm** [wə:m] **1.** Wurm *m* (*a. fig.*); **2.** *ein Geheimnis* entlocken (*out of dat.*); ~ *o.s.* sich schlängeln (*into* in *acc.*); *fig.* sich einschleichen (*into* in *acc.*); **~-eaten** ['wə:mi:tn] wurmstichig.

**worn** [wə:n] *p.p. von* wear 1; **~out** ['wɔ:n'aut] abgenutzt; abgetragen; verbraucht (*a. fig.*); müde, erschöpft; abgezehrt; verhärmt.

**worry** ['wʌri] **1.** (sich) beunruhigen; (sich) ärgern; sich sorgen; sich aufregen; bedrücken; zerren, (ab-)würgen; plagen, quälen; **2.** Unruhe *f*; Sorge *f*; Ärger *m*; Qual *f*, Plage *f*; Quälgeist *m*.

**worse** [wə:s] schlechter; schlimmer; ~ *luck!* leider!; um so schlimmer!; *from bad to* ~ vom Regen in die Traufe; **~n** ['wə:sn] (sich) verschlechtern.

**worship** ['wə:ʃip] **1.** Verehrung *f*; Gottesdienst *m*; Kult *m*; **2.** verehren; anbeten; den Gottesdienst besuchen; **~(p)er** [~pə] Verehrer(-in); Kirchgänger(in).

**worst** [wə:st] **1.** schlechtest; ärgst; schlimmst; **2.** überwältigen.

**worsted** ['wustid] Kammgarn *n*.

**worth** [wə:θ] **1.** wert; ~ *reading* lesenswert; **2.** Wert *m*; Würde *f*; **~less** □ ['wə:θlis] wertlos; unwürdig; **~while** ['wə:θ'wail] der Mühe wert; **~y** □ ['wə:ði] würdig.

**would** [wud] [*pret. von* will 2] wollte; würde; möchte; pflegte; **~-be** ['wudbi:] angeblich, sogenannt; möglich, potentiell; Pseudo...

**wound¹** [wu:nd] **1.** Wunde *f*, Verwundung *f*, Verletzung *f*; *fig.* Kränkung *f*; **2.** verwunden, verletzen (*a. fig.*).

**wound²** [waund] *pret. u. p.p. von* wind 2.

**wove** [wouv] *pret. von* weave; **~n** ['wouvən] *p.p. von* weave.

**wow** *Am.* [wau] **1.** *int.* Mensch!; toll!; **2.** *sl.* Bombenerfolg *m*.

**wrangle** ['ræŋgl] **1.** streiten, (sich) zanken; **2.** Streit *m*, Zank *m*.

**wrap** [ræp] **1.** *v/t.* (ein)wickeln; *fig.* einhüllen; *be* ~*ped up in* gehüllt sein in (*acc.*); ganz aufgehen in (*dat.*); *v/i.* ~ *up* sich einhüllen; **2.** Hülle *f*; *engS.:* Decke *f*; Schal *m*; Mantel *m*; **~per** ['ræpə] Hülle *f*, Umschlag *m*; *a. postal* ~ Streifband *n*; **~ping** ['ræpiŋ] Verpackung *f*.

**wrath** *lit.* [rɔ:θ] Zorn *m*, Grimm *m*.

**wreak** [ri:k] *Rache* üben, *Zorn* auslassen (*upon* an *j-m*).

**wreath** [ri:θ], *pl.* **~s** [ri:ðz] (Blumen)Gewinde *n*; Kranz *m*; Girlande *f*; Ring *m*, Kreis *m*; Schneewehe *f*; **~e** [ri:ð] *v/t.* (um)winden; *v/i.* sich ringeln.

**wreck** [rek] **1.** ♧ Wrack *n*; Trümmer *pl.*; Schiffbruch *m*; *fig.* Untergang *m*; **2.** zum Scheitern (♠ Entgleisen) bringen; zertrümmern; vernichten; *be* ~*ed* ♧ scheitern; Schiffbruch erleiden; **~age** ['rekidʒ] Trümmer *pl.*; Wrackteile *n/pl.*; **~ed** schiffbrüchig; ruiniert; **~er** ['rekə] ♧ Bergungsschiff *n*, -arbeiter *m*; Strandräuber *m*; Abbrucharbeiter *m*; *Am. mot.* Abschleppwagen *m*; **~ing** ['rekiŋ] Strandraub *m*; ~ *company Am.* Abbruchfirma *f*; ~ *service Am. mot.* Abschlepp-, Hilfsdienst *m*.

**wren** *orn.* [ren] Zaunkönig *m*.

**wrench** [rentʃ] **1.** drehen; reißen; entwinden (*from s.o.* *j-m*); verdrehen (*a. fig.*); verrenken; ~ *open* aufreißen; **2.** Ruck *m*; Verrenkung *f*; *fig.* Schmerz *m*; ⊕ Schraubenschlüssel *m*.

**wrest** [rest] reißen; verdrehen; entreißen; **~le** ['resl] ringen (mit); **~ling** [~liŋ] Ringkampf *m*, Ringen *n*.

**wretch** [retʃ] Elende(r *m*) *f*; Kerl *m*; **wretched** □ ['retʃid] elend.

**wriggle** ['rigl] sich winden *od.* schlängeln; ~ *out of* sich drücken von *et.*

**wright** [rait] ...macher *m*, ...bauer *m*.

**wring** [riŋ] [*irr.*] *Hände* ringen; (aus)wringen; pressen; *Hals* umdrehen; abringen (*from s.o.* *j-m*); ~ *s.o.'s heart* *j-m* zu Herzen gehen.

**wrinkle** ['riŋkl] **1.** Runzel *f*; Falte *f*; Wink *m*; Trick *m*; **2.** (sich) runzeln.

**wrist** [rist] Handgelenk *n*; ~ *watch* Armbanduhr *f*; **~band** ['ristbænd] Bündchen *n*, (Hemd)Manschette *f*.

**writ** [rit] Erlaß *m*; (gerichtlicher) Befehl; *Holy* ♁ Heilige Schrift.

**write** [rait] [*irr.*] schreiben; ~ *down* auf-, niederschreiben; ausarbeiten; hervorbringen; **~r** ['raitə] Schreiber(-in); Verfasser(in); Schriftsteller(-in).

**writhe** [raið] sich krümmen.

**writing** ['raitiŋ] Schreiben *n*; Auf-

satz *m*; Werk *n*; Schrift *f*; Schriftstück *n*; Urkunde *f*; Stil *m*; *attr.*
Schreib...; *in* ~ schriftlich; **~-case**
Schreibmappe *f*; **~-desk** Schreibtisch *m*; **~-paper** Schreibpapier *n*.
**written** ['ritn] **1.** *p.p. von* write;
**2.** *adj.* schriftlich.
**wrong** [rɔŋ] **1.** □ unrecht; verkehrt,
falsch; *be* ~ unrecht haben; in Unordnung sein; falsch gehen (*Uhr*);
*go* ~ schiefgehen; *on the* ~ *side of
sixty* über die 60 hinaus; **2.** Un-

recht *n*; Beleidigung *f*; **3.** unrecht
tun (*dat.*); ungerecht behandeln;
**~doer** ['rɔŋˈduə] Übeltäter(in); **~-
ful** □ ['rɔŋful] ungerecht; unrechtmäßig.
**wrote** [rout] *pret. von* write.
**wrought** [rɔːt] *pret. u. p.p. von*
work **2**; ~ **iron** Schmiedeeisen *n*;
**~-iron** ['rɔːt'aiən] schmiedeeisern;
**~-up** erregt.
**wrung** [rʌŋ] *pret. u. p.p. von* wring.
**wry** □ [rai] schief, krumm, verzerrt.

# X, Y

**Xmas** ['krisməs] = *Christmas*.
**X-ray** ['eks'rei] **1.** ~*s pl.* Röntgen-
strahlen *m/pl.*; **2.** Röntgen...;
**3.** durchleuchten, röntgen.
**xylophone** ♪ ['zailəfoun] Xylophon
*n*.

**yacht** ♎ [jɔt] **1.** (Motor)Jacht *f*;
Segelboot *n*; **2.** auf e-r Jacht fahren; segeln; **~-club** ['jɔtklʌb]
Segel-, Jachtklub *m*; **~ing** ['jɔtiŋ]
Segelsport *m*; *attr.* Segel...
**Yankee** F ['jænki] Yankee *m* (*Amerikaner, bsd. der Nordstaaten*).
**yap** [jæp] kläffen; F quasseln.
**yard** [jɑːd] Yard *n, englische Elle*
(= 0,914 m); ♎ Rah(e) *f*; Hof *m*;
(Bau-, Stapel)Platz *m*; *Am.* Garten
*m* (*um das Haus*); **~-measure**
['jɑːdmeʒə], **~stick** Yardstock *m*,
-maß *n*.
**yarn** [jɑːn] **1.** Garn *n*; F Seemanns-
garn *n*; abenteuerliche Geschichte;
**2.** F erzählen.
**yawl** ♎ [jɔːl] Jolle *f*.
**yawn** [jɔːn] **1.** gähnen; **2.** Gähnen *n*.
**ye** †, *poet., co.* [jiː] ihr.
**yea** †, *prov.* [jei] **1.** ja; **2.** Ja *n*.
**year** [jəː] Jahr *n*; **~ly** ['jəːli] jährlich.
**yearn** [jəːn] sich sehnen, verlangen;
**~ing** ['jəːniŋ] Sehnen *n*, Sehnsucht *f*; **2.** □ sehnsüchtig.
**yeast** [jiːst] Hefe *f*; Schaum *m*.
**yegg(man)** *Am. sl.* ['jeg(mən)]
Stromer *m*; Einbrecher *m*.
**yell** [jel] **1.** (gellend) schreien; auf-

schreien; **2.** (gellender) Schrei; an-
feuernder Ruf.
**yellow** ['jelou] **1.** gelb; F hasen-
füßig (*feig*); Sensations...; Hetz...;
**2.** Gelb *n*; **3.** (sich) gelb färben;
**~ed** vergilbt; ~ **fever** ✠ Gelb-
fieber *n*; **~ish** [-ouiʃ] gelblich.
**yelp** [jelp] **1.** Gekläff *n*; **2.** kläffen.
**yen** *Am. sl.* [jen] brennendes Verlangen.
**yeoman** ['joumən] freier Bauer.
**yep** *Am.* F [jep] ja.
**yes** [jes] **1.** ja; doch; **2.** Ja *n*.
**yesterday** ['jestədi] gestern.
**yet** [jet] **1.** *adv.* noch; bis jetzt;
schon; sogar; *as* ~ bis jetzt; *not* ~
noch nicht; **2.** *cj.* (je)doch, dennoch, trotzdem.
**yew** ♣ [juː] Eibe *f*, Taxus *m*.
**yield** [jiːld] **1.** *v/t.* hervorbringen,
liefern; ergeben; *Gewinn* (ein)brin-
gen; gewähren; übergeben; zugestehen; *v/i.* ~ tragen; sich fügen;
nachgeben; **2.** Ertrag *m*; **~ing** □
['jiːldiŋ] nachgebend; *fig.* nachgiebig.
**yip** *Am.* F [jip] jaulen.
**yodel, ~le** ['joudl] **1.** Jodler *m*;
**2.** jodeln.
**yoke** [jouk] **1.** Joch *n* (*a. fig.*); Paar
*n* (*Ochsen*); Schultertrage *f*; **2.** an-,
zs.-spannen; *fig.* paaren (*to* mit).
**yolk** [jouk] (Ei)Dotter *m, n*, Eigelb *n*.
**yon** [jɔn], **~der** *lit.* ['jɔndə] **1.** je-
ne(r, -s); jenseitig; **2.** dort drüben.
**yore** [jɔː]: *of* ~ ehemals, ehedem.
**you** [juː, ju] ihr; du, Sie; man.

**young** [jʌŋ] **1.** □ jung; *von Kindern*
*a.* klein; **2.** (Tier)Junge(s) *n*;
(Tier)Junge *pl.*; *with* ~ trächtig;
**~ster** ['jʌnstə] Junge *m*.

**your** [jɔ:] euer(e); dein(e), Ihr(e);
**~s** [jɔ:z] der (die, das) eurige, deinige, Ihrige; euer; dein; Ihr;
**~self** [jɔ:'self], *pl.* **~selves** [~lvz]

(du, ihr, Sie) selbst; dich, euch,
Sie (selbst), sich (selbst); *by* ~
allein.

**youth** [ju:θ], *pl.* **~s** [ju:ðz] Jugend *f*;
Jüngling *m*; ~ *hostel* Jugendher-
berge *f*; **~ful** □ ['ju:θful] jugendlich.

**yule** *lit.* [ju:l] Weihnacht *f*.

# Z

**zeal** [zi:l] Eifer *m*; **~ot** ['zelət]
Eiferer *m*; **~ous** □ [~əs] eifrig;
eifrig bedacht (*for* auf *acc.*); innig,
heiß.

**zebra** *zo.* ['zi:brə] Zebra *n*; ~ *crossing* Fußgängerüberweg *m*.

**zenith** ['zeniθ] Zenit *m*; *fig.* Höhepunkt *m*.

**zero** ['ziərou] Null *f*; Nullpunkt *m*.

**zest** [zest] **1.** Würze *f* (*a. fig.*); Lust
*f*, Freude *f*; Genuß *m*; **2.** würzen.

**zigzag** ['zigzæg] Zickzack *m*.

**zinc** [ziŋk] **1.** *min.* Zink *n*; **2.** ver-
zinken.

**zip** [zip] Schwirren *n*; F Schwung *m*;
**~-fastener** ['zipfɑ:snə], **~per** ['zipə]
Reißverschluß *m*.

**zodiac** *ast.* ['zoudiæk] Tierkreis *m*.

**zone** [zoun] Zone *f*; *fig.* Gebiet *n*.

**Zoo** F [zu:] Zoo *m*.

**zoolog|ical** □ [zouə'lɔdʒikəl] zoo-
logisch; **~y** [zou'ɔlədʒi] Zoologie *f*.

# Deutsch-Englisches Wörterverzeichnis

## A

**Aal** *ichth. m* eel; **glatt** *adj.* (as) slippery as an eel.

**Aas** *n* carrion, carcass; *fig.* beast; **~geier** *orn. m* vulture.

**ab 1.** *prp.* (*dat.*): ~ Brüssel from Brussels onwards; **2.** *prp.* (*dat.*, F *acc.*): ~ erstem *od.* ersten März from March 1st; **3.** *adv. zeitlich:* von jetzt ~ from now on, in future; ~ und zu from time to time, now and then; *von da* ~ from that time forward; *räumlich: thea.* exit, *pl.* exeunt; *von da* ~ from there (on).

**abänder|n** *v/t.* alter, modify; *parl.* amend; **ung** *f* alteration, modification; *parl.* amendment.

**abarbeiten** *v/t. Schuld:* work off; *sich* ~ drudge, toil.

**Abart** *f* variety.

**Abbau** *m von Gebäuden:* pulling down, demolition; *von Maschinen etc.:* dismantling; *von Personal, Preisen etc.:* reduction; ⚒ working, exploitation; **en** *v/t. Gebäude etc.:* pull down, demolish; *Maschinen etc.:* dismantle; *Personal, Preise etc.:* reduce; ⚒ work, exploit.

**ab|beißen** *v/t.* bite off; **~bekommen** *v/t.* get off; *s-n Teil od. et.* ~ get one's share; *et.* ~ be hurt, get hurt.

**abberuf|en** *v/t.* recall; **ung** *f* recall.

**ab|bestellen** *v/t. Waren etc.:* countermand, cancel one's order for; *Zeitung etc.:* cancel one's subscription to, discontinue; **~biegen** *v/i. Person:* turn off; *Straße:* turn off, bend; *nach rechts (links)* ~ turn right (left).

**Abbild** *n* likeness; *Ebenbild:* image; **en** *v/t.* figure, represent; **~ung** *f* picture, illustration.

**Abbitte** *f* apology; ~ leisten *od.* tun make one's apology (*bei j-m wegen* et. to s.o. for s.th.).

**ab|blasen** *v/t. Staub etc.:* blow off; *fig.* call off, cancel; ✗ *Angriff:* break off; **~blättern** *v/i. Farbe etc.:* scale, peel (off); ⚘ shed the leaves; **~blenden 1.** *v/t. Licht:* screen; *mot.*

**Scheinwerfer:** dim, dip; **2.** *mot. v/i.* dim *od.* dip the headlights; **~brausen** *v/refl.* have a shower(-bath), douche; (*a. fig.*); *Gebäude etc.:* pull down, demolish; *fig.* stop; **2.** *v/i.* break off; *fig.* stop; **~bremsen** *v/t. u. v/i.* slow down; brake; **~brennen 1.** *v/t. Gebäude etc.:* burn down; *Feuerwerk:* let *od.* set off; **2.** *v/i.* burn away *od.* down; *s.* abgebrannt; **~bringen** *v/t.* get off; *j-n* ~ *von* argue s.o. out of, dissuade s.o. from; **~bröckeln** *v/i.* crumble (*a.* ✝).

**Abbruch** *m von Gebäuden etc.:* pulling down, demolition; *von Beziehungen:* rupture; *von Verhandlungen:* breaking off; *fig.* damage, injury.

**abbürsten** *v/t. Staub etc.:* brush off; *Mantel etc.:* brush.

**Abc** *n* ABC, alphabet.

**abdank|en** *v/i.* resign; *Herrscher:* abdicate; **ung** *f* resignation; abdication.

**ab|decken** *v/t.* uncover; *Dach:* untile; *Gebäude:* unroof; *Tisch:* clear; **~dichten** *v/t.* make tight; *Fenster etc.:* seal up; **~drängen** *v/t.* push aside; **~drehen 1.** *v/t. Draht:* twist off; *Gas etc.:* turn off; ⚡ *Licht:* switch off; **2.** ⚓, ✈ *v/i.* change one's course.

**Abdruck** *m* impression, print, mark; *Abguß:* cast; **en** *v/t.* print; *Artikel:* publish.

**abdrücken 1.** *v/t. Gewehr etc.:* fire; *sich* ~ leave an impression *od.* a mark; **2.** *v/i.* pull the trigger.

**Abend** *m* evening; *am* ~ in the evening, at night; *heute abend* tonight; *morgen (gestern) abend* tomorrow (last) night; *s.* essen; **~blatt** *n* evening paper; **~brot** *n* supper, dinner; **~dämmerung** *f* (evening) twilight, dusk; **~essen** *s n. s. Abendbrot;* **~kasse** *thea. f* box-office; **~kleid** *n* evening dress *od.* gown; **~land** *n* the Occident; **ländisch** *adj.* western, occidental; **~mahl** *eccl. n* *the* (Holy) Communion, *the* Lord's Supper; ~rot *n* evening *od.* sunset glow.

**abends** *adv.* in the evening.

**Abendzeitung** *f* evening paper.

**Abenteu|er** *n* adventure; ♀**erlich** *adj.* adventurous; *fig.* wild, fantastic; ~**rer** *m* adventurer.

**aber 1.** *adv.* again; *Tausende und ~ Tausende* thousands upon thousands; **2.** *cj.* but; *oder ~* otherwise, (or) else; **3.** *int.*: *~!* now then!; *~ nein!* not at all!; **4.** ♀ *n* but.

**Aber|glaube** *m* superstition; ♀**gläubisch** *adj.* superstitious.

**aberkenn|en** *v/t.*: *j-m et. ~* deprive s.o. of s.th. (*a.* ⚖); dispossess s.o. of s.th.; ♀**ung** *f* deprivation (*a.* ⚖); dispossession.

**aber|malig** *adj.* repeated; ~**mals** *adv.* again, once more.

**ab|ernten** *v/t.* reap, harvest; ~**fahren 1.** *v/i.* leave, depart, start; set out *od.* off (*alle*: *nach* for); **2.** *v/t.* carry *od.* cart away.

**Abfahrt** *f* departure (*nach* for); start (for); setting out *od.* off (for); *Skisport*: downhill run; ~**slauf** *m* *Skisport*: downhill race; ~**szeit** *f* time of departure; ⚓ *a.* time of sailing.

**Abfall** *m* defection (*von* from); *bsd. pol.* secession (from); *eccl.* apostasy (from); *oft Abfälle pl.* waste, refuse, *Am. a.* garbage; ⊕ clippings *pl.*, shavings *pl.*; ~**eimer** *m* dust-bin, *Am.* garbage *od.* ash can; ♀**en** *v/i. Blätter etc.*: fall (off); *Gelände*: slope (down); *fig.* fall away (*von* from); *bsd. pol.* secede (from); *eccl.* apostatize (from); ~ *gegen* be inferior to.

**abfällig** *adj. Urteil etc.*: adverse, unfavo(u)rable; *Bemerkung*: disparaging, depreciatory.

**Abfallprodukt** *n* by-product; waste product.

**ab|fangen** *v/t.* catch; *Ball etc.*: snatch; *Brief etc.*: intercept; ✈ flatten out; *mot.*, ✈ right; ~**färben** *v/i.*: *der Pullover färbt ab* the colo(u)r of the pull-over runs; *~ auf* influence, affect.

**abfass|en** *v/t.* compose, write, pen; ♀**ung** *f* composition.

**abfertig|en** *v/t.* dispatch (*a.* ✉); *Zoll*: clear; *Kunden*: serve, attend to; *j-n kurz ~* snub s.o.; ♀**ung** *f* dispatch; clearance; *schroffe ~* snub.

**abfeuern** *v/t.* fire (off), discharge.

**abfind|en** *v/t. Gläubiger*: satisfy, pay off; *entschädigen*: compensate; *sich mit et. ~* resign o.s. to s.th.; ♀**ung** *f* satisfaction; compensation; ♀**ung(ssumme)** *f* indemnity, compensation.

**ab|flachen** *v/t. u. v/refl.* flatten; ~**flauen** *v/i. Wind etc.*: abate; *Interesse*: flag; ✝ *Geschäft*: slacken; ~**fliegen** *v/i.* leave by plane; ✈ take off, start; ~**fließen** *v/i.* drain *od.* flow off *od.* away.

**Abflug** ✈ *m* take-off, start.

**Abfluß** *m* flowing *od.* draining off *od.* away; discharge (*a.* ⚕); drain (*a. fig.*); ~**stelle**: sink; *e-s Sees etc.*: outlet.

**Abfuhr** *f* removal; *fig.* rebuff.

**abführ|en 1.** *v/t.* lead off *od.* away; *Gefangenen*: march off; *Geld*: pay over (*an* to); **2.** ⚕ *v/i.* purge (the bowels), loosen the bowels; ~**end** ⚕ *adj.* purgative, aperient, laxative; ♀**mittel** ⚕ *n* purgative, aperient, laxative.

**abfüllen** *v/t.* decant; *in Flaschen ~* bottle.

**Abgabe** *f* *Sport*: pass; *der Wahlstimme*: casting; sale; *mst ~n pl.* taxes *pl.*; rates *pl.*, *Am.* local taxes *pl.*; ♀**frei** *adj.* tax-free; ♀**npflichtig** *adj.* taxable, liable to tax.

**Abgang** *m* departure; *thea.* exit (*a. fig.*); *aus e-r Stellung*: retirement from; ✗ miscarriage; *nach ~ von der Schule* after leaving school.

**abgängig** *adj.* missing.

**Abgangszeugnis** *n* (school-)leaving certificate, *Am. a.* diploma.

**Abgas** *n* waste gas; *bsd. mot.* exhaust gas.

**abgearbeitet** *adj.* toil-worn, worn-out.

**abgeben** *v/t.* leave (*bei, an* at); *Prüfungsarbeit etc.*: hand in; *Gepäck*: deposit, leave; *Fahrkarte etc.*: give up; *Wahl*: cast; *Ball*: pass; *Ware*: sell, dispose of; *Wärme etc.*: give off; *e-e Erklärung ~* make a statement; *j-m et. ~ von* et. give s.o. some of s.th.; *sich ~ mit* occupy o.s. with s.th.; *sie gibt sich gern mit Kindern ab* she loves to be among children.

**abge|brannt** *adj.* burnt down; F *fig.* hard up, *sl.* broke; ~**brüht** *fig. adj.* hardened, callous; ~**droschen** *adj.* trite, hackneyed; ~**griffen** *adj.* worn; *Buch*: well-thumbed; ~**här**-

**tet** *adj.* hardened (*gegen* to), inured (to).

**abgehen** *v/i.* go off *od.* away; leave, start, depa t; *Brief etc.*: be dispatched; *Post*: go; *thea.* make one's exit; *Seitenweg*: b anch off; *Knopf etc.*: come off; ℬ be discharged; *von der Schule* ~ leave school; ~ *von e-m Thema*: digress from; *e-r Regel*: deviate from; *e-r Meinung*: alter, change; *e-m Plan etc.*: relinquish; *diese Eigenschaft geht ihm ab* he lacks this quality; *gut* ~ end well, pass off well.

**abge|hetzt** *adj.* exhausted, run down, breathless; **~kartet** F *adj.*: ~e *Sache* pre-arranged affair, put-up job; **~legen** *adj.* remote, distant, secluded; **~macht** *adj.*: ~! it's a bargain *od.* deal!; **~magert** *adj.* emaciated; **~neigt** *adj.* disinclined (*dat.* for *s.th.*; *zu tun* to do), averse (to; from doing), unwilling (*zu tun* to do); **~nutzt** *adj.* worn-out.

**Abgeordnete** *m, f* deputy, delegate; *in Deutschland*: member of the Bundestag *od.* Landtag; *Brt.* Member of Parliament, *Am.* Representative.

**abgeschieden** *fig. adj.* isolated, secluded, retired.

**abgeschlossen** *adj. Wohnung*: self-contained; *Ausbildung*: complete.

**abgeschmackt** *adj.* tasteless; *fig.* tactless.

**abgesehen** *adj.*: ~ *von* apart from, *Am. a.* aside from.

**abge|spannt** *fig. adj.* exhausted, tired, run down; **~standen** *adj.* stale, flat; **~storben** *adj.* numb; *gänzlich*: dead; **~stumpft** *adj.* blunt(ed); *fig.* indifferent (*gegen* to); **~tragen** *adj.* worn-out; threadbare, shabby.

**abgewöhnen** *v/t.*: *j-m et.* ~ break *od.* cure *s.o.* of *s.th.*; *sich das Rauchen* ~ give up smoking.

**abgießen** *v/t.* pour off.

**Abglanz** *m* reflection (*a. fig.*).

**abgleiten** *v/i.* slip *od.* glide off.

**Abgott** *m* idol.

**abgöttisch** *adv.*: *j-n* ~ *lieben* idolize *od.* worship *s.o.*

**ab|grasen** *v/t.* graze; *fig.* scour; **~grenzen** *v/t.* mark off, delimit; demarcate (*a. fig.*); *fig.* define.

**Abgrund** *m bodenlos*: abyss; *steil*: precipice; *Schlund*: chasm, gulf; *am*

*Rande des* ~s on the b ink of disaster.

**Abguß** *m* cast.

**ab|hacken** *v/t.* chop *od.* cut off; **~haken** *fig. v/t.* tick *od.* check off; **~halten** *v/t. Versammlung, Prüfung etc.*: hold; *j-n von der Arbeit* ~ keep *s.o.* from his work; *j-n davon* ~ *et. zu tun* keep *od.* restrain *s.o.* from doing *s.th.*; **~handeln** *v/t.* discuss, treat; *j-m et.* ~ bargain *s.th.* out of *s.o.*

**abhanden** *adv.*: ~ *kommen* get lost.

**Abhandlung** *f* treatise (*über* [up-] on), dissertation ([up]on, concerning); essay.

**Abhang** *m* slope, incline, declivity.

**abhängen** **1.** *v/t. Bild etc.*: take down; 🚃 uncouple; **2.** *v/i.*: ~ *von* depend (up)on.

**abhängig** *adj.*: ~ *von* dependent (up)on; **2keit** *f* dependence (*von* [up]on).

**ab|härten** *v/t.* harden (*gegen* to), inure (to); *sich* ~ harden (*gegen* to), inure *o.s.* (to); **~hauen 1.** *v/t.* cut *od.* chop off; **2.** *F v/i.* be off; *hau ab!* *sl.* beat it!, scram!; **~häuten** *v/t.* skin, flay; **~heben 1.** *v/t.* lift *od.* take off; *teleph. Hörer*: li t; *Geld*: (with)draw; *sich* ~ *von* stand out against; *fig. a.* contrast with; **2.** *v/i.* cut (the cards); *teleph.* lift the receiver; **~heilen** *v/i.* heal (up); **~hetzen** *v/refl.* tire *o.s.* out; rush, hurry.

**Abhilfe** *f* remedy, redress, relief; ~ *schaffen* take remedial measures.

**ab|holen** *v/t.* fetch; call for, come for; *j-n von der Bahn* ~ go to meet *s.o.* at the station; **~holzen** *v/t. Bäume*: fell, cut down; *Wald*: deforest; **~horchen** ℬ *v/t.* auscultate, sound; **~hören** *v/t. Telephongespräch*: listen in to, intercept; *e-n Schüler* ~ hear a pupil's lesson.

**Abitur** *n* school-leaving examination (qualifying for university entrance).

**ab|jagen** *v/t.*: *j-m et.* ~ recover *s.th.* from *s.o.*; **~kanzeln** F *v/t.* reprimand, F tell *s.o.* off; **~kaufen** *v/t.*: *j-m et.* ~ buy *od.* purchase *s.th.* from *s.o.*

**Abkehr** *fig. f* withdrawal (*von* from); **2en** *v/t.* sweep off; *sich* ~ *von* turn away from; *fig.*: take no further interest in; withdraw from.

**ab|klingen** *v/i.* fade away; *Schmerz*

*etc.*: die down; *Schmerz, Krankheit*: ease off; **~klopfen** *v/t. Staub etc.*: knock off; *Mantel etc.*: dust; *⚓ sound, percuss;* **~knicken** *v/t.* snap *od.* break off; *verbiegen*: bend off; **~kochen** *v/t.* boil; *Milch*: scald; **~kommandieren** ⚔ *v/t.* detach; *Instrumente detail; Offizier*: second.

**Abkomme** *m* descendant.

**abkommen 1.** *v/i.* come away, get away *od.* off; *von e-m Thema ~* digress from a topic; *vom Wege ~* lose one's way; **2.** ⚓ *n* agreement.

**abkömm|lich** *adj.* dispensable; *verfügbar*: available; *er ist nicht ~* he cannot be spared; **~ling** *m* descendant.

**ab|koppeln** *v/t.* uncouple; **~kratzen** *v/t.* scrape off; **~kühlen** *v/t.* cool; *sich ~* cool down (*a. fig.*).

**Abkunft** *f* descent; origin, extraction; *Geburt*: birth.

**abkürz|en** *v/t.* shorten; *Wort etc.*: abbreviate; *den Weg ~* take a short cut; **~ung** *f* abbreviation; short cut.

**abladen** *v/t.* unload; *Schutt etc.*: dump.

**Ablage** *f* place of deposit; *abgelegte Akten*: files *pl.*; *für Kleider*: cloakroom.

**ab|lagern 1.** *v/t. Holz, Wein*: season; *Wein*: age; *sich ~* settle; be deposited; **2.** *v/i.* season; age; **~lassen** *v/t. Flüssigkeit*: let run off; *Dampf*: let off; *Teich etc.*: drain.

**Ablauf** *m* running off; *Vorrichtung*: outlet, drain; *Sport*: start; *fig.* expiration, end; *nach ~ von* at the end of; **⚓en 1.** *v/i.* run off; drain off; *Frist etc.*: expire; *Uhr*: run down; *Faden etc.*: unwind; *Spule*: run out; *gut ~* end well; **2.** *v/t. Schuhe*: wear out; *Gegend etc.*: scour.

**Ableben** *n* death, decease (*bsd. 🕮*); *🕮* demise.

**ab|lecken** *v/t.* lick (off); **~legen 1.** *v/t. Kleidung*: take off; *Akten etc.*: file; *Geständnis, Gelübde*: make; *Eid, Prüfung*: take; *s. Rechenschaft*; **2.** *v/i.* take off one's (hat and) coat.

**Ableger** *♀ m* layer, shoot.

**ablehn|en 1.** *v/t.* decline, refuse; *Antrag etc.*: turn down; **2.** *v/i.* decline; *dankend ~* decline with thanks; **~end** *adj.* negative; **⚓ung** *f* refusal; rejection.

**ableit|en** *v/t. Fluß etc.*: divert; *gr., ⚓* derive (*aus, von* from) (*a. fig.*);

*fig.* infer (from); **⚓ung** *f* diversion; *gr., ⚓* derivation (*a. fig.*).

**ab|lenken** *v/t.* turn aside; *Verdacht etc.*: divert (*von* from); *Strahlen etc.*: deflect; *j-n von der Arbeit ~* distract s.o. from his work; **~lesen** *v/t. Rede etc.*: read; *Instrumente etc.*: read (off); **~leugnen** *v/t.* deny, disavow.

**abliefer|n** *v/t.* deliver; hand over; **⚓ung** *f* delivery.

**ablösch|en** *v/t. Tinte*: blot (up); *⊕ Stahl*: temper.

**ablös|en** *v/t.* detach; take off; ⚔ *etc.*: relieve; *Amtsvorgänger*: supersede; *sich ~* come off; *fig.* alternate, take turns; **⚓ung** *f* detachment; ⚔ *etc.*: relief; *fig.* supersession.

**abmach|en** *v/t.* remove, detach; *Geschäft etc.*: settle, arrange; **⚓ung** *f* arrangement, settlement.

**abmager|n** *v/i.* lose flesh; grow lean *od.* thin; **⚓ung** *f* emaciation.

**ab|mähen** *v/t.* mow (off); **~malen** *v/t.* copy.

**Abmarsch** *m* start; ⚔ marching off; **⚓ieren** *v/i.* start; ⚔ march off.

**abmeld|en** *v/t.*: *j-n von der Schule ~* give notice of s.o.'s withdrawal (from school); *sich polizeilich ~* give notice to the police of one's departure (from town, *etc.*); **⚓ung** *f* notice of withdrawal; notice of departure.

**abmess|en** *v/t.* measure; **⚓ung** *f* measurement.

**ab|montieren** *v/t.* disassemble; *bsd. Werksanlagen*: dismantle, strip; *Autoreifen*: remove; **~mühen** *v/refl.* drudge, toil; **~nagen** *v/t.* gnaw off; *Knochen*: pick.

**Abnahme** *f* taking off, removal; *⚓ amputation;* † *purchase;* ⊕ acceptance; decrease, diminution.

**abnehm|en 1.** *v/t.* take off, remove; *teleph. Hörer*: lift; *⚓* amputate; *Obst*: gather; ⊕ *Maschine etc.*: accept; *j-m et. ~* take s.th. from s.o.; † *a.* buy *od.* purchase s.th. from s.o.; **2.** *v/i.* decrease, diminish; lose weight; *Mond*: wane; **⚓er** *m* buyer; customer; consumer.

**Abneigung** *f* aversion (*gegen* to); disinclination (to); dislike (to, of, for); antipathy (against, to).

**abnorm** *adj.* abnormal, anomalous; **⚓ität** *f* abnormality, anomaly.

**ab|nutzen, ~nützen** *v/t. u. v/refl.*

wear out; **⌐nutzung** f, **⌐nützung** f wear (and tear).

**Abonn|ement** n subscription (auf to); **⌐ent** m subscriber; **⌐ieren** v/t. subscribe to; **⌐iert** adj.: ⌐ sein auf take in.        [tion.]

**Abordnung** f delegation, deputa-]

**Abort** m lavatory, toilet.

**ab|passen** v/t. fit, adjust; j-n, Gelegenheit: watch for, wait for; j-n, waylay; **⌐pflücken** v/t. pick, pluck (off), gather; **⌐plagen** v/refl. toil; **⌐prallen** v/i. rebound, bounce (off), ricochet; **⌐putzen** v/t. clean (off, up); wipe off; polish; **⌐raten** v/i.: j-m ⌐ von dissuade s.o. from, advise s.o. against; **⌐räumen** v/t. clear (away); **⌐reagieren** v/t. s-n Ärger etc.: work off; sich ⌐ F let off steam.

**abrechn|en 1.** v/t. deduct; **2.** v/i.: mit j-m ⌐ settle with s.o.; F fig. a. get even with s.o.; **⌐ung** f settlement; deduction.

**abreib|en** v/t. rub off; Körper: rub down; polish; **⌐ung** f rub-down; F fig. beating.

**Abreise** f departure (nach for); **⌐n** v/i. depart, leave, start, set out (alle: nach for).

**abreiß|en 1.** v/t. tear od. pull off; Gebäude: pull down; **2.** v/i. break off; Knopf etc.: come off; **⌐kalender** m tear-off calendar.

**ab|richten** v/t. Tier: train; Pferd: break (in); **⌐riegeln** v/t. Tür: bolt, bar; Straße: block.

**Abriß** m draft; fig. summary.

**ab|rollen** v/t. u. v/i. unroll; uncoil; unwind, unreel; **⌐rücken 1.** v/t. move off od. away (von from), remove; **2.** ⌐ v/i. march off, withdraw.

**Abruf** m: auf ⌐ ⌐ on call; **⌐en** v/t. call off (a. ⌐), call away; 📞 call out.

**ab|runden** v/t. round (off); **⌐rupfen** v/t. pluck off.

**abrupt** adj. abrupt.

**abrüst|en** ✗ v/i. disarm; **⌐ung** f disarmament.

**abrutschen** v/i. slip off, glide down.

**Absage** f cancellation; **⌐n 1.** v/t. cancel, call off; **2.** v/i.: j-m ⌐ cancel one's appointment with s.o.

**absägen** v/t. saw off.

**Absatz** m stop, pause; typ. paragraph; ⌐ sale; Schuh⌐: heel; Treppen⌐: landing.

**abschaben** v/t. scrape off.

**abschaff|en** v/t. abolish; Gesetz: abrogate; **⌐ung** f abolition; abrogation.

**ab|schälen** v/t. peel (off), pare; Baum: bark; **⌐schalten** v/t. switch off, turn off od. out; ✦ disconnect.

**abschätz|en** v/t. estimate, value, assess; **⌐ung** f valuation, estimate, assessment.

**Abschaum** m scum; fig. a. dregs pl.

**Abscheu** m horror, abhorrence; loathing (alle: vor of).

**abscheulich** adj. abominable, detestable, horrid; **⌐keit** f detestableness; atrocity.

**abschicken** v/t. send off, dispatch; & post, bsd. Am. mail.

**Abschied** m parting, leave-taking; ⌐ nehmen take leave (von of); s-n ⌐ nehmen resign, retire; **⌐sfeier** f farewell party; **⌐sgesuch** n resignation.

**ab|schießen** v/t. Waffe: shoot off, discharge; Rakete: launch; ✈ (shoot od. bring) down; s. Vogel; **⌐schinden** v/refl. toil and moil, slave, drudge; **⌐schirmen** v/t. shield (gegen from); screen (from).

**Abschlag** ⌐ m deduction; **⌐en** v/t. knock od. beat od. strike off; Kopf: cut off; Bitte etc.: refuse.

**abschleifen** v/t. grind off; fig. refine, polish.

**Abschlepp|dienst** mot. m towing service, Am. a. wrecking service; **⌐en** v/t. drag off; mot. tow off.

**abschließen 1.** v/t. lock (up); ⌐ Rechnung, Konto: balance; Versicherung: effect; Vertrag etc.: conclude; e-n Handel ⌐ strike a bargain; sich ⌐ seclude o.s.; **2.** v/i. conclude; **⌐d 1.** adj. concluding; endgültig: final; **2.** adv. in conclusion.

**Abschluß** m conclusion; **⌐prüfung** f final examination, finals pl.; **⌐zeugnis** n leaving certificate.

**ab|schmieren** ⊕ v/t. lubricate, grease; **⌐schnallen** v/t. unbuckle; Skier: take off; **⌐schneiden 1.** v/t. cut (off); slice off; j-m das Wort ⌐ cut s.o. short; **2.** v/i.: gut ⌐ come out od. off well.

**Abschnitt** m ⌐ segment; ⌐ coupon; typ. section, paragraph; Kontroll⌐: counterfoil, Am. a. stub; e-r Reise etc.: stage; e-r Entwicklung etc.: phase; Zeit: period.

**ab|schöpfen** v/t. skim (off); **~schrauben** v/t. unscrew, screw off.
**abschrecken** v/t. deter (von from); **~d** adj. deterrent, forbidding.
**abschreib|en 1.** v/t. copy; plagiarize; in der Schule: crib; **2.** v/i. crib, copy; ♀ung ✝ f depreciation.
**Abschrift** f copy, duplicate.
**abschürf|en** v/t. Haut: graze, abrade; ♀ung f abrasion.
**Abschuß** m e-r Rakete: launching; ⚡ shooting down, downing; **~rampe** f launching platform.
**abschüssig** adj. sloping; steil: steep.
**ab|schütteln** v/t. shake off; fig. a. get rid of; **~schwächen** v/t. weaken, lessen, diminish; **~schweifen** fig. v/i. digress (von from); **~schwören** v/i. s-m Glauben: abjure.
**abseh|bar** adj.: in **~er** Zeit in the not-too-distant future; **~en 1.** v/t. (fore)see; j-m et. **~** learn s.th. by observing s.o.; es abgesehen haben auf be out for, be aiming at; **2.** v/i.: **~** von refrain from.
**abseits 1.** adv. aside, apart; Fußball etc.: off side; **2.** prp.: **~** (gen.) od. von off.
**absend|en** v/t. send off, dispatch; & post, bsd. Am. mail; ♀er & m sender.
**absetz|en 1.** v/t. set od. put down, deposit; Beamte: remove, dismiss; König: depose, dethrone; Passagier: drop, put down; ✝ sell; thea. set up (in type); ein Stück **~** thea. take off a play; **2.** v/i. break off, stop, pause; ♀ung f deposition, removal, dismissal.
**Absicht** f intention, purpose, design; ♀lich **1.** adj. intentional; **2.** adv. on purpose.
**absitzen 1.** v/i. Reiter: dismount; **2.** v/t. Strafe: serve.
**absolut** adj. absolute.
**absolvieren** v/t. Studien: complete; Schule: get through, graduate from.
**absonder|n** v/t. separate; ✿ secrete; sich **~** withdraw (von from); ♀ung f separation; ✿ secretion.
**abspenstig** adj.: **~** machen entice away (von from).
**absperren** v/t. lock; Wasser etc.: shut off; Straße: block; Gas etc.: turn off.
**ab|spielen** v/t. Schallplatte: play; Bandaufnahme: a. play back; sich **~**

happen, take place; **~sprechen** v/t. arrange, agree; **~springen** v/i. ⚡ bale out, (Am. nur) bail out; Sport: take off; fig. back out (von of).
**Absprung** m jump; Sport: take-off.
**abspülen** v/t. wash up, rinse.
**abstamm|en** v/i. be descended (von from); gr. be derived (beide: von from); ♀ung f descent; gr. derivation.
**Abstand** m distance (a. fig.); interval; **~** nehmen von desist from.
**ab|statten** v/t.: e-n Besuch **~** pay a visit; Dank **~** return od. render thanks; **~stauben** v/t. dust.
**abstech|en 1.** v/t. Schwein: stick; **2.** v/i. contrast (von with); ♀er m excursion, trip.
**ab|stecken** v/t. mark out; **~stehen** v/i. stand off; stick out, protrude; s. abgestanden; **~steigen** v/i. descend; von e-m Pferd etc.: alight from; von e-m Fahrrad, Pferd etc.: dismount from; in e-m Hotel: put up at; **~stellen** v/t. put down; Gas etc.: turn off; Auto: park; fig. et.: put an end to; **~stempeln** v/t. stamp.
**Abstieg** m descent; fig. decline.
**abstimm|en** v/i. vote (über on); ♀ung f voting; vote.
**Abstinenzler** m teetotal(l)er.
**abstoppen 1.** v/t. stop; **2.** v/i. stop; slow up od. down.
**abstoßen** v/t. ✝ Ware: push od. knock off; fig. j-n: repel; **~d** fig. adj. repulsive.
**abstrakt** adj. abstract.
**ab|streifen** v/t. Kleid etc.: strip od. slip off; Handschuhe etc.: pull off; Schuhe: wipe; **~streiten** v/t. contest, dispute; leugnen: deny.
**ab|stufen** v/t. graduate; Farben: gradate; **~stumpfen 1.** v/t. blunt, dull (a. fig.); **2.** fig. v/i. become dull.
**Absturz** m fall; ⚡ crash.
**ab|stürzen** v/i. fall; ⚡ crash; **~suchen** v/t. search (nach for); Gelände: scour od. comb (for).
**absurd** adj. absurd, preposterous.
**Abszeß** ✿ m abscess.
**Abt** m abbot; **~ei** f abbey.
**Ab|teil** 🚪 n compartment; ♀teilen v/t. divide; △ partition off; **~teilung** f department (a. ✝); e-s Krankenhauses: ward; ✕ detachment; **~teilungsleiter** m head of a department.
**Äbtissin** f abbess.

**ab|töten** v/t. *Bakterien etc.*: destroy, kill; **~tragen** v/t. *Gebäude*: pull down; *Kleidungsstück*: wear out; *Schuld*: pay off.

**abträglich** adj. injurious, detrimental.

**abtreib|en** ⚓ v/i. *Schiff*: be driven out of its course; **Qung** ♂ f abortion.

**abtrennen** v/t. detach, separate.

**abtret|en 1.** v/t. *Absätze*: wear down; *fig.* cede (dat. od. an to), transfer (to); **2.** v/i. retire; resign; *thea.* make one's exit; **Qung** f cession, transfer.

**ab|trocknen 1.** v/t. dry; wipe (dry); *sich* ~ rub oneself down; **2.** v/i. (become) dry.

**abtrünnig** adj. unfaithful, disloyal; *eccl.* apostate; **Qe** m deserter; *eccl.* apostate.

**ab|tun** v/t. *Frage etc.*: settle; dismiss (als as); **~urteilen** v/t. pass sentence on; **~wägen** v/t. consider carefully; **~wälzen** v/t. *Schuld etc.*: shift (auf [up]on); **~wandeln** v/t. vary, modify; *Substantiv*: decline; *Verb*: conjugate; **~wandern** v/i. migrate (von from).

**Abwandlung** f modification, variation; *gr.*: declension; conjugation.

**abwarten** v/t. wait for, await; *s-e Zeit* ~ bide one's time; **2.** v/i. wait.

**abwärts** adv. down, downward(s).

**abwaschen** v/t. wash off od. away; sponge (down); *Geschirr etc.*: wash up.

**abwechseln** v/i. alternate; *mit j-m* ~ take turns; **~d** adj. alternate.

**Abwechs(e)lung** f change; alternation; *Zerstreuung*: diversion; *zur* ~ for a change.

**Abweg** m: *auf* ~e *geraten* go astray; **Qig** adj. erroneous, wrong.

**Abwehr** f defen|ce, Am. -se; *e-s Stoßes etc.*: warding off; **Qen** v/t. ward off, avert; *Angriff, Feind*: repulse, repel, ward off.

**abweich|en** v/i. deviate (von from); *fig.* swerve (from); **Qung** f deviation.

**abweis|en** v/t. refuse, reject; repel (a. ⚔); rebuff; **~end** adj. unfriendly, cool; **Qung** f refusal, rejection; repulse (a. ⚔); rebuff.

**ab|wenden** v/t. turn away; *Unheil etc.*: avert; *sich* ~ turn away (von from); **~werfen** v/t. *Joch etc.*: throw off; ✈ *Bomben*: drop; *Haut etc.*: shed, cast; *Laub*: shed; *Gewinn*: yield.

**abwert|en** v/t. devaluate; **Qung** f devaluation.

**abwesen|d** adj. absent; **Qheit** f absence.

**ab|wickeln** v/t. unwind, unreel, wind off; *Geschäft*: transact; **~wiegen** v/t. weigh (out); **~wischen** v/t. wipe (off); **~würgen** F mot. v/t. stall; **~zahlen** v/t. pay off; pay by instal(l)ments; **~zählen** v/t. count.

**Abzahlung** f instal(l)ment, payment on account; **~sgeschäft** n hire-purchase.

**abzapfen** v/t. tap.

**Abzeichen** n badge; ✈ marking.

**ab|zeichnen** v/t. copy, draw; *Schriftstück etc.*: initial; *sich* ~ gegen stand out against; **~ziehen 1.** v/t. take off, remove; ⚓ subtract; *Bett*: strip; *Schlüssel*: take out; *das Fell* ~ skin; **2.** v/i. go away; ✕ march off; *Rauch*: escape; *Gewitter, Wolken*: move on.

**Abzug** m departure; ✕ withdrawal, retreat; ⊕ drain; ⊕ outlet; *e-r Summe*: deduction; *phot.* print; *typ.* proof(-sheet).

**abzüglich** prp. less, minus, deducting.

**abzweig|en 1.** v/t. *Geld*: divert (für to); *sich* ~ branch off; **2.** v/i. branch off; **Qung** f bifurcation.

**ach** int. oh!, ah!; ~ *so!* oh, I see!

**Achse** f axis (a. *pol.*); ⊕ axle(-tree).

**Achsel** f shoulder; *die* ~n zucken shrug one's shoulders; **~höhle** f armpit.

**acht 1.** adj. eight; *in* ~ *Tagen* today week, this day week; *vor* ~ *Tagen* a week ago; **2.** Q f (figure) eight.

**Acht¹** f ban, outlawry.

**Acht²** f attention; *außer acht lassen* disregard; *sich in acht nehmen* be careful; be on one's guard (*vor j-m* od. et. against s.o. od. s.th.).

**achtbar** adj. respectable.

**achte** adj. eighth; **Ql** n eighth (part).

**achten 1.** v/t. respect, esteem; **2.** v/i.: ~ *auf* pay attention to; *darauf* ~, *daß* see to it that, take care that.

**ächten** v/t. outlaw, proscribe.

**Achter** *m Rudern*: eight.

**achtfach** *adj.* eightfold.

**achtgeben** *v/i.* be careful; pay attention (*auf* to); take care (of); *gib acht!* look *od.* watch out!, be careful!

**achtlos** *adj.* careless, heedless.

**Achtung** *f* attention; respect, esteem; ~! look out!; ✕ attention!; ~ *Stufe!* mind the step!

**achtzehn** *adj.* eighteen; ~te *adj.* eighteenth.

**achtzig** *adj.* eighty; ~ste *adj.* eightieth.

**ächzen** *v/i.* groan, moan.

**Acker** *m* field; ~bau *m* agriculture; farming; ~land *n* arable land; 2n *v/t. u. v/i.* plough, till, *Am.* plow.

**addi|eren** *v/t.* add (up); 2tion *f* addition, adding up.

**Adel** *m* nobility, aristocracy; 2ig *adj.* noble; 2n *v/t.* ennoble (*a. fig.*); *Brt.* knight, raise to the peerage.

**Ader** *anat. f* vein; artery.

**adieu** *int.* good-bye, farewell, adieu, F cheerio.

**Adjektiv** *gr. n* adjective.

**Adler** *orn. m* eagle; ~nase *f* aquiline nose.

**adlig** *adj.* noble; 2e *m* nobleman, peer.

**Admiral** ⚓ *m* admiral.

**adopt|ieren** *v/t.* adopt; 2ivkind *n* adopted child.

**Adreßbuch** *n* directory.

**Adress|e** *f* address; *auf Briefen*: a. direction; *per* ~ care of (*abbr.* c/o); 2ieren *v/t.* address (*an* to); direct (to); *falsch* ~ misdirect.

**adrett** *adj.* smart, neat.

**Adverb** *gr. n* adverb.

**Affäre** *f* (love) affair; matter, business, incident.

**Affe** *zo. m* monkey; *bsd. Menschen*2: ape.

**Affekt** *m*: *im* ~ in the heat of the moment; 2iert *adj.* affected.

**Afrikan|er** *m* African; 2isch *adj.* African.

**After** *anat. m* anus.

**Agent** *m* agent; *pol.* (secret) agent; ~ur *f* agency.

**aggressiv** *adj.* aggressive.

**Agitator** *m* agitator.

**Ägypt|er** *m* Egyptian; 2isch *adj.* Egyptian.

**ah** *int.* ah!

**aha** *int.* aha!, I see!

**Ahle** *f* awl, pricker.

**Ahn** *m* ancestor; ~en *pl. a.* forefathers *pl.*

**ähneln** *v/i.* be like, resemble.

**ahnen** *v/t.* have a presentiment of, divine; *argwöhnen*: suspect.

**ähnlich** *adj.* similar (*dat.* to); *das sieht ihm* ~ *iro.* that's just like him; 2keit *f* likeness, resemblance, similarity.

**Ahnung** *f* presentiment, foreboding; *Vorstellung*: notion, idea; 2slos *adj.* unsuspecting; 2svoll *adj.* full of misgivings.

**Ahorn** ♣ *m* maple(-tree).

**Ähre** ♣ *f* ear; *Blüten*2: spike; ~n *lesen* glean.

**Akademi|e** *f* academy; ~ker *m* university man, *bsd. Am.* university graduate; 2sch *adj.* academic.

**akklimatisieren** *v/refl.* acclimatize, *Am.* acclimate.

**Akkord** *m* ♪ chord; *im* ~ ✝ by the piece *od.* job; ~arbeit *f* piecework; ~arbeiter *m* piece-worker; ~lohn *m* piece-wages *pl.*

**Akku** F ⊕ *m*, ~mulator ⊕ *m* accumulator, (storage-)battery.

**Akkusativ** *gr. m* accusative (case).

**Akrobat** *m* acrobat.

**Akt** *m* act(ion), deed; *thea.* act; *paint.* nude.

**Akte** *f* document; *abgelegte*: file; ~n *pl. a.* papers *pl.*; *zu den* ~n *legen* file; ~nmappe *f*, ~ntasche *f* portfolio; brief-case; ~nzeichen *n* reference *od.* file number.

**Aktie** ✝ *f* share, *Am.* stock; ~n-gesellschaft *f* company limited by shares, *Am.* stock corporation.

**Aktion** *f* action; *pol. etc.*: campaign, drive; ✕ operation; ~är *m* shareholder, *Am.* stockholder.

**aktiv** *adj.* active.

**Aktiv|a** ✝ *n/pl.* assets *pl.*; ~posten *m* asset (*a. fig.*).

**aktuell** *adj.* current, present-day, up-to-date, topical.

**Akust|ik** *f Schallehre*: acoustics; *e-s Raums*: acoustics *pl.*; 2isch *adj.* acoustic.

**akut** *adj.* acute.

**Akzent** *m* accent; *Betonung*: a. stress (*a. fig.*); 2uieren *v/t.* accent(uate); stress.

**akzeptieren** *v/t.* accept.

**Alarm** *m* alarm; ~ *schlagen od.* ✕ *a. blasen* sound *od.* give the alarm;

**~bereitschaft** f: in ~ sein stand by; **2ieren** v/t. alarm.

**albern** adj. silly, foolish.

**Album** n album.

**Alge** ♀ f alga, seaweed.

**Algebra** ⅍ f algebra.

**Alibi** ⅌ n alibi.

**Alimente** ⅌ pl. alimony.

**Alkohol** m alcohol; **2frei** adj. non-alcoholic, bsd. Am. soft; **~iker** m alcoholic; **2isch** adj. alcoholic; **~vergiftung** f alcoholic poisoning.

**all 1.** pron. all; ~e everybody; vor ~em first of all; **2.** adj. all; jeder: every, each; jeder beliebige: any; ~e beide both of them; auf ~e Fälle in any case, at all events; ~e Tage every day.

**All** n the universe.

**alle** F adj. all gone; ~ werden come to an end; Vorräte etc.: run out.

**Allee** f avenue; (tree-lined) walk.

**allein 1.** adj. alone; single; ohne Hilfe: unassisted; **2.** adv. alone; **~ig** adj. only, exclusive, sole; **2sein** n loneliness, solitariness, solitude; **~stehend** adj. Person: alone in the world; single; Gebäude etc.: isolated, detached.

**allemal** adv. always; ein für ~ once (and) for all.

**aller|best** adj. best ... of all, very best; **~dings** adv. indeed; ~! certainly!, Am. F sure!; **~erst 1.** adj. first ... of all, very first; **2.** adv.: zu ~ first of all.

**Allergie** ⅍ f allergy.

**aller|hand** adj. of all kinds od. sorts; F das ist ja ~! F I say!, sl. that's the limit!; **2heiligen** n All Saints' Day; **~lei** adj. of all kinds od. sorts; **2lei** n medley; **~letzt 1.** adj. last ... of all, very last; Nachrichten, Mode etc.: very latest; **2.** adv.: zu ~ last of all; **~liebst 1.** adj. dearest ... of all; (most) lovely; **2.** adv.: am ~en best of all; **~meist 1.** adj. most; **2.** adv.: am ~en mostly; chiefly; **~nächst** adj. very next; **~neu(e)st** adj. the very latest; **2seelen** n All Souls' Day; **~wenigst** adv.: am ~en least of all.

**alle|samt** adv. one and all, all together; **~zeit** adv. always, at all times, for ever.

**all|gemein 1.** adj. general; üblich: common; umfassend: universal; **2.** adv.: im ~en in general, generally;

**2gemeinheit** f generality; universality; Öffentlichkeit: general public; **2heilmittel** n panacea, cure-all (beide a. fig.).

**Allianz** f alliance.

**Alliierte** m ally.

**all|jährlich 1.** adj. annual; **2.** adv. annually, every year; **~mächtig** adj. omnipotent, almighty; **~mählich 1.** adj. gradual; **2.** adv. gradually, by degrees.

**All|tag** m workday; week-day; fig. everyday life, daily routine; **2-täglich** adj. daily; fig. common, trivial; **2wissend** adj. omniscient; **~wissenheit** f omniscience; **2zu** adv. (much) too; **2zuviel** adv. too much.

**Alm** f Alpine pasture, alp.

**Almosen** n alms; ~ pl. alms pl., charity.

**Alpdruck** m nightmare (a. fig.).

**Alphabet** n alphabet; **2isch** adj. alphabetic(al).

**Alptraum** m nightmare.

**als** cj. nach comp.: than; ganz so wie: as, like; (in one's capacity) as; nach Negation: but, except; zeitlich: when, as; ~ ob as if, as though; so viel ~ as much as.

**also 1.** adv. thus, so; **2.** cj. therefore, so, consequently; na ~! there you are!

**alt** adj. old; bejahrt: a. aged; ancient, antique; nicht frisch: stale; gebraucht: second-hand.

**Alt** ♪ m alto, contralto.

**Altar** m altar.

**Alteisen** n scrap-iron.

**Alte 1.** m old man; F: der ~ the governor; **2.** f old woman.

**Alter** n age; old age; er ist in meinem ~ he is my age.

**älter** adj. older; senior; der ~e Bruder the elder brother.

**altern** v/i. grow old, age.

**Alternative** f alternative; keine ~ haben have no choice.

**Alters|grenze** f age-limit; retirement age; **~heim** n old people's home; **~rente** f old-age pension; **2schwach** adj. decrepit; senile; **~schwäche** f decrepitude; senility.

**Altertum** n antiquity; Altertümer pl. antiquities pl.                [archaic.]

**altertümlich** adj. ancient, antique,]

**Altertums|forscher** m arch(a)eologist; **~kunde** f arch(a)eology.

**ältest** *adj.* oldest; *Schwester etc.*: eldest.

**Altistin** ♪ *f* alto-singer, contralto-singer.

**altklug** *adj.* precocious, old-fashioned.

**ältlich** *adj.* elderly, oldish.

**alt|modisch** *adj.* old-fashioned; ♀**papier** *n* waste paper; ♀**philologe** *m* classical philologist *od.* scholar; ♀**stadt** *f* old town *od.* city; ♀**warenhändler** *m* second-hand dealer; ♀**weibersommer** *m* Indian summer; gossamer.

**Aluminium** ♀ *n* alumin(i)um.

**Amateur** *m* amateur.

**Amboß** *m* anvil.

**ambulan|t** ♀ *adj.*: ~er Patient out-patient; ♀**z** *f* ambulance.

**Ameise** *zo.* *f* ant; ~**nhaufen** *m* ant-hill.

**Amerikan|er** *m* American; ♀**isch** *adj.* American.

**Amme** *f* (wet-)nurse.

**Amnestie** *f* amnesty, general pardon.

**Amor** *m* Cupid.

**Ampel** *f* hanging lamp; traffic light.

**Amphibie** *zo.* *f* amphibian.

**Ampulle** *f* ampoule.

**Amput|ation** ♀ *f* amputation; ♀**ieren** ♀ *v/t.* amputate.

**Amsel** *orn.* *f* blackbird.

**Amt** *n* office; *Aufgabe*: charge; *Behörde*: office, board; *Pflicht*: official duty, function; (telephone) exchange; ♀**lich** *adj.* official.

**Amts|bereich** *m* jurisdiction; ~**einführung** *f* inauguration; ~**geheimnis** *n* official secret; ~**geschäfte** *n/pl.* official duties *pl.*; ~**gewalt** *f* (official) authority; ~**handlung** *f* official act; ~**niederlegung** *f* resignation.

**Amulett** *n* amulet, charm.

**amüs|ant** *adj.* amusing, entertaining; ~**ieren** *v/t.* amuse, entertain; *sich* ~ amuse *od.* enjoy o.s., have a good time.

**an 1.** *prp.* (*dat.*) at; on, upon; in; against; to; by, near, close to; ~ *der Themse* on the Thames; ~ *der Wand* on *od.* against the wall; *es ist* ~ *dir zu inf.* it is up to you to *inf.*; *am Leben* alive; *am 1. März* on March 1st; *am Morgen* in the morning; **2.** *prp.* (*acc.*) to; on; on to; at; against; about; *bis* ~ as far

as, up to; **3.** *adv.* on; *von heute* ~ from this day forth, from today; *von nun od. jetzt* ~ from now on.

**analog** *adj.* analogous (*dat. od. zu* to, with).

**Analphabet** *m* illiterate (person).

**Analys|e** *f* analysis; ♀**ieren** *v/t.* analy|se, *Am.* -ze.

**Ananas** *f* pineapple.

**Anarchie** *f* anarchy.

**Anatom|ie** *f* anatomy; ♀**isch** *adj.* anatomical.

**anbahnen** *v/t.* pave the way for; open up; *sich* ~ open up.

**Anbau** *m* ♔ cultivation; △ outbuilding, annex(e), extension; ♀**en** *v/t.* ♔ cultivate, grow; △ add (*an* to); ~**fläche** ♔ *f* arable land.

**anbehalten** *v/t.* keep on.

**anbei** † *adv.* enclosed.

**an|beißen 1.** *v/t.* bite into; **2.** *v/i. Fisch*: bite; ~**bellen** *v/t.* bark at; ~**beraumen** *v/t.* appoint, fix; ~**beten** *v/t.* adore, worship.

**Anbetracht** *m*: *in* ~ considering, in consideration of.

**anbetteln** *v/t.* beg from, solicit alms of.

**Anbetung** *f* worship, adoration.

**an|bieten** *v/t.* offer; ~**binden** *v/t.* bind, tie (up); ~ *an* tie to; *s.* **angebunden**.

**Anblick** *m* sight; aspect; ♀**en** *v/t.* look at; *flüchtig*: glance at; *besehen*: view; *mustern*: eye.

**an|blinzeln** *v/t.* wink at; ~**brechen 1.** *v/t. Vorräte*: break into; *Flasche etc.*: open; **2.** *v/i. Tag*: break, dawn; ~**brennen** *v/i. Milch etc.*: burn; ~**bringen** *v/t.* bring; fix (*an* to), attach (to).

**anbrüllen** *v/t.* roar at.

**Andacht** *f* devotion; *Verrichtung*: prayers *pl.*

**andächtig** *adj.* devout.

**andauern** *v/i.* continue, go on.

**Andenken** *n* memory, remembrance; keepsake, souvenir (*an* of); *zum* ~ *an* in memory of.

**ander** *adj.* other; *verschieden*: different; *folgend*: next; *gegenüberliegend*: opposite; *am* ~*en Tag* (on) the next day; *ein* ~*er Freund* another friend; *nichts* ~*es* nothing else.

**andererseits** *adv.* on the other hand.

**ändern** *v/t.* alter; change; *ich*

*kann es nicht* ~ I can't help it; *sich* ~ *alter*; change.

**andernfalls** *adv.* otherwise, (or) else.

**anders** *adv.* otherwise; differently (*als* from); else; *j.* ~ somebody else; ~ *werden* change.

**anderseits** *adv. s. andererseits.*

**anderswo** *adv.* elsewhere.

**anderthalb** *adj.* one and a half.

**Änderung** *f* change; alteration.

**anderweitig 1.** *adj.* other; **2.** *adv.* otherwise.

**andeut|en** *v/t. hinweisen:* indicate; *anspielen:* hint (*et.* at s.th.); *zu verstehen geben:* intimate; *durchblicken lassen:* imply; **♀ung** *f* indication; intimation; hint.

**Andrang** *m* rush (*nach* for); run (*zu, nach* on).

**andre** *adj. s. ander.*

**andrehen** *v/t. Gas etc.:* turn on; *Licht:* switch on.

**androhen** *v/t.: j-m et.* ~ threaten s.o. with s.th.

**aneignen** *v/refl.* appropriate, seize; *widerrechtlich:* usurp; *Gewohnheit, Kenntnisse:* acquire; *Meinung:* adopt.

**aneinander** *adv.* together; ~ *geraten* v/i. clash (*mit* with).

**anekeln** *v/t.* disgust, sicken.

**anerkannt** *adj.* acknowledged, recognized.

**anerkenn|en** *v/t.* acknowledge (*als* as), recognize; *lobend:* appreciate; **♀ung** *f* acknowledgement, recognition; appreciation.

**anfahr|en 1.** *v/i.* start; *angefahren kommen* drive up; **2.** *v/t.* run into; carry (up); *j-n* ~ snap at s.o.; **♀t** *f* approach; *vor e-m Haus:* drive.

**Anfall** **♂** *m* fit, attack; **♀en 1.** *v/t.* attack, assail; **2.** *v/i. Geld etc.:* accrue.

**anfällig** *adj.* susceptible (*für* to); prone (to).

**Anfang** *m* beginning, start, commencement; ~ *Mai* at the beginning of May, early in May; **♀en** *v/t. u. v/i.* begin, start, commence.

**Anfäng|er** *m* beginner; **♀lich 1.** *adj.* initial; **2.** *adv.* in the beginning.

**anfangs** *adv.* in the beginning; **♀buchstabe** *m* initial (letter); *großer* ~ capital letter; **♀gründe** *pl.* elements *pl.*

**anfassen 1.** *v/t. packen:* seize;

*berühren:* touch, handle; **2.** *v/i.: mit* ~ lend a hand.

**anfecht|bar** *adj.* contestable; **♀en** *v/t.* contest, dispute; ♣♣ *Vertrag:* avoid; **♀ung** *f* contestation; ♣♣ avoidance; *fig.* temptation.

**an|fertigen** *v/t.* make, manufacture; **♀feuchten** *v/t.* moisten, wet, damp; **♀feuern** *fig. v/t. Sport:* cheer; **♀flehen** *v/t.* implore; **♀fliegen** ✈ *v/t.* approach, head for; **♀flug** *m* ✈ approach (flight); *fig.* touch, tinge.

**anforder|n** *v/t.* demand; request; **♀ung** *f* demand; request; ~*en pl.* requirements *pl.*

**Anfrage** *f* inquiry; **♀n** *v/i.* ask (*bei j-m* s.o.); inquire (*bei j-m nach et.* of s.o. about s.th.).

**an|freunden** *v/refl.* make friends (*mit* with); **♀frieren** *v/i.* freeze on (*an* to); **♀fühlen** *v/t.* feel, touch; *sich* ~ feel.

**anführ|en** *v/t.* lead; ✕ command; *zitieren:* quote, cite; *täuschen:* dupe, fool; **♀er** *m* (ring)leader; **♀ungszeichen** *n/pl.* quotation marks *pl.*, inverted commas *pl.*

**Angabe** *f* declaration (*a. Zoll*), statement; F *fig.* bragging, showing off; ~*n pl.* directions *pl.*, instructions *pl.*

**angeb|en 1.** *v/t.* declare, state; *ausführlich, im einzelnen:* specify; *behaupten:* allege; *Namen, Grund:* give; ♣ *Preise:* quote; **2.** F *fig. v/i.* brag, show off, *Am.* blow; **♀er** *m* braggart, *Am.* blowhard; **♀lich** *adj.* pretended, alleged.

**angeboren** *adj.* innate, inborn; ♣ congenital.

**Angebot** *n* offer (*a.* ♣); *auf Auktionen:* bid; ♣ supply.

**ange|bracht** *adj.* appropriate, suitable; **♀bunden** *adj.: kurz* ~ *sein* be short (*gegen* with).

**angehen 1.** *v/i.* begin, start; **2.** *v/t.: j-n* ~ concern s.o.; *das geht dich nichts an* that is no business of yours.

**angehör|en** *v/i.* belong to; **♀ige** *m, f:* *seine* ~*n pl.* his relations *pl.*; *die nächsten* ~*n pl.* the next of kin.

**Angeklagte** ♣♣ *m, f the* accused, prisoner (at the bar), defendant.

**Angel** *f* hinge; fishing-tackle, fishing-rod.

**Angelegenheit** f business, concern, affair, matter.

**angel|n** 1. v/i. fish (nach for), angle (for) (beide a. fig.); in e-m Fluß ~ fish a river; 2. v/t. fish; **2punkt** fig. m pivot.

**Angel|sachse** m Anglo-Saxon; **2sächsisch** adj. Anglo-Saxon.

**Angelschnur** f fishing-line.

**ange|messen** adj. suitable (dat. for, to), appropriate (to); annehmbar: reasonable; ausreichend: adequate (to); **~nehm** adj. pleasant, agreeable, pleasing; sehr ~! glad od. pleased to meet you; **~regt** adj. stimulated; Diskussion: animated, lively; **~sehen** adj. respected, esteemed.

**Angesicht** n face, countenance; von ~ zu ~ face to face; **2s** prp. in view of.

**Angestellte** m, f (salaried) employee; die **~n** pl. the staff.

**ange|trunken** adj. tipsy; **~wandt** adj. applied; **~wiesen** adj.: ~ sein auf be dependent (up)on.

**angewöhnen** v/t.: j-m et. ~ accustom s.o. to s.th.; sich et. ~ get into the habit of s.th.; Rauchen etc.: take to.

**Angewohnheit** f custom, habit.

**Angina** ♀ f angina, tonsillitis.

**angleichen** v/t. assimilate (an to, with), adjust (to); sich ~ an assimilate to od. with, adjust od. adapt o.s. to.

**Angler** m angler.

**Anglist** m professor od. student of English, Angli(ci)st.

**angreif|en** v/t. touch; Kapital, Vorräte: draw upon; feindlich: attack (a. fig.); Gesundheit: affect; ♀ corrode; **2er** m aggressor, assailant.

**angrenzend** adj. adjacent (an to), adjoining to.

**Angriff** m attack, assault; in ~ nehmen set about; **2slustig** adj. aggressive.

**Angst** f fear (vor of); anxiety; ich habe ~ I am afraid (vor of); **~hase** m coward.

**ängstigen** v/t. frighten, alarm; sich ~ be afraid (vor of); be alarmed (um about).

**ängstlich** adj. fearful; uneasy, nervous; vorsichtig: scrupulous; schüchtern: timid; **2keit** f fearfulness; scrupulousness; timidity.

**an|haben** v/t. have on; das kann mir nichts ~ that can't do me any harm; **~haften** v/i. stick (dat. to), adhere (to); **~haken** v/t. tick (off), Am. check (off).

**anhalten** 1. v/t. stop; den Atem ~ hold one's breath; 2. v/i. continue, last; stop; **2d** adj. continuous.

**Anhaltspunkt** m clue.

**Anhang** m appendix (gen. to), supplement (to); Gefolgschaft: followers pl., adherents pl.

**anhäng|en** v/t. affix, attach, join; add (dat., an to); **⚓**, mot. couple (on); **2er** m adherent, follower; Schmuckstück: pendant; Schild: label, tag; **~wagen** m: trailer.

**anhänglich** adj. devoted, attached; **2keit** f devotion, attachment.

**Anhängsel** n appendage.

**anhauchen** v/t. breathe (up)on.

**anhäuf|en** v/t. u. v/refl. pile up, accumulate; **2ung** f accumulation.

**an|heben** v/t. lift, raise; **~heften** v/t. fasten (an to); stitch on (to).

**anheimstellen** v/t.: j-m et. ~ leave s.th. to s.o.

**Anhieb** m: auf ~ at the first go.

**Anhöhe** f rise, elevation, hill.

**anhören** v/t. listen to; sich ~ sound.

**ankämpfen** v/i.: ~ gegen struggle against.

**Ankauf** m purchase.

**Anker** **⚓** m anchor; vor ~ gehen cast anchor; **2n** **⚓** v/i. anchor.

**anketten** v/t. chain (an to).

**Anklage** f accusation, charge; **🏛** a. indictment; **2n** v/t. accuse (gen. od. wegen of), charge (with); **🏛** a. indict (for).

**anklammern** v/t. clip s.th. on; sich ~ cling (an to).

**Anklang** m: ~ finden meet with approval.

**an|kleben** v/t. stick on; mit Leim: glue on; mit Kleister: paste on (alle: an to); **~kleiden** v/t. dress; sich ~ dress (o.s.); **~klopfen** v/i. knock (an at); **~knipsen** ⚡ v/t. switch on; **~knüpfen** 1. v/t. tie (an to); fig. begin; Verbindungen ~ form connexions od. (Am. nur) connections; 2. v/i. refer (an to); **~kommen** v/i. arrive; ~ auf depend (up)on; es darauf ~ lassen run the risk, risk it.

**ankündig|en** v/t. announce; in der Presse: advertise; **2ung** f announcement; advertisement.

**Ankunft** f arrival.      [at.\
**an|lächeln** v/t., **~lachen** v/t. smile)\
**Anlage** f Bau: construction; Errich-\
tung: installation; ⊕ plant; grounds\
pl., park; Anordnung: plan, ar-\
rangement, layout; zu e-m Schrei-\
ben: enclosure; ⚊ investment;\
Fähigkeit: talent; öffentliche ~n pl.\
public gardens pl.\
**anlangen 1.** v/i. arrive (in, an at);\
**2.** v/t. touch; fig. concern; was\
mich anlangt as far as I am con-\
cerned.    [without any reason.\
**Anlaß** m occasion; ohne allen ~)\
**anlass|en** v/t. Kleidungsstück: leave\
od. keep on; Licht etc.: leave on; ⊕\
start, set going; sich gut ~ promise\
well; **2er** m mot. m starter.\
**anläßlich** prp. on the occasion of.\
**Anlauf** m start; (e-n) ~ nehmen take\
a run; **2en 1.** v/i. run up; Metall:\
tarnish; Spiegel etc.: (grow) dim;\
**2. ⚓** v/t. call od. touch at.\
**an|legen 1.** v/t. put (an to, against);\
Garten: lay out; Geld: invest;\
Stadt: found; ⚒ Verband: apply;\
Vorräte: lay in; **2.** v/i. ⚓: land;\
moor; ~ auf aim at; **~lehnen** v/t.\
lean (an against); Tür: leave od. set\
ajar; sich ~ an lean against od.\
on.\
**Anleihe** f loan.\
**Anleitung** f guidance, instruction;\
Lehrbuch: guide.\
**Anliegen** n desire, request.\
**Anlieger** m adjoining owner, abut-\
ter; local resident.\
**an|locken** v/t. allure, decoy; fig. en-\
tice; **~machen** v/t. fasten (an to),\
fix (to); Feuer: make, light; ⚡\
Licht: switch on; Salat: dress; **~**\
**malen** v/t. paint.\
**Anmarsch** m approach.\
**anmaß|en** v/refl. arrogate to o.s.;\
Recht: a. assume; **~end** adj. arro-\
gant.\
**anmeld|en** v/t. announce, notify;\
sich ~ bei make an appointment\
with; **2ung** f announcement, noti-\
fication.\
**anmerk|en** v/t. anstreichen: mark;\
notieren: note down; **2ung** f note;\
erklärend: annotation, Fußnote: a.\
foot-note.\
**Anmut** f grace(fulness), charm; **2ig**\
adj. charming, graceful.\
**~n|nageln** v/t. nail on (an to); **~**\
**nähen** v/t. sew on (an to).

**annäher|nd** adj. approximate; **2ung**\
f approach.\
**Annahme** f acceptance (a. fig.);\
~stelle: receiving-office; fig. as-\
sumption, supposition.\
**annehm|bar** adj. acceptable; Preis:\
reasonable; **~en 1.** v/t. Geschenk,\
Angebot etc.: accept; Stelle, Angebot\
etc.: take; fig. suppose, Am. guess;\
Gewohnheit: contract; Kind: adopt;\
sich ~ e-r Sache: attend to; j-s:\
befriend; **2.** v/i. accept; **2lichkeit** f\
pleasantness, agreeableness.\
**Annonce** f advertisement.\
**anonym** adj. anonymous.\
**anordn|en** v/t. arrange; befehlen:\
order, direct; **2ung** f arrangement;\
direction, order.     [tackle.\
**anpacken** v/t. seize, grasp; fig.)\
**anpass|en** v/t. adapt, adjust; suit\
(alle: dat. to); Kleidungsstück: try\
od. fit on; sich ~ adapt od. adjust\
o.s. (dat. to); **2ung** f adaptation;\
**~ungsfähig** adj. adaptable.\
**anpflanz|en** v/t. cultivate, plant;\
**2ung** f cultivation; konkret: plan-\
tation.\
**Anprobe** f try-on, fitting.\
**an|probieren** v/t. try od. fit on.\
**Anrainer** östr. m s. Anlieger.\
**an|raten** v/t. advise; **~rechnen** v/t.\
charge; hoch ~ value highly.\
**Anrecht** n right, title, claim (alle:\
auf to).\
**Anrede** f address; **2n** v/t. address,\
speak to.\
**anreg|en** v/t. stimulate; vorschlagen:\
suggest; **~end** adj. stimulative,\
stimulating; gehaltvoll: suggestive;\
**2ung** f stimulation; suggestion.\
**Anreiz** m incentive.\
**an|rennen** v/i.: angerannt kommen\
come running up; **~richten** v/t.\
Speisen: prepare, dress; Schaden:\
cause, do.\
**anrüchig** adj. disreputable.\
**an|rücken** v/i. approach; ✕ advance.\
**Anruf** m call (a. teleph.); **2en** v/t.\
call; teleph. ring up, F phone, Am.\
call up.\
**anrühren** v/t. touch; mischen: mix.\
**Ansage** f announcement; **2n** v/t.\
announce; **~r** m announcer; Con-\
férencier: compère, Am. master of\
ceremonies.\
**ansässig** adj. resident.\
**Ansatz** m start.\
**an|schaffen** v/t. besorgen: procure,

provide; *kaufen*: purchase; *sich et.* ~ provide *od.* supply o.s. with s.th.; **~schalten** ⚡ *v/t.* switch on.

**anschau|en** *v/t.* look at, view; **~lich** *adj.* clear, vivid, graphic. **Anschauung** *f* view (*von* of), opinion (*about, of*); **~smaterial** *n* illustrative material; **~sunterricht** *m* visual instruction, object-lessons *pl.*

**Anschein** *m* appearance; 2**end** *adv.* apparently, seemingly.

**an|schicken** *v/refl.*: *sich* ~, *et. zu tun* get ready to do s.th., prepare to do s.th., set about doing s.th.

**Anschlag** *m* ⊕ stop; ♪ touch; *Bekanntmachung*: notice; *Plakat*: placard, poster, bill; *Komplott*: plot; e-n ~ *auf j-n verüben* make an attempt on s.o.'s life; **~brett** *n* noticeboard, *Am.* bulletin board; 2**en 1.** *v/t.* strike (*an* against), knock (against); *Plakat*: post up; ♪ touch; **2.** *v/i.* strike (*an* against), knock (against); *Hund*: bark; 🐎 take (effect); **~säule** *f* advertising pillar. **anschließen** *v/t.* ⊕, ⚡ connect; *sich j-m* ~ join s.o.; *sich e-r Meinung* ~ follow an opinion; **~d** *adj. räumlich*: adjacent (*an* to); *zeitlich*: subsequent (to).

**Anschluß** *m* 🚂, ⚡, teleph., *Gas etc.*: connexion, (*Am. nur*) connection; ~ *haben an* ⊕, *Boot*: connect with; 🚢 run in connexion with; ~ *finden* make friends (*an* with), F pal up (with); ~ *bekommen teleph.* get through; **~zug** 🚂 *m* connecting train, connexion.

**an|schmiegen** *v/refl.* nestle (*an* to); **~schmieren** *v/t.* (be)smear, grease; F *fig.* cheat; **~schnallen** *v/t.* buckle on; *bitte* ~! 🚗 fasten seat-belts, please!; **~schnauzen** F *v/t.* snap at, blow s.o. up, *Am. a.* bawl s.o. out; **~schneiden** *v/t.* cut; *Thema*: broach.

**Anschnitt** *m* first cut *od.* slice. **an|schrauben** *v/t.* screw on (*an* to); **~schreiben** *v/t.* write down; *Sport, Spiel*: score; *et.* ~ *lassen* have s.th. charged to one's account; **~schreien** *v/t.* shout at.

**Anschrift** *f* address.

**an|schuldigen** *v/t.* accuse, incriminate; **~schwärzen** *v/t.* blacken; *fig. a.* defame.

**anschwellen** *v/i.* swell (*a. fig.*); *Fluß*: rise; *fig.* increase.

**anschwemmen** *v/t.* wash ashore; *geol.* deposit.

**ansehen 1.** *v/t.* (take a) look at; *aufmerksam*: view; regard (*als* as), consider; *et. mit* ~ witness s.th.; ~ *für* take for; *man sieht ihm sein Alter nicht an* he does not look his age; **2.** 2 *n* appearance, aspect; *Achtung, Geltung*: authority, prestige, respect.

**ansehnlich** *adj.* considerable; goodlooking.

**an|seilen** *mount. v/t. u. v/refl.* rope; **~sengen** *v/t.* singe; **~setzen 1.** *v/t.* put (*an* to); *anstücken*: add (to); *Termin*: fix, appoint; *Blätter etc.*: put forth; *Rost* ~ rust; **2.** *v/i.* be ready (*zu* for).

**Ansicht** *f* sight, view; *fig.* view, opinion; *meiner* ~ *nach* in my opinion; *zur* ~ ♀ on approval; **~karte** *f* picture postcard; **~ssache** *f* matter of opinion.

**ansied|eln** *v/t. u. v/refl.* settle; 2**ler** *m* settler; 2**lung** *f* settlement.

**Ansinnen** *n* request, demand.

**anspann|en** *v/t.* stretch; *Pferde etc.*: put *od.* harness to the carriage, *etc.*; *fig.* strain, exert; 2**ung** *fig. f* strain, exertion.

**anspiel|en** *v/i. Fußball*: kick off; ~ *auf* allude to, hint at; 2**ung** *f* allusion, hint.

**anspitzen** *v/t.* point, sharpen.

**Ansporn** *m* spur; 2**en** *v/t.* spur *s.o.* on.

**Ansprache** *f* address, speech; *e-e* ~ *halten* deliver an address.

**ansprechen** *v/t.* speak to, address; **~d** *adj.* appealing.

**an|springen 1.** *v/i. Motor*: start; **2.** *v/t.* jump (up)on, leap at; **~spritzen** *v/t.* splash (*j-n mit et.* s.th. on s.o.); (be)sprinkle.

**Anspruch** *m* claim (*auf* to) (*a.* ⚖); pretension (to); ⚖ title (to); ~ *haben auf* be entitled to; *Zeit in* ~ *nehmen* take up time; 2**slos** *adj.* unpretentious; *schlicht*: unassuming; 2**voll** *adj.* pretentious.

**anstacheln** *v/t.* goad (on).

**Anstalt** *f* establishment, institution; **~en treffen zu** make arrangements for.

**Anstand** *m* good manners *pl.*; *Schicklichkeit*: decency, propriety.

**anständig** *adj.* decent; *achtbar*: respectable; *Preis*: fair, handsome; **2keit** *f* decency.

**Anstands|gefühl** *n* sense of propriety; tact; **2los** *adv.* unhesitatingly.

**anstarren** *v/t.* stare *od.* gaze at.

**anstatt 1.** *prp.* instead of; **2.** *cj.* instead of *ger.*

**anstaunen** *v/t.* gaze at *s.o. od. s.th.* in wonder.

**ansteck|en** *v/t.* pin on; *Ring*: put on; *✗* infect; set on fire; **~end** *adj.* *✗*: infectious (*a. fig.*); *durch Berührung*: contagious; *fig.* catching; **2ung** *✗ f* infection; contagion.

**an|stehen** *v/i.* queue up (*nach* for), *Am.* stand in line (for); **~steigen** *v/i. Gelände*: rise, ascend; *fig.* increase.

**anstell|en** *v/t.* engage, employ, hire; *sich* ~ queue up (*nach* for), *Am.* line up (for); **2ung** *f Stelle*: place, position, job; employment.

**Anstieg** *m* ascent.

**anstift|en** *v/t.* instigate; **2er** *m* instigator; **2ung** *f* instigation.

**anstimmen** *v/t.* strike up.

**Anstoß** *m Fußball*: kick-off; *fig.*: impulse; offen|ce, *Am.* -se; ~ erregen give offence (*bei* to); ~ nehmen *an* take offence at; *den* ~ geben *zu et.* start s.th., initiate s.th.; **2en 1.** *v/t.* push, knock (*an* against); *heimlich*: nudge; **2.** *v/i.* knock (*an* against); *angrenzen*: border (*an* on, upon), adjoin; *mit der Zunge* ~ lisp; *auf j-s Gesundheit* ~ drink (to) s.o.'s health; **2end** *adj.* adjoining.

**anstößig** *adj.* shocking.

**an|strahlen** *v/t.* illuminate; *Gebäude etc.*: floodlight; *j-n*: beam at; **~streben** *v/t.* aim at, aspire to, strive for.

**anstreiche|n** *v/t.* paint; *Fehler, Textstelle*: mark, underline; **2r** *m* house-painter.

**anstreng|en** *v/t.* exert; *Augen*: try; *j-n*: fatigue; *e-n Prozeß* ~ bring an action (*gegen j-n* against s.o.); *sich* ~ exert o.s.; **~end** *adj.* strenuous; trying (*für* to); **2ung** *f* exertion, strain, effort.

**Anstrich** *m* (coat of) paint.

**Ansturm** *m* assault, onset; ~ *auf* rush for; *✝ e-e Bank*: run on.

**Anteil** *m* share, portion; ~ *nehmen an* take an interest in; *mitleidig*: sympathize with; **~nahme** *f* sympathy; interest.

*21 SWE II*

**Antenne** *f* aerial.

**Antialkoholiker** *m* teetotal(l)er.

**antik** *adj.* antique.

**Antilope** *zo. f* antelope.

**Antipathie** *f* antipathy.

**antippen** F *v/t.* tap.

**Antiquar** *m* second-hand bookseller; **~iat** *n* second-hand bookshop; **2isch** *adj. u. adv.* second-hand.

**Antiquitäten** *f/pl.* antiques *pl.*

**Antlitz** *n* face, countenance.

**Antrag** *m* offer, proposal; *Gesuch*: application, request; *parl.* motion; ~ *stellen auf* make an application for; *parl.* put a motion for; **~steller** *m* applicant; *parl.* mover; *✗✗* petitioner.

**an|treffen** *v/t.* meet with, find; **~treiben 1.** *v/i.* drift ashore; **2.** *v/t.* drive (on); *fig.* impel; **~treten 1.** *v/t. Amt*: enter upon; *Position*: take up; *Reise*: set out on; *Erbe*: enter upon, take possession of; **2.** *v/i.* take one's place; *✗* fall in.

**Antrieb** *m* ⊕ drive, propulsion; *fig.* motive, impulse.

**antun** *v/t.*: *j-m et.* ~ do s.th. to s.o.; *sich et.* ~ lay hands on o.s.

**Antwort** *f* answer (*auf* to), reply (to); **2en 1.** *v/i.* answer (*j-m* s.o.), reply (to s.o.) (*beide*: *auf* to); **2.** *v/t.* answer (*auf* to), reply (to).

**an|vertrauen** *v/t.*: *j-m et.* ~ (en-) trust s.o. with s.th., entrust s.th. to s.o.; *a. fig.*: confide s.th. to s.o.; **~wachsen** *v/i.* take root; *fig.* increase; ~ *an* grow on to.

**Anwalt** *m s.* Rechtsanwalt.

**Anwandlung** *f* fit; *fig. a.* impulse.

**Anwärter** *m* candidate (*auf* for), aspirant (to, for); *✗✗* expectant.

**anweis|en** *v/t. zuweisen*: assign; *anleiten*: instruct; *befehlen*: di·ect; *s. angewiesen*; **2ung** *f* assignment; instruction; direction; *s.* Postanweisung.

**anwend|en** *v/t.* employ, use; apply (*auf* to); *s. angewandt*; **2ung** *f* application.

**anwerben** *v/t.* ✗ enlist, enrol(l); *Arbeiter*: engage.

**Anwesen** *n* estate; property.

**anwesen|d** *adj.* present; **2heit** *f* presence.

**Anzahl** *f* number, quantity.

**anzahl|en** *v/t.* pay on account; **2ung** *f* first instal(l)ment, deposit.

**anzapfen**

**anzapfen** v/t. tap.

**Anzeichen** n symptom (a. 🖋), sign.

**Anzeige** f notice, announcement; *Zeitungs⁀*: advertisement; ℔ information; ⁀n v/t. announce, notify; advertise; ⊕ *Instrument*: indicate, show; *Thermometer*: read; *j-n* ⁀ denounce s.o., inform against s.o.

**anziehen** 1. v/t. draw, pull; *Zügel*: draw; *Schraube*: tighten; *Kleidungsstück*: put on; *j-n*: dress; *fig.* attract; *sich* ⁀ dress; 2. v/i. *Preise*: rise; ⁀d adj. attractive, interesting.

**Anziehungskraft** f phys. attraction (a. fig.).

**Anzug** m dress; *Herren⁀*: suit; *im* ⁀ *sein Sturm*: be gathering; *Gefahr*: be impending.

**anzüglich** adj. personal.

**anzünden** v/t. light, kindle; *Streichholz*: strike; *Gebäude*: set on fire.

**apathisch** adj. apathetic.

**Apfel** m apple; ⁀mus n apple-sauce; ⁀sine f orange; ⁀wein m cider.

**Apostel** m apostle.

**Apostroph** m apostrophe.

**Apotheke** f chemist's shop, pharmacy, *Am.* drugstore; ⁀r m chemist, *Am.* druggist, pharmacist.

**Apparat** m apparatus; *Gerät, Vorrichtung*: device; *am* ⁀! *teleph.* speaking!; *am* ⁀ *bleiben teleph.* hold the line.

**Appell** m ✗: roll-call; *Besichtigung*: inspection, parade; *fig.* appeal (*an* to); ℔ieren v/i. appeal (*an* to).

**Appetit** m appetite; ℔lich adj. appetizing, savo(u)ry, dainty.

**Applaus** m applause.

**Aprikose** f apricot.

**April** m April.

**Aquarell** n water-colo(u)r (painting), aquarelle.

**Aquarium** n aquarium.

**Äquator** m equator.

**Ära** f era.      [bian, Arab(ic).]

**Arab|er** m Arab; ℔isch adj. Ara-⌎

**Arbeit** f work; *schwere*: labo(u)r, toil; *Berufstätigkeit*: employment, job; *Aufgabe, Schul⁀*: task; *schriftliche, wissenschaftliche*: paper; *Ausführung*: workmanship; *bei der* ⁀ at work; *sich an die* ⁀ *machen, an die* ⁀ *gehen* set to work; *die* ⁀ *niederlegen* stop work, down tools; ℔en v/i. work (*an* at); *schwer* ⁀ labo(u)r, toil.

**Arbeiter** m worker; workman, labo(u)rer, hand; ⁀klasse f working class(es pl.).

**Arbeit|geber** m employer; ⁀nehmer m employee.

**arbeitsam** adj. industrious.

**Arbeits|amt** n labo(u)r exchange; ⁀anzug m overalls pl.; ⁀bescheinigung f certificate of employment; ℔fähig adj. able to work; ⁀gericht n labo(u)r od. industrial court; ⁀kleidung f working clothes pl.; ⁀kraft f working power; *Arbeiter*: worker, hand; *Arbeitskräfte pl. a.* labo(u)r; ℔los adj. out of work, unemployed; ⁀lose m: *die* ⁀n pl. the unemployed pl.; ⁀losenunterstützung f unemployment benefit; ⁀ *beziehen* F be on the dole; ⁀losigkeit f unemployment; ⁀markt m labo(u)r market; ⁀minister m minister of labo(u)r; *Brt.* Minister of Labour, *Am.* Secretary of Labor; ⁀niederlegung f strike, *Am.* F a. walkout; ⁀pause f break, intermission; ⁀platz m place of work; *Stelle*: job; ℔scheu adj. work-shy; ⁀tag m working day, workday; ℔unfähig adj. incapable of working; *ständig*: disabled; ⁀weise f practice, method of working; ⁀zeit f working time; working hours pl.; ⁀zeug n tools pl.; ⁀zimmer n study.

**Archäo|loge** m arch(a)eologist; ⁀logie f arch(a)eology.

**Arche** f ark.

**Architekt** m architect; ⁀ur f architecture.

**Archiv** n archives pl.; record office.

**Areal** n area.

**Arena** f arena; *Stierkampf℔*: bullring.

**arg** adj. bad; *Fehler*: gross.

**Ärger** m *Verdruß*: vexation, annoyance; *Zorn*: anger; ℔lich adj. vexed (*auf, über at s.th.*, *with s.o.*), angry (*at, with*); annoying, vexatious; ℔n v/t. annoy, vex, irritate; *sich* ⁀ feel angry od. vexed (*über at, about s.th.*, *with s.o.*); ⁀nis n scandal, offen|ce, *Am.* -se.

**Arg|wohn** m suspicion; ℔wöhnen v/t. suspect; ℔wöhnisch adj. suspicious.

**Arie** ♪ f aria.

**Aristokrat** m aristocrat; ⁀ie f aristocracy.

**arm** adj. poor.

**Arm** *m* arm; *e-s Flusses etc.*: branch; F: *j-n auf den* ~ *nehmen* pull s.o.'s leg.

**Armaturenbrett** *n* dash-board.

**Arm|band** *n* bracelet; **~banduhr** *f* wrist watch; **~bruch** *m* fracture of the arm.

**Armee** *f* army.

**Ärmel** *m* sleeve.

**ärmlich** *adj. s.* armselig.

**armselig** *adj.* poor; *kläglich, schlecht*: wretched, miserable; *schäbig*: shabby; *dürftig*: paltry.

**Armut** *f* poverty.     [fragrance.]

**Aroma** *n* aroma, flavo(u)r; *Duft*: ]

**Arrest** *m* arrest; *Nachsitzen*: detention; ~ *bekommen* be kept in.

**Art** *f* kind, sort; ♀, *zo.* species; *Weise*: manner, way; *Beschaffenheit*: nature; *Benehmen*: manners *pl.*; *Rasse*: breed, race; *auf die(se)* ~ in this way; **2en** *v/i.*: ~ *nach* take after.

**Arterie** *anat. f* artery.

**artig** *adj.* good, well-behaved; *höflich*: civil, polite; **2keit** *f* good behavio(u)r; politeness; civility, civilities *pl.*

**Artikel** *m* article; ♱ *a.* commodity.

**Artillerie** ⚔ *f* artillery.

**Artist** *m* circus performer.

**Arznei** *f* medicine, F physic; **~kunde** *f* pharmaceutics; **~mittel** *n* medicine, drug.

**Arzt** *m* doctor, F medical man; *bsd. Berufsbezeichnung*: physician.

**Ärztin** *f* (woman *od.* lady) doctor.

**ärztlich** *adj.* medical.

**As** *n* ace.

**Asche** *f* ash(es *pl.*); **~nbahn** *f* cinder-track, *mot.* dirt-track; **~nbecher** *m* ash-tray.

**Aschermittwoch** *m* Ash Wednesday.

**aschgrau** *adj.* ash-grey, ashy, *Am.* ash-gray.

**äsen** *hunt. v/i.* graze, browse.

**Asiat** *m* Asiatic, Asian; **2isch** *adj.* Asiatic, Asian.

**Asket** *m* ascetic; **2isch** *adj.* ascetic.

**Asphalt** *m* asphalt; **2ieren** *v/t.* asphalt.

**Assistent** *m*, **~in** *f* assistant.

**Ast** *m* branch, bough; *im Holz*: knot; **~loch** *n* knot-hole.

**Astro|naut** *m* astronaut; **~nom** *m* astronomer.

**Asyl** *n* asylum; *fig.* sanctuary.

**Atelier** *n* studio.

**Atem** *m* breath; *außer* ~ out of breath; **2los** *adj.* breathless; **~not** ♀ *f* difficulty in breathing; **~pause** *f* breathing-space; **~zug** *m* breath, respiration.

**Äther** *m the* ether; **🜍** *m* ether; **2isch** *adj.* ethereal, etheric.

**Athlet** *m*, **~in** *f* athlete; **~ik** *f* athletics *mst sg.*; **2isch** *adj.* athletic.

**atlantisch** *adj.* Atlantic.

**Atlas** *m geogr.* Atlas; *Landkarten*: atlas.

**atmen** *v/i. u. v/t.* breathe.

**Atmosphär|e** *f* atmosphere; **2isch** *adj.* atmospheric.

**Atmung** *f* breathing, respiration.

**Atom** *n* atom; **2ar** *adj.* atomic; **~bombe** *f* atomic bomb, atom bomb, A-bomb; **~energie** *f* atomic *od.* nuclear energy; **~forschung** *f* atomic *od.* nuclear research; **~kern** *m* atomic nucleus; **~kraftwerk** *n* nuclear power station; **~physiker** *m* atomic physicist; **~reaktor** *m* nuclear reactor, atomic pile; **~waffe** *f* atomic *od.* nuclear weapon; **~wissenschaftler** *m* atomic scientist; **~zeitalter** *n* atomic age.

**Attent|at** *n* (attempted) assassination; **~äter** *m* assailant, assassin.

**Attest** *n* certificate.

**Attraktion** *f* attraction.

**Attrappe** *f* dummy.

**Attribut** *n* attribute; *gr.* attributive.

**ätzend** *adj.* corrosive, caustic (*a. fig.*).

**au** *int.* oh!; ouch!

**auch** *cj.* also, too, likewise; *selbst*: even; ~ *nicht* neither, nor; *wo* ~ *(immer)* wher(eso)ever; *ist es* ~ *wahr?* is it really true?

**Audienz** *f* audience, hearing.

**auf 1.** *prp.* (*dat.*) (up)on; in; at; ~ *dem Tisch* (up)on the table; ~ *dem Markt* in the market; ~ *e-m Ball* at a ball; **2.** *prp.* (*acc.*) on; in; at; to; up; ~ *(... zu)* towards; ~ *deutsch* in German; ~ *e-e Entfernung von* at a range of; ~ *die Post etc. gehen* go to the post office, *etc.*; *es geht* ~ *neun* it is getting on to nine; ~ *... hin* on the strength of; **3.** *adv.* up(wards); ~ *und ab gehen* walk up and down *od.* to and fro; **4.** *cj.*: ~ *daß* (in order) that; ~ *daß nicht* that not, lest; **5.** *int.*: ~*!* up!

**auf|arbeiten** *v/t. Rückstände*: work off; *auffrischen*: furbish up; **~atmen** *fig. v/i.* breathe again.

**Aufbau** *m* building up; *a. e-s Dramas*: construction; **~en** *v/t.* erect, build up; construct.

**auf|bauschen** *v/t.* puff out; *fig.* exaggerate; **~beißen** *v/t.* crack; **~bekommen** *v/t. Tür*: get open; *Aufgabe*: be given; **~bessern** *v/t. Gehalt*: raise; **~bewahren** *v/t.* keep; preserve; **~bieten** *v/t. Kräfte etc.*: summon (up); ✗ raise; **~binden** *v/t.* untie; **~bleiben** *v/i.* sit up; *Tür etc.*: remain open; **~blicken** *v/i.* look up (*zu* at); raise one's eyes (to); **~blitzen** *v/i.* flash (up); **~blühen** *v/i.* bloom; flourish (*beide a. fig.*).

**aufbrausen** *v/i.* fly into a passion; **~d** *adj.* hot-tempered.

**auf|brechen 1.** *v/t.* break open, force open; **2.** *v/i.* burst open; *fig.* set out (*nach* for); **~bringen** *v/t.* get open; *Geld etc.*: raise; *Schiff*: capture; *j-n*: rouse, irritate.

**Aufbruch** *m* departure, start.

**auf|bürden** *v/t.*: *j-m et.* ~ impose s.th. on s.o.; **~decken** *v/t.* uncover; *fig. a.* disclose; **~drängen** *v/t.* force, obtrude (*j-m* [up]on s.o.); **~drehen** *v/t.* turn on.

**aufdringlich** *adj.* obtrusive.

**Aufdruck** *m* imprint; *auf Briefmarken*: surcharge.

**aufdrücken** *v/t.* impress.

**aufeinander** *adv.* one after *od.* upon another; **2folge** *f* succession; **~folgend** *adj.* successive.

**Aufenthalt** *m* stay; *Verzögerung*: delay; 🚉 stop; **~sgenehmigung** *f* residence permit.

**auferlegen** *v/t.* impose (*j-m* on s.o.).

**aufersteh|en** *v/i.* rise (from the dead); **2ung** *f* resurrection.

**auf|essen** *v/t.* eat up; **~fahren** *v/i. Person*: start up; *mot.* drive *od.* run (*auf* against, into).

**Auffahrt** *f Zufahrt*: approach; *zu e-m Haus*: drive, *Am.* driveway.

**auf|fallen** *v/i.* be conspicuous; *j-m* ~ strike s.o.; **~fallend** *adj.*, **~fällig** *adj.* striking; *augenfällig*: conspicuous; *Kleider etc.*: flashy.

**auffangen** *v/t.* catch (up); *Schlag*: parry.

**auffass|en** *v/t. begreifen*: comprehend; *deuten*: interpret; **2ung** *f* interpretation; view.

**auffinden** *v/t.* find, trace, discover.

**auffordern** *v/t.* ask, invite, call (up)on; **2ung** *f* invitation, request.

**auffrischen 1.** *v/t.* freshen up; touch up; *Wissen*: brush up; **2.** *v/i. Wind*: freshen.

**aufführ|en** *v/t. thea.* represent, perform, act; *aufzählen*: enumerate; *eintragen*: enter; *einzeln* ~ specify, *Am.* itemize; *sich* ~ behave; **2ung** *f thea.* performance; enumeration; entry; specification.

**Aufgabe** *f* task; problem; *Haus2*: homework; *von Gepäck*: booking, *Am.* checking; *Preisgabe*: abandonment; *e-s Geschäfts*: giving up; *es sich zur* ~ *machen* make it one's business.

**Aufgang** *m ast.* rising; staircase.

**aufgeben 1.** *v/t.* give up, abandon; *Anzeige*: insert; *Brief*: post, *Am.* mail; *Gepäck*: book, *Am.* check; *Telegramm*: hand in, send; *Hausaufgabe*: set, *Am.* assign; **2.** *v/i.* give up *od.* in.

**Aufgebot** *n* public notice; ✗ levy; *fig.* array; *Ehe2*: banns *pl.*

**aufgehen** *v/i.* open; *A* leave no remainder; *Naht*: come apart; *Teig, Stern, Vorhang*: rise; *Saat*: come up; *in Flammen* ~ go up in flames.

**aufge|legt** *adj.* disposed (*zu* for); in the mood (*zu inf.* for *ger.*, to *inf.*); *gut* (*schlecht*) ~ in a good (bad) humo(u)r; **~schlossen** *fig. adj.* open-minded; **~weckt** *fig. adj.* bright.

**auf|gießen** *v/t. Tee*: infuse; make; **~greifen** *fig. v/t.* take up.

**Aufguß** *m* infusion.

**auf|haben F 1.** *v/t. Hut*: have on; *Hausaufgabe*: have to do; **2.** *v/i.*: *das Geschäft hat auf* the shop is open; **~halten** *v/t.* keep open; *anhalten*: stop, detain, delay; *Verkehr*: hold up; *sich* ~ stay; *sich* ~ *bei fig.* dwell on; *sich* ~ *mit* spend one's time on; **~hängen** *v/t.* hang (up); ⊕ suspend.

**aufheb|en 1.** *v/t. hochheben*: lift (up), raise; *vom Boden*: pick up; *Belagerung*: raise; *aufbewahren*: keep, preserve; *abschaffen*: cancel, annul, abolish; *Versammlung*: break up; *sich gegenseitig* ~ neutralize each other; **2.** **2** *n*: *viel Aufhebens machen* make a fuss (*von* about); **2ung** *f* abolition; annulment; breaking up.

**auf|heitern** v/t. cheer up; sich ~ Wetter: clear up; Gesicht: brighten; **~hellen** v/t. u. v/refl. brighten.

**aufhetzen** v/t. incite, instigate.

**auf|holen 1.** v/t. make up for; **2.** v/i. gain (gegen on); **~hören** v/i. cease, stop, Am. quit (alle: zu tun doing); F: da hört (sich) doch alles auf! that's the limit!, Am. that beats everything!; **~kaufen** v/t. buy up.

**aufklär|en** v/t. clear up; enlighten (über on); ✕ reconnoit|re, Am. -er; sich ~ clear up; **2ung** f enlightenment; ✕ reconnaissance.

**auf|kleben** v/t. paste up (auf on), stick, affix (an to); **~knöpfen** v/t. unbutton.

**aufkommen 1.** v/i. Sturm: rise; Mode werden: come up, come into fashion od. use; Gedanke: arise; ~ für et. answer for s.th.; ~ gegen prevail against od. over; **2.** 2 n Genesung: recovery.

**auf|krempeln** v/t. turn up, roll up; **~laden** v/t. load; ⚡ charge.

**Auflage** f e-s Buches: edition; e-r Zeitung: circulation.

**auf|lassen** v/t. F Tür etc.: leave open; F Hut: keep on; Fabrik etc.: shut down; **~lauern** v/i.: j-m ~ lie in wait for s.o.

**Auflauf** m concourse; ⚖ unlawful assembly; Speise: soufflé; **2en** v/i. Zinsen: accrue; ⚓ run aground.

**auflegen 1.** v/t. Rouge: put on, lay on; apply (auf to); Buch: print, publish; **2.** teleph. v/i. ring off.

**auflehn|en** v/t. lean (auf on); sich ~ lean (on), fig. rebel, revolt (gegen against); **2ung** f rebellion, revolt.

**auf|lesen** v/t. gather, pick up; **~leuchten** v/i. flash (up); **~liegen** v/i. lie (auf on).

**auflös|bar** adj. (dis)soluble; **~en** v/t. Versammlung: break up; Salz, Ehe, Geschäft etc.: dissolve; Rätsel: solve (a. ✠); in s-e Bestandteile: disintegrate; **2ung** f (dis)solution; disintegration.

**aufmach|en** v/t. open; Knoten, Paket etc.: undo; Schirm: put up; sich ~ set out (nach for); **2ung** f get-up.

**aufmarschieren** v/i. form into line; ~ lassen ✕ deploy.

**aufmerksam** adj. attentive (gegen to); j-n ~ machen auf call s.o.'s attention to; **2keit** f attention; Geschenk: token.

**aufmuntern** v/t. ermuntern: encourage; cheer up.

**Aufnahme** f e-r Tätigkeit: taking up; Empfang: reception; Zulassung: admission; phot. photograph; e-s Films: shooting; **2fähig** adj. Geist: receptive (für of); **~gebühr** f admission fee; **~prüfung** f entrance examination.

**aufnehmen** v/t. take up; Diktat etc.: take down; geistig: take in; Gäste: receive; admit; Geld: raise, borrow; shoot; phot. take; gut (übel) ~ take well (ill); es ~ mit be a match for.

**Aufopferung** f sacrifice.

**auf|passen** v/i. attend (auf to); watch (over); in der Schule: be attentive; vorsichtig sein: look out; ~ auf take care of; **~platzen** v/i. burst (open); **~prallen** v/i.: auf den Boden ~ strike the ground; **~pumpen** v/t. blow up; **~raffen** v/t. snatch up; sich ~ rouse o.s. (zu for); muster up one's energy; **~räumen 1.** v/t. ordnen: put in order; Zimmer: tidy (up), Am. straighten up; wegschaffen: clear away; **2.** v/i. tidy up; ~ mit do away with.

**aufrecht** adj. u. adv. upright (a. fig.), erect; **~erhalten** v/t. maintain, uphold; **2erhaltung** f maintenance.

**aufreg|en** v/t. stir up, excite; sich ~ get excited od. upset (über about); **2ung** f excitement, agitation.

**auf|reiben** v/t. Haut etc.: chafe; fig. exhaust, wear out; **~reißen 1.** v/t. rip od. tear up od. open; Türe: fling open; Augen: open wide; **2.** v/i. split open, burst.

**aufreizend** adj. provocative.

**aufrichten** v/t. set up, erect; sich ~ stand up; straighten; im Bett: sit up.

**aufrichtig** adj. sincere, candid; **2keit** f sincerity, cando(u)r.

**Aufriß** △ m elevation.

**aufrollen** v/t. u. v/refl. roll up (a. ✕).

**Aufruf** m call, summons; **2en** v/t. call up; auffordern: call on.

**Aufruhr** m uproar, tumult; riot, rebellion.

**aufrühr|en** fig. v/t. stir up; rake up; **2er** m rebel; **~erisch** adj. rebellious.

**Aufrüstung** ✕ f (re)armament.

**auf|rütteln** fig. v/t. shake up, rouse; **~sagen** v/t. repeat, recite.

**aufsässig** adj. rebellious.

# Aufsatz

**Aufsatz** m essay; Schul≗: composition; ⊕ top.

**auf|saugen** v/t. suck up; ≗ absorb; **~scheuchen** v/t. scare up, disturb; **~scheuern** v/t. chafe, graze; **~schichten** v/t. pile up; **~schieben** v/t. slide open; fig. put off, defer, postpone, adjourn.

**Aufschlag** m striking; impact; Zuschlag: additional od. extra charge; am Mantel: facing, lapel; an der Hose: turn-up; Tennis: service; ≗en 1. v/t. Buch, Augen etc.: open; Wohnsitz: take up; Zelt: pitch; Knie etc.: cut open; 2. v/i. strike, hit; Tennis: serve.

**auf|schließen** v/t. unlock, open; **~schlitzen** v/t. slit od. rip open.

**Aufschluß** fig. m information.

**auf|schnappen** F fig. v/t. pick up; **~schneiden** 1. v/t. cut open; Fleisch: cut up; 2. fig. v/i. brag, boast.

**Aufschnitt** m (slices pl. of) cold meat, Am. cold cuts pl.

**auf|schnüren** v/t. untie; Schuh: unlace; **~schrauben** v/t. unscrew; **~schrecken** 1. v/t. startle; 2. v/i. start (up).

**Aufschrei** m shriek, scream; fig. outcry.

**auf|schreiben** v/t. write down; **~schreien** v/i. cry out, scream.

**Aufschrift** f inscription; e-s Briefes: address, direction; e-r Flasche etc.: label.

**Aufschub** m deferment; Verzögerung: delay; Vertagung: adjournment; Stundung: respite.

**auf|schürfen** v/t. Haut: graze; **~schwingen** v/refl.: sich zu et. ~ bring o.s. to do s.th.

**Aufschwung** fig. m rise, Am. upswing; ⊕ boom.

**aufsehen** 1. v/i. look up; 2. ≗ n sensation; ~ erregen cause a sensation; **~erregend** adj. sensational.

**Aufseher** m in e-r Fabrik etc.: overseer; im öffentlichen Dienst etc.: inspector; in e-m Museum etc.: guardian.

**aufsetzen** 1. v/t. Hut, Miene: put on; Dokument: draw up; sich ~ sit up; 2. ✈ v/i. touch down.

**Aufsicht** f inspection, supervision; **~sbehörde** f board of control; **~srat** m board of directors.

**auf|sitzen** v/i. Reiter: mount; **~**

**~spannen** v/t. stretch; Schirm: put up; Segel: spread; **~sparen** v/t. save; fig. reserve; **~speichern** v/t. store up; **~sperren** v/t. unlock; Augen etc.: open wide; **~spielen** v/refl. show off; sich ~ als set up for; **~spießen** v/t. durchbohren: pierce; mit Hörnern: gore; **~springen** v/i. jump up; Tür: fly open; Haut: chap; **~spüren** v/t. hunt up, track down; **~stacheln** fig. v/t. goad, incite, instigate; **~stampfen** v/t. stamp (one's foot).

**Aufstand** m insurrection; rebellion; uprising, revolt.

**aufständisch** adj. rebellious; ≗e m insurgent, rebel.

**auf|stapeln** v/t. pile up; ✈ store (up); **~stechen** v/t. puncture, prick open; ✗ lance; **~stecken** v/t. pin up; Haar: put up; F fig. give up; **~stehen** v/i. stand up; rise, get up; F stand open; Reiter: mount.

**aufstell|en** v/t. set up, put up; ✗ draw up; Wachen: post; Behauptung: make; Falle: set; Kandidaten: nominate; Rechnung: draw up; Regel: lay down; Liste: make out; Rekord: set up, establish; ≗ung f putting up; drawing up; erection; nomination; ✈ statement; list.

**Aufstieg** m ascent; fig. rise.

**auf|stöbern** fig. v/t. hunt up; **~stoßen** 1. v/t. push open; 2. v/i. Essen: repeat; Person: belch; **~streichen** v/t. Butter etc.: spread.

**Aufstrich** m auf Brot: spread.

**auf|stützen** v/refl. lean (auf on); **~suchen** v/t. Ort: visit; go to see, look s.o. up. [preliminaries pl.]

**Auftakt** m ♪ upbeat; fig. prelude,

**auf|tauchen** v/i. emerge; fig. a. appear, turn up; **~tauen** 1. v/t. thaw; 2. v/i. thaw (a. fig.); **~teilen** v/t. divide (up), share.

**Auftrag** m commission; Weisung: instruction; ✈ mandate; ✈ order; ≗en v/t. Speisen: serve (up); Farbe: lay on; j-m et. ~ charge s.o. with s.th.

**auf|treffen** v/i. strike, hit; **~treiben** v/t. Geld: raise; **~trennen** v/t. Naht etc.: rip, unstitch.

**auftreten** 1. v/i. tread; thea. etc.: appear (als as); handeln: behave, act; Schwierigkeiten: arise; 2. ≗ n appearance; behavio(u)r.

**Auftrieb** m phys. buoyancy (a. fig.);
⚓ lift; fig. impetus.
**Auftritt** m thea. scene (a. fig.); e-s
Schauspielers: appearance.
**auf|tun** v/t. open; sich ~ open;
Abgrund: yawn; **~türmen** v/t.
pile od. heap up; sich ~ tower up;
pile up; Schwierigkeiten: accumu-
late; **~wachen** v/i. awake, wake up;
**~wachsen** v/i. grow up.
**Aufwand** m expense, expenditure
(an of); Prunk: pomp.
**aufwärmen** v/t. warm up.
**Aufwartefrau** f charwoman, Am.
a. cleaning woman.
**aufwärts** adv. upward(s).
**aufwaschen** v/t. wash up; 2-
**wasser** n dish-water.
**auf|wecken** v/t. awake(n), wake
(up); **~weichen 1.** v/t. soften;
durch Feuchtigkeit: soak; **2.** v/i.
soften, become soft; **~weisen** v/t.
show, exhibit; produce; **~wenden**
v/t. spend; Mühe ~ take pains;
**~werfen** v/t. raise.
**aufwert|en** v/t. revalue; 2ung f
revaluation.
**aufwickeln** v/t. u. v/refl. wind up,
roll up.
**aufwiegel|n** v/t. stir up, incite,
instigate; 2ung f instigation.
**aufwiegen** fig. v/t. make up for.
**Aufwiegler** m agitator; Anstifter:
instigator.
**aufwirbeln 1.** v/t. whirl up; Staub:
raise; viel Staub ~ create a sensation;
**2.** v/i. whirl up.
**aufwisch|en** v/t. wipe up; 2lappen
m floor-cloth.
**aufwühlen** v/t. turn up; fig. stir.
**aufzähl|en** v/t. enumerate, Am. a.
call off; 2ung f enumeration.
**aufzäumen** v/t. bridle.
**aufzeichn|en** v/t. draw; notieren:
note down; amtlich: record; 2ung f
note; record.
**auf|zeigen** v/t. show; klarmachen:
demonstrate; Fehler etc.: point out;
offenbaren: disclose; **~ziehen 1.** v/t.
draw od. pull up; öffnen: (pull)
open; Kind: bring up; Uhr etc.:
wind (up); j-n ~ tease s.o., F pull
s.o.'s leg; **2.** v/i. Sturm: approach.
**Aufzucht** f rearing, breeding.
**Aufzug** m ⊕ hoist; lift, Am. elevator; thea. act; fig. attire, get-up.
**aufzwingen** v/t.: j-m et. ~ force
s.th. upon s.o.

**Augapfel** m eyeball.
**Auge** n eye; Sehkraft: sight; ⚘ bud;
auf Würfeln: pip; in meinen ~n in
my view; im ~ behalten keep an
eye on; fig. keep in mind; aus den
~n verlieren lose sight of; ein ~ zudrücken turn a blind eye (bei to);
ins ~ fallen strike the eye; unter
vier ~n face to face, privately.
**Augen|arzt** m oculist, eye-doctor;
**~blick** m moment, instant; 2blick-
**lich 1.** adj. instantaneous; vorübergehend: momentary; gegenwärtig:
present; **2.** adv. instant(aneous)ly;
at present; **~braue** f eyebrow;
**~licht** n eyesight; **~lid** n eyelid;
**~maß** n: ein gutes ~ a sure eye;
nach dem ~ by eye; **~merk** n: sein ~
richten auf turn one's attention to;
fig. a. have in view; **~schein** m
appearance; in ~ nehmen examine,
view, inspect; 2scheinlich adj.
evident; **~zeuge** m eyewitness.
**August** m August.
**Auktion** f auction; **~ator** m
auctioneer.
**Aula** f (assembly) hall, Am. auditorium.
**aus 1.** prp. out of; from; of; by; for;
in; ~ Achtung out of respect; ~
London kommen come from London; ~ diesem Grunde for this
reason; **2.** adv. out; over; die
Schule ist ~ school is over; F: von
mir ~ for all I care; auf et. ~ sein
be keen on s.th.; das Spiel ist ~! the
game is up!; er weiß weder ein
noch ~ he is at his wit's end; auf
Geräten etc.: an — ~ on — off.
**ausarbeit|en** v/t. work out; sorg-
sam: elaborate; 2ung f working
out; elaboration.
**aus|arten** v/i. get out of hand;
**~atmen** v/t. u. v/i. breathe out.
**Ausbau** m extension; Fertigstellung:
completion; Entwicklung: development; 2en v/t. develop; extend;
finish, complete; ⊕ Motor: dismantle.
**ausbedingen** v/t. stipulate.
**ausbesser|n** v/t. mend, repair, Am.
F a. fix; 2ung f repair, mending.
**Ausbeut|e** f gain, profit; Ertrag:
yield; ⚒ output; 2en v/t. exploit;
⚒ work; Arbeiter: sweat; **~ung** f
exploitation.
**ausbild|en** v/t. form, develop;
schulen: train, instruct; geistig:

educate; ✕ drill; ♀ung f development; training, instruction; education; ✕ drill.

**ausbitten** v/t.: sich et. ~ request s.th.; insist on s.th.

**ausbleiben 1.** v/i. stay away, fail to appear; **2.** ♀ n non-arrival, nonappearance; Abwesenheit: absence.

**Ausblick** m outlook (auf over, on), view (of), prospect (of); fig. outlook (on).

**ausbrechen** v/i. break out (a. fig.); in Tränen ~ burst into tears.

**ausbreit|en** v/t. spread (out); Arme, Flügel: stretch (out); entfalten: display; sich ~ spread; ♀ung f spreading.

**ausbrennen 1.** v/t. burn out; ✄ cauterize; **2.** v/i. burn out.

**Ausbruch** m outbreak (a. fig.); e-s Vulkans: eruption; Flucht: escape; Gefühls♀: outburst.

**aus|brüten** v/t. hatch (a. fig.); ~bürgern v/t. denationalize, expatriate.

**Ausdauer** f perseverance; ♀nd adj. persevering.

**ausdehn|en** v/t. u. v/refl. extend (auf to); expand (beide a. fig.); ⊕ in die Länge: stretch; ♀ung f expansion; extension; Bereich, Umfang: extent.

**aus|denken** v/t. think s.th. out od. Am. a. up, devise, invent; vorstellen: imagine; ~dörren v/t. dry up, parch; ~drehen v/t. Radio, Gas: turn off; ✄ turn out, switch off.

**Ausdruck** m expression (a. fig.); Wort: term.

**ausdrück|en** v/t. press, squeeze (out); Zigarette: stub out; fig. express; ~lich adj. express, explicit.

**ausdrucks|los** adj. inexpressive, expressionless; leer: blank; ~voll adj. expressive; ♀weise f mode of expression; style.

**Ausdünstung** f exhalation; Schweiß: perspiration; Geruch: odo(u)r, smell.

**auseinander** adv. asunder, apart; separate(d); ~bringen v/t. separate, sever; ~gehen v/i. Versammlung, Menge: break up; Meinungen: differ; Freunde: part; Menge: disperse; ~nehmen v/t. take apart od. to pieces; ⊕ disassemble, dismantle; ~setzen fig. v/t. explain; sich mit j-m ~ argue with s.o.;

sich mit e-m Problem ~ get down to a problem; ♀setzung f explanation; discussion; Streit: argument; kriegerische ~ armed conflict.

**auserlesen** adj. exquisite, choice; select(ed).

**auserwählen** v/t. select, choose.

**ausfahr|en 1.** v/i. drive out, go for a drive; **2.** v/t. Baby: take out (in pram); take for a drive; ✄ Fahrgestell: lower; ♀t f drive; excursion; Torweg: gateway.

**Ausfall** m falling out; breakdown, failure; cancellation; ♀en v/i. fall out; nicht stattfinden: not to take place, be cancelled; Maschine etc.: break down, fail; Ergebnis: turn out, prove; ~ lassen cancel; die Schule fällt aus there is no school; ♀end adj. offensive, insulting.

**ausfegen** v/t. sweep (out).

**ausfertig|en** v/t. Dokument: draw up; Rechnung etc.: make out; Paß: issue; ♀ung f drawing up; issue; Abschrift: copy; in doppelter ~ in duplicate.

**ausfindig** adj.: ~ machen find out; entdecken: discover.

**Ausflucht** f: Ausflüchte machen make excuses.

**Ausflug** m trip, excursion ,outing.

**Ausflügler** m excursionist, tripper.

**aus|fragen** v/t. interrogate (über about); neugierig: sound (on); ~fransen v/i. fray.

**Ausfuhr** ✝ f export(ation).

**ausführ|bar** adj. practicable; ~en v/t. execute, carry out, perform; ✝ export; darlegen: explain; j-n ~ take s.o. out.

**ausführlich 1.** adj. detailed; umfassend: comprehensive; **2.** adv. in detail, at (some) length; ♀keit f minuteness of detail; in Einzelheiten: particularity; Vollständigkeit: comprehensiveness.

**Ausführung** f execution, performance; Qualität: workmanship; Typ: type, make; explanation.

**Ausfuhrzoll** m export duty.

**ausfüllen** fig. v/t. fill out od. in.

**Ausgabe** f distribution; e-s Buches etc.: edition; von Geldern: expense, expenditure; von Briefmarken etc.: issue.

**Ausgang** m exit, way out; Ende: end; Ergebnis: result; ~spunkt m starting-point.

**ausgeben** v/t. give out; Geld: spend; Briefmarken etc.: issue; sich ~ für pass o.s. off for, pretend to be.

**ausge|beult** adj. baggy; **~dehnt** adj. expansive, vast, extensive; **~fallen** adj. odd, queer, unusual.

**ausgehen** v/i. go out; spazierengehen: take a walk; enden: end; Farbe: fade; Haare: fall out; Geld, Vorräte: run out; uns gehen die Vorräte aus we are running out of provisions; gut etc. ~ turn out well, etc.

**ausge|lassen** fig. adj. frolicsome, boisterous; **~nommen** prp. 1. (acc.) except (for); 2. (nom.): Anwesende ~ present company excepted; **~prägt** adj. marked, pronounced; **~rechnet** adv. just; ~ er he of all people; ~ heute today of all days; **~schlossen** fig. adj. impossible.

**ausge|sucht** fig. adj. exquisite, choice; **~wachsen** adj. full-grown; **~zeichnet** fig. adj. excellent.

**ausgiebig** adj. abundant, plentiful; Mahlzeit: substantial.

**ausgießen** v/t. pour out.

**Ausgleich** m compensation; ✝ settlement; Sport: equalization; ♀en v/t. equalize (a. Sport); Verlust: compensate; ✝ settle, balance.

**aus|gleiten** v/i. slip, slide; **~graben** v/t. dig out od. up (a. fig.); Ruinen: excavate; Leiche: exhume.

**Ausguß** m sink.

**aus|haken** v/t. unhook; **~halten** 1. v/t. endure, bear, stand; ♪ Note: sustain; 2. v/i. hold out, last; **~händigen** v/t. deliver up, hand over, surrender.

**Aushang** m notice, placard, poster.

**aushänge|n 1.** v/t. hang od. put out; Tür: unhinge; 2. v/i. have been hung od. put out; ♀schild n signboard.

**aus|harren** v/i. hold out; **~heben** v/t. Graben: dig; Tür: unhinge; Boden: excavate; Verbrechernest etc.: clean out, raid; **~helfen** v/i. help out.

**Aushilf|e** f (temporary) help od. assistance; sie hat e-e ~ she has s.o. to help out; ♀sweise adv. as a makeshift; vorübergehend: temporarily.

**aus|holen 1.** v/i. raise one's hand; weit ~ go far back; 2. v/t. sound, pump; **~horchen** v/t. sound, pump; **~hungern** v/t. starve (out);

**~kennen** v/refl. know one's way (in about); fig. be well versed, be at home (beide: in in); **~kleiden** v/t. undress; ⊕ line, coat; sich ~ undress; **~klopfen** v/t. beat (out); Kleidungsstück: dust; Pfeife: knock out; **~klügeln** v/t. contrive.

**auskommen 1.** v/i.: ~ mit et.: manage with; j-m: get on with; 2. ♀ n competence, competency.

**auskundschaften** v/t. explore; ⚔ reconnoit|re, Am. -er, scout.

**Auskunft** f information; inquiry office, inquiries pl., Am. information desk.

**aus|lachen** v/t. laugh at, deride; **~laden** v/t. unload; cancel s.o.'s invitation, put off.

**Auslage** f (shop) window; **~n** pl. expenses pl.

**Ausland** n: das ~ foreign countries pl.; ins ~, im ~ abroad.

**Ausländ|er** m, **~erin** f foreigner; ♀isch adj. foreign.

**Auslandskorrespondent** m foreign correspondent.

**auslass|en** v/t. Wasser: let out; Fett: render down; Saum: let down; Wort: leave out, omit; Mahlzeit: miss od. cut out; Tanz: miss; s-n Zorn an j-m ~ vent one's anger on s.o.; sich ~ über express one's opinion about; ♀ung f omission; Äußerung: remark, utterance; ♀ungszeichen gr. n apostrophe.

**aus|laufen** v/i. leak; endigen: end; ⚓ (set) sail; **~leeren** v/t. empty.

**ausleg|en** v/t. lay out; Waren: a. display; deuten: explain, interpret; Geld: advance; ♀ung f explanation, interpretation.

**aus|leihen** v/t. lend (out), bsd. Am. loan; **~lernen** v/i. finish one's apprenticeship; man lernt nie aus we live and learn.

**Auslese** f choice, selection; fig. pick; ♀n v/t. pick out, select; Buch: finish reading.

**ausliefer|n** v/t. hand od. turn over, deliver (up); Verbrecher: extradite; ♀ung f delivery; extradition.

**aus|liegen** v/i. be displayed, be on show; **~löschen** v/t. Licht: put out, switch off; Feuer: extinguish (a. fig.); Wort: efface; auswischen: wipe out (a. fig.); **~losen** v/t. draw (lots) for.

**auslös|en** v/t. ⊕ release; Gefangene:

redeem, ransom; *Pfand*: redeem; *fig.* cause, start; *Applaus*: arouse; ϙer *m* ⊕ release, bsd. *phot.* trigger.

**aus|machen** *v/t.* sichten, feststellen: make out, sight, spot; *betragen*: amount to; *e-n Teil bilden*: constitute, make up; *Feuer*: put out; *Licht*: turn out, switch off; *vereinbaren*: agree on, arrange; *austragen*: settle; *es macht nichts aus* it does not matter; *würde es Ihnen et. ~, wenn ...?* would you mind (*ger.*) ...?; **~malen** *v/t.* paint; *sich et. ~ picture s.th. to o.s.*, imagine s.th.

**Ausmaß** *fig. n* extent.

**aus|merzen** *v/t.* eliminate; *ausrotten*: eradicate; **~messen** *v/t.* measure.

**Ausnahm|e** *f* exception; ϙ**sweise** *adv.* by way of exception.

**ausnehmen** *v/t. Geflügel*: draw; *Fisch etc.*: gut; F *j-n*: fleece; *fig.* except, exempt; **~d 1.** *adj.* exceptional; **2.** *adv.* exceedingly.

**aus|nutzen** *v/t.* utilize; *Gelegenheit*: take advantage of; *j-n, et.*: exploit; **~packen 1.** *v/t.* unpack; **2.** *v/t.* unpack; F *fig.* speak one's mind; **~pfeifen** *thea. v/t.* hiss; **~plaudern** *v/t.* blab *od.* let out; **~polstern** *v/t.* stuff, pad; *mit Watte*: wad; **~probieren** *v/t.* try, test.

**Auspuff** *mot. m* exhaust; **~gas** *mot. n* exhaust gas.

**aus|putzen** *v/t.* clean; **~quartieren** *v/t.* dislodge; ⚔ billet out; **~radieren** *v/t.* erase; **~rangieren** *v/t.* discard; **~rauben** *v/t.* rob; *plündern*: ransack; **~räumen** *v/t.* empty, clear (out); *Möbel etc.*: remove; **~rechnen** *v/t.* calculate, reckon.

**Ausrede** *f* excuse, evasion, subterfuge; ϙ**n 1.** *v/i.* finish speaking; *lassen hear s.o.* out; **2.** *v/t.*: *j-m et. ~* dissuade s.o. from s.th.

**ausreichen** *v/i.* suffice; **~d** *adj.* sufficient.

**Ausreise** *f* departure.

**ausreiß|en 1.** *v/t.* pull *od.* tear out; **2.** *v/i.* run away; ϙ**er** *m* runaway.

**aus|renken** *v/t.* dislocate; **~richten** *v/t.* straighten; ⚔ dress; *Botschaft*: deliver; *erlangen*: obtain; *Fest*: arrange; *richte ihr e-n Gruß von mir aus!* remember me to her!; **~rotten** *v/t.* root out; *fig.* extirpate, exterminate.

**Ausruf** *m* cry; *mit Worten*: exclamation; ϙ**en** *v/t.* cry out, exclaim; proclaim; **~ezeichen** *n* exclamation mark, *Am. a.* exclamation point; **~ung** *f* proclamation; **~ungszeichen** *n s.* Ausrufezeichen.

**ausruhen** *v/i., v/t. u. v/refl.* rest.

**ausrüst|en** *v/t.* fit out (*mit* with), equip (with) (*a.* ⚔); ϙ**ung** *f* outfit; equipment (*a.* ⚔).

**Aussage** *f* statement, declaration; ♩♩ evidence; *gr.* predicate; ϙ**n 1.** *v/t.* state, declare; ♩♩ depose; **2.** ♩♩ *v/i.* give evidence.

**Aussatz** ⚕ *m* leprosy.

**aus|saugen** *v/t.* suck (out); **~schalten** *v/t. Licht*: switch off, turn off *od.* out; *fig.* eliminate.

**Ausschau** *f*: ~ *halten nach* be on the look-out for, watch for.

**ausscheid|en 1.** *v/t.* separate; ⚗, ⚕, *physiol.* eliminate; ⚕ secrete; **2.** *v/i.* retire (*aus* from); withdraw (from); *Sport*: drop out; ϙ**ung** *f* separation; elimination (*a. Sport*); ⚕ secretion.

**aus|schimpfen** *v/t.* scold, tell *s.o.* off; **~schlafen 1.** *v/i.* sleep one's fill; **2.** *v/t. Rausch etc.*: sleep off.

**Ausschlag** *m* ⚕ eruption, rash; *e-s Zeigers*: deflexion; *den ~ geben* turn the scale; ϙ**en 1.** *v/t. Pferd*: refuse, decline; **2.** *v/i. Pferd*: kick; *Zeiger*: deflect; ϙ**gebend** *adj.* decisive.

**ausschließ|en** *v/t.* shut *od.* lock out; *fig.* exclude; *ausstoßen*: expel; *Sport*: disqualify; **~lich** *adj.* exclusive.

**Ausschluß** *m* exclusion; expulsion; *Sport*: disqualification.

**ausschmücken** *v/t.* adorn, decorate; *fig.* embellish.

**Ausschnitt** *m am Kleid*: décolleté, (low) neck; *Zeitungs*ϙ: cutting, *Am.* clipping; *fig.* part, section.

**ausschreib|en** *v/t.* write out in full; *Rechnung*: make out; *Stelle etc.*: advertise; ϙ**ung** *f* advertisement.

**Ausschreitung** *f* excess; **~en** *pl.* riots *pl.*

**Ausschuß** *m* refuse, waste, rubbish; *Vertretung*: committee, board.

**aus|schütteln** *v/t.* shake out; **~schütten** *v/t.* pour out; *verschütten*: spill; *j-m sein Herz ~* pour out one's heart to s.o.

**ausschweif|end** *adj.* dissolute; ϙ**ung** *f* debauchery, excess.

**aussehen 1.** *v/i.* look; *wie sieht er*

*aus?* what does he look like?; **2.** ♀ *n* look(s *pl.*), appearance.

**außen** *adv.* (on the) outside; *von ~ her* from (the) outside; *nach ~* (hin) outward(s); ♀**bordmotor** *m* outboard motor.

**aussenden** *v/t.* send out.

**Außen|handel** *m* foreign trade; ~**minister** *m* foreign minister; Foreign Secretary, *Am.* Secretary of State; ~**ministerium** *n* foreign ministry; Foreign Office, *Am.* State Department; ~**politik** *f* foreign policy; ♀**politisch** *adj.* of *od.* referring to foreign affairs; ~**seite** *f* outside, surface; ~**seiter** *m* outsider; ~**stände** † *pl.* outstanding debts *pl.*, *Am.* accounts *pl.* receivable; ~**welt** *f* outer *od.* outside world.

**außer 1.** *prp. räumlich:* out of; *neben:* beside(s), *Am.* aside from; *ausgenommen:* except; *~ sich sein* be beside o.s. (*vor Freude* with joy); **2.** *cj.:* ~ *daß* except that; ~ *wenn* unless; ~**dem** *cj.* besides, moreover.

**äußere 1.** *adj.* exterior, outer, outward; **2.** ♀ *n* exterior, outside, outward appearance.

**außer|gewöhnlich** *adj.* exceptional; ~**halb 1.** *prp.* outside, out of; *jenseits:* beyond; **2.** *adv.* on the outside.

**äußerlich** *adj.* external, outward; ♀**keit** *f Oberflächlichkeit:* superficiality; *Formalität:* formality.

**äußern** *v/t.* utter, express; *Gründe:* advance; *sich ~ Sache:* manifest itself; *Person:* express o.s. (*über* on).

**außerordentlich** *adj.* extraordinary.

**äußerst 1.** *adj.* outermost; *fig.* utmost, extreme; **2.** *adv.* extremely, highly.

**außerstande** *adj.* unable, not in a position.

**Äußerung** *f* utterance, remark.

**aussetz|en 1.** *v/t. Belohnung:* promise; *Legat, Rente:* settle (*für* [up]on); *Kind:* expose; expose (*dat.* to); *et. auszusetzen haben* an find fault with; **2.** *v/i. Pulsschlag etc.:* intermit; *Motor etc.:* fail; ♀**ung** *f* exposure; settlement.

**Aussicht** *f* view (*auf* of); *fig.* prospect (of), chance (of); *in ~ haben* have in prospect; ♀**slos** *adj.* hopeless, desperate; ♀**sreich** *adj.* promising, full of promise.

**aussöhn|en** *v/t.* reconcile (*mit* to *s.th.*, with *s.o.*); *sich ~* reconcile o.s. (to *s.th.*, with *s.o.*); ♀**ung** *f* reconciliation.

**aussondern** *v/t.* single out; *trennen:* separate.

**aus|spannen 1.** *v/t. Zugtier:* unharness; F *fig.* steal (*j-m die Freundin* s.o.'s girl friend); **2.** *fig. v/i.* (take a) rest, relax; ~**speien** *v/t. u. v/i.* spit out.

**aussperr|en** *v/t.* shut out; *Arbeiter:* lock out; ♀**ung** *f* lock-out.

**aus|spielen 1.** *v/t. Karte:* play; **2.** *v/i. Kartenspiel:* lead; *er hat ausgespielt* he is done for; ~**spionieren** *v/t.* spy out.

**Aussprache** *f* pronunciation, accent; *Erörterung:* discussion.

**aussprechen 1.** *v/t.* pronounce, express; *sich ~ für* (*gegen*) declare o.s. for (against); **2.** *v/i.* finish speaking.

**Ausspruch** *m* utterance, saying; *Bemerkung:* remark.

**aus|spucken** *v/i. u. v/t.* spit out; ~**spülen** *v/t.* rinse.

**Ausstand** *m* strike, *Am.* F *a.* walkout; *in den ~ treten* go on strike, *Am.* F *a.* walk out.

**ausstatt|en** *v/t.* fit out, equip, furnish, supply (*alle: mit* with); *Tochter:* give a dowry to; *Buch:* get up; ♀**ung** *f* outfit, equipment; *Möbel etc.:* furniture; supply; dowry; get-up.

**aus|stechen** *v/t.* cut out (*a. fig.*); *Auge:* put out; ~**stehen 1.** *v/t. Zahlungen:* be outstanding; **2.** *v/t.* endure, bear; ~**steigen** *v/i.* get out *od.* off, alight.

**ausstell|en** *v/t.* exhibit; *Rechnung:* make out; *Schriftstück:* issue; *Scheck:* draw; ♀**er** *m* exhibitor (drawer); ♀**ung** *f* exhibition, show.

**aussterben** *v/i.* die out, become extinct (*beide a. fig.*).

**Aussteuer** *f* trousseau, dowry.

**ausstopfen** *v/t.* stuff; *mit Watte:* wad, pad.

**ausstoß|en** *v/t.* thrust out, eject; *fig.* expel; *Schrei:* utter; *Seufzer:* heave; ✗ cashier; ♀**ung** *f* expulsion.

**aus|strahlen** *v/t. u. v/i.* radiate; ~**strecken** *v/t.* stretch (out); ~**streichen** *v/t.* strike out *od.* off; ~**strömen** *v/i. Gas, Licht:* emanate; *Gas, Dampf:* escape; ~**suchen** *v/t.* choose, select.

**Austausch** m exchange; 2bar adj. exchangeable; 2en v/t. exchange.

**austeil|en** v/t. distribute; *Hiebe*: deal out; 2ung f distribution.

**Auster** zo. f oyster.

**austragen** v/t. *Briefe etc.*: deliver; *Wettkampf etc.*: hold.

**Austral|ier** m Australian; 2isch adj. Australian.

**austreib|en** v/t. drive out; *vertreiben*: a.: expel; 2ung f expulsion.

**aus|treten 1.** v/t. *Feuer*: tread od. stamp out; *Stufen etc.*: wear out od. down; **2.** v/i. go and wash one's hands; ~ *aus* leave, withdraw from; **~trinken 1.** v/t. drink up; *leeren*: empty, drain; **2.** v/i. finish drinking; 2**tritt** m leaving (*aus* of), withdrawal (from); **~trocknen 1.** v/t. dry up; *trockenlegen*: drain; *Boden, Kehle*: parch; **2.** v/i. dry up.

**ausüb|en** v/t. exercise; *Beruf*: practi|se, Am. -ce; *Druck*: exert; 2ung f practice; exercise.

**Ausverkauf** † m clearance sale; 2t †, thea. adj. sold out; *Bekanntmachung*: 'full house'.

**Auswahl** f choice, selection; † assortment.

**auswählen** v/t. choose, select.

**Auswander|er** m emigrant; 2n v/i. emigrate; ~ung f emigration.

**auswärt|ig** adj. out-of-town; external, foreign; *das Auswärtige Amt* s. *Außenministerium*; ~s adv. out of town; ~ *essen* dine out.

**auswechseln 1.** v/t. exchange (*gegen* for); *Rad etc.*: change (for); *ersetzen*: replace (by); **2.** 2 n exchange; replacement.

**Ausweg** m way out; fig. a. expedient.

**ausweichen** v/i. make way (*dat.* for); fig. evade, avoid; ~d adj. evasive.

**Ausweis** m identity card, Am. identification (card); 2en v/t. expel; deport; *sich* ~ prove one's identity; ~papiere n/pl. identity papers pl.; ~ung f expulsion.

**ausweiten** v/t. u. v/refl. widen, stretch, expand.

**auswendig** fig. adv. by heart.

**aus|werfen** v/t. throw out, cast; *Summe*: allow; **~werten** v/t. *Angaben, Resultate*: evaluate; analyze, interpret; *ausnützen*: utilize, exploit; **~wickeln** v/t. unwrap; **~wiegen** v/t. weigh out; **~wirken** v/refl. take effect, operate; *sich* ~ *auf* affect; 2wirkung f effect; **~wischen** v/t. wipe out, efface; **~wringen** v/t. wring out.

**aus|zahlen** v/t. pay out; pay s.o. off; **~zählen** v/t. count out.

**Auszahlung** f payment.

**auszeichn|en** v/t. mark (out); fig. distinguish; *sich* ~ distinguish o.s.; 2ung f marking; fig. distinction, hono(u)r; *Orden*: decoration.

**auszieh|en 1.** v/t. draw out, extract; *Kleidungsstück*: take off; *sich* ~ undress; **2.** v/i. set out; *aus e-r Wohnung*: move (out), remove, move house.

**Auszug** m departure; removal; *aus e-m Buch etc.*: extract, excerpt; † *Konto*2: statement (of account).

**authentisch** adj. authentic, genuine.

**Auto** n (motor-)car, Am. a. automobile; ~ *fahren* drive, motor; **~bahn** f motorway, autobahn; **~biographie** f autobiography; **~bus** m (motor-)bus; *für Überlandfahrten*: (motor-)coach; **~bushaltestelle** f bus stop; **~didakt** m autodidact, self-taught person; **~fahrer** m motorist; **~gramm** n autograph; **~grammjäger** m autograph hunter; **~händler** m car dealer; **~kino** n drive-in cinema; **~mat** m slot-machine, vending machine; **~mation** ⊕ f automation; 2**matisch** adj. automatic; **~mechaniker** m car mechanic; **~mobil** n s. *Auto*.

**Autor** m author.

**Autoreparaturwerkstatt** f car repair shop, garage.

**Autorin** f author(ess).

**autori|sieren** v/t. authorize; **~tär** adj. authoritarian; 2**tät** f authority.

**Auto|straße** f motor-road; **~vermietung** f car hire service.

**Axt** f ax(e).

# B

**Bach** m brook, *Am. a.* run.

**Backbord** ⚓ n port.

**Backe** f cheek.     [*Pfanne:* fry.]

**backen** v/t. u. v/i. bake; *in der*

**Backenzahn** m molar (tooth), grinder.

**Bäcker** m baker; **~ei** f baker's (shop), bakery.

**Back|hendl** *östr.* n roast chicken; **~obst** n dried fruit; **~ofen** m oven; **~pulver** n baking-powder; **~stein** m brick.

**Bad** n bath; *im Freien: a.* bathe; *s. Badeort;* ein ~ nehmen take *od.* have a bath.

**Bade|anstalt** f (public swimming) baths *pl.*; **~anzug** m bathing-costume; **~hose** f bathing-drawers *pl.*, (bathing) trunks *pl.*; **~kappe** f bathing-cap; **~mantel** m bathing-gown, *Am.* bathrobe; **~meister** m bath attendant; **2n 1.** v/t. *Kind etc.:* bath; *Augen, Wunde:* bathe; **2.** v/i. have *od.* take a bath; *im Freien:* bathe; ~ gehen go swimming; **~ofen** m geyser, boiler, *Am.* hot-water heater; **~ort** m spa; watering-place, seaside resort; **~strand** m bathing-beach; **~tuch** n bath-towel; **~wanne** f bath-tub; **~zimmer** n bathroom.

**Bagger** m excavator; *Schwimm2:* dredge(r); **2n** v/i. u. v/t. excavate; dredge.

**Bahn** f course; path; 🚋 railway, *Am.* railroad; *mot.* lane; *e-r Kugel etc.:* trajectory; *ast.* orbit; *Sport:* track, course, lane; *Eis2:* rink; *Kegel2:* alley; **2brechend** *adj.* epoch-making; **~damm** m railway (*Am.* railroad) embankment; **2en** v/t. *Weg:* clear, open (up); *den Weg* ~ *prepare od.* pave the way (*dat.* for); *sich e-n Weg* ~ force *od.* elbow one's way; **~hof** m (railway-, *Am.* railroad) station; **~linie** f railway- (*Am.* railroad) line; **~steig** m platform; **~steigkarte** f platform ticket; **~übergang** m level (*Am.* grade) crossing.

**Bahre** f stretcher; *Toten2:* bier.

**Bai** f bay; *kleine:* creek.

**Baisse** 📉 f depression (on the market); fall (in prices).

**Bajonett** ⚔ n bayonet.

**Bake** f ⚓ beacon; 🚋 warning-sign.

**Bakterie** f bacterium, germ.

**bald** *adv.* soon; shortly; before long; *F beinahe:* almost, nearly; so ~ *als möglich* as soon as possible; **~ig** *adj.* speedy; **~e Antwort** ✝ early reply.

**Balg 1.** m skin; **2.** F m, n *Kind:* brat, urchin; **2en** v/refl. scuffle.

**Balken** m beam; *Dach2:* rafter.

**Balkon** m balcony; *thea.* dress circle, *Am.* balcony; **~tür** f French window.

**Ball**[1] m ball; *geogr., ast. a.* globe.

**Ball**[2] m ball, dance; *auf dem* ~ at the ball.

**Ballade** f ballad.

**Ballast** m ballast; *fig.* burden.

**ballen** v/t. (form into a) ball; *Faust:* clench; *sich* ~ (form into a) ball; cluster.

**Ballen** m bale; *anat.* ball.

**Ballett** n ballet.

**ballförmig** *adj.* ball-shaped.

**Ballon** m balloon.

**Ball|saal** m ball-room; **~spiel** n ball-game, game of ball.

**Balsam** m balm, balsam (*beide a. fig.*).

**Balz** f mating season.

**Bambus** m bamboo; **~rohr** n bamboo (cane).

**banal** *adj.* commonplace, banal; *bedeutungslos:* trivial.

**Banane** f banana; **~nstecker** ⚡ m banana plug.

**Band 1.** m volume; **2.** n band; *zum Putz etc.:* ribbon; *Meß2, Ton2, Ziel2:* tape; *anat.* ligament; *fig.* bond, tie.

**Bandag|e** f bandage; **2ieren** v/t. (apply a) bandage.

**Bande** f gang, band.

**bändigen** v/t. tame; subdue (*a. fig.*); *fig.* restrain, master.

**Bandit** m bandit.

**Band|maß** n tape measure; **~scheibe** *anat.* f intervertebral disc; **~wurm** zo. m tapeworm.

**bang|(e)** *adj.* anxious (*um* about), uneasy (about); *j-m bange machen* frighten *od.* scare s.o.; **~en** v/i. be anxious *od.* worried (*um* about).

**Bank**[1] f bench; *Schul2:* desk; F *durch die* ~ without exception; *auf* *die lange* ~ *schieben* put off, postpone.

**Bank²** † *f* bank; *Geld auf der* ~ money in the bank; **~anweisung** *f* cheque, *Am.* check; **~beamte** *m* bank clerk *od.* official; **~einlage** *f* deposit.

**Bankett** *n* banquet.

**Bank|geschäft** † *n* bank(ing) transaction; **~haus** *n* bank(inghouse).

**Bankier** *m* banker.

**Bank|konto** *n* bank(ing) account; **~note** *f* (bank) note *od. Am.* bill.

**bankrott 1.** *adj.* bankrupt; **2.** 2 *m* bankruptcy, insolvency; ~ *machen* go bankrupt.

**Bankwesen** *n* banking.

**Bann** *m* ban; *eccl.* excommunication; *fig.* spell; 2en *v/t.* banish (*a. fig.*); *Gefahr:* avert; *eccl.* excommunicate; *fig.* spellbind.

**Banner** *n* banner (*a. fig.*); standard.

**bar 1.** *adj.*: ~es *Geld* ready money, cash; ~er *Unsinn* sheer nonsense; **2.** *adv.*: ~ *bezahlen* pay in cash.

**Bar** *f* bar; night-club.

**Bär** *zo. m* bear.

**Baracke** *f* barrack.

**Barbar** *m* barbarian; 2isch *adj.* barbarian; *grausam:* barbarous (*a. fig.*); *fig.* barbaric.

**barfuß** *adj. u. adv.* barefoot.

**Bar|geld** *n* cash, ready money; 2geldlos *adj.* cashless; 2häuptig *adj. u. adv.* bare-headed, uncovered.

**Bariton** ♪ *m* baritone.

**Barkasse** ⚓ *f* launch.

**barmherzig** *adj.* merciful, charitable; 2keit *f* mercy, charity.

**Barometer** *n* barometer.

**Baron** *m* baron; **~in** *f* baroness.

**Barre** *f* bar.

**Barren** *m* *metall.* bar, ingot, bullion; *Turngerät:* parallel bars *pl.*

**Barriere** *f* barrier.

**Barrikade** *f* barricade; **~n** *errichten* raise barricades.

**barsch** *adj.* rude, gruff, rough.

**Barscheck** † *m* open cheque (*Am.* check).

**Bart** *m* beard; *Schlüssel*2: bit; *sich e-n* ~ *wachsen lassen* grow a beard.

**bartlos** *adj.* beardless.

**Barzahlung** *f* cash payment; *nur gegen* ~ † terms strictly cash.

**Basis** *f* base; *fig.* basis.

**Baß** ♪ *m* bass; **~geige** *f* double-bass.

**Bassist** ♪ *m* bass (singer).

**Bast** *m* bast; *am Geweih:* velvet.

**Bastard** *m* bastard; half-breed; *zo.*, ♀ hybrid.

**bast|eln** *v/t. u. v/i.* build; 2ler *m* amateur craftsman, do-it-yourself man.

**Bataillon** ⚔ *n* battalion.

**Batist** *m* cambric.

**Batterie** ⚔, ⚡ *f* battery.

**Bau** *m* *Vorgang:* building, construction; *Körper*2 *etc.*: build, frame; *Gebäude:* building, edifice; *Tier*2: burrow, den (*a. fig.*), earth.

**Bau|arbeiter** *m* workman in the building trade; **~art** *f* architecture, style; method of construction; *mot.* type, model.

**Bauch** *m* *anat.* abdomen, belly; *Schmer*2: paunch; *e-s Schiffes:* bottom; 2ig *adj.* big-bellied, bulgy; **~landung** *f* belly landing; **~schmerzen** *m/pl.*, **~weh** *n* bellyache, stomach-ache.

**bauen 1.** *v/t.* build, construct; erect, raise; *Nest:* build; make; *Geige etc.:* make; **2.** *v/i.* build; ~ *auf* trust in; count on.

**Bauer 1.** *m* farmer; *Schach:* pawn; **2.** *n, m Vogel*2: (bird-)cage.

**Bäuerin** *f* farmer's wife.

**bäuerlich** *adj.* rural, rustic.

**Bauern|haus** *n* farm-house; **~hof** *m* farm.

**bau|fällig** *adj.* out of repair, dilapidated; 2gerüst *n* scaffold (-ing); 2herr *m* owner; 2holz *n* timber, *Am.* lumber; 2jahr *n* year of construction; ~ *1969* 1969 model *od.* make; 2kasten *m* box of bricks; **~lich** *adj.* architectural; structural.

**Baum** *m* tree.

**baumeln** *v/i.* dangle, swing; *mit den Beinen* ~ dangle *od.* swing one's legs.

**Baum|schule** *f* nursery; **~stamm** *m* trunk; **~wolle** *f* cotton.

**Bau|plan** *m* architect's *od.* building plan; **~platz** *m* building plot *od.* site, *Am.* location; **~polizei** *f* Board of Surveyors.

**Bausch** *m* pad; bolster; *Watte etc.*: wad, pad; *in* ~ *und Bogen* altogether, wholesale, in the lump; 2en *v/t.* swell; *sich* ~ bulge, swell out, billow (out).

**Bau|stein** *m* brick, building stone; *Spielzeug:* (building) block; *fig.* element; **~stelle** *f* building site; **~stil** *m* (architectural) style; **~stoff** *m* building material; **~unternehmer** *m* building contractor; **~zaun** *m* hoarding.

**Bazillus** *m* bacillus, germ.

**beabsichtigen** *v/t.* intend, mean, propose (*zu tun* to do, doing).

**beacht|en** *v/t.* pay attention to; notice; *befolgen:* observe; **~lich** *adj.* remarkable; *beträchtlich:* considerable; **♀ung** *f* attention; *Berücksichtigung:* consideration; notice; *Befolgung:* observance.

**Beamte** *m* official, officer, *Am. a.* officeholder; *Brt. Staats♀:* Civil Servant.

**beängstigend** *adj.* alarming.

**beanspruch|en** *v/t.* claim, demand; *Zeit, Raum etc.:* require; **⊕** stress; **♀ung** *f* claim; **⊕** stress, strain.

**bean|standen** *v/t.* object to; **~tragen** *v/t.* apply for; **⚖**, *parl.* move; *vorschlagen:* propose.

**beantwort|en** *v/t.* answer, reply to; **♀ung** *f* answer, reply.

**bearbeit|en** *v/t.* work; **✎** till; *Steine:* hew; *verarbeiten:* process; **⚖** *Fall:* be in charge of; *Buch:* edit, revise; *für Bühne etc.:* adapt (*nach* from); *bsd.* **♪** arrange; *j-n* **~** work on s.o.; **♀ung** *f* working; *e-s Buches:* revision; *thea.* adaptation; *bsd.* **♪** arrangement; processing; **♔** treatment.

**beaufsichtig|en** *v/t.* inspect, supervise, control; *Kind:* look after; **♀ung** *f* inspection, supervision, control.

**beauftrag|en** *v/t.* commission (*zu inf.* to *inf.*), charge (*mit* with); **♀te** *m* commissioner; *Vertreter:* representative.    [cultivate.)

**bebauen** *v/t.* **△** build on; **✎)**

**beben** *v/i.* shake (*vor* with), tremble (with), shiver (with); *Erde:* quake.

**Becher** *m* cup (*a. fig.*).

**Becken** *n* basin, *Am. a.* bowl; **♪** cymbal(s *pl.*); *anat.* pelvis.

**bedacht** *adj.:* *darauf* **~** *sein zu inf.* be anxious to *inf.*

**bedächtig** *adj.* deliberate.

**bedanken** *v/refl.: sich bei j-m für et.* **~** thank s.o. for s.th.

**Bedarf** *m* need (*an* of), want (of); **⚙** demand (for).

**bedauerlich** *adj.* deplorable.

**bedauern 1.** *v/t. j-n:* feel *od.* be sorry for; *j-n:* pity; *et.:* regret, deplore; **2. ♀** *n* regret; *Mitleid:* pity; **~swert** *adj.* pitiable, deplorable.

**bedeck|en** *v/t.* cover; **~t** *adj. Himmel:* overcast.

**bedenken 1.** *v/t.* consider; think *s.th.* over; **2. ♀** *n* objection; **~los** *adj.* unscrupulous.

**bedenklich** *adj.* doubtful; *Lage etc.:* dangerous, critical; *gefährlich:* risky.

**Bedenkzeit** *f* time for reflection; *ich gebe dir e-e Stunde* **~** I give you one hour to think it over.

**bedeuten** *v/t.* mean, signify; stand for; **~d** *adj.* important, prominent; *beträchtlich:* considerable.

**Bedeutung** *f* meaning, significance; *Wichtigkeit:* importance; **♀slos** *adj.* insignificant; **♀svoll** *adj.* significant.

**bedien|en 1.** *v/t. j-n:* serve, wait on; **⊕** operate, work; **⚔** *Geschütz:* serve; *Telephon:* answer; *sich* **~** help o.s.; **2.** *v/i.* serve; *bei Tisch:* wait (at table); *Karten:* follow suit; **♀ung** *f* service, attendance; *im Restaurant etc.:* service; waiter, waitress; shop assistant(s *pl.*).

**beding|en** *v/t.* condition; *aus~:* stipulate; *erfordern:* require; *verursachen:* cause; *in sich schließen:* imply; **~t** *adj. beschränkt:* restricted; *~ sein durch* be conditioned by; **♀ung** *f* condition; stipulation; **~en** *pl.* **⚙** terms *pl.*; **~ungslos** *adj.* unconditional.

**bedrängen** *v/t.* press hard, beset.

**bedroh|en** *v/t.* threaten, menace; **~lich** *adj.* threatening; **♀ung** *f* threat, menace (*gen.* to).

**bedrücken** *v/t.* oppress; *seelisch:* depress, deject.

**Bedürf|nis** *n* need, want, requirement; *sein* **~** *verrichten* relieve o.s. *od.* nature; **♀tig** *adj.* needy, poor, indigent.

**beeilen** *v/refl.* hasten, hurry.

**beeindrucken** *v/t.* impress, make an impression on.

**beeinfluss|en** *v/t.* influence; *nachteilig:* affect; **♀ung** *f* influence.

**beeinträchtigen** *v/t.* impair, injure.

**beend(ig)en** *v/t.* (bring to an) end, finish, terminate.

**beengt** *adj.* narrow, confined, cramped; *sich ~ fühlen* feel cramped (for room); *fig.* feel oppressed *od.* uneasy.

**beerben** *v/t.: j-n ~* be s.o.'s heir.

**beerdig|en** *v/t.* bury; **2ung** *f* burial, funeral.

**Beere** *f* berry.

**Beet** ⚘ *n* bed.

**befähig|en** *v/t.* enable (*zu inf.* to *inf.*); qualify (*für, zu* for); **2t** *adj.* (cap)able.

**befahr|bar** *adj.* passable, practicable; ⚓ navigable; **~en** *v/t.* drive *od.* travel on; ⚓ navigate.

**befallen** *v/t.* attack; *Krankheit:* a. strike; *Furcht:* seize.

**befangen** *adj. verlegen:* embarrassed; *schüchtern:* self-conscious; *voreingenommen:* prejudiced (*a.* ⚖); ⚖ bias(s)ed; **2heit** *f* embarrassment; self-consciousness; ⚖ bias, prejudice.

**befassen** *v/refl.: sich ~ mit* attend to, deal with.

**Befehl** *m* command (*über* of); order; **2en** *v/t.* command; order; **2.** *v/i.* command; **2igen** ✕ *v/t.* command.

**Befehlshaber** *m* commander(-in-chief); **2isch** *adj.* imperious.

**befestig|en** *v/t.* fasten (*an* to), fix (to), attach (to); ✕ fortify; **2ung** *f* fixing, fastening; ✕ fortification.

**befeuchten** *v/t.* moisten, damp.

**befinden 1.** *v/refl.* be; **2.** **2** *n* (state of) health.

**beflecken** *v/t.* stain; *fig. a.* sully.

**befolg|en** *v/t. Ratschläge:* follow, take; *Vorschrift:* obey; *Grundsatz:* adhere to; **2ung** *f* observance (*gen.* of); adherence (to).

**beförder|n** *v/t.* convey, carry; transport, *nur Güter:* haul; *spedieren:* forward; ✈ ship (*a.* ⚓); promote (*zum Major* [to be] major); **2ung** *f* conveyance, transport(ation), forwarding; promotion; **2ungsmittel** *n* (means of) transport *od. Am.* transportation.

**befragen** *v/t.* question, interview.

**befrei|en** *v/t.* (set) free (*von* from); *Gefangene:* rescue (from); exempt (*von Steuern, Verpflichtungen etc.* from); **2ung** *f* liberation; exemption.

**befreund|en** *v/refl.: sich mit j-m ~* make friends with s.o.; *sich mit et. ~* reconcile o.s. to s.th.; **~et** *adj.* friendly; *pred.* on friendly terms; *~ sein* be friends.

**befriedig|en** *v/t.* satisfy; *Hunger:* appease; *Erwartungen, Nachfrage:* meet; *Gläubiger:* pay off; **~end** *adj.* satisfactory; **2ung** *f* satisfaction.

**befristen** *v/t.* set a time-limit to.

**befrucht|en** *v/t.* fertilize, impregnate; **2ung** *f* fertilization, impregnation.

**Befug|nis** *f* authority, warrant; *bsd.* ⚖ competence; **2t** *adj.* authorized; competent.

**befühlen** *v/t.* feel, touch, finger.

**Befund** *m* result; *Feststellung:* finding(*s pl.*); ✚ diagnosis.

**befürcht|en** *v/t.* fear, apprehend; *vermuten:* suspect; **2ung** *f* fear, apprehension; suspicion.

**befürworten** *v/t.* plead for, advocate.

**begab|t** *adj.* gifted, talented; **2ung** *f* gift, talent(*s pl.*).

**begeben** *v/refl.: sich in Gefahr ~* expose o.s. to danger.

**begegn|en** *v/i.* meet (with); **2ung** *f* meeting.

**begehen** *v/t.* walk (on); *Geburtstag:* celebrate; *Verbrechen:* commit; *Fehler:* make; *ein Unrecht ~* do wrong.

**begehr|en** *v/t.* demand, require; *wünschen:* desire, crave (for); **~lich** *adj.* desirous, covetous.

**begeister|n** *v/t.* inspire, fill with enthusiasm; *sich ~ für* feel enthusiastic about; **2ung** *f* enthusiasm.

**Begier|(de** *f* desire (*nach* for), appetite (for); **2ig** *adj.* eager (*nach* for, *auf* for; *zu inf.* to *inf.*), desirous (*nach* of; *zu inf.* to *inf.*).

**begießen** *v/t.* water; *Braten:* baste.

**Beginn** *m* beginning, start, commencement; *Ursprung:* origin; **2en** *v/t. u. v/i.* begin, start, commence.

**beglaubig|en** *v/t.* attest, certify; **2ung** *f* attestation, certification; **2ungsschreiben** *n* credentials *pl.*

**begleichen** ✚ *v/t. Rechnung, Schuld:* pay, settle.

**begleit|en** *v/t.* accompany (*a.* ♪ *auf* on), escort; *fig.* attend; *j-n nach Hause ~* see s.o. home; **2er** *m* companion; *Beschützer:* escort; ♪ accompanist; **2erscheinung** *f* attendant symptom; **2schreiben** *n* covering letter; **2ung** *f* company;

*Gefolge*: attendants *pl.*, *-s Herr-schers*: retinue; *bsd.* ✗ escort; ♪ accompaniment.

**beglückwünschen** *v/t.* congratulate (*zu* on).

**begnadig|en** *v/t.* pardon; *pol.* amnesty; **℥ung** *f* pardon; *pol.* amnesty.

**begnügen** *v/refl.*: *sich ~ mit* content o.s. with, be satisfied with.

**begraben** *v/t.* bury (*a. fig.*), *inter.*

**Begräbnis** *n* burial; *Leichen-begängnis*: funeral, obsequies *pl.*

**begradigen** *v/t.* straighten.

**begreifen** *v/t.* comprehend, understand.

**begrenz|en** *v/t.* bound, border; *fig.* limit; **℥ung** *f* boundary.

**Begriff** *m* idea, notion, conception; comprehension; *im ~ sein zu inf.* be about *od.* going to *inf.*

**begründ|en** *v/t.* establish, found; *fig.* give reasons for, substantiate; **℥ung** *fig. f* substantiation; reason.

**begrüß|en** *v/t.* greet, welcome; salute; **℥ung** *f* greeting, welcome; salutation.

**begünstigen** *v/t.* favo(u)r; *fördern*: encourage; patronize.

**begutachten** *v/t.* give an opinion on; examine; *~ lassen* obtain expert opinion on.

**be|gütert** *adj.* wealthy, well-to-do; *~haart* *adj.* hairy; *~häbig* *adj.* phlegmatic, comfort-loving; *Ge-stalt*: portly; *~haftet* *adj.*: *~ mit e-r Krankheit etc.*: afflicted with.

**behag|en 1.** *v/i.* please *od.* suit *s.o.*; **2. ℥** *n* comfort, ease; *~lich* *adj.* comfortable; cosy, snug.

**behalten** *v/t.* retain; keep (*für sich* to o.s.); remember.

**Behälter** *m* container, receptacle; box; *für Flüssigkeiten*: reservoir; *für Öl etc.*: tank.

**behand|eln** *v/t.* treat; deal with (*a. Thema*); ⊕ process; ✿ treat; *Wunde*: dress; **℥lung** *f* treatment; handling; ⊕ processing.

**beharr|en** *v/i.* persist (*auf* in); *~lich* *adj.* persistent.

**behaupt|en** *v/t.* assert, maintain; **℥ung** *f* assertion; statement.

**behelfen** *v/refl.*: *sich ~ mit* make shift with; *sich ~ ohne* do without.

**behend(e)** *adj.* nimble, agile.

**beherbergen** *v/t.* lodge, shelter.

**beherrsch|en** *v/t.* rule (over),

govern; *Lage etc.*: command; *Sprache*: have command of; *sich ~* control o.s.; **℥ung** *f* command, control.

**be|herzigen** *v/t.* take to heart, mind; *~hexen* *v/t.* bewitch; *~hilflich* *adj.*: *j-m ~ sein* help s.o. (*bei* in); *~hindern* *v/t.* hinder, hamper, handicap; obstruct (*a. Verkehr etc.*).

**Behörde** *f* authority, *mst the* authorities *pl.*; board; council.

**behüten** *v/t.* guard (*vor* from).

**behutsam** *adj.* cautious, careful.

**bei** *prp.*: *~ Schmidt Anschrift*: care of (*abbr.* c/o) Schmidt; *~m Buch-händler* at the bookseller's; *~ uns* with us; *~ der Hand nehmen* take by the hand; *ich habe kein Geld ~ mir* I have no money about *od.* on me; *~ der Kirche* near the church; *die Schlacht ~ Waterloo* the Battle of Waterloo; *Stunden nehmen ~* take lessons from *od.* with; *~ günstigem Wetter* weather permitting.

**beibehalten** *v/t.* keep up, retain.

**beibringen** *v/t. Zeugen, Beweis*: produce; *Neuigkeit etc.*: impart (*dat.* to); teach; *Niederlage, Wunde etc.*: inflict (on).

**Beichte** *f* confession; **℥n** *v/t. u. v/i.* confess.

**beide** *adj.* both; *nur wir ~* just the two of us; *in ~n Fällen* in either case.

**beider|lei** *adj.*: *~ Geschlechts* of either sex; *~seitig* **1.** *adj.* on both sides; mutual; **2.** *adv.* mutually; *~seits* **1.** *prp.* on both sides (*gen.* of); **2.** *adv.* mutually.

**Beifahrer** *m* (front-seat) passenger; assistant driver; *Automobilsport*: co-driver.

**Beifall** *m* approval; *durch Klatschen*: applause; *durch Zuruf*: cheers *pl.*

**beifällig** *adj.* approving.

**Beifallsrufe** *pl.* cheers *pl.*

**beifügen** *v/t.* add; *e-m Brief*: enclose.

**Beigeschmack** *m* slight flavo(u)r, smack (*beide a. fig.*).

**Beihilfe** *f* allowance; *Stipendium*: grant; ⚖ aiding and abetting.

**Beil** *n* hatchet; chopper; ax(e).

**Beilage** *f e-r Zeitung*: supplement; *zu Speisen*: F trimmings *pl.*; vegetables *pl.*

**beiläufig** *adj.* casual; incidental.
**beilegen** *v/t.* add (*dat.* to); *e-m Brief*: enclose; *Streit*: settle.
**Beileid** *n* condolence.
**bei**|**liegen** *v/i.* be enclosed (*dat.* with); **~messen** *v/t. Bedeutung*: attach (*dat.* to); **~mischen** *v/t.*: *e-r Sache et.* ~ mix s.th. with s.th.
**Bein** *n* leg; *Knochen*: bone.
**beinah(e)** *adv.* almost, nearly.
**Beinbruch** *m* fracture of the leg.
**beipflichten** *v/i. j-m*: agree with; *e-r Sache*: assent to.
**beirren** *v/t.* confuse.
**beisammen** *adv.* together.
**Beisein** *n* presence; *im* ~ (*gen.*) *od. von* in the presence of *s.o.*, in *s.o.'s* presence.
**beiseite** *adv.* aside, apart.
**beisetz**|**en** *v/t.* bury, inter; **2ung** *f* burial, funeral.
**Beisitzer** *m* ⚖: assessor; associate judge; *Ausschußmitglied*: member.
**Beispiel** *n* example, instance; *zum* ~ for example, for instance; **2haft** *adj.* exemplary; **2los** *adj.* unprecedented, unparalleled; unheard-of.
**beißen 1.** *v/t.* bite; *Flöhe etc.*: bite, sting; **2.** *v/i.* bite (*auf on; in into*); *Flöhe etc.*: bite, sting; *Rauch*: bite, burn (*in in*); *Pfeffer etc.*: bite, burn (*auf on*); **~d** *adj.* biting, pungent (*beide a. fig.*); *Pfeffer etc.*: hot.
**Bei**|**stand** *m* assistance; **2stehen** *v/i.*: *j-m* ~ assist *od.* help *s.o.*; **2steuern** *v/t.* contribute (*zu* to).
**Beitrag** *m* contribution; *~santeil*: share; *Mitglieds*2: subscription, *Am.* dues *pl.*; *in e-r Zeitung etc.*: article.
**bei**|**treten** *v/i.* join; **2tritt** *m* joining.
**Beiwagen** *m Motorrad*: side-car; *Anhänger*: trailer.
**Beiwerk** *n* accessories *pl.*
**beiwohnen** *v/i.* be present at, attend.
**beizeiten** *adv.* early, in good time.
**beizen** *v/t. Holz*: stain.
**bejahen** *v/t.* answer in the affirmative, affirm; **~d** *adj.* affirmative.
**bejahrt** *adj.* aged.
**bekämpfen** *v/t.* fight (against); *fig.* oppose.
**bekannt** *adj.* known (*dat.* to); *j-n mit j-m* ~ *machen* introduce *s.o.* to *s.o.*; **2e** *m, f* acquaintance, *mst* friend; **~lich** *adv.* as you know;

**~machen** *v/t.* make known; **2machung** *f* publication; *durch Anschlag*: public notice; **2schaft** *f* acquaintance.
**bekehr**|**en** *v/t.* convert; **2te** *m, f* convert; **2ung** *f* conversion (*zu* to).
**bekenn**|**en** *v/t. zugeben*: admit; *gestehen*: confess; *sich schuldig* ~ ⚖ plead guilty; *sich* ~ *zu* declare *o.s.* for; profess *s.th.*; **2tnis** *n* confession; *Glaubens*2: creed.
**beklagen** *v/t.* lament, deplore; *sich* ~ complain (*über* of, about); **~s**-**wert** *adj.* deplorable, pitiable.
**Beklagte** *m, f* defendant, *the* accused.
**be**|**klatschen** *v/t.* applaud, clap; **~kleben** *v/t.* glue *od.* stick on; *mit Etiketten* ~ label *s.th.*; *e-e Mauer mit Plakaten* ~ paste (up) posters on a wall; **~kleckern** F *v/t. Kleidung*: stain; *sich* ~ soil one's clothes.
**bekleid**|**en** *v/t.* clothe, dress; **2ung** *f* clothing, clothes *pl.*
**Beklemmung** *f* oppression; anguish.
**bekommen 1.** *v/t.* get, receive; *erlangen*: obtain; *Krankheit*: get, catch; *Kind*: have; *Zug etc.*: catch; **2.** *v/i.*: *j-m* (*gut*) ~ agree with *s.o.*
**bekömmlich** *adj.* wholesome (*dat.* to).
**bekräftig**|**en** *v/t.* confirm; **2ung** *f* confirmation.
**be**|**kränzen** *v/t.* wreathe; **~kümmern** *v/t.* grieve; **~laden** *v/t.* load; *fig.* burden.
**Belag** *m* covering; ⊕ coat(ing); ⚕ *Zungen*2: fur; *Brot*2: (slices of) ham, *etc.*, filling.
**belager**|**n** *v/t.* besiege; **2ung** *f* siege.
**belanglos** *adj.* unimportant.
**belasten** *v/t.* load; *fig.* burden; ⚖ incriminate; *Grundstück etc.*: mortgage; *j-s Konto* ~ ✝ charge *od.* debit *s.o.'s* account.
**belästig**|**en** *v/t.* molest; trouble, bother; **2ung** *f* molestation; trouble.
**Belastung** *f* load (*a.* ⚡, ⊕); *fig.* burden; ✝ debit; ⚖ incrimination; **~szeuge** ⚖ *m* witness for the prosecution.
**be**|**laufen** *v/refl.*: *sich* ~ *auf* amount to; **~lauschen** *v/t.* overhear, eavesdrop on.
**beleb**|**en** *fig. v/t.* enliven, animate;

stimulate; **~t** adj. Straße: busy, crowded.

**Beleg** m Beweisstück: proof; ₁₂ (supporting) evidence; Unterlage: document; ~schein: voucher; **2en** v/t. cover; Platz etc.: reserve; beweisen: prove, verify; Vorlesungen: enrol(l) od. register for, Am. a. sign up for; ein Brötchen mit et. ~ put s.th. on a roll, fill a roll with s.th.; **~schaft** f personnel, staff; **2t** adj. engaged, occupied; Hotel etc.: full; Stimme: thick, husky; Zunge: coated, furred; **~es** Brot (open) sandwich.

**belehren** v/t. instruct, inform; sich ~ lassen take advice.

**beleibt** adj. corpulent, stout.

**beleidig|en** v/t. offend (a. fig.), stärker: insult; **~end** adj. offensive, insulting; **2ung** f offen|ce, Am. -se, insult.

**belesen** adj. well-read.

**beleucht|en** v/t. light (up), illuminate (a. fig.); fig. shed od. throw light on; **2ung** f light(ing); illumination.

**belichten** phot. v/t. expose.

**Belieb|en** n: nach ~ at will; **2ig 1.** adj. any; jeder **~e** anyone; **2. adv.** at one's pleasure; ~ viele as many as you like; **2t** adj. popular (bei with); **~theit** f popularity.

**beliefer|n** v/t. supply, furnish (mit with); **2ung** f supply.

**bellen** v/i. bark.

**belohn|en** v/t. reward; **2ung** f reward.

**be|lügen** v/t.: j-n ~ lie to s.o.; **~mächtigen** v/refl.: sich e-r Sache ~ take hold of s.th., seize s.th.; sich e-r Person ~ lay hands on s.o., seize s.o.; **~malen** v/t. (cover with) paint; **~mängeln** v/t. find fault with; **~mannen** v/t. man.

**bemerk|bar** adj. perceptible; **~en** v/t. notice, perceive; äußern: remark, mention; **~enswert** adj. remarkable (wegen for); **2ung** f remark.

**bemitleiden** v/t. pity, commiserate (with); **~swert** adj. pitiable.

**bemüh|en** v/t. trouble (j-n in od. wegen et. s.o. about s.th.); sich ~ trouble o.s.; endeavo(u)r; **2ung** f trouble; endeavo(u)r, effort.

**benachbart** adj. neighbo(u)ring; adjoining, adjacent (to).

**benachrichtig|en** v/t. inform, notify; **†** advise; **2ung** f information; notification; **†** advice.

**benachteilig|en** v/t. place s.o. at a disadvantage, handicap; discriminate against s.o.; **2ung** f disadvantage; discrimination; handicap.

**benehmen 1.** v/refl. behave (o.s.); **2. 2** n behavio(u)r, conduct.

**beneiden** v/t. envy (j-n um et. s.o. s.th.); **~swert** adj. enviable.

**Bengel** m (little) rascal, urchin.

**benommen** adj. stunned.

**benötigen** v/t. need, want, require.

**benutz|en** v/t. use, make use of; Gelegenheit: avail o.s. of; Verkehrsmittel: take; **2ung** f use.

**Benzin** n ╗ benzine; mot. petrol, Am. gasoline, F gas.

**beobacht|en** v/t. observe; genau: watch; beschatten: shadow; **2er** m observer; **2ung** f observation.

**be|packen** v/t. load; **~pflanzen** v/t. plant.

**bequem** adj. passend: convenient; behaglich: comfortable; Person: easygoing; faul: lazy; **~en** v/refl.: sich ~ zu condescend to; **2lichkeit** f convenience; comfort, ease; Trägheit: indolence.

**berat|en 1.** v/t. j-n: advise; et.: debate, discuss; sich ~ confer (mit j-m with s.o.; über et. on od. about s.th.); **2.** v/i. confer, über et. ~ debate od. discuss s.th., confer on od. about s.th.; **2er** m adviser, counsel(l)or; consultant; **2ung** f Rat: advice; debate; Besprechung: consultation, conference.

**be|rauben** v/t. deprive (gen. of); **~rauschen** v/t. intoxicate.

**berechn|en** v/t. calculate; **†** charge (zu at); **~end** adj. calculating, selfish; **2ung** f calculation.

**berechtig|en** v/t.: j-n ~ zu entitle s.o. to; ermächtigen: authorize s.o. to; **~t** adj. entitled (zu to); qualified (to); Anspruch: legitimate; **2ung** f title (zu to); authorization.

**bered|en** v/t. et.: talk s.th. over; j-n zu et.: persuade; **2samkeit** f eloquence; **2t** adj. eloquent (a. fig.).

**Bereich** m, n area; Reichweite: reach; fig. scope, sphere; e-r Wissenschaft etc.: field, province; **2ern** v/t. enrich; sich ~ enrich o.s.

**Bereifung** f (set of) tyres pl., (Am. nur) (set of) tires pl.

**bereisen** v/t. tour (in), travel (over); Vertreter: cover.

**bereit** adj. ready, prepared; ~en v/t. prepare; Freude etc.: give; ~s adv. already; 2schaft f readiness; ~stellen v/t. place s.th. ready; provide; ~willig adj. ready, willing.

**bereuen** v/t. repent (of); regret.

**Berg** m mountain; ~e von F heaps od. piles of; über den ~ sein be out of the wood (Am. woods); über alle ~e off and away; die Haare standen ihm zu ~e his hair stood on end; 2ab adv. downhill (a. fig.); ~arbeiter m miner; 2auf adv. uphill; ~bahn f mountain railway; ~bau m mining.

**bergen** v/t. save; j-n: rescue; ⚓ salvage, salve.

**Berg|kette** f mountain chain od. range; ~mann ⚒ m miner; ~rutsch m landslide; ~spitze f mountain peak; ~steiger m mountaineer.

**Bergung** f ⚓ salvage; recovery; von Menschen: rescue; ~sarbeiten f/pl. salvage operations pl.; rescue work.

**Bergwerk** n mine.

**Bericht** m report (über on), account (of); 2en 1. v/t. report; j-m et. ~ inform s.o. of s.th.; tell s.o. about s.th.; 2. v/i. report (über on); in der Presse: a. cover (über et. s.th.); ~erstatter m Presse: reporter; auswärtiger: correspondent; ~erstattung f reporting; report(s pl.).

**berichtigen** v/t. correct; Fehler: a. put right; 2ung f correction.

**Bernstein** m amber.

**bersten** v/i. burst (fig. vor with).

**berüchtigt** adj. notorious (wegen for).

**berücksichtig|en** v/t. et.: take into consideration, pay regard to; j-n: consider; 2ung f consideration, regard.

**Beruf** m calling; Gewerbe: trade; Tätigkeit: occupation, F job; höherer ~: profession; vocation (a. innere Bestimmung); 2en 1. v/refl.: sich auf j-n ~ refer to s.o.; 2. adj. competent; befähigt: qualified; 2lich adj. professional; vocational.

**Berufs|ausbildung** f vocational od. professional training; ~beratung f vocational guidance; ~kleidung f work clothes pl.; ~schule f vocational school; 2tätig adj. working; ~tätige pl. working people pl.

**Berufung** f Ernennung: appointment (zu to); ⚖ appeal (bei to); Hinweis: reference (auf to); ~sgericht n court of appeal.

**beruhen** v/i.: ~ auf rest od. be based on; et. auf sich ~ lassen let a matter rest.

**beruhig|en** v/t. quiet, calm; soothe; sich ~ calm down; 2ung f calming (down); Besänftigung: soothing; Trost: comfort; 2ungsmittel ☞ n sedative.

**berühmt** adj. famous (wegen for); gefeiert: celebrated; 2heit f fame, renown; famous person, celebrity.

**berühr|en** v/t. touch (a. fig.); erwähnen: touch (up)on; 2ung f contact, touch.

**be|sagen** v/t. say; mean, signify; ~sänftigen v/t. appease, calm, soothe.

**Besatz** m trimming; Band2: braid.

**Besatzung** f ⚔ occupation troops pl.; ⚔ garrison; ⚓, ✈ crew; ~smacht ⚔ f occupying power.

**beschaffen** 1. v/t. procure; provide; Geld: raise; 2. adj.: gut ~ sein be in good condition od. state; 2heit f state, condition.

**beschäftig|en** v/t. employ, occupy; keep busy; sich ~ occupy od. busy o.s.; 2ung f employment; occupation.

**beschäm|en** v/t. (put to) shame, make s.o. feel ashamed; ~end adj. shameful; humiliating; ~t adj. ashamed (über of); 2ung f shame; humiliation.

**beschatten** v/t. shade; fig. j-n: shadow, Am. sl. tail.

**Bescheid** m answer; ⚖ decision; information (über on, about); ~ geben let s.o. know; ~ bekommen be informed od. notified; ~ hinterlassen leave word (bei with, at); ~ wissen be informed, know.

**bescheiden** adj. modest, unassuming; 2heit f modesty.

**bescheinig|en** v/t. certify, attest; den Empfang ~ acknowledge receipt; es wird hiermit bescheinigt, daß this is to certify that; 2ung f certification, attestation; Schein: certificate;

341

341
besohlen

*Quittung*: receipt; *Bestätigung*: acknowledgement.

**beschenken** *v/t.*: j-n ∼ make s.o. a present (*mit et.* of s.th.); *j-n reichlich* ∼ shower s.o. with gifts.

**bescher|en** *v/t.*: j-n ∼ give s.o. presents; **♀ung** *f* presentation of gifts; *F fig.* mess.

**beschieß|en** *v/t.* fire *od.* shoot at *od.* on; bombard (*a. phys.*), shell; **♀ung** *f* bombardment.

**beschimpf|en** *v/t.* abuse, insult; call *s.o.* names; **♀ung** *f* abuse; insult, affront.

**Beschlag** *m* ⊕ metal fitting(s *pl.*); *in* ∼ *nehmen, mit* ∼ *belegen* seize; monopolize *s.o.'s* attention; **♀en 1.** *v/t.* cover; ⊕ fit, mount; *Pferd*: shoe; **2.** *v/i. Fenster, Wand*: steam up; *Spiegel*: cloud *od.* film over; **3.** *adj. Fenster*: steamed-up; *fig.* well versed (*auf, in* in).

**beschlagnahmen** *v/t.* seize; *Grundbesitz*: attach; *einziehen, enteignen*: confiscate; ⚖ *Eigentum*: sequestrate; distrain upon; ⚒ requisition; *Schiff*: embargo.

**beschleunig|en** *v/t.* hasten, speed up; *mot.* accelerate; *s-e Schritte* ∼ quicken one's steps; **♀ung** *f* acceleration.

**beschließen** *v/t.* end, close; *sich entscheiden*: resolve, decide.

**Beschluß** *m* decision, resolution, *Am. a.* resolve; ⚖ decree; **♀fähig** *adj.*: ∼ *sein* form *od.* have a quorum.

**be|schmieren** *v/t.* (be)smear; **∼schmutzen** *v/t.* soil (*a. fig.*), dirty; **∼schneiden** *v/t.* clip, cut; *Baum*: lop; *Haare, Hecke etc.*: trim, clip; *fig.* cut down, curtail; **∼schönigen** *v/t.* gloss over, palliate.

**beschränk|en** *v/t.* confine, limit, restrict; *sich* ∼ *auf* confine o.s. to; **∼t** *fig. adj.* of limited intelligence; **♀ung** *f* limitation, restriction.

**beschreib|en** *v/t. Papier*: write on, cover with writing; *fig.* describe, give a description of; **♀ung** *f* description; account.

**beschrift|en** *v/t.* inscribe; label, letter; **♀ung** *f* inscription; lettering.

**beschuldig|en** *v/t.* accuse (*gen.* of [*doing*] *s.th.*), *bsd.* ⚖ charge (with); **♀te** *m, f* the accused; **♀ung** *f* accusation, charge.

**Beschuß** *m* bombardment.

**beschütze|n** *v/t.* protect, shelter, guard (*vor* from); **♀r** *m* protector.

**Beschwerde** *f* trouble; ⚕ complaint; *Klage*: complaint (*über* about); ⚖ objection (*gegen* to).

**beschwer|en** *v/t.* burden (*a. fig.*); *loses Papier etc.*: weight; *Magen*: lie heavy on; *seelisch*: weigh on; *sich* ∼ complain (*über* about, of; *bei* to); **∼lich** *adj.* tedious.

**be|schwichtigen** *v/t.* appease, calm (down), soothe; **∼schwindeln** *v/t.* tell a fib *od.* lie; *betrügen*: cheat; **∼schwipst** F *adj.* tipsy.

**beschwör|en** *v/t. et.*: take an oath on; *j-n*: implore, entreat; *Geister*: conjure up; **♀ung** *f* conjuration.

**be|seelen** *v/t.* animate, inspire; **∼sehen** *v/t. u. v/refl.* look at; inspect.

**beseitig|en** *v/t.* remove; do away with; **♀ung** *f* removal.

**Besen** *m* broom; **∼stiel** *m* broomstick.

**besessen** *adj.* obsessed, possessed (*von* by, with); *wie* ∼ like mad; **♀e** *m, f* demoniac.

**besetz|en** *v/t. Platz, Tisch etc.*: occupy (*a.* ⚔); *Stelle etc.*: fill; *thea. Rollen*: cast; *Kleid*: trim; *mit Edelsteinen*: set; **∼t** *adj.* engaged, occupied; *Platz*: taken; F *Bus etc.*: full up; *Hotel*: full; *teleph.* engaged, *Am.* busy; **♀ung** *f thea.* cast; ⚔ occupation.

**besichtig|en** *v/t.* view, look over; *prüfend*: inspect (*a.* ⚔); *besuchen*: visit; **♀ung** *f* sightseeing; visit (*gen.* to); inspection (*a.* ⚔).

**besied|eln** *v/t.* colonize, settle; *bevölkern*: populate; **♀lung** *f* colonization, settlement.

**be|siegeln** *v/t.* seal (*a. fig.*); **∼siegen** *v/t.* conquer; defeat, beat (*a. Sport*).

**besinn|en** *v/refl.* reflect, consider; *sich* ∼ *auf* remember, think of; **∼lich** *adj.* reflective, contemplative.

**Besinnung** *f Überlegung*: reflection; consideration; *Bewußtsein*: consciousness; (*wieder*) *zur* ∼ *kommen* recover consciousness; *fig.* come to one's senses; **♀slos** *adj.* unconscious.

**Besitz** *m* possession; *in* ∼ *nehmen,* ∼ *ergreifen von* take possession of; **♀anzeigend** *gr. adj.* possessive; **♀en** *v/t.* possess; **∼er** *m* possessor, owner, proprietor; *den* ∼ *wechseln* change hands.

**besohlen** *v/t.* sole.

# Besoldung

342

**Besoldung** *f* pay; *Beamte*: salary.
**besonder** *adj.* particular, special; *eigentümlich*: peculiar; **~s** *adv.* especially, particularly; *hauptsächlich*: chiefly, mainly.
**besonnen** *adj.* sensible, level-headed.
**besorg|en** *v/t.* get (*j-m* et. s.o. s.th.), procure (s.th. for s.o.); do, manage; **2nis** *f* apprehension, fear, anxiety (*über* about, at); **~niserregend** *adj.* alarming; **~t** *adj.* uneasy, worried (*beide*: um about); **2ung** *f Beschaffung*: procurement; *Sorge für*: management; *Einkauf*: errand; **~en** *machen* go shopping.
**besprech|en** *v/t.* discuss, talk *s.th.* over; *vereinbaren*: arrange; *Buch etc.*: review; *sich ~ mit* confer with (*über* about); **2ung** *f* discussion; conference; review.
**bespritzen** *v/t.* splash, (be)spatter.
**besser 1.** *adj.* better; *über dem Durchschnitt*: superior; **2.** *adv.* better; **~n** *v/t.* (make) better, improve; *moralisch*: reform; *sich ~ get od.* become better, improve; mend one's ways; **2ung** *f* improvement, change for the better; reform; *ß* improvement, recovery; *gute ~!* I wish you a speedy recovery!
**best 1.** *adj.* best; *der erste ~e* (just) anybody; *~en Dank* thank you very much; *sich von s-r ~en Seite zeigen* be on one's best behavio(u)r; **2.** *adv.* best; *am ~en* best; *~ens* in the best way possible; *j-n zum ~en haben od. halten* make fun of s.o., F pull s.o.'s leg; *ich danke ~ens!* thank you very much!
**Bestand** *m* (continued) existence; *Vorrat*: stock; *Waren2*: stock-in-trade; *Bar2*: cash in hand; *~ haben* last.
**beständig** *adj.* constant, steady; *dauerhaft*: lasting; *andauernd*: continual; *Wetter*: settled.
**Bestand|saufnahme †** *f* stock-taking, *Am.* inventory; **~teil** *m* component; element; *e-r Mischung*: ingredient; *Einzelteil*: part.
**bestärken** *v/t.* confirm, strengthen, encourage (*in* in).
**bestätig|en** *v/t.* confirm (*a. ß, †*); *bescheinigen*: attest; *Behauptung etc.*: verify; *Empfang*: acknowledge; **2ung** *f* confirmation; attestation; verification; acknowledgement.

**Bestattungsinstitut** *n* undertakers *pl.*
**Beste 1.** *n the* best (thing); *zu deinem ~n* in your interest; *das ~ daraus machen* make the best of it; **2.** *m, f*: *er ist der ~ in s-r Klasse* he is the best in his class.
**Besteck** *n* (single set of) knife, fork and spoon; (complete set of) cutlery, *Am. a.* flatware.
**bestehen 1.** *v/t. Probe*: undergo, stand; *Prüfung*: pass; **2.** *v/i.* be, exist; *~ auf* insist (up)on; *~ aus* consist of; **3.** *2 n* existence; passing.
**bestehlen** *v/t.* steal from.
**besteigen** *v/t. Berg*: climb (up); *Pferd*: mount; *Thron*: ascend.
**bestell|en** *v/t.* order; *† a.* place an order for; *Zeitung etc.*: subscribe to; *Zimmer, Platz etc.*: book, reserve; *j-n*: make an appointment with; *Taxi etc.*: send for; *Boden etc.*: cultivate, till; *Grüße etc.*: give; *j-n zu sich ~* send for s.o.; **2ung** *f* order; subscription (*gen.* to); booking, *bsd. Am.* reservation; *✓* cultivation; message.
**bestenfalls** *adv.* at (the) best.
**besti|alisch** *adj.* bestial, brutal; **2e** *f* beast; *fig.* brute, beast.
**bestimmen 1.** *v/t.* determine, decide; *Termin, Ort, Preis*: fix; *Termin, Zeit, Ort*: appoint; *Begriff*: define; *j-n für od. zu et. ~* designate *od.* intend s.o. for s.th.; **2.** *v/i.* *~ über* dispose of.
**bestimmt 1.** *adj. Stimme, Auftreten etc.*: decided, determined, firm; *Zeit etc.*: appointed, fixed; *Punkt, Zahl etc.*: certain; *Antwort etc.*: positive; *Ton, Antwort, Absicht, Begriff*: definite (*a. gr.*); *~ nach ♣, ✈* bound for; **2.** *adv.* certainly, surely; **2heit** *f* determination, firmness; certainty.
**Bestimmung** *f* determination; *Ernennung*: designation, appointment; *Begriffs2*: definition; *e-s Testamentes etc.*: provision; *(amtliche) ~en pl.* (official) regulations *pl.*; **~sort** *m* destination.
**bestraf|en** *v/t.* punish (*wegen, für* for; *mit* with); **2ung** *f* punishment.
**bestrahl|en** *v/t.* irradiate (*a. ß*); **2ung** *f* irradiation; *ß* ray treatment, radiotherapy.
**Bestreb|en** *n*, **~ung** *f* effort, endeavo(u)r.

**be|streichen** *v/t. mit Farbe*: coat, cover; spread; *mit Butter* ~ butter; **~streiten** *v/t. anfechten*: contest, dispute, challenge; *leugnen*: deny; *Ausgaben*: defray; *Unterhaltungsprogramm*: fill; **~streuen** *v/t.* strew, sprinkle (*mit* with); *mit Mehl* ~ flour; *mit Zucker* ~ sugar; **~stürmen** *v/t.* storm, assail (*a. fig.*); *mit Fragen etc.*: pester, plague.

**bestürz|t** *adj.* dismayed, struck with consternation (*über* at); **2ung** *f* consternation, dismay.

**Besuch** *m* visit (*gen., bei,* in to); *kurzer* ~: call (*bei* on; *in* at); *e-r Vorlesung etc.*: attendance (*gen.* at); *Besucher*: visitor(s *pl.*), company; **2en** *v/t.* visit; call on; *Schule etc.*: attend; **~er** *m* visitor, caller; **~szeit** *f* visiting hours *pl.*

**be|tasten** *v/t.* touch, feel, finger; **~tätigen** *v/t.* ⊕ operate; *Bremse*: apply; *sich politisch* ~ dabble in politics.

**betäub|en** *v/t.* stun (*a. fig.*), daze; *durch Lärm*: deafen; ⚕ an(a)esthetize; **2ung** *f* ⚕ an(a)esthetization; ⚕ *Zustand*: an(a)esthesia; *fig.* stupefaction; **2ungsmittel** ⚕ *n* narcotic, an(a)esthetic.

**beteilig|en** *v/t.*: *j-n* ~ give s.o. a share (*an* in); *sich* ~ take part (*an, bei* in), participate (in) (*a.* ⚖); **2te** *m, f* person *od.* party concerned; **2ung** *f* participation (*a.* ⚖, †); share, interest (*a.* †).

**beten** *v/i.* pray (*um* for), say one's prayers; *bei Tisch*: say grace.

**beteuern** *v/t. Unschuld*: protest.

**Beton** ⊕ *m* concrete.

**beton|en** *v/t.* stress; *fig. a.* emphasize; **2ung** *f* stress; *fig.* emphasis.

**betören** *v/t.* infatuate, bewitch.

**Betracht** *m*: *in* ~ *ziehen* take into consideration; (*nicht*) *in* ~ *kommen* (not to) come into question; **2en** *v/t.* view; *sinnend*: contemplate; *fig. a.* consider.

**beträchtlich** *adj.* considerable.

**Betrachtung** *f* view; contemplation; consideration.

**Betrag** *m* amount, sum; **2en 1.** *v/t.* amount to; **2.** *v/refl.* behave (o.s.); **3.** **2** *n* behavio(u)r, conduct.

**be|trauen** *v/t.*: *j-n mit et.* ~ entrust *od.* charge s.o. with s.th.; **~trauern** *v/t.* mourn (for, over).

**betreffen** *v/t.* refer to; concern; *was ... betrifft* as for, as to; **~d** *adj.* concerning; *das* ~e *Geschäft* the business in question.

**betreiben 1.** *v/t. Geschäft*: carry on, *bsd. Am.* operate; *Studien*: pursue; **2.** **2** *n*: *auf* ~ *von* at *od.* by *s.o.'s* instigation.

**betreten 1.** *v/t.* step on; *eintreten*: enter; **2.** *adj.* embarrassed.

**betreu|en** *v/t.* look after, attend to; **2ung** *f* care (*gen.* of, for).

**Betrieb** *m* working, running, *bsd. Am.* operation; *Unternehmen*: business, firm; *Fabrikanlage*: plant, works *sg.*; *Werkstatt*: workshop, *Am. a.* shop; *fig.* bustle; *in* ~ working.

**Betriebs|anleitung** *f* operating instructions *pl.*; **~ferien** *pl.* (firm's, works) holiday; **~kapital** *n* working capital; **~kosten** *pl.* working expenses *pl., Am.* operating costs *pl.*; **~leitung** *f* management; **~rat** *m* works council; **2sicher** *adj.* safe to operate; **~störung** *f* breakdown; **~unfall** *m* accident (suffered) while at work.

**betrinken** *v/refl.* get drunk.

**betroffen** *adj.* afflicted (*von* by), stricken (with); *fig.* disconcerted.

**betrüben** *v/t.* grieve, afflict.

**Betrug** *m* cheat(ing); ⚖ fraud; *bsd. fig.* deceit.

**betrüge|n** *v/t.* deceive, cheat; **2r** *m* impostor, confidence man, swindler; **~risch** *adj.* deceitful, fraudulent.

**betrunken** *adj.* drunken; *pred.* drunk; **2e** *m* drunk(en man).

**Bett** *n* bed; **~bezug** *m* plumeau case; **~decke** *f* blanket; bedspread, coverlet.

**Bettel|ei** *f* begging, mendicancy; **2n** *v/i.* beg (*um* for); ~ *gehen* go begging.

**Bett|gestell** *n* bedstead; **2lägerig** *adj.* bedridden, confined to bed; **~laken** *n* sheet.

**Bettler** *m* beggar.

**Bett|überzug** *m* plumeau case; **~uch** *n* sheet; **~vorleger** *m* bedside rug; **~wäsche** *f* bed-linen; **~zeug** *n* bedding.

**betupfen** *v/t.* dab.

**beugen** *v/t.* bend, bow; *Wort*: inflect; *Verb*: conjugate; *Substantiv, Adjektiv*: decline; *fig.* humble, break; *sich* ~ bend (*vor* to), bow (to).

**Beule** *f* bump, swelling; *im Blech etc.*: dent.

**be|unruhigen** *v/t.* disquiet, alarm; **~urkunden** *v/t.* attest, certify.

**beurlaub|en** *v/t.* give *od.* grant *s.o.* leave (of absence); give *s.o.* time off; *vom Amt:* suspend; **2ung** *f* leave (of absence); suspension.

**beurteil|en** *v/t.* judge (*nach* by); **2ung** *f* judg(e)ment.

**Beuschel** *östr. n* lungs (of an animal).

**Beute** *f* booty, spoil(s *pl.*); *Kriegs2, Diebes2:* loot; *e-s Tieres:* prey; *hunt.* bag; *fig.* prey, victim (*gen.* to).

**Beutel** *m* bag; *zo., Tabaks2:* pouch.

**bevölker|n** *v/t.* people, populate; **2ung** *f* population.

**bevollmächtig|en** *v/t.* authorize, empower; **2te** *m, f* authorized person *od.* agent, deputy; *pol.* plenipotentiary; **2ung** *f* authorization.

**bevor** *cj.* before.

**bevorstehen** *v/i.* be approaching, be near; *Gefahr:* be imminent; *j-m ~* be in store for s.o., await s.o.

**bevorzug|en** *v/t.* prefer; favo(u)r; ⚖ privilege; **2ung** *f* preference.

**bewach|en** *v/t.* guard, watch; **2ung** *f* guard; escort.

**bewaffn|en** *v/t.* arm; **2ung** *f* armament; *Waffen:* arms *pl.*

**be|wahren** *v/t.* keep, preserve; **~währen** *v/refl.* stand the test, prove a success; *sich ~ als* prove o.s. (as); *sich ~ in* prove o.s. efficient in; *sich nicht ~* prove a failure.

**bewährt** *adj.* proved to be; *Freund (-schaft), Mittel:* tried; *Person:* experienced.

**Bewährung** ⚖ *f* probation.

**bewaldet** *adj.* wooded, woody.

**bewältigen** *v/t. Hindernis:* overcome; *Schwierigkeit:* master; *Aufgabe:* accomplish.

**bewandert** *adj.* (well) versed (*in* in); *in e-m Fach gut ~ sein* have a thorough knowledge of a subject.

**bewässer|n** *v/t.* water; *Land etc.:* irrigate; **2ung** *f* watering; irrigation.       [get s.o. to.)

**bewegen¹** *v/t.: j-n ~ zu* induce *od.*)

**beweg|en²** *v/t. u. v/refl.* move, stir; **2grund** *m* motive (*für* for); **~lich** *adj.* movable; *Person, Geist etc.:* agile, versatile; *active;* **2lichkeit** *f* mobility; agility, versatility; **~t** *adj. Meer:* rough, heavy; *Stimme:* choked, trembling; *Leben:* eventful;

*fig.* moved, touched; **2ung** *f* movement; motion (*a. phys.*); *fig.* emotion; *in ~ setzen* set going *od.* in motion; **~ungslos** *adj.* motionless, immobile.

**Beweis** *m* proof (*für* of); **~(e** *pl.*) evidence (*bsd.* ⚖); **2en** *v/t.* prove; *Interesse etc.:* show; **~führung** *f* argumentation; **~material** *n* evidence; **~stück** *n* (piece of) evidence; ⚖ exhibit.

**bewenden** *v/i.: es dabei ~ lassen* leave it at that.

**bewerb|en** *v/refl.: sich ~ um* apply for; *kandidieren:* stand for, *Am.* run for; *e-n Preis:* compete for; *e-e Frau:* court; **2er** *m* applicant (*um* for); candidate; competitor; *Freier:* suitor; **2ung** *f* application; candidature; competition; courtship; **2ungsschreiben** *n* (letter of) application.

**bewerten** *v/t.* value (*nach* by).

**bewilligen** *v/t.* grant, allow.

**bewirken** *v/t. verursachen:* cause; bring about, effect.

**bewirt|en** *v/t.* entertain; **~schaften** *v/t.* ✗ farm; *Gut etc.:* manage, run; *Waren:* ration; *Devisen:* control; **2ung** *f* entertainment.

**bewohne|n** *v/t.* inhabit, live in; *Haus etc.: a.* occupy; **2r** *m* inhabitant; occupant.

**bewölk|en** *v/refl. Himmel:* cloud up *od.* over; *fig.* cloud over, darken; **~t** *adj. Himmel:* clouded, cloudy, overcast; *fig.* clouded, darkened; **2ung** *f* clouds *pl.*

**bewunder|n** *v/t.* admire (*wegen* for); **~nswert** *adj.* admirable; **2ung** *f* admiration.

**bewußt** *adj.* deliberate, intentional; *sich e-r Sache ~ sein* be conscious *od.* aware of s.th.; *die ~e Sache* the matter in question; **~los** *adj.* unconscious; **2sein** *n* consciousness.

**bezahl|en 1.** *v/t.* pay; *gekaufte Ware:* pay for; *Schuld:* pay off, settle; **2.** *v/i.* pay (*für* for); **2ung** *f* payment; settlement.

**bezaubern** *v/t.* bewitch, enchant (*beide a. fig.*); *fig.* charm, fascinate.

**bezeichn|en** *v/t.* mark; describe (*als* as), call; **~end** *adj.* characteristic, typical (*für* of); **2ung** *f* name, designation.

**be|zeugen** *v/t.* ⚖ testify to, bear witness to (*beide a. fig.*); *bescheini-*

gen: attest; **~ziehen** v/t. Polstermöbel etc.: cover; Kissen etc.: put
a cover on; Wohnung: move into;
Gehalt etc.: draw; Waren: get, be
supplied with; Zeitung etc.: take in;
sich ~ Himmel: cloud over; sich ~
auf refer to.

**Beziehung** f relation (zu et. to s.th.;
zu j-m with s.o.); connexion, (Am.
nur) connection (zu with); in dieser
~ in this respect; **Ձsweise** adv.
respectively; or rather.

**Bezirk** m district, Am. a. precinct.

**Bezug** m Überzug: cover(ing), case;
KissenՁ: a. slip; von Waren: purchase; e-r Zeitung: subscription
(gen. to); in bezug auf with regard
od. reference to; ~ nehmen auf refer
to.

**be|zwecken** v/t. aim at, intend; **~-
zweifeln** v/t. doubt, question; **~-
zwingen** v/t. Festung, Berg etc.:
conquer; Gefühl etc.: master.

**Bibel** f Bible.

**Biber** zo. m beaver.                    [ian.]

**Bibliothek** f library; **~ar** m librar-⌐

**biblisch** adj. biblical, scriptural; **~e**
Geschichte Scripture.

**bieder** adj. honest, upright, worthy
(a. iro.); schlicht: simple-minded.

**bieg|en** 1. v/t. bend; 2. v/refl. bend;
sich vor Lachen ~ double up with
laughter; 3. v/i.: um e-e Ecke ~ turn
(round) a corner; **~sam** adj. Draht
etc.: flexible; Körper: lithe, supple,
pliant (a. fig.); **Ձung** f WegՁ, FlußՁ:
bend, wind; Kurve: curve.

**Biene** zo. f bee; **~nkönigin** f queen
bee; **~nkorb** m, **~nstock** m (beehive.

**Bier** n beer; helles ~ pale beer, ale;
dunkles ~ dark beer, stout, porter;
~ vom Faß beer on draught; **~krug**
m beer-mug, Am. stein.

**Biest** n beast, brute.

**bieten** 1. v/t. offer; bei e-r Auktion:
bid; sich ~ offer itself, arise; 2. v/i.
bei e-r Auktion: bid.

**Bigamie** f bigamy.

**Bilanz** f balance; Aufstellung:
balance-sheet, Am. a. statement;
fig. result, outcome; die ~ ziehen
strike a balance; fig. take stock.

**Bild** n picture; AbՁ, EbenՁ: image;
Gemälde: painting; Porträt: portrait; in Büchern etc.: illustration;
fig. idea, notion; **~bericht** m Presse:
picture story.

**bilden** v/t. form; gestalten: a. shape;
fig. educate, train; Geist etc.: develop; Bestandteil etc.: form, be,
constitute; sich ~ form; fig. educate
o.s., improve one's mind; sich e-e
Meinung ~ form an opinion.

**Bilderbuch** n picture-book.

**Bild|fläche** f: F auf der ~ erscheinen
appear (on the scene); F von der ~
verschwinden disappear (from the
scene); **~hauer** m sculptor; **Ձlich**
adj. pictorial; Wort etc.: figurative;
**~nis** n portrait; **~röhre** f picture od.
television tube; **~schirm** m (television) screen; **Ձschön** adj. most
beautiful.

**Bildung** f forming, formation (beide
a. gr.: des Plurals etc.); e-s Aus-
schusses: constitution; AusՁ: education; Kultur: culture.

**Billard** n billiards; billiard-table.

**billig** adj. just, fair; Preis: reasonable; Waren: cheap, inexpensive;
recht und ~ right and proper; **~en**
v/t. approve of, Am. a. approbate;
**Ձung** f approval, sanction.

**Binde** f band; ⚕ bandage; Arm-
schlinge: (arm-)sling; s. Damenbinde; **~gewebe** anat. n connective
tissue; **~glied** n connecting link;
**~haut** anat. f conjunctiva; **Ձn** 1. v/t.
bind, tie (an to); Buch etc.: bind;
Besen, Kranz etc.: make; Krawatte:
knot; sich ~ bind od. commit o.s.;
2. v/i. bind; ⊕ Zement etc.: set,
harden; fig. unite; **~strich** m
hyphen; **~wort** gr. n conjunction.

**Bindfaden** m string; stärker: packthread.

**Bindung** f binding (a. SkiՁ); ♪ slur,
tie, ligature; fig.: commitment (a.
pol.); engagement; **~en** pl. bonds
pl., ties pl.

**Binnen|hafen** m close port; **~han-
del** m domestic od. home trade, Am.
domestic commerce; **~land** n inland, interior; **~verkehr** m inland
traffic od. transport.

**Binse** ♣ f rush.

**Biochemie** f biochemistry.

**Biographi|e** f biography; **Ձsch** adj.
biographic(al).

**Biologi|e** f biology; **Ձsch** adj. bio-
logical.

**Birke** ♣ f birch(-tree).

**Birne** f pear; ⚡ (electric) bulb.

**bis** 1. prp. räumlich: to, as far as;
zeitlich: till, until, by; zwei ~ drei

two or three; ~ *auf weiteres* until further orders, for the meantime; ~ *vier zählen* count up to four; *alle* ~ *auf drei* all but *od.* except three; **2.** *cj.* till, until.

**Bischof** *m* bishop.

**bisher** *adv.* hitherto, up to now, so far; **~ig** *adj.* until now, hitherto, former.

**Biskotte** *östr. f* ladyfinger, spongefinger.

**Biß** *m* bite.

**bißchen 1.** *adj.*: *ein* ~ a little, a (little) bit of; **2.** *adv.*: *ein* ~ a little (bit).

**Bissen** *m* bite; mouthful, morsel.

**bissig** *adj.* biting (*a. fig.*); *Bemerkung*: cutting; *Achtung, ~er Hund!* beware of the dog!

**bisweilen** *adv.* sometimes, at times.

**Bitte** *f* request (*um* for); *dringende* ~ entreaty; *auf j-s* ~ (*hin*) at s.o.'s request.

**bitten 1.** *v/t.*: *j-n um et.* ~ ask *od.* beg s.o. for s.th.; *j-n um Entschuldigung* ~ beg s.o.'s pardon; *dürfte ich Sie um Feuer* ~? can you give me a light, please?; *bitte please*; (*wie*) *bitte?* (I beg your) pardon?; *bitte! et. anbietend*: (please,) help yourself, (please,) do take some *od.* one; *danke* (*schön*) — *bitte* (*sehr*)! thank you — not at all, you're welcome, don't mention it, F that's all right; **2.** *v/i.*: *um et.* ~ ask *od.* beg for s.th.

**bitter** *adj.* bitter (*a. fig.*); *Frost*: sharp; **2keit** *f* bitterness; *fig. a.* acrimony; **~lich** *adv.* bitterly.

**Bittschrift** *f* petition.

**bläh|en 1.** *v/t.* inflate, distend, swell out; *Segel*: belly (out), swell out; *sich* ~ *Segel*: belly (out), swell out; *Rock*: balloon out; **2.** *v/i.* cause flatulence; **~end** *adj.* flatulent; **2ung** *f* flatulence, F wind.

**Blam|age** *f* disgrace, shame; **2ieren** *v/t.* make a fool of, disgrace; *sich* ~ make a fool of o.s.

**blank** *adj.* shining, shiny, bright; ~ *geputzt*: polished; F *fig.* broke.

**Bläschen** *n* vesicle, small blister.

**Blase** *f Luft*2: bubble; ⊕ blister (*a.* ⚙); *anat.* bladder; *im Glas*: bleb; ⊕ flaw; **~balg** *m* (*ein a pair of*) bellows *pl.*; **2n 1.** *v/t.* blow; ♪ blow, sound; **2.** *v/i.* blow.

**Blas|instrument** *n* wind-instrument; **~kapelle** *f* brass band.

**blaß** *adj.* pale (*vor* with); ~ *werden* turn pale; *keine blasse Ahnung* not the faintest idea.

**Blässe** *f* paleness.

**Blatt** *n* ⚘, *e-s Buches*: leaf; *Blüten*2: petal; *Papier*2: leaf, sheet; ♪ *Noten*2: sheet; *Ruder*2, *Säge*2, *Propeller*2 *etc.*: blade; *Metall*: sheet; *Kartenspiel*: hand; *Zeitung*: (news)paper.

**blättern** *v/i.*: *in e-m Buch* ~ leaf through a book, thumb a book.

**Blätterteig** *m* puff paste.

**blau** *adj.* blue; F *fig.* drunk, tight; ~*er Fleck* bruise; ~*es Auge* black eye; *mit e-m* ~*en Auge davonkommen* get off cheaply.

**blaugrau** *adj.* bluish grey.

**bläulich** *adj.* bluish. [prussic acid.]

**Blausäure** ⚗ *f* hydrocyanic *od.*}

**Blech** *n* metal sheet, plate; *Back*2: baking-tin; F *fig.* rubbish; ~*büchse* *f* tin, *Am.* can; **2ern** *adj.* (of) tin; *Klang*: brassy; ~*musik f* brass-band music; ~*waren* *f/pl.* tinware.

**Blei 1.** *n* lead; **2.** F *n, m* (lead) pencil.

**bleiben** *v/i.* remain, stay; *ruhig* ~ keep calm; ~ *bei* stick to; *bitte* ~ *Sie am Apparat teleph.* hold the line, please; ~*d adj.* lasting, permanent; ~*lassen* *v/t.* leave *s.th.* alone; *laß das bleiben!* don't do it!; leave it alone!

**bleich** *adj.* pale (*vor* with); ~*en* **1.** *v/t.* bleach, blanch; **2.** *v/i.* bleach; lose colo(u)r, fade.

**bleiern** *adj.* (of) lead, leaden (*a. fig.*).

**Blei|rohr** *n* lead pipe; ~*stift m* (lead) pencil; ~*stifthülse* *f* pencil cap; ~*stiftspitzer* *m* pencil-sharpener.

**Blende** *f* blind; *phot.* diaphragm, stop; **2n 1.** *v/t.* blind, dazzle (*beide a. fig.*); **2.** *v/i. Licht*: dazzle the eyes.

**Blick** *m* look (*auf* at); *Aussicht*: view (of); *flüchtiger* ~ glance; *auf den ersten* ~ at first sight; **2en** *v/i.* look, glance (*beide*: *auf, nach* at); ~*fang m* eye-catcher.

**blind** *adj.* blind (*a. fig.*: *gegen, für* to; *vor* with); *Metall, Fensterscheibe, Spiegel*: dull; ~*er Alarm* false alarm; ~*er Passagier* stowaway; *auf e-m Auge* ~ blind in one eye.

**Blinddarm** *anat. m* appendix; ~*entzündung* ⚙ *f* appendicitis.

**Blinde 1.** *m* blind man; **2.** *f* blind woman.

**Blinden|anstalt** f institute for the blind; **~heim** n home for the blind; **~hund** m guide dog, Am. a. seeing-eye dog; **~schrift** f braille.

**blind|fliegen** ✈ v/t. u. v/i. fly blind od. on instruments; **2flug** ✈ m blind flying od. flight; **2heit** f blindness; **~lings** adv. blindly; at random; **2schleiche** zo. f slow-worm, blind-worm.

**blinke|n** v/i. Gegenstände: shine; Sterne, Licht: twinkle; signalisieren: signal (with lamps), flash; **2r** mot. m flashing indicator.

**blinzeln** v/i. blink, wink.

**Blitz** m lightning; **~ableiter** m lightning-conductor; **2en** v/i. flash; es blitzt it is lightening; **~gespräch** teleph. n special priority call; **~licht** phot. n flash-light; **~schnell** adv. with lightning speed; **~strahl** m flash of lightning.

**Block** m block; Holz2: block, log; parl., pol., ✝ bloc; Häuser2: block; Schreib2: pad; **~ade** ✕, ✈ f blockade; **~haus** n log cabin; **2ieren 1.** v/t. block (up); Räder: lock; **2.** v/i. Bremsen etc.: jam.

**blöd(e)** adj. imbecile; dumm: stupid, dull; albern: silly; **2heit** f imbecility; stupidity, dullness; silliness; **2sinn** m rubbish, nonsense; **~sinnig** adj. idiotic, stupid, foolish.

**blöken** v/i. Schaf, Kalb: bleat.

**blond** adj. blond, fair(-haired).

**bloß 1.** adj. bare, naked; nichts als: mere; **~e** Worte mere words; mit dem **~en** Auge wahrnehmbar visible to the naked eye; **2.** adv. only, just.

**Blöße** f bareness, nakedness; sich e-e **~** geben give o.s. away; lay o.s. open to attack.

**bloß|legen** v/t. lay bare, expose; **~stellen** v/t. expose, compromise, unmask; sich **~** compromise o.s.

**blühen** v/i. blossom, flower, bloom; fig. flourish, thrive, prosper; ✝ boom.

**Blume** f flower; Wein: bouquet; Bier: froth.

**Blumen|beet** n flower-bed; **~händler** m florist; **~kohl** m cauliflower; **~strauß** m bouquet od. bunch of flowers; **~topf** m flowerpot.

**Bluse** f blouse.

**Blut** n blood; **2arm** adj. bloodless, an(a)emic; **~armut** ✍ f an(a)emia; **~bad** n massacre; **~bank** ✍ f

blood bank; **~blase** f blood blister; **~druck** m blood pressure.

**Blüte** f blossom, bloom, flower; fig.: flower; prime, heyday.

**Blut|egel** zo. m leech; **2en** v/i. bleed (aus from); aus der Nase **~** bleed at the nose; **~erguß** ✍ m effusion of blood.

**Blütezeit** fig. f prime, heyday.

**Blut|gefäß** anat. n blood-vessel; **~gerinnsel** ✍ n clot of blood; **~gruppe** f blood group; **2ig** adj. bloody, blood-stained; es ist mein **~er** Ernst I am dead serious; **~er** Anfänger mere beginner, F greenhorn; **~körperchen** n blood corpuscle; **~kreislauf** m (blood) circulation; **~lache** f pool of blood; **2leer** adj. bloodless; **~probe** f blood test; **2rot** adj. blood-red, crimson; **2rünstig** adj. bloodthirsty; bloody; **~schande** f incest; **~spender** m blood-donor; **2stillend** adj. blood-sta(u)nching; **~sturz** ✍ m h(a)emorrhage; **2sverwandt** adj. related by blood (mit to); **~übertragung** f blood-transfusion; **~ung** f bleeding, h(a)emorrhage; **2unterlaufen** adj. Auge: bloodshot; **~vergießen** n bloodshed; **~vergiftung** f blood-poisoning.

**Bö** f gust, squall.

**Bock** m Rotwild, Hase, Kaninchen: buck; Ziegen2: he-goat, billy-goat; Widder: ram; Turngerät: buck; e-n **~** schießen commit a blunder; **2en** v/i. Pferd: buck; Kind: sulk; Person: be obstinate; mot. move jerkily, Am. F a. buck; **2ig** adj. stubborn, obstinate, pigheaded.

**Boden** m ground; ✍ soil; Gefäß2, Meeres2: bottom; Fuß2: floor; Dach2: loft; **~kammer** f garret, attic; **2los** adj. bottomless; fig. enormous; unheard-of; **~personal** ✈ n ground personnel od. staff, Am. ground crew; **~reform** f land reform; **~satz** m grounds pl., sediment; **~schätze** m/pl. mineral resources pl.; **2ständig** adj. native, indigenous.

**Bogen** m bow, bend, curve; A arc; A arch; Eislauf: curve; Papier2: sheet; **2förmig** adj. arched; **~gang** A m arcade; **~schütze** m archer, bowman.

**Bohle** f thick plank, board.

**Bohne** f bean; *grüne ⁓n pl.* French beans *pl.*, *Am.* string beans *pl.*; *weiße ⁓n pl.* haricot beans *pl.*; **⁓nstange** f beanpole (*a.* F *fig.*).

**bohnern** v/t. polish, wax.

**bohre|n** 1. v/t. *Loch:* bore, drill; *Brunnen, Schacht:* sink, bore; *Tunnel etc.:* bore, cut, drive; 2. v/i. drill (*a. Zahnheilkunde*): bore (*nach* for); **⁓r** ⊕ *m* borer, drill.

**böig** *adj.* squally, gusty; ✈ bumpy.

**Boje** f buoy.

**Bolzen** ⊕ *m* bolt.

**bombardieren** v/t. bomb, shell, bombard (*a. fig.*).

**Bombe** f bomb; *fig.* bomb-shell; **⁓nsicher** *adj.* bomb-proof; F *fig.* dead sure; **⁓r** ✈ *m* bomber.

**Bon** ✝ *m* coupon, voucher.

**Bonbon** *m, n* sweet, *Am.* candy.

**Boot** ✝ *m* boat; **⁓smann** *m* boatswain.

**Bord** 1. *n* shelf; 2. ⚓, ✈ *m:* *an ⁓* on board, aboard; *über ⁓* overboard; *von ⁓ gehen* go ashore; **⁓funker** ⚓, ✈ *m* wireless *od.* radio operator; **⁓stein** *m* kerb, *Am.* curb.

**borgen** v/t. borrow (*von, bei* from, of); lend, *Am. a.* loan (*j-m et. s.th. to s.o.*).

**Borke** f bark.

**Börse** ✝ f stock exchange, stock-market.

**Börsen|bericht** *m* market report; **⁓kurs** *m* quotation; **⁓makler** *m* stock-broker; **⁓papiere** *n/pl.* listed securities *pl.*; **⁓spekulant** *m* stock-jobber.

**Borst|e** f bristle; **⁓ig** *adj.* bristly.

**Borte** f border; *Besatz⁓:* braid, lace.

**bösartig** *adj.* malicious, vicious; ✿ malignant.

**Böschung** f slope, bank; *Ufer⁓,* ⚒: embankment.

**böse** 1. *adj.* bad, evil, wicked; *bösartig:* malevolent, spiteful; *zornig:* angry (*über* at, about; *auf j-n* with s.o.); *er meint es nicht ⁓* he means no harm; 2. ♀ *n* evil; **⁓wicht** *m* villain, rascal.

**bos|haft** *adj.* wicked, spiteful, malicious; **⁓heit** f wickedness, malice, spite.

**böswillig** *adj.* malevolent; **⁓e** *Absicht* ⚖ malice prepense; **⁓es** *Verlassen* ⚖ wilful desertion.

**Botani|k** f botany; **⁓ker** *m* botanist; **⁓sch** *adj.* botanical.

**Bote** *m* messenger; **⁓ngang** *m:* *Botengänge machen* run errands.

**Botschaft** f message; *Nachricht:* news; *Amt:* embassy; **⁓er** *m* ambassador.

**Bottich** *m* tun, vat.

**Bouillon** f beef tea.

**box|en** 1. v/i. box; 2. v/t. punch; 3. ♀ *n* boxing; **⁓er** *m* boxer; **⁓handschuh** *m* boxing-glove; **⁓kampf** *m* boxing-match, fight; **⁓sport** *m* boxing.

**Boykott** *m* boycott; **⁓ieren** v/t. boycott.

**brach** 🗲 *adv.* fallow, uncultivated (*beide a. fig.*). [trade, branch.⟩

**Branche** ✝ f line (of business).⟩

**Brand** *m* burning; *Feuersbrunst:* fire, blaze, conflagration; ✿ gangrene; ♣, 🗲 blight, smut, mildew; **⁓blase** f blister; **⁓bombe** f incendiary bomb; **⁓en** v/i. surge (*a. fig.*), break (*an, gegen* against); **⁓fleck** *m* burn; **⁓mal** *n* brand; *fig.* stigma, brand; **⁓marken** *fig. v/t.* brand, stigmatize; **⁓stätte** f, **⁓stelle** f scene of fire; **⁓stifter** *m* incendiary, *Am.* F *a.* firebug; **⁓stiftung** f arson; **⁓ung** f surf, surge, breakers *pl.*; **⁓wunde** f burn; *durch Verbrühen:* scald.

**braten** 1. v/t. roast; *auf dem Rost:* grill; *in der Pfanne:* fry; *Äpfel:* bake; *am Spieß ⁓* roast on a spit, barbecue; 2. v/i. roast; grill; fry; 3. ♀ *m* roast (meat); *Keule:* joint; **⁓fett** *n* dripping; **⁓soße** f gravy.

**Brat|hering** *m* grilled herring; **⁓huhn** *n* roast chicken; **⁓kartoffeln** *pl.* fried potatoes *pl.*; **⁓pfanne** f frying-pan; **⁓röhre** f oven.

**Brauch** *m Sitte:* custom; *Gewohnheit:* habit, practice; **⁓bar** *adj.* useful; *Person: a.* (cap)able; *Sache: a.* serviceable; **⁓en** v/t. *nötig haben:* need, want; *erfordern:* require; *Zeit:* take; 2. v/aux.: *du brauchst es nur zu sagen* you only have to say so; *er hätte nicht zu kommen ⁓* he need not have come.

**Braue** f eyebrow.

**brau|en** v/t. brew; **⁓er** *m* brewer; **⁓erei** f brewery; **⁓haus** *n* brewery.

**braun** *adj.* brown; *⁓ werden von der Sonne:* get a tan.

**Bräune** f brown colo(u)r; (sun) tan; **⁓n** 1. v/t. make *od.* dye brown; *Sonne:* tan; 2. v/i. tan.

**Braunkohle** f brown coal, lignite.
**bräunlich** adj. brownish.
**Brause** f Gießkanne: rose, sprinkling-nozzle; ~(**bad** n) f shower (-bath); ~(**limonade**) f fizzy lemonade; 2n v/i. Wind, Wasser etc.: roar; eilen: rush; have a shower(-bath); ~**pulver** n effervescent powder.
**Braut** f fiancée; am Hochzeitstag: bride; ~**führer** m best man.
**Bräutigam** m fiancé; am Hochzeitstag: bridegroom, Am. a. groom.
**Braut|jungfer** f bridesmaid; ~**kleid** n wedding-dress; ~**leute** pl., ~**paar** n engaged couple; am Hochzeitstag: bride and bridegroom.
**brav** adj. honest; artig: good.
**Brecheisen** n crowbar; (burglar's) jemmy, Am. a. jimmy.
**brechen 1.** v/t. break; Strahlen etc.: refract; Steine: quarry; er~: vomit; sich ~ opt. be refracted; sich den Arm ~ break one's arm; **2.** v/i. break; zer~: break, get broken; Knochen: break, fracture; vomit; mit j-m ~ break with s.o.
**Brech|reiz** m nausea; ~**ung** opt. f refraction.
**Brei** m paste; ~**masse**: pulp; Mus: mash; Kinder2: pap; Hafer2: porridge; Reis2 etc.: pudding; 2**ig** adj. pasty; pulpy; pappy.
**breit** adj. broad, wide; zehn Meter ~ ten metres wide; ~**beinig** adj. with legs wide apart.
**Breite** f breadth, width; ast., geogr. latitude; 2n v/t. spread; ~**ngrad** m degree of latitude; ~**nkreis** m parallel (of latitude).
**breit|machen** v/refl. spread o.s., take up room; ~**schlagen** v/t.: F j-n ~ persuade s.o.; F j-n zu et. ~ talk s.o. into (doing) s.th.; 2**seite** ♣ f broadside.
**Bremse** f zo. gad-fly, horse-fly; ⊕ brake; 2n v/i. brake, put on the brake(s); ab~: slow down; **2.** v/t. brake, put on the brake(s) to; slow down; fig. curb.
**Brems|pedal** n brake pedal; ~**weg** m braking distance.
**brenn|bar** adj. combustible, inflammable; ~**en 1.** v/t. burn; Schnaps: distil(l); Ziegel: bake; **2.** v/i. burn; in Flammen stehen: be ablaze, be on fire; Wunde, Augen: smart, burn; Nessel: sting; F darauf ~ zu inf. be burning to inf.; es brennt! fire!

**Brenn|er** m Gas2 etc.: burner; ~**essel** ⚘ f stinging nettle; ~**holz** n firewood; ~**material** n fuel; ~**punkt** m focus, focal point; ~**stoff** m combustible; mot. fuel.
**brenzlig** fig. adj. dangerous; heikel: precarious.
**Bresche** f breach (a. fig.), gap.
**Brett** n board; dickes: plank; Schrank2: shelf; Sprung2: springboard.
**Brezel** f pretzel.
**Brief** m letter; ~**bogen** m (sheet of) notepaper; ~**karte** f correspondence card; ~**kasten** m letter-box, pillar-box, Am. mailbox; 2**lich** adj. u. adv.: by letter; ~**marke** f (postage) stamp; ~**markensammlung** f stamp-collection; ~**ordner** m letter-file; ~**papier** n notepaper; ~**porto** n postage; ~**tasche** f wallet; ~**taube** f carrier pigeon; ~**träger** m postman, Am. mailman; ~**umschlag** m envelope; ~**wechsel** m correspondence.
**Brikett** n briquet(te).
**Brillant 1.** m brilliant, cut diamond; **2.** 2 adj. brilliant; ~**ring** m diamond ring.
**Brille** f (e-e a pair of) glasses pl. od. spectacles pl.; Schutz2: goggles pl.; Klosett2: lavatory seat; ~**nträger** m person who wears glasses.
**bringen** v/t. bring; fort~, hin~: take; Opfer: make; Zinsen: yield; nach Hause ~ see s.o. home; in Ordnung ~ put in order; an den Mann ~ dispose of, get rid of; j-n dazu ~, et. zu tun make od. get s.o. to do s.th.; et. mit sich ~ involve s.th.; j-n um et. ~ deprive s.o. of s.th.; j-n zum Lachen ~ make s.o. laugh.
**Brise** f breeze.
**Brit|e** m Briton. Am. a. Britisher; die ~n pl. the British pl.; 2**isch** adj. British.
**bröckeln** v/i. crumble.
**Brocken** m piece; Erd2, Stein2: lump; Bissen: morsel; F ein harter ~ a hard nut.
**Brombeere** f blackberry.
**Bronchi|en** f/pl. bronchi(a) pl.; ~**tis** 🏥 f bronchitis.
**Bronze** f bronze.

**Brosche** f brooch.
**broschiert** adj. Buch: paper-backed, paper-bound; Gewebe: figured.
**Broschüre** f booklet, brochure, pamphlet.
**Brot** n bread; Laib: loaf; sein ~ verdienen earn one's living; **~aufstrich** m spread.
**Brötchen** n roll.
**Brot|rinde** f crust; **~schnitte** f slice of bread; **~teig** m bread dough.
**Bruch** m Brechen: break(ing); Knochen♀: fracture; ♂ hernia; Riß: crack; Knick im Papier: fold; Falte: crease; in Seide: split; ♭ fraction; e-s Versprechens: breach; des Eides, e-s Gesetzes etc.: violation.
**brüchig** adj. fragile, brittle; Stimme: cracked.
**Bruch|landung** ♐ f crash-landing; **~rechnung** f fractional arithmetic, F fractions pl.; **~strich** m fraction bar; **~stück** n fragment (a. fig.); **~teil** m fraction; im ~ e-r Sekunde in a split second; **~zahl** f fraction(al) number.
**Brücke** f bridge (a. Sport); Teppich: rug; e-e ~ schlagen über build od. throw a bridge across; bridge; **~npfeiler** m pier.
**Bruder** m brother; eccl. (lay) brother, friar; **~krieg** m civil war.
**brüderlich** 1. adj. brotherly, fraternal; 2. adv.: ~ teilen share and share alike; **♀keit** f brotherliness, fraternity.
**Brüh|e** f Fleisch♀: broth; klare Fleisch♀: beef tea; Suppengrundlage: stock; F dirty water; F Getränk: dishwater; **♀heiß** adj. scalding hot; **~würfel** m beef cube.
**brüllen** v/i. roar, bellow; Rinder: low; Stier: bellow; vor Lachen ~ roar with laughter; **~d** adj.: **~es** Gelächter roar of laughter.
**brumm|en** v/i. Person: mumble; Tier: growl; Insekt: buzz; Motor: buzz, purr; fig. growl, grumble; mir brummt der Schädel my head is buzzing; **~ig** adj. grumbling.
**brünett** adj. brunette.
**Brunft** hunt. f rut; rutting season.
**Brunnen** m well; Quelle: spring; Spring♀: fountain; e-n ~ graben sink a well.

**Brunst** zo. f des männlichen Tieres: rut, des weiblichen Tieres: heat.
**brünstig** zo. adj. rutting, in heat.
**Brust** f breast; **~kasten**: chest, anat. thorax; (woman's) breast(s pl.), bosom; **~bild** n half-length portrait.
**brüsten** v/refl. boast, brag.
**Brust|fell** anat. n pleura; **~fellentzündung** ♣ f pleurisy; **~kasten** m, **~korb** m chest, anat. thorax; **~schwimmen** n breast-stroke.
**Brüstung** f balustrade, parapet.
**Brustwarze** anat. f nipple.
**Brut** f brooding; brood, hatch; Fisch♀: fry; F fig. brood, (bad) lot.
**brutal** adj. brutal; **♀ität** f brutality.
**Brutapparat** zo. m incubator.
**brüten** v/i. brood, sit (on eggs), incubate; ~ über brood over.
**Brutkasten** ♂ m incubator.
**brutto** ✝ adv. gross; **♀verdienst** m gross earnings pl.
**Bube** m boy, lad; Schurke: rogue, scoundrel; Kartenspiel: knave, jack.
**Buch** n book; **~binder** m (book-) binder; **~drucker** m printer; **~druckerei** f printing-office, Am. print shop; Gewerbe: printing.
**Buche** ♀ f beech.
**buchen** v/t. Flug etc.: book; ✝ eintragen: book, enter in the books; et. als Erfolg ~ count s.th. as a success.
**Bücher|brett** n bookshelf; **~ei** f library; **~freund** m book-lover, bibliophil(e); **~schrank** m bookcase.
**Buch|fink** orn. m chaffinch; **~halter** m book-keeper; **~haltung** f book-keeping; **~händler** m bookseller; **~handlung** f bookshop, Am. bookstore.
**Büchse** f box, case; Blech♀: tin, Am. can; Gewehr: rifle; **~nfleisch** n tinned (Am. canned) meat; **~nöffner** m tin-opener, Am. can opener.
**Buchstab|e** m letter, character; typ. type; **♀ieren** v/t. spell.
**buchstäblich** adv. literally, word for word.
**Bucht** f bay; kleiner: creek, inlet.
**Buchung** f booking, reservation; Buchhaltung: entry.
**Buckel** m Höcker: hump, hunch; humpback, hunchback; Verzierung: boss, stud, knob; **♀ig** adj. s. bucklig.

**bücken** *v/refl.* bend (down), stoop.

**bucklig** *adj.* humpbacked, hunch-backed.

**Bückling** *m* bloater; *fig.* bow.

**Bude** *f Verkaufs*♀: stall, booth; hut; F: den; (student's, *etc.*) digs *pl.*

**Budget** *n* budget.

**Büfett** *n* sideboard, buffet; *Schanktisch*: buffet, bar, *Am. a.* counter; *kaltes* ~ buffet supper *od.* lunch.

**Büffel** *zo. m* buffalo.

**Bug** *m* ♣ bow; ♐ nose.

**Bügel** *m Brillen*♀ *etc.*: bow; *e-r Handtasche etc.*: handle; *Kleider*♀: coat-hanger, clothes-hanger; *Steig*♀: stirrup; **~brett** *n* ironing-board; **~eisen** *n* (flat-)iron; **~falte** *f* crease; **♀n** *v/t. Hemd etc.*: iron; *Anzug, Rock etc.*: press.

**Bühne** *f* platform (a. ⊕); *thea.* stage; *die politische* ~ the political scene; **~nanweisungen** *f/pl.* stage directions *pl.*; **~nbild** *n* stage design; setting.

**Bull|auge** ♣ *n* porthole, bull's eye; **~dogge** *zo. f* bulldog.

**Bulle 1.** *zo. m* bull; **2.** *eccl. f* bull.

**Bummel** F *m* stroll; spree; **~ei** *f* dawdling; *Nachlässigkeit*: negligence; **♀n** *v/i.* stroll, saunter; *trödeln*: dawdle, waste time; **~streik** *m* go-slow (strike), *Am.* slowdown; **~zug** F *m* slow train, *Am.* way train, local.

**Bund 1.** *m* (waist-, neck-, wrist-)band; *pol.* union, federation, confederacy; **2.** *n Stroh*♀, *Heu*♀: bundle, truss; *Radieschen etc.*: bunch; **3.** *m, n Schlüssel*♀: bunch.

**Bündel** *n* bundle, bunch; **♀n** *v/t.* make into a bundle, bundle up.

**Bundes|...:** *in Zssgn* federal ...; **~bahn** *f* Federal Railway(s *pl.*); **~genosse** *m* ally; **~kanzler** *m* Federal Chancellor; **~post** *f* Federal Postal Administration; **~präsident** *m* President of the Federal Republic; **~rat** *m* Bundesrat, Upper House of German Parliament; **~republik** *f* Federal Republic; **~staat** *m einzelner*: federal state; *Gesamtheit der einzelnen*: confederation; **~tag** *m* Bundestag, Lower House of German Parliament.

**ündig** *adj. Stil, Rede*: concise, to the point, terse.

**ündnis** *n* alliance.

**Bunker** *m* air-raid shelter.

**bunt** *adj.* (multi-)colo(u)red, colo(u)rful; *mehrfarbig*: motley; **~gefleckt**: variegated; *lebhaft gefärbt*: bright, gay; *fig.*: mixed, motley; full of variety; **♀druck** *m* colo(u)rprint(ing); **♀stift** *m* colo(u)red pencil, crayon.

**Bürde** *f* burden (a. *fig.*: für j-n to s.o.), load.

**Burg** *f* castle.

**Bürge** *m* guarantee, 🏛 guarantor, surety; bail; *für Einwanderer*: sponsor; **♀n** *v/i.*: für j-n ~ 🏛 stand guarantee *od.* surety *od.* bail for s.o., *Am. a.* bond s.o.; vouch *od.* answer for s.o.; sponsor s.o.; *für et.* ~ guarantee s.th.; vouch *od.* answer for s.th.

**Bürger** *m* citizen; **~krieg** *m* civil war.

**bürgerlich** *adj.* civic, civil; **~e** *Küche* plain cooking; **♀e** *m* commoner.

**Bürger|meister** *m* mayor; **~recht** *n* civic rights *pl.*; citizenship; **~steig** *m* pavement, *Am.* sidewalk.

**Bürgschaft** *f* guarantee, 🏛 guaranty; *Kaution*: a. bail.

**Büro** *n* office; **~angestellte** *m, f* clerk; **~arbeit** *f* office-work; **~klammer** *f* (paper-)clip; **~krat** *m* bureaucrat; **~kratie** *f* bureaucracy; *herabsetzend*: red tape; **~stunden** *f/pl.* office hours *pl.*; **~vorsteher** *m* head *od.* senior clerk.

**Bursche** *m* boy, lad, F chap, *Am. a.* guy; F: *ein übler* ~ a bad lot.

**burschikos** *adj.* free and easy; *bsd. Mädchen*: boyish, unaffected, hearty.

**Bürste** *f* brush; **♀n** *v/t.* brush.

**Bus** *m* s. *Omnibus*.

**Busch** ♀ *m* bush, shrub.

**Büschel** *n* bunch; *Haare*: tuft, handful; *Stroh, Haare etc.*: wisp.

**busch|ig** *adj. Augenbrauen etc.*: bushy; covered with bushes, bushy; **♀messer** *n* bushknife; machete.

**Busen** *m* bosom, breast(s *pl.*); *fig.* bosom, heart; *Meer*♀: bay, gulf; **~freund** *m* bosom friend.

**Bussard** *orn. m* buzzard.

**Buße** *f Sühne*: atonement, penance; *Reue*: repentance; *Geld*♀: fine; ~ *tun* do penance.

**büße|n 1.** *v/t.* expiate, atone for;

das sollst du mir ~! you'll pay for that!; **2.** v/i. atone, pay (für for); **2r** m penitent.

**Büste** f bust; **~nhalter** m brassière, F bra.

**Butter** f butter; **~blume** ♀ f

buttercup; **~brot** n (slice od. piece of) bread and butter; F: für ein ~ for a song; **~brotpapier** n grease-proof paper; **~dose** f butter-dish; **~faß** n butter-churn; **~milch** f buttermilk; **2n** v/i. churn.

# C

**Café** n café, coffee-house.

**Cape** n cape.

**Cell|ist** ♪ m violoncellist, 'cellist; **~o** ♪ n violoncello, 'cello.

**Celsius:** 5 *Grad* ~ *(abbr. 5° C)* five degrees centigrade.

**Champagner** m champagne.

**Champignon** ♀ m champignon, (common) mushroom.

**Chance** f chance; *keine* ~ *haben* not to stand a chance; *sich eine* ~ *entgehen lassen* miss a chance od. an opportunity; *die* ~n *sind gleich* the chances od. odds are even.

**Chaos** n chaos.

**Charakter** m character, nature; **2fest** adj. of firm od. strong character; **2isieren** ~/r characterize, describe (*als* as); **~istik** f characterization; **2istisch** adj. characteristic od. typical (für of); **2lich** adj. of od. concerning (the) character; **2los** adj. characterless, without (strength of) character, spineless; **~zug** m characteristic, feature, trait.

**charm|ant** adj. charming, winning; **2e** m charm, grace.

**Chassis** n mot., Radio: frame, chassis.

**Chauffeur** m chauffeur, driver.

**Chaussee** f highway, (high) road.

**Chef** m head, chief; ✝ principal, employer, F boss.

**Chem|ie** f chemistry; **~iefaser** f chemical fib|re, Am. -er; **~ikalien** f/pl. chemicals pl.; **~iker** m (analytical) chemist; **2isch** adj. chemical.

**Chiffr|e** f number; Geheimschrift: code, cipher; *in e-r Anzeige:* box number; **2ieren** v/t. verschlüsseln:

cipher, code, write in code od. cipher.

**Chines|e** m Chinese, contp. Chinaman; **2isch** adj. Chinese.

**Chinin** 🜪 n quinine.

**Chirurg** m surgeon; **~ie** f surgery; **2isch** adj. surgical.

**Chlor** 🜪 n chlorine; **2en** v/t. chlorinate.

**Chloroform** 🜪 n chloroform; **2ieren** ⚗ v/t. chloroform.

**Cholera** ⚗ f cholera.

**cholerisch** adj. choleric, irascible.

**Chor** m, △ a. n chancel, choir; *Orgelempore:* (organ-)loft; *im Drama:* chorus; *Sänger2:* choir, chorus; *Gesangsstück:* chorus; **~al** m choral(e), hymn; **~gesang** m choral singing.

**Christ** m Christian; **~baum** m Christmas-tree; **~enheit** f: die ~ Christendom; **~entum** n Christianity; **~kind** n Christ-child, Infant Jesus; **2lich** adj. Christian.

**Chrom** n chromium.

**Chronik** f chronicle.

**chronisch** adj. Krankheit: chronic.

**Chronist** m chronicler.

**chronologisch** adj. chronological.

**circa** adv. about, approximately.

**Clique** f clique, set, group, coterie; **~nwirtschaft** f cliquism.

**Conférencier** m compère, Am. master of ceremonies.

**Corner** östr. m Sport: corner, [corner-kick.]

**Couch** f couch.

**Coupé** mot. n coupé.

**Cousin** m, **~e** f cousin.

**Creme** f cream (a. fig.).

**Cut(away)** m cutaway (coat), morning coat.

# D

**da 1.** *adv. räumlich:* there; there, here, present; *zeitlich:* then, at that time; ~ **bin ich** here I am; ~ **haben wir's!** there we are!; *von* ~ (*an*) from there; ~ **erst** only then, not till then; *von* ~ *an* from that time (on), since then; *hier und* ~ now and then *od.* again; **2.** *cj. zeitlich:* when, as; *begründend:* as, since, because; ~ **ich krank war, konnte ich nicht kommen** as *od.* since I was ill I couldn't come.

**dabei** *adv.* near it *od.* them; *im Begriffe:* about, going (*zu inf.* to *inf.*); *außerdem:* besides; *doch:* nevertheless, yet; *was ist schon* ~? what does it matter?; what is so remarkable about it?; *es ist nichts* ~ there is no harm in it; it's nothing extraordinary; ~ **bleiben** stick to one's point; ~**bleiben** *v/i.* stay with it *od.* them; ~**sein** *v/i.* be present *od.* there; ~**stehen** *v/i.* stand by *od.* near.

**dableiben** *v/i.* stay, remain.

**Dach** *n* roof; *fig.* shelter; ~**decker** *m* roofer; *mit Ziegeln:* tiler; *mit Schiefer:* slater; ~**garten** *m* roof-garden; ~**kammer** *f* attic, garret; ~**pappe** *f* roofing felt; ~**rinne** *f* gutter, eaves *pl.*

**Dachs** *zo. m* badger.

**Dach|stube** *f* attic, garret; ~**stuhl** *m* roof framework.

**dadurch** *adv.* for this reason, in this way, thus; *auf solche Weise:* by it, by that; ~, *daß* because, by *ger.*

**dafür** *adv.* for it, for that; *anstatt:* instead; *als Gegenleistung:* in return, in exchange; ~ **sein** be in favo(u)r of it; ~ **sein** *zu inf.* be for *ger.*, be in favo(u)r of *ger.*; **er kann nichts** ~ it is not his fault; ~ **sorgen, daß** see to it that.

**dagegen 1.** *adv.* against it *od.* that; *Vergleich:* in comparison with it, compared to it; ~ **sein** be against it, be opposed to it; **ich habe nichts** ~ I have no objection (to it); **2.** *cj.* on the other hand, however.

**daheim** *adv.* at home.

**daher 1.** *adv.* from there; *bei Verben der Bewegung:* along; *fig. Ursache:* from this, hence; ~ **kam**

---

**es, daß** thus it happened that; **2.** *cj.* therefore, that is (the reason) why.

**dahin** *adv. räumlich:* there, to that place; *bei Verben der Bewegung:* along; *vergangen:* gone, past; *j-n* ~ **bringen, daß** induce s.o. to *inf.*

**dahinter** *adv.* behind it *od.* that, at the back of it; **es steckt nichts** ~ there is nothing in it; ~**kommen** *v/i.* find out about it.

**damal|ig** *adj.* then, of that time; ~**s** *adv.* then, at that time.

**Damast** *m* damask.

**Dame** *f* lady; *beim Tanz:* partner; *Kartenspiel, Schach:* queen.

**Damen|binde** *f* (woman's) sanitary towel, *Am.* sanitary napkin; ~**doppel** *n Tennis:* women's doubles *pl.*; ~**einzel** *n Tennis:* women's singles *pl.*; ♀**haft** *adj.* ladylike; ~**mannschaft** *f Sport:* women's team.

**damit 1.** *adv.* with it *od.* that, therewith, herewith; *mittels:* by it, with it; **was will er** ~ **sagen?** what does he mean by it?; **wie steht es** ~? how about it?; ~ **einverstanden sein** agree to it; **2.** *cj.* (in order) that, in order to *inf.*; **so** (that); ~ **nicht** lest; for fear that (*alle mit Konjunktiv*).

**Damm** *m Stau♀:* dam; *Deich:* dike, dyke; *fig.* barrier.

**dämmer|ig** *adj.* dim; ♀**licht** *n* twilight; ~**n** *v/i.* dawn (*a.* F *fig.:* *j-m* on s.o.); **grow dark** *od.* **dim**; ♀**ung** *f* twilight, dusk; *Morgen♀:* dawn.

**Dämon** *m* demon; ♀**isch** *adj.* demoniac(al).

**Dampf** *m* steam, vapo(u)r; ~**bad** *n* vapo(u)r-bath; ♀**en** *v/i.* steam.

**dämpfen** *v/t. Lärm, Stoß etc.:* deaden; *Klang:* muffle; *Licht, Farbe:* soften; *Stoff:* steam; *Eifer etc.:* damp (*a.* ♪, ♫, *phys.*); *Gefühle etc.:* suppress, curb; *s.* **dünsten 1.**

**Dampf|er** *m* steamer, steamship; ~**heizung** *f* steam-heating; ~**kessel** *m* steam-boiler; ~**maschine** *f* steam-engine; ~**schiff** *n* steamer, steamship; ~**walze** *f* steam-roller.

**danach** *adv.* after it *od.* that;

*später*: afterwards; *entsprechend*: accordingly; *ich fragte ihn ~ I* asked him about it.

**Däne** *m* Dane.

**daneben** *adv.* next to it *od.* that, beside it *od.* that; *außerdem*: besides, moreover; *am Ziel vorbei*: wide of the mark; **~gehen** F *v/i.* *Kugel etc.*: miss (the target); *Bemerkung etc.*: miss its effect, F misfire.

**dänisch** *adj.* Danish.

**Dank 1.** *m* thanks *pl.*; **~barkeit**: gratitude; *Gott sei ~!* thank God!; **2.** ♀ *prp.* owing *od.* thanks to; ♀**bar** *adj.* thankful, grateful (*j-m to s.o.*; *für* for); *lohnend*: profitable; ♀**en** *v/i.* thank (*j-m für et. s.o. for s.th.*); *danke* (*schön*) thank you (very much); (*nein*), *danke* no, thank you; *nichts zu ~* don't mention it; ♀**enswert** *adj.* deserving (of thanks); *Aufgabe etc.*: rewarding, worthwhile.

**dann** *adv.* then; *~ und wann* (every) now and then.

**daran** *adv.* at (by, in, on, to) it *od.* that; *nahe ~ sein zu inf.* be on the point *od.* verge of *ger.*; **~gehen** *v/i.* set to work; set about *ger.*

**darauf** *adv.* *räumlich*: on (top of) it *od.* that; *zeitlich*: thereupon, after that; *am Tage ~* the day after, the next *od.* following day; *zwei Jahre ~* two years later; *~ kommt es an* that's what matters; **~hin** *adv.* thereupon.

**daraus** *adv.* out of it *od.* that, from it *od.* that; *~ folgt* hence it follows; *was ist ~ geworden?* what has become of it?

**darbiet|en** *v/t.* offer, present; *vorführen*: perform; ♀**ung** *f thea., etc.*: performance.

**darein** *adv.* into it *od.* that; **~finden** *v/refl.* put up with it; **~reden** *v/i.* interrupt; *fig.* interfere.

**darin** *adv.* in it *od.* that; in there.

**darlegen** *v/t.* explain, point out.

**Darlehen** *n* loan.

**Darm** *m* gut, *anat.* intestine; *Därme pl.* intestines *pl.*, bowels *pl.*

**darstell|en** *v/t.* represent; describe, show; *thea. Rolle*: interpret, represent; *graphisch*: graph, plot; ♀**er** *thea. m* actor; singer; ♀**ung** *f* representation; *thea. a.* performance.

**darüber** *adv.* over it *od.* that; *quer*: across it; *zeitlich*: in the meantime; *~ werden Jahre vergehen* it will take years; *wir sind ~ hinweg* we got over it; *ein Buch ~ schreiben* write a book about it.

**darum 1.** *adv.* around it *od.* that; *er kümmert sich nicht ~* he does not care; *es handelt sich ~ zu inf.* the point is to *inf.*; **2.** *cj.* therefore, for that reason; *~ ist er nicht gekommen* that's (the reason) why he hasn't come.

**darunter** *adv.* under it *od.* that; beneath it; *dazwischen*: among them; *weniger*: less; *was verstehst du ~?* what do you understand by it?

**das** *s.* der.

**dasein 1.** *v/i.* be there *od.* present; *vorhanden sein*: exist; **2.** ♀ *n* existence, being, life.

**daß** *cj.* that; *~ nicht* lest; *es sei denn, ~* unless; *ohne ~* without *ger.*; *nicht ~ ich wüßte* not that I know of.

**dastehen** *v/i.* stand (there).

**Daten** *pl.* data *pl.* (*a.* ⊕), facts *pl.*; *Personalangaben*: particulars *pl.*; **~verarbeitung** *f* data processing.

**datieren** *v/t. u. v/i.* date.

**Dativ** *gr. m* dative (case).

**Dattel** *f* date.

**Datum** *n* date.

**Dauer** *f* length, duration; *Fort*♀: continuance; *auf die ~* in the long run; *für die ~ von* for a period *od.* term of; *von ~ sein* last; ♀**haft** *adj.* *Friede etc.*: lasting; *Material etc.*: durable; *Farbe etc.*: fast; **~lauf** *m* endurance run; ♀**n** *v/i.* continue, last; *Zeitaufwand*: take; **~welle** *f* permanent wave, F perm.

**Daumen** *m* thumb; *j-m den ~ halten* keep one's fingers crossed (for s.o.).

**Daune** *f*: *~(n pl.)* down; **~ndecke** *f* eider-down (quilt).

**davon** *adv.* of it *od.* that; thereof; (away) from it *od.* that; *fort, weg*: off, away; *darüber*: about it; *was habe ich ~?* what do I get?; *das kommt ~!* it serves you right!; **~kommen** *v/i.* escape, get off; **~laufen** *v/i.* run away.

**davor** *adv.* before it *od.* that, in front of it *od.* that; *er fürchtet sich ~* he is afraid of it.

**dazu** *adv.* to it *od.* that; *zu diesem Zweck*: for it *od.* that, for that purpose; *außerdem*: in addition; *noch* ~ at that; ~ *gehört Zeit* it requires time; **~gehörig** *adj.* belonging to it; appear (on the scene): find time.

**dazwischen** *adv.* between them, (in) between; **~kommen** *v/i. Ereignis*: intervene, happen.

**Debatt|e** *f* debate; **2ieren 1.** *v/t.* discuss, debate; **2.** *v/i.* debate (*über* on).

**Debüt** *n* first appearance, début.

**dechiffrieren** *v/t.* decipher, decode.

**Deck** ♣ *n* deck.

**Decke** *f* cover(ing); *Woll2*: blanket; *Reise2*: (travel[l]ing) rug; *Zimmer2*: ceiling; ~*l* *m* lid, cover; *Buch2*: (book-)cover; **2n 1.** *v/t.* cover; *den Tisch* ~ lay the table; **2.** *v/i. Farbe*: cover. [security.]

**Deckung** *f* cover; † *Sicherheit*:}

**defekt 1.** *adj.* defective, faulty; **2. 2** *m* defect, fault.

**defin|ieren** *v/t.* define; **2ition** *f* definition.

**Defizit** † *n* deficit, deficiency.

**Degen** *m* sword; *Fechten*: épée.

**degradieren** *v/t.* degrade.

**dehn|bar** *adj.* extensible; elastic; *Begriff etc.*: vague; **~en** *v/t.* extend; *elastisch*: stretch.

**Deich** *m* dike; dyke.

**Deichsel** *f* pole, shaft.

**dein** *poss. pron.* your; *der (die, das)* ~*e* yours; *die Deinen pl.* your family; **~erseits** *adv.* on your part; **~esgleichen** *pron.* your own kind; your kind, ⊢ the like(s) of you.

**Dekan** *eccl., univ. m* dean.

**deklamieren** *v/t. u. v/i.* recite.

**Deklin|ation** *gr. f* declension; **2ieren** *gr. v/t.* decline.

**Dekor|ateur** *m* decorator; *Schaufenster2*: window-dresser; *thea.* scene-painter; **~ation** *f* decoration; (window-)dressing; *thea.* scenery; **2ieren** *v/t.* decorate; dress.

**Dekret** *n* decree.

**delikat** *adj.* delicate (*a. fig.*); *köstlich*: delicious; *fig.* ticklish; **2esse** *f* delicacy (*a. fig.*); *Leckerbissen*: a. dainty.

**Delphin** *zo. m* dolphin.

**dementieren** *v/t.* deny.

**dem|entsprechend, ~gemäß** *adv.* correspondingly, accordingly; **~nach** *adv.* therefore; **~nächst** *adv.* soon, shortly, before long.

**Demokrat** *m* democrat; **~ie** *f* democracy; **2isch** *adj.* democratic.

**demolieren** *v/t.* demolish.

**Demonstr|ant** *m* demonstrator; **~ation** *f* demonstration; **2ieren** *v/t. u. v/i.* demonstrate.

**demontieren** *v/t.* dismantle.

**Demut** *f* humility, humbleness.

**demütig** *adj.* humble; **~en** *v/t.* humble, humiliate.

**denk|bar 1.** *adj.* conceivable, imaginable; **2.** *adv.*: ~ *einfach* most simple; **~en 1.** *v/i.* think; ~ *an* think of; *sich erinnern*: remember; ~ *über* think about; **2.** *v/t.* think; *sich et.* ~ imagine s.th.; *das habe ich mir gedacht* I thought as much; **2mal** *n* monument; *Ehrenmal*: memorial; **~würdig** *adj.* memorable; **2zettel** *fig. m* lesson.

**denn 1.** *cj.* for, because; *es sei* ~, *daß* unless, except; *wieso* ~? how so?; **2.** *Vergleichspartikel*: *mehr* ~ *je* more than ever.

**dennoch** *cj.* yet, still, nevertheless, *am Satzende*: though.

**Denunzi|ant** *m* informer; **2eren** *v/t.* inform against, denounce.

**deponieren** *v/t.* deposit.

**der, die, das 1.** *art.* the; **2.** *dem. pron.* that, this; he, she, it; *die pl.* these, those, they; **3.** *rel. pron.* who, which, that.

**derartig** *adj.* such, of this *od.* that kind.

**derb** *adj.* coarse, rough; *Schuhe etc.*: stout, strong; *Person*: sturdy; rough; *Benehmen etc.*: crude, rough, coarse; *Ausdrucksweise*: blunt, unrefined; *Witz, Scherz*: broad, coarse.

**dergleichen** *dem. pron.*: *nichts* ~ nothing of the kind.

**der-, die-, dasjenige** *dem. pron.* he, she, that; *diejenigen pl.* those.

**der-, die-, dasselbe** *dem. pron.* the same; he, she, it.

**Desert|eur** *m* deserter; **2ieren** *v/i.* desert.

**deshalb 1.** *cj.* for this *od.* that reason, therefore; **2.** *adv.*: *ich tat es nur* ~, *weil* I did it only because.

**desinfizieren** *v/t.* disinfect.

**destillieren** *v/t.* distil.

**desto** *cj.* (all, so much) the; ~ *besser* all the better; ~ *erstauner* (all) the more astonished.

**deswegen** *cj. u. adv. s.* deshalb.

**Detail** *n* detail.

**Detektiv** m detective.

**deuten 1.** v/t. interpret; *Sterne, Traum:* read; **2.** v/i.: ~ *auf* point at.

**deutlich** adj. clear, distinct, plain.

**deutsch** adj. German; 2e m, f German.

**Devise** f motto; ~n pl. ♱ foreign exchange od. currency.

**Dezember** m December.

**dezent** adj. decent, modest; *Benehmen:* decent, proper; *Musik, Farben:* soft; *Licht:* soft, subdued.

**dezimal** adj. decimal; 2bruch m decimal fraction; 2stelle f decimal place.

**dezimieren** v/t. decimate.

**Diadem** n diadem.

**Diagnose** f diagnosis.

**diagonal** adj. diagonal; 2e f diagonal.

**Dialekt** m dialect.

**Dialog** m dialogue, Am. a. dialog.

**Diamant** m diamond.

**Diät 1.** f diet; **2.** 2 adv.: ~ *leben* live on a diet.

**dich** pers. pron. you; ~ (*selbst*) yourself.

**dicht 1.** adj. *Nebel, Regen etc.:* dense; *Nebel, Wald, Haar:* thick; *Augenbraue:* bushy, thick; *Menge:* thick, dense; *Schuhe etc.:* (water)tight; **2.** adv.: ~ *an* od. *bei* close to.

**dicht|en 1.** v/t. compose, write; **2.** v/i. compose od. write poetry; 2er m poet; author; ~erisch adj. poetic(al); 2kunst f poetry.

**Dichtung**[1] ⊕ f seal(ing).

**Dichtung**[2] f poetry; *Prosa*2: fiction; poem, poetic work.

**dick** adj. thick; *Buch:* thick, bulky; *Person:* fat, stout; 2e f thickness; bulkiness; *Leibesumfang:* fatness, stoutness; ~flüssig adj. thick; viscid, viscous, syrupy; 2icht n thicket; 2kopf m stubborn person, F pigheaded person.

**die** s. *der*.

**Dieb** m thief.

**Diebstahl** m theft, ⚖ mst larceny.

**Diele** f *Brett:* board, plank; *Vorraum:* hall, Am. a. hallway.

**dienen** v/i. serve (j-m s.o.; *als* as; *zu* for; *dazu, zu inf.* to *inf.*); *womit kann ich* ~? what can I do for you?

**Diener** m (man-, domestic) servant; *fig.* bow (vor to); ~in f (woman-)servant, maid; ~schaft f servants pl.

**Dienst** m service (a. ~leistung);

*Amtsleistung:* duty; *Stelle:* employment; ~ *haben* be on duty; *im* (*außer*) ~ on (off) duty.

**Dienstag** m Tuesday.

**Dienst|alter** n seniority, length of service; ~bote m domestic (servant), Am. a. help; 2eifrig adj. (over-)eager; 2frei adj. off duty; ~er Tag day off; ~leistung f service; 2lich adj. official; ~mädchen n maid, Am. a. help; ~stunden f/pl. office hours pl.; 2tuend adj. on duty; ~weg m official channels pl.; ~wohnung f official residence.

**dies(er, -e, -es)** dem. pron. this; *diese pl.* these; *alleinstehend:* this one; he, she, it; *diese pl.* they.

**dies|jährig** adj. of this year, this year's; ~mal adv. this time; for (this) once; ~seits prp. on this side of.

**Dietrich** m picklock.

**Differenz** f difference; *Unstimmigkeit:* a. disagreement.

**Diktat** n dictation; *nach* ~ at od. from dictation; ~or m dictator; 2orisch adj. dictatorial; ~ur f dictatorship.

**diktieren** v/t. u. v/i. dictate.

**Dilettant** m dilettante, amateur.

**Ding** n thing; *guter* ~e in good spirits; *vor allen* ~en above all.

**Diphtherie** ♲ f diphtheria.

**Diplom** n diploma, certificate.

**Diplomat** m diplomat, diplomatist (a. *geschickter Verhandler*); ~ie f diplomacy; 2isch adj. diplomatic (a. *fig.*). [yourself.)

**dir** pers. pron. (to) you; ~ (*selbst*))

**direkt 1.** adj. direct; ~er Wagen 🚃 through carriage, Am. through car; **2.** adv. direct(ly); 2ion f *Leitung:* direction; *Verwaltung:* management; *Vorstand:* board of directors; 2or m director, manager; *geschäftsführender:* managing director; *Schul*2: headmaster, Am. principal; 2orin f headmistress, Am. principal; 2rice f directress, manageress.

**Dirig|ent** ♪ m conductor; 2ieren ♪ v/t. u. v/i. conduct.

**Dirne** f prostitute.

**Disharmoni|e** f ♪ disharmony, dissonance (*beide a. fig.*); 2sch adj. discordant, dissonant.

**Diskont** ♱ m discount.

**diskret** adj. discreet; 2ion f discretion.

**Disku|ssion** f discussion, debate; **2tieren 1.** v/t. discuss, debate; **2.** v/i.: ~ über discuss s.th.

**dispo|nieren** v/i. make arrangements, plan ahead; *verfügen*: dispose (über or); **2sition** f disposition, arrangement; disposal.

**Distanz** f distance (a. fig.); **2ieren** v/refl.: sich ~ von dis(as)sociate o.s. from.

**Distel** ♀ f thistle.

**Distrikt** m district.

**Disziplin** f discipline.

**Divid|ende** ✝ f dividend; **2ieren** v/t. divide (durch by).

**doch** cj. but, though; however, yet; *bist du noch nicht fertig?* — ~! aren't you ready yet? — yes, I am; *also* ~! I knew it!, I was right after all!; *komm* ~ *herein!* do come in!; *nicht* ~! don't!

**Docht** m wick.

**Dock** ⚓ n dock.

**Dogge** zo. f Great Dane.

**Dohle** orn. f (jack)daw.

**Doktor** m doctor.

**Dokument** n document; ⚡ instrument; **~arfilm** m documentary (film).

**Dolch** m dagger.

**Dollar** m dollar.

**Dolmetsch** östr. m s. Dolmetscher.

**Dolmetscher** m interpreter.

**Dom** m cathedral.

**Domäne** f domain; fig. a. province.

**Donner** m thunder; **2n** v/i. thunder (a. fig.); **~schlag** m thunderclap (a. fig.); **~stag** m Thursday; **~wetter** n thunderstorm; F fig. telling off; F: ~! my word!; F zum ~! confound it!, sl. damn it!

**Doppel** n duplicate; *Tennis etc.*: double, Am. doubles pl.; **~bett** n double bed; **~decker** m ✈ biplane; double-decker (bus); **~gänger** m double; **~punkt** m colon; **~stecker** ⚡ m two-way adapter; **2t 1.** adj. double; **2.** adv. doubly; twice; **~zentner** m quintal. [villager.]

**Dorf** n village; **~bewohner** m|

**Dorn** m thorn (a. fig.), prickle; e-r *Schnalle*: tongue; *an Rennschuhen*: spike; ⊕ punch; j-m ein ~ im Auge sein be a thorn in s.o.'s flesh od. side; **2ig** adj. thorny (a. fig.).

**dörr|en** v/t. dry; **2obst** n dried fruit.

**Dorsch** ichth. m cod(fish).

**dort** adv. there, over there; **~her** adv. from there; **~hin** adv. there, to that place.

**Dose** f box; *Konserven*⚡: tin, Am. can; **~nöffner** m tin-opener, Am. can opener.

**Dosis** f dose (a. fig.).

**Dotter** m, n yolk.

**Dozent** m (university) lecturer, Am. assistant professor.

**Drache** m dragon; **~n** m kite; fig. termagant, shrew, battle-axe.

**Draht** m wire; **2en** v/t. telegraph, wire; **2ig** fig. adj. wiry; **2los** adj. wireless; **~seilbahn** f funicular (railway); **~zieher** F fig. m wire-puller.

**drall** adj. plump, buxom.

**Drama** n drama; **~tiker** m dramatist, playwright; **2tisch** adj. dramatic.

**dran** F adv. s. daran; ich bin ~ it's my turn.

**Drang** m pressure, rush; fig. urge.

**drängen 1.** v/t. press (a. fig.), push; fig. urge; *Schuldner*: dun; *sich* ~ crowd, throng; **2.** v/i. press, be pressing od. urgent.

**drastisch** adj. drastic.

**drauf** F adv. s. darauf; ~ und dran sein zu inf. be on the point of ger.; **2gänger** m daredevil.

**draus** F adv. s. daraus.

**draußen** adv. outside; im Freien: out of doors; in der Fremde: abroad; auf See: out at sea.

**drechs|eln** v/t. turn; **2ler** m turner.

**Dreck** F m dirt; *Schlamm*: mud; *Unrat*: filth (a. fig.); fig. trash; **2ig** F adj. dirty; filthy.

**Dreh|bank** f lathe; **2bar** adj. revolving, rotating; **~bleistift** m propelling pencil; **~buch** n scenario, script; **~bühne** thea. f revolving stage; **2en** v/t. turn; Film: shoot; *Zigarette*: roll; sich ~ turn; es dreht sich darum zu inf. the point is to inf.; **~orgel** f barrel-organ; **~punkt** m ⊕ cent|re (Am. -er) of rotation, pivot (a. fig.); **~stuhl** m swivel-chair; **~tür** f revolving door; **~ung** f turn; um e-e Achse: rotation.

**drei** adj. three; **~beinig** adj. three-legged; **2eck** n triangle; **~eckig** adj. triangular; **~erlei** adj. three kinds of; **~fach** adj. threefold, treble, triple; **~jährig** adj. three-year-old; three-year; **~mal** adv. three times; **2meilenzone** ⚓ f

**Dreirad** 358

three-mile limit; ♀**rad** *n* tricycle; **~seitig** *adj.* three-sided, trilateral; **~silbig** *adj.* trisyllabic.

**dreißig** *adj.* thirty; **~ste** *adj.* thirtieth.

**dreist** *adj.* bold; *frech*: saucy.

**drei|stimmig** ♪ *adj.* for *od.* in three voices; **~tägig** *adj.* three-day; **~teilig** *adj.* in three parts; *Kostüm etc.*: three-piece; **~zehn(te)** *adj.* thirteen(th).

**dresch|en** *v/t. u. v/i.* thresh; *prügeln*: thrash; ♀**maschine** *f* threshing-machine.

**dressieren** *v/t.* train.

**drillen** ✕, *✗ v/t.* drill.

**Drillinge** *m/pl.* triplets *pl.*

**drin** *F adv. s.* darin.

**dringen** *v/i.*: **~ auf** insist on; **~ aus** break forth from; *Geräusch*: come from; **~ durch** force one's way through, penetrate, pierce; **~ in** penetrate into; *in j-n* **~** urge *od.* press s.o.; *an die Öffentlichkeit* **~** get abroad; **~d** *adj.* urgent, pressing; *Verdacht*: strong.

**drinnen** *adv.* inside; indoors.

**dritte** *adj.* third; ♀**l** *n* third; **~ns** *adv.* thirdly.

**Drog|e** *f* drug; **~erie** *f* chemist's (shop), *Am.* drugstore; **~ist** *m* (retail pharmaceutical) chemist.

**drohen** *v/i.* threaten, menace.

**Drohne** *f zo.* drone (*a. fig.*).

**dröhnen** *v/i. Stimme etc.*: resound; *Geschütz etc.*: roar; *Stimme, Geschütz*: boom.

**Drohung** *f* threat, menace.

**drollig** *adj.* amusing, comical.

**Dromedar** *zo. n* dromedary.

**Droschke** *f s.* Taxi.

**Drossel** *orn. f* thrush; ♀**n** ⊕ *v/t.* throttle.

**drüben** *adv.* over there, yonder.

**drüber** *F adv. s.* darüber.

**Druck** *m* pressure; *Hände♀*: squeeze; *typ.* print(ing); **~buchstabe** *m* block letter; ♀**en** *v/t.* print; **~ lassen** have *s.th.* printed *od.* published.

**drücken 1.** *v/t.* press; *Hand etc.*: squeeze; *Preise, Löhne etc.*: force down; *Knopf etc.*: press, push; *F sich* **~** *vor od. von der Arbeit etc.*: shirk; **2.** *v/i. Schuh*: pinch.

**Drucker** *m* printer.

**Drücker** *m* latch; *am Gewehr*: trigger.

**Drucker|ei** *f* printing office, *Am.*

printery, print shop; **~schwärze** *f* printer's *od.* printing-ink.

**Druck|fehler** *m* misprint; ♀**fertig** *adj.* ready for press; **~kammer** *f* pressurized cabin; **~knopf** *m* snap-fastener; *✗* push-button; **~luft** *f* compressed air; **~sache(n** *pl.*) ⊕ *f* printed matter, *Am. a.* second- *od.* third-class matter; **~schrift** *f* block letters; **~taste** *f* press key.

**drum** *F adv., cj. s.* darum.

**drunter** *F adv. s.* darunter.

**Drüse** *anat. f* gland.

**du** *pers. pron.* you.

**ducken** *v/refl.* duck, crouch; *fig.* cringe (vor to, before).

**Dudelsack** ♪ *m* bagpipes *pl.*

**Duell** *n* duel; ♀**ieren** *v/refl.* (fight a) duel.

**Duett** ♪ *n* duet.

**Duft** *m* scent, fragrance, perfume; ♀**en** *v/i.* smell, have a scent, be fragrant; ♀**end** *adj.* fragrant; ♀**ig** *adj.* dainty, gossamer.

**dulden 1.** *v/t. Schmerz etc.*: bear, stand, endure, suffer; *zulassen*: tolerate, put up with; **2.** *v/i.* suffer.

**dumm** *adj.* stupid, dull, *Am.* F dumb; ♀**heit** *f* stupidity, dullness; *Handlung*: stupid *od.* foolish action; ♀**kopf** *m* fool, blockhead.

**dumpf** *adj. Luft etc.*: musty, fusty; *muffig*: stuffy; *Ton*: dull.

**Düne** *f* dune, sand-hill.

**Dung** *m* dung, manure.

**düng|en** *v/t.* dung, manure; *bsd. künstlich*: fertilize; ♀**r** *m s.* Dung; *Kunst♀*: fertilizer.

**dunkel 1.** *adj.* dark; *trüb*: dim; *fig.* obscure; *Vorstellung etc.*: faint, vague; **2.** ♀ *n s.* Dunkelheit; *f* dark.

**Dünkel** *m* conceit, arrogance.

**Dunkelheit** *f* dark(ness).

**dünn** *adj.* thin; *wässerig*: thin, watery; *Luft*: rare(fied).

**Dunst** *m* haze, mist; *Dampf*: vapo(u)r; *Qualm*: fume.

**dünsten** *v/t. Fisch etc.*: steam; *Fleisch, Obst etc.*: stew; **2.** *v/i.* steam.

**dunstig** *adj.* vaporous; *neblig*: hazy.

**Duplikat** *n* duplicate.

**Dur** ♪ *n* major (key).

**durch 1.** *prp.* through; **2.** *adv.*: **~ und ~** through and through, thoroughly.

**durcharbeiten 1.** *v/t.* study thoroughly; *sich* **~** *durch Buch etc.*:

work through; **2.** v/i. work without a break.

**durchaus** adv. absolutely, quite; ~ *nicht* not at all.

**durch|biegen** v/refl. *Balken etc.*: deflect, sag; **~blättern** v/t. *Buch etc.*: glance od. skim through, Am. thumb through, skim; **2blick** m: ~ *auf* view through to, view of; **~blicken** v/i. look through; ~ *lassen* give to understand; **~bluten** v/t. supply with blood; **~bohren** v/t. pierce; *durchlöchern*: perforate; *mit Blicken* ~ look daggers at; **~braten** v/t. roast thoroughly; **'~brechen 1.** v/i. break through od. apart; **2.** v/t. break apart od. in two; **3.** *durch'brechen* v/t. break through, breach; *Blockade*: run; **~brennen** v/i. *Sicherung*: blow; F *fig.*: run away; *Frau*: elope; **~bringen** v/t. bring od. get through; *Geld*: dissipate, squander; **2bruch** m break-through; *Öffnung*: breach; *fig.* ultimate success; **~drängen** v/refl. force od. push one's way through; **'~dringen 1.** v/i. penetrate (through); *fig.* win acceptance (*mit* for); **2.** *durch'dringen* v/t. penetrate, pierce.

**durcheinander 1.** adv. in confusion od. disorder, pell-mell; **2.** ♀ n mess, confusion; **~bringen** v/t. confuse; *j-n*: a. bewilder; *Begriff*: mix up.

**'durchfahr|en 1.** v/i. go od. pass od. drive through; **2.** *durch'fahren* v/t. go od. pass od. travel od. drive through; *Gebiet*: traverse; **2t** f passage (through); *Tor*: gate(way); ~ *verboten!* no thoroughfare!

**Durchfall** ♂ m diarrh(o)ea; **2en** v/i. fall through; *im Examen etc.*: fail, F get ploughed; *thea.* be a failure; ~ *lassen* fail, F plough.

**durch|finden** v/refl. find one's way (through); **~forschen** v/t. search through, investigate; *Gebiet etc.*: explore.

**durchführ|bar** adj. practicable, feasible; **~en** v/t. lead od. take through od. across; *vollenden*: carry out od. through; *verwirklichen*: realize.

**Durchgang** m passage; ✝ transit; *Sport*: run; **~sverkehr** m through traffic.

**durchgebraten** adj. well done.

**durchgehen 1.** v/i. go through;

*Gesetz*: pass, be carried; *fliehen*: run away; *Pferd*: bolt; **2.** v/t. *prüfen*: go od. look through; **~d 1.** adj. continuous; **~er** *Zug* through train; **2.** adv. generally, throughout.

**durchgreifen** *fig.* v/i. take drastic measures od. steps; **~d** adj. drastic; radical.

**durch|halten 1.** v/t. keep up; **2.** v/i. hold out; **~hauen** v/t. cut through; *fig.* give s.o. a good hiding; **~kämpfen** v/t. fight out; *sich* ~ fight one's way through; **~kneten** v/t. knead thoroughly; **~kommen** v/i. come od. pass through; *Kranker*: pull through; *im Examen*: pass; **~kreuzen** v/t. *Plan etc.*: cross, thwart; **~lassen** v/t. let pass, let through; *Wasser* ~ leak.

**durchlässig** adj. pervious (to), permeable (to); *Gefäß etc.*: leaky.

**'durch|laufen 1.** v/i. run od. pass through; **2.** v/i. *Schuhe etc.*: wear out; **3.** *durch'laufen* v/t. *Stufen, Abteilungen etc.*: pass through; **~lesen** v/t. read through; **'~leuchten 1.** v/i. shine through; **2.** *durch'leuchten* v/t. 𝒮 X-ray; *fig.* investigate; **~löchern** v/t. perforate, make holes into; **~machen** v/t. go through, undergo.

**Durchmesser** m diameter.

**durch|nässen** v/t. soak; **~nehmen** v/t. go through; **~pausen** v/t. trace, calk; **~queren** v/t. cross, traverse.

**Durchreise** f journey od. way through; **2n 1.** v/i. travel od. pass through; **2.** *durch'reisen* v/t. travel over od. through od. across; **~nde** m,f person travel(l)ing through, Am. a. transient; 🚋 through passenger.

**durch|reißen 1.** v/i. tear, break; **2.** v/t. tear asunder, tear in two; **'~schauen 1.** v/i. u. v/t. look through; **2.** *fig. durch'schauen* v/t. see through.

**durchscheinen** v/i. shine through; **~d** adj. translucent; *Stoff*: transparent.

**durchscheuern** v/t. *Haut*: chafe; **'~schießen 1.** v/t. shoot through; **2.** v/i. *Wasser*: shoot od. race through; **3.** *durch'schießen* v/t. shoot s.th. through; *typ.*: *Zeilen*: space out; *Buch*: interleave.

**Durchschlag** m carbon copy; **2en 1.** v/t. break od. pass through; *Erbsen etc.*: strain; *sich* ~ get along, make one's way; **2.** *v/i. typ.* come through; *fig.* take *od.* have effect; **3.** *durch'schlagen v/t.* pierce; *Kugel*: penetrate; **2end** *adj.* effective; **~papier** *n* copying paper.

**'durchschneiden** *v/t.* **1.** cut *s.th.* through; **2.** *durch'schneiden* cut through *s.th.*

**Durchschnitt** *m* average; *im* ~ on an average; **2lich 1.** *adj.* average; ordinary; **2.** *adv.* on an average; normally.

**durch|sehen 1.** *v/i.* see *od.* look through; **2.** *v/t.* look *s.th.* over, go over *s.th.*; **'~setzen** *v/t.* **1.** *Meinung etc.*: put through; *mit Gewalt*: force through; *seinen Kopf* ~ have one's way; *sich* ~ assert o.s.; *Meinung etc.*: gain acceptance; *erfolgreich sein*: be successful; **2.** *durch'setzen* intersperse.

**Durchsicht** *f* looking through *od.* over; *examination*; *typ.* reading; **2ig** *adj.* transparent; *fig.* clear, lucid.

**durch|sickern** *v/i.* seep through; *Nachrichten etc.*: leak out; **'~sieben** *v/t.* **1.** sieve, sift; **2.** *durch'sieben mit Kugeln*: riddle; **~sprechen** *v/t.* discuss, talk over; **'~stechen** *v/t.* **1.** stick *s.th.* through *s.th.*; **2.** *durch-'stechen* pierce; *Damm*: cut through; **~stecken** *v/t.* stick through.

**durch|stöbern** *v/t.* ransack, rummage; **~streichen** *v/t.* strike *od.* cross out; **~streifen** *v/t.* roam.

**durchsuch|en** *v/t.* search (*a.* ⚖); **2ung** *f* search.

**durchtrieben** *adj.* cunning, artful.

**durchwachsen** *adj. Speck*: streaky.

**durchwandern** *v/t.* walk through, roam.

**durchweg** *adv.* throughout, without exception.

**'durch|weichen 1.** *v/i.* soak; **2.** *durch'weichen v/t.* soak, drench; **~winden** *v/refl.* worm one's way through; **'~wühlen 1.** *fig. v/refl.* work one's way through; **2.** *durch-'wühlen v/t.* ransack, rummage; **'~ziehen 1.** *v/i.* pass *od.* go through; **2.** *v/t.* pull *s.th.* through; **3.** *durch-'ziehen v/t. Duft etc. e-n Raum*: fill, pervade; **~zucken** *v/t.* flash through.

**Durchzug** *m* draught, *Am.* draft.

**durchzwängen** *v/refl.* squeeze o.s. through.

**dürfen 1.** *v/i.*: *ich darf* (*nicht*) I am (not) allowed to; **2.** *v/aux.*: *ich darf inf.* I am permitted *od.* allowed to *inf.*; I may *inf.*; *du darfst nicht inf.* you must not *inf.*

**dürftig** *adj.* poor; *spärlich*: scanty.

**dürr** *adj.* dry; *Boden etc.*: barren, arid; *mager*: lean, skinny; **2e** *f* dryness; barrenness; leanness.

**Durst** *m* thirst (*nach* for); ~ *haben* be thirsty; **2ig** *adj.* thirsty.

**Dusche** *f* shower(-bath); **2n** *v/refl. u. v/i.* have a shower(-bath).

**Düse** *f* ⊕ nozzle; ✈ jet; **~nantrieb** *m* jet propulsion; *mit* ~ jet-propelled; **~nflugzeug** *n* jet(-propelled) aircraft, F jet; **~njäger** *m* jet fighter.

**düster** *adj.* dark, gloomy (*beide a. fig.*); *Licht*: dim; *fig.*: sad; *bedrückend*: depressing.

**Dutzend** *n* dozen; *ein* ~ *Eier* a dozen eggs; **2weise** *adv.* by the dozen, in dozens.

**Dynami|k** *f* dynamics; **2sch** *adj.* dynamic(al).

**Dynamit** *n* dynamite.

**Dynamo** *m* dynamo, generator.

**D-Zug** *m* express train.

# E

**Ebbe** *f* ebb(-tide), low tide.

**eben 1.** *adj.* even; *flach*: plain, level; ⚓ plane; *zu ~er Erde* on the ground floor, *Am.* on the first floor; **2.** *adv. genau*: exactly; *gerade*: just; ~ *erst* just now; **2bild** *n* image,

likeness; **~bürtig** *adj.*: *j-m* ~ *sein* be a match for s.o., be s.o.'s equal.

**Ebene** *f* plain; ⚓ plane; *fig.* level.

**eben|erdig** *adj. u. adv.* at street level; on the ground floor, *Am.* on the first floor; **~falls** *adv.* likewise;

**2holz** *n* ebony; **~maß** *n* symmetry; harmony; *der Züge*: regularity; **~mäßig** *adj.* symmetrical; harmonious; regular; **~so** *adv.* just so; just as ...; *ebenfalls*: likewise; **~sosehr** *adv.*, **~soviel** *adv.* just as much; **~sowenig** *adv.* just as little *od.* few (*pl.*).

**Eber** *zo. m* boar.

**ebnen** *v/t.* level; *fig.* smooth.

**Echo** *n* echo.

**echt** *adj.* genuine (*a. fig.*); *wahr*: true; *rein*: pure; *wirklich*: real; *Farbe*: fast; *Dokument*: authentic; **2heit** *f* genuineness; purity; reality; fastness; authenticity.

**Eck** *n s.* Ecke; **~ball** *m* Sport: corner-kick; **~e** *f* corner; *Kante*: edge; s. Eckball; **2ig** *adj.* angular; *fig.* awkward; **~platz** *m* corner-seat; **~stein** *m* corner-stone; **~zahn** *m* canine tooth.

**edel** *adj.* noble; *min.* precious; *Körperteile*: vital; **2stein** *m* precious stone; *geschnittener*: gem.

**Efeu** ♀ *m* ivy.

**Effekt** *m* effect; **~en** ✝ *pl.* securities *pl.*, stocks *pl.*; **~hascherei** *f* claptrap; **2iv** *adj.* effective; **2voll** *adj.* effective, striking.

**egal** F *adj.*: *das ist mir (ganz)* ~ it's all the same to me.

**Egge** *f* harrow; **2n** *v/t.* harrow.

**Egois|mus** *m* ego(t)ism; **~t** *m* ego-(t)ist; **2tisch** *adj.* selfish, ego(t)istic(al).

**ehe** *cj.* before.

**Ehe** *f* marriage; **~stand**: a. matrimony; **~anbahnung** *f* matrimonial agency; **~brecher** *m* adulterer; **~brecherin** *f* adulteress; **2brecherisch** *adj.* adulterous; **~bruch** *m* adultery; **~frau** *f* wife; **~leute** *pl.* married people *pl.*; **2lich** *adj.* conjugal; *Kind*: legitimate; **~losigkeit** *f* celibacy, single life.

**ehemal|ig** *adj.* former, ex-...; old; **~s** *adv.* formerly.

**Ehe|mann** *m* husband; **~paar** *n* married couple.

**eher** *adv. früher*: sooner; *lieber*: rather; *je* ~, *desto besser* the sooner the better.

**Ehering** *m* wedding ring.

**Ehe|scheidung** *f* divorce; **~schließung** *f* (contraction of) marriage; **~stand** *m* married state, matrimony; **~vermittlung** *f s.* Eheanbahnung;

**~versprechen** *n* promise of marriage.

**ehrbar** *adj.* hono(u)rable, respectable; **2keit** *f* respectability.

**Ehre** *f* hono(u)r; *zu* ~*n* (*gen.*) in hono(u)r of; **2n** *v/t.* hono(u)r; *achten*: esteem.

**ehren|amtlich** *adj.* honorary; **2bürger** *m* honorary citizen; **2doktor** *m* honorary doctor; **2erklärung** *f* (full) apology; **2gast** *m* guest of hono(u)r; **~haft** *adj.* hono(u)rable; **2kodex** *m* code of hono(u)r; **2mann** *m* man of hono(u)r; **2mitglied** *n* honorary member; **2platz** *m* place of hono(u)r; **2recht** *n*: *bürgerliche* ~*e pl.* civil rights *pl.*; **2rettung** *f* rehabilitation; **~rührig** *adj.* defamatory; **2sache** *f* point of hono(u)r; **~voll** *adj.*, **~wert** *adj.* hono(u)rable; **2wort** *n* word of hono(u)r.

**ehr|erbietig** *adj.* respectful; **2erbietung** *f* reverence; **2furcht** *f* respect (*vor* for); awe (of); **~furchtgebietend** *adj.* awe-inspiring, awesome; **~fürchtig** *adj.* respectful; **2gefühl** *n* sense of hono(u)r; **2geiz** *m* ambition; **~geizig** *adj.* ambitious.

**ehrlich** *adj.* honest; *Handel etc.*: fair; *Meinung*: candid; **2keit** *f* honesty; fairness.

**ehrlos** *adj.* dishono(u)rable, infamous.

**ehr|sam** *adj. s.* ehrbar; **2ung** *f* hono(u)r; **~würdig** *adj.* venerable, reverend.

**Ei** *n* egg; *physiol.* ovum.

**Eiche** ♀ *f* oak(-tree); **~l** *f* ♀ acorn; *Karten*: club(s *pl.*).

**eichen**[1] *v/t.* ga(u)ge.

**eichen**[2] *adj.* oaken, of oak.

**Eich|hörnchen** *zo. n* squirrel; **~maß** *n* standard.

**Eid** *m* oath; **2brüchig** *adj.*: ~ *werden* break one's oath.

**Eidechse** *zo. f* lizard.

**eidesstattlich** ✝ *adj.*: ~*e Erklärung* statutory declaration.

**Eidotter** *m, n* yolk.

**Eier|kuchen** *m* omelet(te), pancake; **~schale** *f* egg-shell; **~uhr** *f* egg-timer.

**Eifer** *m* zeal, eagerness; *glühender* ~ ardo(u)r; **~er** *m* zealot; **~sucht** *f* jealousy; **2süchtig** *adj.* jealous (*auf* of).

**eifrig** *adj.* zealous, eager; ardent.

**eigen** *adj.* own, of one's own; *beson-der*: particular; *seltsam*: strange, odd; *in Zssgn*: ...-owned; peculiar (*dat.* to); ♀**art** *f* peculiarity; **~artig** *adj.* peculiar; ♀**brötler** *m* crank; ♀**gewicht** *n* dead weight; **~händig** *adj. u. adv.* with one's own hands; ♀**heim** *n* house of one's own; ♀**heit** *f* peculiarity; *Seltsamkeit*: a. oddity; *der Sprache*: idiom; ♀**liebe** *f* self-love; ♀**lob** *n* self-praise; **~mächtig** *adj.* arbitrary; ♀**name** *m* proper name; **~nützig** *adj.* self-interested, selfish; **~s** *adv.* expressly, specially.

**Eigenschaft** *f* *e-s Lebewesens*: quality; *e-r Sache*: property; *in s-r* **~** *als* in his capacity as; **~swort** *gr. n* adjective.

**Eigensinn** *m* obstinacy; ♀**ig** *adj.* wil(l)ful, obstinate.

**eigentlich** 1. *adj. genau*: proper; *wirklich*: actual, true, real; 2. *adv.* properly (speaking).

**Eigentum** *n* property.

**Eigentüm|er** *m* owner, proprietor; ♀**lich** *adj.* peculiar; odd; **~lichkeit** *f* peculiarity.

**Eigentumswohnung** *f* freehold flat.

**eigenwillig** *adj.* self-willed; *fig.* individual.

**eign|en** *v/refl.*: *sich* **~** *für* be suited for; ♀**ung** *f* aptitude, suitability.

**Eil|bote** ♀ *m*: *durch* **~n** by special delivery; **~brief** ♀ *m* express letter, *Am.* special delivery letter.

**Eile** *f* haste, hurry; ♀**n** *v/i.* hasten, make haste, hurry; *Brief, Angelegenheit*: be urgent; ♀**nds** *adv.* quickly, speedily.

**eilig** *adj.* hasty, speedy; *dringend*: urgent; *es* **~** *haben* be in a hurry.

**Eimer** *m* bucket, pail.

**ein** 1. *adj.* one; 2. *indef. art.* a, an.

**einander** *adv.* one another; *mehrere*: each other.

**ein|arbeiten** *v/t.*: *j-n* **~** *in* make s.o. acquainted with; **~armig** *adj.* one-armed; **~äschern** *v/t.* burn to ashes; *Leiche*: cremate; ♀**äscherung** *f* cremation; **~atmen** *v/t.* breathe, inhale; **~äugig** *adj.* one-eyed.

**Einbahnstraße** *f* one-way street.

**einbalsamieren** *v/t.* embalm.

**Einband** *m* binding, cover.

**ein|bauen** *v/t.* build in; *Motor etc.*: install; **~behalten** *v/t.* detain; **~**

**berufen** *v/t.* convene; ✕ call up, *Am.* induct.

**einbett|en** *v/t.* embed; ♀**zimmer** *n* single(-bedded) room.

**einbild|en** *v/refl.* fancy, imagine; ♀**ung** *f* imagination, fancy; *Dünkel*: conceit.

**Einblick** *m* insight (*in* into).

**einbrechen** 1. *v/t.* break open; 2. *v/i.* break in; *Nacht etc.*: set in; **~** *in Haus*: break into.

**Einbrecher** *m* *nachts*: burglar; *tagsüber*: housebreaker.

**Einbruch** *m* house-breaking; burglary; *bei* **~** *der Nacht* at nightfall; **~(s)diebstahl** *m* house-breaking; burglary.

**einbürger|n** *v/t.* naturalize; ♀**ung** *f* naturalization.

**Ein|buße** *f* loss; ♀**büßen** *v/t.* lose, forfeit.

**ein|dämmen** *v/t.* dam (up); *Fluß*: embank; *fig.* check; **~deutig** *adj.* unequivocal; *offensichtlich*: clear, plain.

**eindring|en** *v/i.*: **~** *in* enter; penetrate (into); force one's way into; ✕ invade; **~lich** *adj.* urgent; ♀**ling** *m* intruder; ✕ invader.

**Eindruck** *m* impression.

**ein|drücken** *v/t.* press *od.* push in; *Fensterscheibe*: a. break; **~drucksvoll** *adj.* impressive; **~engen** *v/t.* narrow; *fig.* limit.

**ein|er**, **~e**, **~(e)s** *indef. pron.* one.

**Einer** *m* 🅰 unit, digit; *Rudern*: single sculler, skiff.

**einerlei** 1. *adj.* of the same kind; *es ist mir* **~** it is all the same to me; 2. ♀ *n* sameness; *Eintönigkeit*: monotony, humdrum.

**einerseits** *adv.* on the one hand.

**einfach** *adj.* simple, plain; *Mahlzeit*: frugal; *Fahrkarte*: single, *Am.* one-way; ♀**heit** *f* simplicity.

**einfädeln** *v/t.* thread; *fig.* start, set on foot; *geschickt*: contrive.

**Einfahrt** *f* entrance, entry.

**Einfall** *m* ✕ invasion; *fig.* idea, inspiration; ♀**en** *v/i.* fall in, collapse; *fig.* chime in; *♪* join in; **~** *in* ✕ invade; *j-m* **~** occur to s.o.

**Ein|falt** *f* simplicity; *Dummheit*: silliness; ♀**fältig** *adj.* simple, silly.

**ein|farbig** *adj.* one-colo(u)red, unicolo(u)red; *Stoff*: plain; **~fassen** *v/t.* border; *Edelsteine*: set; **~fetten** *v/t.* grease; **~finden** *v/refl.* appear, arrive; **~flechten** *fig. v/t.* put in, insert; **~flößen** *v/t.* pour (*j-m* into s.o.'s mouth); *fig.* infuse.

**Einfluß** *fig. m* influence; **2reich** *adj.* influential.

**ein|förmig** *adj.* uniform; *eintönig:* monotonous; **2friedung** *f* enclosure; **~frieren 1.** *v/i.* freeze (in); **2.** *v/t.* freeze; **~fügen** *v/t.* put in; *fig.* insert; *sich ~* take in.

**Einfuhr** † *f* import(ation).

**einführen** *v/t.* † import; *Brauch:* introduce; *j-n:* introduce (*bei* to, *in* into); *in ein Amt:* install.

**Eingabe** *f* petition; application.

**Eingang** *m* entrance; *Eintritt:* entry; *von Waren:* arrival; *nach ~* on receipt.

**einge|bildet** *adj.* imaginary; *dünkelhaft:* conceited (*auf* of); **2borene** *m, f* native.

**Eingebung** *f* inspiration.

**einge|denk** *adj.* mindful (*gen.* of); **~fallen** *adj. Augen, Wangen:* sunken, hollow; **~fleischt** *adj. Junggeselle:* confirmed.

**eingehen 1.** *v/i. Post, Waren:* come in, arrive; **8**, *Tier:* die; *Material:* shrink; *~ auf* agree to; *Einzelheiten:* enter into; **2.** *v/t. Verbindlichkeit:* enter into; *Ehe:* contract; *ein Risiko ~* run a risk, *bsd. Am.* take a chance; *e-e Wette ~* make a bet; **~d** *adj.* detailed; thorough; *Prüfung:* close.

**Eingemachte** *n* preserved fruit.

**eingemeinden** *v/t.* incorporate (*dat.* into).

**einge|nommen** *adj.* partial (*für* to); prejudiced (*gegen* against); *von sich ~ conceited;* **~schnappt** F *fig. adj.* offended; **~sessen** *adj.* long-established; **2ständnis** *n* confession, avowal; **~stehen** *v/t.* confess, avow.

**Eingeweide** *anat. pl.* viscera *pl.*; intestines *pl.*, bowels *pl.*; *bsd. von Tieren:* entrails *pl.*

**einge|wöhnen** *v/refl.* accustom o.s. (*in* to); acclimatize o.s., *Am.* acclimate o.s. (to).

**eingießen** *v/t.* pour in *od.* out.

**eingleisig** *adj.* single-track.

**ein|graben** *v/t.* dig in; *begraben:* bury; *sich ~* **✕** dig o.s. in, entrench o.s.; **~gravieren** *v/t.* engrave.

**eingreifen 1.** *v/i.* intervene; *~ in* interfere with; *j-s Rechte:* encroach on; *in die Debatte ~* join in the debate; **2. 2** *n* intervention.

**Eingriff** *m* **✑** operation; *fig.* encroachment (*in* on).

**einhaken** *v/t.* fasten; *sich bei j-m ~* take s.o.'s arm.

**Einhalt** *m:* *~ gebieten* put a stop (*dat.* to); **2en** *fig. v/t.* observe, keep.

**ein|hängen 1.** *v/t. Tür:* hang; *Hörer:* hang up, replace; *sich bei j-m ~* take s.o.'s arm, link arms with s.o.; **2.** *teleph. v/i.* hang up.

**einheimisch** *adj.* native (*in* to), indigenous (*to*) (*a.* **♀**); *Erzeugnis:* home-grown; **2e** *m, f* native; resident.

**Einheit** *f* unity; *Gleichheit:* oneness; **Å**, *phys.*, **✕** unit; **2lich** *adj.* uniform; **~spreis** *m* standard price.

**einheizen 1.** *v/i.* make a fire; **2.** *v/t. Ofen:* heat.

**einhellig** *adj.* unanimous.

**einholen 1.** *v/t.* catch up with, overtake; *Zeitverlust:* make up for; *Auskünfte:* make (*über* about); *Rat:* seek (*bei* from); *Erlaubnis:* ask for; *einkaufen:* buy; **2.** *v/i.:* *~ gehen* go shopping.

**einhüllen** *v/t.* wrap (up) (*in* in); envelop (in).

**einig** *adj.* united; *~ sein* agree (*über* on, about); *nicht ~ sein* differ (*[up-]on*, about); *~e indef. pron.* several; some; *~en v/t.* unite; *sich ~* come to terms; *~ermaßen adv.* in some measure; somewhat; *~es indef. pron.* some(thing); **2keit** *f* unity, concord; **2ung** *f pol.* union; agreement (*a.* †, **✎**).

**einjagen** *v/t.:* *j-m Furcht ~* scare s.o.

**einjährig** *adj.* one-year-old; *bsd.* **♀** annual; *Tier:* yearling.

**ein|kalkulieren** *v/t.* take into account, allow for; **~kassieren** *v/t.* collect.

**Einkauf** *m* purchase; *Einkäufe machen s. einkaufen* 2; **2en 1.** *v/t.* buy, purchase; **2.** *v/i.* make purchases, go shopping.

**Einkaufs|netz** *n* string bag; **~preis** † *m* purchase price; **~tasche** *f* shopping-bag.

**ein|kehren** *v/i.* put up *od.* stop (*in* at); **~kerkern** *v/t.* imprison; **~klagen** *v/t.* sue for; **~klammern** *v/t.* bracket, put in brackets.

**Einklang** *m* **♪** unison; *fig.* harmony.

**ein|kleiden** *v/t.* clothe; **~kochen**

**1.** v/t. preserve; **2.** v/i. boil down od. away.

**Einkommen** n income, revenue; **~steuer** f income-tax.

**einkreisen** v/t. encircle.

**Einkünfte** pl. income, revenue.

**einlad|en** v/t. load (in); fig. invite; **Qung** f invitation.

**Einlage** f ✝ investment; Spar2: deposit; Spiel: stake; Schuh2: arch-support; Zahn2: temporary filling.

**Einlaß** m admission, admittance.

**einlassen** v/t. let in, admit; ~ in ⊕ imbed in; sich ~ in od. auf engage in, enter into.

**ein|laufen** v/i. come in, arrive; Schiff: enter the harbo(u)r; Material: shrink; **~leben** v/refl. accustom o.s. (in to).

**einlege|n** v/t. lay od. put in; Geld: deposit; in Essig: pickle; Obst: preserve; Berufung ~ lodge an appeal (bei to); Ehre ~ mit gain hono(u)r od. credit by; **Qsohle** f insole, sock.

**einleit|en** v/t. start; introduce; **~end** adj. introductory; **Qung** f introduction.

**ein|lenken** v/i. come round; **~leuchten** v/i. be evident od. obvious; **~liefern** v/t.: in ein Krankenhaus ~ take to a hospital, Am. a. hospitalize; **~lösen** v/t. Pfand: redeem; ✝ Scheck etc.: hono(u)r; Scheck etc.: cash; **~machen** v/t. Obst: preserve; in Dosen: tin, Am. can.

**einmal** adv. once; one day; auf ~ all at once; es war ~ once (upon a time) there was; nicht ~ not even; **Qeins** n multiplication table; **~ig** adj. single; fig. unique.

**Einmarsch** m marching in, entry; **Qieren** v/i. march in, enter.

**ein|mengen** v/refl., **~mischen** v/refl. meddle (in with, in), interfere (with).

**Einmündung** f Straße: junction; Fluß: mouth.

**einmütig** adj. unanimous; **Qkeit** f unanimity.

**Einnahme** f ✗ taking, capture; mst **~n** pl. takings pl., receipts pl.

**einnehmen** v/t. Mahlzeit, Position: take (a. ✗); ✝ Geld: earn, make; Platz: take up, occupy; **~d** adj. taking, engaging, captivating.

**Einöde** f desert, solitude.

**ein|ordnen** v/t. put in its proper place; Briefe etc.: file; **~packen** v/t. pack up; einwickeln: wrap up; **~pferchen** v/t. pen in; fig. crowd, cram; **~pflanzen** v/t. plant; fig. implant; **~pökeln** v/t. corn, salt; **~prägen** v/t. imprint, impress; sich ~ imprint itself; et.: commit to one's memory; **~quartieren** v/t. quarter, billet; **~rahmen** v/t. frame; **~räumen** fig. v/t. grant, concede; **~rechnen** v/t. comprise, include; **~reden** **1.** v/t.: j-m et.: persuade od. talk s.o. into (doing) s.th.; **2.** v/i.: auf j-n ~ talk insistently to s.o.; **~reichen** v/t. hand in, send in, present; **~reihen** v/t. insert (unter in); in e-e Klasse: class (with); place (among); sich ~ take one's place.

**einreihig** adj. Anzug: single-breasted.

**Einreise** f entry; **~erlaubnis** f, **~genehmigung** f entry permit.

**ein|reißen** **1.** v/t. tear; Gebäude: pull down; **2.** v/i. tear; Unsitte etc.: spread; **~renken** v/t. ✗ set; fig. set right.

**einricht|en** v/t. Geschäft, Schule etc.: establish; ausrüsten: equip; Geschäft etc.: set up; Wohnung: furnish; fig. arrange; sich ~ establish o.s., settle down; sich ~ auf prepare for; **Qung** f establishment, bsd. Am. setup; equipment; furniture; öffentliche: institution.

**ein|rosten** v/i. rust; Schraube etc.: rust in; **~rücken** **1.** v/i. enter, march in; ✗ join the army; **2.** typ. v/t. indent.

**eins** adj. one.

**einsam** adj. lonely, solitary; **Qkeit** f loneliness, solitude.

**einsammeln** v/t. gather, collect.

**Einsatz** m eingesetztes Stück: inset, insertion; Spiel2: stake, pool; ♪ striking in, entry; Verwendung: employment; ✗ action; unter ~ s-s Lebens at the risk of one's life.

**ein|saugen** v/t. suck in; fig. imbibe; **~schalten** v/t. ⚡ switch od. turn on; sich ~ intervene; **~schärfen** v/t. inculcate (dat. upon); **~schätzen** v/t. assess, appraise, estimate (auf at); value (a. fig.); **~schenken** v/t. pour (out), **~schicken** v/t. send in; **~schieben** v/t. insert; **~schlafen** v/i. fall asleep; **~schläfern** v/t. lull to sleep.

**Einschlag** *m e-s Blitzes:* striking; *e-s Geschosses:* impact; *fig.* touch; **≗en 1.** *v/t. Nagel:* drive in; *zerbrechen:* break (in), smash (in); *einwickeln:* wrap up; *Weg:* take; *Laufbahn:* enter upon; **2.** *v/i.* shake hands; *Blitz, Geschoß:* strike; *fig.* be a success.

**einschlägig** *adj.* relevant, pertinent.

**Einschlagpapier** *n* wrapping-paper.

**ein|schleichen** *v/refl.* creep *od.* sneak in; **≗schleppen** *v/t. Krankheit:* import; **≗schleusen** *fig. v/t.* channel *od.* let in; **≗schließen** *v/t.* lock in *od.* up; *umgeben:* enclose; ✗ surround, encircle; *fig.* include; **≗schließlich** *prp.* inclusive of, including; **≗schmeicheln** *v/refl.* ingratiate o.s. (*bei* with); **≗schmeichelnd** *adj.* insinuating; **≗schmuggeln** *v/t.* smuggle in; **≗schnappen** *v/i.* catch; *fig. s. eingeschnappt;* **≗schneidend** *fig. adj.* incisive, drastic.

**Einschnitt** *m* cut, incision; *Kerbe:* notch.

**einschränk|en** *v/t.* restrict, confine; *Ausgaben:* reduce; *sich* ~ economize; **≗ung** *f* restriction; reduction.

**Einschreibe|brief** *m* registered letter; **≗n** *v/t. eintragen:* enter; *buchen:* book; *als Mitglied:* enrol(l); ✗ enlist, enrol(l); ⚭ register; ~ *lassen* have registered; *sich* ~ enter one's name.

**einschreiten 1.** *fig. v/i.* step in, interpose, intervene; take action (*gegen* against); **2. ≗n** intervention.

**ein|schrumpfen** *v/i.* shrink; **≗schüchtern** *v/t.* intimidate; *durch Gewalttätigkeit:* bully; **≗schüchterung** *f* intimidation; **≗schulen** *v/t.* put to school.

**Einschuß** *m* bullet-hole.

**ein|segnen** *v/t.* consecrate; *Kinder:* confirm; **≗segnung** *f* consecration; confirmation.

**einsehen 1.** *v/t.* look into; *verstehen:* see, comprehend; *erkennen:* realize; **2. ≗n:** *ein* ~ *haben* show consideration.

**einseifen** *v/t.* soap; *Bart:* lather.

**einseitig** *adj.* one-sided; 🖋, *pol.*, ⚖ unilateral.

**einsend|en** *v/t.* send in; **≗er** *m* sender; *an Zeitungen:* contributor.

**einsetzen 1.** *v/t.* insert; *Geld:*

stake; *in ein Amt:* instal(l), appoint; *fig.* use, employ; *sein Leben:* risk; *sich* ~ *für* stand up for; **2.** *v/i.* set in; ♪ strike in.

**Einsicht** *f* inspection; *fig.* insight, judiciousness; **≗ig** *adj.* judicious; *verständig:* sensible.

**Einsiedler** *m* hermit.

**einsilbig** *adj.* monosyllabic; *fig.* taciturn; **≗keit** *f* taciturnity.

**einsinken** *v/i.* sink (in).

**Einspänn|er** *m* one-horse carriage; **≗ig** *adj.* one-horse.

**ein|sparen** *v/t.* save, economize; **≗sperren** *v/t.* lock up (*in* in[to]); *im Gefängnis:* imprison; **≗springen** *v/i.* ⊕ catch; *fig.* step in, help out; *für j-n* ~ substitute for s.o.

**Einspruch** *m* objection, protest, veto; *Berufung:* appeal; **≗srecht** *n* veto.

**einspurig** *adj.* single-track.

**einst** *adv.* once; *künftig:* one *od.* some day.

**Einstand** *m* entrance; *Tennis:* deuce.

**ein|stecken** *v/t.* pocket (*a. fig.*); ⚡ plug in; **≗steigen** *v/i.* get in; *alles* ~*!* 🚂 all aboard!

**einstell|en** *v/t. Arbeitskräfte etc.:* engage, employ, *Am. a.* hire; *aufgeben:* give up; *Zahlungen etc.:* stop, cease, *Am. a.* quit; *Mechanismus:* adjust (*auf* to); *Radio:* tune in (to); *opt.* focus (on) (*a. fig.*); *die Arbeit* ~ strike, *Am. F a.* walk out; *sich* ~ appear; *sich* ~ *auf* be prepared for; adapt o.s. to; **≗ung** *f* engagement; adjustment; focus; *geistige:* (mental) attitude, mentality.

**einstimm|en** ♪ *v/i.* join in; **≗ig** *adj.* unanimous.

**einstöckig** *adj.* one-storied.

**ein|streuen** *fig. v/t.* intersperse; **≗studieren** *v/t.* study; *thea.* rehearse; **≗stürmen** *v/i.: auf j-n* ~ rush at s.o.; **≗sturz** *m* falling in, collapse; **≗stürzen** *v/i.* fall in, collapse.

**einst|weilen** *adv.* for the present; **≗weilig** *adj.* temporary.

**ein|tauschen** *v/t.* exchange (*gegen* for); **≗teilen** *v/t.* divide (*in* into); *in Klassen:* classify; **≗teilig** *adj.* one-piece; **≗teilung** *f* division; classification.

**eintönig** *adj.* monotonous; **≗keit** *f* monotony.

**Eintracht** f harmony, concord.
**einträchtig** adj. harmonious.
**eintragen** v/t. enter (in in); amtlich: register (bei with); Gewinn: bring in, yield; sich ~ in sign.
**einträglich** adj. profitable.
**Eintragung** f entry; registration.
**ein|treffen** v/i. arrive; geschehen: happen; sich erfüllen: come true; **~treiben** fig. v/t. collect; **~treten** 1. v/i. enter; sich ereignen: occur, happen, take place; ~ für stand up for; ~ in Verein etc.: join; 2. v/t. Tür etc.: kick in; sich et. ~ run s.th. into one's foot.
**Eintritt** m entry, entrance; Einlaß: admittance; ~ frei! admission free!; ~ verboten! no admittance!; **~sgeld** n entrance od. admission fee; Sport: gate money; **~skarte** f admission ticket.
**ein|trocknen** v/i. dry (up); **~üben** v/t. practi|se, Am. -ce.
**einver|leiben** v/t. incorporate (dat. in); aneignen: annex (to); **2nehmen** n agreement, understanding; in gutem ~ on friendly terms; **~standen** adj.: ~ sein agree (mit to); **2ständnis** n agreement.
**Einwand** m objection (gegen to).
**Einwander|er** m immigrant; **2n** v/i. immigrate; **~ung** f immigration.
**einwandfrei** adj. unobjectionable; perfect; fehlerfrei: faultless; Alibi: sound.
**einwärts** adv. inward(s).
**Einwegflasche** f one-way bottle, non-return bottle.
**einweih|en** v/t. eccl. consecrate; Denkmal etc.: inaugurate; j-n ~ in initiate s.o. into; **~ung** f consecration; inauguration; initiation.
**einwend|en** v/t. object (gegen to); **2ung** f objection.
**einwerfen** 1. v/t. throw in (a. fig.); Fenster: smash, break; Brief: post, Am. mail; Bemerkung: interject; 2. v/i. Sport: throw in.
**einwickel|n** v/t. wrap (up), envelop; **2papier** n wrapping-paper.
**einwillig|en** v/i. consent (in to), agree (to); **2ung** f consent (in to), agreement.
**einwirk|en** v/i.: ~ auf act (up)on; beeinflussen: influence.
**Einwohner** m, **~in** f inhabitant, resident.
**Einwurf** m throwing in; Sport:

throw-in; fig. objection; für Briefe etc.: slit; für Münzen: slot.
**Einzahl** gr. f singular (number); **2en** v/t. pay in; **~ung** f payment; Bank: deposit.
**einzäunen** v/t. fence in.
**Einzel** n Tennis: single, Am. singles pl.; **~gänger** m outsider, F lone wolf; **~handel** ✝ m retail trade; **~händler** ✝ m retailer, retail dealer; **~heit** f: ~en pl. particulars pl., details pl.; **2n 1.** adj. single; besonder: particular; für sich allein: individual; abgetrennt: separate; Schuhe etc.: odd; im ~en in detail; **2.** adv.: ~ angeben od. aufführen specify, bsd. Am. itemize; **~ne** m the individual.
**einziehen 1.** v/t. draw in; bsd. ⊕ retract; ✗ call up, Am. draft, induct; ⚟ seize, confiscate; Erkundigungen: make (über on, about); **2.** v/i. enter; Mieter: move in; Flüssigkeit: soak in; ~ in Mieter: move into.
**einzig** adj. only; einzeln: single; alleinig: sole; ohnegleichen: unique; **~artig** adj. unique, singular.
**Einzug** m entry, entrance; in ein Haus etc.: moving in.
**einzwängen** v/t. squeeze, jam.
**Eis** n ice; Speise2: ice-cream; **~bahn** f skating-rink; **~bär** zo. m polar bear; **~berg** m iceberg; **~decke** f sheet of ice.
**Eisen** n iron.
**Eisenbahn** f railway, Am. railroad; mit der ~ by rail, by train; **~er** m railwayman; **~fahrt** f railway journey; **~unglück** n railway accident; **~wagen** m railway carriage, coach, Am. railroad car.
**Eisen|erz** n iron-ore; **~gießerei** f iron-foundry; **2haltig** adj. ferruginous; **~hütte** f ironworks sg., pl.; **~waren** f/pl. ironmongery, bsd. Am. hardware; **~warenhändler** m ironmonger, bsd. Am. hardware dealer.
**eisern** adj. iron, of iron.
**eis|gekühlt** adj. iced; **~grau** adj. hoary; **2hockey** n ice-hockey; **~ig** adj. icy (a. fig.); **~kalt** adj. icy (cold); **2kunstlauf** m figure-skating; **2lauf** m, **2laufen** n skating; **2läufer** m skater; **2meer** n polar sea; **2schnellauf** m speed-skating; **2scholle** f ice-floe; **2schrank** m s.

Kühlschrank; **2zapfen** *m* icicle; **2zeit** *geol. f* ice-age.

**eitel** *adj.* vain (*auf* of); *eingebildet:* conceited; **2keit** *f* vanity.

**Eiter** *⚕ m* matter, pus; **~beule** *⚕ f* abscess, boil; **2ig** *⚕ adj.* purulent; **2n** *v/i.* fester, suppurate; **~ung** *⚕ f* suppuration.

**eitrig** *⚕ adj.* purulent.

**Eiweiß** *n* white of egg; *🜔* albumen; **2haltig** *🜔 adj.* albuminous.

**Eizelle** *f* egg-cell, ovum.

**Ekel** 1. *m* disgust (*vor* at), loathing (at); *⚕* nausea; 2. **F** *n* nasty person; **2erregend** *adj.* nauseating, sickening; **2haft** *adj.*, **2ig** *adj.* revolting; *fig.* disgusting; **2n** *v/refl.: sich ~ be* nauseated (*vor* at); *fig.* be *od.* feel disgusted (at).

**eklig** *adj.* s. ekelhaft.

**elasti|sch** *adj.* elastic; **2zität** *f* elasticity.

**Elch** *zo. m* elk; moose.

**Elefant** *zo. m* elephant.

**elegan|t** *adj.* elegant, smart; **2z** *f* elegance.

**elektrifizier|en** *v/t.* electrify; **2ung** *f* electrification.

**Elektri|ker** *m* electrician; **2sch** *adj.* electric(al); **2sieren** *v/t.* electrify.

**Elektrizität** *f* electricity; **~swerk** *n* (electric) power station, power-house, *Am.* power plant.

**Elektrogerät** *n* electric appliance.

**Elektron|engehirn** *n* electronic brain; **~ik** *f* electronics.

**Elektrotechnik** *f* electrical engineering; **~er** *m* electrical engineer.

**Element** *n* element.

**elementar** *adj.* elementary; **2-schule** *f* elementary *od.* primary school, *Am.* grade school.

**Elend** 1. *n* misery; *Not:* a. need, distress; 2. **2** *adj.* miserable, wretched; needy, distressed; **~s-viertel** *n* slums *pl.*

**elf** 1. *adj.* eleven; 2. **2** *f* eleven (*a. Sport*).

**Elf** *m,* **~e** *f* elf, fairy.

**Elfenbein** *n* ivory; **2ern** *adj.* ivory.

**elfte** *adj.* eleventh.

**Elite** *f* élite.

**Ellbogen** *anat. m* elbow.

**Elle** *f* yard; *anat.* ulna.

**elter|lich** *adj.* parental; **2n** *pl.* parents *pl.;* **~nlos** *adj.* parentless, orphaned; **2nteil** *m* parent.

**Email** *n,* **~le** *f* enamel.

**Embargo** *n* embargo.

**Embolie** *⚕ f* embolism.

**Embryo** *biol. m* embryo.

**Emigrant** *m* emigrant.

**Empfang** *m* reception (*a. Radio*); *Erhalt:* receipt; *nach od. bei ~* on receipt; **2en** *v/t.* receive; *freundlich: a.* welcome.

**Empfänger** *m* receiver, recipient; *e-r Summe:* payee; *e-s Briefes:* addressee; *↑ von Waren:* consignee.

**empfänglich** *adj.* susceptible (*für* to); **2keit** *f* susceptibility.

**Empfangs|dame** *f* receptionist; **~gerät** *n* receiver, receiving set; **~schein** *m* receipt; **~zimmer** *n* reception-room.

**empfehl|en** *v/t.* recommend (*j-m et. s.th. to s.o.*); *anvertrauen:* commend (*dat.* to); *~ Sie mich (dat.)* please remember me to; **~enswert** *adj.* (re)commendable; **2ung** *f* recommendation; *Gruß:* compliments *pl.*

**empfinden** *v/t.* feel; *gewahren:* perceive.

**empfindlich** *adj.* sensitive (*für, gegen* to) (*a. phot., 🜔*); *pred. a.* susceptible (*gegen* to); *zart:* delicate, tender; *Person:* touchy, sensitive; *Kälte:* severe; *Schmerz, Verlust etc.:* grievous; **2keit** *f* sensitivity; sensibility; touchiness; delicacy.

**empfindsam** *adj.* sensitive; *gefühlvoll:* sentimental; **2keit** *f* sensitiveness; sentimentality.

**Empfindung** *f* sensation; *Wahrnehmung:* perception; **2slos** *adj.* insensible; *bsd. fig.* unfeeling.

**empor** *adv.* up, upwards.

**empören** *v/t.* incense; *schockieren:* shock; *sich ~* grow furious (*über* at).

**empor|kommen** *v/i.* rise (in the world); **2kömmling** *m* upstart; **~ragen** *v/i.* tower, rise; **~steigen** *v/i.* rise, ascend.

**empör|t** *adj.* indignant (*über* at), shocked (at); **2ung** *f* indignation (*über* at).

**emsig** *adj.* busy, industrious, diligent; **2keit** *f* busyness, industry, diligence.

**Ende** *n* end; *am ~* at *od.* in the end; *doch:* after all; *schließlich:* eventually; *zu ~ gehen* end; *knapp werden:* run short; **2n** *v/i.* end; *aufhören:* cease, finish.

**end|gültig** *adj.* final, definitive; **~lich** *adv.* finally, at last; **~los** *adj.* endless; **♀punkt** *m* final point; **♀-runde** *f Sport*: final; **♀station ⊞** *f* terminus, *Am.* terminal; **♀summe** *f* (sum) total.

**Endung** *ling. f* ending, termination.

**Endzweck** *m* ultimate object.

**Energie** *f* energy; **♀los** *adj.* lacking (in) energy.

**energisch** *adj.* vigorous, energetic.

**eng** *adj.* narrow; *Kleidung*: tight; *dicht, nah*: close; *innig*: intimate; *im ~eren Sinne* strictly speaking.

**engagieren** *v/t.* engage, *Am. a.* hire.

**Enge** *f* narrowness; *fig.* straits *pl.*

**Engel** *m* angel.

**engherzig** *adj.* ungenerous, petty.

**Engländer** *m* Englishman; *die ~ pl.* the English *pl.*; **~in** *f* Englishwoman.

**englisch** *adj.* English.

**Engpaß** *m* defile, narrow pass, *Am. a.* notch; *fig.* bottle-neck.

**en gros** † *adv.* wholesale.

**engstirnig** *adj.* narrow-minded.

**Enkel** *m* grandchild; grandson; **~in** *f* granddaughter.

**enorm** *adj.* enormous; *F fig.* tremendous.

**Ensemble** *n ♪* ensemble; *thea.* company.

**entart|en** *v/i.* degenerate; **♀ung** *f* degeneration.

**entbehr|en 1.** *v/t.* do without, spare; *vermissen*: miss; **2.** *v/i.* (*gen.*) lack, be without; **~lich** *adj.* dispensable; *überflüssig*: superfluous; **♀ung** *f* want, privation.

**entbind|en 1.** *v/t.* dispense, release (*von* from); *♣* deliver (*von* of); **2.** *♣ v/i.* be confined; **♀ung** *f* dispensation, release; *♣* delivery; **♀ungsheim** *n* maternity hospital.

**entblöß|en** *v/t.* bare, uncover; **~t** *adj.* bare.

**entdeck|en** *v/t.* discover; *herausfinden*: detect; *offenbaren*: disclose; **♀er** *m* discoverer; **♀ung** *f* discovery.

**Ente** *f orn.* duck; *F fig.* canard, hoax.

**entehren** *v/t.* dishono(u)r.

**enteign|en** *v/t.* expropriate, dispossess; **♀ung** *f* expropriation, dispossession.

**enterben** *v/t.* disinherit.

**entern** *v/t.* board, grapple.

**ent|fachen** *v/t.* kindle; *fig. a.* rouse; **~fallen** *v/i.*: *j-m ~* escape s.o.; *fig.*

slip s.o.'s memory; *auf j-n ~* fall to s.o.'s share; *s. wegfallen*; **~falten** *v/t.* unfold; *Fähigkeiten*: develop; *zeigen*: display; *sich ~* unfold; *fig.* develop (*zu* into).

**entfern|en** *v/t.* remove; *sich ~* withdraw; **~t** *adj.* distant, remote (*beide a. fig.*); **♀ung** *f* removal; distance; **♀ungsmesser** *phot. m* range-finder.

**ent|flammen** *v/t. u. v/i.* inflame; **~fliehen** *v/i.* flee, escape (*aus od. dat.* from).

**entführ|en** *v/t. mit Gewalt*: abduct, kidnap; *Mädchen*: run away with; **♀er** *m* abductor, kidnap(p)er; **♀ung** *f* abduction, kidnap(p)ing.

**entgegen 1.** *prp.* in opposition to, contrary to; against; **2.** *adv.* towards; **~gehen** *v/i.* go to meet; **~gesetzt** *adj.* opposite; *fig.* contrary; **~halten** *v/t.* hold *s.th.* out (*dat.* to); *fig.* object (to); **~kommen** *v/i.* come to meet; *fig.* meet s.o.('s wishes) halfway; **♀kommen** *n* obligingness; **~kommend** *adj.* obliging; **~nehmen** *v/t.* accept, receive; **~sehen** *v/i.* await; *e-r Sache freudig*: look forward to; **~setzen** *v/t.* oppose (*dat.* to); **~stehen** *v/i.* be opposed (*dat.* to); **~strecken** *v/t.* hold *od.* stretch out (*dat.* to); **~treten** *v/i. j-m*: step up to; *feindlich*: oppose; *e-r Gefahr*: face.

**entgegn|en** *v/i.* reply, return; *schlagfertig, kurz*: retort; **♀ung** *f* reply; retort.

**entgehen** *v/i.* escape.

**Entgelt** *n* recompense.

**entgleis|en** *v/i.* run off the rails, be derailed; **♀ung** *f* derailment; *fig.* slip.

**entgleiten** *v/i.* slip (*dat.* from).

**enthalt|en** *v/t.* contain, hold, include; *sich ~* (*gen.*) abstain *od.* refrain from; **~sam** *adj.* abstinent; **♀samkeit** *f* abstinence; **♀ung** *f* abstention.

**enthaupten** *v/t.* behead, decapitate.

**enthüll|en** *v/t.* uncover; *Denkmal*: unveil; *fig.* reveal, disclose; **♀ung** *f* uncovering; unveiling; *fig.* revelation, disclosure.

**Enthusias|mus** *m* enthusiasm; **~t** *m* enthusiast; *Film, Sport*: *F* fan; **♀tisch** *adj.* enthusiastic.

**entkleiden** *v/t. u. v/refl.* undress.

**entkommen 1.** *v/i.* escape (*j-m*

s.o.; *aus* from), get away *od.* off;
**2.** ♀ *n* escape.

**entkräft|en** *v/t.* weaken, debilitate;
*fig.* refute; **♀ung** *f* weakening;
debility; *fig.* refutation.

**entlad|en** *v/t.* unload; *bsd.* ⚡ dis-
charge; *sich* ~ *bsd.* ⚡ discharge;
*Schußwaffe:* go off; *Zorn:* vent
itself; **♀ung** *f* unloading; *bsd.* ⚡
discharge; explosion.

**entlang 1.** *prp.* along; **2.** *adv.* along;
*er geht die Straße* ~ he goes along
the street.

**entlarven** *v/t.* unmask; *fig. a.* expose.

**entlass|en** *v/t.* dismiss, discharge;
F give *s.o.* the sack, *Am. a.* fire;
**♀ung** *f* dismissal, discharge;
**♀ungsgesuch** *n* resignation.

**entlasten** ⚖ *v/t.* exonerate (*von*
from), clear (from).

**Entlastung** *f* relief; ⚖ exoneration;
**~szeuge** *m* witness for the defen|ce,
*Am.* -se.

**ent|laufen** *v/i.* run away (*dat.* from);
**~ledigen** *v/refl. j-s, e-r Sache:* rid
o.s. of, get rid of; *e-r Pflicht:* acquit
o.s. of; *s-r Kleider:* take off; **~lee-
ren** *v/t.* empty.

**entlegen** *adj.* remote, distant.

**ent|lehnen** *v/t.* borrow (*dat. od. aus*
from); **~locken** *v/t.* draw, elicit
(*dat.* from); **~lohnen** *v/t.* pay (off);
**~lüften** *v/t.* ventilate; **~militari-
sieren** *v/t.* demilitarize; **~mutigen**
*v/t.* discourage; **~nehmen** *v/t.* take
(*dat.* from); ~ *aus* (with)draw from;
*fig.* gather *od.* learn from; **~rätseln**
*v/t.* unriddle; **~reißen** *v/t.* snatch
away (*dat.* from); **~richten** *v/t.* pay;
**~rinnen** *v/i.* escape (*dat.* from); **~
rollen** *v/t.* unroll.

**entrüst|en** *v/t.* fill with indignation;
*sich* ~ become angry *od.* indignant
(*über* at *s.th.,* with *s.o.*); **~et** *adj.*
indignant (*über* at *s.th.,* with *s.o.*);
**♀ung** *f* indignation.

**entsag|en** *v/i.* renounce, resign;
**♀ung** *f* renunciation, resignation.

**entschädig|en** *v/t.* indemnify, com-
pensate; **♀ung** *f* indemnification,
compensation.

**entscheid|en 1.** *v/t.* decide; *sich* ~
*Frage etc.:* be decided; *Person:* decide (*für* for; *gegen* against); **2.** *v/t.*
decide; **~end** *adj.* decisive; *kritisch:*
crucial; **♀ung** *f* decision.

**entschieden** *adj.* decided; *entschlos-*

*sen: a.* determined, resolute; **♀heit** *f*
determination.

**entschließen** *v/refl.* resolve (*zu*
[up]on *s.th.; zu inf.* [up]on *ger.,* to
*inf.*), decide (on; on *od.* for *ger.,* to
*inf.*),determine (on; on *ger.,* to *inf.*)

**entschlossen** *adj.* resolute, determined; **♀heit** *f* resoluteness.

**entschlüpfen** *v/i.* escape, slip (*dat.*
from).

**Entschluß** *m* resolution, resolve,
decision, determination.

**entschuldig|en** *v/t.* excuse; *sich* ~
apologize (*bei* to; *für* for); *sich* ~
*lassen* beg to be excused; **♀ung** *f*
excuse; *Abbitte:* apology; *ich bitte
um* ~ I beg your pardon.

**entsetz|en 1.** *v/t.* horrify; *sich* ~ be
horrified *od.* shocked (*über* at;); **2.** ♀
*n* horror; **~lich** *adj.* horrible, dreadful, terrible, shocking.

**entsinnen** *v/refl.* remember, recall.

**entspann|en** *v/refl.* relax; *politische
Situation:* ease; **♀ung** *f* relaxation;
*pol.* détente.

**entsprech|en** *v/i.* correspond to;
*e-r Beschreibung:* answer to; *Anforderungen etc.:* meet; **~end** *adj.*
corresponding (*dat.* to); appropriate (to, for); **♀ung** *f* equivalent.

**entspringen** *v/i.* escape (*dat.* from);
*Fluß:* rise, *Am.* head; *s.* entstehen.

**entstammen** *v/i.* abstammen von:
be descended from; *herrühren von:*
come from *od.* of, originate from.

**entsteh|en** *v/i.* arise, originate
(*beide: aus* from); **♀ung** *f* origin.

**entstell|en** *v/t.* disfigure; deface;
deform; *fig.* distort; **♀ung** *f* dis-
figurement; *fig.* distortion, mis-
representation.

**enttäusch|en** *v/t.* disappoint; **♀ung**
*f* disappointment.

**entthronen** *v/t.* dethrone.

**entwaffn|en** *v/t.* disarm; **♀ung** *f*
disarmament.

**entwässer|n** *v/t.* drain; **♀ung** *f*
drainage; **🜄** dehydration.

**entweder** *cj.:* ~ ... *oder* either ... or.

**ent|weichen** *v/i.* escape (*aus* from);
**~weihen** *v/t.* desecrate, profane;
**~wenden** *v/t.* pilfer, purloin (*j-m
et. s.th.* from *s.o.*); **~werfen** *v/t.*
*Vertrag etc.:* draft, draw up; *Muster etc.:* design; *flüchtig:* sketch,
trace out, outline; *Garten:* plan.

**entwert|en** *v/t.* depreciate, devalu-
ate; *Wertzeichen:* cancel; **♀ung**

depreciation, devaluation; cancellation.

**entwickeln** v/t. develop (a. phot.); evolve; *sich* ~ develop; evolve.

**Entwicklung** f development; evolution; **~shilfe** f development aid.

**ent|wirren** v/t. disentangle, unravel (a. fig.); **~wischen** v/t. slip away, escape (j-m [from] s.o.; aus from); j-m ~ give s.o. the slip; **~wöhnen** v/t. wean.

**Entwurf** m sketch; design; plan; draft.

**ent|wurzeln** v/t. uproot; **~ziehen** v/t. deprive (j-m et. s.o. of s.th.); withdraw (dat. from); *sich* ~ avoid, elude; e-r Verantwortung: evade; **~ziffern** v/t. decipher, make out.

**entzücken** 1. v/t. charm, delight; 2. ℒ n delight, rapture(s pl.), transport(s pl.).

**entzückend** adj. delightful, charming.

**Entzug** m withdrawal; der Lizenz etc.: cancellation.

**entzünd|bar** adj. (in)flammable; **~en** v/t. inflame (a. ℳ), kindle; *sich* ~ catch fire; ℳ become inflamed; **ℒung** f inflammation.

**entzwei** adv. asunder, in two, to pieces; **~en** v/t. disunite, set at variance; *sich* ~ quarrel, fall out (beide: mit with); **~gehen** v/i. break, go to pieces; **ℒung** f disunion.

**Enzyklopädie** f (en)cyclop(a)edia.

**Epidemie** ℳ f epidemic (disease).

**Epilog** m epilog(ue).

**episch** adj. epic.

**Episode** f episode.

**Epoche** f epoch.

**Epos** n epic (poem).

**er** pers. pron. he; Sache: it.

**erachten** 1. v/t. consider, think, deem; 2. ℒ n: m-s ~s in my opinion.

**erbarmen** 1. v/refl. pity, commiserate; 2. ℒ n pity, mercy; **~swert** adj. pitiable.

**erbärmlich** adj. pitiful, pitiable; elend: miserable; verächtlich: mean.

**erbarmungslos** adj. pitiless, merciless, relentless.

**erbau|en** v/t. build (up), construct, raise; fig. edify; **ℒer** m builder, constructor; **~lich** adj. edifying; **ℒung** fig. f edification, Am. uplift.

**Erbe** 1. m heir; 2. n inheritance, heritage.

**erbeben** v/i. tremble, shake, quake.

**erben** v/t. inherit.

**erbeuten** v/t. capture.

**Erbin** f heiress. [quest, solicit.]

**erbitten** v/t. beg od. ask for, re-)

**Erbkrankheit** ℳ f hereditary disease.

**erblassen** v/i. grow od. turn pale, lose colo(u)r. [testatrix.]

**Erblasser** ℱ m testator; **~in** f)

**erbleichen** v/i. s. erblassen.

**erblich** adj. hereditary; **ℒkeit** f physiol. f heredity.

**erblicken** v/t. perceive, see; entdecken: catch sight of.

**erblind|en** v/i. grow blind; **ℒung** f loss of sight.

**erbrechen** 1. v/t. break od. force open; ℳ vomit; *sich* ~ ℳ vomit; 2. ℒ n vomiting.

**Erbschaft** f inheritance, heritage.

**Erbse** ℳ f pea.

**Erb|stück** n heirloom; **~sünde** f original sin; **~teil** n (portion of an) inheritance.

**Erd|apfel** östr. m potato; **~äpfelpüree** östr. n mashed potatoes pl.; **~äpfelsalat** östr. m potato-salad; **~ball** m globe; **~beben** n earthquake; **~beere** ℳ f strawberry; **~boden** m earth; ground, soil; **~e** f earth; Bodenart: ground, soil; **ℒen** ℰ v/t. earth, ground.

**erdenklich** adj. imaginable.

**Erdgeschoß** n ground-floor, Am. first floor. [adj. fictitious.]

**erdicht|en** v/t. invent, feign; **~et**)

**erdig** adj. earthy.

**Erd|karte** f map of the earth; **~kreis** m earth, world; **~kugel** f globe; **~kunde** f geography; **~leitung** ℰ f earth-connexion, earth-wire, Am. ground wire; **~nuß** f peanut; **~öl** n mineral oil, petroleum; **~reich** n ground, earth.

**erdreisten** v/refl. dare, presume.

**erdrosseln** v/t. strangle, throttle.

**erdrücken** v/t. squeeze od. crush to death; **~d** fig. adj. overwhelming.

**Erd|rutsch** m landslip, landslide (a. pol.); **~schicht** f layer of earth, stratum; **~teil** m part of the world; geogr. continent.

**erdulden** v/t. suffer, endure.

**ereifern** v/refl. get excited, fly into a passion.

**ereignen** v/refl. happen, occur.

**Ereignis** n event, occurrence; **ℒreich** adj. eventful.

**Eremit** *m* hermit, anchorite.
**ererbt** *adj.* inherited.
**erfahr|en 1.** *v/t.* learn; hear; *erleben*: experience; **2.** *adj.* experienced, expert, skil(l)ful; **2ung** *f* experience; *Praxis*: a. practice.
**erfassen** *v/t. in sich schließen*: cover; *statistisch*: register, record; *begreifen*: grasp, seize.
**erfind|en** *v/t.* invent; **2er** *m* inventor; **erisch** *adj.* inventive; **2ung** *f* invention.
**Erfolg** *m* success; *Ergebnis*: result; **2en** *v/i.* ensue, follow; *sich ereignen*: happen; **2los** *adj.* unsuccessful; vain; **2reich** *adj.* successful.
**erforder|lich** *adj.* necessary, required; **n** *v/t.* require, demand; **2nis** *n* requirement, demand.
**erforsch|en** *v/t. untersuchen*: inquire into, investigate; *Land*: explore; **2er** *m* explorer; **2ung** *f* exploration.
**erfreu|en** *v/t.* please; *entzücken*: delight; *befriedigen*: gratify; *sich e-r Sache ~* enjoy s.th.; **lich** *adj.* pleasing, pleasant; gratifying; delightful.
**erfrier|en** *v/i.* freeze to death; **2ung** *f* frost-bite.
**erfrisch|en** *v/t.* refresh; **2ung** *f* refreshment.
**erfroren** *adj. Pflanzen etc.*: frost-bitten.
**erfüll|en** *fig. v/t.* fulfil(l); *Pflicht, Vertrag*: perform; *Bitte etc.*: comply with; *Forderungen*: meet; **2ung** *f* fulfil(l)ment; performance; compliance; **2ungsort** †, ⚖ *m* place of performance.
**ergänz|en** *v/t.* complete, complement; *nachträglich hinzufügen*: supplement; † *Lager*: replenish; **end** *adj.* complementary, supplementary; **2ung** *f* completion; supplement; replenishment; *gr.* complement.
**ergeben 1.** *v/t. Resultat*: yield; *sich ~* surrender; *Schwierigkeiten*: arise; *sich ~ aus* result from; *sich ~ in* resign o.s. to; **2.** *adj.* devoted (*dat.* to); **2heit** *f* devotion.
**Ergeb|nis** *n* result, outcome; *Sport*: result, score; **ung** *f* resignation (*in* to); ✕ surrender.
**ergehen** *v/i.* be issued; *~ lassen* issue, publish; *über sich ~ lassen* suffer, submit to; *wie ist es ihm er-*

*gangen?* how did he come off?; *sich ~ in* indulge in.
**ergiebig** *adj.* productive, rich.
**ergießen** *v/refl.* flow (*in* into; *über* over).
**ergötz|en 1.** *v/t.* delight; *sich ~ an* delight in; **2.** **2** *n* delight; **lich** *adj.* delightful.
**ergreif|en** *v/t.* seize, grasp; *Verbrecher, Gelegenheit, Maßnahmen*: take; *Flucht*: take to; *Beruf*: take up; *fig.* move, affect, touch; **2ung** *f* capture, seizure.
**Ergriffenheit** *f* emotion.
**ergründen** *v/t.* penetrate, get to the bottom of.
**erhaben** *adj.* elevated; *fig.* exalted, sublime; *~ sein über* be above.
**erhalt|en 1.** *v/t.* get, *förmlich*: obtain; *Nachricht etc.*: receive; *bewahren*: preserve, keep; *unterstützen*: support, maintain; **2.** *adj.*: *gut ~* in good repair *od.* condition; **2ung** *f* preservation; maintenance.
**erhältlich** *adj.* obtainable.
**er|hängen** *v/refl.* hang o.s.; **härten** *v/t.* harden; *fig.* confirm.
**erheb|en** *v/t.* lift, raise, elevate (*a. fig.*); *Steuern etc.*: levy, raise; *sich ~* rise; *Frage etc.*: arise; **end** *fig. adj.* elevating; **lich** *adj.* considerable; **2ung** *f* rising ground, elevation (*a. fig.*); levy; *Aufstand*: revolt.
**er|heitern** *v/t.* cheer up, amuse; **hellen** *v/t.* light up; *fig.* clear up; **hitzen** *v/t.* heat; *sich ~* get *od.* grow hot; **hoffen** *v/t.* hope for.
**erhöh|en** *v/t.* raise; *fig. a.* increase; **2ung** *f* elevation; *fig.* increase; *Preis2, Lohn2*: rise; *Preis2*: advance.
**erhol|en** *v/refl.* recover (*von* from, of) (*a.* †); (take a) rest, relax; **2ung** *f* recovery; *Entspannung*: recreation, relaxation.
**erhören** *v/t. Bitte*: grant.
**erinner|n** *v/t.*: *j-n ~ an* remind s.o. of; *sich ~ an j-n, et.*: remember, *et.*: recollect; **2ung** *f* remembrance (*an* of), recollection; *Mahnung*: reminder; **en** *pl.* reminiscences *pl.*
**erkalten** *v/i.* cool down (*a. fig.*), get cold.
**erkält|en** *v/refl.*: *sich (stark) ~* catch (a bad) cold; **2ung** *f* cold.
**erkennen** *v/t.* recognize (*an* by); *wahrnehmen*: perceive (*a. fig.*), discern; *fig.* realize.

**erkenntlich** adj. perceptible; sich
~ zeigen show one's appreciation.
**Erkenntnis** f perception, realization. [window.\
**Erker** m bay; ~fenster n bay-\
**erklär|en** v/t. explain; Aufschluß
geben über: account for; aussprechen, kundtun: declare, state;
~lich adj. explainable, explicable;
~t adj. professed, declared; 2ung f
explanation; declaration.
**erklingen** v/i. (re)sound, ring (out).
**erkrank|en** v/i. fall ill, be taken ill
(beide: an of, with); 2ung f falling
ill; illness, sickness.
**erkunden** v/t. explore.
**erkundig|en** v/refl. inquire (über
after; nach j-m: after, for, et.:
about); 2ung f inquiry.
**Erlagschein** östr. m money-order
form.
**er|lahmen** v/i. grow weary, tire;
nachlassen: slacken; Interesse: wane,
flag; ~langen v/t. obtain, get.
**Er|laß** m eccl. dispensation (gen.
from); e-r Schuld, Strafe etc.: re-
mission; Verordnung: edict, decree;
2lassen v/t. remit; dispense (j-m et.
s.o. from s.th.); Verordnung: issue;
Gesetz: enact.
**erlauben** v/t. allow, permit; sich et.
~ indulge in s.th.; sich ~ zu inf. beg
to inf.
**Erlaubnis** f permission; Ermächti-
gung: authority; ~schein m permit.
**erläuter|n** v/t. explain, illustrate;
kommentieren: comment (up)on;
2ung f explanation, illustration;
comment.
**Erle** & f alder.
**erleb|en** v/t. (live to) see; erfahren:
experience; Schlimmes: go through;
2nis n experience; Abenteuer: ad-
venture.
**erledig|en** v/t. effect; Geschäft,
Frage: settle; ~t adj. finished, settled; erschöpft: played out; ruiniert
etc.: done for; 2ung f settlement.
**erleichter|n** v/t. lighten; fig. make
easy, facilitate; Not, Schmerz:
relieve; 2ung f ease; relief (über at);
facilitation; ~n pl. facilities pl.
**er|leiden** v/t. suffer, endure;
Schaden, Verlust etc.: suffer,
sustain; ~lernen v/t. learn, acquire.
**erleucht|en** v/t. illuminate; fig.
enlighten; 2ung f illumination; fig.
enlightenment.

**erliegen** v/ . succumb (dat. to).
**erlogen** adj. false, untrue.
**Erlös** m proceeds pl.
**erloschen** adj. extinct.
**erlösch|en** v/i. go out; fig. become
extinct; Vertrag: expire.
**erlös|en** v/t. eccl. redeem (von from);
deliver (from); 2er m redeemer, de-
liverer; eccl. Redeemer, Saviour;
2ung f redemption; deliverance.
**ermächtig|en** v/t. authorize; 2ung
f authorization; Befugnis: authority.
**ermahn|en** v/t. admonish; 2ung f
admonition.
**Ermangelung** f: in ~ (gen.) in
default of, for want of, failing.
**ermäßig|en** v/t. abate, reduce;
2ung f abatement, reduction.
**ermessen 1.** v/t. judge; **2.** 2 n
judg(e)ment; discretion.
**ermitt|eln** v/t. ascertain, find out;
th investigate; 2(e)lung f ascertain-
ment; th investigation.
**ermöglichen** v/t. render od. make
possible.
**ermord|en** v/t. murder; meuch-
lerisch: assassinate; 2ung f murder;
assassination.
**ermüd|en 1.** v/t. tire, fatigue; **2.** v/i.
tire, get tired od. fatigued; 2ung f
fatigue, tiredness.
**ermunter|n** v/t. rouse, encourage;
2ung f encouragement.
**ermutig|en** v/t. encourage; 2ung f
encouragement.
**ernähr|en** v/t. nourish, feed; er-
halten: support; 2er m bread-
winner, supporter; 2ung f nourishment; support; physiol. nutrition.
**ernenn|en** v/t. nominate, appoint
(j-n zum Vorsitzenden s.o. chairman); 2ung f nomination, appointment.
**erneu|ern** v/t. renew, renovate;
Vertrag: revive; 2erung f renew-
al, renovation; revival; ~t adv. once
more.
**erniedrig|en** v/t. humiliate, hum-
ble; 2ung f humiliation.
**Ernst 1.** m seriousness, earnest(ness);
Bedrohlichkeit: gravity; im ~ in
earnest; **2.** 2 adj. = 2haft adj.,
2lich adj. serious, earnest; grave.
**Ernte** f harvest; Ertrag: crop;
~dankfest n harvest festival; 2n
v/t. harvest, gather (in), reap
(a. fig.).
**ernüchter|n** v/t. (make) sober; fig.

disillusion; 2ung *f* sobering; *fig.* disillusionment.

**Erober|er** *m* conqueror; 2n *v/t.* conquer; ~ung *f* conquest.

**eröffn|en** *v/t.* open; *feierlich:* a. inaugurate; disclose (*j-m et. s.th.* to s.o.); 2ung *f* opening; inauguration; disclosure. [discussion.]

**erörter|n** *v/t.* discuss; 2ung *f*|

**erpicht** *adj.*: ~ *auf* bent *od.* intent *od.* set *od.* keen on.

**erpress|en** *v/t. et.:* extort (*von* from); *j-n:* blackmail; 2er *m* extort(ion)er; blackmailer; 2ung *f* extortion; blackmail.

**erproben** *v/t.* try, test.

**erquick|en** *v/t.* refresh; 2ung *f* refreshment.

**er|raten** *v/t.* guess, find out; ~rechnen *v/t.* calculate, compute.

**erreg|bar** *adj.* excitable; ~en *v/t.* excite; *verursachen:* cause; 2er *⚕ m* germ, virus; 2ung *f* excitement.

**erreich|bar** *adj.* within reach *od.* call; *fig.* attainable; ~en *v/t.* reach; *fig.* achieve, attain; *Zug etc.:* catch; *ein gewisses Maß:* come up to.

**errett|en** *v/t.* rescue; 2ung *f* rescue.

**errricht|en** *v/t.* set up, erect; *fig.* establish; 2ung *f* erection; *fig.* establishment.

**er|ringen** *v/t.* gain, obtain; *Erfolg:* achieve; ~röten *v/i.* blush.

**Errungenschaft** *f* acquisition; *fig.* achievement.

**Ersatz** *m* replacement; ~mittel: substitute; *Schaden2:* compensation, amends, damages *pl.;* ~leistung: indemnification; *s. Ersatzmann, Ersatzmittel;* ~ *leisten* make amends; ~mann *m* substitute; ~mine *f* refill; ~mittel *n* substitute, surrogate; ~reifen *mot. m* spare tyre, (*Am. nur*) spare tire; ~teil ⊕ *n*, *m* spare (part).

**erschaff|en** *v/t.* create; 2ung *f* creation.

**erschallen** *v/i.* (re)sound, ring (out).

**erschein|en 1.** *v/i.* appear; **2.** 2 *n* appearance; 2ung *f* appearance; *Geister2:* apparition; *Traumbild:* vision.

**er|schießen** *v/t.* shoot (dead); ~schlaffen *v/i. Person:* tire; *Muskel:* relax; *fig.* languish, slacken; ~schlagen *v/t.* kill, slay; ~schließen *v/t.* open up; *Bauland:* develop.

**erschöpf|en** *v/t.* exhaust; 2ung *f* exhaustion.

**erschrecken 1.** *v/t.* frighten, scare; **2.** *v/i.* be frightened (*über* at); ~d *adj.* alarming, startling.

**erschütter|n** *v/t.* shake; *fig.* shock, move; 2ung *f* shock; *fig.* emotion; *⚡* concussion; ⊕ percussion.

**erschweren** *v/t.* make more difficult; *verschlimmern:* aggravate.

**erschwing|en** *v/t.* afford; ~lich *adj.* within one's means; *Preise:* reasonable.

**er|sehen** *v/t.* see, learn, gather (*alle: aus* from); ~sehnen *v/t.* long for; ~setzen *v/t. Verlust:* repair; *et.:* compensate (*dat.* to); *et. Verlorenes, j-n:* replace; *Verlust, Auslagen:* refund.

**ersichtlich** *adj.* evident, obvious.

**ersinnen** *v/t.* contrive, devise.

**erspar|en** *v/t.* save; *j-m et.* ~ spare s.o. s.th.; 2nisse *f/pl.* savings *pl.*

**ersprießlich** *adj.* useful, beneficial.

**erst 1.** *adj.* first; **2.** *adv.* first; *anfangs:* at first; *bloß:* only; *nicht früher als:* not … till *od.* until.

**erstarr|en** *v/i.* stiffen, congeal; *⚗* *etc.:* solidify; *Zement:* set; *Glieder:* grow numb; *fig. Blut:* run cold; ~t *adj.* benumbed; 2ung *f* numbness; solidification; congealment; setting.

**erstatt|en** *v/t.* restore; *s.* ersetzen; *Bericht* ~ (make a) report; 2ung *f* restitution.

**Erstaufführung** *f thea.* first night *od.* performance, première; *Film:* a. first run.

**Erstaun|en** *n* astonishment; *in* ~ *setzen* astonish; 2lich *adj.* astonishing, amazing; 2t *adj.* astonished (*über* at).

**erstechen** *v/t.* stab.

**erstens** *adv.* first, firstly.

**erstick|en** *v/t. u. v/i.* choke, suffocate; 2ung *f* suffocation.

**erstklassig** *adj.* first-class.

**erstreben** *v/t.* strive after *od.* for; ~swert *adj.* desirable.

**erstrecken** *v/refl.* extend; *sich* ~ *über* cover.

**ersuchen 1.** *v/t.* request; **2.** 2 *n* request.

**er|tappen** *v/t.* catch, surprise; *s. frisch;* ~tönen *v/i.* (re)sound.

**Ertrag** *m* produce, yield; *Einnahmen:* proceeds *pl.*, returns *pl.;*

☆ output; **⚒en** v/t. *Schmerzen etc.*: bear, endure; *et., j-n*: suffer; *Klima, Person*: stand.

**erträglich** adj. tolerable.

**er|tränken** v/t. drown; **~trinken** v/i. be drowned, drown; **~übrigen** v/t. *Zeit*: spare; *sich ~* be unnecessary; **~wachen** v/i. awake, wake up.

**erwachsen 1.** v/i. arise (*aus* from); **2.** adj. grown-up, adult; **⚒e** m, f grown-up, adult.

**erwäg|en** v/t. consider, think s.th. over; **⚒ung** f consideration; *in ~ ziehen* take into consideration.

**erwählen** v/t. choose, elect.

**erwähn|en** v/t. mention; **⚒ung** f mention.

**erwärmen** v/t. warm, heat; *sich ~* warm (up).

**erwart|en** v/t. await, wait for; *fig. a.* expect; **⚒ung** f expectation.

**er|wecken** *fig.* v/t. awake; *Erwartungen, Verdacht*: raise; **~wehren** v/refl. keep od. ward off; **~weichen** v/t. soften; *fig.* move; **~weisen** v/t. prove; *Achtung*: show; *Dienst*: render; *Ehre*: do, pay; *Gefallen*: do.

**erweiter|n** v/t. u. v/refl. expand, enlarge, extend, widen; **⚒ung** f expansion, enlargement, extension.

**Erwerb** m acquisition; *Unterhalt*: living; *Verdienst*: earnings pl.; **⚒en** v/t. acquire; *Reichtum*: gain; *durch Arbeit*: earn.

**erwerbs|los** adj. unemployed; **~tätig** adj. (gainfully) employed; **~unfähig** adj. incapable of earning one's living; **⚒zweig** m line of business.

**Erwerbung** f acquisition.

**erwider|n** v/t. *Gruß, Besuch etc.*: return; *antworten*: answer, reply; *treffend*: retort; **⚒ung** f return, answer, reply.

**erwischen** v/t. catch, get hold of.

**erwünscht** adj. desired; *wünschenswert*: desirable; *willkommen*: welcome.

**erwürgen** v/t. strangle, throttle.

**Erz** ☆ n ore.

**erzähl|en** v/t. tell; *berichten*: relate; *kunstvoll*: narrate; **⚒er** m, **⚒erin** f narrator; *Schriftsteller(in)*: writer; **⚒ung** f narration; *Geschichte*: (short) story, narrative.

**Erz|bischof** eccl. m archbishop;

**~bistum** eccl. n archbishopric; **~engel** eccl. m archangel.

**erzeug|en** v/t. produce (*a. fig.*); *industriell*: a. make, manufacture; **⚒er** ✝ m producer; **⚒nis** n *Natur⚒*: produce; *Arbeits⚒*: production; product (*a.* ✝, ⊕); **⚒ung** f production.

**Erz|feind** m arch-enemy; **~herzog** m archduke; **~herzogin** f archduchess; **~herzogtum** n archduchy.

**erziehe|n** v/t. bring up, rear, raise; *geistig*: educate; **⚒r** m educator; *Lehrer*: teacher; *Hauslehrer*: tutor; **~risch** adj. educational, pedagogic (-al).

**Erziehung** f upbringing; *Lebensart*: breeding; education; **~sanstalt** f reformatory, approved school; **~swesen** n educational matters pl. od. system.

**er|zielen** v/t. obtain; *Preis*: realize; *Erfolg*: achieve; *Sport*: score; **~zürnen** v/t. make angry, irritate, enrage; **~zwingen** v/t. *Gehorsam etc.*: (en)force (*von* upon); compel; extort (*von* from).

**es** pers. pron. **1.** pers.: it; he; she; **2.** impers.: it; *~ gibt* there is, there are; *~ klopft* there is a knock at the door.

**Esche** ♀ f ash(-tree).

**Esel** m zo. donkey; *bsd. fig.* ass; **~sbrücke** f mnemonic (device); *in der Schule*: crib, *Am.* pony; **~sohr** *fig.* n dog's ear.

**Eskorte** f ✕ escort; ⚓ convoy.

**eßbar** adj. eatable, edible.

**Esse** f chimney.

**essen 1.** v/i. eat; *zu Mittag ~* (have) lunch; dine, have dinner; *zu Abend ~* dine, have dinner; *bsd. spätabends*: sup, have supper; *auswärts ~* eat od. dine out; **2.** v/t. eat; et. *zu Mittag etc. ~* have s.th. for lunch, *etc.*; **3.** ⚒ n eating; *Kost, Verpflegung*: food; *Mahlzeit*: meal; *Gericht*: dish; *Mittag⚒*: lunch, dinner; *Abend⚒*: dinner; *bsd. spätabends*: supper; **⚒szeit** f lunchtime; dinner-time; supper-time.

**Essenz** f essence.

**Essig** m vinegar.

**Eß|löffel** m soup-spoon; **~tisch** m dining-table; **~waren** f/pl. eatables pl., victuals pl., food; **~zimmer** n dining-room.

**Etage** *f* floor, stor(e)y.

**Etappe** *f* ✕ base; *fig.* stage, leg.

**Etat** *m* budget, *parl. the* Estimates *pl.*

**Ethik** *f* ethics *pl.*, *sg.*

**Etikett** *n* label, ticket; *Anhängezettel*: tag; *gummiert*: *Am. a.* sticker; ~e *f* etiquette; **2ieren** *v/t.* label.

**etliche** *indef. pron.* some, several.

**Etui** *n* case.

**etwa** *adv. vielleicht*: perhaps, by chance; *ungefähr*: about, *Am. a.* around; ~ig *adj.* possible.

**etwas 1.** *indef. pron.* something; *verneinend, fragend, bedingend*: anything; **2.** *adj.* some; any; **3.** *adv.* somewhat; **4.** 2 *n*: *das gewisse* ~ that certain something.

**euer** *poss. pron.* your; *der (die, das)* eu(e)re yours.

**Eule** *orn. f* owl; ~n *nach Athen tragen* carry coals to Newcastle.

**euresgleichen** *pron.* people like you, *F* the likes of you.

**Europä|er** *m* European; **2isch** *adj.* European.

**Euter** *n* udder.

**evakuieren** *v/t.* evacuate.

**evangeli|sch** *adj.* evangelic(al); Protestant, *in Deutschland*: Lutheran; **2um** *n* gospel.

**eventuell 1.** *adj.* possible; **2.** *adv.* possibly, perhaps.

**ewig** *adj.* eternal; *unaufhörlich*: everlasting, perpetual; *auf* ~ for ever; **2keit** *f* eternity.

**exakt** *adj.* exact; **2heit** *f* exactitude, exactness.

**Examen** *n* examination, F exam.

**Exekutive** *f* executive power.

**Exemplar** *n* specimen; *e-s Buches*: copy.

**exerzier|en** ✕ *v/i. u. v/t.* drill; **2platz** ✕ *m* drill-ground, parade-ground.

**Exil** *n* exile.

**Existenz** *f* existence; *Unterhalt*: living, livelihood; ~**minimum** *n* subsistence minimum.

**existieren** *v/i.* exist, subsist.

**exotisch** *adj.* exotic.

**Expedition** *f* expedition.

**Experiment** *n* experiment; **2ieren** *v/i.* experiment.

**explo|dieren** *v/i.* explode, burst; **2sion** *f* explosion; ~**siv** *adj.* explosive.

**Export** *m* export(ation); **2ieren** *v/t.* export.

**extra** *adj.* extra; **2blatt** *n* extra edition, *Am.* extra.

**Extrakt** *m* extract.

**Extrem 1.** *n* extreme; **2.** 2 *adj.* extreme.

**Exzellenz** *f* Excellency.

**exzentrisch** *adj.* eccentric.

**Exzeß** *m* excess.

# F

**Fabel** *f* fable (*a. fig.*); *Handlung e-r Geschichte etc.*: plot; **2haft** *adj.* marvellous.

**Fabrik** *f* factory, works *sg.*, *pl.*, mill; ~**ant** *m Besitzer*: factory-owner, mill-owner; *Hersteller*: manufacturer; ~**arbeiter** *m* factory worker *od.* hand; ~**at** *n* make; *Erzeugnis*: product; ~**ationsfehler** *m* flaw; ~**besitzer** *m* factory-owner; ~**ware** *f* manufactured article.

**Fach** *n Schrank2 etc.*: compartment, shelf; *Schub2*: drawer; *fig.* subject; *s.* Fachgebiet; ~**arbeiter** *m* skilled worker; ~**arzt** *m* specialist (*für in*);

~**ausbildung** *f* professional training; ~**ausdruck** *m* technical term.

**Fächer** *m* fan.

**Fach|gebiet** *n* branch, field, province; ~**kenntnisse** *f/pl.* specialized knowledge; **2kundig** *adj.* competent, expert; ~**literatur** *f* specialized literature; ~**mann** *m* expert; **2männisch** *adj.* expert; ~**schule** *f* technical school; ~**werk** △ *n* framework; [procession.]

**Fackel** *f* torch; ~**zug** *m* torchlight]

**fad(e)** *adj. ohne Geschmack*: insipid, tasteless; *schal*: stale; *langweilig*: dull, boring.

**Faden** *m* thread (*a. fig.*); ℒscheinig *adj.* threadbare; *Ausrede:* flimsy.

**fähig** *adj.* capable (*zu inf.* of *ger.*; *gen.* of); able (to *inf.*); ℒkeit *f* (cap)ability; *geistige:* talent, faculty.

**fahl** *adj.* pale, pallid; *Farbe:* faded; *Gesichtsfarbe:* leaden.

**fahnd|en** *v/i.*: *nach j-m ~* search for s.o.; ℒung *f* search.

**Fahne** *f* flag; standard; banner; ⚓, ✗; *fig.* colo(u)rs *pl.*; *typ.* galley proof.

**Fahnen|flucht** *f* desertion; ~stange *f* flagstaff, *Am. a.* flagpole.

**Fahr|bahn** *f*, ~damm *m* roadway.

**Fähre** *f* ferry(-boat).

**fahren** 1. *v/i. j., Fahrzeug:* drive, go; *Radfahrer:* ride, cycle; ⚓ sail; *mot.* motor; *mit der Eisenbahn ~* go by train; *mit der Hand ~ über* pass one's hand over; *gut ~* do *od.* fare well; 2. *v/t.* carry, convey; *Wagen, Zug etc.:* drive; *Fahrrad:* ride.

**Fahrer** *m* driver; ~flucht *f* hit-and-run offen|ce (*Am.* -se).

**Fahr|gast** *m* passenger; *im Taxi:* fare; ~geld *n* fare; ~gestell *n mot.* chassis; ✈ undercarriage, landing gear; ~karte *f* ticket; ~kartenschalter *m* booking-office, *Am.* ticket office; ℒlässig *adj.* careless; ~lehrer *m* driving instructor; ~plan *m* timetable, *Am. a.* schedule; ℒplanmäßig 1. *adj.* scheduled; 2. *adv.* on time; ~preis *m* fare; ~rad *n* bicycle, F bike; ~schein *m* ticket; ~schule *f* driving school, school of motoring; ~stuhl *m* lift, *Am.* elevator; ~stunde *f* driving lesson.

**Fahrt** *f im Wagen:* ride, drive; *Reise:* journey; *bsd. Vergnügungs*ℒ: trip; *Ausflug:* outing; *~ ins Blaue* mystery tour; *in voller ~* (at) full speed.

**Fährte** *f* track (*a. fig.*).

**Fahr|wasser** *n* ⚓ navigable water; *fig.* track; ~zeug *n* vehicle; ⚓ vessel.

**Faktor** *m* factor.

**Fakultät** *univ. f* faculty.

**Falke** *orn. m* hawk, falcon.

**Fall** *m* fall; *gr.*, ⚖, ✗ case; *gesetzt den ~* suppose; *auf alle Fälle* at all events; *auf jeden ~* in any case; *auf keinen ~* on no account.

**Falle** *f* trap; *Fallgrube:* pitfall (*beide a. fig.*).

**fallen** *v/i.* fall, drop; ✗ be killed in action; *Flut:* subside; *auf j-n ~ Verdacht etc.:* fall on s.o.; *~ lassen Teller etc.:* drop.

**fällen** *v/t. Baum:* fell, cut down; ⚖ *Urteil:* pass.

**fallenlassen** *v/t. Plan etc.:* drop.

**fällig** *adj.* due; *Geld:* a. payable.

**Fallobst** *n* windfall.

**falls** *cj.* if, in case.

**Fall|schirm** *m* parachute; ~schirmspringer *m* parachutist; ~tür *f* trapdoor.

**falsch** 1. *adj.* false; *verkehrt:* wrong; *Geld:* counterfeit; *Münze:* base; *Wechsel etc.:* forged; *Person:* deceitful; 2. *adv.*: *~ gehen Uhr:* be wrong; *~ verbunden! teleph.* sorry, wrong number.

**fälsche|n** *v/t.* falsify; *Urkunden etc.:* forge, fake; *Geld:* counterfeit; ℒr *m* forger, faker.

**Falsch|geld** *n* counterfeit *od.* bad money; ~meldung *f* false report.

**Fälschung** *f* forgery; counterfeit; fake.

**Falt|boot** *n* folding canoe, *Am.* foldboat, faltboat; ~e *f* fold (*im Rock etc.:* pleat; *in Hosen:* crease; *im Gesicht:* wrinkle; ℒen *v/t.* fold; *die Hände ~* clasp *od.* join one's hands; ℒig *adj. Gesicht etc.:* wrinkled.

**familiär** *adj.* familiar; informal.

**Familie** *f* family (*a. zo.*, ♀).

**Familien|angelegenheit** *f* family affair; ~anschluß *m*: *~ haben* live as one of the family; ~name *m* family name, surname, *Am. a.* last name; ~stand *m* marital status.

**Fanati|ker** *m* fanatic; ℒsch *adj.* fanatic(al); ~smus *m* fanaticism.

**Fanfare** *f* flourish of trumpets.

**Fang** *m* capture, catch(ing); *hunt.* bag; ℒen *v/t.* catch; ~zahn *m* fang.

**Farb|band** *n* (typewriter) ribbon; ~e *f* colo(u)r; *Maler*ℒ: paint; *Haar*ℒ, *Stoff*ℒ: dye; *Gesichts*ℒ: complexion; *Kartenspiel:* suit; ℒecht *adj.* colo(u)r-fast.

**färben** *v/t.* colo(u)r; *Stoff, Haare, Ostereier etc.:* dye; *tönen:* tint; *Stoffe, Glas etc.:* stain; *sich rot ~* turn red.

**farben|blind** *adj.* colo(u)r-blind; ~froh *adj.* colo(u)rful.

**Farb|fernsehen** *n* colo(u)r television; ~film *m* colo(u)r film.

**farbig** *adj.* colo(u)red; *Glas*: tinted, stained; *fig.* colo(u)rful; ♀e **1.** *m* colo(u)red man; **2.** *f* colo(u)red woman; **3.** *pl.* colo(u)red people.

**farb|los** *adj.* colo(u)rless; ♀**photographie** *f* colo(u)r photography; ♀**stift** *m* colo(u)r pencil; ♀**stoff** *m* . colo(u)ring matter; ♀**ton** *m* tone, shade, tint.

**Färbung** *f* colo(u)ring; *leichte Tönung*: shade.

**Farnkraut** ♀ *n* fern.

**Fasan** *orn. m* pheasant.

**Fasching** *m* carnival.

**faseln** *v/i.* blether, F waffle.

**Faser** *f anat.*, ♀, *fig.* fib|re, *Am.* -er; *Baumwoll♀*, *Woll♀ etc.*: staple; ♀**ig** *adj.* fibrous; ♀**n** *v/i.* *Wolle*: shed fine hairs.

**Faß** *n* cask, barrel; *Bottich*: tub, vat; ♀**bier** *n* draught beer.

**Fassade** △ *f* façade, front (*a. fig.*).

**fassen 1.** *v/t.* seize, take hold of; *Verbrecher*: catch, apprehend; *enthalten*: hold; *Schmuck*: set; *fig.* grasp, understand, believe; *Mut*: pluck up; *Entschluß*: make; *sich ~* compose o.s.; *sich kurz ~* be brief; **2.** *v/i.*: ~ *nach* reach for.

**Fassung** *f Edelsteine*: setting; *Brillen♀*: frame; ✦ socket; *schriftlich*: draft(ing); *Wortlaut*: wording, version; *seelische*: composure; *die ~ verlieren* lose one's self-control; *aus der ~ bringen* disconcert; ♀**svermögen** *n* (holding) capacity.

**fast** *adv.* almost, nearly.

**fasten** *v/i.* fast; ♀**zeit** *f* Lent.

**Fastnacht** *f* Shrovetide, carnival.

**fatal** *adj. peinlich*: awkward; *verhängnisvoll*: disastrous.

**fauchen** *v/i.* spit (*a.* F *fig.*).

**faul** *adj. Obst etc.*: rotten, bad; *Fisch, Fleisch*: putrid, bad; *fig.* lazy, indolent, idle; *verdächtig*: fishy; ~*e Ausrede* lame excuse; ♀**en** *v/i.* rot, go bad, putrefy, decay.

**faulenze|n** *v/i.* idle, laze, loaf; ♀**r** *m* idler, sluggard, lazy-bones.

**Faulheit** *f* idleness, laziness.

**Fäulnis** *f* rottenness, putrefaction, decay.

**Faul|pelz** *m s.* Faulenzer; ♀**tier** *zo. n* sloth.

**Faust** *f* fist; *auf eigene ~* on one's own initiative; ♀**handschuh** *m* mitt(en); ♀**schlag** *m* blow with the fist, punch, *Am.* F *a.* slug.

**Favorit** *m* favo(u)rite.    [ruary.)

**Feber** *östr. m*, **Februar** *m* Feb-)

**fechten** *v/i.* fence.

**Feder** *f* feather; *Schmuck♀*: plume; *Schreib♀*: pen; ⊕ spring; ♀**bett** *n* bed-covering filled with feathers; ♀**gewicht** *n Boxen*: featherweight; ♀**halter** *m* penholder; ♀**kiel** *m* quill; ♀**leicht** *adj.* (as) light as a feather; ♀**messer** *n* penknife; ♀**n** *v/i.* be elastic; ♀**nd** *adj.* springy, elastic; ♀**strich** *m* stroke of the pen; ♀**vieh** *n* poultry; ♀**zeichnung** *f* pen-and-ink drawing.

**Fee** *f* fairy.

**Fegefeuer** *n* purgatory.

**fegen** *v/t.* sweep.

**Fehde** *f* feud.

**Fehl|betrag** *m* deficit, deficiency; ♀**en** *v/i.* be absent; *es fehlt ihm an* he lacks, he is lacking *od.* wanting in; *sie fehlt uns sehr* we miss her very much; *was fehlt Ihnen?* what is the matter with you?

**Fehler** *m* mistake, error, F slip; *Charakter♀*: fault; ⊕ defect, flaw; ♀**frei** *adj.* faultless, perfect; ⊕ flawless; ♀**haft** *adj.* faulty, defective; *nicht richtig*: incorrect; ♀**los** *adj. s.* fehlerfrei.

**Fehl|geburt** *f* miscarriage, abortion; ♀**schlag** *fig. m* failure; ♀**schlagen** *fig. v/i.* fail, miscarry; ♀**tritt** *m* false step, slip; *fig.* slip; ♀**zündung** *mot. f* misfire, back-fire.

**Feier** *f* ceremony; *e-s Festes*: celebration; *Fest*: festival; ♀**abend** *m* finishing *od.* closing time; ♀**machen** finish, F knock off; ♀**lich** *adj.* solemn; ♀**lichkeit** *f* solemnity; *Feier*: ceremony; ♀**n 1.** *v/t.* celebrate, observe; **2.** *v/i.* celebrate; rest (from work), make holiday; ♀**tag** *m* holiday; *Festtag*: festive day.

**feig(e)** *adj.* cowardly.

**Feige** *f* fig.

**Feig|heit** *f* cowardice, cowardliness; ♀**ling** *m* coward.

**Feile** *f* file; ♀**n 1.** *v/t.* file; *fig. a.* polish; **2.** *v/i.*: ~ *an* file at; *fig.* polish (up).

**feilschen** *v/i.* haggle (*um* for, about).

**fein** *adj.* fine; *zart, zierlich*: delicate, dainty; *gute Qualität*: high-grade; *Umgangsformen*: polished; *Unterschied*: subtle.

**Feind** *m* enemy (*a.* ⚔); ♀**lich** *adj.*

hostile, inimical; ~**schaft** f enmity, *stärker*: animosity, hostility; **2selig** *adj.* hostile (*gegen* to); ~**seligkeit** f hostility; *Bosheit*: malevolence.

**fein|fühlig** *adj.* sensitive; **2heit** f fineness; *Zartheit*: delicacy, daintiness; elegance; **2kost** f high-class groceries *pl.*, *Am.* delicatessen *sg., pl.*; **2mechanik** f precision mechanics; **2schmecker** m gourmet.

**feist** *adj.* fat, stout.

**Feld** n field (*a.* ✕, ✗, *Sport*); *Boden*: ground, soil; *Schach*: square; *Füllung*: panel; ~**arbeit** f agricultural work; ~**bett** n camp-bed; ~**flasche** f water-bottle; ~**herr** m general; ~**lazarett** ✕ n field-hospital; ~**lerche** *orn.* f skylark; ~**marschall** m Field Marshal; ~**stecher** m (*ein a pair of*) field-glasses *pl.*; ~**webel** m sergeant; ~**weg** m (field) path; ~**zug** m ✕ campaign (*a. fig.*), (military) expedition.

**Felge** f felloe; *mot.* rim.

**Fell** n *von toten Tieren*: skin, pelt, fur; *von lebenden Tieren*: coat; *von Schafen*: fleece.

**Fels** m rock; ~**block** m rock, boulder; ~**en** m rock; **2ig** *adj.* rocky.

**Fenchel** ♀ m fennel.

**Fenster** n window; ~**brett** n window-sill; ~**flügel** m casement; *e-s Schiebefensters*: sash; ~**kreuz** n cross-bar(s *pl.*); ~**laden** m shutter; ~**rahmen** m window-frame; ~**scheibe** f (window-)pane.

**Ferien** *pl.* holiday(s *pl.*), *bsd. Am.* vacation; *parl.* recess; ✝✝ vacation, recess.

**Ferkel** n young pig; *fig.* pig.

**fern 1.** *adj.* far (off), distant; *entlegen*: remote; **2.** *adv.* far (away); *von* ~ from a distance.

**Fernamt** *teleph.* n trunk exchange, *Am.* long-distance exchange.

**fernbleiben** *v/i.* remain *od.* stay away (*dat.* from).

**Fern|e** f distance; remoteness; *aus der* ~ from *od.* at a distance; **2er 1.** *adj.* farther; *fig.*: further; future; **2. *adv.* further(more), in addition, also; ~ *liefen ... also ran ...*; ~**gespräch** *teleph.* n trunk call, *Am.* long-distance call; **2gesteuert** *adj.* *Rakete*: guided; *Flugzeug etc.*: remote-controlled; ~**glas** n binoculars *pl.*; **2halten** *v/t. u. v/i/refl.*

keep away (*von* from); ~**heizung** f district heating; ~**laster** F *mot.* m long-distance lorry, *Am.* long haul truck; **2liegen** *v/i.*: es liegt mir fern *zu inf.* I am far from ger.; ~**rohr** n telescope; ~**schreiber** m teleprinter, *Am.* teletypewriter; ~**sehen 1.** n television; **2.** ♀ *v/i.* watch television; ~**seher** m television set; *Person*: television viewer, televiewer; ~**sehsendung** f television broadcast, telecast.

**Fernsprech|amt** n telephone exchange, *Am. a.* central; ~**anschluß** m telephone connection; ~**er** m telephone; ~**leitung** f telephone line; ~**zelle** f telephone kiosk (*Am.* booth).

**Fern|steuerung** f remote control; ~**verkehr** m long-distance traffic.

**Ferse** f heel.

**fertig** *adj.* *bereit*: ready; *beendet*: finished; *Kleidung*: ready-made; *mit et.* ~ *werden* get s.th. finished; *mit et.* ~ *sein* have finished s.th.; ~**bringen** *v/t.* bring about; manage; **2keit** f dexterity, skill; *Sprech♀*: fluency; ~**machen** *v/t.* finish, complete; get s.th. ready; *fig.* finish, settle s.o.'s hash; *sich* ~ get ready; **2stellung** f completion; **2waren** f/pl. finished goods *pl. od.* products *pl.* [neat, natty.]

**fesch** *adj.* nice, smart, stylish; *flott*:)

**Fessel** f chain, fetter, shackle; *anat.* ankle; *zo.* pastern; *fig.* bond, fetter, tie; **2n** *v/t.* chain, fetter, shackle; *j-n* ~ hold *od.* arrest s.o.'s attention; fascinate s.o.

**fest** *adj.* firm; *nicht flüssig*: solid; *starr*: fixed; ~ *verankert*: fast; *Grundsätze*: firm, strong; *Schlaf*: sound; *Gewebe*: close.

**Fest** n festival, celebration; *Feiertag*: holiday, *eccl.* feast.

**fest|binden** *v/t.* fasten, tie (*an* to); **2essen** n banquet, feast; ~**fahren** *v/refl.* get stuck; *fig.* reach a deadlock; **2halle** f (festival) hall; ~**halten 1.** *v/i.*: ~ *an* hold *od.* cling to; **2.** *v/t.* hold on to; hold s.o. *od.* s.th. tight; *sich* ~ *an* hold on to; ~**igen** *v/t.* *Stellung etc.*: consolidate; *Freundschaft etc.*: strengthen; *Währung*: stabilize; **2igkeit** f firmness, solidity; **2land** n mainland, continent; ~**legen** *v/t.* fix, set; *sich auf et.* ~ commit o.s. to s.th.; ~**lich** *adj.*

festive; *Empfang etc.*: ceremonial; **~machen 1.** *v/t.* fix, fasten, attach (*an* to); ⚓ moor; **2.** ⚓ *v/i.* moor; **~nahme** *f* arrest; **~nehmen** *v/t.* arrest, take into custody; **~setzen** *v/t.* fix, set; **~spiel** *n* festival; **~stehen** *v/i.* stand firm; *fig.* be certain; **~stehend** *adj.* fixed, stationary; *Tatsache etc.*: established; **~stellen** *v/t.* establish; *ermitteln*: ascertain, find out; *angeben*: state; *wahrnehmen*: see, perceive; **~tag** *m* festive day; festival, holiday; *eccl.* feast; **~ung** ✕ *f* fortress.

**fett 1.** *adj.* fat; fleshy; *Stimme*: oily; *Boden*: rich; **2.** ⚓ *n* fat; grease (*a.* ⊕); **~fleck** *m* grease-spot; **~ig** *adj.* *Haare, Haut etc.*: greasy, oily; *Finger etc.*: greasy; *Speck etc.*: fatty.

**Fetzen** *m* shred; *Lumpen*: rag; *ein ~ Papier* a scrap of paper.

**feucht** *adj. Klima, Luft etc.*: damp, moist; *bsd. phys. Luft*: humid; **~keit** *f* moisture; *e-s Ortes etc.*: dampness; *Luft*⚓: humidity.

**Feuer** *n* fire; *zum Anzünden*: light; *fig.* ardo(u)r; *~ fangen* catch fire; *fig.* fall for so.; **~alarm** *m* firealarm; **~beständig** *adj.* fire-proof, fire-resistant; **~bestattung** *f* cremation; **~eifer** *m* ardo(u)r; **~fest** *adj. s.* feuerbeständig; **~gefährlich** *adj.* inflammable; **~löscher** *m* fire extinguisher; **~melder** *m* firealarm; **~n 1.** ✕ *v/i.* shoot, fire (*auf* at, on); **2.** F *v/t. schleudern*: hurl; **~rot** *adj.* fiery (red), (as) red as fire; **~sbrunst** *f* conflagration; **~sgefahr** *f* danger od. risk of fire; **~stein** *m* flint; **~versicherung** *f* fire insurance (company); **~wache** *f* fire station, *Am. a.* firehouse; **~wehr** *f* fire-brigade, *Am. a.* fire department; **~wehrmann** *m* fireman; **~werk** *n* (display of) fireworks *pl.*; **~werkskörper** *m* firework; **~zeug** *n* (cigarette-)lighter.

**feurig** *adj.* fiery; *fig. a.* ardent.

**Fiasko** *n* (complete) failure, fiasco.

**Fibel** *f* spelling-book, primer.

**Fichte** ♀ *f* spruce; **~nnadel** *f* pine-needle.

**fidel** *adj.* cheerful, merry, jolly.

**Fieber** *n* temperature, fever; *~ haben* have *od.* run a temperature; **~haft** *adj.* feverish (*a. fig.*), febrile; **~krank** *adj.* ill with fever; **~n** *v/i.* have *od.* run a temperature; *~ nach*

crave *od.* long for; **~schauer** *m* chill, shivers *pl.*; **~thermometer** *n* clinical thermometer.

**Figur** *f* figure; *Schach*⚓: chessman, piece.

**Filet** *n Lendenstück etc.*: fillet.

**Filiale** *f* branch.

**Film** *m Überzug*: film, thin coating; *phot.* film; *Spiel*⚓: film, (moving) picture, *Am. a.* motion picture, F movie; *e-n ~ einlegen phot.* load a camera; **~atelier** *n* film studio; **~aufnahme** *f Vorgang*: filming, shooting; *Einzelszene*: shot; **~en 1.** *v/t.* film, shoot; **2.** *v/i.* make a film; **~gesellschaft** *f* film (*Am.* motion-picture) company; **~kamera** *f* cine- (*Am.* motion-picture) camera; **~regisseur** *m* film director; **~schauspieler** *m* film *od.* screen actor, *Am.* F movie actor; **~streifen** *m* film strip; **~theater** *n* cinema, *Am.* motion-picture *od.* F movie theater; **~verleih** *m* film distributors *pl.*

**Filter 1.** *m* (coffee-, *etc.*) filter; **2.** ⊕ *n* filter; **~n** *v/t.* filter, filtrate; *Flüssigkeit: a.* strain; **~zigarette** *f* filter-tipped cigarette.

**Filz** *m* felt.

**Finanz|amt** *n* (inland) revenue office; *in England: a.* office of the Inspector of Taxes; **~en** *f/pl.* finances *pl.*; **~iell** *adj.* financial; **~ieren** *v/t.* finance; **~lage** *f* financial position; **~mann** *m* financier; **~minister** *m* minister of finance; Chancellor of the Exchequer, *Am.* Secretary of the Treasury; **~ministerium** *n* ministry of finance; *the* Exchequer, *Am.* Treasury Department; **~wesen** *n* finances *pl.*; financial matters *pl.*

**Findelkind** *n* foundling.

**finden** *v/t.* find; *entdecken*: discover, come across; *der Ansicht sein*: find, think, consider; *wie ~ Sie ...?* how do you like ...?; *das wird sich ~* it will be found; *fig.* we shall see.

**Finder** *m* finder; **~lohn** *m* finder's reward.

**Finger** *m* finger; **~abdruck** *m* finger-print; **~fertigkeit** *f* manual skill; **~hut** *m* thimble; ♀ foxglove; **~spitze** *f* finger-tip; **~spitzengefühl** *fig. n* sure instinct; tact; **~übung** ♪ *f* finger exercise; **~zeig** *m* hint, F pointer.

**Fink** *orn. m* finch.

**finster** *adj.* dark; *Nacht, Raum etc.*: *a.* gloomy, murky; *Person*: sullen; *fig. düster*: sinister, sombre, gloomy; **2nis** *f* darkness, gloom.

**Firma** † *f* firm, business, company.

**firmen** *eccl. v/t.* confirm.

**Firmeninhaber** *m* owner of a firm.

**Firn** *m* firn, névé.

**First** △ *m* ridge.

**Fisch** *m* fish; **~dampfer** *m* trawler; **2en** *v/t. u. v/i.* fish; **~er** *m* fisherman; **~erboot** *n* fishing-boat; **~erdorf** *n* fishing-village; **~fang** *m* fishing; **~gräte** *f* fish-bone; **~grätenmuster** *n* herring-bone pattern; **~händler** *m* fishmonger, *Am.* fish dealer; **~laich** *m* spawn; **~vergiftung** *⚕ f* fish-poisoning; **~zucht** *f* pisciculture, fish-hatching; **~zug** *m* catch, haul, draught (of fish).

**Fiskus** *m* exchequer, *bsd. Am.* treasury; government.

**Fisole** *östr. f* string bean.

**Fistel** *⚕ f* fistula.

**Fittich** *poet. m* pinion, wing.

**fix** *adj. Gehalt, Preis etc.*: fixed; *flink, gewandt*: quick, clever, smart; *e-e ~e Idee* an obsession; *ein ~er Junge* a smart fellow; **~ieren** *v/t.* fix (*a. phot.*); *j-n*: stare at; **2stern** *ast. m* fixed star.

**flach** *adj.* flat; *Boden*: flat, level, even; *Wasser, Teller, fig.*: shallow; *eben*: plane.

**Fläche** *f* surface; *geom.* area; *weite ~*: tract, expanse; *Wasser2 etc.*: *a.* sheet; *ebene ~* plane; **~inhalt** *A̸ m* (surface) area; **~nmaß** *n* square *od.* surface measure.

**Flachland** *n* plain, flat country.

**Flachs** ⚘ *m* flax.

**flackern** *v/i.* flicker.

**Flagge** *f* flag; ⚓ *a.* colo(u)rs *pl.*; **2n** *v/i.* fly *od.* hoist a flag.

**Flamme** *f* flame; *lodernde*: blaze.

**Flanell** *m* flannel.

**Flank|e** *f* flank (*a.* △, ⊕, ✕, *mount.*); side; **2ieren** *v/t.* flank.

**Flasche** *f* bottle; *Taschen2*: flask.

**Flaschen|bier** *n* bottled beer; **~hals** *m* neck of a bottle; **~öffner** *m* bottle-opener; **~zug** ⊕ *m* block and tackle, pulley.

**flatter|haft** *adj.* fickle, flighty; **~n** *v/i. Vogel, Schmetterling*: flutter (about); *Vogel, Fledermaus etc.*: flit (about); *Haare, Fahne, Kleidung*

*etc.*: stream, fly; *mot. Vorderräder*: shimmy, wobble; *Steuerung*: judder; *auf den Boden ~* flutter to the ground.

**flau** *adj.* weak, feeble, faint; *lustlos*: lukewarm; *abgestanden, fade*: stale; † *Markt etc.*: dull, slack.

**Flaum** *m* down, fluff, fuzz.

**Flausen** F *f/pl.* (funny) ideas *pl.*

**Flaute** *f* ⚓ dead calm; *bsd.* † dullness, slack period.

**Flecht|e** *f Haar2*: braid, plait; ⚘, ⚕ lichen; **2en** *v/t. Haare, Bänder etc.*: braid, plait; *Korb, Kranz etc.*: weave; *Blumen*: wreath; *Seil*: twist; **~werk** *n* wickerwork.

**Fleck[1]** *m Schmutz2*; *zo.*: mark, spot; *Öl2, Blut2 etc.*: smear; *Blut2, Wein2, Kaffee2*: stain; *Tinten2*: stain, blot; *Stelle, Ort*: place, spot; *fig.* blemish, spot, stain.

**Fleck[2]** *m Flicken*: patch; *Schuh2*: heel-piece; **~en** *m s. Fleck[1]*; small (market-)town, townlet; **~enwasser** *n* spot *od.* stain remover; **~fieber** *⚕ n* (epidemic) typhus; **2ig** *adj.* spotted; *befleckt*: stained.

**Fledermaus** *zo. f* bat.

**Flegel** *m* flail; *fig.* lout, boor; **2haft** *adj.* rude, ill-mannered; loutish.

**flehen** **1.** *v/i.*: *um et. ~* plead for s.th.; **2.** ⚘ *n* supplication, entreaty.

**Fleisch** *n* flesh; *Schlacht2*: meat; *Frucht2*: pulp; **~brühe** *f* meat-broth; *klare*: beef tea; **~er** *m* butcher; **~erei** *f* butcher's (shop), *Am.* butcher shop; **2fressend** *adj.* carnivorous; **~hauer** *östr. m* butcher; **2ig** *adj.* fleshy; ⚘ pulpy; **~konserven** *f/pl.* tinned (*Am.* canned) meat; **2lich** *adj. Begierden etc.*: carnal, fleshly; **2los** *adj.* meatless; **~vergiftung** *f* meat *od.* ptomaine poisoning.

**Fleiß** *m* diligence, industry; **2ig** *adj.* diligent, industrious, hard-working.

**fletschen** *v/t.*: *die Zähne ~ Tier*: bare its teeth; *Mensch*: bare one's teeth.

**Flicken** **1.** *m* patch; **2.** ⚘ *v/t.* patch; *Schuhe, Dach etc.*: mend, repair; *bsd. Schuhe*: cobble.

**Flickwerk** *n* patchwork.

**Flieder** ⚘ *m* lilac.

**Fliege** *f zo.* fly; *Krawatte*: bow-tie.

**fliegen** **1.** *v/i.* fly; **2.** *v/t. ein Flugzeug*: fly, pilot; *Güter etc.*: convey *s.th.* by air; **3.** ⚲ *n* flying; *Luftfahrt:* aviation.

**Fliegen|fenster** *n* fly-screen; **~gewicht** *n Boxen:* fly-weight; **~pilz** ⚘ *m* fly agaric.

**Flieger** *m* flyer; ✈ airman, aviator, pilot; F *Flugzeug:* plane, bomber; *Radrennfahrer:* sprinter; **~abwehr** ✕ *f* anti-aircraft defen|ce, *Am.* -se; **~alarm** ✕ *m* air-raid alarm *od.* warning.

**flieh|en** *v/i.* flee, run away *(beide:* vor from); **⚲kraft** *phys. f* centrifugal force.

**Fliese** *f* (wall-)tile; (floor-)tile.

**Fließ|band** *n* assembly-line; *Förderband:* conveyor-belt; **⚲en** *v/i. Fluß, Verkehr etc.:* flow; *Leitungswasser etc.:* run; **⚲end 1.** *adj. Wasser:* running; *Verkehr:* moving; *Rede:* fluent; **2.** *adv.:* ~ lesen *(sprechen)* read (speak) fluently.

**flimmern** *v/i.* glimmer, glitter; *Fernsehen, Film:* flicker.

**flink** *adj.* quick, nimble, brisk.

**Flinte** *f* shotgun.

**Flirt** *m* flirtation; **⚲en** *v/i.* flirt.

**Flitter** *m* tinsel *(a. fig.),* spangle; **~kram** *m* cheap finery; **~wochen** *pl.* honeymoon.

**flitzen** F *v/i.* whisk, scamper.

**Flock|e** *f Schnee⚲, Seifen⚲ etc.:* flake; *Woll⚲:* flock; **⚲ig** *adj.* fluffy, flaky.

**Floh** *zo. m* flea.

**Florett** *fenc. n* foil.

**florieren** *v/i.* flourish, thrive.

**Floskel** *f* flourish; empty phrase.

**Floß** *n* raft, float.

**Flosse** *f* fin; *Robben etc.:* flipper.

**Flöte** ♪ *f* flute.

**flott** *adj.* ⚓ *schwimmfähig:* floating, afloat; *Schritt etc.:* quick, brisk; *Musik etc.:* gay, lively; *Kleid etc.:* smart, stylish; *Auto etc.:* rakish; *Tänzer:* excellent.

**Flotte** *f* fleet; *Marine:* navy; **~stützpunkt** ✕ *m* naval base.

**Fluch** *m* curse; *Schimpfwort:* curse, swear-word; **⚲en** *v/i.* swear, curse.

**Flucht** *f* flight (vor from); escape *(aus* from); **2kraft** *?:* suite.

**flücht|en** *v/i.* flee *(nach, zu* to); run away; take refuge; *Gefangener:* escape; *sich* ~ take refuge; **~ig** *adj.* fugitive *(a. fig.); Gedanken etc.:* fleeting; *vergänglich:* transient; *oberflächlich:* careless, superficial; ⚗ volatile; **2ling** *m* fugitive; *pol.*

refugee; **2lingslager** *n* refugee camp.

**Flug** *m* flight; *im* ~(e) rapidly, quickly; **~abwehrrakete** *f* anti-aircraft missile; **~bahn** *f e-r Rakete etc.:* trajectory; ✈ flight path; **~ball** *m Tennis etc.:* volley; **~blatt** *n* handbill, leaflet, *Am. a.* flier; **~boot** ✈ *n* flying-boat; **~dienst** ✈ *m* air service.

**Flügel** *m* wing *(a. △, ✈, ✕)*; *Propeller⚲ etc.:* blade, vane; *Windmühlen⚲:* sail, vane; ♪ grand piano; *s. Fensterflügel, Türflügel, Lungenflügel;* **~tür** △ *f* folding door.

**Fluggast** *m* (air) passenger. [fledge.]

**flügge** *adj.* fledged; ~ *werden*)

**Flug|hafen** *m* airport; **~linie** *f* ✈ air route; *Fluggesellschaft:* airline; **~platz** *m* airfield; **~schrift** *f* pamphlet; **~sicherung** *f* air traffic control.

**Flugzeug** *n* aircraft, aeroplane, F plane, *Am. a.* airplane; **~halle** *f* hangar; **~rumpf** *m* fuselage, body; **~träger** *m* aircraft carrier; **~unglück** *n* air crash *od.* disaster.

**Flunder** *ichth. f* flounder.

**flunkern** *v/i.* fib, tell a fib.

**Flur 1.** *f* field; **2.** *m* hall.

**Fluß** *m* river, stream; *das Fließen:* flow(ing); *fig.* fluency, flux; **2abwärts** *adv.* downstream; **2aufwärts** *adv.* upstream; **~bett** *n* river bed.

**flüssig** *adj.* fluid, liquid; *Metall:* molten, melted; † *Gelder:* available, in hand; *Stil:* fluent, flowing; **2keit** *f* fluid, liquid; *Zustand:* fluidity, liquidity; availability; fluency.

**Fluß|lauf** *m* course of a river; **~mündung** *f* mouth of a river; **~pferd** *zo. n* hippopotamus; **~schiffahrt** *f* river navigation *od.* traffic.

**flüstern** *v/i. u. v/t.* whisper.

**Flut** *f* flood; *Gezeit:* high tide, (flood-)tide; *fig.* torrent; **2en 1.** *v/i.* flood, surge (über over); **2.** *v/t.* flood; **~welle** *f* tidal wave.

**Fohlen** *zo. n* foal; *männliches:* colt; *weibliches:* filly.

**Folge** *f von Ereignissen:* sequence, succession; *Hörfunkserie etc.:* instalment, part; *Reihe:* series; *Ergebnis:* consequence, result; *Zusammengehöriges:* set; *Zukunft:* future; ~ *pl.* aftermath.

**folgen** *v/i.* follow; *als Nachfolger*: succeed (*j-m* s.o.; *auf* to); *sich ergeben*: follow, ensue (*aus* from); *gehorchen*: obey (*j-m* s.o.); **~dermaßen** *adv.* as follows; **~schwer** *adj.* of grave consequence, grave.

**folgern** *v/t.* infer, conclude, deduce (*aus* from).

**folg|lich** *cj.* therefore; **~sam** *adj.* obedient.

**Folie** *f* foil.

**Folter** *f* torture; *auf die ~ spannen* keep on tenterhooks; **℘n** *v/t.* torture, torment.

**Fonds** ✝ *m* fund; *Gelder*: funds *pl.*

**Fontäne** *f* fountain.

**foppen** *v/t.* tease, hoax, fool.

**Förder|band** *n* conveyor-belt; **~korb** ⚒ *m* cage.

**fordern** *v/t.* demand; *Entschädigung etc.*: claim; *Preis etc.*: ask.

**fördern** *v/t.* further, advance; ⚒ haul, raise; *zutage ~* reveal.

**Forderung** *f* demand; *Anspruch*: claim; *Preis*: charge.

**Förderung** *f* furtherance, advancement; ⚒ haulage; *Menge*: output.

**Forelle** *ichth. f* trout.

**Form** *f* form; *Gestalt*: figure, shape; *Machart*: model; ⊕ mo(u)ld; *Sport*: form, condition; **℘al** *adj.* formal; **~alität** *f* formality; **~at** *n* size; *von ~ of distinction*; **℘ell** *f* formula; **℘ell** *adj.* formal; **℘en** *v/t.* form; *Material*: shape, fashion; *Ton, Charakter etc.*: mo(u)ld; **~enlehre** *gr. f* accidence; **~fehler** *m* informality; ⚖ flaw; **℘ieren** *v/t.* form; ✕ line up; *sich ~* ✕ line up.

**förmlich** *adj.* formal; *steif*: ceremonious.

**formlos** *adj.* formless, shapeless; *fig.* informal.

**Formular** *n* form, *Am. a.* blank.

**formulieren** *v/t.* formulate; *Frage, Schriftstück etc.*: word, phrase.

**forsch** *adj.* vigorous, energetic; *draufgängerisch*: smart, dashing.

**forsch|en** *v/i.*: *~ nach* search for; **℘er** *m* researcher, research worker; *Entdecker*: explorer; **℘ung** *f* research (work).

**Forst** *m* forest.

**Förster** *m* forester, *Am. a.* ranger.

**Forstwirtschaft** *f* forestry.

**Fort** ✕ *n* fort.

**fort** *adv. weg*: away, gone; *weiter*: on; *verloren*: gone, lost.

**fort|bestehen** *v/i.* continue; **~bewegen** *v/t.* move (on, away); *sich ~* move, walk; **~fahren** *v/i.* **1.** (*sein*) depart, leave; *mit dem Auto etc.*: *a.* drive off; **2.** (*h*) continue, keep on (*et. zu tun* to do *od.* doing s.th.); **~führen** *v/t.* continue, carry on; **~gehen** *v/i.* go (away), leave; **~geschritten** *adj.* advanced; **~laufend** *adj.* consecutive, continuous; **~pflanzen** *v/t.* propagate; *sich ~ biol.* propagate, reproduce; **℘pflanzung** *f* propagation, reproduction; **~reißen** *v/t. Lawine etc.*: sweep *od.* carry away; **~schaffen** *v/t.* get *od.* take away, remove; **~schreiten** *v/i.* advance, proceed, progress; **~schreitend** *adj.* progressive; **℘schritt** *m* progress; **~schrittlich** *adj.* progressive; **~setzen** *v/t.* continue, pursue; **℘setzung** *f* continuation; *~ folgt* to be continued); **~während 1.** *adj.* continuous, perpetual; **2.** *adv.* constantly, always.

**Foto...** *s. Photo...*

**Foyer** *bsd. thea. n* foyer.

**Fracht** *f* goods *pl.*; 🚂, ⚓, ✈ freight; ⚓ cargo; **~brief** *m* ✈ consignment note, ⚓, *Am.* bill of lading; **~dampfer** *m*, **~er** *m* freighter; **℘frei** *adj.* carriage paid; **~geld** *n* carriage, 🚂, ⚓, *Am.* freight.

**Frack** *m* dress coat, tailcoat.

**Frage** *f* question; *gr.*, *reth.* interrogation; *Problem*: problem, point; *e-e ~ stellen* ask a question; **~bogen** *m für Statistik etc.*: questionnaire; *für Antragsteller*: form; **℘n 1.** *v/t.* ask; *aus~*: question; **2.** *v/i.* ask; **~r** *m* questioner; **~wort** *gr. n* interrogative; **~zeichen** *n* question-mark, point of interrogation, *Am. mst* interrogation point.

**frag|lich** *adj.* doubtful, uncertain; *nach Substantiven*: in question; **~los** *adv.* undoubtedly, unquestionably.

**Fragment** *n* fragment.

**fragwürdig** *adj.* doubtful, dubious.

**Fraktion** *parl. f* (parliamentary) group.

**frankieren** *v/t.* prepay, stamp.

**Franse** *f* fringe.

**Franz|ose** *m* Frenchman; *die ~n pl.* the French *pl.*; **~ösin** *f* Frenchwoman; **℘ösisch** *adj.* French.

**Fräsmaschine** *f* milling-machine.

**Fraß** F *m sl.* grub.

**Fratze** *f* grimace, F face.

**Frau** f woman; *Dame*: lady; *Ehe* $\supset$: wife; ~ X Mrs X.

**Frauen|arzt** m gyn(a)ecologist; **~klinik** f hospital for women.

**Fräulein** n young lady; teacher; shop-assistant; waitress; ~ X|

**fraulich** adj. womanly. (Miss X.)

**frech** adj. impudent, F saucy; *Lüge etc.*: brazen; *Dieb etc.*: bold, daring; **♀heit** f impudence, F sauciness; boldness.

**frei** adj. free (von from, of); *Stellung*: vacant; *Feld*: open; *Paket*: carriage-paid; *Journalist etc.*: free-lance; liberal; **~mütig**: candid, frank; *unmoralisch*: licentious; **~er** *Tag* day off; *im Freien* in the open air.

**Frei|bad** n outdoor *od.* open-air bath; **~brief** m charter; *fig.* warrant.

**Freier** m suitor.

**Frei|exemplar** n free *od.* presentation copy; **~gabe** f release; **♀geben 1.** v/t. release; **2.** v/i.: *j-m* ~ give s.o. time off; **♀gebig** adj. generous, liberal; **~gepäck** n free luggage; **♀haben** v/i. have a holiday; *im Büro etc.*: have a day off; **~hafen** m free port; **♀halten** v/t. keep free *od.* clear; *j-n*: treat; **~handel** m free trade; **~heit** f liberty, freedom; **~karte** f free (*thea. a.* complimentary) ticket; **♀lassen** v/t. release, set free *od.* at liberty; *gegen Kaution* ~ ♀$\frac{1}{2}$ release on bail; **~lassung** f release; **~lauf** m free-wheel.

**freilich** adv. admittedly; *gewiß*: indeed, certainly, of course.

**Frei|lichtbühne** f open-air stage *od.* theat|re, *Am.* -er; **♀machen** v/t. ♀ prepay, stamp; *sich* ~ undress, take one's clothes off; **~maurer** m freemason; **♀mütig** adj. frank; **♀sprechen** v/t. *bsd. eccl.* absolve (von from); ♀$\frac{1}{2}$ acquit (of); *Lehrling*: release from his articles; **~spruch** ♀$\frac{1}{2}$ m acquittal; **~staat** pol. m free state; **♀stehen** v/i.: *es steht Ihnen frei zu inf.* you are free *od.* at liberty to *inf.*; **♀stellen** v/t.: *j-n* ~ exempt s.o. (von from) (a. ✕); *j-m* et. ~ leave s.th. open to s.o.; **~stoß** m *Fußball*: free kick; **~tag** m Friday; **~tod** m suicide; **~treppe** f outdoor staircase; **♀willig 1.** adj. voluntary; **2.** adv. voluntarily, of one's own free will; **~willige** m volunteer; **~zeit** f free *od.* spare *od.* leisure time.

**fremd** adj. strange; *ausländisch*: foreign, alien (*a. fig.*); *nicht dazugehörig*: extraneous; **~artig** adj. strange, exotic.

**Fremde 1.** f distant *od.* foreign parts; *in der* ~ abroad; **2.** m, f stranger; *Ausländer*: foreigner.

**Fremden|führer** m guide, cicerone; **~heim** n boarding house; **~industrie** f tourist industry; **~legion** ✕ f Foreign Legion; **~verkehr** m tourism; **~zimmer** n spare (bed-)room; *Tourismus*: room.

**Fremd|körper** ✍ m foreign body; **♀ländisch** adj. foreign, exotic; **~sprache** f foreign language; **♀-sprachig, ♀sprachlich** adj. foreign (-language); **~wort** n foreign word.

**Frequenz** phys. f frequency.

**fressen 1.** v/t. eat; *Raubtier*: devour; F *Mensch*: devour, gorge; **2.** v/i. eat; F *Mensch*: gorge; **3.** ♀ n feed, food.

**Freude** f joy, gladness; *Entzücken*: delight; *Vergnügen*: pleasure; ~ *haben an* find *od.* take pleasure in.

**Freuden|botschaft** f glad tidings pl.; **~geschrei** n shouts pl. of joy; **~tag** m red-letter day; **~taumel** m transports pl. of joy.

**freud|estrahlend** adj. radiant with joy; **~ig** adj. joyful; happy; **~los** adj. joyless, cheerless.

**freuen** v/t.: *es freut mich, daß* I am glad *od.* pleased (that); *sich* ~ *über* be pleased about *od.* with, be glad about; *sich* ~ *auf* look forward to.

**Freund** m (boy-)friend; *j-m* ~ friend; **♀lich** adj. friendly, kind, nice; *Zimmer*: cheerful; **♀lichkeit** f friendliness, kindness; **~schaft** f friendship; ~ *schließen* make friends; **♀schaftlich** adj. friendly.

**Frevel** m outrage (an, gegen on).

**Friede(n)** m peace; *im Frieden* in peacetime; *laß mich in Frieden!* leave me alone!

**Friedens|verhandlungen** f/pl. peace negotiations pl.; **~vertrag** m peace treaty.

**fried|fertig** adj. peaceable, peace-loving; **♀hof** m cemetery, graveyard, churchyard; **~lich** adj. s. *friedfertig*; *ruhig*: peaceful; **~liebend** adj. peace-loving.

**frieren** v/i. *Flüssigkeit*: freeze, become frozen; *Fluß etc.*: freeze (over, up); *Fenster etc.*: freeze over;

be *od.* feel cold; *ich friere an den Füßen* my feet are cold.

**Fries** △ *m* frieze.

**frisch 1.** *adj.* fresh; *Eier:* new-laid; *Wäsche:* clean; *Brot:* new; *auf ~er Tat ertappen* catch *s.o.* red-handed; **2.** *adv.:* ~ *gestrichen!* wet paint!, *Am.* fresh paint!

**Friseu**|**r** *m* hairdresser; *Herren*2̸: barber; **~se** *f* (woman) hairdresser.

**frisier**|**en** *v/t.: j-n ~ do od.* dress *s.o.*'s hair; *F: einen Wagen ~ mot.* tune up a car; *sich ~* do one's hair; 2̸**salon** *m* hairdressing salon.

**Frist** *f Zeitraum:* (fixed *od.* limited) period of time; term; *Aufschub:* time allowed; 𝄐 prescribed time; 𝄐, 𝆑 respite, grace; 2̸**en** *v/t.: sein Dasein ~* scrape along.

**Frisur** *f* hair-style, hair-do, coiffure.

**frivol** *adj.* frivolous, flippant.

**froh** *adj.* joyful, glad; *fröhlich:* cheerful, gay; *glücklich:* happy.

**fröhlich** *adj.* gay, merry, cheerful, happy; 2̸**keit** *f* gaiety, cheerfulness, merriment.

**frohlocken** *v/i.* exult (*über* at, in).

**fromm** *adj.* pious, religious; *Gebet:* devout; *Pferd:* docile; ~*e Lüge* white lie; ~*er Wunsch* wishful thinking.

**Frömmigkeit** *f* piety, religiousness.

**frönen** *v/i.* indulge in.

**Front** *f* △ front, façade, face; ✕ front, line; *pol.*, 𝆑 front.

**Frosch** *zo. m* frog; **~perspektive** *f* worm's-eye view.

**Frost** *m* frost; *Kältegefühl:* chill; **~beule** *f* chilblain.

**frösteln** *v/i.* feel chilly.

**frostig** *adj.* frosty; *fig.* a. cold, icy.

**frottier**|**en** *v/t.* rub; 2̸(**hand**)**tuch** *n* Turkish towel.

**Frucht** *f* 🜛 fruit (*a. fig.*); *Getreide:* corn; *Feldertrag:* crop; *Ergebnis:* result; 2̸**bar** *adj.* *biol.* fertile (*a. fig.*); fruitful (*bsd. fig.*); **~barkeit** *f* fertility; fruitfulness.

**früh 1.** *adj.* early; *am ~en Morgen* in the early morning; ~*er* former; **2.** *adv.:* ~ *am Morgen* early in the morning; ~ *aufstehen* rise early; *heute ~* this morning; ~*er* earlier; formerly, in former times; ~*estens* at the earliest; 2̸**aufsteher** *m* early riser, F early bird; 2̸**e** *f:* *in aller* ~ very early in the morning; 2̸**geburt** 🜛 premature birth; premature baby

*od.* animal; 2̸**jahr** *n*, 2̸**ling** *m* spring; **~morgens** *adv.* early in the morning; **~reif** *fig. adj.* precocious; 2̸**stück** *n* breakfast; **~stücken 1.** *v/i.* (have) breakfast; **2.** *v/t.* have *s.th.* for breakfast.                [sorrel.]

**Fuchs** *m zo.* fox (*a. fig.*); *Pferd:* **Füchsin** *zo. f* she-fox, vixen.

**Fuchs**|**jagd** *f* fox-hunt(ing); 2̸**rot** *adj.* foxy-red; *Pferd:* sorrel; 2̸**teufelswild** F *adj.* hopping mad.

**fuchteln** *v/i.: mit den Händen ~* wave one's hands about.

**Fuder** *n* cart-load; *Wein:* tun.

**Fuge** *f* ⊕ joint; 𝆑 fugue.

**füg**|**en** *v/refl.* submit (*dat.*, *in* to), yield (to), comply (*with*), give in (*dat.* to); **~sam** *adj.* (com)pliant; *lenkbar:* manageable.

**fühl**|**bar** *adj.* tangible, palpable; *fig.* sensible, noticeable; **~en 1.** *v/t.* feel; *wahrnehmen:* be aware of; **2.** *v/i.: mit j-m ~* feel for *od.* sympathize with *s.o.*; 2̸**er** *m* feeler (*a. fig.*).

**Fuhre** *f* cart-load.

**führen 1.** *v/t.* lead, guide, conduct, show; ✕ *Regiment etc.:* command; *Titel etc.:* have, bear; *Unterhaltung:* carry on; 𝆑 *Geschäft etc.:* run; *Waren:* deal in; *Leben:* lead; *Tagebuch etc.:* keep; 𝄐 *Prozeß:* try; *Krieg:* wage; ~ *durch* show round; *sich ~* conduct o.s., behave (o.s.); **2.** *v/i.* *Pfad etc.:* lead, run, go (*nach*, *zu* to); *Sport etc.:* (hold the) lead, be ahead; ~ *zu* lead to, result in; **~d** *adj.* leading, prominent.

**Führer** *m* leader (*a. pol.*); *Fremden*2̸: guide; *Reise*2̸: guide(-book); **~schein** *mot. m* driving licence, *Am.* driver's license.

**Fuhr**|**lohn** *m* cartage, carriage; **~park** *m* fleet (of lorries, *Am.* of trucks).

**Führung** *f* leadership; *e-s Prozesses,* *e-r Verhandlung etc.:* conduct; *e-s Geschäftes etc.:* management; *zu e-m Ziel, Anleitung:* guidance; *Besichtigung:* conducted tour; *Sport etc.:* lead; *Benehmen:* conduct, behavio(u)r; **~szeugnis** *n* certificate of good conduct.

**Fuhr**|**unternehmer** *m* carrier; **~werk** *n* vehicle.

**Fülle** *f* fullness (*a. fig.*); *Körper*2̸: stoutness; *fig.* abundance.

**füllen** *v/t.* fill (*a. Zahn*); *Kissen, Geflügel etc.:* stuff.

**Füllen** *zo. n s.* Fohlen.

**Füll|er** F *m*, **~feder(halter** *m) f* fountain-pen; **~ung** *f* filling; stuffing; *Tür* etc.: panel.

**Fund** *m* finding, discovery; *Gefundenes:* find. [basis.|

**Fundament** *n* △ foundation; *fig.|*

**Fund|amt** *östr. n*, **~büro** *n* lostproperty office; **~gegenstand** *m* object found; **~grube** *fig. f* rich source, mine.

**fünf** *adj.* five; **Qeck** *n* pentagon; **~fach** *adj.* fivefold, quintuple; **Q~kampf** *m Sport:* pentathlon; **Qlinge** *m/pl.* quintuplets *pl.*; **~te** *adj.* fifth; **Qtel** *n* fifth; **~tens** *adv.* fifthly, in the fifth place; **~zehn(te)** *adj.* fifteen(th); **~zig** *adj.* fifty; **~zigste** *adj.* fiftieth.

**Funk** *m* radio, wireless; **~bild** *n* radio picture.

**Funke** *m* spark; *fig. a.* glimmer.

**funkeln** *v/i.* sparkle, glitter; *Stern:* twinkle, sparkle.

**Funken** *bsd. fig. m s.* Funke.

**funk|en** *v/t.* radio, wireless, broadcast; **Qer** *m* radio *od.* wireless operator; **Qgerät** *n* radio (communication) set; **Qsignal** *n* radio *od.* wireless signal; **Qspruch** *m* radio *od.* wireless message; **Qstation** *f* radio *od.* wireless station; **Qstreifenwagen** *m* radio patrol car.

**Funktion** *f* function; **~är** *m* functionary, official; **Qieren** *v/i.* work.

**Funk|turm** *m* radio *od.* wireless tower; **~verkehr** *m* radio *od.* wireless communication; **~wagen** *m* radio car.

**für** *prp.* for; *im Austausch:* a. in exchange *od.* return for; *zugunsten von:* a. in favo(u)r of; *Schritt ~ Schritt* step by step; *Tag ~ Tag* day after day; *das Für und Wider* the pros and cons *pl.*

**Fürbitte** *f* intercession.

**Furche** *f* furrow; *Wagenspur:* rut; ⊕ groove; **Qn** *v/t.* furrow; ⊕ groove.

**Furcht** *f* fear, dread; *aus ~ vor* for fear of; **Qbar** *adj.* terrible, dreadful.

**fürchten 1.** *v/t.* fear, dread; *sich ~*

*vor* be afraid *od.* scared of; **2.** *v/i.: ~ um* fear for.

**fürchterlich** *adj. s.* furchtbar.

**furcht|los** *adj.* fearless; **~sam** *adj.* timid, timorous.

**Fürsorge** *f* care; *öffentliche ~* public welfare (work); **~amt** *n* welfare department; **~erziehung** *f* corrective training for juvenile delinquents; **~r** *m* social *od.* welfare worker.

**fürsorglich** *adj.* considerate.

**Für|sprache** *f* intercession (*für for, bei* with); **~sprecher** *m* intercessor.

**Fürst** *m* prince; *Herrscher:* sovereign; **~entum** *n* principality; **Qlich** *adj.* princely (*a. fig.*), royal; *fig.* magnificent, sumptuous.

**Furt** *f* ford.

**Furunkel** ⚕ *m* boil, furuncle.

**Fürwort** *gr. n* pronoun.

**Fuß** *m* foot; *zu ~* on foot; *zu ~ gehen* walk; *gut zu ~ sein* be a good walker; *~ fassen* become established; *auf gutem ~ stehen mit* be on good terms with; **~abstreifer** *m* doorscraper, door-mat; **~angel** *f* mantrap; **~ball** *m* (association) football, F *u. Am.* soccer; **~ballmatch** *östr. n*, **~ballspiel** *n* football match; **ballspieler** *m* football player, footballer; **~boden** *m* floor(ing); **~bremse** *mot. f* footbrake; **~gänger** *m*, **~geher** *östr. m* pedestrian; **~gelenk** *n* ankle joint; **~note** *f* footnote; **~pfad** *m* footpath; **~sack** *m* footmuff; **~sohle** *f* sole of the foot; **~spur** *f* footprint; *Reihe von ~en:* track; **~stapfe** *f* footprint, *fig. a.* footstep; **~tritt** *m* kick; **~weg** *m* footpath.

**Futter**[1] *n Nahrung:* food, *sl.* grub; *Vieh* : feed, *Trocken* : fodder.

**Futter**[2] *n* lining; △ casing.

**Futteral** *n Brillen* etc.: case; *Schirmhülle:* cover; *e-s Messers:* sheath.

**Futtermittel** *n* feeding stuff.

**füttern** *v/t.* feed; *Kleid etc.:* line.

**Futternapf** *m* feeding bowl *od.* dish.

**Fütterung** *f* feeding.

**Futur** *gr. n* future (tense).

# G

**Gabe** f gift, present; *Almosen*: alms; *Schenkung*: donation; 💊 dose; *Begabung*: talent.

**Gabel** f fork; **2n** v/refl. fork, bifurcate; **.ung** f bifurcation.

**gackern** v/i. cackle.

**gaffen** v/i. gape; *stieren*: stare.

**Gage** f salary, pay.

**gähnen 1.** v/i. yawn; **2.** 2 n yawning.

**Gala** f gala; *in* ~ in full dress.

**galant** adj. gallant; *höflich*: courteous; **2erie** f gallantry; courtesy.

**Galeere** ⚓ f galley.

**Galerie** f gallery.

**Galgen** m gallows, gibbet; **.frist** f respite; **.humor** m grim humo(u)r.

**Galle** anat. f bile; *von niederen Tieren*: gall; **.nblase** anat. f gallbladder; **.nstein** 💊 m gall-stone, bile-stone.

**Gallert** n, **.e** f gelatine, jelly.

**gallig** fig. adj. bilious.

**Galopp** m gallop; *kurzer*: canter; **2ieren** v/i. gallop; canter.

**Gang** m walk; s. *Gangart*; fig. motion; *e-r Maschine*: running, working; *Boten*2: errand; *Weg*: way; *Verlauf, e-r Mahlzeit*: course; *Verbindungs*2: passage, alley; *im Haus*: corridor; *zwischen Sitzreihen*: gangway, bsd. Am. aisle; 🚢 corridor, Am. aisle; *mot.* gear; erster (zweiter, dritter, vierter) ~ low od. bottom (second, third, top) gear; *in* ~ *bringen od. setzen* set going od. in motion, Am. operate; *in* ~ *kommen* get going, get started; *im* ~ *sein* be in motion; ⊕ be working od. running; fig. be in progress; *in vollem* ~ in full swing.

**gang** adj.: ~ *und gäbe* customary, traditional.

**Gangart** f *e-s Menschen*: gait, walk; *e-s Pferdes*: pace.

**Gängelband** n leading-strings pl. (a. fig.); *am* ~ *führen* keep in leading-strings.

**gängig** adj. Geld: current; ✝ Ware: marketable; **.er** *Ausdruck* current word od. phrase.

**Gans** orn. f goose.

**Gänse|blümchen** ♀ n daisy; **.braten** m roast goose; **.feder** f goose-quill; **.füßchen** n/pl. quotation marks pl., inverted commas pl.;

**.haut** fig. f goose-flesh, Am. a. goose pimples pl.; **.marsch** m single od. Indian file; **.rich** orn. m gander.

**ganz 1.** adj. all; *ungeteilt*: entire, whole; *vollständig*: complete, total, full; *den* **.en** *Tag* all day (long); **2.** adv. quite; entirely, etc. (s. 1); very; ~ *Auge (Ohr)* all eyes (ears); ~ *und gar* wholly, totally; ~ *und gar nicht* not at all; *im* **.en** on the whole, generally; in all; ✝ in the lump; **2e** n whole; *Gesamtheit*: totality; *aufs* ~ *gehen* go all out, bsd. Am. sl. go whole hog.

**Gänze** östr. f: *zur* ~ adv. completely, totally, fully, entirely; s. ganz.

**gänzlich** adj. complete, total, entire.

**Ganztagsbeschäftigung** f full-time job od. employment.

**gar 1.** adj. done; **2.** adv. quite, very; *sogar*: even; ~ *nicht* not at all.

**Garage** f garage.

**Garantie** f guarantee, warranty, ✝✝ guaranty; **2ren** v/t. guarantee, warrant.

**Garbe** f sheaf.

**Garde** f guard.

**Garderobe** f wardrobe; *Kleiderablage*: cloakroom, Am. checkroom; *thea.* dressing-room; **.nfrau** f cloak-room attendant, Am. hatcheck girl; **.nmarke** f check; **.nständer** m coat-stand, hall-stand.

**Garderobiere** f s. *Garderobenfrau*; *thea.* wardrobe mistress.

**Gardine** f curtain. [ferment.]

**gär|en** v/i. ferment; **2mittel** n)

**Garn** n yarn; *Faden*: thread; *Baumwoll*2: cotton; *Netz*: net; *j-m ins* ~ *gehen* fall into s.o.'s snare.

**garnieren** v/t. Hut etc.: trim; bsd. *Speisen*: garnish.

**Garnison** ✕ f garrison, post.

**Garnitur** f *Möbel*2, *Toiletten*2 etc.: set. [ugly.]

**garstig** adj. nasty, bad; *häßlich*.)

**Gärstoff** m ferment.

**Garten** m garden; **.arbeit** f gardening; **.bau** m horticulture; **.erde** f (garden-)mo(u)ld; **.fest** n garden-party, Am. a. lawn party; **.geräte** n/pl. gardening-tools pl.; **.stadt** f garden city.

**Gärtner** m gardener; **.ei** f gardening, horticulture; *Ort:* market-garden.

**Gärung** *f* fermentation.

**Gas** *n* gas; ~ **geben** *mot.* open the throttle, *Am.* step on the gas; ~**beleuchtung** *f* gas-light(ing); ~**brenner** *m* gas-burner; 2**förmig** *adj.* gaseous; ~**hahn** *m* gas-tap; ~**herd** *m* gas-stove, *Am.* gas range; ~**leitung** *f* gas-mains *pl.*; ~**messer** *m* gas-meter; ~**ofen** *m* gas-oven; ~**pedal** *mot. n* accelerator (pedal), *Am.* gas pedal.

**Gasse** *f* lane, by-street, alley(-way); ~**njunge** *m* street arab.

**Gast** *m* guest; *Besucher:* visitor; *im Wirtshaus etc.:* customer; *thea.* guest (performer); ~**arbeiter** *m* foreign worker; ~**bett** *n* spare bed.

**Gäste|buch** *n* visitors' book; ~**zimmer** *n* guest-room; spare (bed-)room; *s.* Gaststube.

**gast|freundlich** *adj.* hospitable; 2**freundschaft** *f* hospitality; 2**geber** *m* host; 2**geberin** *f* hostess; 2**haus** *n*, 2**hof** *m* hotel, *bsd. auf dem Land:* inn; 2**hörer** *univ. m* guest student, *Am. a.* auditor.

**gastieren** *thea. v/i.* appear as a guest.

**gast|lich** *adj.* hospitable; 2**mahl** *n* feast, banquet; 2**recht** *n* right of *od.* to hospitality; 2**rolle** *thea. f* guest part; 2**spiel** *thea. n* guest appearance *od.* performance; 2**stätte** *f* restaurant; 2**stube** *f* tap-room; 2**wirt** *m* innkeeper, landlord; 2**wirtschaft** *f* hotel, *bsd. auf dem Land:* inn; public house; 2**zimmer** *n s.* Gästezimmer.

**Gas|uhr** *f* gas-meter; ~**werk** *n* gas-works, *Am. a.* gas plant.

**Gatte** *m* husband; spouse (*a.* ♂♀), consort.

**Gattin** *f* wife; spouse, consort.

**Gattung** *f Art:* species; ♀, *zo.* genus; *fig.* kind, sort, type.

**Gaul** *m* (old) nag.

**Gaumen** *anat. m* palate.

**Gauner** *m* scoundrel, swindler, sharper, *sl.* crook; ~**ei** *f* swindling, cheating, trickery.

**Gaze** *f* gauze.

**Gazelle** *zo. f* gazelle.

**Geächtete** *m, f* outlaw.

**Gebäck** *n Torten*2: pastry; *Fein*2: fancy cakes *pl.*

**Gebälk** *n* timber-work.

**Gebärde** *f* gesture; 2**n** *v/refl.* con-

duct o.s., behave; ~**nspiel** *n* gesticulation; *thea.* dumb show, pantomime.

**Gebaren** *n* conduct, behavio(u)r.

**gebären** *v/t.* bring forth, give birth to.

**Ge|bäude** *n* building, edifice, structure; ~**bell** *n* barking.

**geben** *v/t.* give (*j-m et. s.o. s.th.*); *schenken:* a. present (s.o. with s.th.); *Karten:* deal; *Schuld:* put (*dat.* on); *sein Wort:* pledge; *von sich* ~ emit; *Laute etc.:* utter; *erbrechen:* bring up, vomit; *viel (nichts)* ~ *auf* set (no) great store by; *sich geschlagen* ~ give in; *sich zufrieden* ~ content o.s. (*mit* with); *sich zu erkennen* ~ make o.s. known; *was gibt es?* what is the matter?; *gegeben werden thea.* be on.

**Gebet** *n* prayer.

**Gebiet** *n* territory; *Bezirk:* district, region; *Fläche:* area; *Fach*2: field; *Wissens*2: province; *Interessen*2: sphere.

**gebieterisch** *adj.* imperious, commanding.

**Gebilde** *n* form, shape; *Bau, Gefüge:* structure; 2**t** *adj.* educated; cultured, cultivated.

**Gebirg|e** *n* mountains *pl.*; mountain chain *od.* range; 2**ig** *adj.* mountainous; ~**sbewohner** *m* mountaineer; ~**szug** *m* mountain range.

**Gebiß** *n* (set of) teeth; *künstliches:* (set of) artificial *od.* false teeth, denture; *am Zaum:* bit.

**ge|blümt** *adj.* flowered; ~**bogen** *adj.* bent, curved; ~**boren** *adj.* born; *ein* ~*er Deutscher* German by birth; ~*e Smith* née Smith.

**geborgen** *adj.* safe, sheltered; 2**heit** *f* safety, security.

**Gebot** *n* order, command; *auf Auktionen:* bid; *die Zehn* ~*e pl. eccl.* the Ten Commandments *pl.*

**Gebrauch** *m* use; ♂ application; 2**en** *v/t.* use, employ; 2**t** *adj.* second-hand.

**gebräuchlich** *adj.* in use; *herkömmlich:* usual, customary.

**Gebrauchs|anweisung** *f* directions *pl. od.* instructions *pl.* for use; 2**fertig** *adj.* ready for use; *Kaffee etc.:* instant.

**Gebraucht|wagen** *mot. m* used *od.* second-hand car; ~**warenhändler** *m* second-hand dealer.

**Gebrechen** n defect.

**gebrechlich** adj. fragile, frail, weak; altersschwach: infirm; ♀keit f fragility; infirmity.

**Ge|brüder** pl. brothers pl.; **~brüll** n roaring; des Rindes: lowing.

**Gebühr** f Kosten: charge; Post♀ etc.: rate; amtliche etc.: fee; ~en pl. a. dues pl.; ♀en v/i. be due (dat. to); ♀end adj. due; angemessen: proper; ♀enfrei adj. free of charge; ♀enpflichtig adj. liable to charges, chargeable.

**gebunden** adj. bound.

**Geburt** f birth; **~enkontrolle** f, **~enregelung** f birth-control; **~en-ziffer** f birth-rate.

**gebürtig** adj.: ~ aus a native of.

**Geburts|anzeige** f announcement of birth; **~fehler** m congenital defect; **~helfer** m obstetrician; **~jahr** n year of birth; **~land** n native country; **~ort** m birth-place; **~tag** m birthday; **~urkunde** f birth certificate. [growth.)

**Gebüsch** n bushes pl., under-)

**Gedächtnis** n Fähigkeit: memory; Erinnerung: remembrance, recollection; im ~ behalten keep in mind; zum ~ (gen.) in memory of; **~feier** f commemoration.

**Gedanke** m thought; Einfall, Plan: idea; in ~n (versunken od. verloren) absorbed in thought; sich ~n machen über worry about.

**Gedanken|gang** m train of thought; **~leser** m, **~leserin** f thought-reader; ♀los adj. thoughtless; **~strich** m dash; ♀voll adj. thoughtful, pensive.

**Ge|därme** n/pl. entrails pl., bowels pl., intestines pl.; **~deck** n cover; ein ~ auflegen lay a place.

**gedeihen 1.** v/i. thrive, prosper; **2.** ♀ n thriving, prosperity.

**gedenken** v/i. think of; ehrend: commemorate; erwähnen: mention; ~ zu inf. intend ger. od. to inf.

**Gedenk|feier** f commemoration; **~stein** m memorial stone; **~tafel** f commemorative od. memorial tablet.

**Gedicht** n poem.

**gediegen** adj. solid; rein: pure; ♀heit f solidity; purity.

**Gedräng|e** n crowd, throng; ♀t adj. crowded, packed, crammed; Stil: concise.

**ge|drückt** fig. adj. depressed; **~drungen** adj. compact; Figur: squat, stocky, thickset.

**Geduld** f patience; ♀en v/refl. have patience; ♀ig adj. patient.

**ge|ehrt** adj. hono(u)red; in Briefen: Sehr ~er Herr N.! Dear Sir, Dear Mr N.; **~eignet** adj. fit (für for); Sache: a. suitable (to, for).

**Gefahr** f danger, peril; Wagnis: risk; auf eigene ~ at one's own risk; ~ laufen zu inf. run the risk of ger.

**gefährden** v/t. endanger; aufs Spiel setzen: risk.

**gefährlich** adj. dangerous.

**gefahrlos** adj. without risk, safe.

**Gefährt|e** m, **~in** f companion, fellow.

**Gefälle** n fall, slope, descent, gradient; e-s Flusses: fall.

**Gefallen 1.** m favo(u)r; **2.** n: ~ finden an take (a) pleasure in, take a fancy to od. for; **3.** ♀ v/i. please; er gefällt mir I like him; sich et. ~ lassen put up with s.th.

**gefällig** adj. angenehm: pleasing, agreeable; entgegenkommend: complaisant, obliging; zuvorkommend: kind; ♀keit f complaisance; kindness; Gefallen: favo(u)r; **~st** adv. (if you) please.

**gefangen** adj. captive, imprisoned; ♀e m, f prisoner; captive; ♀nahme f capture (a. ✕); seizure, arrest; **~nehmen** v/t. take prisoner; fig. captivate; ♀schaft f captivity, imprisonment; **~setzen** v/t. put in prison.

**Gefängnis** n prison, jail, gaol; **~direktor** m governor, warden; **~strafe** f (sentence od. term of) imprisonment; **~wärter** m warder, gaoler, jailer.

**Gefäß** n vessel (a. anat.).

**gefaßt** adj. composed; ~ auf prepared for.

**Ge|fecht** ✕ n engagement, action; **~fieder** n plumage, feathers pl.

**Ge|flügel** n fowl; Haus♀: poultry; **~flüster** n whisper(ing).

**Gefolg|e** n e-s Monarchen etc.: retinue, train, attendants pl.; e-s Führers etc.: followers pl.; **~schaft** f followers pl.

**gefräßig** adj. greedy, voracious; ♀keit f greediness, voracity.

**gefrier|en** v/i. congeal, freeze;

2fleisch *n* frozen meat; 2punkt *m* freezing-point.
Gefrorene *östr. n* ice-cream.
Gefüge *fig. n* structure, texture.
gefügig *adj.* pliant; 2keit *f* pliancy.
Gefühl *n* feel; *Empfindung:* feeling, sensation; *fig.* feeling; *Gemütsregung:* feeling, emotion; 2los *adj.* unfeeling, insensible (*beide a. fig.*); 2sbetont *adj.* emotional; 2voll *adj.* (full of) feeling; *zärtlich:* tender; *rührselig:* sentimental.
gegebenenfalls *adv.* if necessary.
gegen *prp. örtlich, zeitlich:* towards; *gegensätzlich:* against, 🏛 *Sport:* versus; *ungefähr:* about, *Am.* around; *vergleichend:* compared with; *als Entgelt für:* (in exchange) for; *Medikament:* for; *freundlich sein ~* be kind to(wards).
Gegen|angriff *m* counter-attack; ~antrag *m* counter-motion; ~besuch *m* return visit; ~bewegung *f* counter-movement; ~beweis *m* counter-evidence.
Gegend *f* region, area.
gegeneinander *adv.* against one another *od.* each other.
Gegen|erklärung *f* counter-statement; ~frage *f* counter-question; ~gewicht *n* counterbalance, counterpoise; ~kandidat *m* rival candidate; ~leistung *f* return (service), equivalent; ~liebe *f* requited love; *keine ~ finden* meet with no sympathy *od.* enthusiasm; ~maßnahme *f* counter-measure; ~mittel *n* remedy (*gegen* for) (*a. fig.*), antidote (against, for); ~partei *f* opposite party; ~probe *f* checktest; ~satz *m* contrast; opposition; *im ~ zu* in contrast to *od.* with, in opposition to; 2sätzlich *adj.* contrary, opposite; ~seite *f* opposite side; 2seitig *adj.* mutual, reciprocal; ~seitigkeit *f: auf ~ beruhen* be mutual; ~spieler *m* *Spiel, Sport:* opponent; *fig.* antagonist; ~stand *m* object; *fig.* subject, topic; ~stück *n* counterpart, match; ~teil *n* contrary, reverse; *im ~* on the contrary; 2teilig *adj.* contrary, opposite; 2über 1. *adv.* opposite; 2. *prp.* opposite (to); *Gefühle etc.:* to(wards); *im Vergleich zu:* as against; ~über *n* vis-à-vis; 2überstehen *v/i.* be faced with, face; ~überstellung *bsd.* 🏛 *f* con-

frontation; ~vorschlag *m* counter-proposal; ~wart *f* presence; *jetzige Zeit:* present time; *gr.* present (tense); 2wärtig 1. *adj.* present, actual; 2. *adv.* at present; ~wehr *f* resistance; ~wert *m* equivalent; ~wind *m* head wind; ~wirkung *f* counter-effect, reaction; 2zeichnen *v/t.* countersign; ~zug *m* counter-move (*a. fig.*); 🚂 corresponding train.
Gegner *m* adversary, opponent; ~schaft *f* opposition.
Gehalt 1. *m* content; 2. *n* salary; ~sempfänger *m* salaried employee; 2serhöhung *f* rise (in salary), *Am.* raise.
gehässig *adj.* malicious, spiteful; 2keit *f* malice, spitefulness.
Ge|häuse *n* box; *Uhr*2: case; *Radio*2: cabinet; *Kern*2: core; ~hege *n* enclosure.
geheim *adj.* secret; 2dienst *m* secret service.
Geheimnis *n* secret; *Rätselhaftes:* mystery; ~krämer *m* mystery-monger; 2voll *adj.* mysterious.
Geheim|polizei *f* secret police; ~schrift *f* cipher, code.
gehen *v/i.* go; *zu Fuß:* walk; *weg~:* leave; *Maschine:* go, work; *Uhr:* go; *Ware:* sell; *Wind:* blow; *wie geht es Ihnen?* how are you (getting on)?; *in sich ~* repent; *das Fenster geht nach Norden* the window faces *od.* looks north; *es geht nichts über* there is nothing like; *wenn es nach mir ginge* if I had my way.
Geheul *n* howling.
Gehilf|e *m*, ~in *f* assistant; *fig.* helpmate.
Gehirn *n* brain(s *pl.*); ~erschütterung 🩺 *f* concussion (of the brain); ~schlag 🩺 *m* cerebral apoplexy.
gehoben *adj. Sprache, Stil:* elevated; ~e *Stimmung* elated mood.
Gehöft *n* farm(stead).
Gehölz *n* wood, coppice, copse.
Gehör *n* hearing; ear; *nach dem ~* by ear; *j-m ~ schenken* lend an ear to s.o.; *sich ~ verschaffen* make o.s. heard.
gehorchen *v/i.* obey.
gehör|en *v/i.* belong (*dat. od.* zu to); *es gehört sich* it is proper *od.* right; *das gehört nicht hierher* that's not to the point; ~ig 1. *adj.* belonging (*dat. od.* zu to); *wie es sich gehört:*

proper, right; F good; **2.** *adv.* duly; F thoroughly.

**gehorsam 1.** *adj.* obedient; **2.** ♀ *m* obedience.

**Geh|steig** *m*, **~weg** *m* pavement, *Am.* sidewalk; **~werk** ⊕ *n* clockwork, works *pl.*

**Geier** *orn. m* vulture.

**Geige** ♪ *f* violin, F fiddle; *(auf der)* ~ *spielen* play (on) the violin; **~n-bogen** ♪ *m* (violin-)bow; **~nkasten** ♪ *m* violin-case; **~r** ♪ *m*, **~rin** ♪ *f* violinist.

**Geisel** *f* hostage.

**Geiß** *zo. f* (she-, nanny-)goat; **~bock** *zo. m* he-goat, billy-goat.

**Geist** *m* spirit; *Sinn*, *Gemüt*: mind; *Verstand*: mind, intellect; *Witz*: wit; *Gespenst*: ghost.

**Geister|erscheinung** *f* apparition; **♀haft** *adj.* ghostly.

**geistes|abwesend** *adj.* absent-minded; **~arbeiter** *m* brain-worker; **♀blitz** *m* brain-wave, flash of genius; **♀gabe** *f* talent; **♀gegenwart** *f* presence of mind; **~gegenwärtig** *adj.* alert; *schlagfertig*: quick-witted; **~gestört** *adj.* mentally disturbed; **~krank** *adj.* insane, mentally ill; **♀krankheit** *f* insanity, mental illness; **~schwach** *adj.* feeble-minded, imbecile; **~verwandt** *adj.* congenial; **♀-wissenschaften** *f/pl.* the Arts *pl.*, *the* Humanities *pl.*; **♀zustand** *m* state of mind.

**geistig** *adj. die Denkkraft betreffend*: intellectual, mental; *unkörperlich*: spiritual; **~e** *Getränke pl.* spirits *pl.*

**geistlich** *adj. Gericht*, *Lied etc.*: spiritual; **♀e** *betreffend*: clerical; *Dichtung*, *Musik*: sacred; **♀e** *m* clergyman; *bsd. e-r Dissenterkirche*: minister; **♀keit** *f* clergy.

**geist|los** *adj.* spiritless; *langweilig*: dull; *dumm*: stupid; **~reich** *adj.*, **~voll** *adj.* ingenious, spirited.

**Geiz** *m* avarice; **~hals** *m* miser, niggard; **♀ig** *adj.* avaricious, stingy.

**Gejammer** *n* lamentation(s *pl.*), wailing.

**Geklapper** *n* rattling.

**Geklirr** *n*, **~e** *n* clashing, clanking.

**Ge|kreisch** *n* screaming, shrieking; **~kritzel** *n* scrawl(ing), scribbling, scribble.

**gekünstelt** *adj.* affected.

**Gelächter** *n* laughter.

**Gelage** *n* feast; *Trink♀*: drinking-bout.

**Gelände** *n* area; *Landschaft*: country; *bsd.* ⚔ terrain; *Boden*: ground; **♀gängig** *mot. adj.* cross-country; **~lauf** *m* cross-country run.

**Geländer** *n* railing(s *pl.*), banisters *pl.*; *Balkon♀*: balustrade.

**gelangen** *v|i.*: ~ *an od. in* arrive at, get *od.* come to; ~ *zu* attain (to), gain.

**gelassen** *adj.* calm, composed.

**Gelatine** *f* gelatin(e).

**ge|läufig** *adj.* common, current; familiar; **~läunt** *adj.*: *gut* ~ *sein* be in a good humo(u)r *od. Am.* mood.

**Geläut** *n*, **~e** *n Glocken♀*: ringing; *Kirchenglocken♀*: chimes *pl.*

**gelb** *adj.* yellow; **~lich** *adj.* yellowish; **♀sucht** ♪ *f* jaundice.

**Geld** *n* money; *zu* ~ *machen* turn into cash; **~angelegenheit** *f* money-matter; **~anlage** *f* investment; **~ausgabe** *f* expense; **~beutel** *m* purse; **~geber** *m* financial backer, investor; **~geschäfte** *n/pl.* money transactions *pl.*; **♀gierig** *adj.* greedy for money, avaricious; **~mittel** *n/pl.* funds *pl.*, resources *pl.*; **~schein** *m* banknote, *Am.* bill; **~schrank** *m* strongbox, safe; **~sendung** *f* remittance; **~strafe** *f* fine; **~stück** *n* coin; **~verlegenheit** *f* pecuniary embarrassment; **~wechsel** *m* exchange of money; **~wert** *m* value of money, money value.

**Gelee** *n*, *m* jelly.

**gelegen** *adj.* situated, *Am. a.* located; *passend*: convenient, opportune; **♀heit** *f Anlaß*: occasion; *günstige*: opportunity, chance; *bei* ~ on occasion.

**Gelegenheits|arbeit** *f* casual *od.* odd job, *Am. a.* chore; **~arbeiter** *m* casual labo(u)rer, odd-job man; **~kauf** *m* bargain.

**gelegentlich** *adj.* occasional.

**gelehr|ig** *adj.* docile; **♀igkeit** *f* docility; **♀samkeit** *f* learning; **~t** *adj.* learned; **♀te** *m* learned man, scholar.

**Geleise** 🚆 *n* rails *pl.*, lines *pl.*, *bsd. Am.* tracks *pl.*

**Geleit** *n* escort; *Gefolge*: attendance; *j-m das* ~ *geben* accompany s.o.; **♀en** *v|t.* accompany, conduct; *bsd.*

**schützend**: escort; **~zug** ⚓ *m* convoy.

**Gelenk** *anat.*, ⊕, ♀ *n* joint; **2ig** *adj.* pliable, supple.

**gelernt** *adj. Arbeiter*: skilled, trained.

**Geliebte 1.** *m* lover; **2.** *f* mistress.

**gelinde 1.** *adj.* soft, gentle; **2.** *adv.*: **~** *gesagt* to put it mildly.

**gelingen 1.** *v/i.* succeed; *es gelingt mir zu inf.* I succeed in *ger.*; **2.** 2 *n* success.

**gellend** *adj.* shrill, piercing.

**geloben** *v/t.* vow, promise.

**Gelöbnis** *n* pledge, vow.

**gelt|en 1.** *v/t.* be worth; **2.** *v/i.* be valid; *Geld*: be current; *Versprechen etc.*: hold (good); **~** *als* pass for, be reputed *od.* supposed to be; **~** *für* apply to; **~** *lassen* let pass, allow; *das gilt nicht* that does not count; *fig.* that is not fair; **~end** *adj.*: **~** *machen* Anspruch, Recht: assert; *s-n Einfluß bei j-m* **~** *machen* bring one's influence to bear on s.o.; **2ung** *f* prestige; *zur* **~** *kommen* show to advantage; **2ungsbedürfnis** *n* desire to show off.

**Gelübde** *n* vow.

**gelungen** *adj.* successful; *erheiternd*: amusing, funny.

**gemächlich** *adj.* comfortable, easy.

**Gemahl** *m* husband.

**Gemälde** *n* painting, picture; **~galerie** *f* picture-gallery.

**gemäß** *prp.* according to; **~igt** *adj.* moderate; temperate (*a. geogr.*).

**gemein** *adj. Soldat*: common; ⚤ vulgar; *niederträchtig*: low, mean; *et.* **~** *haben mit* have s.th. in common with.

**Gemeinde** *f* community; *eccl.* parish; *in der Kirche*: congregation; **~bezirk** *m* district; *Stadtbezirk*: municipality; **~rat** *m* municipal council; *Person*: municipal councillor; **~steuer** *f* rate, *Am.* local tax.

**gemein|gefährlich** *adj.*: **~er** *Mensch* public danger, *Am.* public enemy; **2heit** *f* meanness; mean trick; **~nützig** *adj.* non-profit (-making); **2platz** *m* commonplace; **~sam** *adj.* common, joint; *gegenseitig*: mutual; **2schaft** *f* community; **~schaftlich** *adj. s. gemeinsam*; **2schaftsarbeit** *f* team-work; **2sinn** *m* public spirit; **~verständ-**

**lich** *adj.* popular; **2wohl** *n* public welfare.

**gemessen** *adj.* measured; *förmlich*: formal; *feierlich*: grave.

**Gemetzel** *n* slaughter, massacre.

**Gemisch** *n* mixture (*a.* 🜛).

**Gemse** *zo. f* chamois.

**Gemurmel** *n* murmur(ing).

**Gemüse** *n* vegetable(s *pl.*); *grünes*: greens *pl.*; **~händler** *m* greengrocer.

**Gemüt** *n* mind; *Herz*: heart; **~sart** *f* disposition, temper; **2lich** *adj.* good-natured; *behaglich*: comfortable, snug, cosy; **~lichkeit** *f* snugness, cosiness; good nature.

**Gemüts|art** *f* disposition, nature, temper; **~bewegung** *f* emotion; **2krank** *adj.* emotionally disturbed; **~ruhe** *f* composure; **~verfassung** *f*, **~zustand** *m* state of mind.

**genau 1.** *adj.* exact, accurate; *klar umrissen*, *pünktlich*: precise; *streng*: strict; **2eres** full particulars *pl.*; **2.** *adv.*: *es* **~** *nehmen* be particular (*mit* about); **2igkeit** *f* accuracy, exactness; precision; strictness.

**genehm** *adj.* agreeable, convenient; **~igen** *v/t.* bewilligen: grant; *billigen*: approve (of); **2igung** *f* grant; approval; **~schein**: permit; *Erlaubnis*: permission; *Zustimmung*: consent.

**geneigt** *adj.* well disposed (*j-m towards* s.o.); inclined (*zu inf.* to *inf.*).

**General** ⚔ *m* general; **~bevoll-mächtigte** *m* chief representative *od.* agent; **~direktor** *m* general manager, managing director; **~konsul** *m* consul-general; **~konsulat** *n* consulate-general; **~probe** *thea. f* dress rehearsal; **~stab** ⚔ *m* general staff; **~streik** *m* general strike; **~versammlung** *f* general meeting; **~vertreter** *m* general agent; **~vollmacht** *f* full power of attorney.

**Generation** *f* generation.

**Generator** *m* generator.

**generell** *adj.* general.

**genes|en** *v/i.* recover (*von* from); **2ung** *f* recovery.

**genial** *adj.* highly gifted, ingenious; **2ität** *f* genius.

**Genick** *n* nape (of the neck), (back of the) neck.

**Genie** *n* genius.

**genieren** v/t. trouble, bother; sich ~ feel od. be embarrassed od. shy, be self-conscious.

**genießen** v/t. enjoy; j-s Vertrauen ~ be in s.o.'s confidence.

**Genitiv** gr. m genitive (case); possessive (case).

**genormt** adj. standardized.

**Genoss|e** m companion, mate; comrade (a. pol.); **~enschaft** f association; co(-)operative (society); **~in** f (female) companion; comrade (a. pol.).

**genug** adj. enough, sufficient.

**Genüg|e** f: zur ~ enough, sufficiently; 2en v/i. be enough, suffice; das genügt that will do; j-m ~ satisfy s.o.; 2end adj. sufficient; 2sam adj. easily satisfied; im Essen: frugal; bescheiden: modest; **~samkeit** f modesty, frugality.

**Genugtuung** f satisfaction.

**Genus** gr. n gender.

**Genuß** m von Nahrung: consumption; Essen: eating, Trinken: drinking; Vergnügen: enjoyment, pleasure; Hoch2: treat; **~mittel** n semi-luxury; **~sucht** f thirst for pleasure; 2süchtig adj. pleasure-seeking.

**Geo|graphie** f geography; 2graphisch adj. geographic(al); **~loge** m geologist; **~logie** f geology; 2logisch adj. geologic(al); **~metrie** f geometry; 2metrisch adj. geometric(al).

**Gepäck** n luggage, ✕, Am. baggage; **~aufbewahrung** f left-luggage office, Am. checkroom; **~netz** n luggage-rack, Am. baggage rack; **~schein** m luggage-ticket, Am. baggage check; **~träger** m porter, Am. a. redcap; am Fahrrad: carrier; **~wagen** 🚂 m luggage van, Am. baggage car.

**gepflegt** adj. Person: well-groomed; Hände, Garten etc.: well cared-for; Garten etc.: well-kept.

**Gepflogenheit** f habit, custom; usage.

**Ge|plapper** n babbling, chattering; **~plauder** n chatting, small talk; **~polter** n rumble; **~präge** n impression; fig. stamp.

**gerade** 1. adj. straight (a. fig.); Zahl etc.: even; direkt: direct; Haltung: upright, erect; 2. adv. just; er schrieb ~ he was (just) writing; nun ~ now more than ever;

~ an dem Tage on that very day; 3. 2 f ⟨ straight line; e-r Rennbahn: straight; linke (rechte) ~ Boxen: straight left (right); **~aus** adv. straight on od. ahead; **~heraus** adv. frankly; **~nwegs** adv. directly; **~stehen** v/i. stand erect; ~ für answer for; **~wegs** adv. straight, directly; **~zu** adv. almost, really.

**Gerassel** n clank(ing).

**Gerät** n tool, implement, utensil; Radio: set; Apparat: apparatus; ~schaften: equipment; elektrisches ~ electric(al) appliance.

**geraten** v/i. come od. fall od. get (an by, upon; auf on, upon; in in, into); (gut) ~ succeed, turn out well; in Brand ~ catch fire; ins Stocken ~ come to a standstill; in Vergessenheit ~ fall od. sink into oblivion; in Zorn ~ fly into a passion.

**Geratewohl** n: aufs ~ at random.

**geräumig** adj. spacious.

**Geräusch** n noise, 2los adj. noiseless; 2voll adj. noisy.

**gerb|en** v/t. tan; 2er m tanner; 2erei f tannery.

**gerecht** adj. just; rechtschaffen: righteous; ~ werden (dat.) do justice to; Anforderungen: meet, fulfil; 2igkeit f justice; righteousness; j-m ~ widerfahren lassen do s.o. justice.

**Gerede** n talk, gossip; Gerücht: rumo(u)r. [tability.]

**gereizt** adj. irritable; 2heit f irri-]

**Gericht** n dish, course; ≈ s. Gerichtshof; mst rhet. u. fig. tribunal; 2lich adj. judicial, legal.

**Gerichts|barkeit** f jurisdiction; **~gebäude** n court-house; **~hof** m law-court, court of justice; **~kosten** pl. (law-)costs pl.; **~saal** m court-room; **~stand** m (legal) domicile; **~verfahren** n legal proceedings pl., lawsuit; **~verhandlung** f (court) hearing; trial; **~vollzieher** m (court-)bailiff.

**gering** adj. little, small; unbedeutend: trifling, slight; niedrig: mean, low; ärmlich: poor; minderwertig: inferior; **~achten** v/t. think little of; unbeachtet lassen: disregard; **~er** adj. inferior, less, minor; **~fügig** adj. insignificant, trifling, slight; **~schätzen** v/t. s. geringachten; **~schätzig** adj. disdainful, contemptuous, slighting; **~st** adj. least; nicht im ~en not in the least.

**gerinnen** v/i. clot; *Milch*: curdle; *Blut*: coagulate, congeal.

**Gerippe** n skeleton (a. fig.); ⊕ framework.

**gerissen** fig. adj. cunning, smart.

**germanis|ch** adj. Germanic, Teutonic; 2t m Germanist, German scholar; student of German.

**gern(e)** adv. willingly, gladly; ~ haben a. mögen be fond of, like; er singt ~ he is fond of singing, he likes to sing.

**Geröll** n boulders pl.

**Gerste** & f barley; ~nkorn n barleycorn; ♂ sty(e).

**Gerte** f switch, twig.

**Geruch** m smell, odo(u)r; *angenehmer*: scent; fig. reputation; 2los adj. odo(u)rless; scentless; ~ssinn m sense of smell.

**Gerücht** n rumo(u)r.

**geruhen** v/i. deign, condescend.

**Gerümpel** n lumber, junk.

**Gerundium** gr. n gerund.

**Gerüst** n Bau2: scaffold(ing); *Bühne*: stage.

**gesamt** adj. whole, entire, total, all; 2ausgabe f complete edition; 2betrag m sum total; ~deutsch adj. all-German; 2schule f comprehensive school.

**Gesandt|e** m envoy; 2schaft f legation.

**Gesang** m singing; *Lied*: song; ~buch eccl. n hymn-book; ~slehrer m singing-teacher; ~verein m choral society, Am. glee club.

**Gesäß** anat. n seat, buttocks pl.

**Geschäft** n business; *Transaktion*: transaction; *Angelegenheit*: affair; *Laden*: shop, Am. store; 2ig adj. busy, active; ~igkeit f busyness, activity; 2lich 1. adj. business ...; commercial; 2. adv. on business.

**Geschäfts|bericht** m business report; ~brief m business letter; ~frau f business woman; ~freund m business friend, correspondent; ~führer m manager; ~inhaber m owner od. holder of a business; shopkeeper; ~jahr n financial od. business year, Am. fiscal year; ~lage f business situation; ~mann m businessman; 2mäßig adj. business-like; ~ordnung f parl. standing orders pl.; rules pl. (of procedure); ~partner m (business) partner; ~räume m/pl. business prem-

ises pl.; ~reise f business trip; ~schluß m closing-time; nach ~ a. after business hours; ~stelle f office; ~träger pol. m chargé d'affaires; 2tüchtig adj. efficient, smart; ~verbindung f business connexion od. connection; ~zeit f office hours pl., business hours pl.; ~zweig m branch (of business), line (of business).

**geschehen** 1. v/i. happen, occur, take place; *getan werden*: be done; es geschieht ihm recht it serves him right; 2. 2 n events pl., happenings pl.                                    [bright.]

**gescheit** adj. clever, intelligent.

**Geschenk** n present, gift; ~packung f gift-box.

**Geschicht|e** f story; bsd. erfundene: tale; fig. affair; bsd. als Wissenschaft: history; 2lich adj. historical; ~schreiber m historian.

**Geschick** n fate, destiny; *Gewandtheit*: = ~lichkeit f skill; bsd. körperliche: dexterity; *Befähigung*: aptitude; 2t adj. skil(l)ful; dexterous; apt.

**Geschirr** n dishes pl.; *Porzellan*2: china; *Steingut*2: earthenware, crockery; *Pferde*2: harness.

**Geschlecht** n sex; *Gattung*: kind, species; *Abstammung*: race; *Familie*: family; *Generation*: generation; gr. gender; 2lich adj. sexual.

**Geschlechts|krankheit** ♂ f venereal disease; ~reife f puberty; ~teile anat. n/pl. genitals pl.; ~trieb m sexual instinct od. urge; ~verkehr m sexual intercourse; ~wort gr. n article.

**ge|schliffen** adj. *Edelstein*: cut; fig. polished; ~schlossen adj. *Formation*: close; ~e Gesellschaft private party.

**Geschmack** m taste (a. fig.); *Aroma*: flavo(u)r; ~ finden an take a fancy to; 2los adj. tasteless; pred. fig. in bad taste; ~(s)sache f matter of taste; 2voll adj. tasteful; pred. fig. in good taste.

**geschmeidig** adj. supple, pliant.

**Geschnatter** n cackling; fig. a. chattering.

**Geschöpf** n creature.

**Geschoß** n projectile, missile; *Stockwerk*: stor(e)y, floor.

**Geschrei** n cries pl.; shouting; noise, fuss.

**Geschütz** ✗ *n* gun, cannon.
**Geschwader** ✗ *n* ⊕ squadron; ✗ wing, *Am.* group.
**Geschwätz** *n* idle talk; *Klatsch:* gossip; **2ig** *adj.* talkative.
**geschweige** *cj.:* ~ (denn) let alone.
**geschwind** *adj.* fast, quick, swift; **2igkeit** *f* quickness; *bestimmte, Tempo:* speed, pace; *phys.* velocity; *Maß der Fortbewegung:* rate; *mit e-r* ~ *von* ... at the rate of ...; **2igkeitsbegrenzung** *f* speed limit.
**Geschwister** *n/pl.* brother(s *pl.*) and sister(s *pl.*).
**geschwollen** *adj.* ✗ swollen; *fig.* bombastic, pompous.
**Geschworene** *m, f* juror; *die* ~*n pl.* the jury; **2ngericht** *n* s. Schwurgericht. [tumo(u)r.)
**Geschwulst** ✗ *f* swelling; *Tumor:*)
**Geschwür** ✗ *n* abscess, ulcer.
**Geselchte** *östr. n* smoked meat.
**Gesell|e** *m Handwerker:* journeyman; **2en** *v/refl.: sich zu j-m* ~ join s.o.; **2ig** *adj. zo. etc.:* social; sociable.
**Gesellschaft** *f* society; company (*a.* †); *geladene:* party; *j-m* ~ *leisten* keep s.o. company; ~**er** *m* companion; † partner; ~**erin** *f* (lady) companion; † partner; **2lich** *adj.* social.
**Gesellschafts|dame** *f* (lady) companion; ~**reise** *f* party tour; ~**spiel** *n* party game *od.* round game; ~**tanz** *m* ball-room dance.
**Gesetz** *n* law; *parl. a.* statute; ~**buch** *n* code; statute-book; ~**entwurf** *m* bill; ~**eskraft** *f* legal force; **2gebend** *adj.* legislative; ~**geber** *m* legislator; ~**gebung** *f* legislation; **2lich 1.** *adj.* lawful, legal; **2.** *adv.:* ~ *geschützt* patented, registered; **2los** *adj.* lawless; **2mäßig** *adj.* legal, lawful.
**gesetzt 1.** *adj. ernst:* sedate; *seriös:* staid; *Alter:* mature; **2.** *cj.:* ~ *den Fall,* (*daß*) ... supposing (that) ...
**gesetzwidrig** *adj.* unlawful, illegal.
**Gesicht** *n face; Miene:* countenance; *fig.* character; *zu* ~ *bekommen* catch sight *od.* a glimpse of.
**Gesichts|ausdruck** *m* (facial) expression; ~**farbe** *f* complexion; ~**kreis** *m* horizon; ~**punkt** *m* point of view, viewpoint, aspect, *bsd. Am.* angle; ~**zug** *m: mst Gesichtszüge pl.* feature(s *pl.*), lineament(s *pl.*).

**Gesinde** *n* (domestic) servants *pl.*; ✗ *l n* rabble, mob.
**gesinn|t** *adj.: wohl* ~ well disposed (*j-m* towards s.o.); **2ung** *f* mind, sentiment(s *pl.*).
**gesinnungs|los** *adj.* unprincipled; ~**treu** *adj.* loyal; **2wechsel** *m* change of opinion; *bsd. pol.* volteface.
**gesittet** *adj.* civilized; *wohlerzogen:* well-bred, well-mannered.
**Gespann** *n* team, *Am. a.* span; *Ochsen2: a.* yoke; *fig.* pair, couple.
**gespannt** *adj.* tense (*a. fig.*); *Seil:* tight, taut; *fig.* intent; *Aufmerksamkeit:* close; *Verhältnis:* strained; ~ *sein auf* be anxious for.
**Gespenst** *n* ghost, spect|re, *Am.* -er; **2isch** *adj.* ghostly.
**Gespinst** *n* web, tissue (*beide a. fig.*); *Gesponnenes:* spun yarn.
**Gespött** *n* mockery, derision, ridicule; *zum* ~ *der Leute werden* become a laughing-stock.
**Gespräch** *n* talk, conversation; *teleph.* call; *Zwie2:* dialogue; **2ig** *adj.* talkative.
**Gestalt** *f* form, shape; *Körperbau:* figure, stature; *Person:* figure; **2en** *v/t.* form, shape (*a. fig.*); *organisieren:* arrange, organize; ~**ung** *f* formation; arrangement, organization.
**geständ|ig** *adj.:* ~ *sein* confess; **2nis** *n* confession.
**Gestank** *m* stench.
**gestatten** *v/t.* allow, permit.
**Geste** *f* gesture (*a. fig.*).
**gestehen 1.** *v/t.* confess, avow; **2.** *v/i.* confess.
**Ge|stein** *n* rock, stone; ~**stell** *n Regal:* stand, rack, shelf; *Fassung, Rahmen:* frame; *Bock:* trestle, horse.
**gestern** *adv.* yesterday; ~ *abend* last night.
**gestrig** *adj.* of yesterday, yesterday's ...
**Gestrüpp** *n* brushwood, undergrowth.
**Gestüt** *n* stud farm; *Pferde:* stud.
**Gesuch** *n* application, request; *Bittschrift:* petition.
**gesund** *adj. Person:* sound; *Person, Klima, Appetit:* healthy; *Klima:* salubrious; *Aussehen etc.:* wholesome; ~**er Menschenverstand** common sense; ~**en** *v/i.* recover.
**Gesundheit** *f* health(iness); *auf j-s*

~ *trinken* drink (to) s.o.'s health;
Ωl**ich** *adj.* sanitary; ~ *geht es ihm*
*gut* he is in good health.
**Gesundheits|amt** *n* Public Health
Department; Ω**schädlich** *adj.* injurious to health, unhealthy, unwholesome; **~zustand** *m* state of
health, physical condition.
**Getöse** *n* din, noise.
**getragen** *adj.* solemn.
**Getränk** *n* drink, beverage.
**getrauen** *v/refl.* dare, venture.
**Getreide** *n* corn, grain; **~arten:**
cereals *pl.*
**getreu** *adj.* loyal (*dat.* to), true (to);
*wahrheits~*: faithful.
**Getriebe** *n mot.* gears *pl.*; *fig.* bustle.
**getrost** *adv.* confidently.
**Ge|tue** *n* fuss; **~tümmel** *n* turmoil.
**Gewächs** *n* growth (*a.* ♣); *Pflanze*:
plant; **~haus** *n* greenhouse, hot-
house.
**ge|wachsen** *adj.*: *j-m* ~ *sein* be a
match for s.o.; *e-r Sache* ~ *sein* be
equal to s.th.; *sich der Lage* ~ *zeigen*
rise to the occasion; **~wagt** *adj.*
risky; *kühn*: bold; **~wählt** *adj. Stil:*
refined; **~wahr** *adj.*: ~ *werden*
become aware of.
**Gewähr** *f* guarantee, warrant, security; Ω**en** *v/t.* grant, allow; Ω**leisten**
*v/t.* guarantee.
**Gewahrsam** *m* custody, safe keeping.
**Gewährsmann** *m* informant, source.
**Gewalt** *f* power (*über* over) (*a. pol.*);
*Amts*Ω: authority; *Herrschaft*: control (*über* of, over); *zwingende*
*Kraft*: force; **~tätigkeit:** violence;
*höhere* ~ act of God; *mit* ~ by force;
**~herrschaft** *f* despotism, tyranny;
Ω**ig** *adj.* powerful, mighty; *heftig*:
vehement; *riesig*: vast; **~maß-**
**nahme** *f* violent measure; Ω**sam**
**1.** *adj.* violent; **2.** *adv. a.* forcibly;
~ *öffnen* force open, open by force;
**~tat** *f* act of violence; Ω**tätig** *adj.*
violent.
**Gewand** *n* garment; *wallendes*:
robe; *bsd. eccl.* vestment.
**gewandt** *adj.* agile, nimble, clever;
Ω**heit** *f* agility, nimbleness, cleverness.
**Gewäsch** F *n* twaddle, nonsense.
**Gewässer** *n* water(s *pl.*).
**Gewebe** *n* fabric; *feines*: tissue (*a.*
*anat. u. fig.*); *Webart*: texture.
**Gewehr** *n* gun; rifle; **~kolben** *m*

(rifle-)butt; **~lauf** *m* (rifle-, gun-)
barrel.
**Geweih** *n* horns *pl.*, antlers *pl.*
**Gewerbe** *n* trade, business; Ω**trei-**
**bend** *adj.* carrying on a business,
engaged in trade; **~treibende** *m*
tradesman.
**gewerb|lich** *adj.* commercial, in-
dustrial; **~smäßig** *adj.* professional.
**Gewerkschaft** *f* trade(s) union, *Am.*
labor union; **~ler** *m* trade-union-
ist; Ω**lich** *adj.* trade-union.
**Gewicht** *n* weight, *Am.* F *a.* heft;
*e-r Sache* ~ *beimessen* attach importance to s.th.; ~ *legen auf et.* lay
stress on s.th., Ω**ig** *adj.* weighty (*a.*
*fig.*).
**gewillt** *adj.* willing.
**Ge|wimmel** *n* throng; **~winde** ⊕ *n*
thread.
**Gewinn** *m* gain; † gains *pl.*, profit;
*Lotterie*Ω: prize; *Spiel*Ω: winnings
*pl.*; Ω**bringend** *adj.* profitable; **en**
**1.** *v/t.* win; *Zeit, Oberhand etc.*:
gain; **2.** *v/i.* win; Ω**end** *adj. Wesen,*
*Lächeln*: winning, engaging; **~er** *m*
winner.
**Gewirr** *n* tangle, entanglement;
*Straßen*Ω: maze; *Stimmen*Ω: confusion.
**gewiß 1.** *adj.* certain; *ein gewisser*
*Herr N.* a certain Mr N.; **2.** *adv.*:
~! certainly!, to be sure!, *Am.* sure!
**Gewissen** *n* conscience; Ω**haft** *adj.*
conscientious; Ω**los** *adj.* unscrupulous; **~sbisse** *pl.* remorse, pangs *pl.*
of conscience; **~sfrage** *f* question of
conscience.
**Gewißheit** *f* certainty; *innere*:
certitude.
**Gewitter** *n* (thunder)storm; Ω**n** *v/i.*:
*es gewittert* there is a thunderstorm; **~regen** *m* thunder-shower;
**~wolke** *f* thundercloud.
**gewogen** *adj.* well *od.* kindly disposed towards, favo(u)rably inclined towards.
**gewöhnen** *v/t.* accustom (*an* to).
**Gewohnheit** *f* habit; Ω**smäßig** *adj.*
habitual.
**gewöhnlich** *adj.* common, ordinary,
usual; *unfein*: common, vulgar.
**gewohnt** *adj.* customary, habitual;
(*es*) ~ *sein zu inf.* be accustomed *od.*
used to *ger.*
**Gewölbe** *n* vault.
**Gewühl** *n* milling crowd.
**gewunden** *adj. Weg etc.*: winding.

**Gewürz** n spice.
**Ge|zeit** f: mst ~en pl. tide(s pl.); **~zeter** n (shrill) clamo(u)r.
**geziert** adj. affected.
**Gezwitscher** n chirping, twittering.
**gezwungen** adj. forced, constrained.
**Gicht** ♂ f gout; **~knoten** ♂ m gouty knot.
**Giebel** m gable(-end).
**Gier** f greed(iness) (nach for); **♀ig** adj. greedy (nach for, of).
**gieß|en 1.** v/t. pour; ⊕ cast, found; Blumen: water; **2.** v/i.: es gießt it is pouring (with rain); **♀erei** f foundry; **♀kanne** f watering-can od. -pot.
**Gift** n poison; bsd. Schlangen♀: venom (a. fig.); **♀ig** adj. poisonous; venomous (a. fig.); **~schlange** f venomous snake; **~zahn** m poison-fang.
**Gigant** m giant.
**Gipfel** m summit, top; Spitze: peak; **~konferenz** pol. f summit meeting od. conference; **♀n** v/i. culminate.
**Gips** m min. gypsum; ⊕ plaster (of Paris); **~abdruck** m, **~abguß** m plaster cast; **♀en** v/t. plaster; **~verband** ♂ m plaster (of Paris).
**Giraffe** zo. f giraffe. [dressing.]
**Girlande** f garland.
**Girokonto** n current account.
**Gischt** m, f spray; der See: spindrift.
**Gitarre** ♩ f guitar.
**Gitter** n lattice; vor Fenster etc.: grating; **~bett** n crib; **~fenster** n lattice window.
**Glanz** m brightness; funkelnder: lust|re, Am. -er (a. fig.); strahlender: brilliancy; fig. splendo(u)r.
**glänzen** v/i. glitter, shine; **~d** adj. bright, brilliant (a. fig.); fig. splen-did.
**Glanzleistung** f brilliant achievement od. performance.
**Glas** n glass; **~er** m glazier.
**gläsern** adj. vitreous; fig. glassy.
**Glashütte** f glassworks sg., pl.
**glasieren** v/t. glaze; Kuchen: ice, frost.
**glasig** adj. glassy.
**Glasscheibe** f pane of glass.
**Glasur** f glaze, glazing; Schmelz: enamel; icing.
**glatt 1.** adj. smooth (a. fig.), even; glitschig: slippery; Lüge etc.: flat, downright; **2.** adv. smoothly, evenly; ~ anliegen fit closely od. tightly; ~ rasiert clean-shaven.

**Glätte** f smoothness (a. fig.); slip-periness.
**Glatteis** n glazed frost, Am. glaze; F: j-n aufs ~ führen lead s.o. up the garden path.
**glätten** v/t. smooth.
**Glatze** f bald head.
**Glaube** m faith, belief (an in); **♀n 1.** v/t. believe; meinen: think, suppose, Am. a. guess; **2.** v/i. believe (j-m s.o.; an in).
**Glaubens|bekenntnis** n creed, profession of faith; **~lehre** f, **~satz** m dogma, doctrine.
**glaubhaft** adj. plausible.
**gläubig** adj. believing, faithful; **♀e** m, f believer; **♀er** ♱ m creditor.
**glaubwürdig** adj. credible.
**gleich 1.** adj. equal; same; eben, auf gleicher Höhe: even, level; ~ sein be equal (dat. to); in ~er Weise like-wise; zur ~en Zeit at the same time; es ist mir ~ it's all the same to me; das ~e the same; **2.** adv. alike, equally; so~: immediately, directly, at once; just; ~ groß the same height, of equal height; ~ gegenüber just opposite; es ist ~ acht (Uhr) it is close on od. nearly eight (o'clock); **~altrig** adj. (of) the same age; **~artig** adj. homogeneous; entsprechend: similar; **~bedeutend** adj. synonymous (mit with); equivalent (to), tantamount (to); **~berechtigt** adj. having equal rights; **~bleibend** adj. constant, steady; **~en** v/i. equal; ähneln: resemble.
**gleich|falls** adv. also, likewise; **~förmig** adj. uniform; **~gesinnt** adj. like-minded; **♀gewicht** n balance (a. fig.), equilibrium; **~gültig** adj. indifferent (gegen to); es ist mir ~ I don't care; ~, was du tust no matter what you do; **♀gültigkeit** f indifference; **~kommen** v/i.: e-r Sache ~ amount to s.th.; j-m ~ equal s.o. (an in); **~lautend** adj. identical; **~mäßig** adj. Verteilung etc.: equal; Bewegung etc.: a. even; **♀mut** m equanimity; **~mütig** adj. imperturbable; **~namig** adj. of the same name; **♀nis** n parable; **~sam** adv. as it were, so to speak; **~seitig** adj. equilateral; **~setzen** v/t. equate (dat. to, with); **~stellen** v/t. equate (dat. to, with); j-n: put on an equal footing (with); **♀stellung** f equalization; **♀strom** ♭ m direct current;

**Ձung** ♃ f equation; **~wertig** adj. of the same value, of equal value; **~zeitig** adj. simultaneous, synchronous.

**Gleis** n s. Geleise.

**gleiten** v/i. glide, slide.

**Gleitflug** m glide; ✈ a. volplane.

**Gletscher** m glacier; **~spalte** f crevasse.

**Glied** n anat. limb; Ketten♄: link (a. fig.); ✕ rank, file; **Ձern** v/t. arrange; divide (in into); **~erung** f arrangement; division (in into); **~maßen** pl. limbs pl., extremities pl.

**glimmen** v/i. Feuer: smo(u)lder (a. fig.).

**glimpflich** 1. adj. lenient, mild; 2. adv.: ~ davonkommen get off lightly.

**glitschig** adj. slippery.

**glitzern** v/i. glitter, glisten.

**Globus** m globe.

**Glocke** f bell.

**Glocken|spiel** n chime(s pl.); **~turm** m bell tower, belfry.

**Glöckner** m bell-ringer.

**glorreich** adj. glorious.

**glotzen** F v/i. stare.

**Glück** n fortune; **~sfall**: good luck; **~sgefühl**: happiness, felicity; auf gut ~ on the off chance; ~ haben be lucky; das ~ haben zu inf. have the good fortune to inf.; viel ~! good luck!; zum ~ fortunately; **Ձbringend** adj. lucky.

**Glucke** orn. f sitting hen.

**glücken** v/i. s. gelingen.

**gluckern** v/i. gurgle.

**glücklich** adj. fortunate, lucky; happy, **~erweise** adv. fortunately.

**glückselig** adj. blissful.

**glucksen** v/i. gurgle.

**Glücks|fall** m lucky chance, stroke of (good) luck; **~göttin** f Fortune; **~pfennig** m lucky penny; **~pilz** m lucky person; **~spiel** n game of chance; fig. gamble; **~tag** m happy day, red-letter day; lucky day.

**glück|strahlend** adj. radiant(ly happy), **Ձwunsch** m congratulation(s pl.); good wishes pl.; herzlichen ~ zum Geburtstag! many happy returns (of the day)!

**Glüh|birne** ♄ f bulb; **Ձen** v/i. glow; **Ձend** adj. glowing; Eisen: red-hot; Kohle: live; fig. ardent, fervid; **Ձ(end)heiß** adj. burning hot; **~lampe** f incandescent lamp.

**Glut** f heat, glow (a. fig.); konkret: live coals pl., embers pl.; fig. ardo(u)r.

**Gnade** f grace; Gunst: favo(u)r; Barmherzigkeit: mercy; Milde: clemency; pardon; ✕ quarter.

**Gnaden|frist** f reprieve; **~gesuch** n petition for mercy.

**gnädig** adj. gracious; merciful; Anrede: Gnädige Frau Madam.

**Gnom** m gnome.

**Goal** östr. n Sport: goal.

**Gobelin** m Gobelin tapestry.

**Gold** n gold; **~barren** m gold bar, gold ingot; **Ձen** adj. gold; fig. golden; **~fisch** m goldfish; **Ձgelb** adj. golden(-yellow); **~gräber** m golddigger; **Ձig** fig. adj. sweet, lovely, Am. F a. cute; **~mine** f gold-mine; **~münze** f gold coin; **~schmied** m goldsmith; **~stück** n gold coin; **~währung** f gold standard.

**Golf**[1] geogr. m gulf.

**Golf**[2] n golf; **~platz** m golf-course, (golf-)links pl.; **~schläger** m golfclub; **~spiel** n golf; **~spieler** m golfer.

**Gondel** f gondola; ✈ mst car.

**gönnen** v/t.: j-m et. ~ allow od. grant s.o. s.th.; neidlos: not to (be)grudge s.o. s.th. [haft adj. patronizing.｜

**Gönner** m patron, benefactor; **Ձ-**｜

**Gorilla** zo. m gorilla.

**Gosse** f gutter (a. fig.).

**Gott** m God; **~heit**: god, deity; **Ձergeben** adj. resigned (to the will of God).

**Gottes|dienst** eccl. m (divine) service; **Ձfürchtig** adj. godfearing; **~lästerer** m blasphemer; **~lästerung** f blasphemy.

**Gottheit** f deity, divinity.

**Göttin** f goddess.

**göttlich** adj. divine.

**gott|lob** int. thank God od. goodness!; **~los** adj. godless; ruchlos: impious, wicked; **Ձvertrauen** n trust in God.

**Götze** m idol; **~nbild** n idol.

**Gouvern|ante** f governess; **~eur** m governor.

**Grab** n grave; tomb.

**Graben** 1. m ditch; ✕ trench; 2. **Ձ** v/t. dig; Tier: burrow.

**Grab|gewölbe** n vault, tomb; **~mal** n Ehrenmal: monument; tomb, sepulchre, Am. -er; **~rede** f funeral address; **~schrift** f epitaph;

~stätte f burial-place; grave, tomb; ~stein m tombstone, gravestone.
Grad m degree; ⨯ etc.: grade, rank; 15 ~ Kälte 15 degrees below zero; ~einteilung f graduation.
Graf m count; Brt. earl.
Gräfin f countess.
Grafschaft f county.
Gram 1. m grief, sorrow; 2. 2 adj.: j-m ~ sein bear s.o. ill will od. a grudge.
grämen v/t. grieve; sich ~ grieve (über at, about).
Gramm n gram(me).
Grammati|k f grammar; 2sch adj. grammatical.
Granat min. m garnet; ~e ⨯ f shell; Gewehr2, Hand2: grenade; ~splitter ⨯ m shell-splinter; ~werfer ⨯ m mortar.
Granit min. m granite.
Graphi|k f graphic arts pl.; 2sch adj. graphic(al).
Graphit min. m graphite.
Gras ♀ n grass; 2en v/i. graze; ~halm m blade of grass.
grassieren v/i. be rampant.
gräßlich adj. hideous, atrocious.
Grassteppe f prairie, savanna(h).
Gräte f (fish-)bone.
Gratifikation f gratuity, bonus.
gratis adv. gratis, free of charge.
Gratul|ant m congratulator; ~ation f congratulation; 2ieren v/i. congratulate (j-m zu et. s.o. on s.th.); j-m zum Geburtstag ~ wish s.o. many happy returns (of the day).
grau adj. grey, bsd. Am. gray.
grauen¹ v/i. Tag: dawn.
grauen² 1. v/i.: mir graut vor I shudder at, I dread; 2. 2 n horror (vor of); ~haft adj., ~voll adj. horrible, dreadful.
gräulich adj. greyish, bsd. Am. grayish.
Graupe f (peeled) barley, pot-barley; ~ln f/pl. sleet; 2 2 v/i. sleet.
grausam adj. cruel; 2keit f cruelty.
grausen 1. v/i. s. grauen²; 2. 2 n horror (vor of).
grausig adj. horrible.
Graveur m engraver.
gravieren v/t. engrave; ~d fig. adj. aggravating.
Grazie f grace(fulness).
graziös adj. graceful.
greifen 1. v/t. seize, grasp, catch

hold of; 2. v/i.: ~ nach grasp od. snatch at; um sich ~ spread; zu strengen Mitteln ~ resort to severe measures; zu den Waffen ~ take up arms.
Greis m old man; 2enhaft adj. senile (a. ⚕); ~in f old woman.
grell adj. Licht: glaring; Farbe: loud; Ton: shrill.
Grenze f boundary; Staats2: frontier, border; 2n v/i.: ~ an border on; fig. a. verge on; 2nlos adj. boundless.
Grenz|fall m border-line case; ~land n borderland; ~linie f boundary od. border line; ~stein m boundary stone; ~übergang m frontier od. border crossing(-point).
Greuel m horror; abomination; ~tat f atrocity.
Griech|e m Greek; 2isch adj. Greek; △ Grecian.
griesgrämig adj. morose, sullen.
Grieß m semolina.
Griff m grip, grasp, hold; Tür2, Messer2 etc.: handle; Schwert2: hilt.
Grille f zo. cricket; fig. whim.
Grimasse f grimace; ~n schneiden pull faces.
grimmig adj. grim; wütend: a. fierce.
Grind m scab, scurf.
grinsen 1. v/i. grin (über at); höhnisch: sneer (at); 2. 2 n grin; sneer.
Grippe ⚕ f influenza, F flu(e).
grob adj. coarse (a. fig.); Person, Fehler etc.: gross; Person, Stil etc.: rough; unverschämt: rude; 2heit f coarseness; grossness; roughness; rudeness; ~en pl. rude things pl.
grölen F v/t. u. v/i. bawl.
Groll m grudge, ill will; 2en v/i.: j-m ~ bear s.o. ill will od. a grudge.
Groschen m penny.
groß adj. Zimmer, Familie etc.: large; dick, weit, erwachsen: big; hoch-gewachsen: tall; fig. great, grand; Hitze: intense; Kälte: severe; Verlust: heavy; die Großen pl. the grown-ups pl.; im ~en wholesale, on a large scale; im ~en (und) ganzen on the whole; ~er Buchstabe capital (letter); ~artig adj. great, grand; 2aufnahme f Film: close-up.
Größe f Umfang, Format: size; largeness; Körper2: height; tallness; bsd. ⚖ quantity; Bedeutung:

greatness; *Person*: celebrity; *thea.* star.

**Großeltern** *pl.* grandparents *pl.*

**großenteils** *adv.* to a large *od.* great extent, largely.

**Größenwahn** *m* megalomania.

**Groß|handel** ✝ *m* wholesale trade; **~handelspreis** ✝ *m* wholesale price; **~händler** ✝ *m* wholesale dealer, wholesaler; **~handlung** ✝ *f* wholesale business; **~industrielle** *m* big industrialist.

**Grossist** *m* s. **Großhändler**.

**groß|jährig** *adj.* of age; **~ werden** come of age; **2jährigkeit** *f* majority, full (legal) age; **2macht** *f* great power; **2maul** *n* braggart; **2mut** *f* generosity; **~mütig** *adj.* magnanimous, generous; **2mutter** *f* grandmother; **2schreibung** *f* use of capital letters, capitalization; **~sprecherisch** *adj.* boastful; **~spurig** *adj.* arrogant; **2stadt** *f* large town *od.* city; **~städtisch** *adj.* of *od.* in a large town *od.* city.

**größtenteils** *adv.* mostly, mainly.

**groß|tun** *v/i.* swagger, boast; *sich mit et. ~* boast *od.* brag of *od.* about s.th.; **2vater** *m* grandfather; **2verdiener** *m* big earner; **2wild** *n* big game; **~ziehen** *v/t. Kind*: bring up; *Kind, Tier*: rear, raise; **~zügig** *adj.* liberal (*mit et.*), generous; *weitherzig*: broad-minded; *Planung: a.* on a large scale.

**grotesk** *adj.* grotesque.

**Grotte** *f* grotto.

**Grübchen** *n* dimple.

**Grube** *f* pit; ⚒ mine, pit.

**Grübel|ei** *f* brooding, musing, meditation; **2n** *v/i.* brood (*über on, over*), muse ([up]on, over), meditate ([up]on), *Am.* F *a.* mull (over).

**Gruft** *f* tomb, vault.

**grün** **1.** *adj.* green; **~ und blau schlagen** beat black and blue; **2.** ♀ *n* green; *der Natur*: verdure.

**Grund** *m* soil; *von Gewässern*: bottom (*a. fig.*); **~besitz**: land, estate; *Beweg2*: motive; *reason* (*gen. od. für of, for*); *Beweis2*: argument; *von ~ auf* thoroughly, fundamentally; **~bedeutung** *f* basic *od.* original meaning; **~bedingung** *f* basic *od.* fundamental condition; **~begriff** *m* fundamental *od.* basic idea; **~e** *pl.* principles *pl.*; *Anfangsgründe*: rudi-

ments *pl.*; **~besitz** *m* land(ed property); **~besitzer** *m* landowner.

**gründ|en** *v/t.* found, establish; ✝ promote; *sich ~ auf* be based *od.* founded on; **2er** *m* founder; ✝ promoter.

**grund|falsch** *adj.* fundamentally wrong; **2fläche** *f* △ base; *e-s Zimmers etc.*: area; **2gedanke** *m* basic *od.* fundamental idea; **2gesetz** *n* fundamental law; *der Bundesrepublik*: Basic Law; **2lage** *f* foundation, basis; **~legend** *adj.* fundamental, basic.

**gründlich** *adj.* thorough; *Kenntnisse*: profound.

**grund|los** *fig. adj.* groundless, unfounded; **2mauer** *f* foundation.

**Gründonnerstag** *eccl. m* Maundy Thursday.

**Grund|regel** *f* fundamental rule; **~riß** △ *m* ground-plan; **~satz** *m* principle; **2sätzlich 1.** *adj.* fundamental; **2.** *adv.* on principle; **~stein** *m* △ foundation-stone; *fig.* corner-stone; **~stock** *m* basis, foundation; **~stoff** *m* element; **~stück** *n* plot (of land); *Bauplatz*: (building) site; *Haus nebst Zubehör*: premises *pl.*; **~stücksmakler** *m* estate agent, *Am.* realtor; **~ton** *m* ♪ keynote; *paint., Färbung*: ground shade.

**Gründung** *f* foundation, establishment.

**grund|verschieden** *adj.* entirely different; **2zahl** *gr. f* cardinal number; **2zug** *m* main feature, characteristic.

**grünlich** *adj.* greenish.

**Grünspan** *m* verdigris.

**grunzen** *v/i. u. v/t.* grunt.

**Grupp|e** *f* group; **2ieren** *v/t.* group, arrange in groups; *sich ~* form groups.

**Gruß** *m* salutation; *vertraulicher*: greeting; *bsd.* ⚔, ⚓ salute; *mst* **Grüße** *pl.* regards *pl.*; respects *pl.*, compliments *pl.*

**grüßen** *v/t.* greet; *bsd.* ⚔ salute; *~ Sie ihn von mir* remember me to him; *j-n ~ lassen* send one's compliments *od.* regards to s.o.

**Grütze** *f* grits *pl.*, groats *pl.*

**guck|en** *v/i.* look; *spähen*: peep, peer; **2loch** *n* peep- *od.* spyhole.

**gültig** *adj.* valid; *in Kraft*: effective, in force; *rechts~*: legal; *Münze*:

current; *Fahrkarte*: available; ⊈-keit *f* validity; currency; availability.

**Gummi 1.** *n, m* gum; **2.** *m* (India-) rubber; **~ball** *m* rubber ball; **~band** *n* elastic (band); rubber band.

**gummieren** *v/t.* gum.

**Gummi|handschuh** *m* rubber glove; **~knüppel** *m* truncheon, *Am.* club; **~sohle** *f* rubber sole; **~stiefel** *m* wellington (boot), *Am.* rubber boot; **~zug** *m* elastic.

**Gunst** *f* favo(u)r, goodwill; *zu* **~en** *in* favo(u)r of.

**günst|ig** *adj.* favo(u)rable, propitious (*für* to, for); *im* **~sten** *Fall* at best; ⊈**ling** *m* favo(u)rite.

**Gurgel** *f*: *j-m an die* **~** *springen* leap *od.* fly at s.o.'s throat; ⊈**n** *v/i.* ✻ gargle; gurgle.

**Gurke** *f* cucumber; *Gewürz*⊈: gherkin.

**gurren** *v/i.* coo.

**Gurt** *m* girdle, belt; *Sattel*⊈: girth; *Trage*⊈: strap.

**Gürtel** *m* belt, girdle; *geogr.* zone.

**Guß** *m* ⊕ founding, casting; *typ.* fount, *Am.* font; *Regen*⊈: downpour, shower; ⊈**eisen** *n* cast iron; ⊈**eisern** *adj.* cast-iron; ⊈**stahl** *m* cast steel.

**gut 1.** *adj.* good; **~es** *Wetter* fine weather; **~er** *Dinge od.* **~en** *Mutes sein* be of good cheer; **~** *werden* get well, heal; *fig.* turn out well; *ganz* **~** not bad; *schon* **~!** never mind!, all right!; *sei so* **~** *und* ... (will you) be so kind as to *inf.*; **2.** *adv.* well; *es* **~** *haben* be well off; **~** *aussehen Person*: be good-looking.

**Gut** *n* possession, property; *Land*⊈: estate.

**Gut|achten** *n* (expert) opinion; **~achter** *m* expert; ⊈**artig** *adj.*

good-natured; ✻ benign; **~dünken** *n*: *nach* **~** *at* discretion *od.* pleasure.

**Gute** *n the* good; **~s** *tun* do good.

**Güte** *f* goodness, kindness; ✝ class, quality; *in* **~** amicably; F: *meine* **~!** good gracious!

**Güter|bahnhof** *m* goods station, *Am.* freight depot *od.* yard; **~gemeinschaft** ⚖ *f* community of goods; **~trennung** ⚖ *f* separation of property; **~verkehr** *m* goods traffic, *Am.* freight traffic; **~wagen** *m* (goods) wag(g)on, *Am.* freight car; **~zug** *m* goods train, *Am.* freight train.

**gut|gelaunt** *adj.* good-humo(u)red; **~gläubig** *adj.* acting *od.* done in good faith; *s. leichtgläubig*; ⊈**haben** ✝ *n* credit (balance); **~heißen** *v/t.* approve (of); **~herzig** *adj.* good-natured, kind-hearted.

**gütig** *adj.* good, kind(ly).

**gütlich** *adv.*: *sich* **~** *einigen* come to an amicable settlement; *sich* **~** *tun an* regale o.s. on.

**gut|machen** *v/t.* make up for, compensate, repair; **~mütig** *adj.* good-natured; ⊈**mütigkeit** *f* good nature.

**Gutsbesitzer** *m* owner of an estate.

**Gut|schein** *m* credit note, coupon; *Beleg*: voucher; ⊈**schreiben** *v/t.*: *j-m e-n Betrag* **~** put a sum to s.o.'s credit; **~schrift** ✝ *f* credit(ing).

**Guts|haus** *n* farm-house; **~herr** *m* lord of the manor; landowner; **~hof** *m* estate, farm; **~verwalter** *m* (landlord's) manager *od.* steward.

**gutwillig** *adj.* willing.

**Gymnasi|ast** *m appr.* grammar-school boy; **~um** *n appr.* grammar-school.

**Gymnasti|k** *f* gymnastics *pl.*; ⊈**sch** *adj.* gymnastic.

**Gynäkologe** ✻ *m* gyn(a)ecologist.

# H

**Haar** n hair; *sich die ~e kämmen* comb one's hair; *sich die ~e schneiden lassen* have one's hair cut; *aufs ~* to a hair; *um ein ~* by a hair's breadth; **~ausfall** m loss of hair; **~bürste** f hairbrush; **2en** v/i. u. v/refl. Tier: lose its hair; Pelz: shed hairs; **~esbreite** f: *um ~* by a hair's breadth; **2fein** adj. (as) fine as a hair; fig. subtle; **~gefäß** anat. n capillary (vessel); **2genau** adj. precise, exact to a hair; **2ig** adj. hairy; *in Zssgn:* ...-haired; **2klein** adv. to the last detail; **~klemme** f hair grip, Am. bobby pin; **~nadel** f hairpin; **~nadelkurve** f hairpin bend; **~netz** n hair-net; **2scharf** 1. adj. very sharp; fig. very precise; 2. adv. by a hair's breadth; **~schnitt** m haircut; **~spalterei** f hair-splitting; **2sträubend** adj. hair-raising, horrifying; **~wäsche** f hair-wash, shampoo; **~waschmittel** n shampoo; **~wasser** n hair-lotion; **~wuchs** m growth of (the) hair; **~wuchsmittel** n hair-restorer.

**Habe** f Besitz: property; persönliche: belongings pl.

**haben** 1. v/t. have; F fig.: *sich ~ (make) a fuss; unter sich ~* be in control of, command; zu ~ Waren: obtainable, to be had; *da ~ wir's!* there, now!; 2. ♀ ♱ n credit (side).

**Habgier** f avarice; **2ig** adj. avaricious.

**habhaft** adj.: *~ werden* get hold of.

**Habicht** orn. m (gos)hawk.

**Hab|seligkeiten** f/pl. belongings pl.; **~sucht** f s. Habgier; **2süchtig** adj. s. habgierig.

**Hacke** ♂ f hoe, mattock; Spitz2: (pick)axe; Ferse: heel.

**Hacken** 1. m heel; *die ~ zusammenschlagen* ♀ click one's heels; 2. ♀ v/t. ♂ Erde: hack; Fleisch: mince; Holz: chop.

**Hackfleisch** n minced (Am. ground) meat.

**hadern** v/i. quarrel.

**Hafen** m harbo(u)r, port; **~arbeiter** m docker, Am. a. longshoreman; **~stadt** f seaport.

**Hafer** m oats pl.; **~brei** m (oatmeal) porridge; **~flocken** f/pl. porridge

oats pl.; **~grütze** f groats pl., grits pl.; **~schleim** m gruel.

**Haft** ♱ f Gewahrsam: custody; Gefängnis♱: detention, confinement; **2bar** adj. responsible, ♱ liable (für for); **~befehl** m warrant of arrest; **2en** v/i. stick, adhere (an to); *~ für* ♱ answer for, be liable for.

**Häftling** m prisoner.

**Haftpflicht** ♱ f liability; **~versicherung** f third-party insurance.

**Haftung** f responsibility, ♱ liability; *mit beschränkter ~* limited.

**Hagel** m hail; fig. a. shower, volley; **~korn** n hailstone; **2n** v/i. hail (a. fig.); **~schauer** m shower of hail, (brief) hailstorm.

**hager** adj. lean, gaunt.

**Hahn** m orn. cock; Haus2: rooster; ⊕ (stop)cock; Wasser2: tap, Am. a. faucet; **~enschrei** m cock-crow.

**Hai** ichth. m, **~fisch** m shark.

**häkeln** v/t. u. v/i. crochet.

**Haken** m hook (a. Boxen); Kleider2: peg; fig. snag, catch.

**halb** 1. adj. half; *eine ~e Stunde* an hour, a half-hour; *ein ~es Jahr* six months pl.; 2. adv. half; *~ voll* half full; *~ soviel* half as much; *es schlug ~* it struck the half-hour.

**halb|amtlich** adj. semi-official; **2bruder** m half-brother; **2dunkel** n semi-darkness; **~er** prp. wegen: on account of; *um ... willen:* for the sake of; **~gar** adj. underdone, Am. a. rare; **2gott** m demigod.

**halbieren** v/t. halve; ♂ bisect.

**Halb|insel** f peninsula; **~jahr** n six months pl.; **2jährig** adj. of six months; **2jährlich** 1. adj. half-yearly; 2. adv. half-yearly, twice a year; **~kreis** m semicircle; **~kugel** f hemisphere; **2laut** 1. adj. low, subdued; 2. adv. in an undertone; **2mast** adv. (at) half-mast; **~mond** m half-moon, crescent; **~schuh** m shoe; **~schwester** f half-sister; **~tagsbeschäftigung** f part-time job od. employment; **2wüchsig** adj. adolescent; **~zeit** f Sport: half(-time).

**Halde** f slope; ♀ dump.

**Hälfte** f half; *die ~ von* half of.

**Halfter** m, n halter.

**Halle** f hall; *Hotel*2: lobby, lounge; ✠ hangar.

**hallen** v/i. resound, ring.

**Hallen|bad** n indoor swimming-bath od. -pool; **~sport** m indoor sports pl.

**Halm** ⚘ m *Gras*2: blade; *Getreide*2: stem, stalk; *Stroh*2: straw.

**Hals** m neck; *Kehle*: throat; ~ über *Kopf* head over heels; *sich den* ~ *verrenken* crane one's neck; **~band** n necklace; *Hunde*2 etc.: collar; **~entzündung** ✠ f sore throat; **~kette** f necklace; **~schmerzen** m/pl.: ~ *haben* have a sore throat; 2**starrig** adj. stubborn, obstinate; **~tuch** n neckerchief; *Schal*: scarf.

**Halt** m hold; *Stütze*: support (a. fig.); fig. *innerer*: stability.

**halt** int. stop!; ✠ halt!

**haltbar** adj. durable, lasting; *Farben*: fast; *Argument etc.*: tenable.

**halten** 1. v/t. hold; *Versprechen, Tier etc.*: keep; *Rede*: make, deliver; *Vorlesung*: give, deliver; *Zeitung*: take in; ~ *für* regard as; *irrtümlich*: take for; *viel* (*wenig*) ~ *von* think highly (little) of; *sich* ~ hold out, last; *Essen*; *bestimmte Richtung beibe~*: keep; *sich gut* ~ *in e-r Prüfung*: do well; *sich* ~ *an* keep to; 2. v/i. hold out, last; *an~*: stop, halt; *Eis*: bear; *Seil etc.*: hold; ~ *zu* stick to od. by.

**Halte|r** m keeper, owner; *für Geräte etc.*: holder; **~stelle** f stop; 🚋 station, stop.

**halt|los** adj. unsteady; *unbegründet*: baseless, without foundation; **~machen** v/i. stop, halt; *vor nichts* ~ stop at nothing; 2**ung** f *Körper*2: deportment (a. *Benehmen*), carriage; fig. attitude (*gegenüber* towards).

**hämisch** adj. spiteful, malicious.

**Hammel** m wether; **~fleisch** n mutton.

**Hammer** m hammer; (auctioneer's) gavel.

**hämmern** v/t. u. v/i. hammer.

**Hämorrhoiden** ✠ f/pl. h(a)emorrhoids pl., piles pl.

**Hampelmann** m jumping-jack; fig. (mere) puppet.

**Hamster** zo. m hamster; 2**n** v/t. u. v/i. hoard.

**Hand** f hand; *j-m die* ~ *geben* shake hands with s.o.; *an* ~ (*gen.*) od. *von* with the help od. aid of; *aus erster* ~ first-hand, at first hand; *bei der* ~, *zur* ~ at hand; ~ *und Fuß haben* be sound, hold water; *seine* ~ *im Spiele haben* have a finger in the pie; **~arbeit** f manual labo(u)r od. work; *kunstvolle*: (handi)craft; *Nadelarbeit*: needlework; **~bibliothek** f reference library; **~breit** f hand's breadth; **~bremse** mot. f handbrake; **~buch** n manual, handbook.

**Hände|druck** m handshake; **~klatschen** n (hand-)clapping, applause.

**Handel** m commerce; *Geschäftsverkehr*: trade; traffic; *Markt*: market; *abgeschlossener*: transaction, deal, bargain; 2**n** v/i. act, take action; *feilschen*: bargain (*um* for), haggle (over); *mit j-m* ~ trade with s.o.; *mit Waren* ~ trade od. deal in goods; *es handelt sich um es* concerns, it is about, it is a matter of.

**Handels|abkommen** n trade agreement; **~bank** f commercial bank; 2**einig** adj.: ~ *werden* come to terms; **~gesellschaft** f (trading) company; **~kammer** f Chamber of Commerce; **~schiff** n merchantman; **~schule** f commercial school, business college od. school; 2**üblich** adj. customary in trade.

**Hand|feger** m hand-brush; **~fertigkeit** f manual skill; 2**fest** adj. sturdy, strong; *fig.* well-founded, sound; **~feuerwaffen** f/pl. small arms pl.; **~fläche** f palm; 2**gearbeitet** adj. hand-made; **~gelenk** n wrist; **~gemenge** n scuffle, mêlée; **~gepäck** n hand luggage (*Am.* baggage); **~granate** ✠ f hand-grenade; 2**greiflich** adj. *Beweis etc.*: tangible, palpable; ~ *werden* turn violent, *Am. a.* get tough; **~griff** m grasp; *Griff*: handle, grip; *mit wenigen* ~*en* in no time; **~habe** fig. f handle; 2**haben** v/t. handle, manage; *Maschine etc.*: operate; *Gesetz*: administer; **~karren** m handcart; **~koffer** m suitcase.

**Händler** m dealer, trader.

**handlich** adj. handy; manageable.

**Handlung** f act(ion), deed; *thea.* action, plot; ✟ shop, *Am.* store.

**Handlungs|reisende** m commercial traveller, Am. traveling salesman; **~weise** f Verhalten: conduct.

**Hand|rücken** m back of the hand; **~schelle** f handcuff; **~schlag** m handshake; **~schrift** f handwriting; handgeschriebenes Werk: manuscript; **2schriftlich** adj. handwritten; **~schuh** m glove; **~tasche** f handbag, Am. a. purse; **~tuch** n towel; **~voll** f handful; **~wagen** m handcart; **~werk** n (handi)craft, trade; **~werker** m workman, (handi)craftsman, artisan; **~werkzeug** n (kit of) tools pl.; **~wurzel** f wrist.

**Hanf** ♀ m hemp.

**Hang** m slope, incline; fig. inclination (zu for; zu inf. to inf.), tendency (to).

**Hänge|brücke** △ f suspension bridge; **~lampe** f hanging lamp; **~matte** f hammock.

**hängen** 1. v/i. hang (an on); an j-m ~ be attached od. devoted to s.o.; 2. v/t. hang, suspend; **~bleiben** v/i. get caught (up) (an on, in); fig. stick (in the memory).

**hänseln** v/t. tease (wegen about).

**Hanswurst** m merry andrew, clown, buffoon (alle a. fig. contp.), Punch. [work (an on).]

**hantieren** v/i. be busy (mit with);

**Happen** m morsel, bite; snack.

**Harfe** ♪ f harp.

**Harke** ♪ f rake.

**harmlos** adj. harmless, inoffensive.

**Harmonie** f harmony (a. ♪); **2ren** v/i. harmonize (mit with); **~ka** ♪ f accordion; **2sch** adj. harmonious. [bladder.]

**Harn** m urine; **~blase** f (urinary)

**Harnisch** m: in ~ geraten be up in arms (über about).

**Harnröhre** f urethra.

**Harpune** f harpoon.

**hart** 1. adj. hard; fig. rauh: a. harsh; streng: severe; 2. adv. hard.

**Härte** f hardness; fig. Unbill: a. hardship; Strenge: severity; **2n** v/t. harden; Stahl: temper, im Einsatz: case-harden.

**Hart|geld** n coin(s pl.); **~gummi** m hard rubber, ✝ ebonite, vulcanite; **2herzig** adj. hard-hearted; **2näkkig** adj. Person: obstinate, stubborn; Anstrengungen etc.: dogged, tenacious; ✗ Krankheit: refractory.

**Harz** n resin; Geigen2: rosin; **2ig** adj. resinous.

**haschen** v/i.: ~ nach snatch at.

**Hase** zo. m hare.

**Haselnuß** ♀ f hazelnut.

**Hasen|braten** m roast hare; **~fuß** m coward; **~scharte** ✗ f harelip.

**Haß** m hatred.

**hassen** v/t. hate.

**häßlich** adj. ugly; fig. a. nasty.

**Hast** f hurry, haste, rush; **2en** v/i. hurry, hasten, rush; **2ig** adj. hasty, hurried.

**hätscheln** v/t. caress, fondle, pet; verwöhnen: pamper, coddle.

**Haube** f bonnet; Mütze: cap, hood; orn. crest; mot. bonnet, Am. hood.

**Hauch** m breath; Luft2, Duft2: waft, whiff; von Ironie etc.: touch, tinge; **2en** 1. v/i. breathe; 2. v/t. breathe, whisper; gr. aspirate.

**Haue** ✗ f hoe; F Prügel: hiding, spanking; **2n** 1. v/t. Kohle, Steine: hew; zerhacken: chop; Loch, Stufen etc.: cut; verhauen: beat; sich ~ (have a) fight; 2. v/i.: ~ nach cut at, strike out at.

**Haufen** m heap, pile (beide a. F fig.); F fig. crowd.

**häuf|en** v/t. heap (up), pile (up), accumulate; sich ~ pile up, accumulate; fig. become more frequent, increase; **~ig** adj. frequent.

**Haupt** n head; fig. head, leader; **~bahnhof** m main od. central station; **~darsteller** thea. m leading actor.

**Häuptelsalat** östr. m lettuce.

**Haupt|fach** n Studium: main od. principal subject; **~film** m feature (film); **~geschäft** n main shop; **~gewinn** m first prize; **~grund** m main reason.

**Häuptling** m chief(tain).

**Haupt|mann** ✗ m captain; **~merkmal** n characteristic feature; **~punkt** m main od. cardinal point; **~quartier** n headquarters pl.; **~rolle** thea. f lead(ing part); **~sache** f main thing od. point; **2sächlich** adj. main, chief, principal; **~satz** gr. m main clause; **~stadt** f capital; **~straße** f main street; Hauptverkehrsstraße: main road; **~treffer** m first prize, jackpot; **~verkehrsstraße** f main road, arterial road; **~verkehrszeit**

*f* rush hour(s *pl.*), peak hour(s *pl.*); ~**versammlung** *f* general meeting; ~**wort** *gr. n* substantive, noun.

**Haus** *n* house; *Gebäude*: building; *Heim, Familie*: home, family, household; *Geschlecht*: dynasty; *Firma*: (business) house, firm; *parl.* House; *nach* ~e home; *zu* ~e at home, F in; ~**angestellte** *f* (house)maid; ~**apotheke** *f* (household) medicine chest *od.* -cabinet; ~**arbeit** *f* housework; ~**arzt** *m* family doctor; ~**aufgaben** *f/pl.* homework, F prep; ~**bar** *f* cocktail cabinet; ~**bedarf** *m* household requirements *pl.*; ~**besitzer** *m* house-owner, landlord; ~**diener** *m* Hotel: porter, boots.

**hausen** *v/i.* live; *wüten*: play havoc.

**Haus|flur** *m* (entrance-)hall, *bsd. Am.* hallway; ~**frau** *f* housewife; ~**halt** *m* household; 2**halten** *v/i.* be economical (*mit* with), economize (on); ~**hälterin** *f* housekeeper; ~**halt(s)plan** *parl. m* budget; ~**haltung** *f* household; ~**haltwaren** *f/pl.* household articles *pl.*; ~**herr** *m* head of the family; *Hausbesitzer*: landlord.

**hausiere|n** *v/i.* hawk, peddle (*mit et. s.th.*); 2**r** *m* hawker, pedlar.

**Haus|kleid** *n* house dress; ~**lehrer** *m* private tutor.

**häuslich** *adj.* domestic; *gern zu Hause bleibend*: domesticated.

**Haus|mädchen** *n* (house)maid; ~**mannskost** *f* plain fare; ~**meister** *m* caretaker, janitor; ~**mittel** *n* popular medicine; ~**ordnung** *f* rules *pl.* of the house; ~**rat** *m* household effects *pl.*; ~**schlüssel** *m* latchkey, front-door key; ~**schuh** *m* slipper.

**Hausse** 2 *f* rise, boom.

**Haus|stand** *m* household; *e-n* ~ *gründen* set up house; ~**suchung** *f* house search, *Am. a.* house check; ~**tier** *n* domestic animal; ~**tür** *f* front door; ~**verwalter** *m* steward; ~**wirt** *m* landlord; ~**wirtin** *f* landlady.

**Haut** *f* skin; *bsd. abgezogene Tier*2: hide; *von Früchten, auf der Milch*: skin; *bis auf die* ~ *durchnäßt* wet *od.* soaked to the skin; F *e-e ehrliche* ~ an honest soul; ~**abschürfung** *f* skin abrasion; ~**arzt** *m* dermatologist; ~**ausschlag** *m* rash; 2**eng**

*adj.* skin-tight; ~**farbe** *f* colo(u)r of the skin; ~**krankheit** *f* skin disease; ~**pflege** *f* care of the skin; ~**schere** *f* (e-e a pair of) cuticle scissors *pl.*

**H-Bombe** *f* H-bomb.

**Hebamme** *f* midwife.

**Hebebühne** *mot. f* lifting ramp.

**Hebel** ⊕ *m* lever.

**heben** *v/t.* lift (*a.* Sport), raise (*a. fig.*); *schwere Last*: heave; *hochwinden*: hoist; *gesunkenes Schiff*: raise; *fig.* improve, increase; *sich* ~ rise, go up.

**Hecht** *ichth. m* pike.

**Heck** *n* ⊕ stern; ✈ tail; *mot.* rear.

**Hecke** *f* hedge; ~**nrose** *f* dogrose.

**heda** *int.* hi (there)!, hallo!

**Heer** *n* army; *fig. a.* host; ~**führer** *m* general; ~**lager** *n* (army) camp; ~**schar** *f* army, host.

**Hefe** *f* yeast, barm.

**Heft** *n* Schreib2: exercise book; *Zeitschriften*2: issue, number; *e-s Messers*: haft, handle; *fig.* reins *pl.*

**heft|en** *v/t.* fasten, fix (*an* to); *Saum etc.*: tack, baste; *Buch*: stitch, sew; 2**faden** *m* basting thread.

**heftig** *adj.* violent, fierce; *Regen etc.*: heavy; *Schmerzen etc.*: severe; *Rede, Verlangen etc.*: vehement, passionate; *Person*: irascible; 2**keit** *f* violence, fierceness; severity; vehemence; irascibility.

**Heft|klammer** *f* staple; ~**pflaster** *n* adhesive *od.* sticking plaster.

**hegen** *v/t.* Wild, Wald: look after, preserve; *Gefühle*: have, entertain; *Furcht, Verdacht etc.*: harbo(u)r.

**Hehler** *m* receiver (of stolen goods); ~**ei** *f* receiving (of stolen goods).

**Heide**[1] *m* heathen.

**Heide**[2] *f* heath; ~**kraut** *n* heather, heath.

**Heiden|geld** F *n* piles *pl.* of money; ~**lärm** F *m* hullabaloo; ~**spaß** F *m* capital fun.

**Heiden|tum** *n* heathenism; 2-**nisch** *adj.* heathen(ish).

**heikel** *adj.* Person: particular; *Problem etc.*: delicate, awkward.

**heil** 1. *adj.* Person: safe, unhurt; *Sache*: whole, sound; 2. 2 *eccl.* = salvation.

**Heiland** *eccl. m* Saviour, Redeemer.

**Heil|anstalt** *f* sanatorium, *Am. a.* sanitarium; ~**bad** *n* medicinal bath; *Kurort*: spa; ℒbar *adj.* curable; ℒen 1. *v/t.* cure; 2. *v/i.* heal (up).

**heilig** *adj.* holy; *Gott geweiht*: sacred (*a. fig.*); *Heiliger Abend* Christmas Eve; ℒe *m, f* saint; ~en *v/t.* sanctify (*a. fig.*), hallow; ℒkeit *f* holiness, sacredness, sanctity; ~sprechen *v/t.* canonize; ℒtum *n Stätte*: sanctuary; *Gegenstand*: sacred relic.

**Heil|kraft** *f* healing *od.* curative power; ℒkräftig *adj.* healing, curative; ℒlos *fig. adj. Durcheinander*: utter, great; ~mittel *n* remedy, medicament; ~praktiker *m* nonmedical practitioner; ~quelle *f* (medicinal) mineral spring; ℒsam *fig. adj.* salutary.

**Heilsarmee** *f* Salvation Army.

**Heilung** *f* cure.

**heim** 1. *adv.* home; 2. ℒ *n* home; *Jugend*ℒ *etc.*: hostel; ℒarbeit *f* outwork.

**Heimat** *f*, ~land *n* own country, native land; ℒlos *adj.* homeless; ~ort *m* home town *od.* village; ~vertriebene *m* expellee.

**heimisch** *adj. Industrie etc.*: home, local, domestic; ℒ, *zo. etc.*: native, indigenous; ~ *werden* become established; *Person*: settle down; *sich ~ fühlen* feel at home.

**Heim|kehr** *f* return (home); ℒkehren, ℒkommen *v/i.* return home.

**heimlich** *adj.* secret; *Treffen etc.*: clandestine; *Blick etc.*: stealthy, furtive.

**Heim|reise** *f* homeward journey; ℒsuchen *v/t. Unheil etc.*: strike; ℒtückisch *adj.* malicious; treacherous; ℒwärts *adv.* homeward(s); ~weg *m* way home; ~weh *n* homesickness; ~ *haben* be homesick.

**Heirat** *f* marriage; ℒen 1. *v/t.* marry; 2. *v/i.* marry, get married.

**Heirats|antrag** *m* offer *od.* proposal of marriage; ~schwindler *m* marriage impostor.

**heiser** *adj.* hoarse, husky; ℒkeit *f* hoarseness, huskiness.

**heiß** *adj.* hot; *fig. a.* passionate, ardent; *mir ist ~* I am *od.* feel hot.

**heißen** 1. *v/t.: willkommen ~* welcome; 2. *v/i.* be called; *bedeuten*: mean; *wie ~ Sie?* what is your name?

**heiter** *adj. Wetter etc.*: bright; *Himmel*: bright, clear; *Person etc.*: cheerful, gay; ℒkeit *f* brightness; cheerfulness, gaiety.

**heiz|en** 1. *v/t. Zimmer etc.*: heat; *Ofen*: light; 2. *v/i. Ofen etc.*: give out heat; *mit Kohlen ~* burn coal; ℒer *m* fireman; ℒkissen *n* electric heating pad; ℒkörper *m* radiator; ℒmaterial *n* fuel; ℒung *f* heating.

**Held** *m* hero.

**Helden|gedicht** *n* epic (poem); ℒhaft *adj.* heroic; ~mut *m* heroism, valo(u)r; ~tat *f* heroic deed; ~tod *m* hero's death; ~tum *n* heroism.

**helfen** *v/i.* help, assist, aid; ~ *gegen* be good for; *sich nicht zu ~ wissen* be helpless.

**Helfer** *m* helper, assistant; ~shelfer *m* accomplice.

**hell** *adj. Klang, Stimme, Licht etc.*: clear; *Licht etc.*: bright; *Haare*: fair; *Farben*: light; *Bier*: pale; ~blau *adj.* light-blue; ~blond *adj.* very fair; ~hörig *adj. Person*: quick of hearing; △ poorly soundproofed; *fig.* perceptive; ℒseher *m* clairvoyant.

**Helm** *m* helmet.

**Hemd** *n* shirt; *Unter*ℒ: vest; ~bluse *f* shirt-blouse, *Am.* shirtwaist.

**Hemisphäre** *f* hemisphere.

**hemm|en** *v/t. Bewegung etc.*: check, stop; *behindern*: hamper; ℒschuh F *fig. m* drag (*für* on); ℒung *f* stoppage, check; *psych.* inhibition.

**Hengst** *zo. m* stallion.

**Henkel** *m* handle, ear.

**Henker** *m* hangman, executioner.

**Henne** *orn. f* hen.

**her** *adv.* here; *es ist schon ein Jahr ~, daß od. seit* it is a year since.

**herab** *adv.* down; ~lassen *v/t.* let down, lower; *sich ~* condescend; ~lassend *adj.* condescending; ~setzen *v/t.* reduce; *fig.* belittle, disparage; ℒsetzung *f* reduction; *fig.* disparagement; ~steigen *v/i.* climb down, descend.

**heran** *adv.* close, near; ~ *an* up *od.* near to; ~bilden *v/t.* train, educate (*zu* as, to be); ~kommen *v/i.* come *od.* draw near, approach (*a. fig.*); ~wachsen *v/i.* grow (up) (*zu* into).

**herauf** *adv.* up (here); *die Treppe ~*: upstairs; ~beschwören *v/t.* evoke;

*verursachen*: bring about, provoke; **~steigen** *v/i.* climb up (here), ascend; **~ziehen 1.** *v/t.* pull up; **2.** *v/i. Wolke etc.*: come up.

**heraus** *adv.* out (here); *zum Fenster* ~ out of the window; ~ *mit der Sprache!* speak out!, out with it!; **~bekommen** *v/t.* get out; *Geld*: get back; *fig.* find out; **~bringen** *v/t.* bring *od.* get out; *thea.* stage; *fig.* find out; **~finden** *v/t.* find; *fig.* find out, discover; 2**forderer** *m* challenger; **~fordern** *v/t. zum Zweikampf*: challenge; provoke; 2**forderung** *f* challenge; provocation; **~geben** *v/t.* surrender; hand over; *zurückgeben*: give back, restore; *Zeitung etc.*: edit; *Buch*: publish; *Vorschriften*: issue; *Geld*: give change (*auf for*); 2**geber** *m* editor; publisher; **~kommen** *v/i.* come out; *fig.*: *a.* appear; be published; **~nehmen** *v/t.* take out; *sich viel* ~ take liberties; **~putzen** *v/t.* dress up; *sich* ~ dress (o.s.) up; **~reden** *v/refl.* talk one's way out; **~stellen** *v/t.* put out; *fig.* emphasize; *sich* ~ *als* turn out *od.* prove to be; **~strecken** *v/t.* put out; **~streichen** *v/t. Wort etc.*: cross out, delete; *fig.* extol, praise.

**herb** *adj. Früchte, Geschmack etc.*: tart; *Wein etc.*: dry; *Gesichtszüge*: austere; *Kritik etc.*: harsh; *Enttäuschung etc.*: bitter.

**herbei** *adv.* here; ~! come here!; **~eilen** *v/i.* come hurrying; **~führen** *fig. v/t.* cause, bring about; **~schaffen** *v/t. Material*: bring along; *Beweise, Geld etc.*: procure.

**Herberge** *f* shelter, lodging; inn.
**Herbst** *m* autumn, *Am. a.* fall.
**Herd** *m* stove; *fig.* cent|re, *Am. -er.*
**Herde** *f Vieh2, Schweine2 etc.*: herd (*a. fig. contp.*); *Schaf2, Gänse2 etc.*: flock.

**herein** *adv.* in (here); ~! come in!; **~brechen** *fig. v/i. Nacht*: fall; ~ *über Unglück etc.*: befall; **~fallen** *fig. v/i.* be taken in.

**her|fallen** *v/i.*: ~ *über* attack (*a. fig.*), fall upon; F *fig.* pull to pieces; 2**gang** *m* course of events, details *pl.*; **~geben** *v/t.* give up, part with; *zurückgeben*: return; *fig.* yield; *sich* ~ *zu* lend o.s. to.

**Hering** *ichth. m* herring.
**her|kommen** *v/i.* come here; ~ *von*

come from; *fig. a.* be caused by; **~kömmlich** *adj.* traditional, customary; 2**kunft** *f* origin; *Person*: *a.* birth, descent; *fig.* derive (*von from*).

**Herr** *m Gebieter*: lord; master; gentleman; *eccl. the* Lord; ~ *Maier* Mr Maier; *mein* ~ Sir; *m-e* ~*en* gentlemen; ~ *der Situation* master of the situation.

**Herren|bekleidung** *f* men's clothing; **~einzel** *n Tennis*: men's singles *pl.*; **~haus** *n* manor-house; 2**los** *adj.* ownerless; **~schneider** *m* men's tailor; **~zimmer** *n* study.

**herrichten** *v/t.* arrange, prepare.
**herrisch** *adj.* imperious, commanding, peremptory.
**herrlich** *adj.* glorious, magnificent, splendid; 2**keit** *f* glory.
**Herrschaft** *f* rule, dominion (*über of*); *Macht, Gewalt*: control; *von Dienstboten*: master and mistress; *m-e* ~*en!* ladies and gentlemen!; 2**lich** *fig. adj.* high-class, elegant.
**herrsch|en** *v/i.* rule (*über over*); *Monarch*: reign (*over*); *regieren*: govern; *fig.* be, prevail; 2**er** *m* ruler; sovereign, monarch; **~süchtig** *adj.* imperious.

**her|rühren** *v/i.*: ~ *von* come from, originate with; **~sagen** *v/t.* recite; **~stellen** † *v/t.* make, manufacture, produce; 2**stellung** *f* manufacture, production.

**herüber** *adv.* over (here), across.
**herum** *adv.* (a)round; *Umfang*: about; **~führen** *v/t.* show (a)round; ~ *in* show over; **~lungern** *v/i.* loaf *od.* hang about; **~reichen** *v/t.* pass *od.* hand round; **~sprechen** *v/refl.* get about, spread (abroad); **~treiben** *v/refl.* F gad *od.* knock about.

**herunter** *adv.* down (here); *die Treppe* ~: downstairs; *von oben* ~ down from above; **~bringen** *v/t.* bring down (*a. fig.*); **~kommen** *v/i.* come down(stairs); *fig.*: *Person*: come down in the world; *sich verschlechtern*: deteriorate; **~machen** F *v/t. Kragen etc.*: turn down; *fig.*: give *s.o.* a good dressing down; pull *s.th.* to pieces; **~reißen** *v/t.* pull *od.* tear down; **~wirtschaften** *v/t.* run down.

**hervor** *adv.* out, forth; **~bringen** *v/t.* bring out, produce (*a. fig.*); *Früchte*: yield; *Wort*: utter; **~gehen**

*fig. v/i.* be clear *od.* apparent (*aus* from); *als Sieger* ~ come off victorious; **~heben** *fig. v/t.* stress, emphasize; **~holen** *v/t.* produce; **~ragen** *v/i.* project (*über* over); **~ragend** *adj.* projecting, prominent; *fig.* outstanding; **~rufen** *v/t. thea.* call for; *fig.* arouse, evoke; **~stechend** *fig. adj.* striking.

**Herz** *n anat.* heart (*a. fig.*); *Karten:* heart(s *pl.*); *fig.* courage, spirit; *sich ein* ~ *fassen* take heart; *mit ganzem* **~en** whole-heartedly; *sich et. zu* **~en** *nehmen* take s.th. to heart; *es nicht übers* ~ *bringen zu inf.* not to have the heart to *inf.*; **~anfall** *m* heart attack.

**Herzens|lust** *f: nach* ~ to one's heart's content; **~wunsch** *m* heart's desire.

**herz|ergreifend** *fig. adj.* deeply moving; 2**fehler** *✿ m* cardiac defect; **~haft** *adj.* hearty; **~ig** *adj.* lovely, *Am. a.* cute; 2**infarkt** *✿ m* cardiac infarction; 2**klopfen** *✿ n* palpitation; **~krank** *adj.* having heart trouble; **~lich 1.** *adj.* cordial, hearty; **~es Beileid** sincere sympathy; **~e Grüße** kind regards; **2.** *adv.:* ~ *gern* with pleasure; **~los** *adj.* heartless, unfeeling.

**Herzog** *m* duke; **~in** *f* duchess.

**Herz|schlag** *m* heartbeat; *✿* heart failure; **~schwäche** *✿ f* cardiac insufficiency; **~verpflanzung** *✿ f* heart transplant; 2**zerreißend** *adj.* heart-rending.

**Hetz|e** *f* hurry, rush; *Aufreizung:* instigation (*gegen* against); 2**en 1.** *v/t.* hunt, chase; *fig.* hurry, rush; *e-n Hund auf j-n* ~ set a dog at s.o.; **2.** *fig. v/i.* (*h*) cause discord; agitate (*gegen* against); **3.** *v/i.* (*sein*) *eilen:* hurry, rush; 2**erisch** *adj.* virulent, inflammatory; **~jagd** *f* hunt(ing); *Eile:* rush, hurry; *fig.* virulent campaign; **~presse** *f* yellow press.

**Heu** *n* hay; **~boden** *m* hayloft.

**Heuchel|ei** *f* hypocrisy; 2**n 1.** *v/t.* simulate, feign, affect; **2.** *v/i.* feign, dissemble; play the hypocrite.

**Heuchler** *m* hypocrite; 2**isch** *adj.* hypocritical.

**Heuer** *⚓ f* pay, wages *pl.*

**heuer** *östr. adv.* this year; this season.

**heuern** *v/t.* hire; *Matrosen:* engage, sign on; *Schiff:* charter.

**heulen** *v/i. Wind, Hund:* howl; *Sturm, Wind etc.:* roar; *Sirene:* wail; F *Mensch:* howl, cry.

**Heu|schnupfen** *✿ m* hay fever; **~schrecke** *zo. f* grasshopper, locust.

**heut|e** *adv.* today; ~ *abend* this evening, tonight; ~ *früh,* ~ *morgen* this morning; ~ *in acht Tagen* today *od.* this day week; ~ *vor acht Tagen* a week ago today; **~ig** *adj.* this day's, today's; *gegenwärtig:* present; **~zutage** *adv.* nowadays, these days.

**Hexe** *f* witch, sorceress; *fig.* hell-cat, hag; 2**n** *v/i.* practice witchcraft; F *fig.* work miracles; **~nkessel** *fig. m* inferno; **~nschuß** *✿ m* lumbago.

**Hieb** *m* blow, stroke; *Peitschen2:* lash, cut; *fenc.* cut; ~*e pl.* hiding, thrashing.

**hier** *adv.* here, in this place; ~*!* present!; ~ *entlang!* this way!

**hier|an** *adv.* at (by, in, on, to) it *od.* this; **~auf** *adv.* on it *od.* this; *zeitlich:* after this *od.* that, then; **~aus** *adv.* from (out of) it *od.* this; **~bei** *adv.* here, in this case; *bei dieser Gelegenheit:* in connection with this; **~durch** *adv. örtlich:* through here; *ursächlich:* by this, hereby; **~für** *adv.* for it *od.* this; **~her** *adv.* here, hither; *bis* ~ as far as here; **~in** *adv.* in this; **~mit** *adv.* with it *od.* this, herewith; **~nach** *adv.* after it *od.* this; *dementsprechend:* according to this; **~über** *adv.* over it *od.* this; over here; *über ein Thema:* about it *od.* this; **~unter** *adv.* under it *od.* this; *dazwischen:* among these; *verstehen:* by this *od.* that; **~von** *adv.* of (from) it *od.* this; **~zu** *adv.* with it *od.* this; (in addition) to this.

**hiesig** *adj.* local.

**Hilfe** *f* help; *Beistand:* aid, assistance; relief (*für* to); ~*!* help!; **~ruf** *m* shout *od.* cry for help.

**hilf|los** *adj.* helpless; **~reich** *adj.* helpful.

**Hilfs|aktion** *f* relief measures *pl.*; **~arbeiter** *m* unskilled worker *od.* labo(u)rer; 2**bedürftig** *adj.* needy, indigent; **~mittel** *n* aid; ⊕ device; *Notbehelf:* expedient; **~schule** *f* elementary school for backward children; **~werk** *n* relief organization.

**Himbeere** *✿ f* raspberry.

**Himmel** *m* sky, heavens *pl.*; *eccl.,*

*fig.* heaven; ♀**blau** *adj.* sky-blue; ~**fahrt** *eccl. f* ascension (of Christ); Ascension-day.

**Himmels|körper** *m* celestial body; ~**richtung** *f* direction; *die vier* ~*en* the cardinal points of the compass.

**himmlisch** *adj.* celestial, heavenly.

**hin** *adv.* there; F *kaputt*: gone; F *weg*: gone, lost; ~ *und her* to and fro, *Am.* back and forth; ~ *und wieder* now and again *od.* then; ~ *und zurück* there and back.

**hinab** *adv.* down; ~**steigen** *v/i.* climb down, descend.   [towards.]

**hinarbeiten** *v/i.*: ~ *auf* work for *od.*]

**hinauf** *adv.* up (there); *die Treppe* ~: upstairs; ~**gehen** *v/i.* go up(stairs); *Preise, Löhne etc.*: go up, rise; ~**steigen** *v/i.* climb up, ascend.

**hinaus** *adv.* out; ~ *mit euch!* out with you!; *auf (viele) Jahre* ~ for (many) years (to come); ~**gehen** *v/i.* go *od.* walk out; ~ *über* go beyond, exceed; ~ *auf Fenster etc.*: look out on, overlook; ~**laufen** *v/i.* run *od.* rush out; ~ *auf* come *od.* amount to; ~**schieben** *fig. v/t.* put off, postpone, defer; ~**werfen** *v/t.* throw out (*aus of*); *j-n*: turn *od.* throw out. F chuck *s.o.* out.

**Hin|blick** *m*: *im* ~ *auf* in view of, with regard to; ♀**bringen** *v/t.* take there; *Zeit*: while away, pass.

**hinder|lich** *adj.* hindering, impeding; *j-m* ~ *sein* be in s.o.'s way; ~**n** *v/t.* hinder, hamper (*an, bei in*); ~ *an* prevent from; ♀**nis** *n* hindrance; *Sport etc.*: obstacle; *Pferdesport etc.*: fence; ♀**nisrennen** *n* obstacle-race, steeplechase.

**hindurch** *adv.* through; *zeitlich*: all through, throughout.

**hinein** *adv.* in; ~ *mit dir!* in you go!; ~**gehen** *v/i.* go in; ~ *in* go into; *in den Topf gehen ... hinein* into the pot holds *od.* takes ...

**hinfahr|en** *v/t. j-n*: drive *od.* take there; *et.*: take there; ♀**t** *f* journey *od.* way there.

**hin|fallen** *v/i.* fall (down); ~**fällig** *adj. Person*: frail; *ungültig*: invalid; ~ *machen* invalidate, render invalid; ♀**gabe** *f* devotion (*an to*); ~**geben** *v/t.* give up *od.* away; *sich* ~ *give* o.s. to; *widmen*: devote o.s. to; ~**gehen** *v/i.* go (*zu to*); *Pfad etc.*: lead (to); ~**halten** *v/t. Gegenstand etc.*: hold out; *j-n*: put *s.o.* off.

**hinken** *v/i.* limp (*auf dem rechten Fuß* with one's right leg).

**hin|länglich** *adj.* sufficient; ~**legen** *v/t.* lay *od.* put down; *sich* ~ lie down; ~**nehmen** *v/t. ertragen*: put up with; ~**reißen** *fig. v/t.* carry away; *bezaubern*: enrapture, ravish; ~**reißend** *adj.* ravishing, captivating; ~**richten** *v/t.* execute; ♀**richtung** *f* execution; ~**setzen** *v/t.* set *od.* put down; *sich* ~ sit down; ~**sichtlich** *prp.* with regard to, as to, concerning; ~**stellen** *v/t.* place; *abstellen*: put (down); *j-n, et.* ~ *als* represent as, make appear (to be).

**hinten** *adv.* behind, at the back; *am Ende*: in the rear.

**hinter** *prp.* behind; ♀**bein** *n* hind leg; ♀**bliebenen** *pl. the* bereaved *pl.*; *Angehörige*: surviving dependants *pl.*; ~**einander** *adv.* one after the other; ♀**gedanke** *m* ulterior motive; ~**gehen** *v/t.* deceive; ♀**grund** *m* background (*a. fig.*); ♀**halt** *m* ambush; ~**hältig** *adj.* insidious, underhand; ♀**haus** *n* back *od.* rear building; ~**her** *adv.* behind; *zeitlich*: afterwards; ♀**hof** *m* backyard; ♀**kopf** *m* back of the head; ~**lassen** *v/t.* leave (behind); ♀**lassenschaft** *f* property (left), estate; ~**legen** *v/t.* deposit, lodge (*bei with*); ♀**list** *f Falschheit*: deceit; *Verschlagenheit*: craftiness, insidiousness; ~**listig** *adj.* deceitful, crafty, insidious; ♀**mann** *m* ✕ rear-rank man; *fig.* person behind the scenes, wirepuller; ♀**n** *F m* backside, behind, bottom; ♀**rad** *n* rear wheel; ~**rücks** *adv.* from behind; ♀**seite** *f* back; ♀**teil** *n* back *od.* rear (part); F *s. Hintern*; ~**treiben** *v/t.* thwart, frustrate; ♀**treppe** *f* backstairs *pl.*; ♀**tür** *f* back door; ~**ziehen** *v/t. Steuern*: evade.

**hinüber** *adv.* over (there); *quer*: across.

**hinunter** *adv.* down (there); *die Treppe* ~: downstairs; ~**schlucken** *v/t.* swallow (down); *fig.* swallow.

**Hinweg** *m* way there *od.* out.

**hinweg** *adv.* away, off; ~**kommen** *v/i.*: ~ *über* get over; ~**sehen** *v/i.*: ~ *über* see *od.* look over; *fig.* overlook, shut one's eyes to; ~**setzen** *v/refl.*: *sich* ~ *über* ignore, disregard, make light of.

**Hin|weis** *m Verweis*: reference (*auf*

to); *Anspielung*: hint (at); *Anhalts-punkt*: indication; 2**weisen 1.** v/t.: j-n ~ *auf* draw *od.* call s.o.'s attention to; **2.** v/i.: ~ *auf* point at *od.* to, indicate; *fig.* point out, indicate; **anspielen**: hint at; 2**werfen** v/t. throw down; 2**ziehen 1.** v/refl. *räumlich*: extend (*bis zu* to), stretch (to); *zeitlich*: drag on; **2.** v/i. go *od.* move there.

**hinzu** adv. in addition; **~fügen** v/t. add (*zu* to) (*a. fig.*); **~kommen** v/i. come up (*zu* to); *noch* ~: be added; *es kommt* (*noch*) *hinzu, daß* add to this that, (and) moreover; **~rech-nen** v/t. add (*zu* to), include (*in, among*); **~setzen** v/t. s. hinzufügen; **~treten** v/i. come up (*zu* to); join; **~ziehen** v/t. *Arzt etc.*: call in.

**Hirn** n *anat.* brain; *fig.* brains pl., mind; **~gespinst** n figment of the mind, chimera; **~schale** f brainpan, cranium; **~schlag** ✻ m apoplexy; 2**verbrannt** F adj. crazy.

**Hirsch** zo. m stag, hart; *als Gattung*: deer; **~geweih** n (stag's) antlers pl., **~kuh** f hind; **~leder** n buckskin, 2**leder**n.                          [deerskin.

**Hirse** ♀ f millet.

**Hirt(e)** m herdsman; *Schaf*2, *fig.*: shepherd.

**hissen** v/t. *Flagge, Segel*: hoist.

**Histori|ker** m historian; 2**sch** adj. historic(al).                          [hot spell.]

**Hitze** f heat; **~welle** f heat-wave,}

**hitz|ig** adj. *Person*: hot-tempered, hot-headed; *Debatte*: heated; 2**-kopf** m hothead; 2**schlag** ✻ m heat-stroke.

**Hobel** ⊕ m plane; 2**n** v/t. plane.

**hoch 1.** adj. high; *Kirchturm, Baum*: tall; *Stellung etc.*: high, important; *Gast*: distinguished; *Strafe etc.*: heavy, severe; *Alter*: great, old; *hohe See* See open sea, high seas pl.; **2.** adv. high; ~ *oben* high up; **3.** 2 n cheer; *Trinkspruch*: toast; *Meteorologie*: high(-pressure area).

**Hoch|achtung** f high esteem *od.* respect; 2**achtungsvoll 1.** adj. (most) respectful; **2.** adv. *Briefschluß*: yours faithfully *od.* sincerely, *bsd. Am.* yours truly; **~betrieb** m intense activity, rush; 2**deutsch** adj. High *od.* standard German; **~druck** m high pressure (*a. fig.*); **~ebene** f plateau, tableland; **~form** f: *in* ~ in top form; **~frequenz** ⚡ f high frequency; ~

**gebirge** n high mountains pl.; **~-genuß** m great enjoyment; **~haus** n multi-stor(e)y building, skyscraper; 2**herzig** adj. noble-minded; *groß-zügig*: generous; **~konjunktur** ✝ f boom; **~land** n upland(s pl.), highlands pl.; **~mut** m arrogance, haughtiness; 2**mütig** adj. arrogant, haughty; **~ofen** ⊕ m blast-furnace; 2**rot** adj. deep *od.* bright red; **~-saison** f peak season, height of the season; **~schule** f university; academy; **~seefischerei** f deep-sea fishing; **~sommer** m midsummer; **~spannung** ⚡ f high tension *od.* voltage; **~sprung** m *Sport*: high jump.

**höchst 1.** adj. highest; *fig. a.*: supreme; *äußerst*: extreme; **2.** adv. highly, most, extremely.

**Hochstapler** m confidence man, swindler.

**höchstens** adv. at(the) most, at best.

**Höchst|form** f *Sport*: top form; **~geschwindigkeit** f maximum speed; *mot.* speed limit; **~leistung** f *Sport*: record (performance); ⊕ *e-r Maschine etc.*: maximum output; **~lohn** m maximum wages pl.; **~-maß** n maximum; **~preis** m maximum price.

**hoch|trabend** *fig.* adj. highflown; *Rede*: pompous; 2**verrat** m high treason; 2**wald** m high forest; 2**-wasser** n high tide *od.* water; *Überschwemmung*: flood; **~wertig** adj. high-grade, high-class; 2**wild** n big game.

**Hochzeit** f wedding; *Trauung*: a. marriage; **~sgeschenk** n wedding present; **~sreise** f honeymoon (trip).

**Hocke** f *Turnen*: squat-vault; *Ski-fahren*: crouch; 2**n** v/i. squat, crouch; **~r** m stool.

**Höcker** m *Kamel*2 *etc.*: hump; *Buckel*: hump, hunch; 2**ig** adj. *Tier*: humped; *bucklig*: hump-backed, hunchbacked.

**Hode** anat. m, f testicle.

**Hof** m court(yard); *Bauern*2: farm; *Fürsten*2: court; *ast.* halo; *j-m den* ~ *machen* court s.o.; **~dame** f lady-in-waiting.

**hoffen 1.** v/i. hope (*auf* for); *zuversichtlich*: trust (in); **2.** v/t.: *das Beste* ~ hope for the best; **~tlich** adv. I hope, let's hope.

**Hoffnung** f hope (auf for, of); 2slos adj. hopeless; 2svoll adj. hopeful; *vielversprechend*: promising.
**Hofhund** m watch-dog.
**höfisch** adj. courtly.
**höflich** adj. polite, civil, courteous (gegen to); 2keit f politeness, civility, courtesy.
**Höhe** f height; ✕, ♣, ast., geogr. altitude; An2: hill; Gipfel: peak; e-r Rechnung etc.: amount; e-r Summe etc.: size; Niveau: level; e-r Strafe etc.: severity; Ausmaß: extent; ♪ pitch; auf gleicher ~ mit on a level with; in die ~ up(wards).
**Hoheit** f pol. sovereignty; Titel: Highness; 2sgebiet n (sovereign) territory; 2sgewässer n/pl. territorial waters pl.; 2szeichen n national emblem.
**Höhen|kurort** m high-altitude health resort; ~luft f mountain air; ~ruder ✈ n elevator; ~sonne f mountain sun; ☀ ultra-violet lamp; ~zug m mountain range.
**Höhepunkt** m highest point; ast., fig. culmination, zenith; fig.: climax, peak; der Macht etc.: a. summit.
**hohl** adj. hollow (a. fig.).
**Höhle** f cave, cavern; Tier2: den, lair (beide a. fig.); Hohlraum: hollow; anat. cavity.
**Hohl|maß** n measure of capacity; für Korn etc.: dry measure; ~raum m hollow, cavity; ~spiegel m concave mirror.
**Hohlweg** m defile.
**Hohn** m scorn; Spott: derision.
**höhnen** v/i. sneer, jeer (über at).
**Hohngelächter** n scornful od. derisive laughter.
**höhnisch** adj. scornful; spottend: sneering, derisive.
**holen** v/t. fetch; go for; besorgen: get; Atem: draw; ~ lassen send for; sich e-e Krankheit ~ catch a disease; sich bei j-m Rat ~ seek s.o.'s advice.
**Holländ|er** m Dutchman; 2isch adj. Dutch.
**Hölle** f hell. [adj. Dutch.]
**Höllen|lärm** F fig. m infernal noise; ~maschine f time bomb.
**Holler** ♣ östr. m elder.
**höllisch** adj. infernal (a. fig.).
**holper|ig** adj. Straße: bumpy, rough, uneven; Stil: rough; ~n 1. v/i. (sein) Fahrzeug: jolt, bump; 2. v/i. (h) be jolty od. bumpy.

**Holunder** ♣ m elder.
**Holz** n wood; Nutz2: timber, Am. lumber; ~bau △ m wooden structure; ~blasinstrument ♪ n woodwind instrument; ~boden m wood(en) floor.
**hölzern** adj. wooden; fig. a. clumsy, awkward.
**Holz|fäller** m, ~hacker m woodcutter, Am. a. lumberjack; ~händler m wood od. timber merchant, Am. lumberman; ~haus n wooden house, Am. frame house; 2ig adj. woody; ~kohle f charcoal; ~schnitt m woodcut, wood-engraving; ~schnitzer m wood-carver; ~schuh m wooden shoe, clog; ~stoß m pile od. stack of wood; ~weg fig. m: auf dem ~ sein be on the wrong track; ~wolle f wood-wool, fine wood shavings pl., Am. a. excelsior. [pathic.\
**homöopathisch** adj. hom(o)eo-/
**Honig** m honey; 2süß adj. sweet as honey, honey-sweet, honeyed (a. fig.); ~wabe f honey-comb.
**Honor|ar** n fee; 2ieren v/t. fee, pay a fee to; Wechsel: hono(u)r, meet.
**Hopfen** m ♣ hop; Brauerei: hops pl.
**hoppla** int. (wh)oops!; upsadaisy!
**hopsen** F v/i. hop, jump.
**hörbar** adj. audible.
**horche|n** v/i. listen (auf to); heimlich: eavesdrop; 2r m eavesdropper.
**Horde** f horde, gang.
**hör|en** 1. v/t. hear; Radio: listen (in) to; Vorlesung: attend; erfahren: hear, learn; 2. v/i. hear (von from); zu~: listen; ~ auf listen to; schwer ~ be hard of hearing; ~ Sie mal! look here!, I say!; 2er m hearer; Rundfunk2: listener(-in); univ. student; teleph. receiver; 2erschaft f audience; 2gerät n hearing aid; ~ig adj.: j-m ~ sein be enslaved to s.o.
**Horizont** m horizon, skyline; s-n ~ erweitern broaden one's mind; das geht über meinen ~ that's beyond me; 2al adj. horizontal.
**Hormon** n hormone.
**Horn** n horn; ♪, mot. etc.: horn; ✕ bugle; Bergspitze: peak; ~haut f horny skin; anat. des Auges: cornea.
**Hornisse** zo. f hornet.
**Horoskop** n horoscope.
**Hör|rohr** ♣ n stethoscope; ~saal m lecture-hall; ~spiel n radio play; ~weite f: in ~ within earshot.

**Hose** f (e-e a pair of) trousers pl. od. Am. pants pl.; Damen⌐: slacks pl.
**Hosen|klappe** f flap, ~latz m flap, fly; ~tasche f trouser-pocket; ~träger m/pl.: (ein Paar a pair of) braces pl. od. Am. suspenders pl.
**Hospital** n hospital.
**Hostie** eccl. f host.
**Hotel** n hotel; ~besitzer m hotel owner od. proprietor; ~gewerbe n hotel industry; ~ier m hotel-keeper.
**Hubraum** mot. m cubic capacity.
**hübsch** adj. pretty, nice; bsd. von Männern: good-looking, handsome.
**Hubschrauber** 🛩 m helicopter.
**Huf** m hoof; ~eisen n horseshoe; ~schlag m hoof-beat; (horse's) kick; ~schmied m farrier.
**Hüft|e** anat. f hip; ~gelenk n hipjoint; ~gürtel m girdle.
**Hügel** m hill(ock); 2ig adj. hilly.
**Huhn** orn. n fowl, chicken; Henne: hen; junges ~ chicken.
**Hühnchen** orn. n chicken; ein ~ zu rupfen haben have a bone to pick.
**Hühner|auge** 𝔰 n corn; ~ei n hen's egg; ~hof m poultry-yard, Am. chicken yard; ~hund zo. m pointer, setter; ~leiter f chicken-ladder.
**huldigen** v/i. pay homage to; e-m Laster etc.: indulge in.
**Hülle** f cover(ing), wrapper; Umschlag, Ballon⌐: envelope; Buch⌐ etc.: jacket; Schirm⌐: sheath; 2n v/t. wrap, cover, envelop (a. fig.).
**Hülse** f Schote: pod; Getreide⌐: husk, Geschoß⌐: case; ~nfrüchte f/pl. pulse.
**human** adj. humane; 2ität f humanity.
**Hummel** zo. f bumble-bee.
**Hummer** zo. m lobster.
**Humor** m humo(u)r; ~ist m humorist; 2istisch adj. humorous.
**humpeln** v/i. limp.
**Hund** m zo. dog; 𝔰 tub; auf den ~ kommen go to the dogs.
**Hunde|hütte** f dog-kennel, Am. a. doghouse; ~kuchen m dog-biscuit; ~leine f (dog-)lead od. leash.
**hundert** 1. adj. a od. one hundred; 2. 2 n hundred; zu ~en by hundreds; ~fach adj. hundredfold; 2jahrfeier f centenary, Am. a. centennial; ~jährig adj. centenary, a hundred years old; ~st adj. hundredth.
**Hündi|n** zo. f bitch, she-dog; 2sch fig. adj. servile, cringing.

**hunds|gemein** F adj. dirty, mean; ~miserabel F adj. rotten, wretched, lousy; 2tage m/pl. dogdays pl.
**Hüne** m giant.
**Hunger** m hunger; ~ bekommen get hungry; ~ haben be od. feel hungry; ~lohn m starvation wages pl.; 2n v/i. hunger; j-n ~ lassen starve s.o.; ~snot f famine; ~streik m hungerstrike; ~tod m death from starva-) 
**hungrig** adj. hungry.              [tion.]
**Hupe** mot. f horn, hooter, klaxon; 2n v/i. sound one's horn, hoot.
**hüpfen** v/i. hop, skip; herumtollen: gambol, frisk (about).
**Hürde** f hurdle; Pferch: fold, pen; ~nlauf m Sport: 400 m ~ 400-metre hurdles; ~nrennen n Pferderennen: hurdle-race.
**Hure** f whore, prostitute.
**hurtig** adj. quick, swift; behende: agile, nimble.
**Husar** ✕ m hussar.
**huschen** v/i. slip, dart; kleines Tier: scurry, scamper; Fledermaus etc.: flit.
**hüsteln** 1. v/i. cough slightly; 2. 2 n slight cough.
**husten** 1. v/i. cough; 2. 2 m cough.
**Hut**[1] m hat; den ~ abnehmen take off one's hat.
**Hut**[2] f: auf der ~ sein be on one's guard (vor against).
**hüte|n** v/t. guard, protect, keep watch over; Schafe etc.: tend; das Bett ~ be confined to (one's) bed; sich ~ vor beware of; 2r m keeper, guardian; Hirt: herdsman.
**Hutkrempe** f hat-brim.
**hutschen** östr. v/t. u. v/i. s. schaukeln.
**Hütte** f hut; Häuschen: cottage, cabin; ⊕ metallurgical plant.
**Hyäne** zo. f hy(a)ena.
**Hyazinthe** 𝔰 f hyacinth.
**Hydrant** m hydrant.
**hydraulisch** adj. hydraulic.
**Hygien|e** f hygiene; 2isch adj. hygienic(al).
**Hymne** f hymn.
**Hypno|se** f hypnosis; 2tisieren v/t. u. v/i. hypnotize.
**Hypochonder** m hypochondriac.
**Hypotenuse** 𝒜 f hypotenuse.
**Hypothek** f mortgage; e-e ~ aufnehmen raise a mortgage.
**Hypothe|se** f hypothesis; 2tisch adj. hypothetical.           [hysterical.]
**Hysteri|e** f hysteria; 2sch adj.]

# I

**ich 1.** *pers. pron.* I; **2.** ♀ *n* self; *psych. the* ego.

**Ideal 1.** *n* ideal; **2.** ♀ *adj.* ideal; **~ismus** *m* idealism; **~ist** *m* idealist.

**Idee** *f* idea, notion.

**identi|fizieren** *v/t.* identify; *sich ~* identify o.s. (*mit* with); **~sch** *adj.* identical; **♀tät** *f* identity; **♀täts-karte** *östr. f* identity card.

**Ideolog|ie** *f* ideology; **♀isch** *adj.* ideological. [*adj.* idiotic.]

**Idiot** *m* idiot; **~ie** *f* idiocy; **♀isch**)

**Idol** *n* idol.

**Igel** *zo. m* hedgehog.

**ignorieren** *v/t.* ignore, take no notice of.

**ihr** *poss. pron.* her; *pl.* their; *lhr sg. u. pl.* your; **~erseits** *adv.* on her part; *pl.* on their part; *lhrerseits sg. u. pl.* on your part; **~esgleichen** *pron.* (of) her kind; *pl.* (of) their kind; *lhresgleichen sg. u. pl.* (of) your kind; **~etwegen** *adv.* for her sake; *pl.* for their sake; *lhretwegen sg. u. pl.* for your sake; **~etwillen** *adv.*: *um ~ s. ihretwegen;* **~ige** *poss. pron.: der* (*die, das*) *~ hers; pl.* theirs; *der* (*die, das*) *lhrige sg. u. pl.* yours.

**illegitim** *adj.* illegitimate.

**illusorisch** *adj.* illusory, deceptive.

**illustrieren** *v/t.* illustrate.

**imaginär** *adj.* imaginary.

**Imbiß** *m* snack; **~stube** *f* snack bar.

**Imker** *m* bee-master, bee-keeper.

**immer** *adv.* always; *~ mehr* more and more; *~ wieder* again and again; *für ~* for ever, for good; **♀grün** ♀ *n* evergreen; **~hin** *adv.* after all; **~zu** *adv.* all the time, continuously.

**Immobilien** *pl.* immovables *pl.,* real estate; **~händler** *m s.* Grundstücksmakler.

**immun** *adj.* immune (*gegen* against, from); **♀ität** *f* immunity.

**Imperativ** *gr. m* imperative (mood).

**Imperfekt** *gr. n* past (tense).

**Imperialis|mus** *m* imperialism; **~t** *m* imperialist; **♀tisch** *adj.* imperialistic.

**impf|en** ♀ *v/t.* inoculate; *bsd. gegen Pocken:* vaccinate; **♀schein** *m* certificate of vaccination od. inoculation; **♀stoff** ♪ *m* serum; vaccine; **♀ung** *f* inoculation; vaccination.

**imponieren** *v/i.: j-m ~* impress s.o.

**Import** *m* import(ation); **~eur** *m* importer; **♀ieren** *v/t.* import.

**imposant** *adj.* imposing.

**imprägnieren** *v/t.* (water)proof.

**improvisieren** *v/t. u. v/i.* improvise.

**Impuls** *m* impulse; **♀iv** *adj.* impulsive.

**imstande** *adj.: ~ sein* be able.

**in** *prp.* **1.** *räumlich: wo?* in, at; *innerhalb:* within; *wohin?* into, in; *im Hause* in the house, indoors, in; *im ersten Stock* on the first floor, *Am.* on the second floor; *~ der Schule* (*im Theater*) at school (the theat|re, *Am.* -er); *~ die Schule* (*~ das Theater*) to school (the theat|re, *Am.* -er); *waren Sie schon einmal ~ England?* have you ever been to England?; **2.** *zeitlich:* in, at, during; within; *~ drei Tagen* (with)in three days; *heute ~ vierzehn Tagen* today fortnight; *im Februar* in February; *im Frühling* in (the) spring; *~ der Nacht* at night; **3.** *Art u. Weise: ~ großer Eile* in great haste; *~ Frieden leben* live at peace (*mit* with); *~ Reichweite* within reach; **4.** *äußere Verhältnisse etc.: im Alter von fünfzehn Jahren* at (the age of) fifteen; *~ Behandlung* under treatment.

**Inbegriff** *m* Wesen: (quint)essence; Verkörperung: embodiment, incarnation; Muster: paragon; **♀en** *adj.* included, inclusive (of).

**inbrünstig** *adj.* ardent, fervent.

**indem** *cj. Gleichzeitigkeit:* whilst, while; *Mittel:* by (*ger.*).

**Inder** *m* Indian.

**indessen** *adv.* meanwhile.

**Indian** *östr. m* turkey(-cock).

**Indianer** *m* (Red) Indian.

**Indikativ** *gr. m* indicative (mood).

**indirekt** *adj.* indirect.

**indisch** *adj.* Indian.

**indiskret** *adj.* indiscreet; **♀ion** *f* indiscretion. [tion.]

**indiskutabel** *adj.* out of the ques-)

**individu|ell** *adj.* individual; **♀um** *n* individual. [zation.]

**Industrialisierung** *f* industriali-)

**Industrie** *f* industry; **~gebiet** *n* industrial district od. area; **♀ll** *adj.* industrial; **~lle** *m* industrialist; **~staat** *m* industrial country.

**ineinander** adv. into one another;
~**greifen** ⊕ v/i. gear into one another, interlock.

**infam** adj. infamous.

**Infanter|ie** ✗ f infantry; ~**ist** ✗ m
infantryman.

**Infektion** ✗ f infection; ~**skrank-
heit** ✗ f infectious disease.

**Infinitiv** gr. m infinitive (mood).

**infizieren** v/t. infect.

**Inflation** f inflation.

**infolge** prp. in consequence of,
owing od. due to; ~**dessen** adv.
consequently.

**Inform|ation** f information; **2ieren**
v/t. inform; falsch ~ misinform.

**Ingenieur** m engineer.

**Ingwer** m ginger.

**Inhaber** m e-r Firma, e-s Ladens
etc.: owner, proprietor; e-r Wohnung: occupant; e-s Ladens: keeper;
e-s Amtes etc.: holder.

**Inhalt** m contents pl.; e-r Rede:
tenor; ⚗ volume; e-s Gefäßes:
capacity.

**Inhalts|angabe** f summary; **2los**
adj. empty, devoid of substance;
**2reich** adj. full of meaning; Leben:
rich, full; ~**verzeichnis** n list of
contents; e-s Buches: table of
contents.

**Initiative** f initiative; die ~ ergreifen
take the initiative.

**inkonsequen|t** adj. inconsistent;
**2z** f inconsistency.

**Inkrafttreten** n coming into force,
taking effect.

**Inland** n home (country); Landesinnere: inland.

**inländisch** adj. native; inland,
home, domestic; Erzeugnisse: home-
made.

**Inlett** n bedtick.

**inmitten** prp. in the midst of,
amid(st).

**innen** adv. inside, within; nach ~
inwards.

**Innen|minister** m minister of the
interior; Home Secretary, Am.
Secretary of the Interior; ~**ministerium** n ministry of the interior;
Home Office, Am. Department of
the Interior; ~**politik** f domestic
policy; ~**seite** f inner side, inside;
~**stadt** f city, Am. downtown.

**inner** adj. interior; tiefer im Innern
liegend: inner; ✗, pol. internal; **2e** n
interior; Minister(ium) des Innern s.

**Innenminister(ium);** **2eien** f/pl. of-
fal(s pl.); ~**halb** prp. within; ~**lich**
adv. inwardly; bsd. ✗ internally.

**innig** adj. intimate, close; zärtlich:
affectionate.

**Innung** f guild, corporation.

**inoffiziell** adj. unofficial.

**Insasse** m inmate; e-s Wagens: occupant, passenger.

**Inschrift** f inscription; e-r Münze
etc.: legend.

**Insekt** zo. n insect.

**Insel** f island; ~**bewohner** m is-
lander.

**Inser|at** n advertisement, F ad; **2ie-
ren** v/t. u. v/i. advertise.

**insge|heim** adv. secretly; ~**samt**
adv. altogether.

**insofern** cj. so far; ~ als in so far as.

**Inspekt|ion** f inspection; ~**or** m in-
spector; amtlicher: surveyor.

**inspizieren** v/t. inspect; Waren:
examine; Gebäude etc.: survey.

**Install|ateur** m plumber; (gas- od.
electrical) fitter; **2ieren** v/t. install.

**instand** adv.: ~ halten keep in good
order; keep up; ⊕ maintain; ~
setzen repair; **2haltung** f maintenance; upkeep.

**inständig** adv.: j-n ~ bitten implore
od. beseech s.o.

**Instanz** f authority; ✗✗ instance.

**Instinkt** m instinct; **2iv** adv.
instinctively.

**Institut** n institute.

**Instrument** n instrument.

**inszenier|en** bsd. thea. v/t. (put on
the) stage; **2ung** thea. f staging,
production.

**intellektuell** adj. intellectual, high-
brow; **2e** m intellectual, high-
brow.

**intelligen|t** adj. intelligent; **2z** f
intelligence.

**Intendant** thea. m director.

**intensiv** adj. intensive, intense.

**interess|ant** adj. interesting; **2e**
n interest (an, für in); **2engebiet** n
field of interest; **2engemein-
schaft** f community of interests; ✝
combine, pool; **2ent** m interested
person od. party; ✝ prospective
buyer, bsd. Am. prospect; ~**ieren**
v/t. interest (für in); sich ~ für take
an interest in.

**intern** adj. internal; **2at** n boarding-
school.

**international** *adj.* international.
**Internist** *⚕ m* internal specialist, *Am.* internist.
**inter|pretieren** *v/t.* interpret; ℒ-**punktion** *f* punctuation; ℒ**vall** *n* interval; ⟳**venieren** *v/i.* intervene; ℒ**zonenverkehr** *m* interzonal traffic.
**intim** *adj.* intimate (*mit* with); ℒ**ität** *f* intimacy.
**intoleran|t** *adj.* intolerant; ℒz *f* intolerance.
**intransitiv** *gr. adj.* intransitive.
**Intrig|e** *f* intrigue, scheme, plot; ℒ**ieren** *v/i.* intrigue, scheme, plot.
**Invalid|e** *m* invalid, disabled person; ⟳**enrente** *f* disability pension; ⟳**ität** *f* disablement, disability.
**Inventar** *n* inventory, stock.
**Inventur** † *f* stock-taking; ~ *machen* take stock.
**invest|ieren** † *v/t.* invest; ℒ**ition** † *f* investment.
**inwie|fern** **1.** *cj.* to what extent; **2.** *adv.* in what way *od.* respect; ⟳**weit** *cj. u. adv.* how far, to what extent. [meanwhile.|
**inzwischen** *adv.* in the meantime,|
**ird|en** *adj.* earthen; ⟳**isch** *adj.* earthly; *weltlich:* worldly; *sterblich:* mortal.
**Ire** *m* Irishman; *die* ⟳*n pl.* the Irish *pl.*
**irgend** *adv. in Zssgn:* some..., any... (*a. verneint u. fragend*); *wenn ich* ~ *kann* if I possibly can; ⟳**ein(e)** *indef. pron.* some(one); any(one); ⟳**einer** *indef. pron. s. irgend jemand;* ⟳**ein(e)s** *indef. pron.* some; any; ⟳**etwas** *indef. pron.* something; anything; ~ **jemand** *indef. pron.* someone; anyone; ⟳**wann** *adv.* some time (or other); ⟳**wie** *adv.* some-

how; anyhow; ⟳**wo** *adv.* somewhere; anywhere.
**irisch** *adj.* Irish.
**Iron|ie** *f* irony; ℒ**isch** *adj.* ironic(al).
**irre** **1.** *adj.* confused; *⚕* insane; **2.** ℒ *f: in die* ~ *gehen* go astray; **3.** ℒ *m, f* lunatic; mental patient; *wie ein* ~*r* like a madman; ⟳**führen** *v/t.* lead astray; *fig.* mislead; ⟳**gehen** *v/i.* go astray, lose one's way; ⟳**machen** *v/t.* bewilder, confuse; ⟳**n 1.** *v/i.* err; *körperlich:* wander; **2.** *v/refl.* be mistaken (*in j-m:* in, *et.:* about); be wrong.
**Irren|anstalt** *⚕ f* lunatic asylum, mental home *od.* hospital; ⟳**haus** *⚕ n s. Irrenanstalt.*
**irrereden** *v/i.* rave.
**Irr|fahrt** *f* wandering; ℒ**ig** *adj.* erroneous, false, wrong.
**irritieren** *v/t.* irritate, annoy; *irremachen:* confuse.
**Irr|lehre** *f* false doctrine, heterodoxy; *Ketzerei:* heresy; ⟳**licht** *n* will-o'-the-wisp, jack-o'-lantern; ⟳**sinn** *m* insanity, madness; ℒ**sinnig** *adj.* insane, mad; ⟳**sinnige** *m, f s. irre 3;* ⟳**tum** *m* error, mistake; *im* ~ *sein* be mistaken; ℒ**tümlich 1.** *adj.* erroneous; **2.** *adv.* = ℒ**tümlicherweise** *adv.* by mistake; ⟳**wisch** *n s. Irrlicht; Person:* flibbertigibbet.
**Ischias** *⚕ f, F a. n, m* sciatica.
**Islam** *m* Islam.
**Isländ|er** *m* Icelander; ℒ**isch** *adj.* Icelandic.
**Isolier|band** *⚡ n* insulating tape; ℒ**en** *v/t.* isolate; ⟳**ung** *f* isolation (*a. ⚕*); *⚕* quarantine; *⚡* insulation.
**Israeli** *m* Israeli.
**Italien|er** *m* Italian; ℒ**isch** *adj.* Italian.
**I-Tüpfelchen** *n: bis aufs* ~ to a T.

# J

**ja 1.** *adv.* yes; *⚓, parl.* aye, *Am. parl. a.* yea; *wenn* ~ if so; *da ist er* ~*!* well, there he is!; *ich sagte es Ihnen* ~ I told you so; *tut es* ~ *nicht!* don't you dare do it!; *vergessen Sie es* ~ *nicht!* be sure not to forget it!; **2.** *cj.:* ~

*sogar,* ~ *selbst* nay (even); *er ist* ~ *mein Freund* why, he is my friend; **3.** *int.:* ~, *weißt du denn nicht, daß* why, don't you know that.
**Jacht** *⚓ f* yacht.
**Jacke** *f* jacket.

**Jackett** n jacket.

**Jagd** f hunt(ing); *mit der Flinte*: shoot(ing); *Verfolgung*: chase; *s. Jagdrevier*; *auf (die)* ~ *gehen* go hunting *od.* shooting; ~ *machen auf* hunt after *od.* for; **~aufseher** m gamekeeper; *Am.* game warden; **~bomber** ✕ m fighter-bomber; **~hund** m hound; **~hütte** f shooting-box, hunting-box; **~revier** n hunting-ground, shoot; **~schein** m shooting licen|ce, *Am.* -se.

**jagen** 1. *v/i.* hunt; *mit der Flinte*: shoot; *rasen*: rush, dash; 2. *v/t.* hunt; shoot; *verfolgen*: chase; *aus dem Hause* ~ turn out (of doors).

**Jäger** m hunter, huntsman.

**Jaguar** zo. m jaguar.

**jäh** adj. precipitous, steep; *plötzlich*: sudden, abrupt.

**Jahr** n year; *ein halbes* ~ six months *pl.*; *einmal im* ~ once a year; *im* ~e *1900* in 1900; *mit 18* ~en, *im Alter von 18* ~en at (the age of) eighteen; *letztes* ~ last year; **♀aus** *adv.*: *jahrein year in, year out; year after year*; **~buch** n yearbook, annual; **~ein** *adv. s. jahraus.*

**jahrelang** 1. *adv.* for years; 2. *adj.*: ~e *Erfahrung* (many) years of experience.

**Jahres|anfang** m beginning of the year; **~bericht** m annual report; **~ende** n end of the year; **~tag** m anniversary; **~wechsel** m turn of the year; **~zahl** f date, year; **~zeit** f season, time of the year.

**Jahrgang** m *Personen*: age-group; *Wein*: vintage.

**Jahrhundert** n century; **~feier** f centenary, *Am. a.* centennial; **~wende** f turn of the century.

**jährlich** 1. *adj.* annual, yearly; 2. *adv.* every year; yearly, once a year.                                        [decade.\]

**Jahr|markt** m fair; **~zehnt** n\]

**Jähzorn** m violent fit of temper; *Eigenschaft*: irascibility; **♀ig** adj. hot-tempered, irascible.

**Jalousie** f (Venetian) blind, *Am. a.* window shade.                                        [a pity.\]

**Jammer** m misery; *es ist ein* ~ is\]

**jämmerlich** adj. miserable, wretched; pitiable (*a. contp.*).

**jammer|n** *v/i.* lament (*um* for, over), moan; *greinen*: whine; **~schade** adj.: *es ist* ~ it is a thousand pities.

**Janker** *östr.* m jacket.

**Jänner** *östr.* m, **Januar** m January.

**Japan|er** m Japanese; *die* ~ *pl.* the Japanese *pl.*; **♀isch** adj. Japanese.

**Jargon** m jargon, cant, slang.

**Jastimme** *parl.* f aye, *Am. a.* yea.

**jäten** *v/t.* weed.

**Jauche** f liquid manure.

**jauchzen** *v/i.* exult, rejoice, cheer; *vor Freude* ~ shout for joy.

**Jause** *östr.* f light meal, snack.

**jawohl** *adv.* yes; yes, indeed; yes, certainly; *ganz recht*: that's right; ✕ *etc.*: yes, sir!

**Jawort** n consent; *j-m das* ~ *geben* accept s.o.'s proposal (of marriage).

**je** 1. *adv.* ever; at any time; ~ *zwei* two at a time, two each, two by two, by *od.* in twos; *sie bekamen* ~ *zwei Äpfel* they received two apples each; *für* ~ *zehn Wörter* for every ten words; *in Schachteln mit od. zu* ~ *zehn Stück verpackt* packed in boxes of ten; 2. *cj.*: ~ *nach Größe* according to *od.* depending on size; ~ *nachdem* it depends; ~ *mehr, desto besser* the more the better; ~ *länger*, ~ *lieber* the longer the better; 3. *prp.*: *die Birnen kosten e-e Mark* ~ *Pfund* the pears cost one mark a pound; *s. pro.*

**jede|(r, -s)** *indef. pron.* ~ *insgesamt*: every; ~ *beliebige*: any; ~ *einzelne*: each; *von zweien*: either; *jeder, der whoever*; *jeden zweiten Tag* every other day; **~nfalls** *adv.* at all events, in any case; **~rmann** *indef. pron.* everyone, everybody; **~rzeit** *adv.* always, at any time; **~smal** *adv.* each *od.* every time; ~ *wenn* whenever.

**jedoch** *cj.* however, yet.

**jeher** *adv.*: *von* ~ at all times, always, from time immemorial.

**jemals** *adv.* ever; at any time.

**jemand** *indef. pron.* someone, somebody; *fragend, verneint*: anyone, anybody.

**jene(r, -s)** *dem. pron.* that (one); *jene pl.* those *pl.*

**jenseitig** *adj.* opposite.

**jenseits** 1. *prp.* on the other side of, beyond, across; 2. *adv.* on the other side, beyond; 3. ♀ n *the* other *od.* next world, *the* world to come, *the* beyond.

**jetzig** *adj.* present, existing.

**jetzt** *adv.* now, at present; *bis* ~

until now, so far; *eben* ~ just now;'
*erst* ~ only now; *für* ~ for the
present; *noch* ~ even now; *von* ~ *an*
from now on.                [a time.|
**jeweil|ig** *adj.* respective; **~s** *adv.* at|
**Jochbein** *anat. n* cheek-bone.
**Jockei** *m* jockey.
**Jod** ⚗ *n* iodine.
**jodeln** *v/i.* yodel.
**Johannisbeere** *f* currant; *rote*
(*schwarze*) ~ red (black) currant.
**johlen** *v/i.* bawl, howl.
**Jolle** ⚓ *f* jolly-boat, yawl.
**Jongl|eur** *m* juggler; **⚓ieren** *v/t. u.*
*v/i.* juggle.
**Journal** *n* journal (*a.* ✝); ⚓ log-
book; **~ist** *m* journalist, *Am. a.*
newspaperman.
**Jubel** *m* jubilation, exultation; **⚓n**
*v/i.* jubilate, exult (*über* at, in).
**Jubil|ar** *m person celebrating an an-*
*niversary*; **~äum** *n: fünfzigjähriges*
~ jubilee, 50th anniversary.
**jucken 1.** *v/i.* itch; **2.** *v/t.: der Pull-*
*over juckt mich* the pull-over irri-
tates my skin.
**Jude** *m* Jew; **~ntum** *n* Judaism.
**Jüd|in** *f* Jewess; **⚓isch** *adj.* Jewish.
**Jugend** *f* youth; **~amt** *n* youth welfare department; **~buch** *n* book for
the young; **~freund** *m* friend of
one's youth; **~gericht** *n* juvenile court;
welfare; **~herberge** *f* youth hostel; **~jahre**
*n/pl.* early years, youth; **~krimi-**
**nalität** *f* juvenile delinquency; **⚓-**
**lich** *adj.* youthful, juvenile, young;
**~liche 1.** *m* youth, juvenile, teen-
ager; **2.** *f* juvenile, teen-ager; **~zeit**
*f* (time *od.* days of) youth.
**Jugoslav|e** *m* Jugoslav, Yugoslav;
**⚓isch** *adj.* Jugoslav, Yugoslav.
**Juli** *m* July.                    [ful.|
**jung** *adj.* young; *jugendlich*: youth-|
**Junge 1.** *m* boy, youngster, lad;
*Kartenspiel*: knave, jack; **2.** *n*

young one; *von Hunden*: puppy;
*von Katzen*: kitten; *von Kühen,*
*Elephanten etc.*: calf; *von Füchsen,*
*Bären etc.*: cub; ~ *werfen* bring
forth young; **⚓nhaft** *adj.* boyish;
**~nstreich** *m* boyish prank *od.*
trick.
**jünger 1.** *adj.* younger, junior; *er ist*
*drei Jahre* ~ *als ich* he is my junior
by three years, he is three years
younger than I; **2.** ⚓ *m* disciple.
**Jungfer** *f: alte* ~ old maid *od.*
spinster.
**Jungfern|fahrt** ⚓ *f* maiden voyage
*od.* trip; **~flug** ✈ *m* maiden flight.
**Jung|frau** *f* virgin; **⚓fräulich** *adj.*
virginal; *fig.* virgin; **~geselle** *m*
bachelor; **~gesellin** *f* bachelor girl.
**Jüngling** *m* youth, young man.
**jüngst 1.** *adj.* youngest; *Zeit*: (most)
recent, latest; *das* ⚓e *Gericht, der* ⚓e
*Tag* Last Judg(e)ment, Day of
Judg(e)ment; **2.** *adv.* recently,
lately.
**jungverheiratet** *adj.* newly married; **⚓en** *pl. the* newly-weds *pl.*
**Juni** *m* June.
**junior 1.** *adj.* junior; **2.** ⚓ *m* junior
(*a. Sport*).
**Jura** *n/pl.: ~ studieren* read *od.*
study law.
**juridisch** *östr. adj. s.* juristisch.
**Jurist** *m* lawyer, jurist; law-student;
**⚓isch** *adj.* legal.
**Jury** *f* jury.
**Jurorenkomitee** *östr. n s.* Jury.
**Justiz** *f* (administration of) justice;
**~beamte** *m* judicial officer; **~ge-**
**bäude** *n* court-house; **~irrtum** *m*
judicial error; **~minister** *m* minister of justice; Lord Chancellor,
*Am.* Attorney General; **~ministe-**
**rium** *n* ministry of justice; *Am.*
Department of Justice.
**Juwel** *m, n* jewel, gem; **~en** *pl.*
jewel(le)ry; **~ier** *m* jewel(l)er.

# K

**Kabel** n cable.
**Kabeljau** *ichth.* m cod(fish).
**kabeln** v/t. u. v/i. cable.
**Kabine** f cabin; *beim Friseur etc.*: cubicle; *Fahrstuhl*2: cage.
**Kabinett** *pol.* n cabinet, government.
**Kabriolett** n cabriolet, convertible.
**Kachel** f (Dutch *od.* glazed) tile; ~ofen m tiled stove.
**Kadaver** m carcass.
**Kadett** m cadet.
**Käfer** *zo.* m beetle.
**Kaffee** m coffee; ~bohne ⚇ f coffee-bean; ~haus *östr.* n café; ~kanne f coffee-pot; ~mühle f coffee-mill; ~satz m coffee-grounds *pl.*; ~tasse f coffee-cup.
**Käfig** m cage (*a. fig.*).
**kahl** adj. *Mensch*: bald; *Baum, Landschaft etc.*: bare, naked.
**Kahn** m boat; *Last*2: barge; ~ fahren go boating.
**Kai** m quay, wharf.
**Kaiser** m emperor; ~reich n empire.
**Kajüte** ⚓ f cabin.
**Kakao** m cocoa; ⚇ cacao.
**Kakt|ee** f, ~us ⚇ m cactus.
**Kalb** *zo.* n calf; ~fleisch n veal; ~leder n calf(-leather).
**Kalbs|braten** m roast veal; ~nierenbraten m loin of veal.
**Kalender** m calendar; ~jahr n calendar year.
**Kali** 🜹 n potash.
**Kaliber** n calib|re, *Am.* -er (*a. fig.*).
**Kalk** m lime; *geol.* limestone; ~en v/t. *tünchen*: whitewash; ✍ *Feld*: lime; 2ig adj. limy; ~ofen m lime-kiln; ~stein m limestone; ~steinbruch m limestone quarry.
**Kalorie** f calorie.
**kalt** adj. cold; *mir ist ~* I am cold; ~e *Küche* cold dishes *pl. od.* meat; *j-m die ~e Schulter zeigen* give s.o. the cold shoulder; ~blütig adj. cold-blooded (*a. fig.*).
**Kälte** f coldness, chilliness (*beide a. fig.*); *Temperatur*: a. cold, chill (*a. fig.*); *vor ~ zittern* shiver with cold; *fünf Grad ~* five degrees below zero; ~grad m degree below zero; ~welle f cold spell.
**Kamel** *zo.* n camel; ~haar n *Textilien*: camel hair.

**Kamera** f camera.
**Kamerad** m comrade, companion, mate, F pal; ~schaft f comradeship, companionship; 2schaftlich adj. comradely, companionable.
**Kamille** ⚇ f camomile.
**Kamin** m chimney (*a. mount.*); *Feuerstelle*: fireplace, fireside; ~sims m, n mantelpiece.
**Kamm** m comb; *Hahnen*2: comb, crest; *Wellen*2: crest; *Gebirgs*2: ridge.
**kämmen** v/t. comb; *sich (die Haare) ~* comb one's hair.
**Kammer** f (small) room; *pol.* chamber; *Behörde*: board; 🜨 division; ~diener m valet; ~musik f chamber music; ~zofe f lady's maid.
**Kammgarn** n worsted (yarn).
**Kampagne** f campaign.
**Kampf** m combat, fight (*a. fig.*); *schwerer*: struggle (*a. fig.*); *Schlacht*: battle (*a. fig.*); *Wett*2: contest, match; *Box*2: fight, bout; *fig.* conflict; 2bereit adj. ready for battle.
**kämpfen** v/i. fight (*gegen* against; *mit* with; *um* for) (*a. fig.*); struggle (*a. fig.*); *fig.* contend, wrestle.
**Kampfer** m camphor.
**Kämpfer** m fighter (*a. fig.*); ⚔ combatant, warrior.
**Kampf|flugzeug** n tactical aircraft; ~platz m battlefield; ~richter m referee, judge, umpire; 2unfähig adj. disabled.
**Kanal** m *künstlicher*: canal; *natürlicher*: channel (*a. ⊕, fig.*); *Abzugs*2: sewer, drain; ~isation f *von Flüssen*: canalization; *von Städten etc.*: sewerage; 2isieren v/t. canalize; sewer.
**Kanarienvogel** *orn.* m canary (-bird).
**Kandare** f curb(-bit).
**Kandid|at** m candidate; ~atur f candidature, candidacy; 2ieren v/i. be a candidate (*für* for); ~ für apply for, stand for, *Am.* run for.
**Känguruh** *zo.* n kangaroo.
**Kaninchen** *zo.* n rabbit.
**Kanister** m can.
**Kanne** f *Kaffee*2, *Tee*2: pot; *Milch*2 *etc.*: can.
**Kannibale** m cannibal.

**Kanon** ♩ m canon, round, catch.
**Kanon|ade** ✗ f cannonade; **~e** f cannon, gun; bsd. im Sport: ace, crack.
**Kanonen|boot** ✗ n gunboat; **~donner** m boom of cannon; **~kugel** f cannon-ball; **~rohr** n gun barrel.
**Kanonier** ✗ m gunner.
**Kant|e** f edge; Rand: brim; **~en** m end of loaf; **2en** v/t. set on edge, tilt; Skier: edge; **~ig** adj. angular, edged; square(d).
**Kantine** f canteen.
**Kanu** n canoe.
**Kanüle** 🏥 f tubule, cannula.
**Kanzel** f eccl. pulpit; ✈ cockpit.
**Kanzlei** f office.
**Kanzler** m chancellor.
**Kap** geogr. n cape, headland.
**Kapazität** f capacity; fig. authority.
**Kapell|e** f eccl. chapel; ♩ band; **~meister** m bandleader, conductor.
**kapern** ⚓ v/t. capture.
**kapieren** F v/t. grasp, get.
**Kapital** 1. n capital, stock, funds pl.; ~ und Zinsen principal and interest; 2. 2 adj. capital; **~anlage** f investment; **~gesellschaft** f joint-stock company; **2isieren** v/t. capitalize; **~ismus** m capitalism; **~ist** m capitalist; **~markt** m capital market; **~verbrechen** n capital crime.
**Kapitän** m captain; ~ zur See naval captain.
**Kapitel** n chapter (a. fig.).
**Kapitul|ation** ✗ f capitulation, surrender; **2ieren** v/i. capitulate, surrender.
**Kaplan** eccl. m chaplain.
**Kappe** f cap; ⊕ Verschlußdeckel: cap, hood; **2n** v/t. Tau: cut; Baum: lop, top.
**Kapriole** f Reitkunst: capriole; Luftsprung: caper; Streich: prank.
**Kapsel** f capsule; Hülse: case, box.
**kaputt** adj. broken; Lift etc.: out of order; verdorben: spoilt; erschöpft: tired out, F fagged out; **~gehen** v/i. break, go to pieces; verderben: spoil.
**Kapuze** f hood; eccl. cowl.
**Karabiner** m carbine.
**Karaffe** f Wasser2, Wein2: carafe; Wein2, Likör2: decanter.
**Karambolage** f collision, crash.
**Karat** n carat.
**Karawane** f caravan.

**Karbid** 🜋 n carbide.
**Kardinal** eccl. m cardinal.
**Karfiol** östr. m. cauliflower.
**Karfreitag** eccl. m Good Friday.
**karg** adj. Boden: poor; Vegetation: scant, sparse; Mahlzeit: frugal.
**kärglich** adj. scanty, meagre, poor.
**kariert** adj. check(ed), chequered, Am. checkered.
**Karik|atur** f caricature, cartoon; **2ieren** v/t. caricature, cartoon.
**Karneval** m Shrovetide, carnival.
**Karo** n square, check; Kartenspiel: diamond(s pl.).
**Karosserie** mot. f body.
**Karotte** 🥕 f carrot.
**Karpfen** ichth. m carp.
**Karre** f, **~n** m cart; Schub2: wheelbarrow.
**Karriere** f (successful) career.
**Karte** f card; Post2: postcard; Land2: map; See2: chart; Fahr2, Eintritts2: ticket; Speise2: menu, bill of fare; Wein2: list.
**Kartei** f card-index; **~karte** f index-card, filing-card; **~schrank** m filing cabinet.
**Karten|brief** m letter-card; **~haus** n ♩ chart-house; fig. house of cards; **~spiel** n card-playing; card-game.
**Kartoffel** f potato, F spud; **~brei** m mashed potatoes pl.; **~käfer** zo. m potato beetle; **~schalen** f/pl. potato peelings pl.
**Karton** m Pappe: cardboard, pasteboard; Schachtel: cardboard box, carton.
**Karussell** n roundabout, merry-go-round, Am. a. car(r)ousel. [Week.]
**Karwoche** eccl. f Holy od. Passion]
**Käse** m cheese.
**Kaserne** ✗ f barrack(s); **~nhof** m barrack-yard od. -square. [pasty.]
**käsig** adj. cheesy; Gesichtsfarbe:]
**Kasino** n casino, club(-house); Offiziers2: (officers') mess.
**Kasperle** n, m Punch; **~theater** n Punch and Judy show.
**Kassa** östr. f, **Kasse** f cash-box; Laden2: cash register, till; e-r Bank: cash-desk, pay-desk; Zahlstelle: pay-office; thea. etc.: box-office, booking-office; Bargeld: cash; bei ~ in cash.
**Kassen|bote** m bank messenger; **~erfolg** m thea. etc.: box-office success; **~patient** 🏥 m appr. panel

patient; **~schalter** *m e-r Bank*: teller's counter.

**Kasserolle** *f* stew-pan, casserole.

**Kassette** *f Geld⚓*: box; *Schmuck⚓*: case; *für Bücher*: slip-case; *phot.* plate-holder.

**kassiere|n 1.** *v/i.* take the money (für for); **2.** *v/t. Betrag*: take; *Beitrag etc.*: collect; **⚓r** *m* cashier; *Bank⚓*: *a.* teller; collector.

**Kastanie** ⚓ *f* chestnut.

**Kasten** *m* box; *Truhe, Kiste*: chest; *Schmuck⚓, Geigen⚓*: case; *Brot⚓*: bin.

**Kasus** *gr. m* case.

**Katalog** *m* catalogue, *Am. a.* catalog; **⚓isieren** *v/t.* catalogue, *Am. a.* catalog.

**Katarrh** ⚓ *m* cold, catarrh.

**katastroph|al** *adj.* catastrophic, disastrous; **⚓e** *f* catastrophe, disaster.

**Katechismus** *eccl. m* Catechism.

**Kategori|e** *f* category; **⚓sch** *adj.* categorical.

**Kater** *m zo.* male cat, tom-cat; *fig. s. Katzenjammer.*

**Katheder** *n, m* reading desk.

**Kathedrale** *f* cathedral.

**Katholi|k** *m* (Roman) Catholic; **⚓sch** *adj.* (Roman) Catholic.

**Kattun** *m* calico.

**Katze** *zo. f* cat; **~njammer** F *m sl.* hangover.

**Kauderwelsch** *n* gibberish.

**kauen** *v/t. u. v/i.* chew.

**kauern 1.** *v/i.* crouch, squat; **2.** *v/refl.* crouch (down), squat (down).

**Kauf** *m* purchase; *günstiger* ~ bargain, F good buy; **~brief** *m* deed of purchase; **⚓en** *v/t.* buy, purchase.

**Käufer** *m* buyer; *Kunde*: customer.

**Kaufhaus** *n* department store.

**käuflich 1.** *adj.* for sale; purchasable; *fig.* open to bribery, bribable, venal; **2.** *adv.*: ~ *erwerben* purchase.

**Kauf|mann** *m* businessman; *Berufsbezeichnung*: merchant; *Einzelhändler*: shopkeeper, *bsd.* grocer, *Am. a.* storekeeper; **⚓männisch** *adj.* commercial, mercantile; **~vertrag** *m* contract of sale.

**Kaugummi** *m* chewing-gum.

**kaum** *adv.* hardly, scarcely, barely; ~ *glaublich* hard to believe.

**Kautabak** *m* chewing-tobacco.

**Kaution** *f* security; *Haft⚓*: bail.

**Kautschuk** *m* caoutchouc, pure rubber.

**Kavalier** *m* gentleman; *Verehrer*: beau, admirer.

**Kavallerie** ⚔ *f* cavalry, horse.

**Kaviar** *m* caviar(e).

**keck** *adj.* bold; *frech*: impudent, saucy, cheeky.

**Kegel** *m Spiel*: skittle, pin; *bsd.* ⚑, ⊕ cone; **~bahn** *f* skittle (*Am.* bowling) alley; **⚓förmig** *adj.* conic(al), cone-shaped; **⚓n** *v/i.* play (at) skittles *od.* ninepins, *Am.* bowl.

**Kehl|e** *f* throat; **~kopf** *m* larynx.

**Kehre** *f* (sharp) bend *od.* turn; **⚓n** *v/t.* sweep, brush; *j-m den Rücken* ~ turn one's back on s.o.

**Kehricht** *m, n* sweepings *pl.*

**Kehrseite** *f* wrong side, reverse; *bsd. fig.* seamy side.

**kehrtmachen** *v/i.* turn on one's heel.

**keifen** *v/i.* scold, chide.

**Keil** *m* wedge; *Zwickel*: gore, gusset; **~e** *f* ⚓ thrashing, hiding; **~er** *zo.* ⚓ wild-boar; **~erei** F *f* tussle, fight; **⚓förmig** *adj.* wedge-shaped, cuneiform; **~kissen** *n* wedge-shaped bolster.

**Keim** *m* ⚓, *biol.* germ; *fig.* seeds *pl.*, germ; **⚓en** *v/i. Samen*: germinate; *sprießen*: sprout; *fig.* b(o)urgeon; **⚓frei** *adj.* sterilized, sterile; **~träger** ⚓ *m* (germ-)carrier; **~zelle** *f* germ-cell.

**kein** *indef. pron.* **1.** *als adj.*: ~(e) no, not any; ~ *anderer als* none other but; **2.** *als Substantiv*: ~er, ~e, ~(e)s none, no one, nobody; ~er von beiden neither (of the two); ~er von uns none of us; **~esfalls, ~eswegs** *adv.* by no means, not at all; **~mal** *adv.* not once, not a single time.

**Keks** *m, n* biscuit, *Am.* cooky; *ungesüßt*: cracker.

**Kelch** *m* cup, goblet; ⚓ calyx.

**Kelle** *f Schöpf⚓*: scoop; *Suppen⚓*: ladle; *Maurer⚓*: trowel.

**Keller** *m* cellar; **~geschoß** *n* basement.

**Kellner** *m* waiter; **~in** *f* waitress.

**Kelter** *f* winepress; **⚓n** *v/t.* press.

**kenn|en** *v/t.* know, be acquainted with; **~enlernen** *v/t.* get *od.* come to know; *j-n*: make *s.o.'s* acquaintance, meet *s.o.*; **⚓er** *m* expert; *Kunst⚓, Wein⚓*: connoisseur; ~tlich adj. recognizable (an by); ~ machen mark; etikettieren: label; ♀tnis f knowledge; ~ nehmen von take not(ic)e of; ♀zeichen n mark, sign; mot. registration (number), Am. license number; ~zeichnen v/t. mark; fig. characterize.

kentern ⚓ v/i. capsize, keel over.
Kerbe f notch.
Kerker m gaol, jail, prison.
Kerl F m man, F chap, Am. guy.
Kern m Nuß♀ etc.: kernel; Kirsch♀ etc.: stone, Am. pit; Orangen♀, Apfel♀ etc.: pip; Erd♀: core; phys. nucleus; fig. core, heart, crux; Kern... s. a. Atom...; ~energie f nuclear energy; ~forschung f nuclear research; ~gehäuse n core; ♀gesund adj. thoroughly healthy, F as sound as a bell; ♀ig adj. full of pips; fig.: markig: pithy; derb: solid; ~punkt m central od. crucial point; ~spaltung f nuclear fission.

Kerze f candle.
keß F adj. pert, jaunty; flott: smart.
Kessel m kettle; großer: ca(u)ldron; Dampf♀: boiler; Tal♀: hollow.
Kette f chain; Berg♀: range; Hals♀: necklace; ♀n v/t. chain (an to).
Ketten|hund m watch-dog; ~raucher m chain-smoker; ~reaktion f chain reaction.
Ketzer m heretic; ~ei f heresy.
keuch|en v/i. pant, gasp; ♀husten ♂ m (w)hooping cough.
Keule f club; Fleisch♀: leg.
keusch adj. chaste, pure.
kichern v/i. giggle, titter.
Kiebitz orn. m pe(e)wit.
Kiefer¹ m jaw(-bone).
Kiefer² ♀ f pine.
Kiel m ⚓ keel; Feder♀: quill; ~raum m bilge; ~wasser n wake (a. fig.).
Kieme zo. f gill.
Kies m gravel; sl. Geld: dough; ~el m pebble, flint; ~weg m gravelwalk.
Kilo|(gramm) n kilogram(me); ~hertz n kilocycle per second; ~meter m kilomet|re, Am. -er; ~watt n kilowatt.
Kimme f notch.
Kind n child; Klein♀: baby.
Kinder|arzt m p(a)ediatrician; ~

garten m kindergarten, nursery school; ~lähmung ♂ f polio (-myelitis); ♀leicht adj. very easy od. simple, sl. as easy as pie; ♀los adj. childless; ~mädchen n nurse (-maid); ~spiel n: ein ~ s. kinderleicht; ~stube f nursery; fig.: manners pl., upbringing; ~wagen m perambulator, F pram, Am. baby carriage; ~zimmer n children's room, nursery.
Kindes|alter n childhood, infancy; ~beine n/pl.: von ~n an from childhood, from a very early age.
Kind|heit f childhood; ♀isch adj. childish; ♀lich adj. childlike.
Kinn n chin; ~backe f, ~backen m jaw(-bone); ~haken m Boxen: hook to the chin, upper-cut.
Kino n cinema, F the pictures pl., Am. motion-picture theater, F the movies pl.; ~besucher m cinemagoer, Am. F moviegoer; ~vorstellung f cinema-show, Am. motion-picture show.
Kippe F f stub, Am. a. butt; auf der ~ stehen od. sein od. hang in the balance, be touch-and-go; ♀n 1. v/i. tip (over), tilt (over); 2. v/t. tilt, tip over od. up.
Kirche f church.
Kirchen|buch n parish register; ~diener m verger, sexton; ~gemeinde f parish; ~jahr n ecclesiastical year; ~lied n hymn; ~musik f sacred music; ~schiff ⚓ n nave; ~steuer f church-rate; ~stuhl m pew.
Kirch|gänger m church-goer; ♀lich adj. church, ecclesiastical; ~spiel n parish; ~turm m steeple, ohne Spitze: church-tower; ~weih f parish fair.
Kirsche f cherry.
Kissen n cushion; Kopf♀: pillow.
Kiste f box, chest; Latten♀: crate.
Kitsch m (sentimental) rubbish, trash; ♀ig adj. trashy, shoddy.
Kitt m cement; Glaser♀: putty.
Kittel m smock; Arbeits♀: overall coat; Arzt♀: (white) coat.
kitten v/t. cement; Glaserei: putty.
kitz|eln 1. v/t. tickle; 2. v/i.: meine Nase kitzelt my nose is tickling; ♀lig adj. ticklish (a. fig.).
klaffen v/i. gape, yawn.
kläffen v/i. yap, yelp.
Klage f complaint; Weh♀: lament;

⚖ action, suit; 2n 1. v/i. complain (*über* of, about; *bei* to); lament; ⚖ take legal action (*gegen* against); 2. v/t.: *j-m et.* ~ complain to s.o. of *od.* about s.th.

**Kläger** ⚖ *m* plaintiff.

**kläglich** *adj.* pitiful, piteous, pitiable; *Weinen etc.:* plaintive; *erbärmlich:* miserable, wretched, poor.

**klamm 1.** *adj. Hände etc.:* numb *od.* stiff with cold; *feuchtkalt:* clammy.

**Klamm** *f* ravine, gorge, canyon.

**Klammer** *f* ⊕ clamp, cramp; *Büro2:* (paper-)clip; *Wäsche2:* (clothes-)peg; *typ.* bracket, *runde:* a. parenthesis; 2n *v/refl.: sich* ~ *an* cling to (*a. fig.*).

**Klang** *m* sound, tone; *Gläser2:* clink; *Glocken2:* ringing; *Klangfarbe:* timbre, 2voll *adj.* sonorous.

**Klappe** *f* flap; *Tisch2:* flap, leaf; *Schulter2:* shoulder-strap; *am Lastwagen:* tailboard; ⊕, ♀, *anat.* valve; ♪ key; F: *Bett:* bed; *Mund:* trap; 2n 1. *v/t.: nach oben* ~ tip up; *nach unten* ~ lower, put down; 2. *v/i.* clap, flap; *fig.* come off well, work out fine.

**Klapper** *f* rattle; 2ig *adj. Fahrzeug etc.:* ramshackle; *Möbel:* rickety; *Mensch, Pferd etc.:* decrepit; 2n *v/i.* clatter, rattle (*mit et.* s.th.); *er klapperte vor Kälte mit den Zähnen* his teeth were chattering with cold; ~schlange *zo. f* rattlesnake.

**Klapp|messer** *n* clasp-knife, jackknife; ~sitz *m* tip-up seat; ~stuhl *m* folding chair; ~tisch *m* folding table.

**Klaps** *m* slap, smack.

**klar** *adj.* clear; *hell:* bright; *durchsichtig:* transparent, limpid; *rein:* pure; *deutlich:* clear, distinct; *Antwort etc.:* plain; *offenkundig:* evident, obvious.

**klär|en** *v/t.* clarify; *fig.* clear up; 2ung *f* clarification; *fig.* elucidation.

**Klasse** *f* class, category; *Schul2:* class, form, *Am. a.* grade; *Gesellschaftsschicht:* (social) class.

**Klassen|arbeit** *f* (test) paper; ~kamerad *m* classmate; ~zimmer *n* classroom, schoolroom.

**klassifizier|en** *v/t.* classify; 2ung *f* classification.   [classic(al).\
**Klassi|ker** *m* classic; 2sch *adj.*)

**Klatsch** F *fig. m* gossip; ~base *f*

gossip; 2en 1. *v/t.* F fling, hurl; *Beifall* ~ clap, applaud (*j-m* s.o.); 2. *v/i. auf...:* splash; applaud, clap; F *fig.* gossip; 2haft *adj.* gossiping, gossipy; ~maul F *n s.* Klatschbase; 2naß F *adj.* soaking wet.

**klauben** *östr. v/t.* pick; gather.

**Klaue** *f* claw; *fig.* clutch.

**Klause** *f* hermitage.

**Klausel** ⚖ *f* clause; *Vorbehalt:* proviso; *Bedingung:* stipulation.

**Klavier** ♪ *n* piano(forte); ~konzert *n* piano concerto; ~lehrer *m* piano teacher; ~stunde *f* piano lesson.

**kleb|en 1.** *v/t.* glue, paste, stick; 2. *v/i.* stick, adhere (*an* to); ~end *adj.* adhesive; ~rig *adj.* adhesive, sticky; 2stoff *m* adhesive; *Leim:* glue.

**Klecks** *m s.* Fleck¹: *Schmutz-, Öl-, Blutfleck etc.:* 2en *v/i.* make a mark *od.* spot *od.* stain.

**Klee** ♀ *m* clover, trefoil.

**Kleid** *n Kleidung:* garment; *Damen2:* dress, frock; *elegantes:* gown; ~er *pl.* clothes *pl.;* 2en *v/t.* dress, clothe; *j-n gut* ~ suit *od.* become s.o.; *sich* ~ dress (o.s.).

**Kleider|bügel** *m* coat-hanger; ~bürste *f* clothes-brush; ~haken *m* clothes-peg; ~schrank *m* wardrobe; ~ständer *m* hat and coat stand; ~stoff *m* dress material.

**kleidsam** *adj.* becoming.

**Kleidung** *f* clothes *pl.,* clothing; ~sstück *n* piece *od.* article of clothing, garment.

**Kleie** *f* bran.

**klein 1.** *adj.* little (*nur attr.*), small; *fig. a.* trifling, petty; *von* ~ *auf* from an early age; 2. *adv.:* ~ *schreiben* write with a small (initial) letter; 2bildkamera *f* miniature camera; 2geld *n* (small) change; 2handel ✝ *m* retail trade; 2händler *m* retailer; 2holz *n* matchwood; 2igkeit *f* trifle, triviality; 2kind *n* infant; ~laut *adj.* subdued; ~lich *adj.* narrow-minded; *geizig:* mean; *pedantisch:* pedantic, fussy; ~schneiden *v/t.* cut into small pieces; 2staat *m* small state; 2stadt *f* small town; 2städter *m* smalltown dweller, *Am. a.* smalltowner; ~städtisch *adj.* smalltown, provincial; 2wagen *m* small car.

**Kleister** *m* paste; 2n *v/t.* paste.

**Klemme** f ⊕ clamp; *Haar*♀: (hair) grip, *Am.* bobby pin; F: *in der ~ sitzen* be in a jam; ♀n **1.** v/t. jam; *sich die Finger ~* pinch *od.* nip one's fingers; **2.** v/i. *Tür etc.*: stick, get stuck.

**Klempner** m tin-smith; *Installateur*: plumber.

**Klerus** m clergy.

**Klette** f ♀ bur(r); *fig. a.* leech.

**kletter|n** v/i. climb, clamber (*auf e-n Baum* [up] *a tree*); ♀pflanze f climber, creeper.

**Klient** m client.

**Klima** n climate; *fig. a.* atmosphere; **~anlage** f air-conditioning plant; ♀tisch adj. climatic.

**klimpern** v/i. jingle, chink (*mit et. s.th.*); ♪ F strum (*auf on*).

**Klinge** f blade.

**Klingel** f bell; **~knopf** m bell-push; ♀n v/i. ring (the bell); *Türklingel etc.*: ring; *es klingelt* the doorbell is ringing; **~zug** m bell-pull.

**klingen** v/i. sound; *Glocke, Metall etc.*: ring; *Gläser etc.*: clink.

**Klini|k** f hospital, clinic; *Privat*♀: private hospital, nursing home; ♀sch adj. clinical.

**Klinke** f (door-)handle.

**Klippe** f cliff; *niedrige*: reef; *spitze*: crag; *Fels*: rock; *fig.* rock.

**klirren** v/i. *Fensterscheibe, Kette etc.*: rattle; *Kette, Gläser, Schwerter etc.*: clank, jangle; *Schlüssel, Sporen etc.*: jingle; *Gläser etc.*: clink, chink, *~ mit* rattle; jingle.

**klobig** adj. clumsy (*a. fig.*).

**klopfen 1.** v/i. *Herz, Puls*: beat, throb; *an die Tür etc.*: knock; *auf die Schulter*: tap; *tätschelnd*: pat; *es klopft* there's a knock at the door; **2.** v/t. beat; *Nagel etc.*: knock, drive.

**Klops** m meat ball.

**Klosett** n lavatory, (water-)closet, W.C., toilet; **~papier** n toilet-paper.

**Kloß** m *Klumpen*: clod, lump; *Kochkunst*: dumpling.

**Kloster** n cloister; *Mönchs*♀: monastery; *Nonnen*♀: convent, nunnery.

**Klotz** m block, log (*a. fig.*).

**Klub** m club; **~sessel** m lounge-chair.

**Kluft** f cleft; *Abgrund*: gulf, chasm (*beide a. fig.*).

**klug** adj. clever; *weise, vernünftig*: wise, intelligent, sensible; *vorsichtig*: prudent; *scharfsinnig*:

shrewd; *schlau*: cunning; ♀heit f cleverness; intelligence; prudence; shrewdness; good sense.

**Klump|en** m *Erd*♀, *Teig*♀ *etc.*: lump; *Erd*♀ *etc.*: clod; *Gold*♀ *etc.*: nugget; *Haufen*: heap; **~fuß** m club-foot; ♀ig adj. lumpy; cloddish.

**knabbern** v/t. u. v/i. nibble, gnaw.

**Knabe** m boy, lad; F: *alter ~* old chap; ♀haft adj. boyish.

**Knack** m crack, snap, click; ♀en **1.** v/i. *Holz*: crack; *Feuer*: crackle; *metallisch*: click; **2.** v/t. *Nuß etc.*: crack; F *Safe*: crack open; *e-e harte Nuß zu ~ haben* have a hard nut to crack; **~s** m s. *Knack; Sprung*: crack; F *er hat e-n ~ (weg)* his health is shaken; ♀sen v/i. crack; bang; *Korken*: pop.

**Knall** m *e-s Schusses*: crack, bang; *e-r Tür etc.*: bang; *e-s Gewehres, e-r Peitsche*: crack; *e-r Schußwaffe*: report; *Explosion*: detonation, explosion, report; **~bonbon** m, n cracker; **~effekt** *fig.* m sensation; ♀en v/i. crack; bang; *Korken*: pop.

**knapp** adj. *Kleidung*: tight; *Verpflegung*: scanty, scarce; *Stil etc.*: concise; *Vorsprung, Sieg etc.*: narrow; *Mehrheit etc.*: bare; *mit ~er Not entrinnen* have a narrow escape; *~ werden* run short; ♀e ✕ m miner; **~halten** v/t. keep s.o. short; ♀heit f scarcity, shortage; conciseness.

**Knarre** f rattle; F rifle, gun; ♀n v/i. creak; *Stimme*: grate.

**knattern** v/i. crackle; *mot.* roar.

**Knäuel** m, n ball, clew; *fig.* bunch.

**Knauf** m knob; *Degen*♀: pommel.

**knaus(e)rig** F adj. niggardly, stingy.

**Knebel** m gag; ♀n v/t. gag; *Presse etc.*: muzzle.

**Knecht** m farm-labo(u)rer, farmhand; **~schaft** f servitude, slavery.

**kneif|en 1.** v/t. pinch, nip; **2.** v/i. pinch; F *fig.* back out; ♀zange f (e-e a pair of) pincers pl.

**Kneipe** F f pub, local.

**kneten** v/t. knead; 𝔤 *a.* massage.

**Knick** m *Sprung, Riß*: crack; *im Papier etc.*: fold, crease; *Kurve*: bend; ♀en v/t. fold, crease; bend; *brechen*: break.

**Knicks** m curts(e)y; *e-n ~ machen* = ♀en v/i. (drop a) curts(e)y (*vor* to).

**Knie** n knee; ℒfällig adv. on one's knees; ~kehle f hollow of the knee; ℒn v/i. kneel, be on one's knees; ~scheibe f knee-cap, kneepan; ~strumpf m knee-length sock.

**Kniff** m crease, fold; fig. trick, knack; ℒ(e)lig adj. tricky, intricate.

**knipsen** v/t. Fahrkarte: clip, punch; F phot. take a snapshot of, snap.

**Knirps** m little man; kleiner Junge: little chap, F nipper.

**knirschen** v/i. Kies, Schnee etc.: crunch; mit den Zähnen ~ grind od. gnash one's teeth.

**knistern** v/i. Holzfeuer etc.: crackle; Seide etc.: rustle.

**knitter|frei** adj. crease-resistant; ℒn v/t. u. v/i. crease, wrinkle.

**Knoblauch** ♥ m garlic.

**Knöchel** m Fuß℀: ankle; Finger℀: knuckle.

**Knoch|en** m bone; ~enbruch m fracture (of a bone); ℒig adj. bony.

**Knödel** m dumpling.

**Knolle** ♥ f tuber; Zwiebel: bulb.

**Knopf** m button.

**knöpfen** v/t. button.

**Knopfloch** n buttonhole.

**Knorpel** m cartilage, gristle.

**knorrig** adj. gnarled, knotty.

**Knospe** ♥ f bud; ℒn v/i. (be in) bud.

**Knoten** 1. m knot (a. fig., ⚓); 2. ℒ v/t. knot; ~punkt m 🚂 junction; Verkehrs℀: intersection.

**Knuff** F m poke; ℒen F v/t. poke.

**knüllen** v/t. u. v/i. crease, crumple.

**knüpfen** v/t. tie, knot; Netz: make; Bedingungen: attach (an to).

**Knüppel** m cudgel.

**knurren** v/i. growl, snarl; fig. grumble (über at, over, about); Magen: rumble.

**knusp(e)rig** adj. crisp, crunchy.

**Kobold** m (hob)goblin, imp.

**Koch** m cook; ~buch n cookery-book, Am. cookbook; ℒen 1. v/t. Wasser, Eier, Fisch etc.: boil; Fleisch, Gemüse etc.: cook, boil; Kaffee, Tee etc.: make; 2. v/i. Wasser etc.: boil (a. fig.); Tätigkeit: do the cooking; gut ~ be a good cook; ~er m cooker.

**Koch|löffel** m wooden spoon; ~nische f kitchenette; ~salz n common salt; ~topf m pot, saucepan.

**Köder** m bait, lure (beide a. fig.); ℒn v/t. bait, lure; fig. a. decoy.

**Kodex** m code.

**Koffer** m (suit)case; großer: trunk; ~radio n portable radio (set).

**Kognak** m French brandy, cognac.

**Kohl** ♥ m cabbage.

**Kohle** f coal; ⚡ carbon; wie auf (glühenden) ~n sitzen be on tenterhooks.

**Kohlen|bergwerk** n coal-mine, coal-pit, colliery; ~eimer m coal-scuttle; ~händler m coal-merchant; ~revier ⚒ n coal-district; ~säure 🜄 f carbonic acid; ~stoff 🜄 m carbon.

**Kohle|papier** n carbon paper; ~zeichnung f charcoal-drawing.

**Kohl|kopf** ♥ m (head of) cabbage; ~rübe ♥ f Swedish turnip.

**Koje** ⚓ f berth, bunk.

**Kokain** n cocaine, sl. coke, snow.

**kokett** adj. coquettish; ~ieren v/i. coquet(te), flirt (a. fig.).

**Kokosnuß** ♥ f coconut.

**Koks** m coke.

**Kolben** m Gewehr℀: butt; ⊕ piston; ~stange f piston-rod.

**Kolchose** f collective farm, kolkhoz.

**Kolleg** univ. n course of lectures; ~e m colleague; ~ium n board, body; Lehrkörper: teaching staff.

**Kollekt|e** eccl. f collection; ~ion ✝ collection; Sortiment: range.

**Koller** F fig. m rage, tantrum.

**kolli|dieren** v/i. collide; fig. clash; ℒsion f collision; fig. clash, conflict.

**Kölnischwasser** n eau-de-Cologne.

**Kolonialwaren** f/pl. groceries pl.; ~händler m grocer; ~handlung f grocer's (shop), Am. grocery.

**Koloni|e** f colony; ℒsieren v/t. colonize.

**Kolonne** f column; ⚔ Wagen℀: convoy; Arbeiter℀: gang, crew.

**kolorieren** v/t. colo(u)r.

**Koloß** m colossus.

**kolossal** adj. colossal, huge.

**Kombin|ation** f combination; Arbeitsanzug: overalls pl., Am. a. coveralls pl.; Fliegeranzug: flying-suit; Fußball etc.: combined attack, move; ℒieren 1. v/t. combine; 2. v/i. reason, deduce; Fußball etc.: combine, move.

**Kombüse** ⚓ f galley, caboose.

**Komet** ast. m comet.

**Komfort** m comfort; **Label** adj. comfortable.

**Komik** f humo(u)r, fun; **~er** m comic actor, comedian.

**komisch** adj. comic(al), funny; fig. funny, odd, queer.

**Komitee** n committee.

**Komma** n comma; sechs ~ vier six point four.

**Kommand|ant** ✕ m, **~eur** ✕ m commander, commanding officer; **Lieren 1.** v/i. give orders; ✕ (be in) command; **2.** v/t. ✕ command, be in command of; order.

**Kommanditgesellschaft** † f limited partnership.

**Kommando** n ✕ command, order; Befehl(e): order(s pl.), directive(s pl.); ✕ Abteilung: detachment; **~brücke** ⚓ f navigating bridge.

**kommen** v/i. come; an~: arrive; ~ lassen j-n: send for; et.: order; et. ~ sehen foresee; ~ auf think of, hit upon; remember; zu dem Schluß ~, daß decide that; hinter et. ~ find s.th. out; um et. ~ lose s.th.; zu et. ~ come by s.th.; wieder zu sich ~ come round od. to; wie ~ Sie dazu! how dare you!

**Komment|ar** m commentary, comment; **~ator** m commentator; **Lieren** v/t. comment on.

**Kommissar** m commissioner; Polizei♀: superintendent; pol. commissar.

**Kommission** f commission (a. †); Ausschuß: a. committee.

**Kommode** f chest of drawers, Am. bureau.

**Kommunis|mus** m communism; **~t** m communist; **Ltisch** adj. communist(ic).

**Komöd|iant** m comedian; fig. play-actor, hypocrite; **Lie** f comedy; ~ spielen put on an act, play-act.

**Kompanie** ✕ f company.

**Kompaß** m compass.

**komplett** adj. complete.

**Komplex** m complex (a. psych.); Gebäude♀: block.

**Kompliment** n compliment.

**Komplize** m accomplice.

**komplizier|en** v/t. complicate; **~t** adj. complicated, intricate; Problem etc.: complex; **~er Bruch** ✚ compound fracture.

**Komplott** n plot, conspiracy.

**kompo|nieren** ♪ v/t. u. v/i. compose; **~nist** m composer; **Lsition** f composition.

**Kompott** n compote, stewed fruit.

**komprimieren** v/t. compress.

**Kompromiß** m compromise; **Llos** adj. uncompromising.

**kompromittieren** v/t. compromise.

**Kondens|ator** m ⚡ capacitor, condenser (a. 🜨); **Lieren** v/t. condense.

**Kondens|milch** f evaporated milk; **~wasser** n water of condensation.

**Kondition** f Sport: condition, stamina.

**konditional** gr. adj. conditional.

**Konditor** m confectioner, pastrycook; **~ei** f confectionery, confectioner's (shop); **~waren** f/pl. confectionery.

**Konfekt** n sweets pl., sweetmeat, Am. a. soft candy; Pralinen: chocolates pl.

**Konfektion** f (manufacture of) ready-made clothing; **~sanzug** m ready-made suit.

**Konfer|enz** f conference; **Lieren** v/i. confer (über on, about).

**Konfession** f confession, creed; Kirchenzugehörigkeit: denomination; **Lell** adj. confessional, denominational; **~sschule** f denominational school.

**Konfirm|and** m confirmand, candidate for confirmation, confirmee; **~ation** f confirmation; **Lieren** v/t. confirm.

**konfiszieren** ⚖ v/t. confiscate.

**Konfitüre** f preserve(s pl.), (wholefruit) jam.

**Konflikt** m conflict.

**konfrontieren** v/t. confront.

**konfus** adj. confused, muddled.

**Kongreß** m congress; Am. parl. Congress; **~halle** f congress hall.

**König** m king; **Llich** adj. royal; **~reich** n kingdom.

**Konjug|ation** gr. f conjugation; **Lieren** v/t. conjugate.

**Konjunkt|iv** gr. m subjunctive (mood); **~ur** † f economic od. business situation.

**konkret** adj. concrete.

**Konkurrent** m competitor, rival.

**Konkurrenz** f competition; Konkurrent(en): competitor(s pl.), rival(s pl.); Sport: competition, Veranstaltung: event; **Lfähig** adj.

able to compete; *Preise*: competitive; **~kampf** *m* competition.

**konkurrieren** *v/i.* compete (*mit* with; *um* for).

**Konkurs** †, ⚷ *m* bankruptcy, insolvency, failure; ~ *anmelden* file a petition in bankruptcy; **~masse** ⚷ *f* bankrupt's estate.

**können 1.** *v/i.*: *ich kann nicht* I can't, I am not able to; **2.** *v/t.* know, understand; *Deutsch ~* know German; *Sie Deutsch?* do you speak German?; **3.** *v/aux.* be able to *inf.*, be capable of *ger.*; *dürfen*: be allowed *od.* permitted to *inf.*; *es kann sein* it may be; *du kannst hingehen* you may go there; *er kann schwimmen* he can swim; **4.** ♀ *n* ability; *Fertigkeit*: skill, proficiency.

**Konnossement** † *n* bill of lading.

**konsequen|t** *adj.* consistent; **♀z** *f* consistency; *Folge*: consequence.

**konservativ** *adj.* conservative.

**Konserven**/*f*/*pl.* tinned (*Am.* canned) foods *pl.*; **~büchse** *f*, **~dose** *f* tin, *Am.* can; **~fabrik** *f* tinning factory, *bsd. Am.* cannery.

**konservieren** *v/t.* preserve.

**Konsonant** *m* consonant.

**konstruieren** *v/t. gr.* construe; ⊕: construct; *entwerfen*: design.

**Konstruk|teur** ⊕ *m* designer; **~tion** ⊕ *f* construction.

**Konsul** *m* consul; **~at** *n* consulate; **♀tieren** *v/t.* consult, seek *s.o.'s* advice.

**Konsum** *m Verbrauch*: consumption; *Verkaufsstelle*: co-operative shop (*Am.* store), F co-op; *Genossenschaft*: consumers' co-operative society, F co-op; **~ent** *m* consumer; **♀ieren** *v/t.* consume.

**Kontakt** *m* contact (*a.* ⚡); ~ *aufnehmen* get in touch; ~ *haben od. in ~ stehen* be in contact *od.* touch with; ~ *verlieren* lose touch.

**Kontinent** *m* continent.

**Kontingent** *n* ✕ contingent; † quota.

**Konto** † *n* account; **~auszug** † *m* statement of account.

**Kontor** *n* office.

**Kontrast** *m* contrast.

**Kontroll|e** *f* control; *Aufsicht*: supervision; *Prüfung*: check; **♀ieren** *v/t.* control; supervise; check.

**Kontroverse** *f* controversy.

**konventionell** *adj.* conventional.

**Konversation** *f* conversation; **~s-lexikon** *n* encyclop(a)edia.

**Konzentr|ation** *f* concentration; **♀ieren** *v/t. u. v/refl.* concentrate.

**Konzern** † *m* combine, group.

**Konzert** ♪ *n* concert; *Musikstück*: concerto; **~saal** *m* concert-hall.

**Konzession** *f* concession; *Genehmigung*: licen|ce, *Am.* -se.

**Kopf** *m* head; *~ende*: top; *Verstand*: brains *pl.*; *ein fähiger ~* a clever fellow; ~ *hoch!* chin up!; *j-m über den ~ wachsen* fig. get beyond s.o.; **~arbeit** *f* brain-work; **~bedeckung** *f* headgear, headwear.

**köpfen** *v/t.* behead, decapitate; *Fußball*: head.

**Kopf|ende** *n* head, top; **~hörer** *m* headphone; **~kissen** *n* pillow; **♀los** *adj.* headless; *fig.* confused; **~nicken** *n* nod; **~rechnen** *n* mental arithmetic; **~salat** *m* cabbage-lettuce; **~schmerzen** *m/pl.* headache; **~sprung** *m* header; **~tuch** *n* scarf; **♀über** *adv.* head first, head-long; **~weh** *n* s. *Kopfschmerzen*; **~zerbrechen** *n*: *j-m ~ machen* puzzle s.o.

**Kopie** *f* copy; *Zweitschrift*: duplicate; *phot., Film*: print; **~rstift** *m* indelible pencil.

**Koppel 1.** *f Pferdeweide*: paddock; **2.** ✕ *n* belt; **♀n** *v/t.* couple.

**Koralle** *f* coral.

**Korb** *m* basket; *j-m ein ~ geben* refuse s.o.; *refuse s.o.'s invitation, etc.*; **~möbel** *n/pl.* wicker furniture.

**Kordel** *f* string, twine; *stärkere*: cord.

**Kordsamt** *m* corduroy.

**Korinthe** *f* currant.

**Kork** *m*, **~en** *m* cork; **~(en)zieher** *m* corkscrew.

**Korn 1.** *n* grain; *Samen*♀: seed; *Getreide*: corn, cereals *pl.*; *am Gewehr*: front sight; **2. F** *m* (German) corn whisky. [...-grained.]

**körnig** *adj.* granular; *in Zssgn*:)

**Körper** *m* body (*a. phys.*, 🝘); ♣ solid; **~bau** *m* build, physique; **♀behindert** *adj.* (physically) disabled, handicapped; **~fülle** *f* corpulence; **~geruch** *m* body-odo(u)r; **~größe** *f* stature; **~kraft** *f* physical strength; **♀lich** *adj.* bodily, physical; *leiblich*: corporal; **~pflege** *f* care of the body, hygiene; **~schaft** *f* body; ⚷ body (corporate), corporation; ~verletzung $\frac{1}{2}$ f bodily harm, physical injury.

**korrekt** adj. correct; 2or m (proof-) reader; 2ur f correction; 2urfahne typ. f galley proof.

**Korrespond|ent** m correspondent; ~enz f correspondence; 2ieren v/i. correspond (mit with).

**korrigieren** v/t. correct.

**Korsett** n corset, stays pl.

**Kosename** m pet name.

**Kosmetik** f beauty culture od. treatment; ~erin f beautician, cosmetician.

**Kost** f food, fare; Beköstigung: board; Ernährungsweise: diet; 2bar adj. Geschenk etc.: costly, expensive; Gesundheit, Zeit etc.: valuable, dear, precious (a. Metalle etc.).

**kosten**[1] v/t. taste, try, sample.

**kosten**[2] 1. v/t. cost; Zeit etc.: take, require; 2. 2 pl. cost(s pl.); Ausgaben: expense(s pl.); Preise: charges pl.; auf ~ at the expense of; ~los 1. adj. free; 2. adv. free of charge.

**köstlich** adj. delicious.

**Kost|probe** f taste, sample (a. fig.); 2spielig adj. expensive.

**Kostüm** n costume, dress; Damen2: suit; ~fest n fancy-dress ball.

**Kot** m excrement.

**Kotelett** n chop.

**Kotflügel** mot. m mudguard, Am. a. fender.

**Krabbe** zo. f shrimp.

**krabbeln** v/i. crawl.

**Krach** m crack, crash (a. fig. ✝); Lärm: noise; Streit: quarrel, F row; 2en v/i. 1. (h) Donner: crash; Gewehr etc.: crack; 2. F (sein) crash, smash.

**krächzen** v/t. u. v/i. croak.

**Kraft** 1. f strength; Natur2: force (a. ✕); Macht, Stärke, Vermögen: power (a. ✦, ⊕); Tat2: energy; in ~ sein (setzen, treten) be in (put into, come into) operation od. force; außer ~ setzen repeal, abolish; 2. 2 prp. by virtue of; ~brühe f beef tea; ~fahrer m driver, motorist; ~fahrzeug n motor vehicle.

**kräftig** adj. strong (a. fig.), powerful; Essen: substantial.

**kraft|los** adj. schwach: feeble, weak; 2probe f trial of strength; 2stoff mot. m fuel; 2wagen m motor vehicle; 2werk ✦ n power station.

**Kragen** m collar.

**Krähe** orn. f crow; 2n v/i. crow.

**Kralle** f claw (a. fig.); e-s Raubvogels: talon.

**Kram** m stuff, odds and ends pl.

**Krämer** m shopkeeper.

**Krampf** ✕ m cramp; stärker: spasm, convulsion; ~ader ✕ f varicose vein; 2haft adj. ✕ spasmodic, convulsive; Lachen etc.: forced.

**Kran** ⊕ m crane.

**krank** adj. sick; Organe etc.: diseased; ~ sein be ill, bsd. Am. be sick; ~ werden fall ill, bsd. Am. fall sick; 2e m, f sick person, patient.

**kränkeln** v/i. be in poor health.

**kränken** v/t. offend; hurt s.o.'s feelings; sich ~ feel hurt.

**Kranken|bett** n sick-bed; ~haus n hospital; ~kasse f health insurance company; ~pflege f nursing; ~pfleger m male nurse; ~schwester f (sick-)nurse; ~versicherung f health od. sickness insurance; health od. sickness insurance company; ~wagen m ambulance; ~zimmer n sick-room.

**krankhaft** adj. morbid.

**Krankheit** f illness, sickness; bestimmte: disease; ~serreger ✕ m pathogenic agent.

**kränklich** adj. sickly, ailing.

**Kränkung** f insult, offen|ce, Am. -se.

**Kranz** m wreath; Girlande: garland.

**kraß** adj. crass, gross.

**kratzen** 1. v/i. scratch; 2. v/t. scratch; sich ~ scratch (o.s.).

**kraulen** 1. v/t. scratch (gently); 2. v/i. Sport: crawl.

**kraus** adj. curly, curled, crisp; gekräuselt: frizzy; die Stirn ~ ziehen knit one's brow; 2e f Hals2: ruff; Hemd2, Rüsche: ruffle, frill.

**kräuseln** v/t. Haare: curl, crimp; Lippen: pucker; sich ~ Haare: curl; Wellen: ruffle; Rauch: curl upwards.

**Kraut** ✿ n herbaceous plant, herb; Heil2: herb; Kohl: cabbage; Rüben2: top(s pl.); Un2, Tabak: weed.

**Krawall** m riot; F Lärm: row.

**Krawatte** f (neck)tie.

**Kreatur** f creature.

**Krebs** m zo. crayfish; ✕ cancer.

**Kredit** ✝ m credit.

**Kreide** f chalk; *paint.* crayon.

**Kreis** m circle (*a. fig.*); *ast.* orbit; ≴ circuit; *Bezirk*: district, *Am. a.* county; *fig. Bereich*: sphere, field, range.　　　　　　　[shriek.]

**kreischen** v/i. screech, scream,)

**Kreisel** m (whipping-)top.

**kreisen** v/i. (move in a) circle, revolve, rotate; ♫, *Vogel*: circle; *Vogel*: wheel; *Blut, Geld*: circulate.

**kreis|förmig** adj. circular; ♀lauf m *physiol.*, *des Geldes etc.*: circulation; ♀laufstörungen ⚕ f/pl. circulatory trouble; ✏rund adj. circular; ♀säge ⊕ f circular saw; ♀verkehr m roundabout (traffic).

**Krempe** f brim.

**Kren** *östr.* m horse-radish.

**krepieren** v/i. *Granate*: burst, explode; *sl.*: *Mensch*: kick the bucket, peg out; *Tier*: die, perish.

**Krepp** m crêpe, *schwarzer*: crape.

**Kreuz** 1. n cross (*a. fig.*); crucifix; *anat.* small of the back; ♪ sacral region; *Kartenspiel*: club(s *pl.*); ♪ sharp; *zu* ⸢(e) *kriechen* eat humble pie; 2. ♀ adv.: ⸢ *und quer* in all directions.

**kreuzen** 1. v/t. *Arme etc.*: cross, fold; ♀, *zo.* cross(-breed), hybridize; *sich* ⸢ *Straßen*: cross, intersect; *Pläne etc.*: clash; 2. ⚓ v/i. cruise.

**Kreuzer** ⚓ m cruiser.

**Kreuz|fahrer** m crusader; ✏fahrt ⚓ f cruise; ✏feuer n ⚔ cross-fire (*a. fig.*); ♀igen v/t. crucify; ✏igung f crucifixion; ✏otter *zo.* f common viper, adder; ✏schmerzen m/pl. back ache; ✏ung f ⚒, *Straßen*♀: crossing, intersection; *Straßen*♀: cross-roads; ♀, *zo.* cross-breeding, hybridization; ✏verhör ⚖ n cross-examination; *ins* ⸢ *nehmen* cross-examine; ♀weise adv. crosswise, crossways; ✏worträtsel n crossword (puzzle); ✏zug m crusade.

**krieche|n** v/i. creep, crawl; *fig.* cringe (vor to, before); ♀r *contp.* m toady.

**Krieg** m war; ⸢ *führen* wage war.

**kriegen** F v/t. get; *fangen*: catch.

**Krieg|er** m warrior; ✏erdenkmal n war memorial; ♀erisch adj. warlike; *streitbar*: militant; ♀führend adj. belligerent; ✏führung f warfare.

**Kriegs|beschädigte** m ex-serviceman disabled in (the) war; ✏erklä-

rung f declaration of war; ✏gefangene m prisoner of war; ✏gefangenschaft f captivity; ✏kamerad m wartime comrade; ✏schauplatz m theat|re *od. Am.* -er of war; ✏schiff n warship; ✏teilnehmer m combatant; *ehemaliger*: ex-serviceman, *Am.* (war) veteran; ⸢verbrechen n war crime; ✏verbrecher m war criminal.

**Kriminal|beamte** m criminal investigator, *Am.* plain-clothes man; ✏film m crime film, thriller; ✏polizei f criminal investigation department; ✏roman m detective *od.* crime novel, thriller, *sl.* whodun(n)it.

**kriminell** adj. criminal; ♀e m criminal.

**Krippe** f crib, manger; *Kinderhort*: crèche.

**Krise** f crisis.

**Kristall** 1. m crystal; 2. n crystal (-glass); ♀isieren v/i. u. v/refl. crystallize.

**Kriti|k** f criticism; ♪, *thea. etc.*: review, criticism; F *unter aller* ⸢ beneath contempt; ⸢ *üben an* criticize; ✏ker m critic; *von Büchern*: reviewer; ♀sch adj. critical; ♀sieren v/t. criticize.

**kritzeln** v/t. u. v/i. scrawl, scribble.

**Krokodil** *zo.* n crocodile.

**Krone** f crown; *Adels*♀: coronet.

**krönen** v/t. crown (*j-n zum König* s.o. king).

**Kron|leuchter** m chandelier; ⸢prinz m crown prince; ✏prinzessin f crown princess.

**Krönung** f coronation; *fig.* crowning achievement *od.* event, culmination.

**Kropf** ⚕ m goit|re, *Am.* -er.

**Kröte** *zo.* f toad.

**Krücke** f crutch.

**Krug** m jug, pitcher; *Henkel*♀: mug; *Bierkrug mit Deckel*: tankard.

**Krume** f crumb.

**Krümel** m small crumb; ♀n v/t. u. v/i. crumble.

**krumm** adj. crooked; *Person*: bent, stooping; *Rücken*: bent; *fig. Geschäfte etc.*: crooked; ✏beinig adj. bandy- *od.* bow-legged.

**krümmen** v/t. *Arm, Rücken etc.*: bend; *Finger, Arm*: crook; *sich* ⸢ *Wurm etc.*: wriggle; *sich vor Schmerzen* ⸢ writhe with pain.

**Krümmung** f *Straßen*♀ *etc.*: bend,

curve; *Wölbung*: curve; *Fluß*⚲, *Weg*⚲: turn, wind; *der Erdoberfläche, der Wirbelsäule*: curvature.

**Krüppel** *m* cripple.

**Kruste** *f* crust.

**Kübel** *m* tub; *Eimer*: pail, bucket.

**Kubik|meter** *n, m* cubic met|re, *Am.* -er; **~wurzel** ↓ *f* cube root.

**Küche** *f* kitchen; *Kochkunst*: cuisine, cookery; *s. kalt.*

**Kuchen** *m* cake.

**Küchen|geräte** *n/pl.* kitchen utensils *pl.*; **~geschirr** *n* kitchen crockery; **~herd** *m* (kitchen-)range, stove; **~schrank** *m* dresser; **~zettel** *m* bill of fare, menu.

**Kuckuck** *orn. m* cuckoo.

**Kufe** *f* ⚔ skid; *Schlitten etc.*: runner.

**Kugel** *f* ball; *Gewehr*⚲ *etc.*: bullet; ↓, *geogr.* sphere; *Sport*: shot; ⚲**förmig** *adj.* spherical, ball-shaped, globular; **~gelenk** ⊕, *anat.* *n* ball-and-socket joint; **~lager** ⊕ *n* ball-bearing; ⚲*n v/i. u. v/t.* roll; **~schreiber** *m* ball-(point-)pen; **~stoßen** *n Sport*: putting the shot, *Am.* shot-put; *Wettkampf*: shot-put.

**Kuh** *zo. f* cow.

**kühl** *adj.* cool (*a. fig.*); ⚲**anlage** *f* cold-storage plant; ⚲**e** *f* cool(ness); **~en** *v/t.* cool; ⚲**er** *mot. m* radiator; ⚲**raum** *m* cold-storage room; ⚲**schrank** *m* refrigerator, *F* fridge.

**kühn** *adj.* bold, daring, audacious.

**Kuhstall** *m* cow-house, byre, *Am. a.* cow barn.

**Küken** *orn. n.* chick.

**Kukuruz** *östr. m s.* Mais.

**Kulisse** *f thea.* ~*n pl.* wings *pl.*; *Dekorationsstücke*: scenery; *hinter den* ~*n* behind the scenes.

**Kult** *m* cult, worship.

**kultivieren** *v/t.* cultivate.

**Kultur** *f* ↗ cultivation; *Bakterien*⚲ *etc.*: culture; *fig.* culture, civilization; ⚲**ell** *adj.* cultural; **~film** *m* educational film; **~geschichte** *f* history of civilization; **~volk** *n* civilized people.

**Kultus|minister** *m* minister of education and cultural affairs; **~ministerium** *n* ministry of education and cultural affairs.

**Kummer** *m* grief, sorrow; *Verdruß*: trouble, worry.

**kümmer|lich** *adj.* miserable,

wretched, poor; **~n** *v/t.* bother, worry; *sich* ~ *um* look after, take care of; *sorgen für*: see (to it); *sich einmischen*: meddle with.

**kummervoll** *adj.* sorrowful.

**Kump|an** *F m* companion, *F* mate, chum, *Am. a.* buddy; **~el** *m* ⚒ miner; *F* work-mate; *F s. Kumpan.*

**Kunde** **1.** *m* customer, client; **2.** *f* news; *Kenntnis*: knowledge.

**Kundgebung** *f* manifestation; *pol.* rally.

**kündig|en** **1.** *v/i.*: *j-m* ~ give s.o. notice; **2.** *v/t.* ✝ *Kapital*: call in; ⚖ *Vertrag*: cancel; *pol. Vertrag etc.*: denounce; ⚲**ung** *f* notice; ✝ calling in; ⚖ cancellation; *pol.* denunciation.

**Kundschaft** *f* customers *pl.*, clients *pl.*; **~er** ⚔ *m* scout, spy.

**Kunst** *f* art; *Fertigkeit*: skill; **~akademie** *f* academy of arts; **~ausstellung** *f* art exhibition; **~dünger** *m* artificial manure, fertilizer; ⚲**fertig** *adj.* skilful, skilled; **~fertigkeit** *f* artistic skill; **~gegenstand** *m* objet d'art; ⚲**gerecht** *adj.* skilful, professional, expert; **~geschichte** *f* history of art; **~griff** *m* trick, dodge; artifice, knack; **~händler** *m* art-dealer; **~leder** *n* imitation *od.* artificial leather.

**Künstler** *m* artist; ♪, *thea. a.* performer; ⚲**isch** *adj.* artistic.

**künstlich** *adj.* artificial; *unecht*: false (*a. Zähne etc.*); synthetic.

**Kunst|liebhaber** *m* art-lover; **~maler** *m* painter, artist; **~schätze** *m/pl.* art treasures *pl.*; **~seide** *f* rayon, artificial silk; **~stück** *n* feat, trick, *F* stunt; ⚲**voll** *adj.* artistic, elaborate; **~werk** *n* work of art.

**kunterbunt** *F adj.* higgledy-piggledy.

**Kupfer** *n* copper; **~geld** *n* copper coins *pl.*, *F* coppers *pl.*; ⚲*n adj.* (of) copper; ⚲**rot** *adj.* copper-colo(u)red; **~stich** *m* copperplate (engraving). [*etc.*: head.]

**Kuppe** *f* rounded hilltop; *Nagel*⚲]

**Kuppel** △ *f* dome, cupola; **~ei** ⚖ *f* procuring; ⚲*n* **1.** *v/t.* couple; **2.** *mot. v/i.* declutch.

**Kuppl|er** *m* pimp, procurer; **~ung** *f* ⊕ coupling (*a.* ☷); *mot.* clutch.

**Kur** *f* course of treatment, cure.

**Kür** *f Sport, Gymnastik*: voluntary exercise; *s. Kürlauf.*

**Kurbel** ⊕ *f* crank, winch, handle; ♀n *v/t. Film:* shoot.

**Kürbis** ♀ *m* pumpkin.

**Kur|gast** *m* visitor to *od.* patient at a health resort *od.* spa; **~haus** *n* spa hotel.

**kurieren** ✻ *v/t.* cure.

**kurios** *adj.* curious, odd, strange.

**Kürlauf** *m Eissport:* free skating; *Rollschuhsport:* free roller skating.

**Kur|ort** *m* health resort, spa; **~pfuscher** *m* quack (doctor).

**Kurs** *m* ⚓ course (*a. fig.*); *Börse:* price; *Wechsel♀:* rate of exchange; *Lehrgang:* course, class; *fig. pol.* policy, line; **~buch** 🚄 *n* railway (*Am.* railroad) guide.

**Kürschner** *m* furrier.

**kursieren** *v/i. Geld etc.:* circulate, be in circulation; *Gerücht:* circulate, be afloat, go about.

**Kurswert** ♦ *m* market value.

**Kurve** *f* curve; *e-r Straße etc.:* a. bend, turn.

**kurz 1.** *adj. räumlich:* short; *zeitlich etc.:* short, brief; **~e** Hose shorts *pl.;* den kürzeren ziehen get the worst of it; **2.** *adv.:* ~ angebunden sein be curt *od.* sharp; ~ und gut in short; ~ vor London short of London; sich ~ fassen be brief *od.* concise; vor **~em** a short time ago; zu ~ kommen come off badly; um es ~ zu sagen to cut a long story short; ♀**arbeit** ✝ *f* short-time work; **~atmig** *adj.* short-winded.

**Kürze** *f* shortness; *des Ausdrucks etc.:* brevity; *Prägnanz:* conciseness; *in* ~ shortly, before long; ♀n *v/t. Kleid etc.:* shorten (*um* by);

*Buch etc.:* abridge; *Ausgaben etc.:* cut, reduce.

**kurz|erhand** *adv.* without hesitation, on the spot; ♀**film** *m* short film; ♀**form** *f* shortened form; **~fristig** *adj.* ✝ *Kredit etc.:* short-term; ✝ *Wechsel etc.:* short-dated; *Absage etc.:* at short notice; ♀**geschichte** *f* (short) short story; **~lebig** *adj.* short-lived; ♀**nachrichten** *f/pl.* news summary.    [ago.\

**kürzlich** *adv.* recently, not long\

**Kurz|schluß** ⚡ *m* short circuit, F short; **~schrift** *f* shorthand, stenography; ♀**sichtig** *adj.* short-sighted, near-sighted; ♀**um** *adv.* in short, in a word.

**Kürzung** *f e-s Kleides etc.:* shortening; *e-s Buches etc.:* abridg(e)ment; *von Ausgaben etc.:* cut, reduction.

**Kurz|waren** *f/pl.* haberdashery, *Am. a.* notions *pl.;* ♀**weilig** *adj.* amusing, entertaining; **~welle** ⚡ *f* short wave; *Rundfunk:* short-wave band.

**Kusine** *f* cousin.

**Kuß** *m* kiss; ♀**echt** *adj.* kiss-proof.

**küssen** *v/t.* kiss.

**Küste** *f* coast, shore.

**Küsten|bewohner** *m* inhabitant of a coastal region; **~gebiet** *n* coastal area *od.* region; **~schiffahrt** *f* coastal shipping.

**Küster** *eccl. m* verger, sexton.

**Kutsche** *f* carriage, coach; **~r** *m* coachman.

**Kutte** *f* cowl.

**Kutteln** *östr. f/pl.* tripe *sg.*

**Kutter** ⚓ *m* cutter.

**Kuvert** *n* envelope.

# L

**labil** *adj.* unstable.

**Labor** *n s. Laboratorium;* **~ant** *m* laboratory assistant; **~atorium** *n* laboratory; ♀**ieren** *v/i.:* ~ *an* suffer from.    [*a. fig.*)\

**Labyrinth** *n* labyrinth, maze (*beide*\

**Lache** *f* pool, puddle.

**lächeln 1.** *v/i.* smile (*über* at); *höhnisch:* sneer (at); **2.** ♀ *n* smile; sneer.

**lachen 1.** *v/i.* laugh (*über* at); **2.** ♀ *n* laugh(ter).

**lächerlich** *adj.* ridiculous, ludicrous, absurd; ~ *machen* ridicule; *sich* ~ *machen* make a fool of o.s.

**Lachs** *ichth. m* salmon.

**Lack** *m* varnish; *Farb♀:* lacquer; ♀**ieren** *v/t.* varnish; lacquer; **~schuhe** *m/pl.* patent-leather shoes *pl.*

**Ladefläche**

**Lade|fläche** f loading area; **~hemmung** ✗ f jam.
**laden** v/t. load; *Schußwaffe*: load, charge (a. ⚡); ⚡ cite, summon; *ein~*: invite, ask.
**Laden** m shop, *Am.* store; *Fenster*♀: shutter; **~dieb** m shop-lifter; **~diebstahl** m shop-lifting; **~inhaber** m shopkeeper, *Am.* storekeeper; **~kasse** f till; **~schluß** m closing time; *nach ~* after hours; **~tisch** m counter.
**Lade|rampe** f loading platform *od.* ramp; **~raum** m loading space; ⚓ hold.
**Ladung** f load, freight; ⚓ cargo; ⚡, ✗ charge; ⚡ summons.
**Lage** f situation (a. fig.); *Stellung*: position (a. fig.); *Platz*: location; *geol.* layer, stratum; *Bier etc.*: round; *Stand*: state; *in der ~ sein zu inf.* be able to inf., be in a position to inf.
**Lager** n couch, bed; *wilder Tiere*: den, lair; *geol.* deposit; ⊕ bearing; *Vorrat*: store, stock; ✗ etc.: camp, encampment; s. Lagerhaus; *auf ~* ✝ on hand, in stock; **~feuer** n campfire; **~haus** n warehouse, storehouse, depot; ♀n 1. v/i. ✗ (en) camp; ✝ be stored; 2. v/t. *Wein*: lay down; ✝ store, warehouse; **~raum** m store-room; **~ung** f storage.
**Lagune** f lagoon.
**lahm** adj. lame; **~en** v/i. be lame (*auf* in).
**lähmen** v/t. lame; paraly|se, *Am.* -ze (a. fig.).
**lahmlegen** v/t. paraly|se, *Am.* -ze; *Verkehr*: bring to a standstill.
**Lähmung** ✗ f paralysis.
**Laib** m loaf.
**Laich** m spawn; ♀en v/i. spawn.
**Laie** m layman; amateur; **~nbühne** f amateur theat|re, *Am.* -er.
**Laken** n sheet.
**lallen** v/i. u. v/t. babble.
**lamentieren** v/i. lament (*über* over).
**Lamm** zo. n lamb; **~fell** n lambskin.
**Lampe** f lamp.
**Lampen|fieber** n stage fright; **~licht** n lamplight; **~schirm** m lamp-shade.
**Lampion** m, ✎ n Chinese lantern.
**Land** n *Fest*♀: land; *Staat*: country; *Boden*: ground, soil; *an ~ gehen* go ashore; *auf dem ~e* in the country;

*aufs ~ gehen* go into the country; *außer ~es gehen* go abroad; *zu ~e* by land; **~arbeiter** m farm-hand; **~bevölkerung** f rural population.
**Landebahn** ✈ f runway.
**landeinwärts** adv. upcountry, inland.
**landen** v/i. land.
**Landenge** f neck of land, isthmus.
**Landeplatz** ✈ m landing-field.
**Länderspiel** n international match.
**Landes|grenze** f frontier, boundary; **~innere** n interior, upcountry; **~regierung** f government; *in Deutschland*: Land government; **~sprache** f national language, vernacular; ♀**üblich** adj. customary; **~verrat** m treason; **~verräter** m traitor to his country; **~verteidigung** f national defen|ce, *Am.* -se.
**Land|flucht** f rural exodus; **~friedensbruch** ⚡ m breach of the public peace; **~gericht** n appr. district court; **~gewinnung** f reclamation of land; **~haus** n countryhouse, cottage; **~karte** f map; **~kreis** m rural district; ♀**läufig** adj. customary, current, common.
**ländlich** adj. rural, rustic.
**Land|rat** m appr. district president; **~ratte** ⚓ f landlubber; **~regen** m persistent rain.
**Landschaft** f countryside, scenery; *bsd. paint.* landscape; ♀**lich** adj. scenic.
**Landsmann** m (fellow-)countryman, compatriot.
**Land|straße** f highway; **~streicher** m vagabond, tramp, *Am. a.* hobo; **~streitkräfte** pl. land forces pl.; **~strich** m tract of land, region; **~tag** m Landtag, Land parliament.
**Landung** f landing; **~ssteg** ⚓ m gangway, gang-plank.
**Land|vermesser** m surveyor; **~vermessung** f land-surveying; **~weg** m: *auf dem ~e* by land; **~wirt** m farmer, agriculturist; **~wirtschaft** f agriculture, farming; ♀**wirtschaftlich** adj. agricultural; **~e Maschinen** f/pl. agricultural *od.* farm equipment; **~zunge** f spit.
**lang 1.** adj. long; *Person*: tall; *er machte ein ~es Gesicht* his face fell; **2.** adv. long; *e-e Woche ~* for a week; *~(e) anhaltend* continuous; *das ist schon ~(e) her* that was a long time ago; *~ und breit* at (full *od.*

great) length; *noch* ~(e) *nicht* not for
a long time yet; far from (it); ~**atmig** *adj.* long-winded; ~**e** *adv.*
*s. lang* 2.

**Länge** *f* length; tallness; *geogr., ast.*
longitude; *der* ~ *nach* (at) full
length, lengthwise.

**langen** *v/i.* suffice, be enough; ~
*nach* reach for.

**Längen**|**grad** *m* degree of longitude;
~**maß** *n* linear measure.

**länger 1.** *adj.* longer; ~*e Zeit* (for)
some time; **2.** *adv.* longer; *ich kann
es nicht* ~ *ertragen* I cannot bear it
any longer.

**Langeweile** *f* boredom, tediousness.

**lang**|**fristig** *adj.* long-term; ~**jährig**
*adj.*: ~*e Erfahrung* many years of
experience.

**länglich** *adj.* longish, oblong.

**längs 1.** *prp.* along(side of); ~ *der
Küste fahren* ⚓ (sail along the)
coast; **2.** *adv.* lengthwise.

**lang**|**sam** *adj.* slow; ~**schläfer** *m*
late riser, lie-abed; ~**spielplatte** *f*
long-play record.

**längst** *adv.* long ago *od.* since; *ich
weiß es* ~ I have known it for a long
time; ~**ens** *adv.* at the longest;
*spätestens:* at the latest.

**Lang**|**streckenlauf** *m* long-distance
run *od.* race; ~**weile** *f s. Langeweile;*
**⚥weilen** *v/t.* bore; *sich* ~ be bored;
**⚥weilig** *adj.* tedious, boring, dull;
~*e Person* bore; ~**welle** *f* ⚥ long
wave; *Radio:* long-wave band; **⚥-
wierig** *adj.* protracted, lengthy; ⚕
lingering.

**Lanze** *f* spear, lance.

**Lappalie** *f* trifle.

**Lapp**|**en** *m Flicken:* patch; *Fetzen:*
rag; *Wisch⚥:* duster; *zum Waschen
etc.:* cloth; *anat.,* ⚕ lobe; **⚥ig** *adj.*
flabby.

**läppisch** *adj.* foolish, silly.

**Lärche** ⚕ *f* larch.

**Lärm** *m* noise, din; **⚥en** *v/i.* make a
noise; **⚥end** *adj.* noisy.

**Larve** *f* mask; *zo.* larva.

**lasch** ⸖ *adj.* limp, lax.

**Lasche** *f am Schnürschuh:* tongue.

**lassen 1.** *v/t.* let; *be~:* leave; *laß das!*
don't!; *laß sein* ~ *für* sacrifice
one's life for; **2.** *v/i.:* *von et.* ~ desist
from s.th., renounce s.th.; **3.** *v/aux.*
allow, permit, let; *veran~:* make,
cause; *drucken* ~ have printed;
*gehen* ~ let *s.o.* go; *von sich hören* ~

send word; *er läßt sich nichts sagen*
he won't take advice; *es läßt sich
nicht leugnen* there is no denying
(the fact).

**lässig** *adj. träge:* indolent, idle; *sorglos:* careless.

**Last** *f* load (*a. fig.*); *Bürde:* burden
(*a. fig.*); *Gewicht:* weight (*a. fig.*);
*zu* ~*en von* ⚖ to the debit of; *j-m zur*
~ *fallen* be a burden to s.o.; *j-m et.*
*zur* ~ *legen* lay s.th. to s.o.'s charge;
~**auto** *n s. Lastkraftwagen.*

**lasten** *v/i.:* ~ *auf* weigh *od.* press
(up)on; **⚥aufzug** *m* goods lift, *Am.*
freight elevator.

**Laster** *n* vice.

**lasterhaft** *adj.* vicious.

**lästern** *v/i.:* ~ *über* speak ill of.

**lästig** *adj.* troublesome; *ärgerlich:*
annoying; *ungelegen:* inconvenient.

**Last**|**kahn** *m* barge; ~**kraftwagen**
*m* lorry, *Am.* truck; ~**tier** *n* pack
animal; ~**wagen** *m s. Lastkraftwagen.*

**Latein** *n* Latin; **⚥isch** *adj.* Latin.

**Laterne** *f* lantern; *Straßen⚥:* street-
lamp; ~**npfahl** *m* lamp-post.

**Latte** *f* lath; *Zaun⚥:* pale; *Sport:*
bar; ~**nkiste** *f* crate; ~**nverschlag**
*m* latticed partition; ~**nzaun** *m*
paling, *Am.* picket fence.

**Lätzchen** *n* bib, feeder.

**lau** *adj.* tepid, lukewarm (*beide a.
fig.*).

**Laub** *n* foliage, leaves *pl.*; ~**baum** *m*
deciduous tree.                         [arcade.

**Laube** *f* arbo(u)r, bower; ~**ngang** *m*)

**Laub**|**frosch** *zo. m* tree-frog; ~**säge**
*f* fret-saw.

**Lauch** 🌿 *m* leek.

**Lauer** *f:* *auf der* ~ *liegen od. sein* lie
in ambush; **⚥n** *v/i.* lurk (*auf for*); ~
*auf* watch for.

**Lauf** *m Gewehr⚥:* barrel; *Fluß⚥ etc.:*
course (*a. fig.*); run, *Sport:* a. heat;
*im* ~*e der Zeit* in (the) course of
time; ~**bahn** *f* career; ~**bursche** *m*
errand-boy, office-boy; ~**disziplin**
*f Sport:* running event.

**laufen 1.** *v/i.* run; *gehen:* walk;
*fließen:* flow; *die Dinge* ~ *lassen* let
things slide; *j-n* ~ *lassen* let s.o. go;
**2.** *v/t.* run; walk; ~**d** *adj. gegenwärtig:* current; ⚖ *Geschäfte:* regular; *auf dem* ~*en sein* be up to date,
be fully informed.

**Läufer** *m* runner (*a. Teppich*);
*Schach:* bishop; *Fußball:* half-back.

**Lauf|masche** f ladder, Am. a. run; **~paß** F m sack, sl. walking papers pl.; **~planke** ⚓ f gang-board, gang-plank; **~schritt** m: im ~ at the double; **~steg** m footbridge.

**Lauge** f lye.

**Laun|e** f humo(u)r, mood, temper; Grille: caprice, fancy, whim; guter ~ in (high) spirits; **2enhaft** adj., **2isch** adj. moody, capricious.

**Laus** zo. f louse; **~bub** m young scamp, F young devil.

**lausch|en** v/i. listen (dat. to); heimlich: eavesdrop; **~ig** adj. snug, cosy.

**laut** 1. adj. loud; lärmend: noisy; 2. adv. aloud, loud(ly); (sprechen Sie) ~er! speak up!, Am. louder!; 3. prp. according to; ✝ as per; 2 m sound; 2e ♪ f lute; **~en** v/i. Worte etc.: read; ~ auf Paß etc.: be issued to.

**läuten** 1. v/i. ring; bsd. Totenglocke: toll; es läutet the bell is ringing; 2. v/t. ring; toll.

**lauter** adj. pure; Flüssigkeit: clear; echt: genuine; aufrichtig: sincere; nichts als, nur: mere, nothing but, only.

**läuter|n** fig. v/t. purify; **2ung** fig. f purification.

**laut|los** adj. noiseless, soundless; Stille: hushed; **2schrift** f phonetic transcription; **2sprecher** m loudspeaker; **2stärke** f sound intensity; Radio: (sound-)volume.

**lauwarm** adj. tepid, lukewarm.

**Lava** geol. f lava.

**Lavendel** ♀ m lavender.

**Lawine** f avalanche.

**lax** adj. lax, loose; Sitten: a. easy.

**Lazarett** n (military) hospital.

**leben** 1. v/i. live; be alive; ~ Sie wohl! good-bye!, farewell!; von et. ~ live on s.th.; 2. v/t. live.

**Leben** n life; geschäftiges Treiben: stir, animation, bustle; am ~ bleiben remain alive, survive; ins ~ rufen call into being; sein ~ aufs Spiel setzen risk one's life; sein ~ lang all one's life; ums ~ kommen lose one's life.

**lebendig** adj. living; pred. alive; fig. lively.

**Lebens|alter** n age; **~anschauung** f outlook on life; **~bedingungen** f/pl. living conditions pl.; **~dauer** f span of life; ⊕ durability; **~erfahrung** f experience of life; **2-**

**fähig** adj. ✿ viable (a. fig.); **~gefahr** f danger of life; ~! danger of death)!; unter ~ at the risk of one's life; **2gefährlich** adj. dangerous (to life), perilous; **~größe** f life-size; in ~ at full length; **2länglich** adj. for life, lifelong; **~lauf** m personal record, curriculum vitae; **2lustig** adj. gay, merry; **~mittel** pl. food (-stuffs pl.), provisions pl., groceries pl.; **2müde** adj. weary od. tired of life; **2notwendig** adj. vital, essential; **~retter** m life-saver, rescuer; **~standard** m standard of living; **2unterhalt** m livelihood; s-n ~ verdienen earn one's living; **~versicherung** f life-insurance; **~wandel** m life, (moral) conduct; **~weise** f mode of living, habits pl.; gesunde ~ regimen; **2wichtig** adj. vital, essential; **~e** Organe pl. vitals pl.; **~zeichen** n sign of life; **~zeit** f lifetime; auf ~ for life.

**Leber** anat. f liver; **~fleck** m mole; **~tran** m cod-liver oil.

**Lebewesen** n living being, creature.

**Lebewohl** n farewell.

**leb|haft** adj. Person, Phantasie: lively; Farben, Phantasie: vivid; Interesse: keen; Verkehr: busy; **2-kuchen** m gingerbread; **~los** adj. lifeless; **2zeiten** pl.: zu s-n ~ in his lifetime.

**lechzen** v/i.: ~ nach languish od. pant for.

**Leck** 1. n leak; 2. 2 adj. leaky; ~ werden ⚓ spring a leak.

**lecken** 1. v/t. lick; 2. v/i. leck sein: leak.

**lecker** adj. dainty, delicious; **2-bissen** m dainty, delicacy.

**Leder** n leather; in ~ gebunden leather-bound; **2n** adj. leathern.

**ledig** adj. single, unmarried; Kind: illegitimate; **~lich** adv. solely, merely.

**Lee** ⚓ f lee (side).

**leer** 1. adj. empty (a. fig.); unbewohnt: a. vacant; Seite etc.: blank; Versprechungen: vain; 2. adv.: ~ laufen ⊕ idle; **2e** f emptiness, void (a. fig.); **~en** v/t. empty; ausräumen: clear (out); ausschütten: pour out; **2lauf** m ⊕ idling; mot. neutral gear; fig. waste of energy; **~stehend** adj. Wohnung: empty, unoccupied, vacant.

**legal** adj. legal, lawful.

**legen 1.** *v/t.* lay; place, put; *Wert* ~ *auf* attach importance to; *sich* ~ *Wind etc.*: abate, calm down; **2.** *v/i. Henne*: lay.

**Legende** *f* legend.

**Legislative** *f* legislative power.

**legitim** *adj.* legitimate.

**Lehm** *m* loam; ⚨**ig** *adj.* loamy.

**Lehn|e** *f Arm*⚨: arm; *Rücken*⚨: back; ⚨**en 1.** *v/i.* lean (*an* against); **2.** *v/t.* lean, rest (*an, gegen* against); *sich* ~ *an* lean against; *sich* ~ *auf* rest *od.* support o.s. (up)on; *sich aus dem Fenster* ~ lean out of the window; ~**sessel** *m*, ~**stuhl** *m* armchair, easy chair.

**Lehrbuch** *n* textbook.

**Lehre** *f* ⊕ ga(u)ge; *fig.* doctrine; *Kunde*: science; *Theorie*: theory; *Warnung*: lesson, warning; *e-r Geschichte*: moral; *e-s Lehrlings*: apprenticeship; *in der* ~ *sein* be apprenticed (*bei* to); ⚨**n** *v/t.* teach, instruct; *dartun*: show.

**Lehrer** *m* teacher, master, instructor; ~**in** *f* (lady) teacher, (school-)mistress; ~**kollegium** *n* staff (of teachers).

**Lehr|fach** *n* subject; ~**film** *m* instructional film; ~**gang** *m* course (of instruction); ~**herr** *m* master, *sl.* boss; ~**junge** *m s. Lehrling*; ~**körper** *m* teaching staff; *univ.* professoriate, faculty; ~**kraft** *f* teacher; professor; ~**ling** *m* apprentice; ~**mädchen** *n* girl apprentice; ~**meister** *m* master; ~**methode** *f* method of teaching; ~**plan** *m* curriculum, syllabus; ⚨**reich** *adj.* instructive; ~**stoff** *m* subject-matter, subject(s *pl.*); ~**stuhl** *m* professorship; ~**zeit** *f* apprenticeship.

**Leib** *m* body; *Bauch*: belly, *anat.* abdomen; *Mutter*⚨: womb; *bei lebendigem* ~*e* alive; *mit* ~ *und Seele* body and soul; ~**arzt** *m* physician in ordinary, personal physician; ~**chen** *n* bodice.

**Leibeigene** *m* bond(s)man, serf.

**Leibes|erziehung** *f* physical training; ~**kraft** *f*: *aus Leibeskräften* with all one's might; ~**übung** *f* physical exercise.

**Leib|garde** *f* body-guard; ~**gericht** *n* favo(u)rite dish; ⚨**haftig** *adj.*: *der* ~*e Teufel* the devil incarnate; ⚨**lich** *adj.* bodily, corpor(e)al;

~**rente** *f* life-annuity; ~**wache** *f* body-guard; ~**wäsche** *f* underwear.

**Leiche** *f* (dead) body, corpse.

**leichen|blaß** *adj.* deadly pale; ⚨**halle** *f* mortuary; ⚨**schauhaus** *n* morgue; ⚨**verbrennung** *f* cremation; ⚨**wagen** *m* hearse.

**Leichnam** *m s. Leiche.*

**leicht 1.** *adj.* light (*a. fig.*); *Buch etc.*: easy; *Fehler etc.*: slight; *Zigarre etc.*: mild; **2.** *adv.*: es ~ *nehmen* take it easy; ⚨**athlet** *m* athlete; ⚨**athletik** *f* athletics *pl.*, *Am.* track and field events *pl.*; ~**fertig** *adj.* light-minded, frivolous; ⚨**fertigkeit** *f* light-mindedness, frivolity; ~**gläubig** *adj.* credulous; ⚨**igkeit** *f* lightness; *fig. a.* ease, facility; ~**lebig** *adj.* easygoing; ⚨**metall** *n* light metal; ⚨**sinn** *m* frivolity, levity; *Unvorsichtigkeit*: carelessness; ~**sinnig** *adj.* frivolous; careless; ~**verständlich** *adj.* easy to understand.

**Leiden 1.** *adv.*: es tut mir ~ I am sorry (*um* for), I regret; **2.** ⚨ *n* injury, harm; *Unrecht*: wrong; *Betrübnis*: grief, sorrow; ~**en 1.** *v/i.* suffer (*an* from); **2.** *v/t.*: (*nicht*) ~ *können* (dis)like; ⚨**en** *n* suffering; ⚕ complaint; ~**end** ⚕ *adj.* ailing.

**Leidenschaft** *f* passion; ⚨**lich** *adj.* passionate; *heftig*: vehement; ⚨**slos** *adj.* dispassionate.

**Leidens|gefährte** *m*, ~**gefährtin** *f* fellow-sufferer.

**leid|er** *adv.* unfortunately; ~**ig** *adj.* disagreeable; ~**lich** *adj.* tolerable; ⚨**tragende** *m, f* mourner; *er ist der* ~ *dabei* he is the one who suffers for it; ⚨**wesen** *n*: *zu meinem* ~ to my regret.

**Leierkasten** *m* barrel-organ; ~**mann** *m* organ-grinder.

**Leih|bücherei** *f* lending *od.* circulating library, *Am. a.* rental library; ⚨**en** *v/t.* lend; borrow (*von* from); ~**gebühr** *f* lending fee(s *pl.*); ~**haus** *n* pawnshop, *Am. a.* loan office; ⚨**weise** *adv.* as a loan.

**Leim** *m* glue; ⚨**en** *v/t.* glue.

**Leine** *f* line; (dog-)lead.

**leinen 1.** *adj.* (of) linen; **2.** ⚨ *n* linen; *in* ~ *gebunden* cloth-bound; ⚨**schuh** *m* canvas shoe.

**Leinwand** *f* linen (cloth); *paint.* canvas; *im Kino*: screen.

**leise** adj. Ton, Stimme: low; Bewegung, Geräusch, Reden: soft; Hoffnung, Ahnung: faint; ~r stellen turn down.

**Leiste** f ledge; anat. groin.

**leisten** 1. v/t. do; Arbeit, Dienst: perform; Eid: take; Dienst, Hilfe: render; ich kann mir das ~ I can afford it; 2. ♀ ⊕ m last; boot-tree, Am. a. shoe tree.

**Leistung** f performance (a. ⚙, ⊕); Großtat: achievement; Arbeit: work; ⊕ Nutz♀: capacity; Arbeits♀: output; e-r Versicherungsgesellschaft: benefit; ♀**sfähig** adj. productive; tüchtig: efficient; ~s-**fähigkeit** f efficiency; ⊕ productivity, capacity.

**Leitartikel** m leading article, leader, editorial.

**leiten** v/t. lead, guide, conduct (a. phys., ♪); fig. run, manage, operate; Versammlung: preside over; ~d adj. leading; phys. conductive; ~e Stellung key position.

**Leiter** 1. m leader, conductor (a. phys., ♪), guide; fig. manager; 2. f ladder; ~**in** f leader, conductress, guide; fig. manageress; ~**wagen** m rack-wag(g)on.

**Leit|faden** m manual, textbook, guide; ~**motiv** ♪ n leit-motiv; ~**spruch** m motto; ~**ung** f ♀ lead; Stromkreis: circuit; teleph. line; Rohr♀: pipe; Öl♀: pipeline; Führen: lead(ing), conducting, guidance; fig. management, administration, Am. a. operation; phys. conduction.

**Leitungs|rohr** n conduit-pipe; ~**wasser** n tap water.

**Lekt|ion** f lesson; ~**or** m lecturer; Verlags♀: reader; ~**üre** f reading; Bücher: books pl.

**Lende** anat. f loin(s pl.).

**lenk|en** v/t. Schritte: direct (a. fig.); ♣ steer, Fahrzeug: a. drive; regieren: rule, govern; Aufmerksamkeit: draw, call (auf to); ♀**rad** mot. n steering wheel; ♀**stange** f handlebar; ♀**ung** mot. f steering-gear.

**Leopard** zo. m leopard.

**Lerche** orn. f lark.

**lern|begierig** adj. eager to learn, studious; ~**en** v/t. u. v/i. learn.

**Lese** f gathering; s. Weinlese; ~**buch** n reader; ~**lampe** f reading-lamp.

**lesen** 1. v/t. read; ♪ gather; Messe ~

eccl. say mass; 2. v/i. read; univ. (give a) lecture (über on); ~**swert** adj. worth reading.

**Leser** m, ~**in** f reader; ♪ gatherer; Wein♀: vintager; ♀**lich** adj. legible; ~**zuschrift** f letter to the editor.

**Lesezeichen** n book-mark.

**Lesung** parl. f reading.

**letzt** adj. last; schließlich: final; äußerst: ultimate; ~e Nachrichten latest news; das ~e the last thing; der ~ere the latter; zu guter Letzt finally; ~**ens** adv., ~**hin** adv. lately, of late; ~**lich** adv. s. letztens; after all.

**Leucht|e** f light, lamp; fig. a. luminary; ♀**en** v/i. shine; schimmern: gleam; ~**en** n shining, luminosity; ♀**end** adj. shining (a. fig.); bright; luminous; ~**er** m candlestick; s. Kronleuchter; ~**turm** m lighthouse; ~**ziffer** f luminous figure.

**leugnen** v/t. deny, disavow.

**Leumund** m reputation, repute.

**Leute** pl. people pl., einzelne: persons pl.

**Leutnant** ✕ m second lieutenant.

**leutselig** adj. affable.

**Lexikon** n dictionary; Konversations♀: encyclop(a)edia.

**Libelle** zo. f dragon-fly.

**liberal** adj. liberal.

**Licht** 1. n light, Helle: brightness; Lampe: lamp; Kerze: candle; ~ machen ♪ switch od. turn on the light(s pl.); das ~ der Welt erblicken see the light, be born; 2. ♀ adj. light; Höhe, Weite: clear; ~**er** Augenblick ♀ lucid interval; ~**bild** n photo(graph); ~**bildervortrag** m slide lecture; ~**blick** fig. m bright spot; ♀**empfindlich** adj. sensitive to light; phot. sensitive.

**lichten** v/t. Wald: clear; den Anker ~ ♣ weigh anchor; sich ~ Haar: thin.

**Licht|geschwindigkeit** f speed of light; ~**pause** f blueprint; ~**reklame** f neon sign; ~**schacht** m well; ~**schalter** m (light) switch; ~**schein** m gleam of light; ~**signal** n light od. luminous signal; ~**spieltheater** n s. Filmtheater, Kino; ~**strahl** m ray od. beam of light (a. fig.).

**Lichtung** f clearing, glade.

**Lid** n eyelid.

**lieb** *adj.* dear; *nett, freundlich*: nice, kind; *Kind*: good; *in Briefen*: ~**er** *Herr N.* dear Mr N.; es *ist mir* ~, *daß* I am glad that.
**Liebe** *f* love (*zu* of, for); *aus* ~ for love; **2n** *v/t.* love; *gern mögen*: be fond of, like.
**liebenswürdig** *adj.* lovable, amiable; *das ist sehr* ~ *von Ihnen* that is very kind of you; **2keit** *f* amiability.
**lieber 1.** *adj.* dearer; **2.** *adv.* rather, sooner; ~ *haben* prefer, like better.
**Liebes|brief** *m* love-letter; ~**erklärung** *f*: e-e ~ *machen* declare one's love; ~**heirat** *f* love-match; ~**kummer** *m* lover's grief; ~**paar** *n* (courting) couple, lovers *pl.*
**liebevoll** *adj.* loving, affectionate.
**lieb|gewinnen** *v/t.* get *od.* grow fond of; ~**haben** *v/t.* love, be fond of; **2haber** *m* lover (*a. fig.*), beau; **2haberei** *f* hobby; **2haberpreis** *m* fancy price; **2haberwert** *m* sentimental value; ~**lich** *adj.* lovely, charming, delightful.
**Liebling** *m* darling; *Günstling*: favo(u)rite; *bsd. Kind, Tier*: pet; *als Anrede*: darling, F honey; ~**sbeschäftigung** *f* favo(u)rite occupation.
**lieblos** *adj.* unkind; *nachlässig*: careless.
**Lied** *n* song; *Melodie*: tune.
**liederlich** *adj.* slovenly, disorderly; *ausschweifend*: loose, dissolute.
**Lieferant** *m* supplier, purveyor.
**Liefer|auto** *n s. Lieferwagen*; **2bar** *adj.* available; ~**frist** *f* term of delivery; **2n** *v/t.* deliver; *j-m et.* ~ supply s.o. with s.th.; ~**ung** *f* delivery; *Be2*: supply; *Sendung*: consignment; ~**wagen** *m* delivery-van, *Am.* delivery wagon.
**Liege** *f* couch; *Garten2*: bedchair.
**liegen** *v/i.* lie; *Haus etc.*: be (situated); ~ *nach Raum*: face; es *liegt an od. bei ihm zu inf.* it is for him to *inf.*; es *liegt daran, daß* the reason for it is that; es *liegt mir daran zu inf.* I am anxious to *inf.*; ~**bleiben** *v/i.* stay in bed; *Arbeit etc.*: stand over; ✝ *Ware*: remain on hand; ~**lassen** *v/t.* leave (behind); *j-n links* ~ ignore s.o., give s.o. the cold shoulder.
**Liege|stuhl** *m* deck-chair; ~**wagen** 🚂 *m* couchette coach.

**Lift** *m* lift, *Am.* elevator.
**Liga** *f* league.
**Likör** *m* liqueur, cordial.
**lila** *adj.* lilac.
**Lilie** ⚘ *f* lily.
**Limonade** *f Orangen2*: orangeade; *Zitronen2*: lemonade.
**Limousine** *mot. f* saloon car, sedan.
**Linde** ⚘ *f* lime(-tree), linden.
**linder|n** *v/t. Schmerz etc.*: mitigate, alleviate, soothe; *Not*: relieve; **2ung** *f* mitigation, alleviation; relief.
**Lineal** *n* ruler.
**Linie** *f* line; **2ntreu** *pol. adj.*: ~ *sein* follow the party line.
**lin(i)ieren** *v/t.* rule, line.
**link** *adj.* left; ~e *Seite* left(-hand) side, left; *von Stoff*: wrong side; **2e** *f* left hand; ~**isch** *adj.* awkward, clumsy.
**links** *adv.* on *od.* to the left; **2händer** *m* left-hander.
**Linse** *f* ⚘ lentil; *opt.* lens.
**Lippe** *f* lip; ~**nstift** *m* lipstick.
**liquidieren** *v/t.* liquidate (*a. pol.*); ✝ wind up; *Honorar*: charge.
**lispeln** *v/i. u. v/t.* lisp; *flüstern*: whisper.
**List** *f* artifice, ruse, trick; *bsd. Kriegs2*: stratagem.
**Liste** *f* list, roll.
**listig** *adj.* cunning, crafty, sly.
**Liter** *n, m* lit|re, *Am.* -er.
**literarisch** *adj.* literary.
**Literatur** *f* literature; ~**geschichte** *f* history of literature.
**Livree** *f* livery.
**Lizenz** *f* licen|ce, *Am.* -se.
**Lob** *n* praise, commendation; **2en** *v/t.* praise; **2enswert** *adj.* praiseworthy, laudable.
**löblich** *adj. s. lobenswert.*
**Loch** *n* hole; **2en** *v/t.* perforate, pierce; *Fahrkarten etc.*: punch; ~**er** *m* punch, perforator; ~**karte** *f* punch(ed) card.
**Locke** *f* curl, ringlet.
**locken**[1] *v/t. u. v/refl.* curl.
**locken**[2] *v/t. hunt.*: bait; decoy (*a. fig.*); *fig.* allure, entice.
**Locken|kopf** *m* curly head; ~**wickler** *m* curler, roller.
**locker** *adj.* loose; *nicht straff*: *a.* slack; ~**n** *v/t.* loosen, slacken; *Griff*: relax; *Erdreich*: break up; *sich* ~ loosen, (be)come loose; *fig.* relax.
**lockig** *adj.* curly.

Lockmittel

# Lockmittel

**Lock|mittel** n s. Köder; **~vogel** m decoy, stool-pigeon (beide a. fig.).
**lodern** v/i. flare, blaze.
**Löffel** m spoon; Schöpf~: ladle; **~n** v/t. spoon up; **~voll** m spoonful.
**Loge** f thea. box; bsd. Freimaurer~: lodge.
**logisch** adj. logical; **~erweise** adv. logically.
**Lohn** m wages pl., pay(ment); fig. reward; **~empfänger** m wage-earner; **~en** v/refl. pay; es lohnt sich zu inf. it is worth while ger., it pays to inf.; **~end** adj. paying; fig. rewarding; **~erhöhung** f increase in wages, rise, Am. raise; **~steuer** f tax on wages od. salary; **~tüte** f wage-packet.
**lokal** 1. adj. local; 2. ~ n Speise~: restaurant; public house, Am. saloon.
**Lokomotiv|e** f (railway) engine, locomotive; **~führer** m engine-driver, Am. engineer.
**Lorbeer** & m laurel, bay.
**Lore** f lorry, truck.
**Los** n lot; lottery ticket; fig. fate, destiny, lot; durchs ~ entscheiden decide by lot.
**los** 1. pred. adj. loose, free; was ist ~? what is the matter?, F what's up?; ~ sein be rid of; 2. int.: ~! go (on od. ahead)!
**lösbar** adj. soluble; & a. solvable.
**los|binden** v/t. untie, loosen; **~brechen** 1. v/t. break off; 2. v/i. break od. burst out.
**Lösch|blatt** n blotting-paper; **~en** v/t. Feuer: extinguish, put out; mit Löschpapier: blot; von der Tafel: wipe off; Tonband: erase; Feuer, Durst: quench; Kalk: slake; & unload; **~er** m blotter; **~papier** n blotting-paper.
**lose** adj. loose.
**Lösegeld** n ransom.
**losen** v/i. cast od. draw lots (um for.).
**lösen** v/t. loosen, untie; Karte: buy, book; Aufgabe, Problem, Geheimnis: solve; Verlobung: break off; Vertrag: terminate; ~ dissolve; sich ~ loosen; ein Schuß löste sich the gun went off.
**los|fahren** v/i. depart, drive off; **~gehen** v/i. go od. be off; sich lösen: come off, get loose; Gewehr: go off; anfangen: begin, start; F auf j-n ~ fly at s.o.; **~kaufen** v/t.

ransom, redeem; **~ketten** v/t. unchain; **~kommen** v/i. get loose od. free; **~lassen** v/t. let go; Hund: set od. sick (auf on).
**löslich** ~ adj. soluble.
**los|lösen** v/t. detach; **~machen** v/t. unfasten, loosen; sich ~ disengage (von from); **~reißen** v/t. tear off; sich ~ break away; bsd. fig. tear o.s. away (beide: von from); **~sagen** v/refl.: sich ~ von renounce; **~schlagen** 1. v/t. knock off; 2. v/i. open the attack; **~schnallen** v/t. unbuckle; **~schrauben** v/t. un-screw, screw off; **~sprechen** v/t. absolve (von Sünde: of; Ver-pflichtung: from); **~stürzen** v/i.: ~ auf rush at.
**Losung** f ✗ password, watchword; fig. slogan.
**Lösung** f solution (a. fig.); **~s-mittel** n solvent.
**los|werden** v/t. get rid of, dispose of; **~ziehen** v/i. set out, take off, march away.
**Lot** n plumb(-line), plummet.
**löten** v/t. solder.          [(a. fig.).]
**Lotse** & m pilot; **~n** v/t. & pilot}
**Lotterie** f lottery; **~gewinn** m prize; **~los** n lottery ticket.
**Lotto** n numbers pool, lotto.
**Löwe** zo. m lion.
**Löwenanteil** F m lion's share.
**Löwin** zo. f lioness.
**loyal** adj. loyal.
**Luchs** zo. m lynx.
**Lücke** f gap; leere Stelle: blank (beide a. fig.); **~nbüßer** m stopgap; **~nhaft** adj. full of gaps; fig. defective, incomplete; **~nlos** adj. without a gap; fig. complete; **~er Beweis** close argument.
**Luft** f air; frische ~ schöpfen take the air; aus der ~ gegriffen (totally) unfounded, fantastic; in die ~ fliegen be blown up, explode; in die ~ sprengen blow up.
**Luft|angriff** m air raid; **~ballon** m (air-)balloon; **~blase** f air-bubble; **~brücke** f air-lift.
**Lüftchen** n gentle breeze.
**luft|dicht** adj. air-tight; **~druck** phys. m atmospheric od. air pressure.
**lüften** 1. v/i. air; 2. v/t. air; Hut: raise; Schleier: lift; Geheimnis: disclose.
**Luft|fahrt** f aviation, aeronautics;

**~feuchtigkeit** *f* atmospheric humidity; **2ig** *adj.* airy; *windig:* breezy; **~kissen** *n* air-cushion; **~krankheit** *f* air-sickness; **~krieg** *m* aerial warfare; **~kurort** *m* climatic health resort; **2leer** *adj.: ~er Raum* vacuum; **~linie** *f* air line, bee-line; **~post** *f* air mail; **~pumpe** *f* air-pump; **~röhre** *anat. f* windpipe, trachea; **~schloß** *n* castle in the air; **~sprünge** *m/pl.: ~ machen* cut capers *pl.*, gambol.
**Lüftung** *f* airing; *künstliche:* ventilation.
**Luft|veränderung** *f* change of air; **~verkehr** *m* air-traffic; **~verkehrsgesellschaft** *f* airway, *Am.* airline; **~waffe** ✕ *f* air force; **~weg** *m* airway; *auf dem ~* by air; **~zug** *m* draught, *Am.* draft.
**Lüge** *f* lie, falsehood.
**lügen** *v/i.* (tell a) lie; **~haft** *adj. Person:* lying; *Sache:* untruthful, mendacious.                        [*lügenhaft.*\
**Lügner** *m,* **~in** *f* liar; **2isch** *adj. s.*\
**Luke** *f* skylight; *Boden2:* hatch (*a.* ⚓, ✈).
**Lümmel** *m* lout, boor; *Frechling:* saucy fellow; **2n** *v/refl.* lounge.
**Lump** *m* cad, *sl.* heel.
**Lumpen** 1. *m* rag; 2. 2 F *v/i.: sich nicht ~ lassen* come down handsomely; **~pack** *n* rabble, riff-raff; **~sammler** *m* rag-picker.

**lumpig** *adj.* shabby, paltry, mean.
**Lunge** *anat. f* lungs *pl.*
**Lungen|entzündung** 𝔰 *f* pneumonia; **~flügel** *anat. m* lung.
**lungern** *v/i. s. herumlungern.*
**Lupe** *f* magnifying glass; *unter die ~ nehmen* scrutinize.
**Lust** *f* pleasure, delight; *sinnliche:* lust; **~ haben zu** *inf.* have a mind to *inf.*, feel like *ger.*; *haben Sie ~ auszugehen?* would you like to go out?
**lüstern** *adj.* greedy (*nach* of); lewd, lascivious.
**lustig** *adj.* merry, gay; *von Natur:* jolly, cheerful; *belustigend:* amusing, funny; *sich ~ machen über* make fun of; **2keit** *f* gaiety, mirth, jollity, cheerfulness; fun.
**Lüstling** *m* voluptuary, libertine.
**lust|los** *adj.* dull, spiritless; † flat; **2mord** *m* rape and murder; **2spiel** *n* comedy.
**lutschen** *v/i. u. v/t.* suck.
**Luv** ⚓ *f* luff, windward.
**luxuriös** *adj.* luxurious.
**Luxus** *m* luxury (*a. fig.*); **~artikel** *m* luxury; **~ausgabe** *f* de luxe edition.
**Lymphdrüse** *anat. f* lymphatic gland.
**lynchen** *v/t.* lynch.
**Lyrik** *f* lyric verses *pl.*, lyrics *pl.*; **~er** *m* lyric poet.
**lyrisch** *adj.* lyric(al).

# M

**Maat** ⚓ *m* (ship's) mate.
**machen** 1. *v/t.* make; *tun:* do; *herstellen:* make, produce, manufacture; *Appetit etc.:* give; *Prüfung:* sit for, undergo; *Rechnung:* come *od.* amount to; *glücklich etc.:* make; *was macht das (aus)?* what does it matter?; *das macht nichts!* never mind!, that's (quite) all right!; *da(gegen) kann man nichts ~* it cannot be helped; *ich mache mir nichts daraus* I don't care about it; *mach, daß du fortkommst!* off with you!; *j-n ~ lassen, was er will* let s.o. do as he pleases; *sich ~ an* go

*od.* set about; *sich et. ~ lassen* have s.th. made; 2. F *v/i.: na, mach schon!* hurry up!; **2schaften** *f/pl.* machinations *pl.*
**Macht** *f* power (*a. Staat*), *stärker:* might; *gesetzmäßige:* authority; *Gewalt:* control (*über* of); *an der ~ pol.* in power; **~befugnis** *f* authority, power; **~haber** *pol. m* ruler.
**mächtig** *adj.* powerful (*a. fig.*); mighty; *riesig:* immense, huge; *e-r Sache ~ sein* be master of; *e-r Sprache:* have command of.
**Macht|kampf** *m* struggle for pow-

**machtlos**

438

er; **Qlos** adj. powerless; **~politik** f power politics sg., pl.; **~wort** n: ein ~ sprechen put one's foot down.
**Machwerk** n bungle(d piece of work).
**Mädchen** n girl; Dienst2: maid (-servant); ~ für alles maid of all work; **Qhaft** adj. girlish; **~name** m girl's name; e-r Frau: maiden name. [worm.]
**Made** zo. f maggot, mite; Obst2:)
**Mädel** n girl, lass(ie).
**madig** adj. maggoty, full of mites; Obst: wormeaten.
**Magazin** n Lagerhaus: store, warehouse; ✕, e-s Gewehres, Zeitschrift: magazine.
**Magd** f maid(servant).
**Magen** m stomach, F tummy; Tier2: maw; **~beschwerden** f/pl. stomach trouble; **~geschwür** ✗ n gastric ulcer; **~krebs** ✗ m stomach cancer.
**mager** adj. meag|re, Am. -er (a. fig.); Mensch, Tier, Fleisch: lean; **Qmilch** f skim milk.
**Magi|e** f magic; **Qsch** adj. magic(al).
**Magister** östr. m s. Apotheker.
**Magistrat** m municipal od. town council.
**Magnet** m magnet (a. fig.), natürlicher: lodestone; **Qisch** adj. magnetic; **Qisieren** v/t. magnetize; **~nadel** f magnetic needle.
**Mahagoni** n mahogany.
**mähen** v/t. cut, mow, reap.
**Mahl** n meal, repast.
**mahlen 1.** v/t. grind, mill; **2.** v/i. Räder: spin.
**Mahlzeit** f meal, F feed.
**Mähne** f mane.
**mahn|en** v/t. remind, admonish (beide: an of); j-n wegen e-r Schuld ~ press s.o. for payment, dun s.o.; **Qmal** ✝ memorial; **Qung** f admonition; ✝ reminder, dunning.
**Mai** m May; **~baum** m maypole; **~glöckchen** ♀ n lily of the valley; **~käfer** zo. m cockchafer, maybeetle, may-bug. [corn.]
**Mais** ♀ m maize, Indian corn, Am.)
**Majestät** f majesty; **Qisch** adj. majestic.
**Major** ✕ m major.
**Makel** m blemish; fig. a. stain; **Qlos** adj. immaculate (a. fig.).
**mäkeln** F v/i. find fault (an with), carp (at), F pick (at).

**Makler** ✝ m broker; **~gebühr** ✝ f brokerage.
**Mal¹** n mark, sign; Fleck: spot, stain; Mutter2: birth-mark, mole.
**Mal² 1.** n time; für dieses ~ this time; zum ersten ~e for the first time; mit e-m ~e all at once, all of a sudden; **2.** Q adv. times, multiplied by.
**malen** v/t. paint; j-n: portray.
**Maler** m painter; als Künstler oft: artist; **~ei** f painting; **Qisch** fig. adj. picturesque.
**Malkasten** m paint-box. [by).)
**malnehmen** A v/t. multiply (mit)
**Malz** n malt.
**Mama** f mamma, mammy, F ma, Am. F a. mummy, mom.
**man** indef. pron. one, you, we; they, people; ~ sagte mir I was told.
**manch|(er, -e, -es)** indef. pron. many a; manche pl. some, several; **~erlei** adj. diverse, different; all sorts of; substantivisch: many od. various things; **~mal** adv. sometimes, at times.
**Mandant** ⚖ m client.
**Mandarine** ♀ f tangerine.
**Mandat** ⚖, pol. n mandate.
**Mandatar** östr. m s. Abgeordnete.
**Mandel** f ♀ almond; anat. tonsil; **~entzündung** ✗ f tonsillitis.
**Manege** f (circus-)ring.
**Mangel¹** m want, lack, deficiency; Knappheit: shortage; Armut: penury; Fehler, Unzulänglichkeit: defect, shortcoming; aus ~ an for want of; ~ leiden an be in want of.
**Mangel²** f mangle.
**mangelhaft** adj. fehlerhaft: defective; ungenügend: deficient; unbefriedigend: unsatisfactory.
**mangeln** v/t. Wäsche: mangle.
**mangels** prp. for lack od. want of.
**Mangelware** ✝ f: ~ sein be scarce.
**Manie** f mania.
**Manier|en** f/pl. manners pl.; **Qlich** adv.: sich ~ betragen behave (o.s.).
**Manifest** n manifesto.
**Mann** m man; Ehe2: husband.
**Männchen** n little man; zo. male; orn. cock.
**Mannes|alter** n manhood; **~kraft** f virility.
**mannig|fach, ~faltig** adj. manifold, various, diverse; **Qfaltigkeit** f variety, diversity.
**männlich** adj. male; gr. masculine;

*fig.* manly; **2keit** *f* manhood, virility.

**Mannschaft** *f* men *pl.*; ⚓, ✠ *pol.* m Marxian, Marxist; **2tisch** crew; *Sport:* team.

**Manöv|er** *n* manœuvre, *Am.* maneuver; **2rieren** *v/i.* manœuvre, *Am.* maneuver.

**Mansarde** *f* attic, garret; **~n-fenster** *n* dormer-window.

**Manschette** *f* cuff; **~knopf** *m* cuff-link.

**Mantel** *m* coat; *Überzieher:* overcoat, *schwerer:* greatcoat; *Umhang:* cloak, mantle (*beide a. fig.*); ⊕ case, jacket; *Fahrrad2:* (outer) cover.

**Manuskript** *n* manuscript; *typ. druckreifes:* copy.

**Mappe** *f* portfolio, brief-case; *Aktendeckel:* folder; *s. a. Schreib-mappe, Schulmappe.*

**Märchen** *n* fairy-tale; *fig.* (cock-and-bull) story, fib; **~buch** *n* book of fairy-tales; **2haft** *adj.* fabulous.

**Marder** *zo.* *m* marten.

**Marille** *östr. f* apricot.

**Marine** *f* marine; *Kriegs2:* navy.

**marinieren** *v/t.* pickle, marinade.

**Marionette** *f* puppet, marionette; **~ntheater** *n* puppet-show.

**Mark 1.** *f Münze:* mark; **2.** *n anat.* marrow; ⚘ pith; *fig.* core.

**Marke** *f* mark, sign; *Brief2 etc.:* stamp; ✠ brand, trade mark; **~nartikel** ✝ *m* branded article.

**markier|en** *v/t.* mark (*a. Sport*); **2.** F *fig. v/i.* put it on; **2ung** *f* mark(ing).

**Markise** *f* blind, (window-)awning.

**Markstein** *fig. m* landmark.

**Markt** ✝ *m* market; *auf den ~ bringen* ✝ put on the market; **~flecken** *m* small market-town; **~platz** *m* market-place.

**Marmelade** *f* jam; *Orangen2:* marmalade.                    [marble.]

**Marmor** *m* marble; **2n** *adj.* (of)⟩

**Marotte** *f* fancy, whim, caprice.

**Marsch 1.** *m* march (*a.* ♩); **2.** *f* marsh, fen.

**Marschall** *m* marshal.

**Marsch|befehl** ✕ *m* marching orders *pl.*; **2ieren** *v/i.* march; **~land** *n* marshy land.

**Marter** ✝ *f* torment, torture; **2n** *v/t.* torment, torture; **~pfahl** *m* stake.

**Märtyrer** *m* martyr; **~tod** *m* martyr's death; **~tum** *n* martyr-dom.

**Marxis|mus** *pol.* m Marxism; **~t** *pol.* m Marxian, Marxist; **2tisch** *pol. adj.* Marxian, Marxist.

**März** *m* March.

**Marzipan** *n*, ⚘ *m* marzipan, marchpane.

**Masche** *f* mesh; *Strick2:* stitch; F *fig.* trick, line; **2nfest** *adj.* ladder-proof, *Am.* run-proof.

**Maschine** *f* machine; *Motor:* engine.

**maschinell** *adj.* mechanical; *~e Bearbeitung* machining.

**Maschinen|bau** ⊕ *m* mechanical engineering; **~gewehr** *n* machine-gun; **~pistole** *f* sub-machine-gun; **~schaden** *m* engine trouble; **~schlosser** *m* (engine) fitter.

**Maschin|erie** *f* machinery; **2ist** *m* machinist.

**Masern** ⚕ *pl.* measles *pl.*

**Mask|e** *f* mask (*a. fig.*); **~enball** *m* fancy-dress *od.* masked ball; **2ieren** *v/t.* mask; *sich ~* put on a mask; dress o.s. up (*als as*).

**Maß 1.** *n* measure; *Verhältnis:* proportion; *Mäßigung:* moderation; *~e und Gewichte* weights and measures; *~e pl. e-s Raumes etc.:* measurements *pl.*; **2.** *f Bier: appr.* quart.

**Massage** *f* massage.

**Massaker** *n* massacre.

**Maßanzug** *m* tailor-made suit.

**Masse** *f* mass; *Haupt2:* bulk; *Substanz:* substance; *Volk:* multitude, crowd; ⚖ *Erbschafts2, Konkurs2:* assets *pl.*, estate; F *e-e ~* a lot of, F lots *pl. od.* heaps *pl.* of.

**Maßeinheit** *f* measuring unit.

**Massen|grab** *n* common grave; **2haft** *adj.* abundant; **~produktion** ✝ *f* mass production; **~versammlung** *f* mass meeting.

**Masseu|r** *m* masseur; **~se** *f* masseuse.

**maß|gebend** *adj.* standard; *entscheidend:* authoritative, decisive; *Kreise:* influential, leading; **~halten** *v/i.* keep within limits, be moderate.

**massieren** *v/t.* massage, knead.

**massig** *adj.* massy, bulky.

**mäßig** *adj.* moderate; *Ergebnis etc.:* poor; **~en** *v/t. u. v/refl.* moderate; **2ung** *f* moderation; restraint.

**massiv 1.** *adj.* massive, solid; **2.** 2 *geol.* massif.

**Maß|krug** *m* beer-mug, *Am.* a.

stein; 2**los** *adj.* immoderate; *über-*
*trieben*: excessive; 2**nahme** *f*
measure, step; 2**regeln** *v/t.* reprimand; **~stab** *m* measure, rule(r);
*e-r Karte*: scale; *fig.* yardstick,
standard; 2**voll** *adj.* moderate.

**Mast**[1] ⚓ *m* mast.

**Mast**[2] 🗲 *f* fattening; **~futter**: mast,
food; **~darm** *anat. m* rectum.

**mästen** *v/t.* fatten, feed; *Geflügel*:
stuff, cram.

**Match** *östr. n* match, *Am.* game.

**Material** *n* material (*a. fig.*);
*Beweis*2: evidence; **~ismus** *phls. m*
materialism; **~ist** *m* materialist;
2**istisch** *adj.* materialistic.

**Materie** *f* matter (*a. fig.*), stuff; *fig.*
subject; 2**ll** *adj.* material.

**Mathemati|k** *f* mathematics *sg., pl.*;
**~ker** *m* mathematician; 2**sch** *adj.*
mathematical. [ance.]

**Matinee** *thea. f* morning perform-)

**Matratze** *f* mattress.

**Matrose** ⚓ *m* sailor, seaman.

**Matsch** *m* mud, slush (*a. Schnee*2);
2**ig** *adj.* pulpy, muddy, slushy.

**matt** *adj. schwach*: faint, feeble;
*Stimme etc.*: faint; *trübe*: mat(t);
*Auge, Licht*: dim; *Farben, Licht*
*etc.*: dull; *Metall*: tarnished; *Gold*:
dead; *Schachspiel*: mated; 🗲 *Birne*:
non-glare; *Glas*: ground, frosted.

**Matte** *f* mat. [ness, faintness.)

**Mattigkeit** *f* exhaustion, feeble-)

**Mattscheibe** *f phot.* focus(s)ing
screen; *Bildschirm*: screen.

**Matura** *östr. f* school-leaving examination.

**Mauer** *f* wall; **~blümchen** *fig.*
*n* wall-flower; **~werk** *n* masonry,
brickwork.

**Maul** *n* mouth; *sl.*: *halt's* **~**! shut
up!; 2**en** *F v/i.* sulk, pout; **~esel** *zo.*
*m* hinny; **~korb** *m* muzzle; **~schel-**
**le** F *f* box on the ear; **~tier** *zo. n*
mule; **~wurf** *zo. m* mole.

**Maurer** *m* bricklayer, mason; **~-**
**meister** *m* master mason; **~polier**
*m* bricklayers' foreman.

**Maus** *zo. f* mouse; **~efalle** *f* mouse-
trap; 2**en 1.** *v/i.* catch mice; **2.** F *v/t.*
pinch, pilfer. [be mo(u)lting.)

**Mauser** *f* mo(u)lt(ing); *in der* **~** *sein*)

**Maut** *östr. f* duty, toll.

**Maximum** *n* maximum.

**Mayonnaise** *f* mayonnaise.

**Mechani|k** *f phys.* mechanics *mst*
*sg.*; ⊕ mechanism; **~ker** *m* me-

chanic; 2**sch** *adj.* mechanical; 2-
**sieren** *v/t.* mechanize; **~smus** ⊕
*m* mechanism; *Triebwerk, Uhrwerk*:
works *pl.*

**meckern** *v/i.* bleat; *fig.* grumble
(*über* over, at, about).

**Medaill|e** *f* medal; **~on** *n* locket.

**Medikament** *n* medicament, *bsd.*
*zum Einnehmen*: medicine.

**Medizin** *f* (science of) medicine;
*Arznei*: medicine, F physic; **~er** *m*
*Arzt*: physician; *Student*: medical
student; 2**isch** *adj.* medical; *heil-*
*kräftig*: medicinal; *Seife etc.*:
medicated.

**Meer** *n* sea (*a. fig.*), ocean; **~busen**
*m* gulf, bay; **~enge** *f* strait(s *pl.*);
**~esspiegel** *m* sea level; **~rettich** ♥
*m* horse-radish; **~schweinchen** *zo.*
*n* guinea-pig.

**Mehl** *n* flour; *grobes*: meal; **~brei** *m*
(meal-)pap; 2**ig** *adj.* floury, mealy,

**mehr** *adv.* more; *nicht* **~** no more,
no longer; *ich habe nichts* **~** I have
nothing left; 2**ausgaben** *f/pl.* additional expenditure; 2**betrag** *m*
surplus; **~deutig** *adj.* ambiguous;
2**einnahme(n** *pl.*) *f* additional
receipts *pl.*; **~ere** *adj. u. indef. pron.*
several, some; **~fach** *adj.* repeated;
2**heit** *f* majority; 2**kosten** *pl.* additional expense; **~malig** *adj.* repeated; **~mals** *adv.* several times,
repeatedly; 2**verbrauch** *m* excess
consumption; 2**wertsteuer** 🕇 *f*
value-added tax; 2**zahl** *f* majority;
*gr.* plural (form); *die* **~** (*gen.*) *most*
of.

**meiden** *v/t.* avoid, shun.

**Meile** *f* mile.

**mein** *poss. pron.* my; *der* (*die, das*)
**~e** my; *die Meinen pl.* my family,
F my people *od.* folks *pl.*; **~e** *Damen*
*und Herren!* Ladies and Gentlemen!

**Meineid** 🕇🕇 *m* perjury.

**meinen** *v/t.* think, believe, *Am. a.*
reckon, guess; *äußern*: say; *sagen*
*wollen, beabsichtigen*: mean; *wie* **~**
*Sie das?* what do you mean by
that?; **~** *Sie das ernst?* do you
(really) mean it?; *es gut* **~** mean
well.

**meinetwegen** *adv.* for my sake;
*wegen*: because of me; *von mir aus*:
for all I care; I don't mind *od.* care!

**Meinung** *f* opinion (*über, von* about,
of); *meiner* **~** *nach* in my opinion;

*j-m (gehörig) die* ~ *sagen* give s.o. a piece of one's mind; **~saustausch** *m* exchange of views (*über on*); **~sverschiedenheit** *f* difference of opinion (*über on*); *leichter Streit:* disagreement.

**Meise** *orn. f* titmouse.

**Meißel** *m* chisel; **2n** *v/t. u. v/i.* chisel, carve.

**meist 1.** *adj.* most; *die ~en Leute* most people; *die ~e Zeit* most of the time; **2.** *adv.:* *s. meistens*; *am ~en* most (of all); **2bietende** *m* highest bidder; **~ens** *adv.* mostly, usually.

**Meister** *m* master; *sl.* boss; *Sport:* champion; **2haft 1.** *adj.* masterly; **2.** *adv.* in a masterly manner *od.* way; **2n** *v/t.* master; **~schaft** *f Können:* mastery; *Sport:* championship, title; **~stück** *n*, **~werk** *n* masterpiece.

**Melancholi|e** *f* melancholy; **2sch** *adj.* melancholy; ~ *sein* F have the blues.

**meld|en** *v/t.* announce; *j-m et.* ~ inform s.o. of s.th.; *amtlich:* notify s.th. to s.o.; *j-n* ~ enter s.o. (*für, zu for*); *sich* ~ report (*o.s.*) (*bei to*); *in der Schule etc.:* put up one's hand; answer the telephone; enter (*für, zu for*); *sich auf ein Inserat* ~ answer an advertisement; **2ung** *f* announcement; *Mitteilung:* information; *schriftliche:* advice; *dienstliche, Zeitungs*2: report; *bei e-r Behörde:* registration; *Sport:* entry.

**melken** *v/t.* milk.

**Melodi|e** ♩ ♪ *f* melody, tune, air; **2sch** *adj.* melodious, tuneful.

**Melone** *f* 🍈 melon; F *Hut:* bowler (-hat), *Am.* derby.

**Membran(e)** *f* membrane; *teleph.* diaphragm.

**Memoiren** *pl.* memoirs *pl.*

**Menge** *f* quantity, amount; *Vielzahl:* multitude; *Menschen*2: crowd; *e-e* ~ *Geld* plenty of money, F lots *pl.* of money; *e-e* ~ *Bücher* a great many books; **2n** *v/t. s. mischen*.

**Mensch** *m* human being; *der* ~ *als Gattung:* man; *einzelner:* person, individual; *die ~en pl.* people *pl.*, the world, mankind; *kein* ~ nobody.

**Menschen|affe** *zo. m* ape; **~alter** *n* generation; **~feind** *m* misanthropist; **~fresser** *m* cannibal, man-eater (*a. Tier*); **~freund** *m* philanthropist; **~gedenken** *n: seit* ~ *from time immemorial*; **~kenner** *m* judge of men *od.* human nature; **~kenntnis** *f* knowledge of human nature; **~leben** *n* human life; **2leer** *adj.* deserted; **~menge** *f* crowd, throng; **2möglich** *adj.* humanly possible; **~rechte** *n/pl.* human rights *pl.*; **2scheu** *adj.* shy; **~seele** *f: keine* ~ not a living soul; **~verstand** *m: gesunder* ~ common sense; **~würde** *f* dignity of man.

**Menschheit** *f* human race, mankind.

**menschlich** *adj.* human; *fig.* humane; **2keit** *f* humanity, humaneness.

**Mentalität** *f* mentality.

**Merk|blatt** *n* leaflet; **2en** *v/t. wahrnehmen:* notice, perceive; *entdecken:* find out, discover; *sich et.* ~ remember s.th., bear s.th. in mind; **2lich** *adj.* noticeable, perceptible; **~mal** *n* mark; *Eigentümlichkeit:* characteristic, feature.

**merkwürdig** *adj.* strange, odd, curious; **~erweise** *adv.* strange to say, strangely enough.

**meßbar** *adj.* measurable.

**Messe** *f* ✝ fair; *eccl.* mass; ⚔, ⚓ mess.

**messen** *v/t.* measure; ⚓ *loten:* sound; *sich nicht mit j-m* ~ *können* be no match for s.o.; *gemessen an* compared with.

**Messer** *n* knife; ⚔ scalpel; *bis aufs* ~ to the knife; *auf des* ~ *Schneide stehen* be on a razor-edge *od.* razor's edge; **~stecherei** *f* knifing; **~stich** *m* stab (with a knife).

**Messing** *n* brass; **~blech** *n* sheet brass.

**Meßinstrument** *n* measuring instrument.

**Metall** *n* metal; **~arbeiter** *m* metal worker; **2en** *adj.* (of) metal, metallic; **~glanz** *m* metallic lust|re, *Am.* -er; **2haltig** *adj.* containing metal, metalliferous; **~industrie** *f* metallurgical industry; **~waren** *f/pl.* hardware.

**Meteor** *ast. m* meteor; **~ologe** *m* meteorologist; **~ologie** *f* meteorology.

**Meter** *n*, *m* met|re, *Am.* -er; **~maß** *n* tape-measure.

**Method|e** *f* method; ⊕ *a.* technique; **2isch** *adj.* methodical.

**Metropole** f metropolis.

**Metzelei** f slaughter, massacre.

**Metzger** m butcher; **~ei** f butcher's (shop).

**Meuchel|mord** m assassination; **~mörder** m assassin.

**Meute** f pack (of hounds); fig. gang; **~rei** f mutiny; **~rer** m mutineer; **2rn** v/i. mutiny (gegen against).

**mich** pers. pron. me; ~ (selbst) myself.

**Mieder** n Leibchen: bodice; Korsett: corset; **~waren** f/pl. foundation garments pl.

**Miene** f countenance, air; gute ~ zum bösen Spiel machen grin and bear it.

**mies** F adj. miserable, poor.

**Miet|e** f rent; für bewegliche Sachen: hire; zur ~ wohnen be a tenant; **2en** v/t. rent; Pferd etc.: hire; pachten: (take on) lease; ♪, ✂ charter; **~er** m tenant, einzelner Zimmer: lodger; **2frei** adj. rent-free; **~shaus** n block of flats, Am. apartment house; **~vertrag** m tenancy agreement, für längere Zeit: lease; **~wohnung** f flat, Am. apartment.

**Migräne** ✿ f migraine, megrim.

**Mikrophon** n microphone, F mike.

**Mikroskop** n microscope; **2isch** adj. microscopic(al).

**Milbe** zo. f mite.

**Milch** f milk; Fisch2: milt, soft roe; **~gesicht** n baby face; **~glas** n frosted glass; **2ig** adj. milky; **~kännchen** n (milk-)jug; **~kanne** f milk-can; **~mädchen** F n dairymaid; **~mann** F m milkman; **~reis** m rice-milk; **~straße** ast. f Milky Way, Galaxy; **~wirtschaft** f dairyfarm(ing); **~zahn** m milk-tooth.

**mild** 1. adj. mild; Luft, Wetter: mild, soft; Licht: soft; Vorwurf etc.: gentle; 2. adv.: et. ~ beurteilen take a lenient view of s.th.

**milde** 1. adj. s. mild 1; 2. adv.: ~ gesagt to put it mildly; 3. 2 f mildness; softness; smoothness; gentleness.

**mildern** v/t. soften, mitigate; Schmerz: soothe, alleviate; **~d** adj.: **~e** Umstände ₫ extenuating od. mitigating circumstances.

**mildtätig** adj. charitable.

**Milieu** n surroundings pl., environment; Lokalkolorit: local colo(u)r.

**Militär** n the military, armed forces

pl.; Heer: army; **~dienst** m military service; **~gericht** n court martial; **2isch** adj. military; **~regierung** f military government; **~zeit** f term of military service.

**Milliarde** f milliard, Am. billion.

**Millimeter** n, m millimet|re, Am. -er.

**Million** f million; **~är** m millionaire.

**Milz** anat. f spleen, milt.

**minder** 1. adj. s. geringer; 2. adv. less; nicht ~ no less, likewise; **~begabt** adj. less gifted; **2heit** f minority; **~jährig** adj. under age, minor; **2jährigkeit** f minority.

**minderwertig** adj. inferior, of inferior quality; **2keit** f inferiority; † inferior quality; **2keitskomplex** m inferiority complex.

**mindest** adj. least; geringst: slightest; kleinst: minimum; nicht die ~e Aussicht not the slightest chance; nicht im ~en not in the least, by no means; zum ~en at least; **2alter** n minimum age; **2anforderungen** f/pl. minimum requirements pl.; **2betrag** m lowest amount; **2einkommen** n minimum income; **~ens** adv. at least; **2lohn** m minimum wage; **2maß** n minimum; auf ein ~ herabsetzen minimize; **2preis** m minimum price.

**Mine** f 🏔, ✕, ⚓ mine; Bleistift2: lead; Kugelschreiber2, Ersatz2: refill.

**Mineral** n mineral; **~ogie** f mineralogy; **~wasser** n mineral water.

**Miniatur** f miniature.

**Minirock** m miniskirt.

**Minister** m minister, Brt. a. secretary (of state), Am. secretary; **~ium** n ministry, Brt. a. office, Am. department; **~präsident** m prime minister, premier; in Deutschland etc.: minister president.

**minus** adv. minus, less, deducting.

**Minute** f minute; **~nzeiger** m minute-hand.

**mir** pers. pron. (to) me.

**Misch|ehe** f mixed marriage; **2en** v/t. mix, mingle; verschiedene Sorten: blend; Metalle: alloy; Karten: shuffle; sich ~ in einmischen: interfere in; in ein Gespräch: join in; sich ~ unter mix od. mingle with; **~ling** m half-breed, half-caste; ♀, zo. hybrid; **~masch** F m hotchpotch, jumble; **~ung** f mixture; blend; alloy.

**miß|achten** v/t. disregard, ignore, neglect; *verachten*: slight, despise; **2achtung** f disregard, neglect; **2behagen** n discomfort, uneasiness; **2bildung** f malformation, deformity; **~billigen** v/t. disapprove (of); **2brauch** m abuse; *falsche Anwendung*: misuse; **~brauchen** v/t. abuse; misuse.

**missen** v/t. miss; *entbehren*: do without, dispense with.

**Miß|erfolg** m failure, fiasco, **~ernte** f bad harvest, crop failure.

**Misse|tat** f misdeed; *Verbrechen*: crime; **~täter** m wrongdoer, offender; *Verbrecher*: criminal.

**miß|fallen** v/i.: j-m ~ displease s.o.; **2fallen** n displeasure, dislike; **2geburt** f monster, freak (of nature); **2geschick** n bad luck, misfortune; *Panne etc.*: mishap; **~glücken** v/i. fail; **~gönnen** v/t.: j-m et. ~ envy od. grudge s.o. s.th.; **2griff** m mistake, blunder; **2gunst** f envy, jealousy; **~handeln** v/t. ill-treat; *schlagen*: maul; **2handlung** f illtreatment; mauling; ⚖ assault and battery.

**Mission** f mission (a. pol. u. fig.); **~ar** m missionary.

**Miß|klang** m dissonance, discord (*beide a. fig.*); **~kredit** fig. m discredit; *in ~ bringen* bring discredit upon; **2lich** adj. awkward, unpleasant; **2lingen** v/i. fail; **2mutig** adj. ill-humo(u)red; discontented; **2raten** 1. v/i. fail; turn out badly; 2. adj. wayward; ill-bred; **~stand** m nuisance, grievance; **2trauen** v/i.: j-m ~ distrust od. mistrust s.o.; **~trauen** n distrust, mistrust; **2trauisch** adj. distrustful, suspicious; **2vergnügt** adj. displeased; *unzufrieden*: discontented; **~verhältnis** n disproportion, incongruity; **~verständnis** n misunderstanding; **2verstehen** v/t. misunderstand; *j-s Absichten etc.*: mistake; **~wirtschaft** f maladministration, mismanagement.

**Mist** m dung, manure; F fig. trash, rubbish; **~beet** n hotbed.

**Mistel** ♀ f mistletoe.

**Mist|gabel** f dung-fork; **~haufen** m dung-hill.

**mit** 1. prp. with; ~ 20 Jahren at the age of) twenty; ~ e-m Schlage at a blow; ~ Gewalt by force; ~ der Bahn by train; 2. adv. also, too.

**Mit|arbeiter** m co-worker; *künstlerischer, wissenschaftlicher*: collaborator; *Kollege*: colleague; *e-r Zeitung*: contributor (*an* to); **2benutzen** v/t. use jointly od. in common; **~besitzer** m joint owner; **~bestimmungsrecht** n right of codetermination; **~bewerber** m competitor; **~bewohner** m co-inhabitant, fellow-lodger; **2bringen** v/t. bring along (with one); **~bürger** m fellow-citizen; **2einander** adv. with each other, with one another; *zusammen*: together, jointly; **~erbe** m co-heir; **~esser** 𝟿 m blackhead; **2fahren** v/i.: *mit j-m* ~ drive od. go with s.o.; *j-n* ~ *lassen* give s.o. a lift; **2fühlend** adj. sympathetic; **2geben** v/t. give along (*dat.* with); **~gefühl** n sympathy; **2gehen** v/i.: *mit j-m* ~ go with s.o.; **~gift** f dowry, marriage portion.

**Mitglied** n member; **~sbeitrag** m subscription; **~schaft** f membership.

**Mit|inhaber** m partner; **2kommen** v/i. come along (*mit* with); fig. be able to follow.

**Mitleid** n compassion, pity; *Mitgefühl*: sympathy; *aus ~* out of pity; ~ *haben mit* have od. take pity on; **~enschaft** f: *in ~ ziehen* affect; *beschädigen*: damage; **2ig** adj. compassionate, pitiful.

**mit|machen** 1. v/i. join; 2. v/t. take part in, participate in; *die Mode*: follow, go with; *erleben*: go through; **2mensch** m fellow creature; **~nehmen** v/t. take along (with one); fig. exhaust, wear out; *j-n (im Auto)* ~ give s.o. a lift; **2rechnen** v/t. include (in the account); *nicht mitgerechnet* not counting; **~reden** 1. v/i. join in the conversation; 2. v/t.: *ein Wort od. Wörtchen mitzureden haben* have a say (*bei* in); **~reißen** v/t. tear od. drag along; fig. be carried away by.

**Mitschuld** f complicity (*an* in); **2ig** adj. accessary (*an* to); **~ige** m accessary, accomplice.

**Mitschüler** m schoolfellow.

**mitspiele|n** v/i. join in a game; *Sport*: be on the team; *thea.* appear, star; fig. *Sache*: be involved); j-m *arg od. übel* ~ play s.o. a mean trick; ~r *m* partner.

**Mittag** *m* midday, noon; *heute mittag* at noon today; *zu ~ essen* lunch, dine; ~**essen** *n* lunch(eon), dinner; ~**s** *adv.* at noon.

**Mittags|pause** *f* lunch hour; ~**ruhe** *f* midday rest; ~**schlaf** *m*, ~**schläfchen** *n* after-dinner nap, siesta; ~**stunde** *f* noon; ~**tisch** *fig. m* lunch, dinner; ~**zeit** *f* noon(tide); *Essenszeit*: lunch- *od.* dinner-time.

**Mitte** *f* middle; *Mittelpunkt*: cent|re, *Am.* -er; ~ *Juli* in the middle of July; ~ *Dreißig* in one's middle thirties.

**mitteil|en** *v/t.* communicate; *j-m et.* ~ inform s.o. of s.th.; ~**sam** *adj.* communicative; 2**ung** *f* communication; information.

**Mittel** *n* means, way; *Heil*2: remedy (gegen for); *Durchschnitt*: average; *Å* mean; *phys.* medium; ~ *pl.* means *pl.*, money; ~ *und Wege* ways and means; ~**alter** *n* Middle Ages *pl.*; 2**alterlich** *adj.* medi(a)eval; ~**ding** *n*: *ein* ~ *zwischen ... und ...* something between ... and ...; ~**finger** *m* middle finger; 2**groß** *adj.* of medium height; medium-sized; ~**läufer** *m Sport*: cent|re (*Am.* -er) half back; 2**los** *adj.* without means, destitute; 2**mäßig** *adj.* middling, mediocre; ~**punkt** *m* cent|re, *Am.* -er; 2**s** *prp.* by (means of), through; ~**schule** *f* intermediate school, *Am.* appr. junior high school; ~**smann** *m* mediator, go-between; ~**stand** *m* middle class(es *pl.*); ~**stürmer** *m Sport*: cent|re (*Am.* -er) forward; ~**weg** *fig. m* middle course; ~**wort** *gr. n* participle.

**mitten** *adv.*: ~ *in* (*an, auf, unter*) in the midst *od.* middle of; ~ *entzwei* right in two; ~**drin** F *adv.* right in the middle; ~**durch** F *adv.* right through *od.* across.

**Mitternacht** *f* midnight.

**mittler** *adj.* middle; *durchschnittlich*: average, medium; ~**weile** *adv.* meanwhile, (in the) meantime.

**Mittwoch** *m* Wednesday.

**mit|unter** *adv.* now and then, sometimes; ~**verantwortlich** *adj.* jointly responsible.

**mitwirk|en** *v/i.* co(-)operate (*bei* in); 2**ende** *m thea.* actor; *thea.,* ♪ player, performer; *die* ~*n pl. thea.* the cast; 2**ung** *f* co(-)operation.

**Mitwisser** *m* confidant; ₜₜₜ accessary.

**mitzählen** *v/t. s.* mitrechnen.

**mixen** *v/t.* mix.

**Möbel** *n/pl.* furniture; ~**händler** *m* furniture-dealer; ~**spediteur** *m* remover; ~**stück** *n* piece of furniture; ~**tischler** *m* cabinet-maker; ~**wagen** *m* furniture van (*Am.* truck).

**mobil** *adj.* ✕ mobile; F active, nimble; ~ *machen* ✕ mobilize; 2**iar** *n* furniture, movables *pl.*; ~**isieren** *v/t.* ✕ mobilize; ✝ *Vermögen*: realize; 2**machung** ✕ *f* mobilization.

**möblieren** *v/t.* furnish.

**Mode** *f* fashion, vogue; *in* ~ in fashion *od.* vogue; *aus der* ~ *kommen* go out of fashion; ~**artikel** *m/pl.* fancy goods *pl.*, novelties *pl.*

**Modell** *n* ⊕, *Mode, Malerei*: model; *Muster*: pattern, design; ⊕ mo(u)ld; *j-m* ~ *stehen* paint. pose for s.o.; ~**eisenbahn** *f* model railway; 2**ieren** *v/t.* model, mo(u)ld, fashion.

**Moden|schau** *f* fashion parade *od.* show; ~**zeitung** *f* fashion magazine.

**Moder** *m* must, mo(u)ld, putrefaction; 2**ig** *adj.* musty, mo(u)ldy, putrid.

**modern**[1] *v/i.* putrefy, rot, decay.

**modern**[2] *adj.* modern; *modisch*: up-to-date, fashionable; ~**isieren** *v/t.* modernize, bring up to date.

**Mode|salon** *m* fashion house; ~**schmuck** *m* costume jewel(le)ry; ~**waren** *f/pl. s.* Modeartikel; ~**zeichner** *m* fashion-designer.

**modisch** *adj.* fashionable, stylish.

**Modistin** *f* milliner.

**mogeln** F *v/i.* cheat.

**mögen** 1. *v/i.* be willing; *ich mag nicht* I don't like to; 2. *v/t. wünschen*: want, wish; *gern* ~: like, be fond of; *nicht* ~ dislike; *lieber* ~ like better, prefer; 3. *v/aux.* may, might; *ich möchte wissen* I should like to know; *ich möchte lieber gehen* I would rather go; *das mag sein* that's possible.

**möglich** 1. *adj.* possible; *alle* ~*en* all sorts of; *sein* ~*stes tun* do one's utmost; *nicht* ~! you don't say (so)!; *so bald etc. wie* ~ = 2. *adv.*: ~*st bald etc.* as soon, *etc.* as possible; ~**erweise** *adv.* possibly; 2**keit** *f* possibility; *Gelegenheit*: chance; *nach* ~ if possible.

**Mohammedaner** *m* Muslim, Moslem.

**Mohn** ♀ *m* poppy.

**Möhre** ♀ *f* carrot.

**Mohrrübe** ♀ *f* carrot.

**Molch** *zo.* *m* salamander.

**Mole** ⚓ *f* mole, jetty.

**Molkerei** *f* dairy.

**Moll** ♪ *n* minor (key).

**mollig** F *adj.* *behaglich:* snug, cosy; *dicklich:* plump.

**Moment 1.** *m* moment, instant; *im ~* at the moment; **2.** *n* ⊕ momentum; ⊕ *Antrieb:* impulse (*a. fig.*); *Bewegrund:* motive; **2an 1.** *adj.* momentary; **2.** *adv.* at the moment; **~aufnahme** *phot. f* snapshot.

**Monarch** *m* monarch; **~ie** *f* monarchy.

**Monat** *m* month; **2lich 1.** *adj.* monthly; **2.** *adv.* monthly, a month.

**Mönch** *m* monk; *Bettel2:* friar.

**Mönchs|kloster** *n* monastery; **~kutte** *f* (monk's) frock; **~orden** *m* monastic order; **~zelle** *f* monk's cell.

**Mond** *m* moon; *hinter dem ~ leben* be behind the times; **~fähre** *f* lunar module; **~finsternis** *f* lunar eclipse; **2hell** *adj.* moonlit; **~schein** *m* moonlight; **~sichel** *f* crescent; **2süchtig** *adj.* moonstruck.

**Mono|log** *m* monologue, *Am. a.* monolog, soliloquy; **~pol** † *n* monopoly; **2polisieren** *v/t.* monopolize; **2ton** *adj.* monotonous; **~tonie** *f* monotony.

**Montag** *m* Monday.

**Montage** ⊕ *f Anbringung, Einpassen:* mounting, fitting; *Aufstellen:* setting up; *Zusammenbau:* assemblage.

**Mont|eur** *m* ⊕ fitter; *bsd. mot.,* ✈ mechanic; **2ieren** *v/t.* mount, fit; *aufstellen:* set up; *zusammenbauen:* assemble.

**Moor** *n* bog, swamp; **~bad** *n* mudbath; **2ig** *adj.* boggy, marshy.

**Moos** ♀ *n* moss; **2ig** *adj.* mossy.

**Moped** *mot. n* moped.

**Moral** *f Sittlichkeit:* morality; *sittliches Verhalten:* morals *pl.*; *Lehre:* moral; ✕ *etc.:* morale; **2isch** *adj.* moral; **2isieren** *v/i.* moralize.

**Morast** *m* slough, morass; *Schlamm:* mire, mud; *s. Moor,* **2ig** *adj.* marshy; *schmutzig:* muddy, miry.

**Mord** *m* murder (*an of*); *e-n ~ be-*

**gehen** commit murder; **~anschlag** *m* murderous assault; **2en** *v/i.* commit murder(s).

**Mörder** *m* murderer; **2isch** *adj.* murderous; *Klima etc.:* deadly.

**Mord|gier** *f* bloodthirstiness; **~kommission** *f* homicide squad; **~prozeß** ⚖ *m* murder trial.

**Mords|angst** F *f:* *e-e ~ haben* be in a blue funk; **~glück** F *n* stupendous luck; **~kerl** F *m* devil of a fellow; **~spektakel** F *m* hullabaloo.

**Morgen 1.** *m* morning; *Landmaß:* acre; *am ~ s. morgens;* **2.** ♀ *adv.* tomorrow; *~ früh (abend)* tomorrow morning (evening *od.* night); *~ in acht Tagen* tomorrow week; **~blatt** *n* morning paper; **~dämmerung** *f* dawn, daybreak; **~gymnastik** *f* morning exercises *pl.*; **~land** *n* the Orient, *the* East; **~rock** *m* dressing-gown; **~röte** *f* aurora, dawn; **2s** *adv.* in the morning; **~zeitung** *f* morning paper.

**morgig** *adj.* of tomorrow, tomorrow's.

**Morphium** *pharm.* *n* morphia, morphine.

**morsch** *adj.* rotten, decayed; *spröde:* brittle.

**Mörser** *m* mortar (*a.* ✕).

**Mörtel** *m* mortar.

**Mosaik** *n* mosaic.

**Moschee** *f* mosque.

**Moschus** *m* musk.

**Moskito** *zo.* *m* mosquito.

**Moslem** *m* Muslim, Moslem.

**Most** *m* must, grape-juice; *Apfel2:* cider; *Birnen2:* perry.

**Mostrich** *m* mustard.

**Motiv** *n* motive, reason; *paint.,* ♪ motif; **2ieren** *v/t.* motivate.

**Motor** *m* motor, engine; **~boot** *n* motor boat; **~haube** *f* bonnet, *Am.* hood; **2isieren** *v/t.* motorize; **~isierung** *f* motorization; **~rad** *n* motor (bi)cycle; **~radfahrer** *m* motor cyclist; **~roller** *m* (motor) scooter; **~schaden** *m* engine *od.* motor trouble.

**Motte** *zo.* *f* moth.

**Motten|kugel** *f* moth-ball; **2sicher** *adj.* mothproof; **2zerfressen** *adj.* moth-eaten.

**Motto** *n* motto.

**Möwe** *orn.* *f* sea-gull, (sea-)mew.

**Mücke** *zo.* *f* gnat, midge, mosquito; *aus e-r ~ e-n Elefanten machen* make a mountain out of a molehill; **⁓n-stich** *m* gnatbite.

**müd|e** *adj.* tired, weary; e-r Sache ⁓ sein be weary *od.* tired of s.th.; **⁓igkeit** *f* tiredness, weariness.

**Muff** *m* muff; **⁓e** ⊕ *f* sleeve, socket; **⁓ig** *adj. Geruch etc.*: musty, fusty; *Luft*: close; *fig.* sulky, sullen.

**Mühe** *f* trouble, pains *pl.*; *(nicht) der* ⁓ *wert* (not) worth while; *j-m* ⁓ *machen* give s.o. trouble; *sich mit et.* ⁓ *geben* take pains with s.th.; **⁓los** *adj.* effortless, easy; **⁓n** *v/refl.* take pains, work hard; **⁓voll** *adj.* hard, [laborious.]

**Mühle** *f* mill.

**Müh|sal** *f* toil, trouble; *Ungemach*: hardship; **⁓sam**, **⁓selig 1.** *adj.* laborious; *beschwerlich*: toilsome, troublesome; *schwierig*: difficult; **2.** *adv.* laboriously, with difficulty.

**Mulatte** *m* mulatto.

**Mulde** *f* depression, hollow.

**Muli** *östr. n* mule.

**Mull** *m* mull.

**Müll** *m* dust, refuse, rubbish, *Am. a.* garbage; **⁓abfuhr** *f* removal of refuse; **⁓eimer** *m* dust-bin, *Am.* garbage *od.* ash can.

**Müller** *m* miller.

**Müll|fahrer** *m* dustman, *Am.* garbage collector; **⁓haufen** *m* dustheap; **⁓wagen** *m* dust-cart, *Am.* garbage cart *od.* truck.

**Multipli|kation** Ⱥ *f* multiplication; **⁓zieren** Ⱥ *v/t.* multiply (*mit* by).

**Mumie** *f* mummy.

**Mumps** ⚕ *m*, F *f* mumps.

**Mund** *m* mouth; *den* ⁓ *halten* hold one's tongue; *den* ⁓ *voll nehmen* talk big; **⁓art** *f* dialect.

**Mündel** *m, n, Mädchen: a. f* ward.

**münden** *v/i.*: ⁓ *in Fluß etc.*: fall *od.* flow into; *Straße etc.*: run *od.* lead into.

**Mund|harmonika** ♪ *f* mouth-organ; **⁓höhle** *f* oral cavity.

**mündig** ⅔ *adj.* of age; ⁓ *werden* come of age.

**mündlich 1.** *adj.* oral, verbal; **2.** *adv.* orally, by word of mouth.

**Mund|stück** *n e-s Musikinstrumentes*: mouthpiece; *e-r Zigarette*: tip.

**Mündung** *f* mouth; *Fluß⁓*: *a.* estuary; *e-r Feuerwaffe*: muzzle.

**Mund|vorrat** *m* provisions *pl.*, victuals *pl.*; **⁓wasser** *n* mouthwash, gargle; **⁓werk** F *fig. n*: *ein gutes* ⁓ *haben* have the gift of the gab.

**Munition** *f* ammunition.

**munkeln** F *v/t.*: *man munkelt, daß* rumo(u)r has it that.

**munter** *adj. wach*: awake; *lebhaft*: lively; *fröhlich*: merry.

**Münz|e** *f* coin; *Hartgeld, Kleingeld*: small change; *Gedenk⁓*: medal; *Münzstätte*: mint; *für bare* ⁓ *nehmen* take at face value; **⁓en** *v/t.* coin, mint; **⁓fernsprecher** *teleph. m* coin-box telephone.

**mürbe** *adj. zart*: tender; *Gebäck*: crisp, short; *Fleisch*: well-cooked; *brüchig*: brittle; F *fig.* worn-out, demoralized; F *j-n* ⁓ *machen* break s.o.'s resistance.

**Murmel** *f* marble; **⁓n** *v/t. u. v/i.* mumble, murmur; **⁓tier** *zo. n* marmot.

**murren** *v/i.* grumble, F grouch (*beide*: über at, over, about).

**mürrisch** *adj.* surly, sullen.

**Mus** *n* pap; *Frucht⁓*: stewed fruit.

**Muschel** *f zo.* mussel; **⁓schale**: shell, conch; *teleph.* ear-piece.

**Museum** *n* museum.

**Musik** *f* music; **⁓alisch** *adj.* musical; **⁓ant** *m* musician; **⁓automat** *m* juke-box; **⁓er** *m* musician; *e-r Kapelle*: bandsman; **⁓instrument** *n* musical instrument; **⁓lehrer** *m* music-master; **⁓stunde** *f* music-lesson; **⁓truhe** *f* radio-gram(o-phone), *Am.* radio-phonograph.

**musizieren** *v/i.* make *od.* have music.

**Muskat** *m*, **⁓nuß** ♀ *f* nutmeg.

**Muskel** *m* muscle; **⁓kater** F *m*: ⁓ *haben* be muscle-bound; **⁓kraft** *f* muscular strength; **⁓zerrung** ⚕ *f* pulled muscle.

**Muskul|atur** *f* muscles *pl.*; **⁓ös** *adj.* muscular, brawny.

**Muß** *n* necessity; *es ist ein* ⁓ *it is a must*.

**Muße** *f* leisure; *Freizeit*: spare time; *mit* ⁓ *at one's leisure*.

**Musselin** *m* muslin.

**müssen 1.** *v/i.*: *ich muß* I must; **2.** *v/aux.*: *ich muß* I must, I have to; *gezwungen sein*: I am obliged to; *verpflichtet sein*: I am bound to; *ich habe gehen* ⁓ I had to go; *ich müßte (eigentlich) wissen* I ought to know.

**müßig** *adj.* idle; *unnütz*: superfluous, useless; **⁓gang** *m* idleness.

**Muster** *n* model; *Zeichnung*: design, pattern; *Probestück*: specimen, sample; *Vorbild*: model, example, paragon; ⚌**gültig,** ⚌**haft 1.** *adj.* model, exemplary, perfect; **2.** *adv.*: *sich* ~ *benehmen* be on one's best behavio(u)r; ⚌**en** *v/t. Stoff*: figure, pattern; *prüfen*: examine; *j-n neugierig etc.*: eye; ✕ review; **~ung** *f* pattern; examination; ✕ review.

**Mut** *m* courage, spirit; *Schneid*: pluck; ~ *fassen* summon (up) one's courage; *den* ~ *sinken lassen* lose courage; ⚌**ig** *adj.* courageous, plucky; ⚌**los** *adj.* discouraged; *verzagt*: despondent; ⚌**maßen** *v/t.* suppose, guess, surmise; ⚌**maßlich** *adj.* supposed; **~maßung** *f* supposition, surmise; *bloße* **~en** mere guesswork.

**Mutter** *f* mother; ⊕ *Schrauben*⚌: nut; **~leib** *m* womb.

**mütterlich** *adj.* motherly, maternal; **~erseits** *adv.* on one's mother's side; *Onkel etc.*: *a.* maternal.

**Mutter|liebe** *f* motherly love; ⚌**los** *adj.* motherless; **~mal** *n* birthmark, mole; **~milch** *f* mother's milk; **~schaft** *f* maternity, motherhood; ⚌**seelenallein** *adj.* all alone; **~söhnchen** *n* milksop, F sissy; **~sprache** *f* mother tongue; **~witz** *m* mother wit.

**mutwillig** *adj.* wanton, wilful, mischievous.

**Mütze** *f* cap.

**Myrrhe** *f* myrrh.

**Myrte** ♀ *f* myrtle.

**mysteriös** *adj.* mysterious.

**mystisch** *adj.* mystic(al).

**myth|isch** *adj.* mythical; ⚌**ologie** *f* mythology; ⚌**os** *m,* ⚌**us** *m* myth.

# N

**Nabe** *f* hub.

**Nabel** *anat. m* navel.

**nach 1.** *prp. Richtung, Streben*: after; to(wards), for; *Reihenfolge*: after; *Zeit*: after, past; *Art u. Weise, Maß, Vorbild*: according to; ~ *Gewicht* by weight; ~ *deutschem Geld* in German money; ~ ... *zu* towards; *e-r dem andern* one by one; *fünf Minuten* ~ *eins* five minutes past one; **2.** *adv.* after; ~ *und* ~ little by little, gradually; ~ *wie vor* now as before, still.

**nachahm|en** *v/t.* imitate, copy; *fälschen*: counterfeit; **~enswert** *adj.* worthy of imitation, exemplary; ⚌**er** *m* imitator; ⚌**ung** *f* imitation; counterfeit, fake.

**Nachbar** *m,* **~in** *f* neighbo(u)r; **~schaft** *f* neighbo(u)rhood, vicinity.

**nachbestell|en** *v/t.* repeat one's order for; ⚌**ung** *f* repeat (order).

**nachbeten** *fig. v/t.* echo.

**Nachbildung** *f* copy, imitation; *genaue*: replica; *Attrappe*: dummy.

**nachblicken** *v/i.* look after.

**nachdem** *cj.* after, when; *je* ~ (*wie*) according as.

**nachdenk|en** *v/i.* think (*über* over,

about), reflect ([up]on), meditate ([up]on); ⚌**en** *n* reflection, meditation; *beschauliches*: musing; **~lich** *adj.* meditative, reflecting; *gedankenvoll*: pensive.

**Nachdruck** *m typ.* reprint; *fig.* stress, emphasis; ⚌**en** *v/t.* reprint.

**nachdrücklich 1.** *adj.* emphatic; *eindringlich*: forcible; **2.** *adv.*: ~ *betonen* emphasize.

**nacheifern** *v/i.* emulate.

**nacheinander** *adv.* one after the other, successively.

**nachempfinden** *v/t. s.* nachfühlen.

**nacherzähl|en** *v/t.* retell; ⚌**ung** *f* reproduction exercise; *konkret*: story retold.

**Nachfolge** *f* succession; ⚌**n** *v/i.* follow; *j-m im Amt* ~ succeed s.o. in office; **~r** *m* follower; successor.

**nachforsch|en** *v/i.* investigate; ⚌**ung** *f* investigation, inquiry.

**Nachfrage** *f* inquiry; † demand; ⚌**n** *v/i.* inquire (*nach* after).

**nach|fühlen** *v/t.*: *es j-m* ~ feel *od.* sympathize with s.o.; **~füllen** *v/t.* refill; **~geben** *v/i.* give way; *fig.* give in, yield (*dat.* to); ⚌**gebühr** ⊗ *f* surcharge; **~gehen** *v/i.* follow (*a.*

*fig.*); *Uhr:* be slow; *Vergnügen:* pursue; *e-m Vorfall etc.:* investigate; ⩔**geschmack** *m* after-taste (*a. fig.*).
**nachgiebig** *adj.* yielding; *fig. a.* compliant; ⩔**keit** *f* yieldingness; *fig. a.* compliance.
**nachhaltig** *adj.* lasting, enduring.
**nachher** *adv.* afterwards; *bis ~!* see you later!, so long!
**Nachhilfe** *f* help, assistance; ~**unterricht** *m* private lesson(s *pl.*), coaching.
**nach|holen** *v/t.* make up for, make good; ⩔**hut** ✗ *f* rear(guard); *die ~ bilden* bring up the rear (*a. fig.*); ~**jagen** *v/i.* chase, pursue.
**Nachkomme** *m* descendant; ~*n pl. bsd.* ⁂ issue; ⩔**n** *v/i.* follow; *sich später einstellen:* come later; *e-m Befehl etc.:* obey; *Verpflichtungen:* meet; ~**nschaft** *f* descendants *pl.*, *bsd.* ⁂ issue.
**Nachkriegs...** post-war.
**Nachlaß** *m* ✝ reduction, discount; ⁂ assets *pl.*, estate.
**nachlassen** 1. *v/t. Preise:* reduce; 2. *v/i.* deteriorate; *Wind, Schmerz etc.:* abate; *Kräfte, Einfluß:* wane; *Interesse, Kräfte:* flag.
**nachlässig** *adj.* careless, negligent.
**nach|laufen** *v/i.* run after; ~**lesen** *v/t.* look up; ✓ glean; ~**liefern** ✝ *v/t.* deliver subsequently; ~**machen** *v/t.* imitate, copy; *fälschen:* counterfeit, forge; ~**messen** *v/t.* measure again.
**Nachmittag** *m* afternoon; ⩔**s** *adv.* in the afternoon.
**Nach|nahme** *f* cash on delivery; *per ~ schicken* send C.O.D.; ~**name** *m* surname, last name; ~**porto** ⅋ *n* surcharge.
**nach|prüfen** *v/t.* verify; *kontrollieren:* check; ~**rechnen** *v/t.* check.
**Nachrede** *f*: *üble ~ mündlich:* slander, *schriftlich:* libel.
**Nachricht** *f* (piece *od.* item of) news; *Botschaft:* message; *Bericht:* report; *Mitteilung:* information, notice; *~ geben s. benachrichtigen;* ~**enagentur** *f* news agency; ~**endienst** *m* news service; ✗ intelligence service.
**Nachruf** *m* obituary (notice).
**nachsagen** *v/t.* repeat; *man sagt ihm nach, daß* he is said to *inf.*
**Nachsaison** *f* dead *od.* off season.
**nachschicken** *v/t. s.* nachsenden.

**nachschlage|n** 1. *v/t.* look up; 2. *v/i.:* ~ *in* consult; ⩔**werk** *n* reference-book.
**Nach|schlüssel** *m* skeleton key; ~**schrift** *f* postscript; ~**schub** *bsd.* ✗ *m* supplies *pl.*
**nach|sehen** 1. *v/i.* look after; ~ *ob* (go and) see whether; 2. *v/t.* examine, inspect; *kontrollieren:* check; *Maschine etc.:* overhaul; *s. nachschlagen;* *j-m et. ~* indulge s.o. in s.th.; ~**senden** *v/t.* send on, forward (*beide: dat.* to).
**Nachsicht** *f* indulgence; ⩔**ig** *adj.*, ⩔**svoll** *adj.* indulgent, forbearing.
**Nachsilbe** *gr. f* suffix.
**nach|sinnen** *v/i.* muse, meditate (*beide:* über [up]on); ~**sitzen** *v/i.:* ~ *müssen* be kept in.
**Nach|speise** *f* dessert; ~**spiel** *fig. n* sequel.
**nach|spionieren** *v/i.* spy upon; ~**sprechen** *v/i. u. v/t.* repeat; ~**spüren** *v/i.* track, trace.
**nächst** *adj. Reihenfolge, Zeit:* next; *Entfernung, Beziehung:* nearest; ⩔**beste** *m, f, n:* *er fragte den ~n he* asked the next person he met.
**nachstehen** *v/i.: j-m in nichts ~* be in no way inferior to s.o.
**nachstell|en** 1. *v/t. Uhr:* put back; ⊕ readjust; 2. *v/i.: j-m ~* be after s.o.; ⩔**ung** *fig. f* persecution.
**Nächstenliebe** *f* charity.
**nächstens** *adv.* shortly, (very) soon, before long.
**nach|streben** *v/i. s.* nacheifern; ~**suchen** *v/i.:* ~ *um* apply for.
**Nacht** *f* night; *bei ~, des ~s s. nachts;* ~**ausgabe** *f* night edition; ~**dienst** *m* night-duty.
**Nachteil** *m* disadvantage, drawback; *im ~ sein* be at a disadvantage; ⩔**ig** *adj.* disadvantageous.
**Nacht|falter** *zo. m* moth; ~**geschirr** *n* chamber-pot; ~**hemd** *n* night-gown, *Am. a.* night robe; *Männer⩔:* night-shirt.
**Nachtigall** *orn. f* nightingale.
**Nachtisch** *m* sweet, dessert.
**nächtlich** *adj.* nightly, nocturnal.
**Nacht|lokal** *n* night-club; ~**mahl** *n* supper; ~**portier** *m* night-porter; ~**quartier** *n* night-quarters *pl.*
**Nachtrag** *m* supplement; ⩔**en** *v/t.* carry (*j-m et. s.th. after s.o.*); ⩔**end** *adj.* unforgiving.
**nachträglich** *adj.* subsequent.

**nachts** *adv.* at *od.* by night.

**Nacht|schicht** *f* night-shift; ~schlafend *adj.*: zu ~er Zeit in the middle of the night; ~tisch *m* bedside table; ~topf *m* chamberpot; ~wächter *m* (night-)watchman; ~wandler *m* sleep-walker.

**nachwachsen** *v/i.* grow again.

**Nachwahl** *parl. f* by-election.

**Nachweis** *m* proof, evidence; 2bar *adj.* demonstrable; *auffindbar*: traceable; 2en *v/t. aufzeigen*: point out; *beweisen*: prove; 2lich *adj. s. nachweisbar*.

**Nach|welt** *f* posterity; ~wirkung *f* after-effect; ~en *pl. a.* aftermath; ~wort *n* epilog(ue); ~wuchs *m* rising generation.

**nach|zahlen** *v/t.* pay in addition; ~zählen *v/t.* count over (again), check; 2zahlung *f* additional payment. [comer.]

**Nachzügler** *m* straggler, late-]

**Nacken** *m* nape (of the neck), neck.

**nackt** *adj.* naked, nude, bare (*a. fig.*); *Wahrheit*: plain.

**Nadel** *f* needle; *Steck*2, *Haar*2 etc.: pin; *Brosche*: brooch; ~baum ⚘ *m* conifer(ous tree); ~stich *m* prick; *Nähen*: stitch; *fig.* pinprick.

**Nagel** *m anat.*, ⊕ nail; *Holz*2: peg; *Beschlag*2: stud; ~lack *m* nail varnish; 2n *v/t.* nail (*an od. auf* to); ~neu F *adj.* bran(d)-new; ~pflege *f* manicure.

**nage|n 1.** *v/i.* gnaw; ~ *an* gnaw at; *e-m Knochen*: pick; **2.** *v/t.* gnaw; 2tier *zo. n* rodent, gnawer.

**nah** *adj.* near, close (*bei* to); ~ *gelegen*: nearby.

**Näharbeit** *f* needlework, sewing.

**Nahaufnahme** *f Film*: close-up.

**nahe** *adj. s. nah.*

**Nähe** *f* nearness, proximity; *Umgebung*: vicinity; *in der* ~ (*gen.*) close by *od.* to.

**nahe|gehen** *v/i.* affect, grieve; ~kommen *v/i.* approach; ~legen *v/t.* suggest; ~liegen *v/i.* suggest itself, be obvious.

**nahen** *v/i.* approach.

**nähen** *v/t. u. v/i.* sew, stitch.

**näher** *adj.* nearer, closer; *Weg*: shorter; *das Nähere* (further) particulars *pl. od.* details *pl.*

**Näherin** *f* seamstress.

**nähern** *v/refl.* approach, near (*beide a. fig.*).

**nahezu** *adv.* nearly, almost.

**Nähgarn** *n* (sewing-)cotton.

**Nahkampf** ⚔ *m* close combat.

**Näh|maschine** *f* sewing-machine; ~nadel *f* (sewing-)needle.

**nähren** *v/t.* nourish (*a. fig.*), feed; *Kind*: nurse; *sich* ~ *von* live *od.* feed on.

**nahrhaft** *adj.* nutritious, nourishing.

**Nahrung** *f* food, nourishment, nutriment.

**Nahrungsmittel** *n/pl.* food(-stuff), victuals *pl.*

**Nährwert** *m* nutritive value.

**Naht** *f* seam; ⚕ suture.

**Nahverkehr** *m* local traffic.

**Nähzeug** *n* sewing-kit.

**naiv** *adj.* naïve, naive, simple; 2ität *f* naïveté, naivety, simplicity.

**Name** *m* name; *im* ~n on behalf of; *dem* ~n *nach kennen* know by name.

**namen|los** *adj.* nameless (*a. fig.*), anonymous; *fig.* unutterable; ~s **1.** *adv.* named, by the name of, called; **2.** *prp.* in the name of.

**Namens|tag** *m* name-day; ~vetter *m* namesake; ~zug *m* signature.

**namentlich 1.** *adj.* nominal; **2.** *adv.* by name; *besonders*: especially, in particular.

**namhaft** *adj.* notable; *beträchtlich*: considerable; ~ *machen* name.

**nämlich 1.** *adj.* the same; **2.** *adv.* namely, that is (to say).

**Napf** *m* bowl, basin.

**Narb|e** *f* scar; 2ig *adj.* scarred.

**Narko|se** ⚕ *f* narcosis; 2tisieren ⚕ *v/t.* narcotize.

**Narr** *m* fool; *Spaßmacher*: jester; *zum* ~en *halten* = 2en *v/t.* make a fool of, fool.

**narrensicher** *adj.* foolproof.

**Närrin** *f* fool, foolish woman.

**närrisch** *adj.* foolish, silly.

**Narzisse** ⚘ *f* narcissus.

**nasal** *adj.* nasal.

**nasch|en 1.** *v/i.* nibble (*an* at); *gern* ~ have a sweet tooth; **2.** *v/t.* nibble; 2ereien *f/pl.* dainties *pl.*, sweets *pl.*; ~haft *adj.* fond of dainties *od.* sweets.

**Nase** *f* nose.

**Nasen|bluten** *n* nose-bleeding; ~loch *n* nostril; ~spitze *f* tip of the nose.

**naseweis** *adj.* pert, saucy.

**Nashorn** *zo. n* rhinoceros.

**naß** *adj.* wet.

**Nässe** *f* wet(ness); **2n 1.** *v/t.* wet; **2.** *v/i.* discharge.

**naßkalt** *adj.* damp and cold, raw.

**Nation** *f* nation.

**national** *adj.* national; **2hymne** *f* national anthem; **2ismus** *m* nationalism; **2ität** *f* nationality; **2mannschaft** *f* national team.

**Natter** *f zo.* adder, viper (*a. fig.*); *fig.* serpent.

**Natur** *f* nature; *Körperbeschaffenheit:* constitution; *Wesensart:* temper(ament), disposition, nature; *von* ~ by nature.

**naturalisieren** *v/t.* naturalize.

**Naturalismus** *m* naturalism.

**Naturell** *n* natural disposition, nature, temper.

**Natur|ereignis** *n*, **~erscheinung** *f* phenomenon of nature; **~forscher** *m* naturalist; **~geschichte** *f* natural history; **~gesetz** *n* law of nature, natural law; **2getreu** *adj.* true to nature; life-like; **~kunde** *f* biology.

**natürlich 1.** *adj.* natural; *angeboren: a.* innate; *ungekünstelt:* unaffected; **2.** *adv.* naturally, of course.

**Natur|schutzgebiet** *n*, **~schutzpark** *m* national park, wild-life (p)reserve; **~wissenschaft** *f* (natural) science; **~wissenschaftler** *m* (natural) scientist.

**Nebel** *m* mist; *stärker:* fog; *Dunst:* haze; **2haft** *adj.* nebulous, hazy; **~horn** *n* fog-horn.

**neben** *prp.* beside, by (the side of); *dicht* ~: near to; *verglichen mit:* against, compared with; *nebst:* apart *od. Am. a.* aside from, besides.

**neben|an** *adv.* next door; **2anschluß** *teleph. m* extension; **2ausgaben** *f/pl.* incidental expenses *pl.*; **2ausgang** *m* side-exit, side-door; **2bedeutung** *f* connotation; **~bei** *adv.* by the way; *außerdem:* besides; **2beruf** *m* side line; **~beruflich** *adv.* as a side line; **~buhler** *m* rival; **~einander** *adv.* side by side; ~ *bestehen* co-exist; **2eingang** *m* side-entrance; **2einkünfte** *pl.*, **2einnahmen** *pl.* extra income; **2fach** *n* subsidiary subject, *Am.* minor (subject); **2fluß** *m* tributary (river); **2gebäude** *n* adjoining building;

*Anbau:* annex(e); **2gleis** 🚂 *n* siding, side-track; **2haus** *n* adjoining house; **2kläger** 🏛 *m* coplaintiff; **2kosten** *pl.* extras *pl.*; **2mann** *m* person next to one; **2produkt** *n* by-product; **2rolle** *thea. f* minor part; **2sache** *f* minor matter, side issue; **~sächlich** *adj.* subordinate, incidental; *unwesentlich:* unimportant; **2satz** *gr. m* subordinate clause; **2stelle** *f* branch; *teleph.* extension; **2straße** *f* by-road; **2strecke** 🚂 *f* branch line; **2tisch** *m* next table; **2tür** *f* side-door; **2verdienst** *m* incidental *od.* extra earnings *pl.*; **2zimmer** *n* adjoining room.

**neblig** *adj.* foggy; misty; hazy.

**neck|en** *v/t.* tease, banter; **2erei** *f* teasing, banter; **~isch** *adj.* schelmisch: arch; *kokett:* coquettish.

**Neffe** *m* nephew.

**negativ 1.** *adj.* negative; **2.** **♀** *n* negative.

**Neger** *m* negro; **~in** *f* negress.

**nehmen** *v/t.* take; *zu sich* ~ *Speise etc.*: take, have; *j-m et.* ~ take s.th. from s.o.; *ein Ende* ~ come to an end; *es sich nicht* ~ *lassen zu inf.* insist upon *ger.*; *streng genommen* strictly speaking.

**Neid** *m* envy; **2en** *v/t.*: *j-m et.* ~ envy *od.* grudge s.o. s.th.; **~er** *m* envious *od.* grudging person; **~isch** *adj.* envious (*auf* of); **2los** *adj.* ungrudging.

**Neige** *f* dregs *pl.*; *im Glas: a.* heeltap; *zur* ~ *gehen* (be on the) decline; *Vorräte:* run short *od.* low; **2n 1.** *v/t. u. v/refl.* bend, incline; **2.** *v/i.*: ~ *zu* be given to.

**Neigung** *f* inclination (*a. fig.*), slope, incline.

**nein** *adv.* no.

**Nektar** *m* nectar.

**Nelke** ♀ *f* carnation, pink; *Gewürz2 f* clove.

**nennen** *v/t.* name, call, term; *erwähnen:* mention; *sich ...* ~ be called ...; **~swert** *adj.* worth mentioning.

**Nenn|er** ♣ *m* denominator; **~ung** *f* mentioning; *Sport:* entry; **~wert** *m* nominal *od.* face value; *zum* ~ ✝ at par.

**Neon** ⚗ *n* neon; **~röhre** *f* neon tube.

**Nerv** *m* nerve; *j-m auf die* ~*en fallen od.* gehen get on s.o.'s nerves.

**Nerven|arzt** *m* neurologist; **2auf-reibend** *adj.* trying; **~heilanstalt** *f* mental hospital; **~kitzel** *m* thrill, sensation; **2krank** *adj.* neurotic; **~system** *n* nervous system; **~zusammenbruch** *m* nervous breakdown.

**nerv|ig** *adj.* sinewy; **~ös** *adj.* nervous; **2osität** *f* nervousness.

**Nerz** *zo. m* mink.

**Nessel** *♀ f* nettle.

**Nest** *n* nest; F *fig.* bed; F *fig.* one-horse town.

**nett** *adj.* nice, pretty; *Kleid etc.*: a. neat; *freundlich:* nice, kind.

**netto** *♀ adv.* net, clear.

**Netz** *n* net; *fig.* network; **~haut** *anat.: f* retina.

**neu** *adj.* new; *frisch:* fresh; *unlängst geschehen etc.*: recent; **~zeitlich:** modern; **~ere Sprachen** modern languages; **~este Nachrichten** latest news; *von ~em* anew, afresh; *was gibt es Neues?* what is the news?, *Am.* what is new?

**neu|artig** *adj.* novel; **2bau** *m* new building.         [innovator.]

**neuer|dings** *adv.* of late; **2er** *m*] **Neuerscheinung** *f* new publication.

**Neuerung** *f* innovation.

**neu|geboren** *adj.* new-born; **~ge-stalten** *v/t.* reorganize; **2gestal-tung** *f* reorganization; **2gier** *f*, **2gierde** *f* curiosity, inquisitiveness; **~gierig** *adj.* curious (*auf* about), inquisitive, *sl.* nos(e)y; *ich bin ~, ob* I wonder whether *od.* if; **2heit** *f* novelty; *fig.* a. newness, freshness.

**Neuigkeit** *f* (e-e a piece of) news.

**Neu|jahr** *n* New Year('s Day); **2lich** *adv.* the other day, recently; **~ling** *m* novice; *contp.* greenhorn; **2modisch** *adj.* fashionable; **~mond** *m* new moon.

**neun** *adj.* nine; **~te** *adj.* ninth; **2tel** *n* ninth part; **~tens** *adv.* ninthly; **~zehn** *adj.* nineteen; **~zehnte** *adj.* nineteenth; **~zig** *adj.* ninety; **~zigste** *adj.* ninetieth.

**Neu|philologe** *m* student *od.* teacher of modern languages; **~regelung** *f* reorganization, rearrangement.

**neutr|al** *adj.* neutral; **2alität** *f* neutrality; **2um** *gr. n* neuter.

**neu|vermählt** *adj.* newly married; *die* **2en** *pl.* the newly-weds *pl.*; **~wertig** *adj.* as good as new; **2zeit** *f* modern times *pl.*

**nicht** *adv.* not; *auch* ~ nor; ~ *besser* no better; ~ *erscheinen* fail to appear.

**nicht|amtlich** *adj.* unofficial; **2-angriffspakt** *pol. m* non-aggression pact; **2annahme** *f* non-acceptance; **2befolgung** *f* non-observance.

**Nichte** *f* niece.

**nichtig** *adj.* ⅄ null, void; *Anlaß etc.*: trivial; *für ~ erklären* declare null and void, annul.

**Nichtraucher** *m* non-smoker.

**nichts** **1.** *indef. pron.* nothing, naught, not anything; **2.** *2 n* nothing(ness); *fig.* nonentity; **~destoweniger** *adv.* nevertheless; **~nutzig** *adj.* good-for-nothing, worthless; *fig.* a. insignificant; **2tuer** *m* idler; **~würdig** *adj.* vile, base, infamous.

**Nichtwissen** *n* ignorance.

**nicken** *v/i.* nod.

**nie** *adv.* never, at no time.

**nieder** **1.** *adj.* low; *Stand, Rang etc.*: inferior; **2.** *adv.* down.

**Nieder|gang** *m* decline; **2gehen** *v/i. thea. Vorhang:* fall; *≋* descend; **2geschlagen** *adj.* dejected, down-cast; **2hauen** *v/t.* cut down; **2-kommen** *v/i.* be confined (*mit* of); **~kunft** *f* confinement; **2lage** *f* defeat; *Warenlager:* warehouse; *Filiale:* branch; **2lassen** *v/t.* let down; *sich ~* sit down; *Vogel:* alight (*auf* on); establish o.s. (*als* as); settle (*in* in, at); **2lassung** *f* establishment; *Siedlung:* settlement; *Zweiggeschäft:* branch, agency; **2legen** *v/t.* lay *od.* put down; *Amt:* resign, abdicate; *die Arbeit ~* (go on) strike, down tools, F walk out; *sich ~* lie down, go to bed; **2machen** *v/t.* massacre; **~schlag** *m* ⚗ precipitate; *Bodensatz:* sediment; *meteor.* precipitation; *radioaktiver:* fall-out; *Boxen:* knock-down; **2schlagen** *v/t.* knock down, floor; *Augen:* cast down; *Aufstand:* put down; **⅄** *Ver-fahren:* quash; *sich ~* ⚗ precipitate; **2schmettern** *fig. v/t.* crush; **2setzen** *v/t.* set *od.* put down; *sich ~* sit down; **2strecken** *v/t.* lay low, strike to the ground, floor; **2trächtig** *adj.* base, mean; **~ung** *f* lowlands *pl.*

**niedlich** *adj.* neat, nice, pretty, *Am. a.* cute.

**niedrig** adj. low (a. fig.); gemäßigt: moderate; fig. mean, base.

**niemals** adv. never, at no time.

**niemand** indef. pron. nobody, no one, none; **2sland** n no man's; **Niere** f kidney. [land.]

**niesen** v/i. sneeze.

**Niet** ⊕ m rivet; **~e** f Lotterie: blank; fig. failure; **2en** ⊕ v/t. rivet.

**Nilpferd** zo. n hippopotamus.

**Nimbus** m halo (a. fig.), nimbus.

**nimmer** adv. never; **~mehr** adv. nevermore; **2satt** m glutton.

**nippen** v/i. sip (an at).

**nirgend|s** adv., **~(s)wo** adv. nowhere.

**Nische** f niche, recess.

**nisten** v/i. nest.

**Niveau** n level; fig. a. standard.

**Nixe** f water-nymph, mermaid.

**noch 1.** adv. still; yet; **~** ein another, one more; **~** einmal once more od. again; **~** etwas something more; **~** etwas? anything else?; **~** heute this very day; **~** immer still; **~** nicht not yet; **~** nie never before; **~** im 19. Jahrhundert as late as the 19th century; **2.** cj.: s. weder; **~malig** adj. repeated; **~mals** adv. once more od. again.

**Nockerl** östr. n small dumpling.

**Nomad|e** m nomad; **2isch** adj. nomadic.

**Nominativ** gr. m nominative (case).

**nominieren** v/t. nominate.

**Nonne** f nun; **~nkloster** n nunnery, convent.

**Nord** geogr., **~en** m north; **2isch** adj. northern.

**nördlich** adj. northern, northerly.

**Nord|licht** n northern lights pl.; **~ost(en** m) north-east; **~pol** m North Pole; **2wärts** adv. northward(s), north; **~west(en** m) north-west.

**nörg|eln** v/i. nag (an at), carp (at); **2ler** m faultfinder, nagger.

**Norm** f standard; Regel: rule; Arbeitssoll: norm.

**normal** adj. normal; gewohnt: regular; Maß, Gewicht, Zeit: standard; **~isieren** v/refl. return to normal.

**normen** v/t. standardize.

**Not** f **~lage**: need, distress (a. ♣). Bedürftigkeit: want; **~lage**, Zwangslage: necessity; Sorgen: trouble; Elend: misery; plötzlicher **~fall**:

emergency; **~** leiden suffer privations; in **~** geraten become destitute; zur **~** at a pinch.

**Notar** m (public) notary.

**Not|ausgang** m emergency exit; **~behelf** m makeshift, expedient; **~bremse** f emergency brake; **~durft** f: s-e **~** verrichten relieve o.s.; **2dürftig** adj. scanty; behelfsmäßig: temporary.

**Note** f note (a. ♪); pol. note, memorandum; Schule: mark.

**Not|fall** m case of need, emergency; **2falls** adv. if necessary; **2gedrungen** adv. perforce.

**notier|en** v/t. make a note of, note (down); ✝ quote; **2ung** ✝ f quotation.

**nötig** adj. necessary; **~** haben need; **~en** v/t. force, oblige, compel; Gast: press, urge; **~enfalls** adv. if necessary; **2ung** f compulsion; pressing; ✝ᵗ₂ intimidation.

**Notiz** f notice; Vermerk: note, memorandum; **~** nehmen von take notice of; pay attention to; keine **~** nehmen von ignore; sich **~en** machen take notes; **~block** m pad, Am. a. scratch pad; **~buch** n notebook.

**Not|lage** f distress; plötzlicher Notfall: emergency; **2landen** ⚡ v/i. make a forced od. an emergency landing; **~landung** ⚡ f forced od. emergency landing; **2leidend** adj. needy, destitute; distressed; **~lösung** f expedient; **~lüge** f white lie.

**notorisch** adj. notorious.

**Not|ruf** teleph. m emergency call; **~signal** n emergency od. distress signal; **~sitz** mot. m dick(e)y(-seat), Am. a. rumble seat; **~stand** m emergency; **~standsgebiet** n distressed area; **~standsgesetze** n/pl. emergency laws pl.; **~verband** m first-aid dressing; **~wehr** f selfdefen|ce, Am. -se; **2wendig** adj. necessary; **~wendigkeit** f necessity; **~zucht** f rape.

**Novelle** f short story, novella; parl. amendment.

**November** m November.

**Nu** m: im **~** in no time.

**Nuance** f shade.

**nüchtern** adj. sober (a. fig.); sachlich: matter-of-fact; trocken: prosaic; auf **~en** Magen on an

empty stomach; ⚲**heit** *f* sobriety; *fig.* soberness.
**Nudel** *f* noodle.
**null 1.** *adj.* nil; *Tennis:* love; **~ und nichtig** null and void; **2.** ⚲ *f* nought, cipher (*a. fig.*); **~punkt:** zero; ⚲**punkt** *m* zero.
**numerieren** *v/t.* number.
**Nummer** *f* number (*a. thea.*); *e-r Zeitung etc.:* a. copy; *Größe:* size; *thea.* turn; *Sport:* event; **~nschild** *mot.* n number-plate.
**nun** *adv.* now, at present; **~?** well?; **~ gut** well then; **~mehr** *adv.* now.
**nur** *adv.* only; *nichts als:* (nothing) but; *bloß:* merely; **~ noch** only.
**Nuß** *f* nut; **~kern** *m* kernel; **~knacker** *m* nutcracker; **~schale** *f* nutshell.
**Nüstern** *f/pl.* nostrils *pl.*
**nutz** *adj. s.* nütze; ⚲**anwendung** *f*

practical application; **~bar** *adj.* useful; **~bringend** *adj.* profitable.
**nütze** *adj.* useful; **zu nichts ~ sein** be of no use, be good for nothing.
**Nutzen 1.** *m* use; *Gewinn:* profit, gain; *Vorteil:* advantage; **2.** ⚲ *v/i. u. v/t. s.* nützen.
**nützen 1.** *v/i.:* **zu et. ~** be of use *od.* useful for s.th.; *j-m* **~** serve s.o.; **es nützt nichts zu inf.** it is no use *ger.;* **2.** *v/t.* use, make use of; *Gelegenheit:* avail o.s. of, seize.
**nützlich** *adj.* useful, of use; *vorteilhaft:* advantageous.
**nutz|los** *adj.* useless; ⚲**nießer** *m* usufructuary.
**Nutzung** *f* using; utilization.
**Nylon** *n* nylon; **~strümpfe** *m/pl.* nylons *pl.*, nylon stockings *pl.*
**Nymphe** *f* nymph.

# O

**o** *int.* oh!, ah!; **~ weh!** alas!, oh dear!
**Oase** *f* oasis.                    [(me)!]
**ob** *cj.* whether, if; *als* **~** as if, as though; *und* **~!** certainly!
**Obacht** *f:* **~ geben auf** pay attention to, heed.
**Obdach** *n* shelter, lodging; ⚲**los** *adj.* unsheltered, homeless; **~lose** *m, f* homeless person; **~losenasyl** *n* casual-ward.
**Obdu|ktion** ⚕ *f* post-mortem (examination), autopsy; ⚲**zieren** ⚕ *v/t.* perform an autopsy on.
**oben** *adv.* above; *auf dem Berg etc.:* at the top; *im Hause:* upstairs; *auf der Oberfläche:* on the surface; *von* **~** from above; *von* **~** *bis unten* from top to bottom; **~an** *adv.* at the top; **~auf** *adv.* on the top; *auf der Oberfläche:* on the surface; **~drein** *adv.* besides, *nachgestellt:* into the bargain, at that; **~erwähnt, ~genannt** *adj.* above-mentioned; **~hin** *adv.* superficially, perfunctorily.
**ober 1.** *adj.* upper, higher; *fig. a.* superior; **2.** ⚲ *m* (head) waiter; *deutsche Spielkarte:* queen.
**Ober|arm** *m* upper arm; **~arzt** *m*

head physician; **~befehl** ⚔ *m* supreme command; **~bekleidung** *f* outer garments *pl.*, outer wear; **~bürgermeister** *m* chief burgomaster; *Brt.* Lord Mayor; **~fläche** *f* surface; ⚲**flächlich** *adj.* superficial; *fig. a.* shallow; ⚲**halb** *prp.* above; **~hand** *fig. f:* **die ~ gewinnen** *über* get the upper hand of; **~haupt** *n* head, chief; **~haus** *Brt. parl.* n House of Lords; **~hemd** *n* shirt; **~herrschaft** *f* supremacy.
**Oberin** *f eccl.* Mother Superior; *im Krankenhaus:* matron.
**ober|irdisch** *adj.* overground, above ground; ⚡ overhead; ⚲**kellner** *m* head waiter; ⚲**kiefer** *m* upper jaw; ⚲**körper** *m* upper part of the body; ⚲**leder** *n* upper; ⚲**leitung** *f* chief management; ⚡ overhead wires *pl.*; ⚲**lippe** *f* upper lip.
**Obers** *östr.* n cream.
**Ober|schenkel** *m* thigh; **~schule** *f* secondary school, *Am. appr.* (senior) high school.
**oberst 1.** *adj.* uppermost, topmost, top; highest (*a. fig.*); *fig.* chief, principal; **2.** ⚲ ⚔ *m* colonel.

**Oberstaatsanwalt** ♫ *m* chief public prosecutor.

**Obertasse** *f* cup.

**obgleich** *cj.* (al)though.

**Obhut** *f* care, custody, protection; *in (seine)* ~ *nehmen* take care *od.* charge of.

**obig** *adj.* above(-mentioned).

**Objekt** *n* object (*a. gr.*); *Vermögensgegenstand:* property.

**objektiv** 1. *adj.* objective; *unparteiisch:* a. impartial; 2. ♀ *n* objectglass, objective; *phot.* lens; **♀ität** *f* objectivity; impartiality.

**Obligat|ion** ✝ *f* bond, debenture; **♀orisch** *adj.* obligatory (*für on*), compulsory.

**Oboe** ♪ *f* oboe, hautboy.

**Obrigkeit** *f* the authorities *pl.*; government.

**obschon** *cj.* (al)though.

**Observatorium** *ast. n* observatory.

**Obst** *n* fruit; **~ernte** *f* fruit-gathering; *Ertrag:* fruit-crop; **~garten** *m* orchard.

**obszön** *adj.* obscene, filthy.

**obwohl** *cj.* (al)though.

**Ochse** *zo. m* ox, bullock; **~nfleisch** *n* beef.           [waste; *fig.* dull.〕

**öde** *adj.* deserted, desolate; *unbebaut:*〕

**oder** *cj.* or.

**Ofen** *m* stove; *Back♀:* oven; *Brenn♀:* kiln; *Hoch♀:* furnace; **~rohr** *n* stove-pipe.

**offen** *adj.* open (*a. fig.*); *Stelle:* vacant; *Feindseligkeit:* overt; *fig.* frank, outspoken.

**offenbar** *adj.* obvious, evident; *anscheinend:* apparent; **~en** *v/t.* manifest, reveal, disclose; **♀ung** *f* manifestation, revelation.

**Offenheit** *fig. f* openness, frankness.

**offen|herzig** *adj.* open-hearted, sincere, frank; **~sichtlich** *adj.* manifest, evident, obvious.           [sive.〕

**offensiv** *adj.* offensive; **♀e** *f* offen-〕

**offenstehen** *v/i.* stand open; ✝ *Rechnung:* be outstanding; *fig.* be open (*j-m* to s.o.).

**öffentlich** 1. *adj.* public; **~es** *Ärgernis* public nuisance; **~er** *Dienst* Civil Service; 2. *adv.* publicly, in public; ~ *auftreten* make a public appearance; **♀keit** *f* publicity; *the public*; *in aller* ~ in public.

**offer|ieren** *v/t.* offer; **♀te** *f* offer; *bei Ausschreibungen:* tender.

**offiziell** *adj.* official.

**Offizier** *m* (commissioned) officer.

**öffn|en** *v/t. u. v/refl.* open; **♀er** *m* opener; **♀ung** *f* opening, aperture.

**oft** *adv.* often, frequently.

**öfter** *adv.* more frequently; *s.* oft.

**oh** *int.* o(h)!

**ohne** 1. *prp.* without; 2. *cj.:* ~ *daß*, ~ *zu* inf. without *ger.*; **~dies** *adv.* anyhow, anyway; **~gleichen** *adv.* unequal(l)ed, matchless; **~hin** *adv. s.* ohnedies.

**Ohn|macht** *f* powerlessness; *♫* unconsciousness; *in* ~ *fallen* faint, swoon; **♀mächtig** *adj.* powerless; *♫* unconscious; ~ *werden* faint, swoon.

**Ohr** *n* ear; F *j-n übers* ~ *hauen* cheat s.o.; *bis über die* ~*en verliebt* head〕

**Öhr** *n* eye.           [over heels in love.〕

**Ohren|arzt** *m* aurist, ear specialist; **♀betäubend** *adj.* deafening; **~leiden** *n* ear-complaint; **~schmerzen** *m/pl.* ear-ache; **~zeuge** *m* earwitness.

**Ohr|feige** *f* box on the ear(s); **♀feigen** *v/t.: j-n* ~ box s.o.'s ear(s); **~läppchen** *n* lobe of the ear; **~ring** *m* ear-ring.

**ökonomisch** *adj.* economical.

**Oktave** ♪ *f* octave.

**Oktober** *m* October.

**Okular** *opt. n* eyepiece, ocular.

**Öl** *n* oil; ~ *ins Feuer gießen* add fuel to the flames; ~ *auf die Wogen gießen* pour oil on the (troubled) waters; **~baum** *m* olive-tree; **~berg** *eccl. m* Mount of Olives; **♀en** *v/t.* oil; ⊕ *a.* lubricate; **~farbe** *f* oil-colo(u)r, oil-paint; **~gemälde** *n* oil-painting; **~heizung** *f* oil heating; **♀ig** *adj.* oily (*a. fig.*).

**Olive** ⚘ *f* olive.

**Öl|malerei** *f* oil-painting; **~quelle** *f* oil-spring, gusher, *mit Pumpen:* oil-well; **~ung** *f* oiling; ⊕ *a.* lubrication; *Letzte* ~ *eccl.* extreme unction.

**Olympi|ade** *f* Olympiad; *a.* Olympic Games *pl.*; **♀sch** *adj.* Olympic; *Olympische Spiele pl.* Olympic Games *pl.*

**Ölzweig** *m* olive-branch.

**Omnibus** *m* (omni)bus; *Überland♀:* (motor-)coach.

**Onkel** *m* uncle.

**Oper** *f* ♪ opera; opera-house.

**Operati|on** *♫,* ✕ *f* operation; **~onssaal** *♫ m* operating room, *Am. a.* surgery; **♀v** *♫ adj.* operative.

**Operette** ♪ *f* operetta.
**operieren 1.** ✗ *v/t.*: *j-n* ~ operate (up)on s.o. (wegen for); **2.** ✗, ✗ *v/i.* operate; *sich* ~ *lassen* ✗ undergo an operation.
**Opern|glas** *n*, **~gucker** F *m* operaglass(es *pl.*); **~haus** *n* opera-house; **~sänger** *m* opera-singer.
**Opfer** *n* sacrifice; *Gabe*: offering; *Mensch, Tier*: victim; *ein* ~ *bringen* make a sacrifice; *zum* ~ *fallen* fall a victim to; **~gabe** *f* offering; **2n 1.** *v/t.* sacrifice; **2.** *v/i.* (make a) sacrifice (*dat.* to); **~stätte** *f* place of sacrifice; **~ung** *f* sacrificing, sacri-
**Opium** *n* opium.                        [fice.]
**Opposition** *f* opposition (*a. parl.*).
**Optik** *f* optics; *phot.* lens system; **~er** *m* optician.
**Optimis|mus** *m* optimism; **~t** *m* optimist; **2tisch** *adj.* optimistic.
**optisch** *adj.* optic(al).
**Orakel** *n* oracle.
**Orange** *f* orange.
**Oratorium** ♪ *n* oratorio.
**Orchester** ♪ *n* orchestra.
**Orchidee** ❀ *f* orchid.
**Orden** *m* order (*a. eccl.*); *Auszeichnung*: medal, decoration, order.
**Ordens|bruder** *eccl. m* brother, friar; **~schwester** *eccl. f* sister, nun.
**ordentlich** *adj.* tidy, orderly; *richtig, sorgfältig*: proper; *regelrecht*: regular; *anständig*: respectable; *tüchtig, kräftig*: good, sound; **~er** *Professor univ.* professor in ordinary.
**ordinär** *adj.* common, vulgar, low.
**ordn|en** *v/t.* put in order; *an~*: arrange, fix (up); *Angelegenheiten*: settle; **2er** *m Fest2 etc.*: steward; *Akten2 etc.*: file; **2ung** *f Zustand*: order; *An2*: arrangement; *Aufbau, System*: system; *Vorschrift, Regel*: rules *pl.*, regulations *pl.*; *Stufe, Rang*: class; *in* ~ *bringen* put in order.
**ordnungs|gemäß**, **~mäßig 1.** *adj.* orderly, regular; **2.** *adv.* duly; **2strafe** *f* disciplinary penalty; *Geldstrafe*: fine; **2zahl** *f* ordinal number.
**Ordonnanz** ✗ *f* orderly.
**Organ** *n* organ.
**Organisat|ion** *f* organization; **2orisch** *adj.* organizational, organizing.
**organisch** *adj.* organic.
**organisier|en** *v/t.* organize; F

scrounge; **~t** *adj.*: (*nicht*) ~(er *Arbeiter*) (non-)unionist.
**Organismus** *m* organism; ✗ *a.* system.
**Organist** ♪ *m* organist.
**Orgel** ♪ *f* organ, *Am. a.* pipe organ; **~pfeife** *f* organ-pipe; **~spieler** ♪ *m* organist.
**Orgie** *f* orgy.                        [oriental.]
**Oriental|e** *m* oriental; **2isch** *adj.*]
**orientier|en** *v/t.* orient(ate), *fig.* inform; *sich* ~ orient(ate) o.s., inform o.s. (*über of*); **2ung** *f* orientation; *fig. a.* information; *die* ~ *verlieren* lose one's bearings.
**Origin|al 1.** *n* original; **2.** **2** *adj.* original; **2ell** *adj.* original; *sinnvoll, kunstvoll*: ingenious.
**Orkan** *m* hurricane; **2artig** *adj. Sturm*: violent.
**Ornat** *m* robe(s *pl.*), vestment.
**Ort** *m* place; *Stelle, Bauplatz etc.*: site; *Fleck*: spot, point; *Örtlichkeit*: locality; **~schaft**: place, *Dorf*: village, *Stadt*: town; *höher(e)n* ~(e)s at higher quarters; **2en** *v/t.* locate.
**ortho|dox** *adj.* orthodox; **2graphie** *f* orthography; **2päde** ✗ *m* orthop(a)edist.
**örtlich** *adj.* local; **2keit** *f* locality.
**Orts|angabe** *f* statement of place; **2ansässig** *adj.* resident, local; **~beschreibung** *f* topography.
**Ortschaft** *f* place, village.
**Orts|gespräch** *teleph. n* local call; **~kenntnis** *f* knowledge of a place; **2kundig** *adj.* familiar with the locality; **~verkehr** *m* local traffic.
**Öse** *f* eye; *Schuh2 etc.*: eyelet.
**Ost** *geogr.* east; **~en** *m* east; *geogr., pol. the* East.
**ostentativ** *adj.* ostentatious.
**Oster|ei** *n* Easter egg; **~fest** *n* Easter; **~hase** *m* Easter bunny *od.* rabbit; **~lamm** *n* paschal lamb; **~n** *n* Easter.                        [*adj.* Austrian.]
**Österreich|er** *m* Austrian; **2isch**]
**östlich 1.** *adj.* eastern; *Wind etc.*: easterly; **2.** *adv.*: ~ *von* east of.
**ost|wärts** *adv.* eastward(s); **2wind** *m* east(erly) wind.
**Otter** *zo.* **1.** *m* otter; **2.** *f* adder, viper.
**Ouvertüre** ♪ *f* overture.
**oval 1.** *adj.* oval; **2.** **2** *n* oval.
**Oxyd** 🜂 *n* oxide; **2ieren** *v/t. u. v/i.* oxidize.
**Ozean** *m* ocean.

# P

**Paar 1.** *n* pair; *bsd. Mann u. Frau:* couple; **2.** ♀ *adj.:* ein ~ a few, some; *j-m* ein ~ Zeilen schreiben drop s.o. a few lines; **♀en** *v/t. u. v/refl. Tiere:* mate; **~lauf** *m Sport:* pair-skating; **♀mal** *adv.:* ein ~ a few times; **~ung** *f* mating, copulation; **♀weise** *adv.* in pairs *od.* couples, by twos.

**Pacht** *f* lease; **~zins:** *a.* rent; **♀en** *v/t.* (take on) lease, rent.

**Pächter** *m*, **~in** *f* lessee, leaseholder, tenant.

**Pacht|vertrag** *m* lease; **~zins** *m* lease, rent.

**Pack 1.** *m s. Packen;* **2.** *n* rabble.

**Päckchen** *n* small parcel, *Am. a.* package; ein ~ Zigaretten a pack(et) of cigarettes.

**packen 1.** *v/t.* pack (up); *derb fassen:* seize (an by), grip, grasp, clutch; *am Kragen:* collar; *Furcht etc.:* grip; *mitreißen:* thrill; **2.** *v/i.* pack (up); **3.** ♀ *n* packing.

**Packen** *m* pack(et), parcel; *Ballen:* bale.

**Packer** *m* packer.

**Pack|papier** *n* packing-paper, brown paper; **~ung** *f* pack(age), packet; **⚓** pack; e-e ~ Zigaretten a pack(et) of cigarettes.

**Pädagog|e** *m* pedagog(ue), education(al)ist; **~ik** *f* pedagogics, pedagogy; **♀isch** *adj.* pedagogic(al).

**Paddel** *n* paddle; **~boot** *n* canoe; **♀n** *v/i.* paddle, canoe.

**Page** *m* page.

**Paket** *n* parcel, package; **~annahme** ⚓ *f* parcel counter; **~karte** ⚓ *f* dispatch-note; **~post** *f* parcel post; **~zustellung** ⚓ *f* parcel delivery.

**Pakt** *m* pact, agreement; *Staatsvertrag:* treaty.

**Palast** *m* palace.

**Palm|e** ♀ *f* palm(-tree); **~sonntag** *eccl. m* Palm Sunday.

**panieren** *v/t.* crumb.

**Pani|k** *f* panic; **♀sch** *adj.* panic; *von ~em Schrecken erfaßt* panic-stricken.

**Panne** *f* breakdown, *mot. a.* engine trouble; *Reifen♀:* puncture; *fig.* mishap.

**Panther** *zo. m* panther.

**Pantoffel** *m* slipper; *unter dem* ~ *stehen* be henpecked; **~held** F *m* henpecked husband.

**pan(t)schen** F **1.** *v/i.* splash (about); **2.** *v/t. Wein etc.* adulterate.

**Panzer** *m* armo(u)r; ⚔ tank; *zo.* shell; **~glas** *n* bullet-proof glass; **♀n** *v/t.* armo(u)r; **~platte** *f* armo(u)r-plate; **~schrank** *m* safe; **~ung** *f* armo(u)r-plating; **~wagen** *m* armo(u)red car; ⚔ tank.

**Papa** *m* papa, dad(dy).

**Papagei** *orn. m* parrot.

**Papier** *n* paper; **~e** *pl.* papers *pl.*, documents *pl.*; *Ausweis♀e:* papers *pl.*, identity card; **♀en** *adj.* (of) paper; *fig.* dull; **~geld** *n* paper-money; bank-notes *pl.*, *Am.* bills *pl.*; **~korb** *m* waste-paper-basket; **~schnitzel** F *n*, *m/pl.* scraps *pl.* of paper; **~waren** *f/pl.* stationery.

**Papp|band** *m* paperback; **~deckel** *m* pasteboard, cardboard.

**Pappe** *f* pasteboard, cardboard.

**Pappel** ♀ *f* poplar.

**papp|en** F **1.** *v/t.* paste; **2.** *v/i.* stick; **~ig** *adj.* sticky; **♀karton** *m*, **♀schachtel** *f* cardboard box, carton.

**Papst** *m* pope.

**päpstlich** *adj.* papal.

**Parade** *f* parade; ⚔ *a.* review; *Fußball etc.:* save; *Boxen, Fechten:* parry.

**Paradeiser** *östr. m* tomato.

**Paradies** *n* paradise; **♀isch** *fig. adj.* heavenly, delightful.

**paradox** *adj.* paradoxical.

**Paragraph** *m* ⚖ article, section; *typ.* paragraph; § section-mark.

**parallel** *adj.* parallel; **♀e** *f* parallel.

**Parasit** *m* parasite.

**Parfüm** *n* perfume, scent; **~erie** *f* perfumery; **♀ieren** *v/t.* perfume, scent.

**parieren 1.** *v/t.* parry (*a. fig.*); *Pferd:* pull up; **2.** *v/i.* obey.

**Park** *m* park; **~aufseher** *m* park-keeper; **♀en 1.** *v/i.* park; ~ *verboten!* no parking!; **2.** *v/t.* park.

**Parkett** *n* parquet; *thea.* (orchestra) stalls *pl.*, *Am.* orchestra.

**Park|gebühr** *f* parking-fee; **~platz** *m* (car-)park, parking lot; **~uhr** *mot. f* parking meter.

**Parlament** *n* parliament; **♀arisch** *adj.* parliamentary.

**Parodie** *f* parody; **♀ren** *v/t.* parody.

**Parole** f ⚔ password, watchword; *fig.* slogan.
**Partei** f party (a. *pol.*); j-s ~ ergreifen take s.o.'s part, side with s.o.; ⚥isch *adj.*, ⚥lich *adj.* partial (für to); prejudiced (gegen against); ⚥los *pol. adj.* independent; ~mitglied *pol. n* party member; ~programm *pol. n* platform; ~tag *pol. m* convention; ~zugehörigkeit *pol.* f party membership.
**Parterre** n ground floor, *Am.* first floor; *thea.* pit, *Am.* parterre, *Am.* parquet circle.
**Partie** f ✝ parcel, lot; *Ausflug:* outing, excursion; *Spiel:* game; ♪ part; *Heirats*⚥: match.
**Partitur** ♪ f score.
**Partizip** *gr. n* participle.
**Partner** m, ~in f partner; ~schaft f partnership.
**Parzelle** f plot, lot.
**paschen** *östr. v/t. u. v/i.* smuggle.
**Pascher** *östr. m* smuggler.
**Paß** m pass (a. *Fußball etc.*); *Reise*⚥: passport.
**Passage** f passage.　　　[n air liner.│
**Passagier** m passenger; ~flugzeug│
**Passah** n, ~fest n Passover.
**Paßbild** n passport photo(graph).
**passen** 1. *v/i.* fit (j-m s.o.; auf od. für od. zu et. s.th.); zusagen, genehm sein: suit (j-m s.o.), be convenient (*Kartenspiel, Sport:* pass; ~ zu go with, match (with); 2. *v/refl.* be fit od. proper; ~d *adj.* fit, suitable; convenient (für for).
**passier|bar** *adj.* passable, practicable; ~en 1. *v/i.* happen; 2. *v/t.* pass; ⚥schein m pass, permit.
**Passion** f passion; *eccl.* Passion.
**passiv** 1. *adj.* passive; 2. ⚥ *gr. n* passive (voice); ⚥a ✝ *pl.* liabilities *pl.*
**Paste** f paste.
**Pastell** n pastel.
**Pastete** f pie.
**Pate** 1. m godfather; godchild; 2. f godmother; ~kind n godchild; ~nschaft f sponsorship.
**Patent** n patent; ⚔ *Offiziers*⚥: commission; ~amt n patent office; ~anwalt m patent agent; ⚥ieren *v/t.* patent; et. ~ *lassen* take out a patent for s.th.; ~inhaber m patentee.
**Patient** m, ~in f patient.
**Patin** f godmother.
**Patriot** m, ~in f patriot.

**Patron** m patron, protector; *contp.* fellow, bloke, customer; ~at n patronage; ~e f cartridge, *Am. a.* shell.　　　　　　[v/i. patrol.│
**Patrouill|e** ⚔ f patrol; ⚥ieren ⚔│
**Patsch|e** F *fig. f:* in der ~ sitzen be in a fix od. scrape; ⚥en F *v/i.* splash; ⚥naß *adj.* dripping wet, drenched.
**Pauke** ♪ f kettle-drum; ⚥n F *fig. v/i. u. v/t.* cram.
**Pauschal|e** f, ~summe f lump sum.
**Pause** f break, interval, intermission; *kurze:* pause; *thea.* interval, *Am.* intermission; *Schul*⚥: break (at school), *Am.* recess; ♪ rest; ⊕ tracing; ⚥n *v/t.* trace; ⚥nlos *adj.* uninterrupted, incessant; ~nzeichen n *Radio:* interval signal.
**pausieren** *v/i.* pause.
**Pavian** *zo. m* baboon.
**Pavillon** m pavilion.
**Pech** n pitch; F *fig.* bad luck; ~strähne F f run of bad luck; ~vogel F m unlucky fellow.
**pedantisch** *adj.* pedantic.
**Pegel** m water-ga(u)ge.
**peilen** *v/t. Tiefe:* sound.　[mentor.│
**peinige|n** *v/t.* torment; ⚥r m tor-│
**peinlich** *adj.* embarrassing; *sehr gewissenhaft:* particular, scrupulous.
**Peitsche** f whip; ⚥n *v/t.* whip; ~nhieb m lash.
**Pell|e** f skin, peel; ⚥en *v/t.* skin, peel; ~kartoffeln f/pl. potatoes pl. (boiled) in their jackets od. skins.
**Pelz** m fur; *Kleidung:* mst furs pl.; ⚥gefüttert *adj.* fur-lined; ⚥ig *adj.* furry; ⚕ *Zunge:* furred; ~mantel m fur coat; ~stiefel m fur-lined boot; ~tiere n/pl. fur(red animals pl.).
**Pendel** n pendulum; ⚥n *v/i.* oscillate, swing; 🚌 shuttle, *Am.* commute; ~tür f swing-door; ~verkehr 🚌 m shuttle service.
**Pension** f (old-age) pension, retired pay; boarding-house; ~är m (oldage) pensioner; *Pensionsgast:* boarder; ~at n boarding-school; ⚥ieren *v/t.* pension (off); sich ~ lassen retire; ~sgast m boarder.
**Pensum** n task; *Schul*⚥: lesson.
**perfekt** 1. *adj.* perfect; 2. ⚥ *gr. n* perfect (tense).
**Pergament** n parchment.
**Period|e** f period; ⚕ periods pl.; ⚥isch *adj.* periodic(al).
**Peripherie** f ⚕ circumference; e-r *Stadt:* outskirts pl.

**Perle** f pearl; *Glas*⚘: bead; ⚘n v/i.
*Wein*: sparkle; ⚘kette f pearl
necklace.

**Perl|muschel** zo. f pearl-oyster;
⚘mutt n, ⚘mutter f mother-of-
pearl.

**Person** f person; *thea.* character.

**Personal** n staff, personnel; ⚘ab-
teilung f personnel department;
⚘ausweis m identity card; ⚘chef m
personnel officer od. manager; ⚘ien
pl. particulars pl., personal data pl.;
⚘pronomen gr. n personal pronoun.

**Personen|wagen** m 🚋 (passenger-)
carriage od. Am. car, coach; *mot.*
(motor-)car; ⚘zug 🚋 m passenger
train.

**personifizieren** v/t. personify.

**persönlich** adj. personal; *Meinung,
Brief*: a. private; ⚘keit f personal-
ity; *bedeutender Mensch*: a. per-
sonage.

**Perücke** f wig.

**Pest** 🌢 f plague.

**Petersilie** 🌢 f parsley.

**Petroleum** n petroleum; *für Leucht-
zwecke*: paraffin (oil), kerosene.

**Pfad** m path, track; ⚘finder m boy
scout; ⚘finderin f girl guide, *Am.*
girl scout.

**Pfahl** m stake, pale, pile.

**Pfand** n pledge; 🌢 deposit, security;
*Pfänderspiel*: forfeit; ⚘brief 🌢 m
mortgage bond.

**pfänden** 🏛 v/t. et.: seize; j-n, et.:
distrain upon.

**Pfand|haus** n s. Leihhaus; ⚘leiher
m pawnbroker; ⚘schein m pawn-
ticket.

**Pfändung** 🏛 f seizure; distraint.

**Pfann|e** f pan; ⚘kuchen m pan-
cake.

**Pfarr|bezirk** m parish; ⚘er m
parson; *der engl. Staatskirche*:
rector, vicar; *bsd. e-r Dissenterkirche*: minister; ⚘gemeinde f
parish; ⚘haus n parsonage; rectory,
vicarage; ⚘kirche f parish church.

**Pfau** orn. m peacock.

**Pfeffer** m pepper; ⚘ig adj. peppery;
⚘kuchen m gingerbread; ⚘minze
🌢 f peppermint; ⚘minzplättchen
n peppermint; ⚘n v/t. pepper; ⚘-
streuer m pepperbox, pepper-
castor.

**Pfeife** f whistle; *Orgel*⚘ etc.: pipe;
(tobacco-)pipe; ⚘n 1. v/i. whistle

(*dat.* to); *Wind, Radio*: howl; 2. v/t.
whistle; ⚘nkopf m pipe-bowl.

**Pfeil** m arrow.

**Pfeiler** m pillar; *Stütz*⚘, *Tor*⚘: pier.

**Pfennig** m pfennig; *fig.* penny, far-
thing.

**Pferch** m fold, pen; ⚘en v/t. cram
(*in* into).

**Pferd** zo. n horse; *zu* ⚘e on horse-
back.

**Pferde|geschirr** n harness; ⚘
koppel f paddock; ⚘rennen n
horse-race; ⚘stall m stable; ⚘stärke
⊕ f horsepower.

**Pfiff** m whistle; ⚘ig adj. clever,
artful.

**Pfingst|en** eccl. n, ⚘fest eccl. n
Whitsun(tide); ⚘montag eccl. m
Whit Monday, *Am.* Whitmonday;
⚘rose 🌢 f peony; ⚘sonntag eccl. m
Whit Sunday, *Am.* Whitsunday.

**Pfirsich** m peach.

**Pflanz|e** f plant; ⚘en v/t. plant, set;
*eintopfen*: pot; ⚘enfett n vegetable
fat; ⚘enfressend adj. herbivorous;
⚘er m planter; ⚘ung f plantation.

**Pflaster** n 🌢 plaster; *Straßen*⚘:
pavement; ⚘er m paver, pavio(u)r;
⚘n v/t. pave; ⚘stein m paving-
stone; *Kopfstein*: cobble(-stone).

**Pflaume** f plum; *Back*⚘: prune.

**Pflege** f care; 🌢 nursing; *e-s Gar-
tens, von Beziehungen*: cultivation;
⊕ maintenance; *in* ⚘ geben *Kind*:
put out to nurse; ⚘bedürftig adj.
needing care; ⚘befohlene m, f
charge; ⚘eltern pl. foster-parents
pl.; ⚘heim 🌢 n nursing home; ⚘
kind n foster-child; ⚘n 1. v/t. *Kind*:
foster; 🌢 nurse; ⊕ maintain; cultivate; 2. v/i.: *zu inf.* be accustomed
od. wont to *inf.*; *sie pflegte zu sagen*
she used to say; ⚘r 🌢 m male nurse;
*Kurator*: trustee; 🏛 *Vormund*:
guardian; ⚘rin 🌢 f nurse.

**Pflicht** f duty (*gegen* to); ⚘bewußt
adj. conscious of one's duty; ⚘eifrig
adj. zealous; ⚘erfüllung f performe-
ance of one's duty; ⚘fach n compulsory subject; ⚘gefühl n sense of
duty; ⚘gemäß adj. dutiful; ⚘ge-
treu adj. dutiful; ⚘vergessen adj.
undutiful.

**Pflock** m plug, peg.

**pflücken** v/t. pick, gather, pluck.

**Pflug** m plough, *Am.* plow.

**pflügen** v/t. u. v/i. plough, *Am.*
plow.

**Pforte** f gate, door.
**Pförtner** m gate-keeper, door-keep-er, porter, janitor.
**Pfosten** m post.
**Pfote** f paw.
**Pfropf** m s. Pfropfen.
**Pfropfen 1.** m stopper; Kork&: cork; Holz&, Metall&: plug; ⚕ clot (of blood); **2.** ⚢ v/t. stopper; cork; ⚕ graft; fig. cram.
**Pfuhl** m pool; fig. sink.
**pfui** int. fie!, for shame!
**Pfund** n pound; &weise adv. by the pound.
**pfusch|en** F v/i. bungle, botch; &e-rei** F f bungle, botch.
**Pfütze** f puddle, pool.
**Phänomen** n phenomenon; &al adj. phenomenal.
**Phantasie** f imagination, fancy; bsd. ausschweifende: fantasy; &ren v/i. day-dream; ⚕ be delirious, rave; F talk rubbish.
**Phantast** m visionary; &isch adj. fantastic; F great, terrific.
**Phase** f phase (a. ⚡), stage.
**Philanthrop** m philanthropist.
**Philolog|e** m, ~in f philologist; ~ie f philology.
**Philosoph** m philosopher; ~ie f philosophy; &ieren v/i. philoso-phize (über on); &isch adj. philo-sophical.
**phlegmatisch** adj. phlegmatic.
**phonetisch** adj. phonetic.
**Phosphor** ⚗ m phosphorus.
**Photo** F **1.** n photo; **2.** m = ~appa-rat m camera.
**Photograph** m photographer; ~ie f photograph, F photo; Kunst: photog-raphy; &ieren **1.** v/t. photograph, take a photo(graph) of; **2.** v/i. pho-tograph; &isch adj. photographic.
**Photokopie** f photostat; ~rgerät n] **Phrase** f phrase. [photostat.]
**Physik** f physics; &alisch adj. physical; ~er m physicist.
**physisch** adj. physical.
**Pian|ist** m pianist; ~o n piano.
**Picke** ⊕ f pick(axe).
**Pickel** m ⚕ pimple; ⊕ pick(axe); Eis&: ice-pick; &ig ⚕ adj. pimpled, pimply.
**picken** v/i. u. v/t. pick, peck.
**picklig** adj. s. pickelig.
**Picknick** n picnic.
**piep(s)en** v/i. cheep, peep; Maus: squeak.

**Pietät** f reverence; Frömmigkeit: piety; &los adj. irreverent; &voll adj. reverent.
**Pik 1.** m peak; **2.** n spade(s pl.).
**pikant** adj. piquant, spicy (beide a. fig.); das Pikante the piquancy.
**Pike** f pike; von der ~ auf dienen rise from the ranks.
**Pilger** m pilgrim; ~fahrt f pilgrim-age; &n v/i. pilgrimage.
**Pille** f pill.
**Pilot** m pilot.
**Pilz** ♀ m fungus; genießbar: mush-room; ungenießbar: toadstool.
**Pinguin** orn. m penguin.
**Pinsel** m brush; ~strich m stroke of the brush.
**Pinzette** f (e-e a pair of) tweezers pl.
**Pionier** m pioneer, Am. a. trail blazer; ✗ engineer.
**Pirat** m pirate.
**Piste** f course; ✈ runway.
**Pistole** f pistol, Am. F a. gun.
**Plache** östr. f awning, tilt.
**placieren** v/t. place; sich ~ Sport: be placed.
**plädieren** v/i. plead (für for).
**Plädoyer** ⚖ n pleading.
**Plage** f trouble, nuisance, F plague; stärker: torment; &n v/t. trouble, bother, F plague; torment; sich ~ toil, drudge.         (gehen plagiarize.)
**Plagiat** n plagiarism; ein ~ be-)
**Plakat** n poster, placard, bill; ~säule f advertisement pillar.
**Plakette** f plaque.
**Plan** m plan; Absicht: a. design, intention; Anschlag: scheme.
**Plane** f awning, tilt.
**planen** v/t. plan; scheme.
**Planet** m planet.
**planieren** ⊕ v/t. level.
**Planke** f plank, board.
**plänkeln** v/i. skirmish (a. fig.).
**plan|los 1.** adj. planless, aimless, desultory; **2.** adv. at random; ~mäßig **1.** adj. systematic, planned; **2.** adv. as planned.
**planschen** v/i. splash, paddle.
**Plantage** f plantation.
**Plapper|maul** F n chatterbox; &n F v/i. chatter, prattle, babble.
**plärren** F v/i. u. v/t. blubber; schreien: bawl.
**Plasti|k 1.** f plastic art; sculpture; **2.** ⊕ n plastics sg.; &sch adj. plastic (a. fig.); three-dimensional.
**Platin** n platinum.

**plätschern** *v/i.* dabble, splash; *Wasser:* ripple, murmur.

**platt** *adj.* flat, level, even; *fig.* trite; F *fig.* flabbergasted.

**Plättbrett** *n* ironing-board.

**Platte** *f* plate; *Schüssel:* dish; *Blech*♀, *Glas*♀ *etc.:* sheet; *Stein*♀: flag; *Metall*♀, *Stein*♀, *Holz*♀: slab; *Tisch*♀: top; *Schall*♀: disc, record; F *fig.* bald pate; *kalte* ~ cold meat.

**plätten** *v/t.* iron.

**Platten|spieler** *m* record-player; ~**teller** *m* turn-table.

**Platt|form** *f* platform; ~**fuß** *m* ♂ flat-foot; F *mot.* puncture; ~**heit** *fig.* f triviality, platitude.

**Platz** *m* place; spot, *Am. a.* point; *Raum:* room, space; *Lage*, *Bau*♀: site; *Sitz*♀: seat; *öffentlicher:* square; *runder:* circus; *Sport*♀: ground; *Tennis*♀: court; ~ *behalten* remain seated; ~ *machen* make room (*dat.* for) (*a. fig.*); ~ *nehmen* take a seat, sit down, *Am. a.* have a seat; *ist hier noch* ~? is this seat taken *od.* occupied?; *den dritten* ~ *belegen* come in third; ~**anweiserin** *f* usherette.

**Plätzchen** *n* snug place; spot; *Gebäck:* biscuit, *Am.* cookie.

**platzen** *v/i.* burst (*a. fig.*); *explodieren:* explode; *reißen:* crack, split.

**Platz|patrone** *f* blank cartridge; ~**regen** *m* downpour.

**Plauder|ei** *f* chat, talk (*a. Radio*); *oberflächliche:* small talk; ♀**n** *v/i.* (have a) chat (*mit* with), talk (to).

**plauschen** *östr. v/i. s.* plaudern.

**Pleite** F **1.** *fig.* failure; **2.** ♀ *adj.* broke.

**Plomb|e** *f* (lead) seal; *Zahn*♀: stopping, filling; ♀**ieren** *v/t.* seal; stop, fill.

**plötzlich** *adj.* sudden.

**plump** *adj.* clumsy; ~**s** *int.* plump, plop; ~**sen** *v/i.* plump, plop, flop.

**Plunder** F *m* rubbish, junk.

**plündern 1.** *v/t.* plunder, pillage, loot, sack; **2.** *v/i.* plunder, loot.

**Plural** *gr. m* plural (number).

**plus** *adv.* plus.

**Plusquamperfekt** *gr. n* pluperfect (tense), past perfect.

**Pöbel** *m* mob, rabble; ♀**haft** *adj.* low, vulgar.

**pochen** *v/i.* knock, rap (*beide: an* at); *Herz:* throb, thump; *auf sein Recht* ~ stand on one's rights.

**Pocke** ♂ *f* pock; ~**n** ♂ *pl.* smallpox; ♀**nnarbig** *adj.* pock-marked.

**Podest** *n*, *m* platform.

**Podium** *n* podium, platform.

**Poesie** *f* poetry.

**Poet** *m* poet; ♀**isch** *adj.* poetic(al).

**Pointe** *f* point.

**Pokal** *m* goblet; *Sport:* cup; ~**endspiel** *n* cup-final; ~**spiel** *n* cup-tie.

**pökeln** *v/t.* corn, salt.

**Pol** *m* pole; ♀**ar** *adj.* polar (*a.* ♂).

**Pole** *m* Pole.

**Polemi|k** *f* polemic(s *pl.*); ♀**sch** *adj.* polemic(al); ♀**sieren** *v/i.* polemize.

**Police** *f* policy.

**Polier** ⊕ *m* foreman; ♀**en** *v/t.* polish, furbish; *Metall:* a. burnish.

**Politi|k** *f* policy; *Wissenschaft, Staatsangelegenheiten:* politics *sg.*, *pl.*; ~**ker** *m* politician; *führender:* statesman; ♀**sch** *adj.* political; ♀**sieren** *v/i.* talk politics.

**Politur** *f* polish, lust|re, *Am.* -er.

**Polizei** *f* police *pl.*; ~**beamte** *m* police-officer; ~**knüppel** *m* truncheon, *Am.* club; ~**kommissar** *m* inspector; ♀**lich** *adj.* (of *od.* by the) police; ~**präsident** *m* president of police; *Brt.* chief constable, *Am.* chief of police; ~**präsidium** *n* police headquarters *pl.*; ~**revier** *n* police-station; *Bereich:* police precinct; ~**schutz** *m: unter* ~ under police guard; ~**streife** *f* police patrol; ~**stunde** *f* closing-time; ~**wache** *f* police-station.

**Polizist** *m* policeman, (police) constable, *sl.* bobby, cop; ~**in** *f* policewoman.

**polnisch** *adj.* Polish.

**Polster** *n* pad; *Kissen:* cushion; *Kopf*♀: bolster; *s. Polsterung;* ~**möbel** *n/pl.* upholstered furniture, upholstery; ♀**n** *v/t.* upholster, stuff; *wattieren:* pad, wad; ~**sessel** *m*, ~**stuhl** *m* upholstered chair; ~**ung** *f* padding, stuffing; upholstery.

**poltern** *v/i.* rumble; *fig.* bluster.

**Polytechnikum** *n* polytechnic (school).

**Pommes frites** *pl.* chips *pl.*, *Am.* French fried potatoes *pl.*

**Pomp** *m* pomp, splendo(u)r; ♀**haft** *adj.*, ♀**ös** *adj.* pompous, splendid.

**popul|är** *adj.* popular; ♀**arität** *f* popularity.

**Por|e** *f* pore; ♀**ös** *adj.* porous, permeable.

**Portemonnaie** n purse.
**Portier** m s. *Pförtner.*
**Portion** f portion, share; *bei Tisch:* helping, serving; *zwei* ~*en Kaffee* coffee for two.
**Porto** n postage; 2**frei** adj. post-free; *im voraus bezahlt:* prepaid, *bsd. Am.* postpaid.
**Porträt** n portrait, likeness; 2**ieren** v/t. portray.
**Portugies|e** m Portuguese; *die* ~*n pl.* the Portuguese *pl.*; 2**isch** adj. Portuguese.
**Porzellan** n porcelain, china.
**Posaune** f ♩ trombone; *fig.* trumpet.
**Pose** f pose, attitude.
**Position** f position; ♣ station.
**positiv** adj. positive.
**Positur** f posture; *sich in* ~ *setzen* v/t.
**Posse** *thea.* f farce.                [pose.]
**Possen** m trick, prank; 2**haft** adj. farcical; ~**reißer** m buffoon, clown.
**possessiv** gr. adj. possessive.
**possierlich** adj. droll, funny.
**Post** f post, *Am.* mail; ~*sachen:* mail, letters *pl.*; ~*amt:* post office; *mit der ersten* ~ by the first delivery; ~**amt** n post office; ~**anweisung** f postal order; ~**beamte** m post-office clerk; ~**bote** m postman, *Am.* mailman.
**Posten** m post, place, station; *Anstellung:* job; ✕ sentry, sentinel; *Buchungs*2, *Rechnungs*2: item; *Eintrag:* entry; *Waren*2: lot, parcel.
**Postfach** n post-office box.
**postieren** v/t. post, station, place; *sich* ~ station o.s.
**Post|karte** f postcard, *Am. a.* postal card; ~**kutsche** f stagecoach; 2**lagernd** adj. poste restante; ~**leitzahl** f postcode; ~**minister** m minister of post; *Brt., Am.* Postmaster General; ~**paket** n postal parcel; ~**schalter** m (post-office) window; ~**scheck** m postal cheque, *Am.* postal check; ~**schließfach** n post-office box; ~**sparbuch** n post-office savings-book; ~**stempel** m postmark; 2**wendend** adv. by return of post; ~**wertzeichen** n (postage) stamp; ~**zug** 🚂 m mail train.
**Pracht** f splendo(u)r, magnificence.
**prächtig** adj. splendid, magnificent; *großartig:* grand.

**prachtvoll** adj. s. *prächtig.*
**Prädikat** n gr. predicate; *Schule:* mark.
**prägen** v/t. stamp, coin (a. *fig.*).
**prahlen** v/i. brag, boast (*beide:* mit of).
**Prahler** m boaster, braggart; ~**ei** f boasting, bragging; 2**isch** adj. boastful; *prunkend:* ostentatious.
**Prakti|ker** m practical man; ~**kum** n practical training; 2**sch** adj. practical; *nützlich:* a. useful, handy; ~*er Arzt* general practitioner; 2**zieren** ♣, ♊ v/i. practi|se, *Am.* -ce medicine *od.* the law.
**Prälat** *eccl.* m prelate.
**Praline** f chocolate.
**prall** adj. tight; *drall:* plump; *Sonne:* blazing; ~**en** v/i.: ~ *auf od. gegen* bounce against.
**Prämi|e** f premium; *Preis:* prize; *Extradividende:* bonus; 2**(i)eren** v/t. award a prize to.
**Pranke** f paw.
**Präpa|rat** n preparation; 2**rieren** v/t. prepare.
**Präposition** gr. f preposition.
**Prärie** f prairie.
**Präsens** gr. n present (tense).
**Präsi|dent** m president; *Vorsitzender:* a. chairman; 2**dieren** v/i. preside (*dat.* over), be in the chair; ~**dium** n presidency.
**prasseln** v/i. *Feuer:* crackle; *Regen etc.:* patter.
**Präteritum** gr. n preterite (tense), past (tense).
**Praxis** f practice (a. ♣, ♊).
**Präzedenzfall** m precedent.
**präzis** adj. precise.
**predig|en** v/i. u. v/t. preach; 2**er** m preacher; 2**t** f sermon; *fig. a.* lecture.
**Preis** m price; *Kosten:* cost; *im Wettbewerb:* prize; *Auszeichnung:* award; *Belohnung:* reward; *um jeden* ~ at any price *od.* cost; ~**ausschreiben** n competition.
**preisen** v/t. praise.
**Preis|erhöhung** f rise *od.* increase in price(s); ~**gabe** f abandonment; *e-s Geheimnisses:* revelation; 2**geben** v/t. abandon; reveal, give away; *e-r Gefahr, e-m Übel:* expose; 2**gekrönt** adj. prize; ~**gericht** n jury; ~**lage** f range of prices; ~**liste** f price-list; ~**nachlaß** m discount; ~**richter** m judge,

umpire; **~stopp** *m* price freeze; **~träger** *m* prize-winner; **2wert** *adj.*: ~ *sein* be a bargain.

**prell|en** *v/t. fig.* cheat (*um* out of), defraud (*of*); *sich et.* ~ *𝕊* contuse *od.* bruise *s.th.*; **2ung** *𝕊 f* contusion, bruise.

**Premier|e** *thea. f* première, first night; **~minister** *m* prime minister.

**Presse** *f* ⊕, *typ.* press; *Saft2:* squeezer; *fig. the* press; **~freiheit** *f* freedom of the press; **~meldung** *f* news item; **2n** *v/t.* press; squeeze; **~photograph** *m* press-photographer; **~vertreter** *m* reporter; public relations officer.

**Preßluft** *f* compressed air.

**Prestige** *n* prestige; ~ *verlieren a.* lose face.

**Preuß|e** *m* Prussian; **2isch** *adj.* Prussian. [tingle.\]

**prickeln** *v/i.* prick(le); *Finger etc.*:\

**Priester** *m* priest; **~in** *f* priestess; **2lich** *adj.* priestly, sacerdotal; **~rock** *m* cassock.

**prim|a** *F adj.* first-rate, F A 1; ✝ *a.* prime; F swell; **~är** *adj.* primary.

**Primararzt** *östr. m s. Oberarzt.*

**Primel** *𝓎 f* primrose.

**Prinz** *m* prince; **~essin** *f* princess; **~gemahl** *m* prince consort.

**Prinzip** *n* principle; *aus* ~ on principle; *im* ~ in principle.

**Prise** *f ⚓* prize; *e-e* ~ *Salz* a pinch of salt.

**Prisma** *n* prism.

**Pritsche** *f* plank bed.

**privat** *adj.* private; **2adresse** *f* home address; **2mann** *m* private person *od.* gentleman; **2person** *f* private person; **2schule** *f* private school.

**Privileg** *n* privilege.

**pro** *prp.* per; ~ *Jahr* per annum; ~ *Kopf* per head; ~ *Stück* a piece.

**Probe** *f Versuch:* experiment; *Erprobung:* trial, test; *Waren2:* sample (*a. fig.*); *Prüfstück:* specimen; *Beweis:* proof (*a.* 𝔸); *Bewährungs2:* probation; *Nachprüfung:* check; *thea.* rehearsal; *Hör2:* audition; *auf* ~ on probation, on trial; *auf die* ~ *stellen* (put to the) test; **~exemplar** *n* specimen copy; **~fahrt** *f ⚓* trial trip; *mot.* trial run; **~flug** *m* test *od.* trial flight; **2n** *v/t.* exercise; *thea.*

rehearse; **2weise** *adv.* on trial; *Person: a.* on probation; **~zeit** *f* time of probation.

**probieren** *v/t.* try, test; *Speisen:* taste.

**Problem** *n* problem; **2atisch** *adj.* problematic(al).

**Produkt** *n* product (*a.* 𝔸); ✔ produce; *Ergebnis:* result; **~ion** *f* production; **~smenge:** output; **2iv** *adj.* productive.

**Produz|ent** *m* producer; **2ieren** *v/t.* produce. [trade.\]

**professionell** *adj.* professional, by\

**Profess|or** *m* professor; **~ur** *f* professorship, chair.

**Profi** *m* professional, F pro.

**Profil** *n* profile; *Reifen2:* tread.

**Profit** *m* profit; **2ieren** *v/i.* profit (*von* by). [forecast.\]

**Prognose** *f 𝓎* prognosis; *meteor.*\

**Programm** *n* program(me).

**Projektion** *f* projection; **~sapparat** *m* projector.

**proklamieren** *v/t.* proclaim.

**Prokur|a** ✝ *f* procuration; **~ist** *m* confidential clerk.

**Proletari|er** *m* proletarian; **2sch** *adj.* proletarian.

**Prolog** *m* prolog(ue).

**prominen|t** *adj.* prominent; **2z** *f* notables *pl.*; high society.

**Promo|tion** *univ. f* graduation; **2vieren** *v/i.* graduate (*an* from), take one's degree.

**Pronomen** *gr. n* pronoun.

**Propeller** *m ⚓*, 𝓎 (screw-)propeller, screw; 𝓎 airscrew.

**Prophe|t** *m* prophet; **2tisch** *adj.* prophetic; **2zeien** *v/t.* prophesy, predict, foretell; **~zeiung** *f* prophecy, prediction.

**Proportion** *f* proportion.

**Proporz** *östr. m* proportional representation.

**Prosa** *f* prose.

**prosit** *int.* your health!, cheers!

**Prospekt** *m* prospectus, leaflet; *Falt2:* folder.

**prost** *int. s. prosit.*

**Prostituierte** *f* prostitute.

**Protest** *m* protest; ~ *einlegen gegen* (enter a) protest against.

**Protestant** *eccl. m* Protestant; **2isch** *adj.* Protestant.

**protestieren** *v/i.*: *gegen et.* ~ protest against *s.th.* [2: denture.\]

**Prothese** *𝓎 f* artificial limb; *Zahn-*\

**Protokoll** *n* 並 record; *e-r Versammlung*: minutes *pl.*; *Diplomatie*: protocol; *das ~ aufnehmen* take down the minutes; *zu ~ geben* 並 depose, state in evidence; **2ieren 1.** *v/t.* record, take down (on record); **2.** *v/i.* keep the minutes.

**Protz** *contp. m* braggart, F show-off; **2en** *v/i.* show off (*mit* with); **2ig** *adj.* ostentatious, showy.

**Proviant** *m* provisions *pl.*, victuals *pl.*

**Provinz** *f* province; *fig. the provinces pl.*; **2ial** *adj.*, **2iell** *adj.* provincial.

**Provis|ion** † *f* commission; **2orisch** *adj.* provisional, temporary.

**provozieren** *v/t.* provoke.

**Prozent** *n* per cent; **~satz** *m* percentage; **2ual** *adj.* expressed as percentage; **~er Anteil** percentage.

**Prozeß** *m* process; 並 *Klage*: action; 並 *Verfahren, Klage*: lawsuit; *Straf2, Zivil2*: trial; *j-m den ~ machen* try s.o., put s.o. on trial; *kurzen ~ machen mit* make short work of.

**prozessieren** *v/i.*: *mit j-m ~* go to law against s.o.; carry on a lawsuit against s.o.

**Prozession** *f* procession.

**prüde** *adj.* prudish.

**prüf|en** *v/t. Schüler etc.*: examine; *erproben*: try, test (*auf* for); *kontrollieren*: check, verify; **~end** *adj. Blick*: searching, scrutinizing; **2er** *m* examiner; **2ling** *m* examinee; **2stein** *m* touchstone; **2ung** *f* examination, F exam; test; verification, check(-up); *e-e ~ machen* go in for *od.* sit for *od.* take an examination.

**Prügel 1.** *m* cudgel, club, stick; **2.** F *fig. pl.* beating, thrashing; **~ei** f *f* fight, row; **~knabe** *m* scapegoat; **2n** F *v/t.* cudgel, flog; *allgemein*: beat, thrash; *sich ~* (have a) fight.

**Prunk** *m* splendo(u)r, pomp; **2en** *v/i.* make a show (*mit* of), show off (*mit et. s.th.*); **2voll** *adj.* splendid, pompous.

**Psalm** *eccl. m* psalm.

**Pseudonym** *n* pseudonym.

**pst** *int.* hush!

**Psychi|ater** *m* psychiatrist, alienist; **2sch** *adj.* psychic(al).

**Psycho|analyse** *f* psychoanalysis;

**~loge** *m* psychologist; **~logie** *f* psychology; **~se** *f* psychosis.

**Pubertät** *f* puberty.

**Publikum** *n* the public; *Zuhörerschaft*: audience; *Zuschauer*: spectators *pl.*, crowd; *Leser*: readers *pl.*

**publiz|ieren** *v/t.* publish; **2ist** *m* publicist.

**Pudding** *m* cream, pudding.

**Pudel** *zo. m* poodle.

**Puder** *m* powder; **~dose** *f* compact; **2n** *v/t.* powder; *sich ~ powder o.s. od.* one's face; **~quaste** *f* powderpuff; **~zucker** *m* powdered sugar.

**Puff** F *m* poke, nudge; **2en 1.** F *v/t.* nudge; **2.** *v/i.* pop; **~er** ⚒ *m* buffer.

**Pullover** *m* pull-over, sweater.

**Puls** ⚕ *m* pulse; **~ader** *anat. f* artery; **2ieren** *v/i.* pulsate (*a. fig.*); **~schlag** ⚕ *m* pulsation.

**Pult** *n* desk.

**Pulv|er** *n* powder; gunpowder; F *fig.* cash, *sl.* dough; **2erig** *adj.* powdery; **2erisieren** *v/t.* pulverize; **2rig** *adj.* powdery.

**Pump** F *m*: *auf ~* on tick; **~e** *f* pump; **2en 1.** *v/i.* pump; **2.** *v/t.* pump; F *fig.*: give on tick; borrow (*et. von j-m s.th. from s.o.*).

**Punkt** *m* point (*a. fig.*); *Tüpfelchen*: dot; *typ., gr.* full stop, period; *Stelle*: spot, place; *der Tagesordnung etc.*: item; *e-s Vertrags*: article, clause; *der springende ~* the point; *toter ~* deadlock, dead end; *~ zehn Uhr* on the stroke of ten, at 10 (o'clock) sharp; *nach ~en siegen* win on points; **2ieren** *v/t.* dot, point; ⚕ puncture, tap; *paint.* stipple.

**pünktlich** *adj.* punctual; *~ sein* be on time; **2keit** *f* punctuality.

**Punsch** *m* punch.

**Pupille** *anat. f* pupil.

**Puppe** *f* doll; *Draht2*: puppet; *Schneider2*: dummy; *zo.* chrysalis, pupa; **~nspiel** *n* puppet-show; **~nwagen** *m* doll's pram, *Am.* doll carriage *od.* buggy.

**pur** *adj.* pure (*a. fig.*); *unverdünnt*: neat.

**Püree** *n* purée, mash.

**Purpur** *m* purple; **2farben** *adj.*, **2n** *adj.*, **2rot** *adj.* purple.

**Purzel|baum** *m* somersault; *e-n ~ schlagen* turn a somersault; **2n** *v/i.* tumble.

**Puste** F f breath; *ihm ging die ~ aus* he got out of breath.

**Pustel** ♗ f pustule, pimple.

**pusten** v/i. puff, pant; *blasen:* blow.

**Pute** *orn.* f turkey(-hen); **~r** *orn.* m turkey(-cock).

**Putsch** m putsch, insurrection; 2en v/i. revolt.

**Putz** m *Staat:* finery; *Besatz:* trimming; △ roughcast, plaster; 2en v/t. clean, cleanse; *polieren:*

polish; *abreiben:* wipe; *schmücken:* adorn; *Schuhe:* polish, *Am.* shine; *sich die Nase ~* blow *od.* wipe one's nose; *sich die Zähne ~* brush one's teeth; **~frau** f charwoman, *Am. a.* scrubwoman; 2ig *adj.* droll, funny; **~lappen** m cleaning rag.

**Pyjama** m (ein a suit of) pyjamas *pl. od. Am. a.* pajamas *pl.*

**Pyramide** f pyramid (a. ♗); 2n-förmig *adj.* pyramidal.

# Q

**Quacksalber** m quack (doctor).

**Quadrat** n square; *2 Fuß im ~ 2* feet square; *ins ~ erheben* square; 2isch *adj.* square; ♗ *Gleichung:* quadratic; **~meile** f square mile; **~meter** n, m square met|re, *Am.* -er; **~wurzel** ♗ f square root.

**quaken** v/i. *Ente:* quack; *Frosch:* \
**quäken** v/i. squeak. [croak.\

**Qual** f pain, torment, *ärgste:* agony.

**quälen** v/t. torment (a. fig.); *foltern:* torture; *fig.* bother, pester; *sich ~ abmühen:* toil, drudge.

**Qualifi|kation** f qualification; 2-zieren v/t. u. v/refl. qualify.

**Qualit|ät** f quality; 2ativ **1.** *adj.* qualitative; **2.** *adv.* as to quality. **Qualitätsware** f high-grade *od.* quality goods *pl.*

**Qualm** m (dense) smoke; 2en v/i. smoke; F *Person:* smoke heavily.

**qualvoll** *adj.* very painful; *Schmerz:* excruciating; *fig.* agonizing.

**Quantit|ät** f quantity; 2ativ **1.** *adj.* quantitative; **2.** *adv.* as to quantity.

**Quantum** n quantum (a. phys.), quantity, amount; *Anteil:* share.

**Quarantäne** f quarantine; *in ~ legen* (put in) quarantine; *in ~ liegen* be in quarantine.

**Quark** m curd(s *pl.*).

**Quartal** n quarter (of a year); *univ.* term.

**Quartett** n quartet(te) (a. ♩).

**Quartier** n accommodation; ✕ quarters *pl.*, billet.

**Quaste** f tassel; *Puder2:* (powder-) puff.

**Quatsch** F m nonsense, *sl.* rot, *Am. sl. a.* baloney; 2en F v/i. twaddle, blether, *sl.* talk rot. [silver.\

**Quecksilber** n mercury, quick-\

**Quelle** f spring, source (a. fig.); *Öl2:* well; *fig.* fountain, origin; 2n v/i. gush, well (*beide:* aus from); **~nangabe** f (mention of) sources used.

**Quengel|ei** F f whining; *Nörgelei:* nagging; 2n F v/i. whine; nag.

**quer** *adv.* crossways, crosswise; *~ über* across.

**Quer|e** f: F j-m *in die ~ kommen* get in s.o.'s way; **~kopf** m wrong-headed fellow; **~schiff** △ n transept; **~schnitt** m cross-section (a. fig.); **~straße** f cross-road; *zweite ~ rechts* second turning to the right.

**Querulant** m grumbler.

**quetsch|en** v/t. squeeze; ♗ bruise; *sich den Finger ~* nip *od.* pinch one's finger; 2ung ♗ f bruise.

**quick** *adj.* lively, brisk.

**quieken** v/i. squeak, squeal.

**quietsch|en** v/i. squeak, squeal; *Tür etc.:* creak, squeak; *Bremsen etc.:* screech; **~vergnügt** F *adj.* (as) jolly as a sandboy. [twirl.\

**Quirl** m twirling-stick; 2en v/t.\

**quitt** *adj.* quits, even; *jetzt sind wir ~* we are quits now; **~ieren** v/t. *Rechnung:* receipt; *aufgeben:* quit, abandon; 2ung f receipt; *fig.* answer; *gegen ~* against receipt.

**Quot|e** f quota; *Anteil:* share, portion; **~ient** ♗ m quotient.

# R

**Rabatt** ✝ *m* discount, rebate.

**Rabe** *orn. m* raven; ♀**nschwarz** F *adj.* raven, jet-black.

**rabiat** *adj.* rabid, violent.

**Rache** *f* revenge, vengeance.

**Rachen** *anat. m* throat, pharynx; *fig.* jaws *pl.*

**rächen** *v/t. et.:* avenge, *j-n, et.:* revenge; *sich ~ an j-m für et.* revenge o.s. *od.* be revenged (up)on s.o. for s.th., avenge o.s. *od.* be avenged on s.o. for s.th.

**rachsüchtig** *adj.* revengeful, vindictive.

**Rad** *n* wheel; *Fahr♀:* (bi)cycle, F bike; *ein ~ schlagen Pfau:* spread its tail; *Sport:* turn a cart-wheel.

**Radar** *m, n* radar.

**Radau** F *m* row, racket.

**radeln** *v/i.* cycle, F bike.

**Rädelsführer** *m* ringleader.

**Räderwerk** ⊕ *n* gearing.

**rad|fahren** *v/i.* cycle, (ride a) bicycle, F bike; ♀**fahrer** *m* cyclist, *Am. a.* wheelman.

**radier|en** *v/t.* rub out, erase; *Kunst:* etch; ♀**gummi** *m* (India-)rubber, *bsd. Am.* eraser; ♀**messer** *n* eraser; ♀**ung** *f* etching.

**Radieschen** ♣ *n* (red) radish.

**radikal** *adj.* radical.

**Radio** *n* radio, wireless; *im ~ on the radio;* ♀**aktiv** *phys. adj.* radio(-)active; *~er Niederschlag* fall-out; **~apparat** *m* radio(-set), wireless (set).

**Radius** ♣ *m* radius.

**Rad|kappe** *f* hub cap; **~rennbahn** *f* cycling track; **~rennen** *n* cycle race; **~sport** *m* cycling; **~spur** *f* rut, track.

**raffen** *v/t.* snatch up; *Kleid:* gather.

**raffiniert** *adj.* refined; *fig.* clever, cunning.

**Ragout** *n* ragout, stew, hash.

**Rahe** ⚓ *f* yard.

**Rahm** *m* cream.

**Rahmen** 1. *m* frame; *Gefüge:* framework; *Hintergrund:* setting; *Bereich:* scope; *aus dem ~ fallen* be out of the ordinary; 2. ♀ *v/t.* frame.

**Rakete** *f* rocket; *e-e ~ abfeuern* fire, starten launch a rocket; *dreistufige ~* three-stage rocket; **~nantrieb** *m* rocket propulsion; *mit ~*

rocket-propelled; **~ntriebwerk** *n* propulsion unit.

**Ramm|bär** ⊕ *m,* **~bock** ⊕ *m,* **~e** ⊕ *f* ram(mer); ♀**en** *v/t.* ram.

**Rampe** *f* ramp, ascent; **~nlicht** *n* footlights *pl.; fig.* limelight.

**Ramsch** *m* junk, trash.

**Rand** *m* edge, border, margin; *bsd. Gefäß♀:* brim; *Gefäß♀, Brillen♀:* rim; *Seiten♀:* margin; *Krater♀, Wund♀:* lip; *Stadt♀:* outskirts *pl.; fig.* verge, brink; **~bemerkung** *f* marginal note; *fig.* casual remark.

**Rang** *m* rank, order; ✕ rank; *Stellung:* position; *thea.* tier; *erster ~ thea.* dress-circle, *Am.* first balcony; *zweiter ~ thea.* upper circle, *Am.* second balcony; *ersten ~es* first-class, first-rate.

**Range** *m, f* unruly child.

**rangieren** 1. ⧦ *v/t.* shunt, switch; 2. *fig. v/i.* rank.

**Rangordnung** *f* order of precedence *od.* merit.

**Ranke** ♣ *f* tendril.

**Ränke** *m/pl.* intrigues *pl.*

**ranken** *v/refl.* creep, climb.

**Ranzen** *m* knapsack; *Schul♀:* satchel.

**ranzig** *adj.* rancid, rank.

**Rappe** *zo. m* black horse.

**rar** *adj.* rare, scarce.

**Rarität** *f* rarity; *Kostbarkeit: a.* curiosity, curio. [prompt.]

**rasch** *adj.* quick, swift; *sofortig:)*

**rascheln** *v/i.* rustle.

**rasen** *v/i.* 1. (h) rage, storm, rave; 2. (sein) race, speed; **~d** *adj. tobend:* raving; *wahnsinnig:* frenzied; *Tempo:* tearing; *Schmerzen:* agonizing; *Kopfschmerzen:* splitting; *j-n ~ machen* drive s.o. mad.

**Rasen** *m* grass; **~platz**: lawn; **~decke:** turf; **~platz** *m* lawn, grass-plot.

**Raserei** F *f* rage, fury; *Wahnsinn:* frenzy, madness; F *mot.* scorching; *j-n zur ~ bringen* drive s.o. mad.

**Rasier|apparat** *m* (safety) razor; ♀**en** *v/t.* shave; *sich ~ (lassen get a)* shave; **~klinge** *f* razor-blade; **~messer** *n* razor; **~pinsel** *m* shaving-brush; **~seife** *f* shaving-soap; **~wasser** *n* after-shave lotion; **~zeug** *n* shaving kit.

**Rasse** f race; zo. breed.

**rasseln** v/i. rattle.

**Rassen|kampf** m race conflict; **~problem** n racial issue; **~schranke** f colo(u)r bar; **~trennung** f racial segregation; **~unruhen** f|pl. race riots pl.

**rasserein** adj. thoroughbred, purebred.

**rassig** adj. thoroughbred; fig. racy.

**Rast** f rest, repose; Pause: break, pause; **2en** v|i. rest, repose; **2los** adj. restless; **~platz** m resting-place; mot. picnic area.

**Rat** m advice, counsel; Vorschlag: suggestion; Ausweg: way out; Kollegium: council, board; Person: council(l)or, alderman; j-n um ~ fragen ask s.o.'s advice.

**Rate** † f instal(l)ment; auf ~n by instal(l)ments.

**raten 1.** v|t. advise, counsel (beide: j-m zu inf. s.o. to inf., s.o.'s ger.); er.: guess; **2.** v|i. guess.

**raten|weise** adv. by instal(l)ments; **2zahlung** † f payment by instal(l)ments.

**Rat|geber** m adviser, counsel(l)or; **~haus** n town hall, Am. a. city hall.

**ratifizieren** v|t. ratify.

**Ration** f ration, allowance; **2ell** adj. efficient; wirtschaftlich: economical; **2ieren** v|t. ration.

**rat|los** adj. puzzled, perplexed, at a loss; **~sam** adj. advisable, expedient; **2schlag** m (piece of) advice, counsel.

**Rätsel** n riddle, puzzle; Geheimnis: enigma, mystery; **2haft** adj. puzzling; enigmatic(al), mysterious.

**Ratte** zo. f rat.

**rattern** v|i. rattle.

**Raub** m robbery; Entführung: kidnap(p)ing; Beute: booty, spoils pl.; **2en** v|t. rob, take by force; kidnap; j-m et. ~ rob od. deprive s.o. of s.th.

**Räuber** m robber; **~bande** f gang of robbers; **2isch** adj. rapacious, predatory.

**Raub|fisch** m fish of prey; **~gier** f rapacity; **2gierig** adj. rapacious; **~mord** m murder with robbery; **~mörder** m murderer and robber; **~tier** n beast of prey; **~überfall** m hold-up, armed robbery; **~vogel** m bird of prey; **~zug** m raid.

**Rauch** m smoke; Dunst: fume; **2en**
**1.** v|i. smoke; bsd. Gase, Dämpfe: fume; Person: (have a) smoke; **2.** v|t. smoke; **~er** m smoker; s. Raucherabteil.

**Raucherabteil** 🚬 n smoking-car(riage), smoking-compartment, smoker.

**räuchern** v|t. smoke, cure.

**Rauch|fang** m chimney; flue; **~fleisch** n smoked meat; **2ig** adj. smoky; **~waren** pl. tobacco products pl.; Pelze: furs pl.

**Räud|e** vet. f mange, scab; **2ig** adj. mangy, scabby.

**Rauf|bold** contp. m rowdy, Am. a. tough; **2en 1.** v|refl.: sich die Haare ~ tear one's hair; **2.** v|i. fight, scuffle; **~erei** f fight, scuffle.

**rauh** adj. rough, rugged; Klima: inclement, raw; Stimme: hoarse; Gewebe, Stimme etc.: harsh; Benehmen etc.: coarse, rude; F in ~en Mengen galore; **2reif** m hoarfrost, poet. rime.

**Raum** m room, space; weiter: expanse; Gebiet: area; Zimmer: room; Welt2: space; **~anzug** m space suit.

**räumen** v|t. fortschaffen: remove, clear (away); Gebiet: leave, 🗙 evacuate; Saal etc.: clear; Wohnung etc.: vacate.

**Raum|fahrt** f astronautics; **~flug** m space flight; **~inhalt** m volume, capacity; **~kapsel** f capsule.

**räumlich** adj. of space, spatial.

**Raum|schiff** n space craft od. ship; **~sonde** f space probe; **~station** f space station.

**Räumung** f clearing, removal; bsd. † clearance; vacating, zwangsweise: eviction; 🗙 evacuation; **~sverkauf** † m clearance sale.

**raunen 1.** v|i. whisper, murmur; **2.** v|t. whisper, murmur; man raunt, daß ... rumo(u)r has it that ...

**Raupe** zo. f caterpillar.

**raus** int. get out!, sl. beat it!, scram!

**Rausch** m intoxication, drunkenness; fig. transport(s pl.); e-n ~ haben be drunk; **2en** v|i. **1.** (h) Regen, Seide: rustle; Wind: sough; **2.** (sein) sweep (aus from); **2end** adj. Applaus: thunderous; **~gift** n narcotic (drug), F dope.

**räuspern** v|refl. clear one's throat.

**Razzia** f raid, round-up.

**reagieren** v/i. ⚡, 🔨 react (auf to); *fig. a.* respond (to).

**Reaktion** f 🔨, ⚡, *phys.* reaction (auf to) (*a. pol.*); *fig. a.* response (to); **~är 1.** m reactionary; **2.** ⚢ adj. reactionary.

**Reaktor** *phys.* m (nuclear) reactor, atomic pile.

**real** adj. real; *konkret:* concrete; **~isieren** v/t. realize; **⚢ismus** m realism; **~istisch** adj. realistic; **⚢ität** f reality; **⚢schule** f non-classical secondary school.

**Rebe** ⚢ f vine.

**Rebell** m rebel; **⚢ieren** v/i. rebel, revolt, rise (alle: gegen against); **⚢isch** adj. rebellious.

**Reb|huhn** *zo.* n partridge; **~laus** *zo.* f vine-fretter, phylloxera; **~stock** ⚢ m vine.

**Rechen** m rake.

**Rechen|aufgabe** f sum, (arith-metical) problem; **~fehler** m arithmetical error, miscalculation; **~maschine** f calculating-machine; **~schaft** f: ~ ablegen über give od. render an account of, account for; *zur* ~ *ziehen* call to account (*wegen* for); **~schieber** ⅍ m slide-rule.

**rechne|n 1.** v/t. reckon, calculate; ~ *zu* rank with od. among; **2.** v/i. do sums; *zählen:* count; ~ *auf* count od. reckon od. rely (up)on; **~risch** adj. arithmetical.

**Rechnung** f calculation, sum, reckoning; *Aufstellung:* account, bill; *Waren⚢:* invoice; *im Gasthaus etc.:* bill, *Am.* check; *Zeche:* score; *auf* ~ on account; *e-r Sache* ~ *tragen* make allowance(s) for s.th.; **~sprüfer** m auditor.

**recht 1.** adj. *Gegensatz link:* right; *wirklich:* real; *gesetzmäßig:* legit-imate; *richtig:* right, correct; *zur* ~*en Zeit* at the right moment; *mir ist es* ~ I don't mind; ~ *haben* be right; *j-m* ~ *geben* agree with s.o.; **2.** adv. right(ly), well; *ziemlich:* rather; *richtig:* correctly; *ganz* ~! quite (so)!; *es geschieht ihm* ~ it serves him right; ~ *gut* quite good od. well; *ich weiß nicht* ~ I wonder.

**Recht** n right (auf to), title (to); *Vor⚢:* privilege; *Befugnis:* power, authority; 𝕥𝕥 *objektives* ~, *Gesetz:* law; *Berechtigung, Gerechtigkeit:* justice; ~ *sprechen* administer justice; *mit* ~ justly.

**Rechte** f right hand.

**Rechteck** n rectangle; **⚢ig** adj. rectangular.

**recht|fertigen** v/t. justify, vindi-cate; **⚢fertigung** f justification, vindication; **~gläubig** adj. ortho-dox; **~haberisch** adj. dogmatic; **~lich** adj. legal, lawful, legitimate; **~los** adj. without rights; **~mäßig** adj. legal, lawful, legitimate; **⚢mäßigkeit** f legality, legitimacy.

**rechts** adv. on od. to the right.

**Rechts|anspruch** m right (auf to), title (to); **~anwalt** m lawyer, *Am. a.* attorney; solicitor; *plädierender:* barrister(-at-law), *Am.* counsel(l)or (-at-law); **~beistand** m legal adviser, counsel.

**recht|schaffen 1.** adj. honest, righteous; **2.** F adv. awfully; **⚢-schreibung** f orthography, spell-ing.

**Rechts|fall** m case; **~gelehrte** m jurist, lawyer; **⚢gültig** adj. s. rechtskräftig; **~kraft** f legal force, validity; **⚢kräftig** adj. valid, legal; *Urteil:* final; **~lage** f legal position; **~mittel** n legal remedy; **~pflege** f administration of justice, judi-cature.

**Rechtsprechung** f jurisdiction.

**Rechts|schutz** m legal protection; **~streit** m litigation; **~vertreter** m s. Rechtsbeistand; **~weg** m: den ~ beschreiten go to law; **⚢widrig** adj. illegal, unlawful; **~wissenschaft** f jurisprudence.

**recht|wink(e)lig** adj. right-angled; **~zeitig 1.** adj. opportune; *pünkt-lich:* punctual; **2.** adv. in time (um zu tun to do); *termingerecht:* in due time; *pünktlich:* on time, punctually.

**Reck** n horizontal bar.

**recken** v/t. stretch; *sich* ~ stretch o.s.

**Redakt|eur** m editor; **~ion** f Fas-sung: editing; *Personal:* editorial staff, editors pl.; *Büro:* editor's od. editorial office; **⚢ionell** adj. edi-torial.

**Rede** f speech; *förmliche, feierliche:* oration; *~weise:* language; *direkte* ~ gr. direct speech; *indirekte* ~ gr. reported od. indirect speech; *e-e* ~ *halten* make od. deliver a speech; *zur* ~ *stellen* take to task (*wegen* for); **⚢gewandt** adj. eloquent; **~kunst** f rhetoric; **⚢n 1.** v/t. *Wahr-heit:* speak; *Sprache:* a. talk; **2.** v/i.

speak (*mit* to, with; *über* about, of), talk (to, with; about, of); *sie läßt nicht mit sich* ~ she won't listen to reason.

**Redensart** *f* phrase, expression.

**redigieren** *v/t.* edit.

**redlich 1.** *adj.* honest, upright; *aufrichtig*: sincere; **2.** *adv.*: *sich* ~ *bemühen* take great pains.

**Redner** *m* speaker; *bsd. guter*: orator; **2isch** *adj.* oratorical, rhetorical; **~pult** *n* speaker's desk.

**redselig** *adj.* talkative.

**reduzieren** *v/t.* reduce (*auf* to).

**Reeder** *m* shipowner; **~ei** *f* shipping company *od.* firm.

**reell 1.** *adj.* respectable, honest, *Firma*: solid; *Ware*: good; *Angebot*: fair; **2.** *adv.*: ~ *bedient werden* get good value for one's money.

**Refer|at** *n* report; paper; *ein* ~ *halten bsd. univ.* read a paper (*über* on); **~endar** *m* ɪ͡ʒ junior lawyer; *Schule*: junior teacher; **~ent** *m* reporter; **~enz** *f* reference; **2ieren** *v/i.* report (*über* [up]on); *bsd. univ.* read a paper (on).

**reflektieren 1.** *v/t.* reflect; **2.** *v/i.*: ~ *auf* ✝ think of buying; be interested in.

**Reflex** *m phys.* reflection, reflexion; *physiol.* reflex; **2iv** *gr. adj.* reflexive.

**Reform** *f* reform; **~er** *m* reformer; **2ieren** *v/t.* reform.

**Refrain** *m* refrain, burden.

**Regal** *n* shelf.

**rege** *adj.* active, brisk, lively; *geschäftig*: active, busy.

**Regel** *f* rule; *Norm*: standard; *physiol.* menstruation; *in der* ~ as a rule; **2mäßig** *adj.* regular; **2n** *v/t.* regulate; *Angelegenheiten*: arrange; *Frage, Nachlaß, Angelegenheiten*: settle; **2recht** *adj.* regular; **~ung** *f* regulation; arrangement; settlement; **2widrig** *adj.* contrary to the rules, irregular; *abnorm*: abnormal; *Sport*: foul.

**regen** *v/t. u. v/refl.* move, stir.

**Regen** *m* rain; *vom* ~ *in die Traufe kommen* jump out of the frying-pan into the fire, get from bad to worse; **2arm** *adj.* dry; **~bogen** *m* rainbow; **~bogenhaut** *anat. f* iris; **~guß** *m* downpour; **~mantel** *m* waterproof, raincoat; **2reich** *adj.* rainy; **~schauer** *m* shower (of rain); **~-**

**schirm** *m* umbrella; **~tag** *m* rainy day; **~tropfen** *m* raindrop; **~wasser** *n* rain-water; **~wetter** *n* rainy weather; **~wurm** *zo. m* earthworm, *Am. a.* angleworm; **~zeit** *f* rainy season.

**Regie** *f thea.*, *Film*: direction; *unter der* ~ *von* directed by.

**regier|en 1.** *v/i.* reign; **2.** *v/t.* govern (*a. gr.*), rule; **2ung** *f* government, *Am.* administration; *e-s Monarchen*: reign.

**Regierungs|bezirk** *m* administrative district; **~gebäude** *n* government offices *pl.*

**Regiment** ✕ *n* regiment.

**Regisseur** *m thea.* stage manager, director; *Film*: director.

**Regist|er** *n* register (*a. ♪*), record; *in Büchern*: index; **~ratur** *f* registry; *Registrierung*: registration.

**registrier|en** *v/t.* register, record; **2kasse** *f* cash register.

**reglos** *adj.* motionless.

**regne|n** *v/i.* rain; *es regnet in Strömen* it is pouring with rain; **~risch** *adj.* rainy.

**Regreß** ɪ͡ʒ, ✝ *m* recourse; **2-pflichtig** ɪ͡ʒ, ✝ *adj.* liable to recourse.

**regulär** *adj.* regular.

**regulier|bar** *adj.* adjustable; controllable; **~en** *v/t.* regulate, adjust; *steuern*: control.

**Regung** *f* movement, motion; *Gefühls2*: emotion; *Eingebung*: impulse; **2slos** *adj.* motionless.

**Reh** *zo. n* deer, roe; *weiblich*: doe.

**rehabilitieren** *v/t.* rehabilitate.

**Reh|bock** *zo. m* roebuck; **2braun** *adj.*, **2farben** *adj.* of light reddish brown; **~geiß** *zo. f* doe; **~kalb** *zo. n*, **~kitz** *zo. n* fawn.

**Reib|e** *f*, **~eisen** *n* grater.

**reib|en 1.** *v/i.* rub (*an* [up]on); **2.** *v/t.* rub; *zer~*: grate; *wund* ~ chafe, gall; **2ung** *f* friction; **~ungslos** *adj.* frictionless; *fig.* smooth.

**reich** *adj.* rich (*an* in); *wohlhabend*: wealthy; *reichlich*: ample, abundant, copious.

**Reich** *n* empire; *Tier2*, *Pflanzen2*, *Mineral2*: kingdom; *poet.*, *rhet.* realm (*a. fig.*).

**reichen 1.** *v/t. Speise*: serve; *j-m et.* ~ hand *od.* pass s.th. to s.o.; **2.** *v/i.* reach; *fig. a.*: extend (*bis* to);

**genügen**: suffice; *das reicht!* that will do!

**reich|haltig** *adj.* rich; **~lich 1.** *adj.* ample, abundant, copious, plentiful; ~ *Zeit* plenty of time; **2.** *adv.* rather, fairly, F pretty; **2tum** *m* riches *pl.*; wealth (*an of*).

**Reichweite** *f* reach; ✕ range; *in* ~ within reach, near at hand.

**reif** *adj.* ripe, mature (*beide a. fig.*).

**Reif** *m* white *od.* hoar-frost, *poet.* rime.

**Reife** *f* ripeness, maturity (*beide a. fig.*).

**reifen** *v/i.* **1.** (*sein*) ripen, mature (*beide a. fig.*); **2.** (*h*): *es hat gereift* there is a white *od.* hoar-frost.

**Reifen** *m* hoop; *Auto2*: tyre, (*Am. nur*) tire; *Schmuck*: circlet; **~panne** *mot.* f puncture, *Am. a.* flat.

**Reife|prüfung** *f s. Abitur;* **~zeugnis** *n s. Abschlußzeugnis.*

**reiflich** *adj.* mature, careful.

**Reihe** *f* row; *Kette*: line; *Linie*: rank; *Serie*: series; *Anzahl*: number; *thea.* row, tier; *der* ~ *nach* in turn; *ich bin an der* ~ it is my turn.

**Reihen|folge** *f* succession, sequence; *alphabetische* ~ alphabetical order; **2weise** *adv.* in rows.

**Reiher** *orn. m* heron.

**Reim** *m* rhyme; **2en 1.** *v/i.* rhyme; **2.** *v/t. u. v/refl.* rhyme (*auf* with).

**rein** *adj.* pure (*a. fig.*); *sauber*: clean; *klar*: clear (*a. fig.*); **~e** *Wahrheit* plain truth; **2ertrag** *m* net proceeds *pl.*; **2fall** F *m* let-down; **2gewinn** *m* net profit; **2heit** *f* purity (*a. fig.*); cleanness.

**reinig|en** *v/t.* clean(se); *fig.* purify; **2ung** *f* clean(s)ing; *fig.* purification; **~sanstalt**: (dry) cleaners *pl.*; *chemische* ~ dry cleaning; **2ungsmittel** *n* detergent, cleanser.

**rein|lich** *adj.* clean; *als Eigenschaft*: cleanly; *schmuck*: neat, tidy; **2machefrau** f charwoman; **~rassig** *adj.* pedigree, thoroughbred, *bsd. Am.* purebred; **2schrift** f fair copy.

**Reis** 💐 *m* rice.

**Reise** *f* journey; ⚓ voyage; *Rund2*: tour; *bsd. kurze*: trip; ✈, ⚓ passage; **~büro** *n* travel agency *od.* bureau; **~führer** *m* guide(-book); **~gesellschaft** *f* tourist party; **~kosten** *pl.* travel(l)ing-expenses *pl.*; **~leiter** *m* courier; **2n** *v/i.* travel, journey; ~ *nach* go to; *ins Ausland* ~

go abroad; **~nde** *m*, *f* passenger; († commercial) travel(l)er; *Ferien2, Vergnügungs2*: tourist; **~necessaire** *n* dressing-case; **~paß** *m* passport; **~scheck** *m* traveller's cheque, *Am.* traveler's check; **~schreibmaschine** *f* portable typewriter; **~tasche** *f* travel(l)ing-bag, *Am. a.* grip(sack).

**Reisig** *n* brushwood.

**reißen 1.** *v/t. Loch*: tear; *in Stücke* ~ tear *od.* pull to pieces; *an sich* ~ seize; *sich* ~ *um* scramble for; **2.** *v/i.* tear; *brechen*: break; *platzen*: burst; *sich aufspalten*: split; *mir riß die Geduld* I lost patience; **3.** ♀ F *m* rheumatism; **~d** *adj.* rapid; *Tier*: rapacious; *Schmerz*: acute; *~en Absatz finden* sell like hot cakes.

**Reiß|nagel** *m s. Reißzwecke;* **~verschluß** *m* zip-fastener, zipper, *Am. a.* slide fastener; **~zwecke** *f* drawing-pin, *Am.* thumbtack.

**reit|en 1.** *v/i.* ride, go on horseback; **2.** *v/t.* ride; **2er** *m* rider; *bsd. geübter*: horseman; ✕ trooper; *Kartei2*: tab; **2erei** ✕ f cavalry; **2erin** f horsewoman; **2pferd** *n* riding-horse, saddle-horse.

**Reiz** *m* charm, attraction; *physiol.* stimulus; *Versuchung*: temptation; **2bar** *adj.* irritable, excitable, *Am. a.* sore; **2en 1.** *v/t.* irritate (*a. ♂*); ♂ *Nerv*: excite; *herausfordern*: provoke; *ärgern*: nettle; *anregen*: stimulate; *Angebot, Sache*: tempt; *bezaubern*: charm; *anziehen*: attract; **2.** *v/i. Kartenspiel*: bid; **2end** *adj.* charming, *Am.* cute; lovely; **2los** *adj.* unattractive; **~ung** f irritation; provocation; **2voll** *adj.* attractive.

**rekeln** F *v/refl.* loll, lounge.

**Reklamation** *f* claim, complaint.

**Reklame** *f* advertising, publicity; *Anzeige*: advertisement, F ad; ~ *machen* advertise (*für et. s.th.*).

**reklamieren 1.** *v/t.* reclaim; **2.** *v/i.* complain (*wegen* about).

**Rekord** *m* record.

**Rekrut** ✕ *m* recruit; **2ieren** ✕ *v/t.* recruit.

**Rektor** *m* headmaster, rector, *Am.* principal; *univ.* chancellor, rector, *Am.* president.

**relativ** *adj.* relative.

**Relief** *n* relief.

**Religi|on** *f* religion; **2ös** *adj.* religious; *fromm*: a. pious, devout; ~osität *f* devoutness, piety.

**Reling** ⚓ *f* rail.

**Reliquie** *f* relic.

**Ren** *zo.* *n* reindeer.

**Renn|bahn** *f* racecourse, *Am.* race track; *Rad*⚓: cycling track; ~**boot** *n* racing boat, racer.

**rennen 1.** *v/i.* run, race; **2.** *v/t.*: j-n zu Boden ~ run s.o. down; **3.** ⚓ *n* run(ning); *Wett*⚓: race; *Einzel*⚓: heat.

**Renn|fahrer** *m mot.* racing driver; *Rad*⚓: racing cyclist; ~**läufer** *m* ski racer; ~**pferd** *n* racehorse, racer; ~**rad** *n* racing bicycle, racer; ~**sport** *m* racing; *Pferde*⚓: a. the turf; ~**stall** *m* racing stable; ~**wagen** *m* racing car, racer.

**renommiert** *adj.* famous, of repute.

**renovieren** *v/t.* renovate, repair; *Zimmer etc.*: redecorate.

**rent|abel** *adj.* profitable, paying; ⚓e *f Jahres*⚓: annuity; (old-age) pension; ⚓**enempfänger** *m* s. Rentner.

**Rentier** *zo.* *n* s. Ren.

**rentieren** *v/refl.* pay.

**Rentner** *m* (old-age) pensioner; *Leib*⚓: annuitant; *Kapital*⚓: rentier.

**Reparatur** *f* repair; ~**werkstatt** *f* repair-shop; *mot.* a. garage, service station.

**reparieren** *v/t.* repair, *Am.* F a. fix.

**Report|age** *f* reporting, coverage; ~**er** *m* reporter.

**Repräsent|ant** *m* representative; ~**antenhaus** *Am. parl. n* House of Representatives; ⚓**ieren** *v/t.* represent.

**Repressalie** *f* reprisal.

**reproduzieren** *v/t.* reproduce.

**Reptil** *zo.* *n* reptile.

**Republik** *f* republic; ~**aner** *pol. m* republican; ⚓**anisch** *adj.* republican.

**Reserve** *f* reserve (a. ⚔); ~**rad** *mot. n* spare wheel.

**reservier|en** *v/t. Platz*: keep; ~**lassen** book, reserve; ~**t** *adj.* reserved (a. *fig.*).

**Resid|enz** *f* residence; ⚓**ieren** *v/i.* reside.

**resignieren** *v/i.* resign.

**Respekt** *m* respect; ⚓**ieren** *v/t.* respect; ⚓**los** *adj.* irreverent, disrespectful; ⚓**voll** *adj.* respectful.

**Ressort** *n* department; *Zuständigkeit*: a. province.

**Rest** *m* rest, remainder (a. Å); residue (a. ⚓); *bsd.* ✝ *Stoff*⚓: remnant; *Speise*⚓: leftover; *das gab ihm den ~* that finished him (off).

**Restaurant** *n* restaurant.

**Rest|betrag** *m* remainder, balance; ⚓**lich** *adj.* remaining; ⚓**los** *adv.* completely, entirely.

**Resultat** *n* result, outcome; *Sport*: result, score.

**retten** *v/t.* save (vor from); deliver, rescue (*beide*: aus from).

**Rettich** ⚘ *m* radish.

**Rettung** *f* rescue; *Befreiung*: a. deliverance (aus from); *Entkommen*: escape (aus from).

**Rettungs|boot** *n* lifeboat; ~**gürtel** *m* lifebelt; ~**mannschaft** *f* rescue party; ~**ring** *m* life-buoy.

**Reu|e** *f* repentance (über for), remorse (at); ⚓**en** *v/t.*: et. reut mich I repent (of) s.th.; ⚓**voll** *adj.*, ⚓**mütig** *adj.* repentant.

**Revanche** *f* revenge.

**revanchieren** *v/refl.* get *od.* have one's revenge; *sich erkenntlich zeigen*: reciprocate (mit with; für for).

**Revers** *n*, *m* lapel.

**revidieren** *v/t. typ.* revise (a. *fig.*); ✝ audit. [revier.)

**Revier** *n* district, quarter; *s. Jagd*-)

**Revision** *f* revision (a. *typ.*); ✝ audit; ⚖ appeal; ~ *einlegen* ⚖ lodge an appeal (gegen from).

**Revolt|e** *f* revolt, uprising; ⚓**ieren** *v/i.* revolt, rise (in revolt).

**Revolution** *f* revolution; ~**är 1.** *m* revolutionary; **2.** ⚓ *adj.* revolutionary.

**Revolver** *m* revolver, *Am.* F a. gun.

**Revue** *f thea.* (musical) show; ~ *passieren lassen* pass in review.

**Rezens|ent** *m* critic, reviewer; ⚓**ieren** *v/t.* review, criticize; ~**ion** *f* review, critique.

**Rezept** *n* ✟ prescription; *Koch*⚓: recipe (a. *fig.*).

**Rhabarber** ⚘ *m* rhubarb.

**rhetorisch** *adj.* rhetorical.

**rheumati|sch** ✟ *adj.* rheumatic; ⚓**smus** ✟ *m* rheumatism.

**rhythm|isch** *adj.* rhythmic(al); ⚓**us** *m* rhythm.

**Ribisel** *östr. f* currant.

**richten** *v/t.* set; ⊕ a. adjust; *Ge-*

*wehr*: level, point (*auf* at); *Aufmerksamkeit, Bemühungen*: direct (*auf* to[wards]); *Worte, Brief etc.*: direct (*an* to); ⚖ judge; *zugrunde* ~ ruin, destroy; *sich* ~ *nach* conform to, act according to; *abhängen von*: depend on; *Preis*: be determined by.

**Richter** *m* judge; 2**lich** *adj.* judicial; **~spruch** *m* judg(e)ment, sentence.

**richtig 1.** *adj.* right, correct; *genau*: accurate; *gehörig*: proper; *gerecht*: just; **2.** *adv.*: ~ *gehen Uhr*: be right; 2**keit** *f* correctness; accuracy; justness; **~stellen** *v/t.* put *od.* set right, rectify.

**Richt|linien** *f/pl.* directions *pl.*, guiding rules *pl.*; **~preis** † *m* guiding price; **~schnur** *fig. f* rule.

**Richtung** *f* direction; *Seite*: way; *fig.* line; **~sanzeiger** *mot. m* flashing indicator, trafficator; 2**weisend** *adj.* directive.     [**2.** *v/t.* smell.]

**riechen** 1.*v/i.* smell (*nach of*; *an* at);)

**Riegel** *m* bar, bolt; *Seife*: bar, cake; *Schokolade*: bar.

**Riemen** *m* strap, thong; *Gürtel*, ⊕ *Treib*2: belt; ⚓ oar.

**Riese** *m* giant.

**rieseln** *v/i.* **1.** (*sein*) *Bach*: purl, ripple; **2.** (*h*): *es rieselt* it is drizzling.

**ries|engroß** *adj.*, **~enhaft** *adj.*, **~ig** *adj.* gigantic, huge; 2**in** *f* giantess.

**Riff** *n* reef.

**Rille** *f* groove; ⊕ *a.* flute.

**Rind** *zo. n* neat; *Ochse*: ox; *Kuh*: cow; **~er** *pl.* neat *pl.*, cattle *pl.*; *zwanzig* **~er** twenty head of cattle.

**Rinde** *f* ⚘ bark; ⚘, *Käse*2: rind; *Brot*2: crust.

**Rinder|braten** *m* roast beef; **~herde** *f* herd of cattle.

**Rind|fleisch** *n* beef; **~(s)leder** *n* neat's-leather, cow-hide; **~vieh** *n* cattle *pl.*, neat *pl.*

**Ring** *m* ring (*a. fig.*); † ring, pool, trust; **~bahn** *f* circular railway.

**ringel|n** *v/refl.* curl, coil; 2**natter** *zo. f* ring-snake; 2**spiel** *östr. n s. Karussell.*

**ring|en 1.** *v/i.* wrestle (*mit* with); *fig. a.* struggle (*mit*, *um* for); *nach Atem* ~ gasp (for breath); **2.** *v/t. Hände*: wring; 2**er** *m* wrestler.

**ring|förmig** *adj.* annular, ring-like;

2**kampf** *m* wrestling(-match); 2**richter** *m* referee.

**rings** *adv.*: ~ *um* around; **~herum** *adv.*, **~um** *adv.*, **~umher** *adv.* round (about), around.

**Rinn|e** *f* groove, channel; *Dach*2: gutter; 2**en** *v/i.* run, flow; *tröpfeln*: drip; *lecken*: leak; **~sal** *n* streamlet; **~stein** *m* gutter; *Küche*: sink.

**Rippe** *f* rib; *Schokolade*2: bar; **~nfell** *anat. n* pleura; **~nfellentzündung** ⚕ *f* pleurisy; **~nstoß** *m* dig in the ribs; *leichter*: nudge.

**Risiko** *n* risk; *ein* ~ *eingehen* take a risk.

**risk|ant** *adj.* risky; **~ieren** *v/t.* risk.

**Riß** *m* rent, tear, split (*a. fig.*); *Sprung*: crack; *in der Haut*: chap; *Schramme*: scratch; *fig.* rupture.

**rissig** *adj.* full of rents; *Haut etc.*: chappy; ~ *werden* crack.

**Rist** *m* instep; back of the hand.

**Ritt** *m* ride.

**Ritter** *m* knight; *zum* ~ *schlagen* knight; 2**lich** *adj.* knightly, chivalrous; 2**lichkeit** *f* gallantry, chivalry.             [a horse).]

**rittlings** *adv.* astride (*auf e-m Pferd*)

**Ritz** *m* crack, chink; *Schramme*: scratch; **~e** *f* crack, chink; *Spalt*: fissure; 2**en** *v/t.* scratch.

**Rival|e** *m*, **~in** *f* rival; 2**isieren** *v/i.* rival (*mit j-m* s.o.); **~ität** *f* rivalry.

**Rizinusöl** *n* castor oil.

**Robbe** *zo. f* seal.

**Robe** *f* robe; *Amtstracht*: *a.* gown.

**Roboter** *m* robot.

**robust** *adj.* robust, sturdy, vigorous.

**röcheln** *v/i.* rattle.

**Rock** *m* skirt; *Jacke*: coat, jacket.

**Rodel|bahn** *f* toboggan-run; 2**n** *v/i.* toboggan, *Am. a.* coast; **~schlitten** *m* sled(ge), toboggan.

**roden** *v/t. Land, Wald*: clear; *Wurzelstöcke*: stub.

**Rogen** *ichth. m* (hard) roe, spawn.

**Roggen** ⚘ *m* rye.

**roh** *adj.* raw; *grob*: rough, rude; *grausam*: cruel; *brutal*: brutal; 2**bau** *m* carcass; 2**eisen** *n* pig-iron.

**Roheit** *f* rawness; *fig.*: roughness, rudeness; brutality.

**Roh|ling** *m* brute, ruffian; **~material** *n* raw material; **~öl** *n* crude oil; **~produkt** *n* raw product.

**Rohr** *n* tube, pipe; *Leitung*: duct; ⚘ *Schilf*2: reed; *Bambus*2, *Zucker*2, **~stock**: cane.

**Röhre** f tube, pipe; *Leitung*: duct; *Radio*: valve, *Am.* tube.

**Rohr|leitung** f im Haus: plumbing; **~post** f pneumatic dispatch od. tube; **~stock** m cane; **~zucker** m cane-sugar.

**Rohstoff** m raw material.

**Rolladen** m rolling shutter.

**Rollbahn** ✈ f taxiway, taxi-strip.

**Rolle** f roll; ⊕ a. roller; *Tau* etc.: coil; *unter Möbeln*: cast|or, -er; *thea.* part, role; *fig.* figure; **~ Garn** reel of cotton, *Am.* spool of thread; *das spielt keine ~* that doesn't matter, it makes no difference; *aus der ~ fallen* forget o.s.

**rollen 1.** v/i. roll; ✈ taxi; **2.** v/t. roll; *auf Rädern*: a. wheel.

**Rollenbesetzung** thea. f cast.

**Roller** m scooter; *mot.* (motor) scooter.

**Roll|film** phot. m roll film; **~kragen** m turtle neck; **~schrank** m roll-front cabinet; **~schuh** m roller-skate; **~schuhbahn** f roller-skating rink; **~stuhl** m wheel chair; **~treppe** f escalator.

**Roman** m novel, work of fiction; *Abenteuer*⚥: romance; **~ist** m Romance scholar od. student; **~schriftsteller** m novelist.

**Romanti|k** f romanticism; **⚥sch** adj. romantic.

**Röm|er** m Roman; **⚥isch** adj. Roman.

**röntgen** v/t. X-ray; **⚥aufnahme** f, **⚥bild** n X-ray; **⚥strahlen** m/pl. X-rays pl.

**rosa** adj. pink.

**Rose** ⚥ f rose.

**Rosen|kranz** eccl. m rosary; **⚥rot** adj. rose-colo(u)red (a. fig.), rosy; **~stock** ⚥ m rose-bush.

**rosig** adj. rosy (a. fig.), rose-colo(u)red, roseate.

**Rosine** f raisin.

**Roß** zo. n horse, poet. steed; **~haar** n horsehair.

**Rost¹** m rust.

**Rost²** m grate; *Brat*⚥: gridiron, grill; **~braten** m roast joint.

**rosten** v/i. rust.

**rösten** v/t. roast, grill; *Brot*: toast; *Kartoffeln*: fry.

**Rost|fleck** m rust-stain; **⚥frei** adj. rustless, bsd. Stahl: a. stainless; **⚥ig** adj. rusty, corroded.

**rot 1.** adj. red; **2.** ⚥ n red.

**rotblond** adj. sandy.

**Röte** f redness, red (colo[u]r); *Scham*⚥: blush; **⚥n** v/t. redden; paint od. dye red; *sich ~ redden*; *Gesicht*: a. flush.

**rot|glühend** adj. red-hot; **⚥haut** f redskin.

**rotieren** v/i. rotate, revolve.

**rötlich** adj. reddish.

**Rot|stift** m red crayon od. pencil. **Rot|wein** m red wine; **~wild** zo. n red deer.

**Rouleau** n s. Rolladen; blind, *Am.* (window) shade.

**Route** f route.

**Routine** f routine, practice.

**Rübe** ⚥ f beet; *weiße ~* (Swedish) turnip, *Am. a.* rutabaga; *rote ~* red beet, beet(root); *gelbe ~* carrot.

**Rubin** m ruby.

**ruch|bar** adj.: *~ werden* become known, get about od. abroad; **~los** adj. wicked, profligate.

**Ruck** m jerk, jolt, *Am.* F a. yank.

**Rück|antwort** f reply; **⚥bezüglich** gr. adj. reflexive; **~blick** m retrospect(ive view) (auf to).

**rücken 1.** v/t. move, shift; **2.** v/i. move; *näher ~* approach.

**Rücken** m back; *Nasen*⚥: ridge; **~deckung** fig. f backing, support; **~lehne** f back; **~mark** anat. n spinal cord; **~schwimmen** n backstroke swimming; **~wind** m following wind; **~wirbel** anat. m dorsal vertebra.

**Rück|fahrkarte** f return (ticket); *Am. a.* two-way ticket; **~fahrt** f return journey od. trip; *auf der ~ on the way back*; **~fall** m relapse; **⚥fällig** adj.: *~ werden* relapse; **~gabe** f return, restitution; **~gang** fig. m retrogression; ✈ recession, decline; **⚥gängig** adj. retrograde; *~ machen* cancel; **~grat** n anat. spine, backbone (beide a. fig.); **~halt** m support; **⚥haltlos** adj. unreserved, frank; **~kauf** m repurchase; **~kehr** f return; **~lage** f reserve(s pl.); *Ersparnisse*: savings pl.; **⚥läufig** adj. retrograde; **~licht** mot. n tail-light, tail-lamp, rear-light; **⚥lings** adv. backwards; *von hinten*: from behind; **~porto** ⚥ n return postage; **~reise** f return journey, journey back od. home.

**Rucksack** m knapsack, rucksack.

**Rück|schlag** fig. m set-back; **~**

**schluß** m conclusion, inference; **~schritt** m retrogression, set-back; *pol.* reaction; **~seite** f back, reverse; *e-r Münze*: tail; **~sendung** f return; **~sicht** f respect (*auf* to, of), regard (to, of), consideration (for); 2**sichtslos** *adj.* inconsiderate (*gegen* of), regardless (of); *skrupellos*: ruthless; *unbekümmert*: reckless; **~es Fahren** *mot.* reckless driving; 2**sichtsvoll** *adj.* regardful (*gegen* of), considerate (towards, of); **~sitz** *mot.* m back-seat; **~spiel** n return match; **~sprache** f consultation; **~stand** m arrears *pl.*; *Arbeits*2*:* a. backlog; 🜊 residue; *im ~ sein* mit be in arrears *od.* behind with; 2**ständig** *adj.* fig. old-fashioned, backward; **~e Miete** arrears of rent; **~tritt** m withdrawal (*von e-m Vertrag*: from); resignation; **~trittbremse** f back-pedal brake, *Am.* coaster brake; 2**wärts** *adv.* back, backward(s); **~wärtsgang** *mot.* m reverse (gear); **~weg** m way back.

**ruckweise** *adv.* by jerks.

**rück|wirkend** *adj.* retroactive, retrospective; 2**wirkung** f repercussion; 2**zahlung** f repayment; 2**zug** m retreat.                                          [herd.]

**Rudel** n troop; *Wölfe*: pack; *Rehe:*|

**Ruder** n oar; 🜊 *Steuer*2*:* rudder, helm; ⚓ *Seiten*2*:* rudder; **~boot** n row(ing)-boat; **~er** m rower, oarsman; 2**n 1.** *v/t.* row; **2.** *v/t.* row; **~regatta** f regatta; **~sport** m rowing.

**Ruf** m call (*a. fig.*); *Schrei*: cry, shout; *Berufung*: call (*in, auf* to); *Leumund*: reputation, repute; 2**en 1.** *v/i.* call; cry, shout; **2.** *v/t.* call; *~ lassen* send for.

**Ruf|nummer** f telephone number; **~weite** f: *in ~* within call *od.* earshot.

**Rüge** f rebuke, reprimand; 2**n** *v/t.* rebuke, reprimand.

**Ruhe** f rest, repose; *Schlaf*: sleep; *Stille*: quiet, calm; *Friede*: tranquillity; *Stillschweigen*: silence; *Gelassenheit*: composure; *sich zur ~ setzen* retire; **~!** quiet!, silence!; *lassen Sie mich in ~!* let me alone!; **~gehalt** n, **~genuß** *östr.* m (old-age) pension; 2**los** *adj.* restless; 2**n** *v/i.* rest, repose; *schlafen*: sleep; **~pause** f pause; *ruhige Zeit*: lull; **~stand** n retirement;

*im ~* retired; *in den ~ treten* retire; *in den ~ versetzen* superannuate, pension off, retire; **~stätte** f: *letzte ~* last resting-place; **~störer** m disturber of the peace; **~störung** f disturbance (of the peace).

**ruhig** *adj.* quiet; *Meer etc.*: a. tranquil, calm; *schweigsam*: silent; ⊕ smooth.

**Ruhm** m glory; fame, renown.

**rühm|en** *v/t.* praise, glorify; *sich e-r Sache ~* boast of s.th.; **~lich** *adj.* glorious, laudable.

**ruhm|los** *adj.* inglorious; **~reich** *adj.* glorious.

**Ruhr** 🜨 f dysentery.

**Rühr|ei** n scrambled egg; 2**en 1.** *v/t.* stir, move; *fig.* touch, move, affect; *sich ~* stir, move, bustle; **2.** *v/i.*: *an et. ~* touch s.th.; 2**end** *adj.* touching, moving; 2**ig** *adj.* active, busy; 2**selig** *adj.* sentimental; **~ung** f emotion, feeling.

**Ruin** m ruin; *Verfall*: decay; **~e** f ruin(s *pl.*); 2**ieren** *v/t.* ruin; *sich ~* ruin o.s.

**rülpsen** *v/i.* belch.

**Rumän|e** m Ro(u)manian; 2**isch** *adj.* Ro(u)manian.

**Rummel** m hurly-burly; *Geschäftigkeit*: bustle; *lärmende Festlichkeit*: revel; *Propaganda*2*:* F ballyhoo; **~platz** F m fun fair, amusement park.

**rumoren** *v/i.* make a noise; *Magen*: rumble.

**Rumpel|kammer** F f lumberroom; 2**n** F *v/i.* rumble.

**Rumpf** m anat. trunk, body; *e-r Statue*: torso; ⚓ hull, frame, body; ✈ fuselage, body.

**rümpfen** *v/t.*: *die Nase ~* turn up one's nose (*über* at), sniff (at).

**rund 1.** *adj.* round (*a. fig.*); *kreis~*: circular; **2.** *adv.* about; 2**blick** m panorama; 2**e** f round; *Sport*: lap; *Boxen*: round; *Rundgang*: round, patrol; *e-s Polizisten*: beat; *in der od. die ~* (a)round; **~en** *v/refl.* (grow) round.

**Rundfunk** m broadcast(ing); *als Einrichtung*: broadcasting service; **~anstalt**: broadcasting company; radio, wireless; *im ~* over the wireless, on the radio *od.* air; **~hörer** m listener(-in); *~ pl.* a. (radio) audience; **~programm** n broadcast *od.* radio program(me); **~sender** m broadcasting *od.* radio station; ~-**sendung** *f* broadcast; ~**sprecher** *m* broadcaster, (radio) announce℞; ~**übertragung** *f* radio transmission, broadcast(ing); *e-s Programms:* broadcast.

**Rund|gang** *m* tour, round, circuit; **℞heraus** *adv.* in plain words, frankly, plainly; **℞herum** *adv.* round about, all (a)round; **℞lich** *adj.* round(ish); *dicklich:* rotund, plump; ~**reise** *f* circular tour *od.* trip, sight-seeing trip, *Am. a.* round trip; ~**schau** *f* panorama; *Zeitschrift:* review; ~**schreiben** *n* circular (letter); **℞weg** *adv.* flatly, plainly.

**Runz|el** *f* wrinkle; **℞elig** *adj.* wrinkled; **℞eln** *v/t.:* *die Stirn* ~ knit one's brows, frown (*über* at); **℞lig** *adj.* wrinkled.

**Rüpel** *m* boor, lout; **℞haft** *adj.* coarse, boorish, rude.

**rupfen** *v/t.* pick; *Geflügel:* pluck (*a. fig.*).

**ruppig** *adj.* ragged, shabby; *fig.* rude.

**Rüsche** *f* ruffle, frill.

**Ruß** *m* soot.

**Russe** *m* Russian.

**Rüssel** *m* *Elefanten℞:* trunk; *Schweins℞:* snout.

**ruß|en** *v/i.* smoke; ~**ig** *adj.* sooty.

**russisch** *adj.* Russian.

**rüsten 1.** *v/t. u. v/refl.* prepare, get ready (*beide:* zu for); **2.** *bsd.* ✕ *v/i.* arm.

**rüstig** *adj.* vigorous, strong; **℞keit** *f* vigo(u)r.

**Rüstung** *f* preparations *pl.*; ✕ arming, armament; *Harnisch:* armo(u)r; ~**sindustrie** *f* armament industry.

**Rüstzeug** *fig. n* equipment.

**Rute** *f* rod; *Gerte:* switch.

**Rutsch** *m* (land)slide; F short trip; ~**bahn** *f*, ~**e** *f* slide, chute; **℞en** *v/i.* glide, slide; *aus*~: slip; **℞ig** *adj.* slippery.

**rütteln 1.** *v/t.* jog, jolt; **2.** *v/i.* jog, jolt; *an der Tür* ~ rattle at the door.

# S

**Saal** *m* hall.

**Saat** *✓ f* *Säen:* sowing; *Same:* seed (*a. fig.*); *junge Pflanzen:* standing *od.* growing crops *pl.*; ~**gut** *✓ n* seeds *pl.*

**Sabbat** *m* Sabbath.

**sabbern** F *v/i.* slaver, slobber.

**Säbel** *m* sab|re, *Am.* -er; **℞n** F *v/t.* hack.

**Sabot|age** *f* sabotage; ~**eur** *m* saboteur; **℞ieren** *v/t.* sabotage.

**Sach|bearbeiter** *m* official in charge; ~**beschädigung** *f* damage to property; **℞dienlich** *adj.* useful, helpful.

**Sache** *f* thing; *Angelegenheit:* affair, matter, concern; ~*n pl. Besitz:* things *pl.*, belongings *pl.*; *beschlossene* ~ foregone conclusion; (*nicht*) *zur* ~ *gehörig* (ir)relevant, *pred. a.* to (off) the point; *bei der* ~ *bleiben* stick to the point.

**sach|gemäß** *adj.* appropriate, proper; **℞kenntnis** *f* expert knowledge;

~**kundig** *adj.* expert; **℞lage** *f* state of affairs, situation; ~**lich** *adj.* relevant, pertinent, *pred. a.* to the point; *nüchtern:* matter-of-fact, business-like; *unparteiisch:* unbias(s)ed, objective.

**sächlich** *gr. adj.* neuter.

**Sach|register** *n* (subject) index; ~**schaden** *m* damage to property.

**sacht** *adj.* soft, gentle; slow.

**Sach|verhalt** *m* facts *pl.* (of the case); **℞verständig** *adj.* expert; ~**verständige** *m* expert, authority; ⚖ expert witness; ~**wert** *m* real value.

**Sack** *m* sack, bag; *mit* ~ *und Pack* with bag and baggage; ~**gasse** *f* blind alley, cul-de-sac; *fig.* deadlock; ~**leinwand** *f* sackcloth.

**Sadis|mus** *m* sadism; ~**t** *m* sadist; **℞tisch** *adj.* sadistic.

**säen** *v/t. u. v/i.* sow (*a. fig.*).

**Saffian** *m* morocco.

**Saft** *m* juice; *der Bäume etc.:* sap

(*a. fig.*); 2ig *adj. Früchte*: juicy; *Wiese*: lush; *Witz*: coarse; 2los *adj.* juiceless; sapless (*a. fig.*).

**Sage** *f* legend, myth.

**Säge** *f* saw; **~bock** *m* saw-horse, *Am. a.* sawbuck; **~mehl** *n* sawdust.

**sagen 1.** *v/t.* say; *j-m et.* ~ tell s.o. s.th., say s.th. to s.o.; *j-m* ~ *lassen, daß* send s.o. word that; *er läßt sich nichts* ~ he will not listen to reason; *das hat nichts zu* ~ it doesn't matter; ~ *wollen mit* mean by; *j-m gute Nacht* ~ bid s.o. good night; **2.** *v/i.* say.

**sägen** *v/t. u. v/i.* saw.

**sagenhaft** *adj.* legendary, mythical, F *fig.* fabulous, incredible.

**Säge|späne** *m/pl.* sawdust; **~werk** *n* sawmill.

**Sahne** *f* cream.

**Saison** *f* season; 2**bedingt** *adj.* seasonal.

**Saite** *f* string, chord (*a. fig.*); **~ninstrument** *n* stringed instrument.

**Sakko** *m, n* lounge coat.

**Sakristei** *f* vestry, sacristy.

**Salat** *m* salad; *Kopf*2: lettuce.

**Salb|e** *f* ointment; **~ung** *f* anointing, unction; 2**ungsvoll** *fig. adj.* unctuous.

**Saldo** ✝ *m* balance.

**Saline** *f* salt-works.

**Salmiak** 🜄 *m, n* sal-ammoniac, ammonium chloride; **~geist** *m* liquid ammonia.

**Salon** *m* drawing-room, *Am. a.* parlor; **~wagen** 🚃 *m* salooncar, saloon carriage, *Am.* parlor car.

**Salpeter** 🜕 *m* saltpet|re, *Am.* -er, nit|re, *Am.* -er.

**Salto** *m* somersault.

**Salut** *m* salute; ~ *schießen* fire a salute; 2**ieren** *v/i.* (stand at the) salute.

**Salve** *f* volley; *Ehren*2: salute.

**Salz** *n* salt; **~bergwerk** *n* saltmine; 2**en** *v/t.* salt; **~faß** *n*, **~fäßchen** *n* salt-cellar; 2**haltig** *adj.* saline, saliferous; **~hering** *m* pickled herring; *s. salzhaltig*; **~säure** 🜕 *f* hydrochloric *od.* muriatic acid; **~wasser** *n* salt water, brine; **~werk** *n* saltworks, saltern.

**Same** *m*, **~n** *m* 🌼 seed (*a. fig.*); *biol.* sperm, semen; **~nkorn** 🌼 *n* grain of seed.

**Sammel|büchse** *f* collecting-box; 2**n** *v/t.* gather; *Briefmarken etc.*: collect; *sich* ~ gather; *s-e Gedanken*: collect one's thoughts; *sich fassen*: compose o.s.; **~platz** *m* meeting-place; ✕, ⚓ rendezvous.

**Samml|er** *m* collector; **~ung** *f* collection; *fig.* composure.

**Samstag** *m* Saturday.

**samt** *prp.* together *od.* along with.

**Samt** *m* velvet.

**sämtlich** *adj.* all; *vollständig*: complete.

**Sanatorium** *n* sanatorium, *Am. a.* sanitarium.

**Sand** *m* sand; *im* ~*e verlaufen* end (up) in smoke, come to nothing.

**Sandale** *f* sandal.

**Sand|bahn** *f* *Sport*: dirt-track; **~bank** *f* sandbank; 2**boden** *m* sandy soil; 2**ig** *adj.* sandy; **~korn** *n* grain of sand; **~mann** *m* sandman; **~papier** *n* sandpaper; **~sack** *m* sand-bag; **~stein** *m* sandstone; **~uhr** *f* sand-glass.

**sanft** *adj. weich*: soft; *zart, mild*: gentle, mild; *Stimme*: *a.* smooth; *Abhang, Tod*: easy; *mit ~er Stimme* softly, gently; **~mütig** *adj.* gentle, mild, meek.

**Sänger** *m* singer.

**sanier|en** *v/t.* improve the sanitary conditions of; *bsd.* ✝: reorganize; *wiederherstellen*: readjust; 2**ung** *f* sanitation; *bsd.* ✝: reorganization; readjustment.

**sanitär** *adj.* sanitary.

**Sanitäter** *m* first-aider; ✕ orderly.

**Sankt** Saint, *abbr.* St.

**Sard|elle** *ichth. f* anchovy; **~ine** *ichth. f* sardine.

**Sarg** *m* coffin, *Am. a.* casket.

**Sarkas|mus** *m* sarcasm; 2**tisch** *adj.* sarcastic.

**Satan** *m* Satan; *fig.* devil.

**Satellit** *ast., pol. m* satellite; **~enstaat** *pol. m* satellite state.

**Satin** *m* satin; *Baumwoll*2: sateen.

**Satir|e** *f* satire; **~iker** *m* satirist; 2**isch** *adj.* satiric(al).

**satt** *adj. befriedigt*: satisfied; *gesättigt*: satiated, full; *Farbe*: deep, rich; *sich* ~ *essen* eat one's fill; *ich bin* ~ I have had enough; F *et.* ~ *haben sl.* be fed up with s.th.

**Sattel** *m* saddle; **~gurt** *m* girth; 2**n** *v/t.* saddle.

**sättig|en 1.** *v/t.* satisfy, satiate; 🜕,

*phys.* saturate; **2.** *v/i. von Essen:* be substantial; ♀**ung** *f* satiation; ⚮, *fig.* saturation.

**Sattler** *m* saddler; **~ei** *f* saddlery.

**Satz** *m Sprung:* leap, bound; *gr.* sentence, clause; *phls.* Grund♀: maxim; ♪ Lehr♀: proposition, theorem; ♪ movement; *Tennis:* set; *typ.* setting, composition; *Boden♀:* sediment, dregs *pl.*, grounds *pl.*; *Preis:* rate; ~ *Briefmarken, Werkzeug etc.:* set.

**Satzung** *f* statute, by-law.

**Satzzeichen** *gr. n* punctuation mark.

**Sau** *f zo.* sow; *hunt.* wild sow; *fig. contp.* filthy swine.

**sauber** *adj.* clean; *ordentlich:* neat (*a. fig.*), tidy; *Haltung:* decent; *iro.* fine, nice; ~ *machen* clean (up); ♀**keit** *f* clean(li)ness; tidiness, neatness; *fig.* decency.

**säubern** *v/t.* clean(se); *Zimmer etc.:* tidy, clean (up); clear (*von* of), purge (of, *from*) (*a. fig., pol.*); ♀**ung(saktion)** *pol. f* purge.

**sauer** *adj.* sour (*a. fig.*), acid (*a.* ⚮,); *Gurke:* pickled; *mühselig:* hard, painful; *verdrießlich:* surly.

**säuerlich** *adj.* sourish, acidulous.

**Sauer|stoff** ⚮, *m* oxygen; **~teig** *m* leaven. [*Mensch:* soak.\]

**saufen** *v/t. u. v/i. Tiere:* drink; F\

**Säufer** F *m* sot, soak.

**saugen 1.** *v/i.* suck (*an et. s.th.*); **2.** *v/t.* suck.

**säuge|n** *v/t.* suckle, nurse; ♀**tier** *n* mammal.

**Säugling** *m* baby, suckling; **~s-heim** *n* baby-farm, baby-nursery.

**Saug|pumpe** *f* suction-pump; **~wirkung** *f* suction.

**Säule** ⚮, *anat.* column (*a. Rauch♀, Quecksilber♀ etc.*), pillar (*a. fig.*); **~ngang** *m* colonnade; **~nhalle** *f* pillared hall; *Vorbau:* portico.

**Saum** *m* seam, hem; *Rand:* border, edge.

**säum|en** *v/t.* hem; *umranden:* border, edge; *die Straßen* ~ line the streets; ♀**ig** *adj. Zahler:* dilatory.

**Saum|pfad** *m* mule-track; **~tier** *n* sumpter-mule.

**Säure** *f* sourness, acidity (*a.* ✿ *Magen♀*); ⚮, acid.

**Sauregurkenzeit** *f* slack season.

**sausen** *v/i.* F rush, dash; *Kugeln etc.:* whiz(z), whistle.

**Saustall** *m* pigsty (*a. fig.*).

**Saxophon** ♪ *n* saxophone.

**Schabe** *zo. f* cockroach; ♀**n** *v/t.* scrape (*a.* ⊕); *reiben:* grate, rasp; *kratzen:* scratch.

**Schabernack** *m* prank.

**schäbig** *adj.* shabby; *fig. a.* mean.

**Schablone** *f* model, pattern; *Maler♀:* stencil; *fig.:* routine; *Phrase:* cliché.

**Schach** *n* chess; **~!** check!; **~ und matt!** checkmate!; *in ~ halten* keep *s.o.* in check; **~brett** *n* chess-board; **~feld** *n* square; **~figur** *f* chess-man, piece; *fig.* pawn; ♀**matt** *adj.* (check)mated; *fig.* tired out, worn out; **~spiel** *n* (game of) chess.

**Schacht** *m* shaft; ⚒ *a.* pit.

**Schachtel** *f* box.

**Schachzug** *m* move (*a. fig.*).

**schade** *pred. adj.: es ist ~* it is a pity; *wie ~!* what a pity!

**Schädel** *m* skull, cranium; **~bruch** ✿ *m* fracture of the skull.

**schaden 1.** *v/i.* injure, harm, hurt (*j-m s.o.*); *das schadet nichts* it does not matter, never mind; **2.** ♀ damage (*an* to); *Verlust:* loss; *körperlicher:* injury, harm; *Gebrechen:* infirmity; *Verletzung:* hurt; ♀**ersatz** *m* indemnification, compensation; *Geldsumme:* damages *pl.*; ~ *verlangen* claim damages; ~ *leisten* pay damages; ♀**freude** *f* malicious enjoyment of others' misfortunes, gloating; **~froh** *adj.* gloating.

**schadhaft** *adj. beschädigt:* damaged; *mangelhaft:* defective, faulty; *Gebäude etc.:* dilapidated; *Rohr etc.:* leaking; *Zähne:* decayed.

**schädigen** *v/t.* damage; *j-n:* injure.

**schädli|ch** *adj.* harmful, injurious; *gesundheits~:* noxious; *nachteilig:* detrimental, prejudicial; ♀**ng** *m zo.* pest; ✿ destructive weed; vile person; **~e** *pl. a.* vermin (*a. fig.*).

**schadlos** *adj.: sich ~ halten* recoup *od.* indemnify o.s. (*für* for).

**Schaf** *n zo.* sheep; *fig.* simpleton; **~bock** *zo. m* ram.

**Schäfer** *m* shepherd; **~hund** *m* sheep-dog; *deutscher ~* Alsatian.

**Schaffell** *n* sheepskin.

**schaffen** *v/t. schöpferisch er~:* create, produce; *befördern:* convey, carry;

weg~: take; *herbei*~: bring; *bewältigen*: cope with, manage.
**Schaffner** *m* 🚋 guard, *Am.* conductor; *Straßenbahn*♀, *Bus*♀: con-)
**Schafhirt** *m* shepherd. [ductor.]
**Schafott** *n* scaffold.
**Schaft** *m* shaft; *Gewehr*♀: stock; *Werkzeug*♀, *Schlüssel*♀: shank; *Stiefel*♀: leg; ~**stiefel** *m* high boot; ~ *pl. a.* Wellingtons *pl.*
**Schaf|wolle** *f* sheep's wool; ~**zucht** *f* sheep-breeding.
**schäkern** *v/i.* jest, joke; flirt.
**schal** *adj.* stale; *fade:* insipid.
**Schal** *m* scarf; *Woll*♀: comforter.
**Schale** *f* bowl, dish; *Waag*♀: scale; *Eier*♀, *Nuß*♀ *etc.:* shell; *von Früchten:* skin, peel; *Muschel*♀ *etc.:* shell; ~**n** *pl. abgeschälte:* parings *pl.*, *bsd. von Kartoffeln:* peelings *pl.*
**schälen** *v/t.* pare, peel; *sich* ~ *Haut:* peel *od.* come off.
**schalkhaft** *adj.* roguish, waggish.
**Schall** *m* sound; ~**dämpfer** *m* sound absorber; *mot.* silencer, *Am.* muffler; *an Schußwaffen:* silencer; ♀**dicht** *adj.* sound-proof; ♀**en** *v/i.* sound; *klingen, dröhnen:* ring, peal; ♀**end** *adj.:* ~*es Gelächter* roars *od.* a peal of laughter; ~**mauer** *f* sound barrier; ~**platte** *f* record, disc, disk; ~**welle** *f* sound-wave.
**schalt|en** *v/i.* ⚡ switch; *mot.* change *od.* shift gears; ♀**er** *m* 🚋 booking-office; *Post*♀, *Bank*♀ *etc.:* counter; ⚡ switch; ♀**hebel** *m mot.* gear lever; ⊕, ⚡ control lever; ⚡ switch lever; ♀**jahr** *n* leap-year; ♀**tafel** ⚡ *f* switchboard, control panel; ♀**tag** *m* intercalary day.
**Scham** *f* shame; *Scheu:* bashfulness; *anat.* privy parts *pl.*, genitals *pl.*
**schämen** *v/refl.* be *od.* feel ashamed (*gen., wegen* of).
**Scham|gefühl** *n* sense of shame; ♀**haft** *adj.* bashful; ♀**los** *adj.* shameless; *unverschämt:* impudent; ~**losigkeit** *f* shamelessness; impudence; ♀**rot** *adj.* blushing; ~ *werden* blush; ~**teile** *anat. m/pl.* privy parts *pl.*, genitals *pl.*
**Schande** *f* shame, disgrace.
**schänden** *v/t.* disgrace; *entweihen:* desecrate, profane; *vergewaltigen:* rape.
**Schandfleck** *m* blot, stain; *Schande:* disgrace; *häßlicher Anblick:* eyesore.

**schändlich** *adj.* shameful, disgraceful, infamous.
**Schandtat** *f* infamous act(ion).
**Schanze** *f Sport:* ski-jump.
**Schar** *f* troop, band; *Gänse*♀ *etc.:* flock; ⚕ *Pflug*♀: ploughshare, *Am.* plowshare; ♀**en** *v/refl.:* sich ~ um gather *od.* flock round.
**scharf** *adj.* sharp; *Geruch, Geschmack, Bemerkung:* pungent, biting; *Pfeffer etc.:* hot; *Augen, Gehör, Verstand:* sharp, keen; ⚔ *Munition:* live; ~ *sein auf* be keen on; ♀**blick** *m* clear-sightedness.
**Schärfe** *f* sharpness; keenness; pungency; ♀**n** *v/t.* sharpen; *Gedächtnis:* strengthen.
**Scharf|macher** *m* fire-brand, agitator; ~**richter** *m* executioner; ~**schütze** ⚔ *m* sharp-shooter, sniper; ♀**sichtig** *adj.* sharp-sighted; *fig.* clear-sighted; ~**sinn** *m* sagacity, acumen; ♀**sinnig** *adj.* sharp-witted, shrewd; *klug:* sagacious.
**Scharlach** *m* scarlet; ⚕ scarlet fever; ♀**rot** *adj.* scarlet.
**Scharlatan** *m* mountebank.
**Scharnier** ⊕ *n* hinge, joint.
**Schärpe** *f* sash.
**scharren** *v/i.* scrape (*mit den Füßen* one's feet); *Huhn etc.:* scratch; *Pferd:* paw.
**Schart|e** *f* notch, nick; *e-e* ~ *auswetzen* repair a fault; wipe out a disgrace; ♀**ig** *adj.* jagged, notchy.
**Schatten** *m* shadow (*a. fig.*); *Dunkel:* shade (*a. paint.*); ♀**haft** *adj.* shadowy; ~**kabinett** *pol. n* shadow cabinet; ~**riß** *m* silhouette; ~**seite** *f* shady side; *fig.* seamy side.
**Schattierung** *f* shade (*a. fig.*).
**schattig** *adj.* shady.
**Schatz** *m* treasure; *fig.* sweetheart, darling; ~**amt** ♱ *n* Exchequer, *Am.* Treasury (Department).
**schätzen** *v/t. taxieren:* estimate, value (*beide: auf* at); *würdigen:* appreciate; *hoch*~: esteem.
**Schatz|kammer** *f* treasury; ~**kanzler** *m* Chancellor of the Exchequer; ~**meister** *m* treasurer.
**Schätzung** *f* estimate, valuation.
**Schau** *f* show, exhibition; *zur* ~ *stellen* exhibit, display.
**Schauder** *m* shudder(ing), shiver; *fig.* horror; ♀**haft** *adj.* horrible,

dreadful; 2n v/i. shudder, shiver (*beide: vor* with).

**schauen** v/i. look (*auf* at).

**Schauer** m *Regen*2 etc.: shower; *Schauder*: shudder(ing), shiver; *Anfall*: attack, fit; *innere Erregung*: thrill; 2lich adj. dreadful, horrible; ~roman m penny dreadful, thriller.

**Schaufel** f shovel; *Kehr*2: dustpan; 2n v/t. shovel.

**Schaufenster** n shop window, Am. a. show window; ~bummel m: e-n ~ machen go window-shopping; ~dekoration f window-dressing.

**Schaukel** f swing; 2n 1. v/i. swing; *Boot* etc.: rock; 2. v/t. rock; ~pferd n rocking-horse; ~stuhl m rocking-chair, Am. a. rocker.

**Schaum** m foam; *Bier*2: froth, head; *Seifen*2: lather.

**schäumen** v/i. foam (a. fig.), froth; *Seife*: lather; *Wein* etc.: sparkle.

**Schaum|gummi** n, m foam (rubber); 2ig adj. foamy, frothy.

**Schau|platz** m scene, theat|re, Am. -er; ~prozeß 𝔱𝔥 m show trial.

**schaurig** adj. horrible, horrid.

**Schau|spiel** n spectacle; thea. play; ~spieler m actor, player; ~spielhaus n playhouse, theat., Am. -er; ~spielkunst f dramatic art, *the* drama; ~steller m showman.

**Scheck** 🕇 m cheque, check; ~heft n cheque-book, Am. check-book.

**scheckig** adj. *Pferd*: piebald.

**scheel** 1. adj. squint-eyed, cross-eyed; fig. jealous, envious; 2. adv.: j-n ~ ansehen look askance at s.o.

**scheffeln** v/t. *Geld* etc.: amass.

**Scheibe** f disc, disk; *Brot*2 etc.: slice; *Fenster*2: pane; *Schieß*2: target; ~nwischer mot. m windscreen (Am. windshield) wiper.

**Scheide** f *e-s Schwertes* etc.: sheath, scabbard; 2n 1. v/t. separate; 🜚 analyse; 𝔱𝔥 divorce; *sich ~ lassen von* 𝔱𝔥 divorce s.o.; 2. v/i. *weggehen*: depart; *sich trennen*: part (von with); *aus dem Dienst ~* retire from service; ~wand f partition; ~weg fig. m cross-roads.

**Scheidung** f separation; 𝔱𝔥 divorce; ~sklage 𝔱𝔥 f divorce-suit.

**Schein**¹ m *Bescheinigung*: certificate; *Quittung*: receipt; *Geld*2: bank-note, Am. a. bill.

**Schein**² m *Sonnen*2: shine; *Licht*2:

light; fig. appearance; 2bar adj. seeming, apparent; 2en v/i. shine; fig. seem, appear, look; 2heilig adj. hypocritical; *frömmelnd*: sanctimonious; 2tot 🜚 adj. in a state of suspended animation; ~werfer m *Such*2: searchlight; mot. headlight; thea. spotlight.

**Scheit** n log, billet.

**Scheitel** m crown od. top of the head; *Frisur*: parting; *Spitze*: summit, peak; & vertex; 2n v/t. *Haar*: part. [stake.]

**Scheiterhaufen** m (funeral) pile;]

**scheitern** v/i. fail, miscarry.

**Schelle** f (little) bell.

**Schellfisch** ichth. m haddock.

**Schelm** m rogue; ~enstreich m roguish trick; 2isch adj. roguish, arch.

**schelten** v/t. u. v/i. scold.

**Schema** n scheme; *Muster*: model, pattern; *Anordnung*: arrangement; 2tisch adj. schematic.

**Schemel** m stool.

**schemenhaft** adj. shadowy.

**Schenke** f public house, F pub; inn.

**Schenkel** m *Ober*2: thigh; *Unter*2: shank; & leg.

**schenk|en** v/t. give; *Strafe*: remit; j-m et. ~ make s.o. a present of s.th.; 2ung 𝔱𝔥 f donation.

**Scherbe** f, ~n m (broken) piece, fragment.

**Schere** f (e-e a pair of) scissors pl.; zo. *Krebs*2 etc.: claw; 2n v/t. clip, shear (*bsd. Schafe*); *Bart*: shave; *Haare*: cut; *Hecke*: clip, prune; *sich um et. ~* trouble about s.th.; ~rei f trouble, bother.

**Schermaus** zo. östr. f mole.

**Scherz** m jest, joke; 2en v/i. jest, joke; 2haft adj. joking.

**scheu** 1. adj. shy, timid; *Pferd*: skittish; ~ machen frighten; 2. 2 f shyness; *Furchtsamkeit*: timidity; *Abneigung*: aversion (vor to).

**scheuen** 1. v/i. shy (vor at), take fright (at); 2. v/t. shun, avoid; *fürchten*: fear; *sich ~ vor* be afraid of.

**Scheuer|lappen** m floor-cloth; ~leiste f skirting-board; 2n 1. v/t. scour, scrub; *wund~*: chafe; 2. v/i. chafe.

**Scheuklappen** f/pl. blinkers pl., Am. a. blinders pl.

**Scheune** f barn.

**Scheusal** *n* monster.

**scheußlich** *adj.* hideous, atrocious, abominable; F *Situation*: awful.

**Schi** *m etc. s.* **Ski** *etc.*

**Schicht** *f* layer (*a. geol.*); *geol.* stratum (*a. fig.*); *Arbeits*2: shift; *Gesellschafts*2: (social) class, rank; 2**en** *v/t.* arrange *od.* put in layers, pile up; 2**weise** *adv.* in layers.

**schick** *adj.* chic, stylish.

**schicken** *v/t.* send (*nach, zu* to); *Geld*: remit; *nach j-m* ~ send for s.o.; *sich* ~ *für* become *od.* suit s.o.; *sich* ~ *in* resign o.s. to.

**schicklich** *adj.* becoming, proper.

**Schicksal** *n* fate, destiny.

**Schiebe|dach** *mot. n* sliding roof; ~**fenster** *n* sash-window; 2**n** *v/t.* push, shove; F *Schuld*: shift (*auf* [on] to); ~**tür** *f* sliding door.

**Schiebung** *f* sharp practice, cheating.

**Schieds|gericht** *n* court of arbitration, arbitration committee; ~**richter** *m* arbitrator; *Tennis*: umpire; *Fußball etc.*: referee; ~**spruch** *m* award, arbitration.

**schief** 1. *adj.* sloping, slanting; *Gesicht, Mund*: wry; *nicht korrekt, verdächtig*: false, wrong; ~*e Ebene* ⚗ inclined plane; 2. *adv.*: *j-n* ~ *ansehen* look askance at s.o.

**Schiefer** *m* slate; *Splitter*: splinter; ~**tafel** *f* slate. [awry.]

**schiefgehen** *v/i.* go wrong *od.*]

**schielen** *v/i.* squint.

**Schienbein** *n* shin(-bone), tibia.

**Schiene** *f* 🚂 *etc.*: rail; 🎗 splint; 2**n** 🎗 *v/t.* splint.

**schieß|en** 1. *v/t.* shoot; *ein Tor* ~ score a goal; 2. *v/i.* (h): *auf j-n* ~ shoot *od.* fire at s.o.; *gut* ~ be a good shot; 3. *v/i.* (sein) shoot, rush; 2**pulver** *n* gunpowder; 2**scharte** *f* loop-hole, embrasure; 2**scheibe** *f* target; 2**stand** *m* shooting-gallery *od.* -range.

**Schiff** *n* ⚓ ship, vessel; △ *Kirchen*2: nave.

**Schiffahrt** *f* navigation.

**schiff|bar** *adj.* navigable; 2**bau** *m* shipbuilding; 2**bruch** *m* shipwreck (*a. fig.*); ~ *erleiden* be shipwrecked; *fig.* make *od.* suffer shipwreck; ~**brüchig** *adj.* shipwrecked; 2**brücke** *f* pontoon-bridge; ~**en** *v/i.* navigate, sail; 2**er** *m* boatman; *Kapitän*: skipper.

**Schiffs|junge** *m* cabin-boy; ~**kapitän** *m* (sea-)captain; ~**ladung** *f* shipload; *Frachtgut*: cargo; ~**makler** *m* ship-broker; ~**mannschaft** *f* crew; ~**raum** *m* tonnage; ~**werft** *f* shipyard, ⚓ dockyard, *Am.* navy yard.

**Schikan|e** *f* vexation; 2**ieren** *v/t.* vex, ride, *stärker*: tyrannize.

**Schild** 1. ⚔ *m* shield, *kleiner*: buckler; 2. *n Aushänge*2: sign (-board); *Namens*2 *etc.*: name-plate; *Wegweiser*: signpost; *Etikett*: label; *Mützen*2: peak; ~**drüse** *anat. f* thyroid gland.

**schilder|n** *v/t.* describe, delineate; 2**ung** *f* description, delineation.

**Schild|kröte** *zo. f Land*2: tortoise; *See*2: turtle; ~**wache** ⚔ *f* sentinel, sentry.

**Schilf** 🌿 *n* reed; ~**rohr** *n* reed.

**schillern** *v/i.* be iridescent.

**Schimm|el** *m zo.* white horse; 🌿 mo(u)ld; 2**eln** *v/i.* become mo(u)ld-y; 2**lig** *adj.* mo(u)ldy, musty.

**Schimmer** *m* glimmer, gleam (*beide a. fig.*); 2**n** *v/i.* glimmer, gleam.

**Schimpanse** *zo. m* chimpanzee.

**Schimpf** *m* insult; *Schande*: disgrace; 2**en** *v/i.* rail (*über, auf* at, against); 2. *v/t.* scold; ~**name** *m* abusive name; ~**wort** *n* abusive language; ~*e pl. a.* invectives *pl.*

**Schindel** *f* shingle.

**schinden** *v/t. Arbeiter*: sweat; *sich* ~ drudge, slave, sweat.

**Schinder** *fig. m* slave-driver; ~**ei** *f* sweating; *schwere Arbeit*: drudgery.

**Schinken** *m* ham.

**Schippe** *f* shovel; 2**n** *v/t.* shovel.

**Schirm** *m Regen*2: umbrella; *Sonnen*2: parasol, sunshade; *Fernseh*2, *Ofen*2 *etc.*: screen; *Lampen*2: shade; *Mützen*2: peak, visor; ~**futteral** *n* umbrella-case; ~**herr** *m* patron; ~**herrschaft** *f* patronage; *unter der* ~ *von* under the auspices of; ~**mütze** *f* peaked cap; ~**ständer** *m* umbrella-stand.

**Schlacht** ⚔ *f* battle (*bei* of); 2**en** *v/t.* slaughter, butcher.

**Schlacht|feld** ⚔ *n* battle-field; ~**haus** *n*, ~**hof** *m* slaughter-house, abattoir; ~**plan** *m* ⚔ plan of action (*a. fig.*); ~**schiff** *n* battleship.

**Schlacke** *f* cinder; *metall.* dross (*a. fig.*), slag; *geol.* scoria.

**Schlaf** m sleep; e-n leichten (festen) ~ haben be a light (sound) sleeper; in tiefem ~e liegen be fast asleep; **~anzug** m (ein a pair of) pyjamas pl. od. Am. pajamas pl.

**Schläfe** f temple.

**schlafen** v/i. sleep; ~ gehen, sich ~ legen go to bed.

**schlaff** adj. slack, loose; Muskeln: flabby, flaccid; Pflanzen: limp.

**Schlaf|gelegenheit** f sleeping accommodation; **~krankheit** ♂ f sleeping-sickness; **~lied** n lullaby; **2los** adj. sleepless; **~losigkeit** f sleeplessness, ♂ insomnia; **~mittel** ♂ n soporific; **~mütze** f nightcap; fig. sleepyhead.

**schläfrig** adj. sleepy, drowsy.

**Schlaf|rock** m dressing-gown, Am. a. robe; **~saal** m dormitory; **~sack** m sleeping-bag; **~tablette** ♂ f sleeping-tablet; **2trunken** adj. (very) drowsy; **~wagen** 🚋 m sleeping-car(riage), Am. a. sleeper; **~wandler** m sleep-walker, somnambulist; **~zimmer** n bedroom.

**Schlag** m blow (a. fig.); mit der Hand: slap; Faust2: punch; ⊕ stroke (a. Tennis etc.); ⚡ shock; Herz2, Puls2: beat; Donner2: clap; Wagen2: door; ♂ apoplexy; Menschen2: race, kind, sort; Schläge bekommen get a beating; ~ sechs Uhr on the stroke of six; **~ader** anat. f artery; **~anfall** ♂ m (stroke of) apoplexy, stroke; **2artig 1.** adj. sudden, abrupt; **2.** adv. all of a sudden, abruptly; **~baum** m turnpike.

**schlagen 1.** v/t. strike, beat, hit; mit der Faust: punch; mit der flachen Hand: slap; Bäume: fell; Schlacht: fight; besiegen: beat, defeat; Alarm ~ sound the alarm; zu Boden ~ knock down; sich ~ (have a) fight; sich et. aus dem Kopf od. Sinn ~ put s.th. out of one's mind; **2.** v/i. strike, beat; Herz, Puls: beat, schneller: throb; Uhr: strike; um sich ~ lay about (one).

**Schlager** m ♪ song, Erfolgs2: hit; thea. hit, draw, box-office success; Buch: best seller.

**Schläger** m rowdy, hooligan; beim Kricket: batsman, Kricket2: bat; Golf2: club; Tennis2: racket; Hockey2: stick; **~ei** f tussle, fight.

**schlag|fertig** fig. adj. good at repartee; **2kraft** f striking power (a. ✠); **2loch** n pot-hole; **2obers** östr. n, **2sahne** f whipped cream; **2ring** m knuckle duster; **2seite** ⚓ f list; ~ haben ⚓ list; **2wort** n catchword, slogan; **2zeile** f headline, große: banner headline, Am. banner; **2zeug** ♪ n percussion (instruments pl.), drums pl.; **2zeuger** ♪ m percussionist; in e-r Band: drummer.

**schlaksig** adj. gawky.

**Schlamm** m mud, mire; **~bad** n mud-bath; **2ig** adj. muddy, miry.

**Schlampe** f slut, slattern; **2ig** adj. slovenly, slipshod.

**Schlange** f zo. snake, rhet. serpent (a. fig.); Menschen2: queue, Am. a. line; ~ stehen queue up (um for), Am. line up (for).

**schlängeln** v/refl.: sich ~ durch Person: worm one's way od. o.s. through; Weg, Fluß etc.: wind (its way) through, meander through.

**Schlangenlinie** f serpentine line.

**schlank** adj. slender, slim; **2heitskur** f: e-e ~ machen slim.

**schlapp** F adj. tired, exhausted, worn out; **2e** F f reverse, defeat; **~machen** F v/i. break down, faint.

**schlau** adj. klug: clever, F cute; listig: sly, cunning, crafty.

**Schlauch** m tube; zum Spritzen: hose; Auto2 etc.: inner tube; **~boot** n rubber boat; ⚓ dinghy.

**Schlaufe** f loop.

**schlecht 1.** adj. bad; boshaft: wicked; Qualität: poor; ~e Laune haben be in a bad temper; ~e Aussichten poor prospects; ~e Zeiten hard times; mir ist ~ I feel sick; **2.** adv. badly, ill; **~gelaunt** adj. ill-humo(u)red, in a bad temper; **~machen** v/t. run s.o. down, backbite.

**schleich|en** v/i. creep; heimlich: sneak, steal; **2weg** m secret path.

**Schleier** m veil (a. fig.); Dunst: haze; **2haft** fig. adj. mysterious, inexplicable.

**Schleife** f loop (a. ✈); Band2: bow; Kranz2: streamer; Kurve: loop.

**schleifen¹ 1.** v/t. drag, trail; ♪ slur; ✠ Festung etc.: raze; **2.** v/i. drag, trail.

**schleif|en²** v/t. Messer etc.: whet;

*Glas, Edelsteine:* cut; *glätten:* polish (*a. fig.*); ♀stein *m* grindstone, whetstone.

**Schleim** *m* slime; ♂ mucus, phlegm; **♫haut** *anat.* ♫ mucous membrane; ♀**ig** *adj.* slimy (*a. fig.*), mucous.

**schlemme|n** *v/i.* feast, gormandize; ♀**r** *m* glutton, gormandizer.

**schlendern** *v/i.* stroll, saunter.

**schlenkern 1.** *v/t.* dangle, swing; **2.** *v/i.:* mit den Armen ~ swing one's arms.

**Schlepp|dampfer** *m* tug; **♫e** *f* train; ♀**en 1.** *v/t.* drag; *schwer tragen:* carry, haul, *Am.* F *a.* tote; ♣, ≈, *mot.* tow, haul; ♣ tug; *sich* ~ drag o.s.; **2.** *v/i.* drag, trail; ♀**end** *adj. Redeweise:* drawling; *Gang:* dragging; *Stil:* heavy; *Unterhaltung:* tedious; **♫er** *m* ♣ tug; *mot.* tractor; **♫tau** *n* tow(ing)-rope; *ins* ~ nehmen take in *od.* on tow (*a. fig.*).

**Schleuder** *f* sling, catapult (*a.* ≈), *Am. a.* slingshot; *Trocken≈:* spin drier; ♀**n 1.** *v/t.* fling, hurl (*beide a. fig.*); *mit e-r Schleuder:* sling; ≈ catapult; *Wäsche:* spin-dry; **2.** *mot. v/i.* skid.

**schleunig** *adj.* prompt, speedy.

**Schleuse** *f* sluice; *Kanal≈:* lock.

**schlicht** *adj.* plain, simple; *bescheiden:* modest; **♫en** *fig. v/t.* settle.

**schließ|en 1.** *v/t.* shut, close; *Fabrik etc.:* shut down; *Geschäft:* shut up; *Ehe:* contract; *Vertrag, Rede:* conclude; *Debatte:* close; *in die Arme* ~ clasp in one's arms; *in sich* ~ comprise, include; **2.** *v/i.* shut, close; *Schule:* break up; *aus et.* ~ *auf* infer *od.* conclude *s.th.* from *s.th.*; ♀**fach** & *n* post-office box; **♫lich** *adv.* finally, at last.

**Schliff** *m von Edelsteinen, Glas:* cut; *Glätte:* polish (*a. fig.*).

**schlimm 1.** *adj.* bad; *garstig:* nasty; serious; F *♫ wund:* bad, sore; **♫er** worse; *am* **♫sten**, *das Schlimmste* the worst; **2.** *adv.:* ~ *daran sein* be badly off; **♫stenfalls** *adv.* at (the) worst.

**Schling|e** *f* loop, sling (*a.* ♂); *sich zusammenziehende:* noose; *hunt.* snare (*a. fig.*); **♫el** *m* rascal; ♀**en** *v/t.* wind, twist; *flechten:* plait; *die Arme* ~ *um* fling one's arms round;

*sich um et.* ~ wind round; **♫pflanze** ♀ *f* creeper, climber.

**Schlips** *m* (neck)tie.

**Schlitten** *m* sled(ge); *Pferde≈:* sleigh; *Sport:* toboggan.

**Schlittschuh** *m* skate; ~ *laufen* skate; **♫läufer** *m* skater.

**Schlitz** *m* slit, *im Kleid:* slash; *Einwurf≈:* slot; ♀**en** *v/t.* slit, slash.

**Schloß** *n Tür≈, Gewehr≈:* lock; *Bau:* castle, palace; *ins* ~ *fallen Tür:* snap to; *hinter* ~ *und Riegel* behind prison bars.

**Schlosser** *m* locksmith.

**schlottern** *v/i. Kleider:* hang loosely; *Person:* shake (*vor* with).

**Schlucht** *f* gorge, ravine.

**schluchzen** *v/i.* sob.

**Schluck** *m* draught, swallow; **♫auf** *m* hiccup(s *pl.*).

**schlucken 1.** *v/t. u. v/i.* swallow (*a. fig.*); **2.** ♀ *m* hiccup(s *pl.*).

**Schlummer** *m* slumber; ♀**n** *v/i.* slumber.

**Schlund** *m anat.* pharynx; *fig.* abyss, chasm, gulf.

**schlüpfe|n** *v/i.* slip, slide; *in die Kleider* ~ slip on one's clothes; ♀**r** *m* (*ein a pair of*) knickers *pl. od.* drawers *pl.*; F panties *pl.*, *ohne Bein:* F briefs *pl.*

**Schlupfloch** *n* hiding-place.

**schlüpfrig** *adj.* slippery; *fig.* lascivious.

**Schlupfwinkel** *m* hiding-place.

**schlurfen** *v/i.* shuffle.

**schlürfen** *v/t. u. v/i.* drink *od.* eat noisily; *mit kleinen Schlucken:* sip.

**Schluß** *m* close, end; *Ab≈:* **♫folgerung:** conclusion; *parl. e-r Debatte:* closing.

**Schlüssel** *m* key (*zu* of; *fig.* to); **♫bart** *m* key-bit; **♫bein** *anat. n* collar-bone, clavicle; **♫bund** *m, n* bunch of keys; **♫industrie** *fig. f* key industry; **♫loch** *n* keyhole.

**Schlußfolgerung** *f* conclusion, inference.

**schlüssig** *adj. Beweis etc.:* conclusive; *sich* ~ *werden* make up one's mind (*über* about).

**Schluß|licht** *n* 🚲, *mot. etc.:* taillight; **♫runde** *f Sport:* final.

**Schmach** *f Schande:* disgrace; *Demütigung:* humiliation.

**schmachten** *v/i.* languish (*nach* for), pine (for).

**schmächtig** adj. slender, slim; ein ~er Junge a (mere) slip of a boy.

**schmackhaft** adj. palatable, savo(u)ry.

**schmäh|en** v/t. abuse, revile; verleumden: slander, defame; **~lich** adj. ignominious, disgraceful; **2ung** f abuse; slander, defamation.

**schmal** adj. narrow; Gestalt: slender, slim; Gesicht: thin; fig. knapp: poor, scanty.

**schmälern** v/t. curtail; fig. a. impair; herabsetzen etc.: belittle.

**Schmal|film** phot. m substandard film; **~spur** ⛟ f narrow ga(u)ge.

**Schmalz** n grease; Schweine2: lard; **2ig** adj. greasy; lardy; F fig. soppy, sentimental.

**schmarotze|n** F v/i. sponge (bei [up]on); **2r** m ♀, zo. parasite; fig. a. sponge.

**schmatzen** v/i. smack (mit den Lippen one's lips); eat noisily.

**Schmaus** m feast, banquet; fig. treat; **2en** v/i. feast, banquet.

**schmecken 1.** v/t. taste; **2.** v/i.: ~ nach taste of (a. fig.); das schmeckt mir I enjoy this.

**Schmeichel|ei** f flattery; **2haft** adj. flattering; **2n** v/i.: j-m ~ flatter s.o.

**Schmeichler** m flatterer; **2isch** adj. flattering.

**schmeiß|en** F **1.** v/t. throw, fling, hurl; Tür: slam, bang; **2.** v/i.: mit Geld um sich ~ squander one's money; **2fliege** zo. f blowfly, bluebottle.

**Schmelz** m enamel; ♪ sweetness, mellowness; fig. bloom; **2en 1.** v/i. melt (a. fig.); fig. melt away, dwindle; **2.** v/t. melt; Metall: smelt, fuse; verflüssigen: liquefy; **~ofen** m smelting furnace; **~tiegel** m melting-pot, crucible. [belly.]

**Schmerbauch** m paunch, pot-]

**Schmerz** m pain (a. fig.), anhaltender: ache; fig. grief, sorrow; **2en 1.** v/i. pain (a. fig.), hurt; ache; **2.** v/t. pain (a. fig.), hurt; fig. grieve, afflict; **2haft** adj. painful; **2lich** adj. painful, grievous; **2lindernd** adj. soothing; **2los** adj. painless.

**Schmetter|ling** zo. m butterfly; **2n 1.** v/t. dash (zu Boden to the ground; in Stücke to pieces); **2.** v/i. crash; Trompete: bray, blare; Vögel: warble.

**Schmied** m (black)smith; **~e** f forge, smithy; **~eeisen** n wrought iron; **~ehammer** m sledge(-hammer); **2en** v/t. forge; Pläne etc.: make, devise, hatch.

**schmiegen** v/refl. nestle (an to).

**Schmier|e** f grease; **2en** v/t. smear; ⊕ grease, oil, lubricate; Brot: butter; Butter etc. ~ auf: spread; kritzeln: scrawl, scribble; **~erei** f scrawl; **2ig** adj. greasy; schmutzig: dirty; unanständig: filthy; F schmeichlerisch: smarmy; **~mittel** ⊕ n lubricant.

**Schminke** f make-up (a. thea.), paint; **2n** v/t. make up; (sich) die Lippen ~ put on lipstick; sich ~ make (o.s.) up.

**Schmirgelpapier** n emery-paper.

**Schmiß** m cut; (duelling-)scar; fig. Schwung: verve, go, sl. pep.

**schmollen** v/i. sulk, pout.

**Schmor|braten** m stewed meat; **2en** v/t. u. v/i. stew (a. fig.).

**Schmuck 1.** m ornament; Verzierung: decoration; ~sachen: jewel(le)ry, jewels pl.; **2.** 2 adj. neat, smart.

**schmücken** v/t. adorn, decorate.

**schmuck|los** adj. unadorned; schlicht: plain; **2sachen** f/pl. jewel(le)ry, jewels pl.

**Schmuggel** m, **~ei** f smuggling; **2n** v/t. u. v/i. smuggle; **~ware** f contraband, smuggled goods pl.

**Schmuggler** m smuggler.

**schmunzeln** v/i. smile amusedly.

**Schmutz** m dirt, stärker: filth; fig. a. smut; **2en** v/i. soil, get dirty; **~fink** fig. m mudlark; **~fleck** m smudge, stain; **2ig** adj. dirty, stärker: filthy; fig. a. mean, shabby.

**Schnabel** m bill, Raubvogel: beak.

**Schnalle** f buckle; **2n** v/t. buckle; mit Riemen fest~: strap.

**schnalzen** v/i.: mit den Fingern ~ snap one's fingers; mit der Zunge ~ click one's tongue.

**schnapp|en 1.** v/i. snap, snatch (beide: nach at); nach Luft ~ gasp for breath; **2.** F v/t. Verbrecher: catch; **2schloß** n spring-lock; **2schuß** phot. m snapshot.

**Schnaps** m strong (alcoholic) liquor, Am. a. schnap(p)s.

**schnarchen** v/i. snore.

**schnarren** v/i. rattle.

**schnattern** v/i. cackle; fig. a. chatter.

**schnauben 1.** v/i. snort; vor Wut ~ foam with rage; **2.** v/t.: (sich) die Nase ~ blow one's nose.

**schnaufen** v/i. pant, puff, blow.

**Schnauz|bart** m m(o)ustache; **~e** f muzzle, snout; ⊕ nozzle; e-r Teekanne etc.: spout; sl. fig. potato-trap; **2en** F v/i. jaw.

**Schnecke** zo. f snail; Nackt2: slug; **~nhaus** n snail's shell; **~ntempo** n: im ~ at a snail's pace.

**Schnee** m snow; **~ball** m snowball; **~ballschlacht** f snowball fight; **2bedeckt** adj. snow-covered, Bergspitze: snow-capped, **~fall** m snow-fall; **~flocke** f snow-flake; **~gestöber** n snow-storm; **~glöckchen** ⚘ n snowdrop; **~grenze** f snow-line; **~mann** m snow man; **~pflug** m snow-plough; Am. snowplow; **~schuh** m snow-shoe; **~sturm** m snow-storm, blizzard; **~wehe** f snow-drift; **2weiß** adj. snow-white.

**Schneid** F m pluck, sl. guts pl.

**Schneide** f edge; **2n 1.** v/t. cut; Fleisch tranchieren: carve; Fingernägel etc.: cut, pare; **2.** v/i. cut.

**Schneider** m tailor; **~ei** f Werkstätte: tailor's shop; Damen2: dressmaker's shop; **~in** f dressmaker; **2n 1.** v/i. tailor; do tailoring; do dressmaking; **2.** v/t. make, tailor.

**Schneidezahn** m incisor.

**schneidig** fig. adj. plucky, dashing; Aussehen: smart.

**schneien** v/i. snow.

**schnell 1.** adj. quick, fast; rasend ~: rapid; baldig: speedy; leichtfüßig: swift; Antwort etc.: prompt; plötzlich: sudden; **2.** adv.: ~ fahren drive fast; ~ handeln act promptly od. without delay; (mach) ~! be quick!, hurry up!; **~en** v/t. u. v/i. jerk; **2hefter** m folder; **2igkeit** f quickness, fastness; rapidity; swiftness; promptness; speed, velocity; **2imbiß** m snack (bar); **2imbißstube** f snack bar; **2verfahren** ⚖ n summary proceedings pl.; **2zug** 🚂 m fast train, express (train).

**schneuzen** v/refl. blow one's nose.

**Schnipp|chen** n: F j-m ein ~ schlagen outwit s.o.; **2isch** adj. pert.

**31***

**Schnitt** m cut; e-s Kleides etc.: cut, make, style; **~muster:** pattern; am Buch: edge; ⊕ (inter)section; fig.: average; F Gewinn: profit; **~blumen** f/pl. cut flowers pl.; **~e** f slice; **~fläche** ⚖ f section(al plane); **2ig** adj. Sportwagen: rakish; **~muster** n pattern; **~punkt** m (point of) intersection; **~wunde** f cut, gash. [Papier2: scrap.]

**Schnitzel 1.** n schnitzel; **2.** F n, m

**schnitzen** v/t. carve, cut.

**Schnitzer** m carver; F fig. blunder; **~ei** f carving, carved work; Kunst: carving.

**schnöde** adj. verächtlich: contemptuous; gemein: base.

**Schnörkel** m flourish, scroll (a. ⚖).

**schnüff|eln** v/i. sniff, nose (beide: an at); fig. pry, nose, Am. F a. snoop; **2ler** m fig. m spy, Am. F a. snoop; F Detektiv: sleuth.

**Schnuller** m dummy, comforter.

**Schnulze** F f sentimental song od. film od. play, F tear-jerker.

**Schnupf|en 1.** m cold, catarrh; **2.** ⚖ v/i. take snuff; **~tabak** m snuff.

**schnuppe** F adj.: das ist mir ~ I don't care (F a damn); **~rn** v/i. sniff, nose (beide: an at).

**Schnur** f string, line; Kordel: cord; ⚡ flex.

**Schnür|chen** n: wie am ~ like clockwork; **2en** v/t. Schuhe: lace (up); ver~: tie up.

**schnurgerade** adj. dead straight.

**Schnürlsamt** östr. m corduroy.

**Schnurr|bart** m m(o)ustache; **2en** v/i. Katze, Motor: purr.

**Schnür|senkel** m shoe-lace, shoestring; **~stiefel** m laced boot.

**schnurstracks** adv. direct(ly), straight (away).

**Schober** m rick, stack.

**Schock 1.** n threescore; **2.** 💥 m shock; **2ieren** v/t. shock, scandalize.

**Schokolade** f chocolate.

**Scholle** f Erd2: clod; Eis2: floe; ichth. plaice.

**schon** adv. already; ~ lange for a long time; ~ gut! all right!; ~ der Gedanke the very idea; hast du ~ einmal ...? have you ever ...?; mußt du ~ gehen? must you go?; ~ um 8 Uhr as early as 8 o'clock.

**schön 1.** adj. beautiful; Mann: handsome (a. fig.); Wetter: fair, fine (*a. iro.*); **2.** *adv.*: ~ warm nice and warm; *du hast mich* ~ *erschreckt* you gave me quite a start.

**schonen** *v/t.* spare; *pfleglich behandeln*: take care of; *Kräfte*: husband; *sich* ~ take care of o.s., look after o.s.

**Schönheit** *f* beauty; **~spflege** *f* beauty treatment.

**schöntun** *v/i.*: *j-m* ~ flatter s.o.

**Schonung** *f* tree-nursery; *Gnade*: mercy; *Nachsicht*: forbearance; *pflegliche Behandlung*: careful treatment; **2slos** *adj.* unsparing, merciless, relentless.

**Schopf** *m* tuft; *orn. a.* crest.

**schöpf|en** *v/t.* scoop, ladle; *Wasser aus e-m Brunnen*: draw; *Atem*: draw, take; *Mut*: take; *neue Hoffnung* ~ gather fresh hope; *Verdacht* ~ become suspicious; **2er** *m* creator; **~erisch** *adj.* creative; **2ung** *f* creation.

**Schorf** *⚕* *m* scab.

**Schornstein** *m* chimney; *⚓, ⛴*, funnel; **~feger** *m* chimney-sweep(er). [*Rock⚶*: tail.)

**Schoß** *m* lap; *Mutterleib*: womb;)

**Schote** *♀ f* pod.

**Schotte** *m* Scot, Scotchman; *die* ~*n pl.* the Scotch *pl.*

**Schotter** *m* (road-)metal.

**schottisch** *adj.* Scotch.

**schräg** **1.** *adj.* oblique, slanting, sloping; **2.** *adv.*: ~ *gegenüber* diagonally across (*von* from).

**Schramme** *f* scratch.

**Schrank** *m* cupboard, *Am. a.* closet; *Kleider⚶*: wardrobe.

**Schranke** *f* barrier (*a. fig.*); ⚶ *a.* (railway-)gate; *🚉 bar; ~n pl. fig.* bounds *pl.*, limits *pl.*; **2nlos** *fig. adj.* boundless; *zügellos*: unbridled; **~nwärter** *🚉 m* gate-keeper.

**Schrankkoffer** *m* wardrobe trunk.

**Schraube** *f ⊕* screw; *⚓* screw (-propeller); **2n** *v/t.* screw.

**Schrauben|mutter** *⊕ f* nut; **~schlüssel** *⊕ m* spanner, wrench; **~zieher** *⊕ m* screwdriver.

**Schraubstock** *⊕ m* vice, *Am.* vise.

**Schrebergarten** *m* allotment.

**Schreck** *m*, **~en** *m* fright, terror; *Bestürzung*: consternation; **2en** *v/t.* frighten, scare; **~ensbotschaft** *f* terrible news; **2haft** *adj.* fearful, timid; **2lich** *adj.* terrible, dreadful (*beide a.* F *fig.*).

**Schrei** *m* cry; *lauter*: shout; *Angst⚶*: scream.

**schreiben** **1.** *v/t. u. v/i.* write (*j-m* to s.o.; *über* on); *mit der Maschine* ~ type(write); **2.** *v/t.* spell; **3.** *⚶ n* letter.

**Schreib|feder** *f* pen; **~fehler** *m* mistake in writing *od.* spelling, slip of the pen; **~heft** *n* exercise-book; **~mappe** *f* writing-case; **~maschine** *f* typewriter; **~material** *n* writing-materials *pl.*, stationery; **~papier** *n* writing-paper; **~tisch** *m* writing-desk *od.* -table; **~ung** *f* spelling; **~unterlage** *f* desk pad; **~waren** *f/pl.* writing-materials *pl.*, stationery; **~warenhändler** *m* stationer; **~zeug** *n* writing-materials *pl.*

**schreien** **1.** *v/t.* cry; *lauter*: shout; *angstvoll*: scream; **2.** *v/i.* cry (out) (*vor* with; *nach* for); shout (*vor* with); scream (*vor* with); **~d** *adj.* *Farben*: loud; *Ungerechtigkeit*: flagrant.

**Schreiner** *m s.* Tischler.

**schreiten** *v/i.* step, stride (*über* across); *fig.* proceed (*zu* to).

**Schrift** *f* (hand)writing, hand; *typ.* type; *~zeichen*: character, letter; *~en pl.* *Werke*: works *pl.*, writings *pl.*; *die Heilige* ~ *eccl.* the Scriptures *pl.*; **~art** *f* type; **2lich** **1.** *adj.* written, in writing; **2.** *adv.* in writing; **~sprache** *f* literary language; **~steller** *m* author, writer; **~stück** *n* piece of writing, paper, document; **~wechsel** *m* exchange of letters, correspondence; **~zeichen** *n* character, letter.

**schrill** *adj.* shrill, piercing.

**Schritt** *m* step (*a. fig.*); pace; ~*e unternehmen* take steps; **2weise** **1.** *adj.* gradual; **2.** *adv.* gradually, step by step.

**schroff** *adj.* rugged, jagged; *steil, jäh*: steep; *fig.* harsh, gruff; **~er** *Widerspruch* glaring contradiction.

**schröpfen** *v/t.* ⚕ cup; *fig.* milk.

**Schrot** *m, n* crushed grain; *zum Schießen*: small shot; **~flinte** *f* shotgun.

**Schrott** *m* scrap(-iron *od.* -metal).

**schrubben** *v/t.* scrub, scour.

**schrumpfen** *v/i.* shrink.

**Schub** *m s.* Schubkraft; **~fach** *n* drawer; **~karren** *m* wheel-barrow.

~kasten *m* drawer; ~kraft *phys.*, ⊕ *f* thrust; ~lade *f* drawer.

**Schubs** F *m* push; 2en F *v/t.* push.

**schüchtern** *adj.* shy, bashful, timid; *Mädchen: a.* coy; 2heit *f* shyness, bashfulness, timidity; coyness.

**Schuft** *m* scoundrel, rascal, cad; 2en F *v/i.* drudge, slave, plod.

**Schuh** *m* shoe; *j-m et. in die ~e schieben* put the blame for s.th. on s.o.; ~anzieher *m* shoehorn; ~creme *f* shoe-cream, shoe-polish; ~geschäft *n* shoe-shop; ~löffel *m* shoehorn; ~macher *m* shoemaker; ~putzer *m* shoeblack, *Am. a.* shoeshine; ~sohle *f* sole; ~spanner *m* shoe-tree; ~werk *n*, ~zeug F *n* foot-wear, boots and shoes *pl.*

**Schul|arbeit** *f* homework; ~bank *f* (school-)desk; ~beispiel *n* typical example; ~besuch *m* attendance at school; ~bildung *f* education; *höhere ~* secondary education; ~buch *n* school-book.

**Schuld** *f Geld*2: debt; *Vergehen:* guilt; *Fehler:* fault, blame; ~en *machen* contract *od.* incur debts; *es ist s-e ~* it is his fault; 2bewußt *adj.* conscious of one's guilt; 2en *v/t.:* *j-m et. ~* owe s.o. s.th.; *j-m Dank ~* be indebted to s.o. (für for).

**schuldig** *adj.* guilty (e-r *Sache of* s.th.); *Achtung etc.:* due; *j-m et. ~ sein* owe s.o. s.th.; *j-m Dank ~ sein* be indebted to s.o. (für for); *~ sprechen* 𝔱𝔱 find guilty; 2e *m, f* guilty person; culprit; 2keit *f* duty.

**Schuldirektor** *m* headmaster, *Am. a.* principal.

**schuld|los** *adj.* guiltless, innocent; 2ner *m* debtor; 2schein *m* certificate of indebtedness, IOU (= I owe you).

**Schule** *f* school; *höhere ~* secondary school, *Am. appr.* (senior) high school; *auf od. in der ~* at school; *in die ~ gehen* go to school; 2n *v/t.* train, school; *pol.* indoctrinate.

**Schüler** *m* pupil; schoolboy; *Jünger:* disciple; ~austausch *m* exchange of pupils; ~in *f* pupil; schoolgirl.

**Schul|ferien** *pl.* holidays *pl.*, *Am.* vacation; ~fernsehen *n* educational TV; ~funk *m* school broadcasts *pl.*; ~gebäude *n* school(house)

~geld *n* school fee(s *pl.*); tuition; ~hof *m* playground, *Am. a.* school-yard; ~kamerad *m* schoolfellow; ~mappe *f* satchel; ~ordnung *f* school regulations *pl.*; 2pflichtig *adj.* schoolable; ~schiff *n* training-ship; ~schluß *m* end of school; *vor den Ferien:* end of term; *nach ~* after school; ~schwänzer *m* truant; ~stunde *f* lesson.

**Schulter** *f* shoulder; ~blatt *n* shoulder-blade; 2n *v/t.* shoulder.

**Schul|unterricht** *m* school, lessons *pl.*; ~wesen *n* educational system; ~zeugnis *n* report.

**schummeln** F *v/i.* cheat.

**Schund** *m* trash, rubbish; ~roman *m* trashy novel, *Am. a.* dime novel.

**Schuppe** *f* scale; ~n *pl. Kopf*2n: dandruff.

**Schuppen** *m* shed; *mot.* garage; 🛪 hangar.

**schupp|en** *v/t. Fisch:* scale; *sich ~ Haut:* scale off; ~ig *adj.* scaly.

**Schür|eisen** *n* poker; 2en *v/t. Feuer:* poke; *fig.* fan, foment.

**schürfen** ⚒ *v/i.* prospect (*nach* for).

**Schurk|e** *m* scoundrel, villain, rascal; 2isch *adj.* rascally, scoundrelly.

**Schürze** *f* apron; *Kinder*2: pinafore; 2n *v/t. Rock:* tuck up; *Knoten:* tie; *Lippen:* purse (up).

**Schuß** *m* shot; *Munition:* round; *Knall:* report; *Wein:* dash (*a. fig.*); *in ~ sein* be in good working order.

**Schüssel** *f Wasser*2: basin; *für Speisen:* bowl, dish, tureen.

**Schuß|waffe** *f* fire-arm; ~weite *f* range; ~wunde *f* gunshot wound.

**Schuster** *m* shoemaker.

**Schutt** *m Abfall:* rubbish, refuse; *Trümmer:* rubble, debris.

**Schüttel|frost** 𝔰 *m* shivering-fit, chill(s *pl.*); 2n *v/t.* shake; *den Kopf ~* shake one's head.

**schütten 1.** *v/t.* pour (*auf* on); **2.** *v/i.: es schüttet* it is pouring with rain.

**Schutz** *m* protection (*gegen, vor* against), defen|ce, *Am. -se* (against; from); *Zuflucht:* shelter (from); *Vorsichtsmaßnahme:* safeguard (against); *Deckung:* cover; ~brille *f* (e-e a pair of) goggles *pl.*

**Schütze** *m* shooter; 𝔵 rifleman; *guter ~* good shot; 2n *v/t.* protect (*gegen, vor* against, from), defend (against, from), guard (against, from); *gegen Wetter*: shelter (from); *sichern*: safeguard.

**Schutzengel** *m* guardian angel.

**Schützen|graben** ✕ *m* trench; **∼könig** *m* champion shot.

**Schutz|haft** ⚖ *f* preventive custody; protective custody; **∼heilige** *m* patron saint; **∼impfung** ⚕ *f* protective inoculation; *Pocken*⚕: vaccination. [protégée.\
**Schützling** *m* protégé, *weiblich:*\
**schutz|los** *adj.* unprotected; *wehrlos*: defen|celess, *Am.* -seless; **♀mann** *m* policeman, (police) constable, *sl.* bobby, cop; **♀marke** *f* trade mark, brand; **♀patron** *m* patron saint; **♀umschlag** *m* (dust-)jacket, wrapper; **♀zoll** *m* protective duty.

**schwach** *adj.* weak (*a. Verb, fig.*); *Person*: infirm, feeble; *Erinnerung:* feeble; *Ton, Licht, Hoffnung, Idee etc.*: faint; *Trost, Besuch*: poor; *Licht, Erinnerung*: dim; *Ähnlichkeit*: remote.

**Schwäch|e** *f* weakness (*a. fig.*); *körperliche*: infirmity; *fig.* foible; *e-e ∼ haben für* have a weakness for; **♀en** *v/t.* weaken (*a. fig.*); *Gesundheit*: impair; **♀lich** *adj.* weakly, feeble; *zart*: delicate, frail; **∼ling** *m* weakling (*a. fig.*).

**schwach|sinnig** *adj.* weak- *od.* feeble-minded; **♀strom** ⚡ *m* weak current.

**Schwager** *m* brother-in-law.

**Schwägerin** *f* sister-in-law.

**Schwalbe** *orn. f* swallow.

**Schwall** *m* flood; *Wort*⚕: torrent.

**Schwamm** *m* sponge; ♀ fungus; ♀ *Haus*⚕: dry-rot; **∼erl** ♀ *östr. n s. Pilz*; **♀ig** *adj.* spongy; *Gesicht etc.*: bloated.

**Schwan** *orn. m* swan. [child.\
**schwanger** *adj.* pregnant, with]
**schwängern** *v/t.* get with child.

**Schwangerschaft** *f* pregnancy.

**schwanken** *v/i. Boden*: shake; *Zweige etc.*: sway; *wanken*: stagger, totter; *fig.*: *Preise*: fluctuate; *zögern*: waver.

**Schwanz** *m* tail (*a.* ✕, *ast.*).

**schwänze|ln** *v/i.* wag its tail; *fig.* fawn (*um* [up]on); **∼n** *v/t. Vorlesung etc.*: cut; *die Schule ∼* play truant, *Am. a.* play hooky.

**Schwarm** *m Bienen*⚕ *etc.*: swarm; *Vogel*⚕: *a.* flight, flock; *Fisch*⚕: school, schoal; *Vögel, Mädchen etc.*: bevy; F *fig.* fancy, craze; *Person*: idol, hero; F *Angebetete*: flame.

**schwärmen** *v/i. Bienen etc.*: swarm; *fig.* rave (*von* about, of); *∼ für* adore *s.o.*, be wild about.

**Schwärmer** *m* enthusiast; *Träumer*: visionary; *bsd. eccl.* fanatic; *Feuerwerkskörper*: cracker, squib; *zo.* hawk-moth; **∼ei** *f* enthusiasm (*für* for); ecstasy; **♀isch** *adj.* enthusiastic; *anbetend*: adoring.

**Schwarte** *f* rind; F *fig.* old book.

**schwarz** *adj.* black (*a. fig.*); **∼es** *Brett* notice-board, *Am.* bulletin board; **∼es** *Brot* brown bread; **∼er** *Markt* black market; *∼ auf weiß* in black and white; *auf die ∼e Liste setzen* blacklist; **♀arbeit** *f* illicit work; **♀brot** *n* brown bread; **♀e** *m*, *f* black.

**schwärzen** *v/t.* blacken.

**Schwarz|fahrer** *m* fare-dodger; *mot.* person driving without a licence; **∼handel** *m* illicit trade, black marketeering; **∼hörer** *m* listener without a licence.

**schwärzlich** *adj.* blackish.

**Schwarz|markt** *m* black market; **∼weißfilm** *m* black-and-white film.

**schwatzen** *v/i.* chat(ter).

**schwätze|n** *v/i.* chat(ter); **♀r** *m* chatterbox; *Klatschtante*: gossip; *dummer ∼*: blatherskite.

**schwatzhaft** *adj.* talkative.

**Schwebe** *fig. f*: *in der ∼ sein* be in suspense; **∼bahn** *f* aerial railway *od.* ropeway; **♀n** *v/i.* be suspended; *Vogel*, ✈ *etc.*: hover (*a. fig.*); *gleiten*: glide; *bsd.* ⚖ *be* pending; *in Gefahr ∼* be in danger.

**Schwed|e** *m* Swede; **♀isch** *adj.* Swedish.

**Schwefel** ⚗ *m* sulphur, *Am.* sulfur; **∼säure** ⚗ *f* sulphuric (*Am.* sulfuric) acid.

**Schweif** *m* tail (*a. ast.*); **♀en** *v/i.* rove, ramble.

**schweigen 1.** *v/i.* be silent; **2.** ♀ *n* silence; **∼d** *adj.* silent.

**schweigsam** *adj.* taciturn; **♀keit** *f* taciturnity.

**Schwein** *n zo.* pig, hog, swine (*alle a. fig.*); F *∼ haben* be lucky.

**Schweine|braten** *m* roast pork; **∼fleisch** *n* pork; **∼rei** *f Unordnung:*

mess; *Gemeinheit*: dirty trick;
*Zote*: smut(ty story); **~stall** *m*
pigsty (*a. fig.*).

**schweinisch** *fig. adj.* swinish;
*zotig*: smutty.

**Schweinsleder** *n* pigskin.

**Schweiß** *m* sweat, perspiration; 2en
⊕ *v/t.* weld; **~er** ⊕ *m* welder; 2**ig**
*adj.* sweaty, damp with sweat.

**Schweizer** *m* Swiss.

**schwelen** *v/i.* smo(u)lder (*a. fig.*).

**schwelgen** *v/i.*: **~** *in* revel in.

**Schwell|e** *f* Tür2: threshold (*a. fig.*);
🚃 sleeper, *Am.* tie; 2en **1.** *v/i.*
swell (out); **2.** *v/t.* swell; **~ung** *f*
swelling.

**Schwemme** *f* watering-place, *für
Pferde*: horse-pond; ✝ *Obst*2: glut.

**Schwengel** *m Glocken*2: clapper;
*Pumpen*2: handle.

**schwenken 1.** *v/t.* swing; *Hut etc.*:
wave; *Wäsche*: rinse; **2.** *v/i.* turn.

**schwer 1.** *adj.* heavy; *Wein,
Zigarre etc.*: strong; *Problem etc.*:
hard, difficult; *Krankheit etc.*:
serious; *Strafe etc.*: severe; *Fehler
etc.*: grave, serious; **~e** *Zeiten* hard
times; *2 Pfund ~ sein* weigh two
pounds; **2. adv.**: **~** *arbeiten* work
hard; **~** *hören* be hard of hearing;
2**e** *f* heaviness; *phys.* gravity; *fig.*
severity; **~fällig** *adj.* heavy, slow;
*unbeholfen*: clumsy; 2**gewicht** *n
Boxen*: heavy-weight; *fig.* (main)
emphasis; **~hörig** *adj.* hard of
hearing; 2**industrie** *f* heavy
industry; 2**kraft** *phys.* *f* gravity; **~
lich** *adv.* hardly, scarcely; **~
mütig** *adj.* melancholy; 2**punkt** *m*
cent|re (*Am.* -er) of gravity; *fig.*
(main) emphasis.

**Schwert** *n* sword.

**Schwer|verbrecher** *m* felon; 2**-
verdaulich** *adj.* indigestible,
heavy; 2**verständlich** *adj.* difficult *od.* hard to understand; 2**ver-
wundet** *adj.* seriously wounded;
2**wiegend** *fig. adj.* weighty, serious.

**Schwester** *f* sister; *Kranken*2:
nurse.

**Schwieger|eltern** *pl.* parents-in-
law *pl.*; **~mutter** *f* mother-in-law;
**~sohn** *m* son-in-law; **~tochter** *f*
daughter-in-law; **~vater** *m* father-
in-law.                          [callous.]

**Schwiel|e** *f* callosity; 2**ig** *adj.*⌟

**schwierig** *adj.* difficult, hard; 2**keit**
*f* difficulty, trouble.

**Schwimm|bad** *n* swimming-bath,
*Am.* swimming pool; 2**en** *v/i.* swim;
*Gegenstand*: float; *in Geld* **~** be
rolling in money; **~gürtel** *m* swim-
ming-belt; *Rettungsgürtel*: lifebelt;
**~haut** *f* web; **~lehrer** *m* swimming-
instructor; **~weste** *f* life-jacket.

**Schwindel** *m* ⌀ vertigo, giddiness,
dizziness; F *fig.* swindle, humbug,
cheat, fraud; **~anfall** ⌀ *m* fit of
dizziness; 2**erregend** *adj.* dizzy;
**~firma** ✝ *f* long firm, *Am.* wildcat
firm; 2*n* *v/i.* cheat, swindle.

**schwinden** *v/i.* dwindle, grow less;
*Kräfte, Farbe etc.*: fade.

**Schwindl|er** *m* swindler, cheat;
*Lügner*: liar; 2**ig** *adj.* giddy,
dizzy.

**Schwind|sucht** ⌀ *f* consumption;
2**süchtig** ⌀ *adj.* consumptive.

**Schwing|e** *f* wing, *poet.* pinion; 2**en
1.** *v/t.* swing; *Waffe*: brandish;
**2.** *v/i.* swing; ⊕ oscillate; *Ton*:
vibrate; **~ung** *f* oscillation; vibra-
tion.

**Schwips** F *m*: e-n **~** *haben* be tipsy.

**schwirren** *v/i.* **1.** (*sein*) whir(r);
*Pfeil etc.*: whiz(z); *Insekten*: buzz;
*Gerüchte*: circulate; **2.** (*h*): *mir
schwirrt der Kopf* my head is
buzzing.

**schwitzen 1.** *v/i.* sweat, perspire;
**2.** F *fig.* *v/t.*: *Blut und Wasser* **~** be
in great anxiety.

**schwören 1.** *v/t.* swear; *e-n Meineid*
**~** commit perjury; *j-m Rache* **~** vow
vengeance against s.o.; **2.** *v/i.* swear
(*bei* by); **~** *auf* have great belief in,
F swear by.

**schwül** *adj.* sultry, close.

**Schwulst** *m* bombast.

**schwülstig** *adj.* bombastic, pompous.

**Schwund** *m* dwindling; ⌀ atrophy.

**Schwung** *m* swing; *fig.* verve, go;
2**haft** *f adj.* flourishing, brisk;
**~rad** ⊕ *n* fly-wheel; *e-r Uhr*:
balance-wheel; 2**voll** *adj.* full of
energy *od.* verve; *Angriff, Übersetzung etc.*: spirited; *Stil*: racy.

**Schwur** *m* oath; **~gericht** 🕮 *n England, Wales*: *appr.* court of assize.

**sechs 1.** *adj.* six; **2.** 2 *f* six; 2**eck** *n*
hexagon; **~eckig** *adj.* hexagonal;
**~fach** *adj.* sixfold, sextuple; **~mal**
*adv.* six times; 2**tagerennen** *n* six-
day race; **~tägig** *adj.* lasting *od.* of
six days.

**sechste** adj. sixth; ♀l n sixth (part); **~ns** adv. sixthly, in the sixth place.
**sech|zehn(te)** adj. sixteen(th); **~zig** adj. sixty; **~zigste** adj. sixtieth.
**See 1.** m lake; **2.** f sea, ocean; Woge: sea, billow; an die ~ gehen go to the seaside; in ~ gehen od. stechen put to sea; auf ~ at sea; auf hoher ~ on the high seas; zur ~ gehen go to sea; **~bad** n seaside resort; **~fahrer** m sailor, navigator; **~fahrt** f navigation; Seereise: voyage; **~gang** m sea; **~hafen** m seaport; **~handel** ♱ m maritime trade; **~herrschaft** f naval supremacy; **~hund** zo. m seal; ♀**krank** adj. seasick; **~krankheit** f seasickness; **~krieg** m naval war (-fare).
**Seele** f soul (a. fig.).
**Seelen|größe** f greatness of soul od. mind; **~heil** n salvation, spiritual welfare; ♀**los** adj. soulless; **~qual** f anguish of mind, (mental) agony; **~ruhe** f peace of mind; unerschütterliche Ruhe: coolness.
**seelisch** adj. psychic(al), mental.
**Seelsorge** f cure of souls; **~r** m pastor.
**See|macht** f naval power; **~mann** m seaman, sailor; **~meile** f nautical mile; **~not** f distress (at sea); **~räuber** m pirate; **~recht** n maritime law; **~reise** f voyage; **~schlacht** f naval battle; **~sieg** m naval victory; **~streitkräfte** f/pl. naval forces pl.; ♀**tüchtig** adj. seaworthy; **~warte** f naval observatory; **~weg** m searoute; auf dem ~ by sea.
**Segel** n sail; **~boot** n sailing-boat, Am. sailboat; Sport: yacht; **~fliegen** n gliding; **~flugzeug** n glider; ♀n v/i. sail; Sport: yacht; **~schiff** n sailing-ship, sailing-vessel; **~sport** m yachting; **~tuch** n sail-cloth, canvas. [benediction.]
**Segen** m blessing (a. fig.), bsd. eccl.⌋
**Segler** m yachtsman; s. Segelschiff; guter ~ good sailer.
**segn|en** v/t. bless; ♀**ung** f s. Segen.
**sehen 1.** v/i. see; ~ auf look at; ~ nach look for; sorgen für: look after; **2.** v/t. see; bemerken: notice; beobachten: watch, observe; **~swert** adj. worth seeing; ♀**swürdigkeit** f object of interest, curiosity; **~en** pl. sights pl.
**Seh|fehler** m visual defect; **~kraft** f eyesight, vision.

**Sehne** f anat. sinew, tendon; Bogen-♀: string; ♑ chord.
**sehnen** v/refl. long (nach for), yearn (for, after); sich danach ~ zu inf. be longing to inf.
**Sehnerv** m optic od. visual nerve.
**sehnig** adj. sinewy, stringy.
**sehn|lich** adj. glühend: ardent; leidenschaftlich: passionate; ♀**sucht** f longing, yearning; **~süchtig**, **~suchtsvoll** adj. longing, yearning; Augen etc.: a. wistful.
**sehr** adv. vor adj. u. adv.: very, most; mit vb.: (very) much, greatly.
**Seh|rohr** ⚓ n periscope; **~weite** f range of sight, visual range; in ~ within eyeshot od. sight.
**seicht** adj. shallow (a. fig.).
**Seide** f silk.
**Seiden|papier** n tissue(-paper); **~raupe** zo. f silkworm.
**seidig** adj. silky.
**Seife** f soap.
**Seifen|blase** f soap-bubble; **~lauge** f soapy water, Am. a. suds pl.; **~pulver** n soap-powder; **~schale** f soap-dish; **~schaum** m lather, suds pl.
**seifig** adj. soapy.
**seihen** v/t. strain, filter.
**Seil** n rope; **~bahn** f funicular (railway), cable railway.
**sein¹ 1.** v/i. be; bestehen etc.: exist; **2.** ♀ n being; existence.
**sein²** poss. pron. his; her; its; der (die, das) ~e his; hers; its; die Seinen pl. his family od. people.
**seiner|seits** adv. for his part; **~zeit** adv. then; in those days.
**seinesgleichen** pron. his equal(s pl.); j-n wie ~ behandeln treat s.o. as one's equal.
**seit 1.** prp.: ~ 1945 since 1945; ~ drei Wochen for three weeks; **2.** cj. since; es ist ein Jahr her, ~ ... it is a year now since ...; **~dem 1.** adv. since then, since that time, ever since; **2.** cj. since.
**Seite** f side (a. fig.); Buch♀: page.
**Seiten|ansicht** f side-view, profile; **~blick** m side-glance; **~hieb** fig. m innuendo, sarcastic remark; ♀s prp. on the part of, by; **~straße** f sideroad; **~weg** m by-way.
**seither** adv. s. seitdem 1.
**seit|lich** adj. lateral; **~wärts** adv. sideways; aside.
**Sekret|är** m secretary; Schreibtisch:

bureau; ~ariat n secretary's office, secretariat(e) (a. *Geschäftsstelle*); ~ärin f secretary.

**Sekt** m champagne.

**Sekte** f sect.

**Sektor** m sector; *fig.* field, branch.

**Sekunde** f second; ~nzeiger m second-hand.

**selb** *adj.* same; ~er F *pron. s.* selbst 1.

**selbst 1.** *pron.* self; personally; *ich* ~ I myself; *von* ~ *Person:* of one's own accord; *Sache:* by itself, automatically; **2.** *adv.* even.

**selbständig** *adj.* independent; 2keit f independence.

**Selbst|bedienungsladen** m self-service shop; ~beherrschung f self-command, self-control; ~bestimmung f self-determination; 2bewußt *adj.* self-confident, self-reliant; ~bewußtsein n self-confidence, self-reliance; ~binder m tie; ~erhaltung(strieb m) f (instinct of) self-preservation; ~erkenntnis f self-knowledge; ~gemacht *adj.* home-made; 2gerecht *adj.* self-righteous; ~gespräch n soliloquy, monolog(ue); 2herrlich **1.** *adj.* high-handed; **2.** *adv.* with a high hand; ~hilfe f self-help; ~kostenpreis ✝ m cost price; ~laut *gr.* m vowel; 2los *adj.* unselfish, disinterested; ~mord m suicide; ~mörder m suicide; 2mörderisch *adj.* suicidal; 2sicher *adj.* self-confident, self-assured; 2süchtig *adj.* selfish, ego(t)istic(al); 2tätig ⊕ *adj.* self-acting, automatic; ~täuschung f self-deception; ~unterricht m self-instruction; ~versorger m self-supporter; 2verständlich **1.** *adj.* matter-of-course; **2.** *adv.* of course, naturally; ~! *a.* by all means!; ~verständlichkeit f matter of course; ~verteidigung f self-defen|ce, *Am.* -se; ~vertrauen n self-confidence, self-reliance; ~verwaltung f self-government, autonomy; 2zufrieden *adj.* self-satisfied; ~zweck m end in itself.

**selchen** *östr. v/t. s.* räuchern.

**selig** *adj. eccl.* blessed; *verstorben:* late; *fig.* overjoyed; 2keit *fig.* f bliss, very great joy.

**Sellerie** ♀ m, f celery.

**selten 1.** *adj.* rare, scarce; **2.** *adv.* rarely, seldom; 2heit f rarity; *Rarität: a.* curio(sity).

**seltsam** *adj.* strange, odd.

**Semester** *univ.* n term.

**Semikolon** n semicolon.

**Seminar** n *univ.* seminar; *Priester*2: seminary.

**Senat** m senate; *Am. parl.* Senate.

**sende|n** *v/t.* send, forward; *Funk etc.:* transmit; *Radio: a.* broadcast; *Fersehen: a.* telecast; 2r m transmitter; *Sendestation:* broadcasting station; 2raum m (broadcasting) studio; 2zeichen n interval signal.

**Sendung** f ✝ consignment, shipment; broadcast; telecast; *fig.*

**Senf** m mustard (*a.* ♀). [mission.]

**sengen** *v/t.* singe, scorch; ~d *adj. Sonnenhitze:* parching.

**senil** *adj.* senile.

**senior** *adj.* senior.

**Senk|e** *geogr.* f depression, hollow; 2en *v/t.* lower (*a. Stimme*); *Kopf:* bow; *Preise:* lower, F cut; *sich* ~ sink, subside; *Decke etc.:* sag; 2recht *adj.* vertical, *bsd.* ♈ perpendicular.

**Sensation** f sensation; 2ell *adj.* sensational; ~slust f sensationalism; ~spresse f yellow press.

**Sense** f scythe.

**sensibel** *adj.* sensitive.

**sentimental** *adj.* sentimental; 2ität f sentimentality.

**September** m September.

**Serenade** ♪ f serenade.

**Serie** f series; *Satz:* set; 2nmäßig **1.** *adj.* standard; **2.** *adv.:* ~ *herstellen* mass-produce; ~nproduktion f mass production.

**seriös** *adj.* respectable.

**Serum** n serum.

**Service**[1] n service, set.

**Service**[2] m, n service.

**servieren** *v/t.* serve.

**Serviette** f (table-)napkin.

**Sessel** m armchair, easy chair; ~lift m chair-lift.

**seßhaft** *adj.:* ~ *werden* settle down.

**setzen 1.** *v/t.* set, place, put; *typ.* compose; *pflanzen:* plant; *Denkmal:* erect, raise; *bei Wetten:* stake (*auf* on); *sich* ~ sit down, take a seat; *Vögel:* perch; *Erdreich, Bodensatz etc.:* settle; **2.** *v/i.* (h): ~ *auf bei Wetten:* back; **3.** *v/i.* (sein): ~ *über Mauer etc.:* leap, clear; *Graben etc:* take.

**Setzer** *typ. m* compositor, type-setter; **~ei** *typ. f* composing-room.

**Seuche** *f* epidemic (disease).

**seufze|n** *v/i.* sigh; **2r** *m* sigh.

**sexuell** *adj.* sexual.

**sezieren** *v/t.* dissect (*a. fig.*).

**sich** *refl. pron.* oneself; *sg.* himself, herself, itself; *pl.* themselves; *sg.* yourself, *pl.* yourselves; *einander:* each other, one another.

**Sichel** *f* sickle; *s. Mondsichel.*

**sicher 1.** *adj.* secure (vor from), safe (from); *gefeit:* proof (against; *Hand:* steady; *gewiß:* certain, sure; *bestimmt:* positive; *aus ~er Quelle* from a reliable source; **2.** *adv. s. sicherlich;* *um ~ zu gehen* to be on the safe side, to make sure.

**Sicherheit** *f* security; safety; surety, certainty; positiveness; *des Auftretens:* assurance; *in ~ bringen* place in safety; **~snadel** *f* safety-pin; **~sschloß** *n* safety-lock.

**sicher|lich** *adv.* surely, certainly; *zweifellos:* undoubtedly; **~n** *v/t.* secure (*a. ⨯, ⊕*); *schützen:* protect, safeguard; *gewährleisten:* guarantee (*a. ✝*); *sich et. ~* secure; **~stellen** *v/t.* secure; **2ung** *f* securing; safeguard(ing); *⊕* safety device; *⚡* fuse.

**Sicht** *f* visibility; *Aus2:* view; *in ~ kommen* come into view, come in sight; *auf lange ~* in the long run; **2bar** *adj.* visible; **2en** *v/t.* sight; *fig.* sift; **2lich** *adv.* visibly; **~vermerk** *m* visa, visé.

**sickern** *v/i.* trickle, ooze, seep.

**sie** *pers. pron.* she, *pl.* they; *Sie sg. u. pl.* you.

**Sieb** *n* sieve; *Sand2 etc.:* riddle.

**sieben¹** *v/t.* sieve, sift; *Sand etc.:* riddle.

**sieben² 1.** *adj.* seven; **2.** *2 f* (number) seven; **~fach** *adj.* sevenfold; **~mal** *adj.* seven times; **2sachen** F *f/pl.* belongings *pl.*, F traps *pl.*

**sieb(en)te** *adj.* seventh; **21** *n* seventh (part); **~ns** *adv.* seventhly, in the seventh place.

**sieb|zehn(te)** *adj.* seventeen(th); **~zig** *adj.* seventy; **~zigste** *adj.* seventieth.

**siedeln** *v/i.* settle.

**siede|n** *v/t. u. v/i.* boil, simmer; **2punkt** *m* boiling-point (*a. fig.*).

**Siedl|er** *m* settler; **~ung** *f* settle-

ment; *am Stadtrand:* housing estate.

**Sieg** *m* victory; *Sport: a.* win; *den ~ davontragen* be victorious.

**Siegel** *n* seal (*a. fig.*), *privates:* signet; **~lack** *m* sealing-wax; **2n** *v/t.* seal; **~ring** *m* signet-ring.

**sieg|en** *v/i.* be victorious (*über* over), conquer *s.o.*; *Sport:* win; **2er** *m* conqueror; *Sport:* winner; **~reich** *adj.* victorious, triumphant.

**Signal** *n* signal; **2isieren** *v/t.* signal.

**Silbe** *f* syllable; **~ntrennung** *f* syllabi(fi)cation.

**Silber** *n* silver; *s. Tafelsilber;* **2n** *adj.* (of) silver.

**Silhouette** *f* silhouette; *e-r Stadt: a.* skyline.

**Silvester** *n*, **~abend** *m* new-year's eve.

**simpel 1.** *adj.* plain, simple; *einfältig:* stupid; **2.** **2** *m* simpleton.

**Sims** *m, n* ledge; *△* cornice.

**Simul|ant** *m* shammer; *bsd. ⨯* malingerer; **2ieren 1.** *v/t.* sham, feign, simulate; **2.** *v/i.* sham, feign; *bsd. ⨯* malinger.

**Sinfonie** *♪ f* symphony.

**sing|en** *v/t. u. v/i.* sing; *vom Blatt ~* sing at sight; **2spiel** *n* musical comedy; **2stimme** *♪ f* vocal part.

**Singular** *gr. m* singular (number).

**Singvogel** *m* song-bird, songster.

**sinken** *v/i.* sink; *Schiff: a.* founder, go down; *✝ Preise:* go down.

**Sinn** *m* sense; *Verstand etc.:* mind; *Bedeutung:* sense, meaning; *von ~en sein* be out of one's senses; *im ~ haben* have in mind; **~bild** *n* symbol; **2bildlich** *adj.* symbolic(al); **2en** *v/i.: auf Rache ~* meditate revenge.

**Sinnenmensch** *m* sensualist.

**sinnentstellend** *adj.* distorting.

**Sinnes|änderung** *f* change of mind; **~organ** *n* sense-organ; **~täuschung** *f* illusion, hallucination.

**sinn|lich** *adj.* sensual; *geistig:* material; **2lichkeit** *f* sensuality; **~los** *adj.* senseless; *zwecklos:* futile, useless; **2losigkeit** *f* senselessness; futility, uselessness; **~verwandt** *adj.* synonymous.

**Sintflut** *f biblisch: the* Deluge.

**Sipp|e** *f Stamm:* tribe; (blood-) relations *pl.*; family; **~schaft** *contp. f* relations *pl.*; *fig.* clan, clique.

**Sirene** f siren.

**Sirup** m Frucht♀: syrup, Am. sirup; Zucker♀: treacle, molasses.

**Sitte** f Gewohnheit, Brauch: custom, habit, usage; ∼n pl. morals pl.; Anstand: manners pl.

**Sitten|gesetz** n moral law; ∼lehre f ethics pl.; ♀los adj. immoral; ♀streng adj. puritanic(al).

**sittlich** adj. moral; ♀keitsverbrechen n sexual crime.

**sittsam** adj. modest.

**Situation** f situation.

**Sitz** m seat; e-s Kleides etc.: fit.

**sitzen** v/i. sit, be seated; passen: fit; F im Gefängnis: do time; ∼ bleiben remain seated; ∼bleiben v/i. beim Tanz: F be a wallflower; Mädchen: be left on the shelf; in der Schule: not to get one's remove; auf Waren ∼ be left with goods on one's hands; ∼d adj.: ∼e Tätigkeit sedentary work; ∼lassen v/t. leave s.o. in the lurch, let s.o. down; auf sich ∼ Beleidigung etc.: pocket.

**Sitz|gelegenheit** f seating accommodation, seat(s pl.); ∼ bieten für seat; ∼platz m seat; ∼ung f sitting (a. parl., paint.); Konferenz: meeting, conference; ∼ungsperiode f session.

**Skala** f scale; Radio: dial; fig. gamut.

**Skandal** m scandal; ♀ös adj. scandalous.

**Skelett** n skeleton.

**Skep|sis** f scepticism, Am. skepticism; ∼tiker m sceptic, Am. skeptic; ♀tisch adj. sceptical, Am. skeptical.

**Ski** m ski; ∼ laufen od. fahren ski; ∼fahrer m, ∼läufer m skier; ∼lift m ski-lift; ∼sport m skiing.

**Skizz|e** f sketch; ♀ieren v/t. sketch, outline (beide a. fig.).

**Sklav|e** m slave (a. fig.); ∼enhandel m slave-trade; ∼erei f slavery; ♀isch adj. slavish.

**Skonto** ♀ m, n discount.

**Skrupel** m scruple; ♀los adj. unscrupulous.

**Skulptur** f sculpture.

**Slalom** m slalom.

**Slaw|e** m Slav; ♀isch adj. Slav(onic).

**Smaragd** m emerald; ♀grün adj. emerald.

**Smoking** m dinner-jacket, Am. a. tuxedo, F tux.

**so 1.** adv. so, thus; like this od. that; vergleichend: as; ∼ ... wie as ... as; nicht ∼ ... wie not so ... as; **2.** dem. pron.: ∼ ein such a; **3.** cj. so, therefore, consequently; ∼ daß so that; ∼bald cj.: ∼ (als) as soon as.

**Socke** f sock; ∼l m ♣ pedestal; Lampen♀: socket; ∼n m sock; ∼nhalter m suspender, Am. garter.

**Sodbrennen** ♣ n heartburn.

**soeben** adv. just (now).

**Sofa** n sofa.

**sofern** cj. if, provided that; ∼ nicht unless.

**sofort** adv. at once, immediately; ∼ig adj. immediate, prompt.

**Sog** m suction; ♣ wake, undertow.

**so|gar** adv. even; ∼genannt adj. so-called; ∼gleich adv. s. sofort.

**Sohle** f sole; Tal♀ etc.: bottom; ∼!)

**Sohn** m son.                    [floor./

**solange** cj.: ∼ (als) as long as.

**solch** dem. pron. such.

**Sold** ✗ m pay.

**Soldat** m soldier.

**Söldner** m mercenary.

**Sole** f brine, salt water.

**solid** adj. solid; fig.: solid, sound; Preise: reasonable; Person: steady, respectable.

**solidarisch** adj.: sich ∼ erklären mit declare one's solidarity with.

**solide** adj. s. solid.

**Solist** m soloist.

**Soll** ✝ n debit; Produktions♀ etc.: (output) target.

**sollen 1.** v/i.: ich sollte I ought to; **2.** v/aux.: er soll he shall; angeblich: he is said to; ich sollte I should, I ought to.

**Solo** n solo.

**somit** cj. thus, consequently.

**Sommer** m summer; ∼frische f summer holidays pl.; Ort: summer resort; ♀lich adj. summer-like, summer(ly); ∼sprosse f freckle; ♀sprossig adj. freckled; ∼zeit f summertime.

**Sonate** ♪ f sonata.

**Sonde** f probe (a. ✗).

**Sonder|angebot** n special offer; ∼ausgabe f special (edition); ♀bar adj. strange, odd; ∼berichterstatter m special correspondent; ♀lich **1.** adj. special; **2.** adv.: nicht ∼ not particularly; ∼ling m crank, odd person; ♀n cj. but; ∼zug 🚂 m special (train).

**sondieren** v/t. ⚕ probe; *fig. a.* sound.

**Sonn|abend** m Saturday; **~e** f sun; **2en** v/t. (expose to the) sun; *sich ~* sun o.s. (*a. fig. in* in), bask in the sun.

**Sonnen|aufgang** m sunrise; **~bad** n sun-bath; **~brand** m sunburn; **~brille** f (e-e a pair of) sunglasses *pl.*; **~finsternis** f solar eclipse; **2klar** *fig. adj.* (as) clear as daylight; **~licht** n sunlight; **~schein** m sunshine; **~schirm** m sunshade, parasol; **~seite** f sunny side (*a. fig.*); **2stich** ⚕ m sunstroke; **~strahl** m sunbeam; **~uhr** f sundial; **~untergang** m sunset; **2verbrannt** *adj.* sunburnt, tanned; **~wende** f solstice.

**sonnig** *adj.* sunny (*a. fig.*).

**Sonntag** m Sunday.

**Sonntags|anzug** m Sunday suit; **~fahrer** *mot. contp.* m Sunday driver; **~rückfahrkarte** 🚂 f week-end ticket.

**sonor** *adj.* sonorous.

**sonst** 1. *adv.* otherwise, *mit pron.* else; *für gewöhnlich*: usually, normally; *wer ~?* who else?; *wie ~* as usual; *~ nichts* nothing else; 2. *cj.* otherwise, or else; **~ig** *adj.* other; **~wie** *adv.* in some other way; **~wo** *adv.* elsewhere, somewhere else.

**Sopran** ♪ m soprano; **~istin** ♪ f soprano.

**Sorge** f care; *Kummer*: sorrow; *Unruhe*: uneasiness, anxiety; *sich ~n machen um* be anxious *od.* worried about; *mach dir keine ~n* don't worry.

**sorgen** 1. v/i.: *~ für* care for, provide for; *dafür ~, daß* see (to it) that; 2. v/refl.: *sich ~ um* be anxious *od.* worried about; **~frei** *adj.* carefree, free from care; **~voll** *adj.* full of cares; *Gesicht*: worried, troubled.

**Sorg|falt** f care(fulness); **2fältig** *adj.* careful; **2los** *adj.* carefree; *gedankenlos*: thoughtless; *nachlässig*: negligent; *unachtsam*: careless; **2sam** *adj.* careful.

**Sort|e** f sort, kind, species; **2ieren** v/t. (as)sort; *ordnen*: arrange; **~iment** n assortment.

**Soße** f sauce; *Braten2*: gravy.

**Souffl|euse** *thea.* f prompter;

**2ieren** *thea.* 1. v/i. prompt (*j-m* s.o.); 2. v/t. prompt.

**souverän** *fig. adj.* superior; **2ität** f sovereignty; *fig.* superiority.

**so|viel** 1. *cj.* as far as; 2. *adv.*: *doppelt ~* twice as much; **~weit** 1. *cj.*: *~ es mich betrifft* as far as I am concerned; 2. *adv.*: *~ ganz gut* not bad (for a start); **~wieso** *adv.* in any case, anyway.

**Sowjet** m Soviet; **2isch** *adj.* Soviet.

**sowohl** *cj.*: *~ ... als (auch)* ... both ... and ..., ... as well as ...

**sozial** *adj.* social; **2demokrat** m social democrat; **~isieren** v/t. socialize; **2isierung** f socialization; **2ist** m socialist; **~istisch** *adj.* socialist.

**Soziussitz** *mot.* m pillion.

**sozusagen** *adv.* so to speak.

**spähen** v/i. look out (*nach* for); *verstohlen*: peer.

**Spalier** n trellis, espalier; *~ bilden* form a lane.

**Spalt** m crack, crevice; **~e** f s. Spalt; *typ.* column; **2en** v/t. split (*a. fig. Haare*); *Holz*: cleave; *sich ~* split (up); **~ung** f splitting, cleavage; *fig.* split; *eccl.* schism.

**Span** m chip, shaving, splinter.

**Spange** f clasp; *Schnalle*: buckle; *Haar2*: (hair-)slide; *Schuh2*: strap; *Arm2*: bracelet.

**Spani|er** m Spaniard; **2sch** *adj.* Spanish.

**Spann** m instep; **~e** f span; † margin; **2en** 1. v/t. stretch; *Gewehrhahn*: cock; *Bogen etc.*: bend; *straffen*: tighten; 2. v/i. be (too) tight; **2end** *adj.* exciting, thrilling, gripping; **~ung** f tension (*a. fig.*); ⚡ voltage; ⊕ strain, stress; △ span; *fig.* close attention; **~weite** ⚞, *orn.* f spread.

**Spar|büchse** f money-box; **2en** 1. v/t. save; *Geld*: *a.* put by; 2. v/i. save; *sich einschränken*: economize, cut down expenses; **~er** m saver.

**Spargel** ♀ m asparagus.

**Spar|kasse** f savings-bank; **~konto** n savings-account.

**spärlich** *adj.* scanty; *Bevölkerung, Bart*: sparse; *Haar*: thin.

**sparsam** 1. *adj.* economical (*mit* of); 2. *adv.*: *~ leben* lead a frugal life; *~ umgehen mit* use sparingly; **2keit** f economy, frugality.

**Spaß** m fun; *Scherz*: joke, jest; *aus*

*(im, zum)* ~ in fun; *er hat nur* ~ *gemacht* he was only joking; **2en** *v/i.* joke, jest, make fun; *damit ist nicht zu* ~ that is no joking matter; **2ig** *adj.* witzig: facetious; *komisch*: funny; **~macher** *m*, **~vogel** *m* wag, joker.

**spät 1.** *adj.* late; *fortgeschritten*: advanced; *zu* ~ (too) late; *am* ~*en Nachmittag* late in the afternoon; *wie* ~ *ist es?* what time is it?; **2.** *adv.* late; ~*er* later on, afterward(ly); *früher oder* ~*er* sooner or later; *er kam 5 Minuten zu* ~ he was five minutes late (zu for).

**Spaten** *m* spade.

**spätestens** *adv.* at the latest.

**Spatz** *orn. m* sparrow.

**spazieren** *v/i.* walk, stroll; **~fahren 1.** *v/i.* go for a drive; **2.** *v/t.* take for a drive; *Baby*: take out (in pram); **~gehen** *v/i.* go for a walk.

**Spazier|fahrt** *f* drive, ride; **~gang** *m* walk, stroll; *e-n* ~ *machen* go for a walk; **~gänger** *m* walker, stroller; **~weg** *m* walk.

**Speck** *m* bacon.

**Spedit|eur** *m* forwarding agent; *Möbel2*: (furniture) remover; **~ion** *f* forwarding agent *od.* agency.

**Speer** *m* spear; *Sport*: javelin.

**Speiche** *f* spoke.

**Speichel** *m* spit(tle), saliva.

**Speicher** *m* garret, attic.

**speien 1.** *v/t.* spit (out); *Vulkan etc.*: belch; **2.** *v/i.* spit; *sich erbrechen*: vomit, be sick.

**Speise** *f* food, nourishment; *Gericht*: dish; **~eis** *n* ice-cream; **~kammer** *f* larder, pantry; **~karte** *f* bill of fare, menu; **2n 1.** *v/i. s. essen 1*; **2.** *v/t.* feed; ⊕, ⚡ *s.* supply (mit with); **~röhre** *anat. f* gullet, (o)esophagus; **~saal** *m* dining-room; **~wagen** 🚂 *m* dining-car, diner; **~zimmer** *n* dining-room.

**Spekul|ant** *m* speculator; **~ation** *f* speculation; ✝ *a.* venture; **2ieren** *v/i.* speculate (auf on).

**Spende** *f* gift; *Beitrag*: contribution; **2n** *v/t.* give; *Geld, Blut etc.*: donate; *eccl. Sakrament*: administer; *Lob*: bestow (dat. on); **~r** *m* giver; donor.    [to s.th.]

**spendieren** *v/t.*: *j-m et.* ~ treat s.o.)

**Spengler** *östr. m s. Klempner.*

**Sperling** *orn. m* sparrow.

**Sperr|e** *f* barrier; 🚂 barrier, *Am.* gate; ⊕ lock(ing device); *Straßen2*: barricade; ✝, ⚓ embargo; *Blockade*: blockade; *Sport*: suspension; **2en** *v/t.* close; ✝, ⚓ embargo; *Licht etc.*: cut off; *Scheck*: stop; *Sport*: suspend; **~holz** *n* plywood; **~sitz** *thea. m* stalls *pl.*, *Am.* orchestra; **~ung** *f* closing; *e-s Schecks*: stoppage; ✝, ⚓ embargo.

**Spesen** *pl.* expenses *pl.*

**Spezi** *östr. m* mate, pal, *F* chum.

**Spezial|ausbildung** *f* special training; **~fach** *n* special(i)ty; **~geschäft** ✝ *n* one-line shop, *Am.* specialty store; **2isieren** *v/refl.* specialize (auf in); **~ist** *m* specialist; **~ität** *f* special(i)ty.

**speziell** *adj.* special, particular.

**spezifisch** *adj.*: ~*es Gewicht* specific gravity.

**Sphäre** *f* sphere (*a. fig.*).

**spicken 1.** *v/t.* lard; *fig.* (inter-)lard; **2.** *F fig. v/i.* crib.

**Spiegel** *m* mirror (*a. fig.*), looking-glass; **~bild** *n* reflection, reflexion; **2blank** *adj.* mirror-like; **~ei** *n* fried egg; **2glatt** *adj.* glassy, still; *Straße*: icy; **2n 1.** *v/i.* shine; **2.** *v/refl.* be reflected.

**Spieg(e)lung** *f* reflection, reflexion.

**Spiel** *n* play *f*; *Sport*: game (*a. fig.*); *Wettkampf*: match; ♪ playing; *auf dem* ~ *stehen* be at stake; *aufs* ~ *setzen* jeopardize, stake; **~art** ♀, *zo. f* variety; **~ball** *fig. m* plaything, sport; **~bank** *f* gaming-house, casino; **2en 1.** *v/i.* play (*a. fig.*); *um Einsatz*: gamble; **2.** *v/t.* play; *thea.* act, play; **2end** *fig. adv.* easily; **~er** *m* player; *Glücks2*: gambler; **~erei** *f* pastime; *fig.* dalliance; **~ergebnis** *n Sport*: result, score; **~feld** *n Sport*: (playing-)field; **~film** *m* feature film *od.* picture; **~gefährte** *m* playfellow, playmate; **~karte** *f* playing-card; **~leiter** *thea. m* stage manager; **~marke** *f* counter, *sl.* chip; **~plan** *m thea. etc.*: program(me); **~platz** *m* playground; **~raum** *fig. m* play, scope; **~regel** *f* rule (of the game); **~sachen** *f/pl.* playthings *pl.*, toys *pl.*; **~schuld** *f* gambling-debt; **~uhr** *f* musical box, *Am.* music box; **~verderber** *m* spoil-sport; **~waren** *f/pl.* toys *pl.*; **~zeit** *f thea.* season; *Sport:* time of play; **~zeug** *n* toy(s *pl.*), plaything(s *pl.*).

**Spieß** *m* spear, pike; *Brat⁀:* spit; den ~ *umdrehen* turn the tables; **~bürger** *m* bourgeois, philistine; *Am. a.* babbit; **2bürgerlich** *adj.* bourgeois, philistine; **~er** *m s.* Spießbürger; **~geselle** *m* accomplice.

**Spinat** ⚥ *m* spinach.

**Spind** *n, m* cupboard; ✕, *Sport etc.:* locker. [thin as a lath.)

**Spindel** *f* spindle; **2dürr** *adj.* (as))

**Spinn|e** *f* spider; **2en 1.** *v/t.* spin (*a. fig.*); **2.** F *fig. v/i.* be crazy, *sl.* be nuts; **~er** *m* spinner; F *fig.* silly; **~erei** *f* spinning-mill; **~maschine** *f* spinning-machine; **~webe** *f* cobweb.

**Spion** *m* spy; **~age** *f* espionage; **2ieren** *v/i.* spy.

**Spiral|e** *f* spiral (*a.* ✝), helix; **2förmig** *adj.* spiral, helical.

**Spirituosen** *pl.* spirits *pl.*

**Spiritus** *m* spirit(s *pl.*), alcohol.

**Spital** *n* hospital; old people's home.

**spitz 1.** *adj.* pointed (*a. fig.*); ⋏ *Winkel:* acute; **~e** *Zunge* sharp tongue; **2.** *adv.:* ~ *zulaufen* taper (off); **2bube** *m* thief; *Schelm:* rogue, rascal; **~bübisch** *adj.* roguish; **2e** *f* point; *Nasen⁀, Finger⁀:* tip; *Feder⁀:* nib; *Turm⁀:* spire; *e-s Unternehmens etc.:* head; *Gewebe:* lace; *an der ~ liegen Sport:* be in the lead; *auf die ~ treiben* carry to excess; **2el** *m* (common) informer; **~en** *v/t.* point, sharpen; *den Mund ~* purse (up) one's lips; *die Ohren ~* prick up one's ears.

**Spitzen|leistung** *f* top performance; ⊕ maximum capacity; **~lohn** *m* top wages *pl.*

**spitz|findig** *adj.* subtle; **2findigkeit** *f* subtlety; **2hacke** *f* pickax(e), pick; **~ig** *adj.* pointed; **2marke** *typ. f* head(ing); **2name** *m* nickname.

**Splitter** *m* splinter, shiver; **2frei** *adj. Glas:* shatterproof; **2ig** *adj.* splintery; **2n** *v/i.* splinter, shiver; **2nackt** F *adj.* stark naked.

**spontan** *adj.* spontaneous.

**Sporn** *m* spur.

**Sport** *m* sport; *fig.* hobby; *~ treiben* go in for sports; **~ausrüstung** *f* sports equipment; **~geschäft** *n* sporting-goods shop; **~kleidung** *f* sportswear; **~lehrer** *m* gamesmaster; **2lich** *adj.* sporting; *Figur:* athletic; **~nachrichten** *f/pl.* sports news *sg., pl.*; **~platz** *m* sports field; stadium.

**Spott** *m* mockery, scoff; *Hohn:* derision; *verächtlicher:* scorn; *(s-n) ~ treiben mit* make sport of; **2billig** F *adj.* dirt-cheap.

**Spöttel|ei** *f* raillery, sneer, jeer; **2n** *v/i.* sneer (*über* at), jeer (at).

**spotten** *v/i.* mock (*über* at), scoff (at), jeer (at); *jeder Beschreibung ~* beggar description.

**Spött|er** *m* mocker, scoffer; **2isch** *adj.* mocking, sneering; ironical.

**Spottpreis** *m: für e-n ~* for a mere song.

**Sprache** *f Sprachfähigkeit:* speech; *e-s Volkes:* language (*a. fig.*); *Stil:* diction; *zur ~ bringen* bring up, broach; *zur ~ kommen* come up.

**Sprach|fehler** ⚭ *m* impediment (in one's speech); **~gebrauch** *m* usage; **~lehre** *f* grammar; **~lehrer** *m* teacher of languages; **2lich** *adj.* linguistic; grammatical; **2los** *adj.* speechless; **~rohr** *fig. n* mouthpiece; **~wissenschaft** *f* philology, linguistics *pl.*

**sprech|en 1.** *v/t.* speak; *Gebet:* say; *j-n zu ~ wünschen* wish to see s.o.; F *Bände ~* speak volumes; **2.** *v/i.* speak; *sich unterhalten:* talk (*beide:* mit to, with; *über, von* of, about); *er ist nicht zu ~* you cannot see him; **2er** *m* speaker; *Ansager:* announcer; *Wortführer:* spokesman; **2fehler** *m* slip of the tongue; **2stunde** *f* consulting-hours *pl.*, surgery hours *pl.*; **2übung** *f* exercise in speaking; **2zimmer** *n* consulting-room, surgery.

**spreizen** *v/t.* spread (out).

**Spreng|bombe** ✕ *f* high-explosive bomb, demolition bomb; **~el** *eccl. m e-s Bischofs:* diocese; *e-s Pfarrers:* parish; **2en 1.** *v/t. Straße, Rasen etc.:* sprinkle, water; *Brücke etc.:* blow up; *auf~:* burst open; *Mine:* spring; *Spielbank:* break; *Versammlung:* break up; **2.** *v/i.* gallop; **~stoff** *m* explosive; **~ung** *f* blowing-up; explosion.

**Sprenkel** *m* speckle, spot; **2n** *v/t.* speckle, spot.

**Spreu** *f* chaff.

**Sprich|wort** *n* proverb; **Qwörtlich** *adj.* proverbial (*a. fig.*).

**sprießen** *v/i.* sprout.

**Spring|brunnen** *m* fountain; **Qen** *v/i.* jump, leap; *Ball etc.*: bounce; *Schwimmen*: dive; *zer~*: burst, crack, break; *in die Augen ~* strike the eye; *~ über* jump (over), leap, clear; *~er m* jumper; *Schwimmen*: diver; *~flut f* spring tide.

**Spritze** *f* syringe (*a. 🎮*); *Feuer* 2: fire-engine; *j-m e-e ~ geben* give s.o. an injection; **Qn 1.** *v/t.* *Straße, Rasen etc.*: sprinkle, water; splash (über on, over); **2.** *v/i.* (h) splash; **3.** *v/i.* (sein): *~ aus Blut etc.*: spurt *od.* spout from; *~r m* splash.

**spröde** *adj.* *Glas etc.*: brittle; *Haut*: chapped; *bsd. Mädchen*: coy.

**Sproß** *m* 🌱 shoot, sprout; *fig.* offspring.

**Sprosse** *f* rung, step.

**Spruch** *m* saying; 🎭 *Urteils* 2: sentence, *der Geschworenen*: verdict; *~band n* banner; **Qreif** *adj.* ripe for decision.

**Sprudel** *m* mineral water; **Qn** *v/i.* **1.** (h) bubble, effervesce; **2.** (sein): *~ aus* (*fig. von*) gush from.

**sprüh|en 1.** *v/t.* *Flüssigkeit*: spray, sprinkle; *Funken ~* throw off sparks; *Feuer ~ Augen*: flash fire; **2.** *v/i.* (h): *~ vor* sparkle with; *es sprüht* it is drizzling; **3.** *v/i.* (sein) *Funken*: fly; **Qregen** *m* drizzle.

**Sprung** *m* jump, leap, bound; *Schwimmen*: dive; *Riß*: crack, fissure; *~brett n Sport*: springboard; *fig.* stepping-stone; *~feder f* spiral spring.

**Spucke** F *f* spit(tle); **Qn 1.** *v/t.* spit (out); **2.** *v/i.* spit.

**Spuk** *m* apparition, ghost, *co.* spook; F *fig.* noise; **Qn** *v/i.*: *~ in* haunt; *hier spukt es* this place is haunted.

**Spule** *f* spool, reel; *Garn* 2: bobbin; *🎣 coil.*

**spülen 1.** *v/t.* rinse; *Geschirr*: wash up; **2.** *v/i.* flush the toilet.

**Spund** *m* bung, plug; *~loch n* bung-hole.

**Spur** *f* trace (*a. fig.*); *Reihe von ~en*: track; *Abdruck*: print; *Wagen* 2: rut; *fig.* sign; *j-m auf der ~ sein* be on s.o.'s track.

**spür|en** *v/t.* feel; *innerlich*: sense;

*wahrnehmen*: perceive; **Qsinn** *m* scent; *fig. a.* flair (*für* for).

**Spurweite** 🚉 *f* ga(u)ge.　　[up.)

**sputen** *v/refl.* make haste, hurry)

**Staat** *m* F *Aufwand*: pomp, state; *Putz*: finery; *~swesen n* state; *Regierung*: government; *~enbund m* confederacy, confederation; **Qenlos** *adj.* stateless; **Qlich** *adj.* state; national; political; public.

**Staats|angehörige** *m, f* national, citizen, *bsd. Brt.* subject; *~angehörigkeit f* nationality, citizenship; *~anwalt* 🎭 *m* public prosecutor, *Am.* prosecuting attorney; *~besuch m* official *od.* state visit; *~bürger m* citizen; *~bürgerkunde f* civics *sg.*; *~bürgerschaft f* citizenship; *~dienst m* Civil Service; *~feind m* public enemy; **Qfeindlich** *adj.* subversive; *~haushalt m* budget; *~kasse f* treasury, *Brt.* exchequer; *~mann m* statesman; **Qmännisch** *adj.* statesmanlike; *~oberhaupt n* head of (the) state; *~sekretär m* under-secretary of state; *~streich m* coup d'état; *~vertrag m* treaty; *~wissenschaft f* political science.

**Stab** *m* staff (*a. fig.*); *Metall* 2, *Holz* 2: bar; *Bischofs* 2: crosier, staff; *Zauber* 2: wand; *Staffel* 2, 🎵 *Dirigenten* 2: baton; *~hochsprung m* pole.

**stabil** *adj.* stable (*a. ✝*); *Gesundheit*: robust.

**stabilisier|en** *v/t.* stabilize (*a. ✝*); **Qung** *f* stabilization (*a. ✝*).

**Stachel** *m* 🌱, *e-s Igels etc.*: prickle; *e-r Biene etc.*: sting; *e-r Schnalle*: tongue; *fig.*: sting; *Ansporn*: goad; *~beere 🌱 f* gooseberry; *~draht m* barbed wire.

**stach(e)lig** *adj.* prickly, thorny.

**Stad(e)l** *östr. m* barn.

**Stadi|on** *n* stadium; *~um n* stage, phase.

**Stadt** *f* town; *Groß* 2: city.

**Städter** *m* townsman; *~ pl.* townspeople *pl.*

**Stadt|gebiet** *n* urban area; *~gespräch n teleph.* local call; *fig.* talk of the town.

**städtisch** *adj.* municipal.

**Stadt|plan** *m* city map, plan; *~rand m* outskirts *pl.*; *~rat m* town council; *Person*: town council(l)or; *~teil m, ~viertel n* quarter.

**Staffel|ei** *paint. f* easel; *~lauf m*

relay-race; ≎n v/t. Steuern etc.: graduate; Arbeitszeit: stagger.

**Stahl** m steel.

**stählen** v/t. ⊕ harden (a. fig.), temper.

**Stahl|feder** f steel spring; Schreibfeder: steel pen; **~kammer** f strong-room; **~stich** m steel engraving.

**Stall** m stable; s. Kuh≎, Schweine≎; **~knecht** m stableman; **~ung** f: **~en** pl. stables pl.

**Stamm** m ♀ stem (a. gr.), trunk; fig.: Volks≎: race; Eingeborenen≎: tribe; Geschlecht: stock, family; **~baum** m family od. genealogical tree, pedigree (a. zo.); **~buch** m album; zo. pedigree-book; ≎eln 1. v/t. stammer (out); 2. v/i. stammer; ≎en v/i.: **~ aus e-r Stadt:** come from; zeitlich: date from; gr. be derived from; aus gutem Haus **~** be of good family; **~gast** m regular customer od. guest, F regular.

**stämmig** adj. stocky, squat.

**Stammkunde** m regular customer.

**stampfen** 1. v/t. mash; 2. v/i. stamp; Pferd: paw.

**Stand** m stand(ing), standing od. upright position; Halt: footing, foothold; **~platz:** stand; Verkaufs≎: stall; ast. position; Flüssigkeits≎: height, level; des Thermometers: reading; fig.: Niveau, Höhe: level; gesellschaftl. Stellung: station, rank, status; Beruf: profession; e-s Wettkampfes: score; auf den neuesten **~** bringen bring up to date; e-n schweren **~** haben have a hard time (of it).

**Standarte** f standard.

**Standbild** n statue.

**Ständchen** n serenade.

**Ständer** m stand.

**Standes|amt** n registry od. register office; ≎amtlich adj.: **~e** Trauung civil marriage; **~beamte** m registrar.

**standhaft** adj. steadfast, firm; treu: constant; **~** bleiben stand pat, resist temptation; ≎igkeit f steadfastness, firmness.

**standhalten** v/i. hold one's ground; j-m od. e-r Sache **~** resist s.o. od. s.th.

**ständig** adj. permanent; fortwährend: constant; Einkommen: fixed.

**Stand|ort** m position; ✗ garrison,

post; **~platz** m stand; **~punkt** fig. m point of view, stand-point; **~quartier** ✗ n fixed quarters pl.

**Stange** f pole; Metall≎: rod, bar; Fahnen≎: staff.

**Stanniol** n tin foil.

**Stanze** f stanza; ⊕ punch; Prägestempel: die; ≎n ⊕ v/t. punch, stamp.

**Stapel** m pile, stack; ♣ stocks pl.; vom **~** lassen ♣ launch; vom **~** laufen ♣ be launched; **~lauf** ♣ m launch; ≎n v/t. pile (up), stack.

**stapfen** v/i. plod (durch through).

**Star¹** m orn. starling; ♣ cataract; j-m den **~** stechen open s.o.'s eyes.

**Star²** m thea. etc.: star.

**stark 1.** adj. strong; dick: stout; intensiv: intense; beträchtlich: large; **~e** Erkältung bad cold; **~er** Raucher heavy smoker; **~e** Seite strong point; 2. adv. very much; **~ erkältet sein** have a bad cold.

**Stärke** f strength; stoutness; fig.: intensity; largeness; strong point; ♣ starch; ≎n v/t. strengthen (a. fig.); Wäsche etc.: starch; sich **~** take some refreshment(s).

**Starkstrom** ⚡ m heavy current.

**Stärkung** f strengthening; fig. refreshment; **~smittel** n restorative; ♣ a. tonic.

**starr 1.** adj. rigid (a. fig.), stiff; Blick: fixed; **~ vor Kälte:** numb with; Schrecken: transfixed with; Überraschung: dumbfounded with; 2. adv.: j-n **~** ansehen stare at s.o.; **~en** v/i. stare (auf at); vor Schmutz **~** be covered with dirt; **~köpfig** adj. stubborn, obstinate; ≎krampf ⚡ m tetanus; ≎sinn m stubbornness, obstinacy.

**Start** m start (a. fig.); ✈ take-off; **~bahn** ✈ f runway; ≎bereit adj. ready to start; ✈ ready to take off; ≎en 1. v/i. start; ✈ take off; 2. v/t. start; fig. a. launch; **~platz** m starting-place.

**Station** f station; Kranken≎: ward; **~svorsteher** 🚂 m station-master, Am. station agent.

**Statist** m thea. supernumerary (actor), F super; Film: extra; **~ik** f statistics pl.; **~iker** m statistician; ≎isch adj. statistic(al).

**Stativ** n tripod.

**Statt 1.** f: an Eides **~** in lieu of an oath; an Kindes **~** annehmen adopt;

# stellen

**2.** ♀ *prp.* instead of; ~ *zu inf.* instead of *ger.*
**Stätte** *f* place, spot.
**stattfinden** *v/i.* take place, happen.
**stattlich** *adj.* stately, impressive; *Geldsumme etc.*: considerable.
**Statue** *f* statue.
**Statur** *f* stature, size.
**Statut** *n* statute, regulation.
**Staub** *m* dust.
**Staubecken** *n* reservoir.
**stauben** *v/i.* give off dust, make *od.* raise a dust.
**Staub|faden** ♀ *m* filament; **2ig** *adj.* dusty; **~sauger** *m* vacuum cleaner; **~tuch** *n* duster.
**Staudamm** *m* dam.
**Staude** ♀ *f* perennial (plant); *Salatkopf*: head (of lettuce).
**stau|en** *v/t. Fluß etc.*: dam up; *sich ~ Wasser etc.*: be dammed up; *Fahrzeuge*: be jammed.
**staunen** *v/i.* be astonished (*über* at); **2. 2** *n* astonishment.
**Staupe** *vet. f* distemper.
**Stau|see** *m* reservoir; **~ung** *f von Wasser*: damming up; *Stockung*: stoppage; *Verkehrs*2, ♣: congestion; *Gedränge*: jam.
**stechen 1.** *v/t.* prick; *Insekten*: sting; *Floh, Mücke*: bite; *in Kupfer*: engrave (*in od. auf* on); *Rasen etc.*: cut; *Spielkarte*: trump; *sich in den Finger ~* prick one's finger; **2.** *v/i.* prick; stab (*nach* at); *Insekten*: sting; *Floh, Mücke*: bite; *Sonne*: burn; *j-m in die Augen ~* strike s.o.'s eye; **~d** *adj. Blick*: piercing; *Schmerz*: stabbing.
**Steck|brief** ⚖ *m* warrant of apprehension; **2brieflich** ⚖ *adv.*: *er wird ~ gesucht* a warrant is out against him; **~dose** ⚡ *f* (wall) socket; **2en 1.** *v/t.* stick; *wohin tun*: put; *bsd.* ⊕ insert (*in* into); *an~*: pin (*an* to, on); ⚘ set, plant; **2.** *v/i. sich befinden*: be; *festsitzen*: stick, be stuck; *tief in Schulden ~* be deeply in debt; **~en** *m* stick; **2en-bleiben** *v/i.* get stuck; **~enpferd** *n* hobby-horse; *fig.* hobby; **~er** ⚡ *m* plug; **~kontakt** ⚡ *m s.* Steckdose; **~nadel** *f* pin.
**Steg** *m* foot-bridge.
**Stegreif** *m: aus dem ~* extempore, offhand (*beide a. attr.*); *aus dem ~ sprechen* extemporize.
**stehen** *v/i.* stand; *sich befinden*: be;

*geschrieben ~*: be written; *kleiden*: suit, become (*j-m* s.o.); *~ vor* be faced with; *gut ~ mit* be on good terms with; *es kam ihm od. ihn teuer zu ~* it cost him dearly; *wie steht's mit ...?* what about ...?; *bleiben* remain standing; **~bleiben** *v/i.* stand (still), stop; *beim Lesen etc.*: leave off reading, *etc.*; **~lassen** *v/t.* turn one's back (up)on; *Essen*: leave untouched; *vergessen*: leave (behind), forget.
**Steh|kragen** *m* stand-up collar; **~lampe** *f* floor-lamp.
**stehlen** *v/t. u. v/i.* steal.
**Stehplatz** *m* standing-room.
**steif** *adj.* stiff (*a. fig.*); numb (*vor Kälte* with cold). [stirrup.]
**Steig** *m* steep path; **~bügel** *m*
**steigen 1.** *v/i.* rise; *Nebel etc.*: ascend; *Blut*: mount; *Preise*: rise, increase; *auf e-n Baum ~* climb a tree; **2. 2** *n* rise; *fig. a.* increase.
**steiger|n** *v/t.* raise; *vermehren*: increase; *verstärken*: heighten, intensify; *gr.* compare; **2ung** *f* raising; increase; heightening; *gr.* comparison.
**Steigung** *f* rise, ascent, grade.
**steil** *adj.* steep.
**Stein** *m* stone (*a.* ♀, ♣); *Am.* F *a.* rock; *s.* Edel2; **2alt** ~: (as) old as the hills; **~bruch** *m* quarry; **~druck** *m typ.* lithography; *Bild*: lithograph; **2ern** *adj.* stone-..., of stone; *fig.* stony; **~gut** *n* crockery, earthenware; **2ig** *adj.* stony; **2igen** *v/t.* stone; **~kohle** *f* mineral coal, pit-coal; **~metz** *m* stonemason; **2reich** F *adj.* immensely rich; **~wurf** *m* throwing of a stone; *fig.* stone's throw; **~zeit** *f* stone age.
**Steiß** *m* buttocks *pl.*, rump; **~bein** *anat. n* coccyx.
**Stellage** *östr. f* frame, rack.
**Stelldichein** *n* rendezvous, F date.
**Stelle** *f* place; *Fleck*: spot; *Punkt*: point; *Arbeits*2: employment, post, F job; *Behörde*: agency, authority; *Buch*2: passage; *freie ~* vacancy; *an deiner ~* if I were you; *auf der ~* on the spot; *zur ~ sein* be present.
**stellen** *v/t.* put, place, set, stand; *richtig ein~*: regulate; *Uhr, Falle, Aufgabe*: set; *Dieb*: stop; *Verbrecher*: hunt down; *liefern*: furnish, supply, provide; *Bedingungen ~* make conditions; *e-e Falle ~* lay

a snare; *sich wohin* ~ stand, place o.s.; *sich der Polizei* ~ give o.s. up to the police; *sich krank* ~ feign *od.* pretend to be ill.

**Stellen|angebot** *n* position offered, vacancy; **~gesuch** *n* application for a post; **2weise** *adv.* here and there, sporadically.

**Stellung** *f* position, posture; *Berufs2*: position, (place of) employment; *Rang*: position, rank, status; *Anordnung*: arrangement (*a. gr.*); ✕ position; ~ *nehmen* give one's opinion (*zu* on), comment (upon); **~nahme** *f* opinion (*zu* on), comment (on); **2slos** *adj.* unemployed.

**stellvertrete|nd** *adj.* vicarious, representative; *amtlich*: acting, deputy; **~er** *Vorsitzender* vice-chairman; **2r** *m* representative; *amtlich*: deputy; *Bevollmächtigter*: proxy.

**Stelze** *f* stilt; **2n** *v/i.* stalk.

**stemmen** *v/t. Gewicht*: lift; *sich* ~ *gegen* press against; *fig.* resist *od.* oppose *s.th.*

**Stempel** *m* stamp; ♀ pistil; **~kissen** *n* ink-pad; **2n 1.** *v/t.* stamp; *Gold, Silber*: hallmark; **2.** *v/i.* F: ~ *gehen* be on the dole.

**Stengel** *m* ♀ stalk, stem.

**Steno** F *f s.* Stenographie; **~gramm** *n* stenograph; **~graph** *m* stenographer; **~graphie** *f* stenography, shorthand; **2graphieren 1.** *v/t.* take down in shorthand; **2.** *v/i.* know shorthand; **~typistin** *f* shorthand-typist.

**Stepp|decke** *f* quilt; **2en 1.** *v/t.* stitch; **2.** *v/i.* tap-dance.

**Sterbebett** *n* deathbed.

**sterben 1.** *v/i.* die (*an* of) (*a. fig.*); **2.** 2 *n*: *im* ~ *liegen* be dying.

**sterblich** *adj.* mortal; **2keit** *f* mortality.

**steril** *adj.* sterile; **~isieren** *v/t.* sterilize.

**Stern** *m* star (*a. fig.*); **~bild** *ast. n* constellation; **~enbanner** *n* Star-Spangled Banner, Stars and Stripes *pl.*, Old Glory; **2hell** *adj.* starry, starlit; **~himmel** *m* starry sky; **~kunde** *f* astronomy; **~schnuppe** *f* shooting star; **~warte** *f* observatory.

**stet|(ig)** *adj.* continual, constant; *gleichmäßig*: steady; **~s** *adv.* always, constantly.

**Steuer 1.** *n* ♁ helm, rudder; *mot.* (steering-)wheel; **2.** *f* tax; *indirekte*: duty; *Kommunal2*: rate, local tax; **~beamte** *m* revenue officer; **~berater** *m* tax adviser; **~bord** ♁ *n* starboard; **~erklärung** *f* tax-return; **~ermäßigung** *f* tax allowance; **2frei** *adj.* tax-free; *Waren*: duty-free; **~hinterziehung** *f* tax-evasion; **~jahr** *n* fiscal year; **~knüppel** ✈ *m* control lever *od.* stick; **~mann** *m* ♁ helmsman; *Boots2*: coxswain; **2n 1.** *v/t.* ♁, ✈ steer, navigate, pilot; *mot.* drive; ⊕ control; *fig.* direct, control; **2.** *v/i.* steer, navigate; **2pflichtig** *adj.* taxable; *Waren*: dutiable; **~rad** *n* steering-wheel; **~ruder** ♁ *n* helm, rudder; **~ung** *f* ♁, ✈ steering; ⊕, ✈ control (*a. fig.*); ✈ controls *pl.*; **~zahler** *m* taxpayer.

**Stich** *m* Nadel2: prick; *Insekten2*: sting; *Messer2*: stab; *Nähen*: stitch; *Kartenspiel*: trick; *Kupfer2*: engraving; *im* ~ *lassen* abandon, desert, forsake.

**Stichel|ei** *fig. f* gibe, jeer; **2n** *fig. v/i.* gibe (*gegen* at), jeer (at).

**Stich|flamme** *f* flash; **2haltig** *adj.* valid, sound, ~ *sein* hold water; **~probe** *f* random test *od.* sample, *Am. a.* spot check; **~tag** *m* fixed day; **~wahl** *f* second ballot; **~wort** *n typ.* headword; *thea.* cue; **~wunde** *f* stab.

**sticken** *v/t. u. v/i.* embroider.

**Stick|garn** *n* embroidery floss; **2ig** *adj.* stuffy, close; **~stoff** ✎ *m* nitrogen.

**Stiefel** *m* boot.

**Stief|mutter** *f* stepmother; **~mütterchen** ♀ *n* pansy; **~vater** *m* stepfather.

**Stiege** *östr. f s.* Treppe.

**Stiel** *m* handle; *Axt2*: haft; *Besen2*: stick; ♀ stalk.

**Stier** *zo. m* bull; **2en** *v/i.* stare (*auf* at); **~kampf** *m* bullfight.

**Stift** *m* pin; *Holz2*: peg; *Zwecke*: tack; *Zeichen2*: pencil, *Bunt2*: crayon; F *Lehrling*: apprentice; **2en** *v/t.* endow, give, *Am. a.* donate; *gründen*: found; *Unruhe etc.*: cause; *Unheil, Frieden*: make; **~ung** *f* endowment, donation; foundation.

**Stil** *m* style (*a. fig.*); **2gerecht** *adj.* stylish; **2istisch** *adj.* stylistic.

**still** *adj.* still, quiet, silent; † dull,

slack; ~! silence!; *im* ~*en* secretly; ~*er Gesellschafter* † sleeping *od.* silent partner; 2e *f* stillness, quiet (-ness), silence; *in aller* ~ quietly, silently; privately; 2**eben** *paint. n* still life; ~**egen** *v/t. Fabrik etc.*: shut down; *Verkehr:* stop; ~**en** *v/t. Schmerz:* soothe; *Hunger, Neugier:* appease; *Durst:* quench; *Blut:* sta(u)nch; *Säugling:* nurse; ~**halten** *v/i.* keep still; ~**iegen** *v/i. Fabrik etc.*: be shut down; *Verkehr:* be suspended; *Maschinen:* be idle.

**stillos** *adj.* without style.

**still|schweigend** *adj.* silent; *Übereinkommen:* tacit; 2**stand** *m* standstill; *fig.*: stagnation (*a.* †); *von Verhandlungen:* deadlock; ~**stehen** *v/i.* stop; *ruhen:* be at a standstill.

**Stil|möbel** *n/pl.* period furniture; 2**voll** *adj.* stylish.

**Stimm|band** *anat. n* vocal c(h)ord; 2**berechtigt** *adj.* entitled to vote; ~**e** *f* voice (*a. ♪, fig.*); *Wähler*2: vote; *Meinungsäußerung:* comment; *♪* part; 2**en 1.** *v/t. Instrumente:* tune; *j-n fröhlich* ~ put s.o. in a merry mood; **2.** *v/i.* be true *od.* right; *Summe:* be correct; ~ *für* vote for; ~**enmehrheit** *f* majority of votes; ~**enthaltung** *f* abstention; ~**enzählung** *f* counting of votes; ~**gabel** *♪ f* tuning-fork; ~**recht** *n* right to vote; ~**ung** *fig. f* mood, humo(u)r; 2**ungsvoll** *adj.* impressive; ~**zettel** *m* ballot, votingpaper.

**stinken** *v/i.* stink (*nach of*).

**Stipendium** *univ. n* scholarship.

**stipp|en** *v/t.* dip, steep; 2**visite** F *f* flying visit.

**Stirn** *f* forehead, brow; *fig.* face, cheek; *s. runzeln;* ~**runzeln** *n* frown.

**stöbern** F *v/i.* rummage (about).

**stochern** *v/i.: im Feuer* ~ poke the fire; *im Essen* ~ pick at one's food; *in den Zähnen* ~ pick one's teeth.

**Stock** *m* stick; *Rohr*2: cane; *Takt*2: baton; *Bienen*2: beehive; ~**werk:** stor(e)y, floor; *im ersten* ~ on the first floor, *Am.* on the second floor; 2**dunkel** F *adj.* pitch-dark.

**stocken** *v/i.* stop; *Milch etc.*: curdle (*a. fig.*); *Stimme:* falter; *Verkehr:* be blocked.

**stock|finster** F *adj.* pitch-dark; 2-**fleck** *m* spot of mildew; 2**ung** *f*

stop(page); *im Verkehr:* block; 2-**werk** *n* stor(e)y, floor.

**Stoff** *m Substanz:* substance; *Gewebe:* material, fabric, textile; *Material, Zeug:* material, stuff; *fig.*: subject (-matter); *zum Nachdenken etc.*: food; 2**lich** *adj.* material.

**stöhnen** *v/i.* groan, moan.

**Stollen** ⚒ *m* tunnel, gallery.

**stolpern** *v/i.* stumble (*über over*), trip (over) (*beide a. fig.*).

**stolz 1.** *adj.* proud (*auf of*); *hochmütig:* haughty; **2.** 2 *m* pride (*auf in*); haughtiness; ~**ieren** *v/i.* strut.

**stopfen** *v/t.* stuff; *Pfeife:* fill; *Geflügel:* cram, stuff; *Strümpfe:* darn; *j-m den Mund* ~ stop s.o.'s mouth; **2.** *♂ v/i.* cause constipation, be constipating.

**Stopf|garn** *n* darning-yarn; ~**nadel** *f* darning-needle.

**Stoppel** *f* stubble; ~**bart** F *m* stubbly beard; 2**ig** *adj.* stubbly; ~**zieher** *östr. m* corkscrew.

**stopp|en 1.** *v/t.* stop; *Zeit:* time, clock; **2.** *v/i.* stop; 2**licht** *mot. n* stop-light; 2**uhr** *f* stop-watch.

**Stöpsel** *m* stopper, cork, plug (*a. ⚡*).

**Storch** *orn. m* stork.

**stören 1.** *v/t.* disturb; *bemühen:* trouble; *Radioempfang:* jam; *lassen Sie sich nicht* ~! don't let me disturb you!; *darf ich Sie kurz* ~? may I trouble you for a minute?; **2.** *v/i.* be intruding; be in the way; 2**fried** *m* troublemaker; *Eindringling:* intruder.        [restive (*a. Pferd*).]

**störrisch** *adj.* stubborn, obstinate,

**Störung** *f* disturbance; trouble (*a. ⊕*); *Betriebs*2: breakdown; *durch andere Sender:* jamming, interference.

**Stoß** *m* push, shove; *mit e-r Waffe:* thrust; *mit dem Fuß:* kick; *mit dem Kopf:* butt; *Schlag:* blow, knock; *Schwimm*2: stroke; *Erschütterung:* shock; *e-s Wagens:* jolt; *Haufen:* pile, heap; ~**dämpfer** *mot. m* shock-absorber; 2**en 1.** *v/t.* push, shove; thrust; kick; butt; knock, strike; *zer*~: pound; *sich* ~ *an* strike *od.* knock against; *fig.* take offence at; **2.** *v/i.* (*h*) thrust (*nach at*); kick (at); butt (at); *Wagen:* jolt; ~ *an* adjoin, border on; **3.** *v/i.* (*sein*): ~ *auf* come across; *Widerstand:* meet with; ~ *gegen od. an* knock *od.* strike against.

**Stoß|seufzer** m ejaculation; **~-stange** mot. f bumper; 2weise adv. by fits and starts; **~zahn** m tusk.

**stottern** v/i. u. v/t. stammer.

**Straf|anstalt** f Gefängnis etc.: prison, Am. a. penitentiary; 2bar adj. punishable, attr. penal; **~e** f punishment; ##, ##, Sport, fig.: penalty; Geld2: fine; bei ~ von on pain of; zur ~ as a punishment; 2en v/t. punish.

**straff** adj. tight; fig. strict.

**straf|fällig** adj. liable to prosecution; 2gesetz n penal law; 2gesetzbuch n criminal code.

**sträf|lich** adj. inexcusable; 2ling m convict.

**straf|los** adj. unpunished; 2predigt f: j-m e-e ~ halten lecture s.o. severely; 2prozeß m criminal action; 2raum m Fußball: penalty area; 2verfahren n criminal proceedings pl.

**Strahl** m ray (a. fig.); Licht2: a. beam; Blitz2 etc.: flash; Wasser2 etc.: jet; 2en v/i. radiate; shine (vor with); fig. beam (with); **~ung** f radiation, rays pl.

**Strähne** f Haar2: lock, strand.

**stramm** adj. tight; kräftig: stalwart.

**strampeln** v/i. kick.

**Strand** m beach; 2en v/i. ♣ strand; fig. fail; **~gut** n stranded goods pl.

**Strang** m cord (a. anat.); rope; zum Erhängen: halter; ## Gleis2: track.

**Strapaz|e** f fatigue; Schufterei: toil; 2ieren v/t. fatigue, strain (a. fig.); Kleidung etc.: wear out; 2ierfähig adj. long-lasting; 2iös adj. fatiguing.

**Straße** f road, highway; e-r Stadt etc.: street; Meerenge: strait; auf der ~ on the road; in the street.

**Straßen|anzug** m lounge-suit, Am. business suit; **~bahn** f tram(-car), Am. streetcar; **~bahnhaltestelle** f tram stop, Am. streetcar stop; **~beleuchtung** f street lighting; **~junge** m street arab; **~kehrer** m street-cleaner, scavenger; **~kreuzung** f crossing, cross roads; **~reinigung** f street-cleaning, scavenging.

**strategisch** adj. strategic(al).

**sträuben** v/t. Federn: ruffle up; sich ~ Haare: stand on end; sich ~ gegen kick against od. at.

**Strauch** m shrub, bush.

**straucheln** v/i. s. stolpern.

**Strauß** m orn. ostrich; Blumen2: bunch, bouquet.

**Strebe** f strut.

**streben 1.** v/i.: ~ nach strive for od. after; **2.** 2 n striving (nach for, after); Anstrengung: effort.

**strebsam** adj. assiduous.

**Strecke** f Weg2: stretch; Reise2: route; Gegend: tract, extent; Entfernung: distance (a. Sport); ## etc.: line; hunt. bag; zur ~ bringen hunt. bag, hunt down (a. fig.); 2n v/t. stretch, extend; verdünnen: dilute; sich ~ stretch (o.s.).

**Streich** m stroke; Schlag: blow; fig. trick, prank; j-m e-n ~ spielen play a trick on s.o.; 2eln v/t. stroke, caress; 2en **1.** v/t. rub; Butter etc.: spread; an~: paint; tilgen: strike out, cancel (a. fig.); **2.** v/i. (sein) prowl (um round); **3.** v/i. (h): mit der Hand über et. ~ pass one's hand over s.th.; **~holz** n match; **~instrument** ♪ n stringed instrument; **~orchester** n string band od. orchestra.

**Streif|band** n wrapper; **~e** f patrol; patrolman; Razzia: raid.

**streifen 1.** v/t. stripe, streak; berühren: graze, brush; Thema: touch (up)on; **2.** v/i. (sein): ~ durch rove, wander through; **3.** v/i. (h): ~ an graze, brush; **4.** 2 m stripe, unregelmäßiger: streak; Land2 etc.: strip.

**streif|ig** adj. striped; 2schuß m grazing shot; 2zug m ramble.

**Streik** m strike, Am. F a. walkout; in den ~ treten go on strike, Am. F a. walk out; **~brecher** m strike-breaker; 2en v/i. (be on) strike; **~ende** m, f striker; **~posten** m picket.

**Streit** m quarrel; Wort2: dispute, conflict; ## litigation; 2bar adj. pugnacious; 2en v/i. u. v/refl. quarrel (mit with; wegen for; über about); **~frage** f controversy, (point at) issue; 2ig adj.: j-m et. ~ machen dispute s.o.'s right to s.th.; **~igkeiten** f/pl. quarrels pl.; disputes pl.; **~kräfte** ✗ f/pl. (military od.) armed) forces pl.; 2lustig adj. pugnacious; 2süchtig adj. quarrelsome; pugnacious.

**streng 1.** adj. severe, stern (a. Blick etc.); scharf, genau: strict; Lebensführung, Charakter: austere; Diszi-

*plin, Klima:* rigorous; *Klima:* inclement; *Prüfung:* stiff; **2.** *adv.:* ~ **vertraulich** in strict confidence; 2e f *Anwendungsbereich s.* **streng 1:** severity; sternness; strictness; austerity; ~**genommen** *adv.* strictly speaking; ~**gläubig** *adj.* orthodox.
**Streu** f litter; 2en f *v/t.* strew, scatter.
**Strich** *m* stroke; *Linie:* line; *Land*2: tract; *j-m e-n* ~ *durch die Rechnung machen* queer s.o.'s pitch; 2**weise** *adv.* here and there.
**Strick** *m* cord; *dicker:* rope; *zum Erhängen:* halter, rope; F *fig.* (young) rascal; 2en *v/t. u. v/i.* knit; ~**garn** *n* knitting-yarn; ~**jacke** f cardigan; ~**leiter** f rope-ladder; ~**nadel** f knitting-needle; ~**waren** f/pl. knitwear; ~**zeug** *n* knitting (-things *pl.*).
**Striemen** *m* weal, wale.
**Strippe** F f string.
**strittig** *adj.* controversial; ~*er Punkt* point at issue.
**Stroh** *n* straw; *Dach*2: thatch; ~**dach** *n* thatch(ed roof); ~**halm** *m* straw; ~**hut** *m* straw hat; ~**sack** *m* straw mattress; ~**witwe** F f grass widow.
**Strolch** *m* scamp, vagabond.
**Strom** *m* stream (*a. fig.*), (large) river; & current (*a. fig.*); 2**ab** (-wärts) *adv.* down-stream; 2**auf** (-wärts) *adv.* up-stream.
**strömen** *v/i.* stream; *fließen:* flow, run; *Regen:* pour; *Menschenmenge:* pour (*aus* out of; *in* into).
**Strom**|**kreis** & *m* circuit; 2**linienförmig** *adj.* streamline(d); 2**schnelle** f rapid.
**Strömung** f current; *fig. a.* trend.
**Strophe** f stanza, verse.
**strotzen** *v/i.:* ~ *von* abound in; *Gesundheit:* burst with.
**Strudel** *m* eddy, whirlpool.
**Struktur** f structure.
**Strumpf** *m* stocking; ~**band** *n* garter; ~**halter** *m* suspender, *Am.* garter; ~**waren** f/pl. hosiery.
**struppig** *adj.* shaggy.
**Stube** f room; ~**nmädchen** *n* chambermaid.
**Stück** *n* piece (*a.* 2); fragment; *Vieh:* head; *Zucker*2: lump; *thea.* play; *aus freien* ~*en* of one's own accord; 2**weise** *adv.* piece by piece; ✝ by the piece; ~**werk** *fig. n* patchwork.

**Student** *m,* ~**in** f student, undergraduate.
**Studie** f study (*a. paint.*); ~**nrat** *m appr.* secondary-school teacher.
**studier**|**en 1.** *v/t.* study, read; **2.** *v/i.* study; be a student; 2**zimmer** *n* study.                    [studies *pl.*]
**Studium** *n* study, *allgemeiner:*)
**Stufe** f step; *Grad:* degree; *Rang*2: grade; *Entwicklungs*2: stage; 2**nweise** *adj.* gradual.
**Stuhl** *m* chair, seat; ~**bein** *n* leg of a chair; ~**gang** ✳ *m* stool, motion; ~**lehne** f back of a chair.
**stülpen** *v/t.* put (*über* over); *Hut:* clap (*auf* on).
**stumm** *adj.* dumb, mute; *fig.* silent.
**Stummel** *m* stump; *Zigarren*2: stub.
**Stummfilm** *m* silent film.
**Stümper** F *m* bungler, 2**haft** *adj.* bungling.
**stumpf 1.** *adj.* blunt; & *Winkel:* obtuse; *Sinne:* dull, obtuse; *teilnahmslos:* apathetic; **2.** 2 *m* stump, stub; *mit* ~ *und Stiel* root and branch; ~**sinnig** *adj.* stupid, dull.
**Stunde** f hour; *Unterrichts*2: lesson, *Am. a.* period; 2**n** *v/t.* grant respite for.
**Stunden**|**kilometer** *m* kilomet|re (*Am.* -er) per hour; 2**lang 1.** *adj.: nach* ~*em Warten* after hours of waiting; **2.** *adv.* for hours (and hours); ~**lohn** *m* hourly wage; ~**plan** *m* time-table, *Am.* schedule; 2**weise** *adv.* by the hour; ~**zeiger** *m* hour-hand.
**stündlich 1.** *adj.* hourly; **2.** *adv.* hourly, every hour; at any hour.
**Sturm** *m* storm (*a. fig.*).
**stürm**|**en 1.** ✕ *v/t.* storm; **2.** *v/i.* (h) storm, rage; *es stürmt* it is stormy weather; **3.** *v/i.* (sein) rush; 2**er** *m Fußball:* forward; ~**isch** *adj.* stormy; *fig.* impetuous.
**Sturm**|**schritt** *m* double-quick step; ~**wind** *m* storm-wind.
**Sturz** *m* fall; *e-r Regierung etc.:* overthrow; *fig.* ruin; *Preis*2: slump; ~**bach** *m* torrent.
**stürzen 1.** *v/i.* (have a) fall, tumble; *fig.* rush, plunge (*in* into); **2.** *v/t.* precipitate; *Regierung etc.:* overthrow; *fig.* plunge (*in* into), precipitate (into); *j-n ins Unglück* ~ ruin s.o.; *sich in Schulden* ~ plunge into debt.

**Sturz|flug** 🦅 *m* (nose)dive; **~helm** *m* crash-helmet.

**Stute** *zo. f* mare.

**Stütze** *f* support, prop (*beide a. fig.*); *fig.* stay.

**stutzen 1.** *v/t. Haare:* crop; *Haare, Bart:* trim; *Flügel, Hecke:* clip; *Baum:* lop; **2.** *v/i.* start (*bei at*); stop dead *od.* short.

**stützen** *v/t.* support (*a. fig.*); *sich ~ auf* lean on; *fig.* rely (up)on; *Urteil etc.:* be based on.

**stutzig** *adj.:* ~ *machen* make suspicious.

**Stütz|pfeiler** △ *m* abutment; **~punkt** ✕ *m* base.

**Subjekt** *n gr.* subject; *contp.* individual; **2iv** *adj.* subjective; **~ivität** *f* subjectivity.

**Substantiv** *gr. n* noun, substantive.

**Substanz** *f* substance (*a. fig.*).

**subtra|hieren** ⟋ *v/t.* subtract; **2ktion** ⟋ *f* subtraction.

**Suche** *f* search (*nach* for); *auf der ~ nach* in search of; **2n 1.** *v/t. Rat etc.:* seek; search for, look for; *Sie haben hier nichts zu ~* you have no business to be here; **2.** *v/i.:* ~ *nach* search for, look for.

**Sucht** *f* mania, addiction.

**süchtig** *adj.:* ~ *sein* be addicted to drugs, *etc.;* **2e** *m, f* addict.

**Süd** *geogr.,* **~en** *m* south; **~früchte** *f/pl.* fruits from the south; **2lich 1.** *adj.* south(ern); southerly; **2.** *adv.:* ~ *von* to (the) south of; **~ost(en** *m*) south-east; **2östlich** *adj.* south-east(ern); **~pol** *geogr. m* South Pole; **2wärts** *adv.* southward(s); **~west(en** *m*) south-west; **2westlich** *adj.* south-west(ern); **~wind** *m* south wind.

**Sühne** *f* expiation, atonement; **2n** *v/t.* expiate, atone for.

**Sülze** *f* jellied meat.

**Summe** *f* sum (*a. fig.*), (sum) total; *Betrag:* amount.

**summen 1.** *v/i. Bienen etc.:* buzz, hum; **2.** *v/t.* hum.

**summieren** *v/t.* sum *od.* add up; *sich ~* run up.

**Sumpf** *m* swamp, bog, marsh; **2ig** *adj.* swampy, boggy, marshy.

**Sünd|e** *f* sin (*a. fig.*); **~enbock** F *m* scapegoat; **~er** *m* sinner; **2haft** *adv.:* F ~ *teuer* awfully expensive; **2ig** *adj.* sinful; **2igen** *v/i.* (commit a) sin.

**Superlativ** *gr. m* superlative degree.

**Suppe** *f* soup.

**Suppen|kelle** *f* soup ladle; **~löffel** *m* soup-spoon; **~schüssel** *f* tureen; **~teller** *m* soup-plate.

**surren** *v/i.* whir(r); *Insekten:* buzz.

**suspendieren** *v/t.* suspend.

**süß** *adj.* sweet (*a. fig.*); **2e** *f* sweetness; **~en** *v/t.* sweeten; **2igkeiten** *pl.* sweets *pl.;* **~lich** *adj.* sweetish; *fig.* mawkish; **2stoff** *m* saccharin(e); **2wasser** *n* fresh water.

**Symbol** *n* symbol; **~ik** *f* symbolism; **2isch** *adj.* symbolic(al).

**Symmetri|e** *f* symmetry; **2sch** *adj.* symmetric(al).

**Sympathi|e** *f* liking; **2sch** *adj.* likable; *er ist mir ~* I like him; **2sieren** *v/i.* sympathize (*mit* with).

**Symphonie** 𝄞 *f* symphony; **~orchester** *n* symphony orchestra.

**Symptom** *n* symptom.

**Synagoge** *f* synagogue.

**synchronisieren** *v/t.* synchronize; *Tonfilm:* dub.

**Syndikat** *n* syndicate.

**Synkope** 𝄞 *f* syncope.

**synonym 1.** *adj.* synonymous; **2.** **2** *n* synonym.

**Syntax** *gr. f* syntax.

**synthetisch** *adj.* synthetic.

**System** *n* system; **2atisch** *adj.* systematic(al), methodic(al).

**Szene** *f* scene (*a. fig.*); *in ~ setzen* stage; **~rie** *f* scenery.

# T

**Tabak** *m* tobacco; **～händler** *m* tobacconist; **～waren** *pl.* tobacco products *pl.*, F smokes *pl.*

**tabellarisch 1.** *adj.* tabular; **2.** *adv.* in tabular form.

**Tabelle** *f* table; *Liste*: schedule.

**Tablett** *n* tray; *aus Metall*: a. salver; **～e** *pharm. f* tablet.

**Tachometer** *mot. n, m* speedometer.

**Tadel** *m* blame; *Verweis*: censure; *Rüge*: reprimand, rebuke; *Vorwurf*: reproach; **2los** *adj.* faultless, blameless; *ausgezeichnet*: excellent, splendid; **2n** *v/t.* blame; censure; reprimand, rebuke (*alle*: *wegen* for).

**Tafel** *f* slab; *Holz2, Stein2 etc.*: table; *Wand2, Gedenk2 etc.*: tablet; *Schiefer2*: slate; *Schul2*: blackboard; *Anschlag2*: notice-board, *Am.* billboard; *Schokolade*: cake, bar; *Speisetisch*: dinner-table; **2-förmig** *adj.* tabular; **～geschirr** *n* dinner-service, dinner-set; **～land** *n* tableland, plateau; **～service** *n s.* Tafelgeschirr; **～silber** *n* silver plate, *Am.* silverware.

**Täf(e)lung** *f* wainscot, panelling.

**Taft** *m* taffeta.

**Tag** *m* day; *Monats2*: date; *am od. bei* **～** by day; *e-s* **～**es one day; *den ganzen* **～** all day long; *heute vor acht* **～**en a week ago; *heute in acht (vierzehn)* **～**en today od. this day week (fortnight), a week (fortnight) today; *guten* **～**! how do you do?; good morning!; good afternoon!; *am hellichten* **～**e in broad daylight; *an den* **～** *bringen (kommen)* bring (come) to light; **2aus** *adv.*: **～**, *tagein* day in, day out.

**Tage|blatt** *n* daily (paper); **～buch** *n* journal, diary.

**tagein** *adv. s. tagaus.*

**tage|lang** *adv.* for days on end; **2-löhner** *m* day-labo(u)rer; **～n** *v/i.* hold a meeting, sit; *#* be in session; **2reise** *f* day's journey.

**Tages|anbruch** *m*: *bei* **～** *at daybreak od.* dawn; **～gespräch** *n* topic of the day; **～licht** *n* daylight; **～ordnung** *f* order of the day, agenda; **～presse** *f* daily press; **～zeit** *f* time of day; *zu jeder* **～** at any hour, at any time of the day; **～zeitung** *f* daily (paper).

**tageweise** *adv.* by the day.

**täglich** *adj.* daily.

**Tagschicht** *f* day shift. [day-time.)

**tagsüber** *adv.* during the day, in the)

**Tagung** *f* meeting.

**Taille** *f* waist; *am Kleid*: bodice.

**Takelage** *ɸ f* rigging, tackle.

**Takt** *m ♩* time, measure; *ein* **～**: bar; *mot.* stroke; *Zartgefühl*: tact; *den* **～** *halten* ♩ keep time; *den* **～** *schlagen* ♩ beat time; **2fest** *adj.* ♩ steady in keeping time; *fig.* firm; **～ik** *f ⚔* tactics *sg., pl. (a. fig.)*; **～iker** *m* tactician; **2isch** *adj.* tactical; **2los** *adj.* tactless; **～stock** ♩ *m* baton; **～strich** ♩ *m* bar; **2voll** *adj.* tactful.

**Tal** *n* valley. [robe.)

**Talar** *m ⚖, eccl., univ.* gown; *⚖*)

**Talent** *n* talent, gift; **2iert** *adj.* talented, gifted.

**Talg** *m* suet; *ausgelassener*: tallow.

**Talisman** *m* talisman, charm.

**Talsperre** *f* barrage, dam.

**Tandler** *östr. m* second-hand dealer; F *fig.* dawdler, slow-coach; loiterer.

**Tang** *⚓ m* seaweed.

**Tank** *m* tank; **2en** *v/i.* get some petrol, *Am.* get some gasoline; **～er** *ɸ m* tanker; **～stelle** *f* petrol station, *Am.* gas od. filling station; **～wart** *m* pump attendant.

**Tanne** *⚓ f* fir-(tree).

**Tannen|baum** *m* fir-tree; **～nadel** *f* fir-needle; **～zapfen** *m* fir-cone.

**Tante** *f* aunt.

**Tantieme** *f* percentage, share in the profits; *von Autoren etc.*: royalty.

**Tanz** *m* dance.

**tänzeln** *v/i.* trip.

**tanzen** *v/i. u. v/t.* dance.

**Tänzer** *m,* **～in** *f* dancer; *thea.* ballet-dancer; partner.

**Tanz|lehrer** *m* dancing-master; **～musik** *f* dance-music; **～schule** *f* dancing-school; **～stunde** *f* dancing-lesson.

**Tapete** *f* wallpaper, paper-hangings *pl.*

**tapezier|en** *v/t.* paper; **2er** *m* paper-hanger; *Polsterer*: upholsterer.

**tapfer** *adj.* brave, valiant; *mutig*: courageous; **2keit** *f* bravery, valo(u)r; courage.

**Tarif** *m* tariff; **2lich** *adv.* according

to tariff; **~lohn** *m* standard wage(s *pl.*).

**tarn|en** *v/t.* camouflage; *bsd. fig.* disguise; **~ung** *f* camouflage.

**Tasche** *f Hosen~ etc.*: pocket; (hand)bag; *s. Aktentasche.*

**Taschen|buch** *n* pocket-book; **~dieb** *m* pickpocket, *Am. sl.* dip; **~geld** *n* pocket-money; **~lampe** *f* (electric) torch, flashlight; **~messer** *n* pocket-knife; **~tuch** *n* (pocket) handkerchief; **~uhr** *f* pocketwatch; **~wörterbuch** *n* pocket) [dictionary.|

**Tasse** *f* cup.

**Tastatur** *f* keyboard, keys *pl.*

**Tast|e** *f* key; **~en 1.** *v/i.* grope (*nach* for, after), fumble (for); **2.** *v/t.* touch, feel; *sich ~ feel od.* grope one's way; **~sinn** *m* sense of touch.

**Tat** *f* action, act, deed; *Straf~:* offen|ce, *Am.* -se, crime; *auf frischer ~ ertappen* catch red-handed; **~bestand** *m* facts *pl.* of the case; **~enlos** *adj.* inactive, idle.

**Täter** *m* perpetrator.

**tätig** *adj.* active; *geschäftig:* busy; *~ sein bei* be employed with; **~keit** *f* activity; *Beschäftigung:* occupation, business, job; *Beruf:* profession.

**Tat|kraft** *f* energy; **~kräftig** *adj.* energetic, active.

**tätlich** *adj.* violent; *~ werden gegen* assault; **~keiten** *f/pl.* (acts *pl.* of) violence; 🜚 assault (and battery).

**Tatort** 🜚 *m* place *od.* scene of a crime.

**tätowieren** *v/t.* tattoo.

**Tat|sache** *f* (matter of) fact; **~sächlich** *adj.* actual, real.

**tätscheln** *v/t.* pet, pat.

**Tatze** *f* paw, claw.

**Tau¹** *n* rope, cable.

**Tau²** *m* dew.

**taub** *adj.* deaf (*fig.: gegen* to); *Finger etc.:* benumbed, numb; *Nuß:* deaf, empty; *auf e-m Ohr ~ sein* be deaf *od.* in one ear.

**Taube** *orn. f* pigeon; **~nschlag** *m* pigeon-house.

**Taub|heit** *f* deafness; numbness; **~stumm** *adj.* deaf and dumb; **~stumme** *m, f* deaf mute.

**tauch|en 1.** *v/t.* dip, plunge; **2.** *v/i.* dive, plunge; dip (*a. Sonne*); *U-Boot:* submerge; **~er** *m* diver.

**tauen** *v/i.* **1.** (*sein; h*) *Schnee:* melt away; *es taut* it is thawing; **2.** (*h*): *es taut* dew is falling.

**Taufe** *f* baptism, christening; **~n** *v/t.* baptize, christen.

**Tauf|pate 1.** *m* godfather; **2.** *f* godmother; **~patin** *f* godmother; **~schein** *m* certificate of baptism.

**taug|en** *v/i.* be good, be fit, be of use (*alle: zu* for); (*zu*) *nichts ~* be no good for nothing; **~enichts** *m* good-for-nothing; **~lich** *adj.* good, fit, useful (*alle:* für, zu for, to *inf.*); *fähig:* able; ✕, 🜨 able-bodied.

**Taumel** *m* giddiness; *Verzückung:* rapture, ecstasy; **~ig** *adj.* giddy; **~n** *v/i.* reel, stagger.

**Tausch** *m* exchange; barter; **~en** *v/t.* exchange; barter (*gegen* for).

**täuschen** *v/t.* deceive, delude; *betrügen:* cheat; *sich ~* deceive o.s.; *sich irren:* be mistaken; **~d** *adj.* deceptive, delusive; *Ähnlichkeit:* striking.

**Tauschhandel** *m* barter.

**Täuschung** *f* deception, delusion.

**tausend** *adj.* a thousand; **~fach** *adj.* thousandfold; **~st** *adj.* thousandth; **~stel** *n* thousandth (part).

**Tau|tropfen** *m* dew-drop; **~wetter** *n* thaw.

**Taxe** *f* rate; *Gebühr:* fee; *Schätzung:* estimate; *s. Taxi.*

**Taxi** *n* taxi(-cab), cab, *Am. a.* hack.

**taxieren** *v/t.* rate, estimate; *amtlich:* value, appraise.

**Taxistand** *m* cabstand.

**Technik** *f Wissenschaft:* technology, engineering; *Fertigkeit:* skill, workmanship; *Verfahren:* technique; ♪ execution; **~er** *m* technician.

**technisch** *adj.* technical; **~e Hochschule** school of technology.

**Tee** *m* tea; **~kanne** *f* teapot; **~löffel** *m* tea-spoon.

**Teer** *m* tar; **~en** *v/t.* tar.

**Teetasse** *f* teacup.

**Teich** *m* pool, pond.

**Teig** *m* dough, paste; **~ig** *adj.* doughy, pasty; **~waren** *f/pl.* farinaceous food; noodles *pl.*

**Teil** *m, n* part; *An~:* portion, share; *Bestand~:* component; *zum ~* partly, in part; **~bar** *adj.* divisible; **~chen** *n* particle; **~en** *v/t.* divide; *fig.* share; **~haben** *v/i.* participate, (have a) share (*beide: an* in); **~haber** ✝ *m* partner; **~nahme** *f* participation (*an* in); *fig.* interest (in); *Mitgefühl:* sympathy (with); **~nahmslos** *adj.* indifferent, unconcerned; passive; apathetic; ∼**nahmslosigkeit** f indifference; passiveness; apathy; 2**nehmen** v/i.: ∼ an take part od. participate in; fig. sympathize with; ∼**nehmer** m participant; univ. student; Sport: competitor; teleph. subscriber; 2s adv. partly; ∼**strecke** f stage, leg; 🖁 section; ∼**ung** f division; 2**weise** adv. partly, in part; ∼**zahlung** f (payment by) instal(l)ments.

**Teint** m complexion.

**Tele|fon** n etc. s. Telephon etc.; ∼**graf** m etc. s. Telegraph etc.; ∼**gramm** n telegram, wire; Übersee: cable(gram).

**Telegraph** m telegraph; ∼**enamt** n telegraph office; 2**ieren** v/t. u. v/i. telegraph, wire; Übersee: cable; 2**isch 1.** adj. telegraphic; **2.** adv. by telegram, by wire; by cable.

**Telephon** n telephone, F phone; am ∼ on the (tele)phone; ∼ haben be on the (tele)phone; ∼**anschluß** m telephone connexion od. (Am. nur) connection; ∼**buch** n telephone directory; ∼**gespräch** n (tele)phone call; 2**ieren** v/i. telephone, F phone; 2**isch** adj., adv. by (tele)phone, over the (tele)phone; ∼**istin** f (tele-phone) operator, telephonist; ∼**zelle** f telephone kiosk, call-box, Am. telephone booth; ∼**zentrale** f (telephone) exchange.

**Teller** m plate.

**Tempel** m temple.

**Temperament** n temper(ament); fig. spirit(s pl.); 2**los** adj. spiritless; 2**voll** adj. (high-)spirited.

**Temperatur** f temperature; j-s ∼ messen take s.o.'s temperature.

**Tempo** n time; Gangart: pace; Geschwindigkeit: speed; Grad: rate.

**Tendenz** f tendency, trend; 2**iös** adj. tendentious.

**Tennis** n (lawn) tennis; ∼**platz** m tennis-court; ∼**schläger** m (tennis-)racket; ∼**spieler** m tennis player.

**Tenor** ♪ m tenor.

**Teppich** m carpet.

**Termin** m appointed time od. day; 🕰, † date, term; ∼**kalender** m appointment book od. pad.

**Terrain** n ground; Grundstück: plot; Bau2: building site.

**Terrasse** f terrace; 2**nförmig** adj. terraced, in terraces.

**Terrine** f tureen.

**Territorium** n territory.

**Terror** m terror; 2**isieren** v/t. terrorize.

**Terzett** ♪ n trio.

**Testament** n (last) will, (oft: last will and) testament; eccl. Testament; 2**arisch 1.** adj. testamentary; **2.** adv. by will; ∼**svollstrecker** m executor.

**testen** v/t. test.

**teuer** adj. dear (a. fig.), expensive; wie ∼ ist es? how much is it?

**Teufel** m devil; der ∼ the Devil, Satan; wer zum ∼? F who the devil od. deuce?; der ∼ ist los the fat's in the fire; 2**ei** f devilry, Am. deviltry; ∼**skerl** F m devil of a fellow.

**teuflisch** adj. devilish, diabolic(al).

**Text** m text; Lied2: words pl.; Opern2: book, libretto; ∼**buch** n book, libretto.

**Textil|ien** pl., ∼**waren** pl. textile fabrics pl., textiles pl.

**textlich** adj. concerning the text.

**Theater** n theat|re, Am. -er; Bühne: stage; ∼**besucher** m playgoer; ∼**karte** f theatre ticket; ∼**kasse** f box-office; ∼**stück** n play; ∼**vorstellung** f theatrical performance; ∼**zettel** m playbill.

**theatralisch** adj. theatrical, stagy.

**Thema** n theme, subject; Gesprächs2: topic.

**Theolog|e** m theologian, divine; ∼**ie** f theology.

**Theoret|iker** m theorist; 2**isch** adj. theoretic(al).

**Theorie** f theory.

**Therapie** 🗲 f therapy.

**Thermometer** n thermometer.

**These** f thesis.

**Thrombose** 🗲 f thrombosis.

**Thron** m throne; ∼**besteigung** f accession to the throne; ∼**erbe** m heir to the throne, heir apparent; ∼**folge** f succession to the throne; ∼**folger** m successor to the throne.

**ticken** v/i. tick.

**tief 1.** adj. deep (a. fig.); Seufzer, Schlaf etc.: profound; niedrig: low; im ∼sten Winter in the dead od. depth of winter; **2.** adv.: bis ∼ in die Nacht far into the night; **3.** 2 meteor. n depression, low (-pressure area); 2**e** f depth (a. fig.); fig. profundity; 2**ebene** f low plain, lowland; 2**flug** m low-level flight; **2gang** ⚓ *m* draught, *Am.* draft; **~gekühlt** *adj.* deep-frozen; **~greifend** *adj.* fundamental, radical; **~liegend** *adj.* Augen: sunken; *fig.* deep-seated; **~sinnig** *adj.* thoughtful, pensive; F melancholy; **2stand** *m* low level.

**Tiegel** *m* frying-pan; ⊕ crucible.

**Tier** *n* animal; *vierfüßiges:* a. beast; *unvernünftiges:* brute; *großes ~ fig. sl.* bigwig, big bug, *Am.* big shot; **~arzt** *m* veterinary (surgeon), F vet, *Am. a.* veterinarian; **~garten** *m* zoological gardens *pl.*, zoo; **~heilkunde** *f* veterinary medicine; **2isch** *adj.* animal; *fig.* bestial, brutish; **~kreis** *ast. m* zodiac; **~quälerei** *f* cruelty to animals; **~reich** *n* animal kingdom; **~schutzverein** *m* Society for the Prevention of Cruelty to Animals.

**Tiger** *zo. m* tiger; **~in** *zo. f* tigress.

**tilg|en** *v/t.* wipe out; *Schuld:* a. extinguish; **2ung** *f* wiping out; *fig. a.* extinction.

**Tinktur** *f* tincture. [a scrape.\

**Tinte** *f* ink; F *in der ~ sitzen* be in\

**Tinten|faß** *n* ink-pot, *eingelassen:* ink-well; **~fleck** *m*, **~klecks** *m* (ink-)blot; **~stift** *m* indelible pencil.

**Tip** *m* hint, tip; **2pen 1.** *v/i.* F type; *fig.* guess; *j-m auf die Schulter ~* tap s.o. on his shoulder; **2.** *v/t.* tip; foretell, predict; F type.

**Tisch** *m* table; *bei ~* at table; *den ~ decken* lay the table *od.* cloth, set the table; **~decke** *f* table-cloth; **~gebet** *n: das ~ sprechen* say grace; **~gespräch** *n* table-talk.

**Tischler** *m* joiner; *Möbel2:* cabinetmaker.

**Tisch|platte** *f* top (of a table), table top; **~rede** *f* after-dinner speech; **~tennis** *n* table tennis, ping-pong; **~tuch** *n* table-cloth; **~zeit** *f* dinner-time.

**Titel** *m* title; **~bild** *n* frontispiece; *e-s Magazins etc.:* cover picture; **~blatt** *n* title-page; **~kampf** *m Boxen:* title fight; **~rolle** *thea. f* title-role.

**Toast** *m* toast (*a. fig.*).

**tob|en** *v/i.* rage, storm; *Kinder:* romp; **2sucht** ⚕ *f* raving madness, frenzy; **~süchtig** *adj.* raving mad, frantic.

**Tochter** *f* daughter; **~gesellschaft** ✝ *f* subsidiary company.

**Tod** *m* death; ⚕ decease.

**Todes|angst** *f: Todesängste ausstehen* be in mortal fear; **~anzeige** *f* obituary (notice); **~fall** *m* (case of) death; *Todesfälle pl.* deaths *pl.*; **~kampf** *m* death throes *pl.*, mortal agony; **~strafe** *f* capital punishment, death penalty; **~ursache** *f* cause of death; **~urteil** *n* death *od.* capital sentence.

**Tod|feind** *m* deadly *od.* mortal enemy; **2krank** *adj.* dangerously ill.

**tödlich** *adj. Wunde, Haß etc.:* mortal; *Waffe, Gift etc.:* deadly; *Unfall, Verletzungen etc.:* fatal.

**tod|müde** *adj.* dead tired; **~sicher** F *adj.* cock-sure; **2sünde** *f* deadly *od.* mortal sin.

**Toilette** *f* toilet; *Am.* a. lavatory.

**Toiletten|artikel** *m/pl.* toilet articles *pl.*, *Am. a.* toiletry; **~papier** *n* toilet-paper.

**toleran|t** *adj.* tolerant (*gegen* of); **2z** *f* tolerance (*a.* ⊕); *bsd. eccl.* toleration.

**toll 1.** *adj.* mad, crazy; *ausgelassen:* mad, wild; *das ist ja ~* F that's (just) great; **2.** *adv.:* *es ~ treiben* carry on like mad; *es zu ~ treiben* go too far; **~en** *v/i. Kinder:* romp; **2haus** *fig. n* bedlam; **2heit** *f* madness; mad trick; **~kühn** *adj.* foolhardy, rash; **2wut** *vet. f* rabies.

**Tolpatsch** F *m* awkward *od.* clumsy fellow; **2ig** F *adj.* awkward, clumsy.

**Tomate** ♀ *f* tomato.

**Ton¹** *m* clay.

**Ton²** *m* sound; ♪ tone (*a. der Sprache*); ♪ *einzelner:* note; *Betonung:* accent, stress; *fig.* tone; *paint.* tone, tint, shade; *guter ~* good form; *den ~ angeben* set the fashion; *zum guten ~ gehören* be the fashion; **2angebend** *adj.* setting the fashion, leading; **~art** ♪ *f* key; **~band** *n* recording tape; **~bandgerät** *n* tape recorder.

**tönen 1.** *v/i.* sound, ring; **2.** *v/t.* tint, tone, shade.

**tönern** *adj.* (of) clay, earthen.

**Ton|fall** *m* intonation, accent; **~film** *m* sound film; **~lage** *f* pitch; **~leiter** ♪ *f* scale, gamut.

**Tonne** *f* large barrel; *Regen2:* butt; *Öl2:* drum; *Gewicht*, ⚓ *Raummaß:* ton.

**Tönung** *f* tint, tinge, shade.

**Tonwaren** f/pl. s. Töpferware.
**Topf** m pot.
**Topfen** östr. m curd(s pl.).
**Töpfer** m potter; Ofensetzer: stove-fitter; ~ei f pottery; ~ware f pottery, earthenware, crockery.
**Tor** n gate; Fußball etc.: goal; |
**Torf** m peat. [Skisport: gate.|
**Torheit** f folly. [goalkeeper.|
**Torhüter** m gate-keeper; Sport: |
**töricht** adj. foolish, silly.
**torkeln** v/i. reel, stagger, totter.
**Tor|latte** f Sport: cross-bar; ~lauf m Skisport: slalom; ~linie f Sport: goal-line. [ranzen: satchel.|
**Tornister** m knapsack; Schul-|
**torpedieren** v/t. torpedo (a. fig.).
**Torpedo** m torpedo.
**Tor|pfosten** m gate-post; Sport: goal-post; ~schuß m shot at the goal; ~schütze m Sport: scorer.
**Torte** f layer-cake.
**Tortur** f torture; fig. ordeal.
**Tor|wart** m Sport: goalkeeper; ~weg m gateway.
**tosen** v/i. roar, rage; ~d adj. Applaus: thunderous.
**tot** adj. dead (a. fig.); ~er Punkt ⊕ dead cent|re, Am. -er; fig. deadlock.
**total** adj. total, complete.
**tot|arbeiten** v/refl. work o.s. to death; 2e 1. m dead man; (dead) body, corpse; die ~n pl. the dead pl.; 2. f dead woman.
**töten** v/t. kill; ermorden: murder.
**Toten|bett** n deathbed; 2blaß adj. deadly od. deathly pale; ~blässe f deadly paleness od. pallor; 2-bleich adj. s. totenblaß; ~gräber m grave-digger; ~kopf m skull; Symbol: death's-head; ~maske f death-mask; ~messe eccl. f mass for the dead, requiem; ~schädel m skull; ~schein m death certificate; 2still adj. (as) still as the grave; ~stille f dead(ly) silence, deathly stillness.
**tot|geboren** adj. still-born; ~lachen v/refl. die of laughing.
**Toto** m, F n football pools pl.
**tot|schießen** v/t. shoot dead, kill; 2schlag ⟨rⁱₛ⟩ m manslaughter, homicide; ~schlagen v/t. kill (a. Zeit); slay; ~schweigen v/t. hush up; ~stellen v/refl. feign death.
**Tötung** f killing; fahrlässige ~ ⟨rⁱₛ⟩ manslaughter.

**Tour** f tour (durch of); Ausflug: excursion, trip; ⊕ turn, revolution; auf ~en kommen mot. pick up speed.
**Tourist** m, ~in f tourist.
**Tournee** f tour.
**Trab** m trot.
**Trabant** m satellite.
**trab|en** v/i. trot; 2rennen n trotting race.
**Tracht** f dress, costume; Schwestern2 etc.: uniform; e-e (gehörige) ~ Prügel a (sound) thrashing; 2en v/i.: j-m nach dem Leben ~ seek s.o.'s life.
**trächtig** adj. with young, pregnant.
**Tradition** f tradition.
**Trafik** östr. f tobacco-shop; ~ant östr. m tobacconist.
**Trag|bahre** f stretcher, litter; 2bar adj. portable; Kleidungsstück: wearable; fig. bearable; ~e f s. Tragbahre.
**träge** adj. lazy, indolent, inert (a. phys.).
**tragen** 1. v/t. carry; Kleidungsstück: wear; Gewicht, Wand etc.: support; Kosten, Namen, Verantwortung etc.: bear; er~: bear, endure; Früchte, Zinsen etc.: bear, yield; bei sich ~ have about one; sich gut ~ Stoff: wear well; 2. v/i. Baum: bear, yield; Schußwaffe, Stimme: carry; Eis: bear.
**Träger** m carrier; Gepäck2: porter; wearer; am Kleid: (shoulder-)strap; ⊕ support; △ girder; fig. bearer.
**Trag|fähigkeit** f carrying od. load capacity; ⚓ tonnage; ~fläche ✈ f, ~flügel ✈ m wing, plane.
**Trägheit** f laziness, indolence, inertia (a. phys.).
**tragisch** adj. tragic; fig. a. tragical.
**Tragödie** f tragedy.
**Trag|riemen** m strap; am Gewehr: sling; ~tüte f carrier-bag; ~weite f range; fig. import, moment.
**Train|er** m trainer; coach; 2ieren 1. v/t. train; coach; 2. v/i. train; ~ing n training; ~ingsanzug m track suit.
**traktieren** v/t. treat (badly).
**Traktor** ⊕ m tractor.
**trällern** v/t. u. v/i. troll.
**trampel|n** v/i. trample, stamp; 2pfad m beaten track.
**Tran** m train-oil, whale-oil.
**Träne** f tear; in ~n ausbrechen burst

into tears; 2n v/i. water; ~ngas n tear-gas.

**Trank** m drink, beverage; ⚕ potion.

**Tränke** f watering-place; 2n v/t. water; *Material*: soak, impregnate.

**Trans|formator** ⚡ m transformer; ~fusion ⚕ f transfusion.

**Transistorradio** n transistor set.

**transitiv** gr. adj. transitive.

**transparent 1.** adj. transparent; **2.** 2 n transparency; *Spruchband*: banner.

**transpirieren** v/i. perspire.

**Transplantation** ⚕ f transplant(ation).

**Transport** m transport(ation), conveyance, carriage; 2abel adj. (trans)portable; 2fähig adj. transportable; *Kranker*: a. transferable; 2ieren v/t. transport, convey, carry; ~unternehmen n carrier.

**Trapez** n ⚕ trapezium, *Am.* trapezoid; *Turnen*: trapeze.

**trappeln** v/i. *Pferde*: clatter; *Kinder etc.*: patter.

**Tratte** ✝ f draft.

**Traube** f bunch of grapes; ~nbeere: grape; ⚘ cluster; ~nsaft m grapejuice; ~nzucker m grape-sugar, glucose.

**trauen 1.** v/t. marry; *sich* ~ *lassen* get married; **2.** v/i. trust (*j-m s.o.*), confide (*dat.* in); *ich traute meinen Ohren nicht* I could not believe my ears.

**Trauer** f sorrow, affliction; *um e-n Toten*: mourning; ~botschaft f sad news; ~fall m death; ~feier f obsequies pl.; ~flor m mourning-crape; ~kleidung f mourning; ~marsch m funeral march; 2n v/i. mourn (*um* for); ~spiel m tragedy; ~zug m funeral procession.

**Traufe** f eaves pl.; s. Regen.

**träufeln** v/t. drop, drip, trickle.

**traulich** adj. cosy, snug.

**Traum** m dream (a. fig.); ~bild n vision; ~deuter m dream-reader.

**träum|en 1.** v/t. dream (a. fig.); **2.** v/i. dream (*von* of, about) (a. fig.); 2er m dreamer (a. fig.); 2erei f dreaming; ♪ reverie (*beide a. fig.*); ~erisch adj. dreamy.

**traurig** adj. sad (*über* at).

**Trau|ring** m wedding-ring; ~schein m marriage certificate od. lines pl.; ~ung f marriage, wedding; ~zeuge m witness to a marriage.

**Trecker** ⊕ m tractor.

**Treff** n *Karten*: club(s pl.).

**treffen 1.** v/t. hit (a. fig.), strike; *begegnen*: meet; *nicht* ~ miss; *e-e Entscheidung* ~ come to a decision; *Maßnahmen* ~ take measures *od.* steps; *Vorkehrungen* ~ take precautions *od.* measures; *sich* ~ meet; *sich getroffen fühlen* feel hurt; *das Los traf ihn* the lot fell on him; *du bist gut getroffen* paint., phot. this is a good likeness of you; **2.** v/i. (h) hit; **3.** v/i. (sein): ~ *auf* meet with; encounter (a. ⚔).

**Treffen** n meeting; 2d adj. *Bemerkung etc.*: appropriate, to the point.

**Treff|er** m hit (a. fig.); *Gewinnlos*: prize-winning ticket; ~punkt m meeting-place.

**Treibeis** n drift-ice.

**treiben 1.** v/t. drive; ⊕ propel; *Schnee etc.*: drift; ⚘ *Knospen etc.*: put forth; fig. impel, urge, press; *Musik (Sport)* ~ go in for music (sports); *was treibst du da?* what are you doing there?; **2.** v/i. (sein) drive; drift; *im Wasser*: float; **3.** v/i. (h) ⚘ shoot; *Teig*: ferment, work.

**Treiben** n *Tun*: doings pl.; *Vorgänge*: goings-on pl.; *geschäftiges* ~ bustle; 2d adj.: ~e Kraft driving force.

**Treib|haus** n hothouse; ~jagd f battue; ~riemen m drivingbelt; ~stoff m fuel; *Raketen*2: propell|ant, -ent.

**trenn|en** v/t. separate; *ab*~: sever; *Naht*: rip; *teleph.*, ⚡ cut off, disconnect; *isolieren*: isolate, segregate; *sich* ~ separate (*von* from), part (*from od.* with *s.o.*); with *s.th.*); 2schärfe f *Radio*: selectivity; 2ung f separation; disconne|xion, -ction; *Rassen*2 2d.: segregation; 2(ungs)wand f partition (wall).

**Treppe** f staircase, (*e-e flight of*) stairs pl.

**Treppen|absatz** m landing; ~geländer n banisters pl.; ~haus n staircase; ~stufe f stair, step.

**Tresor** m safe; *Bank*2: strongroom, vault.

**treten 1.** v/i. (h) tread, step (*beide*: *j-m auf die Zehen* on s.o.'s toes); **2.** v/i. (sein) tread, step (*beide*:

*j-m auf die Zehen* on s.o.'s toes); *ins Haus* ~ enter the house; *j-m zu nahe* ~ offend s.o.; *über die Ufer* ~ overflow its banks; **3.** *v/t.* tread; *e-n Fußtritt geben:* kick; *mit Füßen* ~ trample upon.

**treu** *adj.* faithful, loyal; **2bruch** *m* breach of faith, perfidy; **2e** *f* fidelity, faith(fulness), loyalty; **2händer** *m* trustee; **.herzig** *adj.* guileless; *naiv:* ingenuous, simpleminded; **.los** *adj.* faithless (*gegen* to), disloyal (to); *verräterisch:* perfidious.

**Tribüne** *f* platform; *Sport etc.:* (grand) stand.

**Tribut** *m* tribute.

**Trichter** *m* funnel; *Bomben2 etc.:* crater.

**Trick** *m* trick.

**Trieb** *m* ♀ sprout, (new) shoot; *An2:* impulse; *Natur2:* instinct; (sexual) urge; **.feder** *f* mainspring (*a. fig.*); **.kraft** *f* motive power; *fig.* driving force; **.wagen** 🚃 *m* rail-car, rail-motor; **.werk** ⊕ *n* gear drive; ⚡ power unit.

**triefen** *v/i.* drip (*von* with).

**triftig** *adj.* valid.

**Trikot** *n Tänzer2, Artisten2:* tights *pl.*; *Sport:* shirt.

**Triller** ♩ *m* trill, shake; **2n** ♩ *v/i. u. v/t.* trill, shake; *Vogel:* a. warble.

**trink|bar** *adj.* drinkable; **2becher** *m* drinking-cup; **.en 1.** *v/t.* drink, have; **2.** *v/i.* drink; ~ *auf* drink (to), toast; **2er** *m* drinker; **2geld** *n* tip, gratuity; *j-m e-e Mark* ~ *geben* tip s.o. one mark; **2glas** *n* drinkingglass; **2spruch** *m* toast; **2wasser** *n* drinking-water.

**Trio** *n* trio (*a.* ♩).

**trippeln** *v/i.* trip.

**Tritt** *m* tread, step; *Fußspur:* footprint; *Geräusch:* footfall; *Fuß2:* kick; *s. Trittbrett, Trittleiter; im (falschen)* ~ *in* (out of) step; ~ *halten* keep step; **.brett** *n* step, footboard; *mot.* running-board; **.leiter** *f* stepladder, (e-e *a pair od.* set of) steps *pl.*

**Triumph** *m* triumph; **2al** *adj.* triumphant; **.bogen** *m* triumphal arch; **2ieren** *v/i.* triumph (*über* over).

**trocken** *adj.* dry; *Boden:* arid (*beide a. fig.*); **2heit** *f* dryness, drought, aridity; **.legen** *v/t.* drain;

*Baby:* change the napkins of, *Am.* change the diapers of; **2obst** *n* dried fruit.

**trocknen** *v/t. u. v/i.* dry.

**Troddel** *f* tassel.

**tröd|eln** F *fig. v/i.* dawdle, loiter; **2ler** *m* second-hand dealer, *Am.* junkman; F *fig.* dawdler, loiterer.

**Trog** *m* trough.

**Trommel** *f* drum; ⊕ *a.* cylinder; **.fell** *n* drumskin; *anat.* ear-drum; **2n** *v/i. u. v/t.* drum.

**Trommler** *m* drummer.

**Trompete** *f* trumpet; **2n** *v/i. u. v/t.* trumpet; **.r** *m* trumpeter.

**Tropen** *die* ~ *pl.* the tropics *pl.*

**Tropf** F *m* simpleton; *armer* ~ poor wretch.

**tröpfeln 1.** *v/i.* (h) drop, drip, trickle; *Hahn: a.* leak; **2.** *v/i.* (sein) ~ *aus od. von* trickle *od.* drip from.

**tropfen** *v/t.* drop, drip; *s.* tröpfeln.

**Tropfen** *m* drop; *ein* ~ *auf den heißen Stein* a drop in the ocean *od.* bucket; **2weise** *adv.* drop by drop, by drops.

**Trophäe** *f* trophy.

**tropisch** *adj.* tropical.

**Trosse** *f* cable; ⚓ *a.* hawser.

**Trost** *m* comfort, consolation; *schwacher* ~ cold comfort; *du bist wohl nicht (recht) bei* ~! F you must be out of your mind!

**tröst|en** *v/t.* console, comfort; *sich* ~ console o.s. (*mit* with); **.lich** *adj.* comforting.

**trost|los** *adj.* disconsolate, inconsolable; *Gegend etc.:* desolate; *fig.* wretched; **2losigkeit** *f* desolation; *fig.* wretchedness; **2preis** *m* consolation prize; **.reich** *adj.* consolatory, comforting.

**Trott** *m* trot; F *fig.* jogtrot, routine; **.el** F *m* idiot, fool, ninny; **2en** *v/i.* trot.

**trotz 1.** *prp.* in spite of, despite; ~ *alledem* for all that; **2.** ♀ *m* defiance; **.dem** *cj.* nevertheless; **.en** *v/i.* defy, dare; *Gefahr: a.* brave; *schmollen:* sulk; **.ig** *adj.* defiant; sulky.

**trüb(e)** *adj. Flüssigkeit:* muddy, turbid; *Licht, Augen:* dim; *Farbe:* dull, sad; *Wetter:* thick, dull.

**Trubel** *m* bustle.

**trüben** *v/t.* make turbid *od.* muddy; *Freude etc.:* spoil; *Sinne:*

blur; *sich* ~ become turbid *od.* muddy; *Beziehungen*: become strained.

**Trüb|sal** *f*: ~ *blasen* mope; **Oselig** *adj.* sad, gloomy, melancholy; *elend*: wretched, miserable; **~sinn** *m* melancholy, sadness, gloom; **Osinnig** *adj.* melancholy, gloomy, sad.

**Trugbild** *n* phantom, illusion.

**trüg|en 1.** *v/t.* deceive; **2.** *v/i.* be deceptive; **~erisch** *adj.* deceptive, treacherous.

**Trugschluß** *m* fallacy.

**Truhe** *f* chest, trunk; *Musik*○: console.

**Trümmer** *pl.* ruins *pl.*; *Schutt*: debris; *Unfall*○: wreckage.

**Trumpf** *m Karten*: trump (card) (*a. fig.*); *s-n* ~ *ausspielen* play one's trump card.

**Trunk** *m* drink; *das Trinken*: drinking; **~enbold** *contp. m* drunkard, sot; **~enheit** *f* drunkenness, intoxication; ~ *am Steuer* 🏛 drunken driving, drunkenness at the wheel; **~sucht** *f* alcoholism, dipsomania.

**Trupp** *m* troop, gang; ⚔ detail.

**Truppe** *f* ⚔ troop; *thea.* company, troupe; **~n** *pl.* ⚔ troops *pl.*, forces *pl.*; *die* **~n** *pl.* ⚔ the (fighting) services *pl.*, the armed forces *pl.*

**Truppen|gattung** *f* arm, branch, division; **~schau** *f* military review; **~übungsplatz** *m* training area.

**Truthahn** *orn. m* turkey(-cock).

**Tschechoslowak|e** *m* Czechoslovak; **Oisch** *adj.* Czechoslovak.

**Tube** *f* tube.

**tuberkul|ös** ♂ *adj.* tuberculous, tubercular; **Oose** ♂ *f* tuberculosis.

**Tuch** *n* cloth; *Kopf*○: kerchief; *Umhänge*○: shawl; *Hals*○, *Kopf*○: scarf; *Hals*○: neckerchief; *Staub*○: duster; *Lappen*: rag; **~fühlung** *f* close touch.

**tüchtig** *adj.* able, clever, good; *geübt*: proficient; *gründlich*: thorough; **Okeit** *f* ability, cleverness, proficiency.

**Tück|e** *f* malice, spite; **Oisch** *adj.* malicious, spiteful.

**tüfteln** F *v/i.* puzzle (*an over*).

**Tugend** *f* virtue; **~bold** *m* paragon of virtue; **Ohaft** *adj.* virtuous.

**Tüll** *m* tulle.

**Tulpe** ♀ *f* tulip.

**tummel|n** *v/refl. Kinder*: romp; *fig.* hurry; **Oplatz** *m* playground; *fig.* arena.

**Tumor** ♂ *m* tumo(u)r.

**Tümpel** *m* pool.

**Tumult** *m* tumult, uproar.

**tun 1.** *v/t.* do; make; *wohin*: put; *ich kann nichts dazu* ~ I cannot help it; *zu* ~ *haben* be busy; *es tut nichts* it doesn't matter; **2.** *v/i.* do; make; *so* ~ *als ob* pretend to *inf.*; *das tut gut!* that's good!; **3.** **Q** *n* doings *pl.*; ~ *und Treiben* ways and doings *pl.*

**Tünche** *f* whitewash (*a. fig.*); **Qn** *v/t.* whitewash.

**Tunichtgut** *m* ne'er-do-well.

**Tunke** *f* sauce; **Qn** *v/t.* dip, steep.

**tunlichst** *adv.* if possible.

**Tunnel** *m* tunnel.

**Tüpfel** *m, n* dot, spot; **Qn** *v/t.* dot, spot.

**tupfen 1.** *v/t.* dab; dot, spot; **2.** **Q** *m* dot, spot.

**Tür** *f* door; *j-n vor die* ~ *setzen* turn s.o. out; *vor der* ~ *stehen* be near *od.* close at hand; **~angel** *f* (door-)hinge.

**Turbine** ⊕ *f* turbine.

**Tür|flügel** *m* leaf (of a door); **~griff** *m* door-handle.

**Türk|e** *m* Turk; **~in** *f* Turk(ish woman); **Oisch** *adj.* Turkish.

**Türklinke** *f* door-handle.

**Turm** *m* tower; *Kirch*○: *a.* steeple; *Schach*: castle, rook.

**türmen 1.** *v/t.* pile up; *sich* ~ tower; **2.** F *v/i.* bolt, F skedaddle.

**turm|hoch** *adv.*: *j-m* ~ *überlegen sein* stand head and shoulders above s.o.; **Ospitze** *f* spire; **O-springen** *n* high diving; **Ouhr** *f* tower-clock, church-clock.

**turnen 1.** *v/i.* do gymnastics; **2.** **Q** *n* gymnastics *pl.*

**Turn|er** *m*, **~erin** *f* gymnast; **~gerät** *n* gymnastic apparatus; **~halle** *f* gym(nasium); **~hemd** *n* (gym-)shirt; **~hose** *f* shorts *pl.*

**Turnier** *n* tournament.

**Turn|lehrer** *m* gym master; **~lehrerin** *f* gym mistress; **~schuh** *m* gym-shoe; **~stunde** *f* gym lesson; **~unterricht** *m* instruction in gymnastics; **~verein** *m* gymnastic *od.* athletic club.

**Tür|pfosten** *m* door-post; **~rah-**

**men** *m* door-case, door-frame; **~schild** *n* door-plate.

**Tusche** *f* India(n) *od.* Chinese ink; **~ln** *v/i.* whisper; **~n** *v/t.* draw in India(n) ink.

**Tüte** *f* paper-bag.

**tuten** *v/i.* toot(le); *mot.* honk, blow one's horn.

**Typ** *m* type; ⊕ *a.* model; **~e** *f typ.* type; F *fig.* (queer) character.

**Typhus** ✧ *m* typhoid (fever).

**typisch** *adj.* typical (*für* of).

**Tyrann** *m* tyrant; **~ei** *f* tyranny; **~isch** *adj.* tyrannical; **~isieren** *v/t.* tyrannize (over), oppress, bully.

# U

**U-Bahn** *f s.* Untergrundbahn.

**übel 1.** *adj.* evil, bad; *nicht* ~ not bad; *mir ist* ~ I am *od.* feel sick; **2.** *adv.* ill; ~ *gelaunt sein* be in a bad mood; *es gefällt mir nicht* ~ I rather like it; **3.** ♀ *n* evil; *Mißstand:* grievance; *das kleinere* ~ *wählen* choose the lesser evil; **~gelaunt** *adj.* ill-humo(u)red; **2keit** *f* sickness, nausea; **~nehmen** *v/t.* take *s.th.* ill *od.* amiss; **2täter** *m* evildoer, wrongdoer; **~wollen** *v/i.: j-m* ~ wish s.o. ill, be ill-disposed towards s.o.

**üben 1.** *v/t.* exercise; *(ein)*~: practi|se, *Am.* -ce; *Geduld* ~ exercise patience; *Klavier* ~ practise the piano; **2.** *v/i.* exercise; practi|se, *Am.* -ce.

**über 1.** *prp.* over, above; *e-n Fluß etc.:* across; *reisen* ~: via, by way of; *sprechen* ~ talk about *od.* of; ~ *Politik sprechen* talk politics; *nachdenken* ~ think about; *ein Buch schreiben* ~ write a book on; ~ *Nacht bleiben bei* stay overnight at; ~ *s-e Verhältnisse leben* live beyond one's income; ~ *kurz oder lang* sooner or later; **2.** *adv.:* *die ganze Zeit* ~ all along.

**überall** *adv.* everywhere, *Am. a.* all over.

**über|anstrengen** *v/t.* overstrain; *sich* ~ overstrain o.s.; **~arbeiten** *v/t. Buch etc.:* revise; *sich* ~ overwork o.s. [ly.]

**überaus** *adv.* exceedingly, extreme-]

**überbieten** *v/t. bsd. Auktion:* outbid; *fig.* beat, surpass.

**Überbleibsel** *n* remnant, *Am.* F *a.* holdover; ~ *pl. a.* remains *pl.*

**Überblick** *fig. m* survey (*über* of).

**über|blicken** *v/t.* overlook, survey (*a. fig.*); **~bringen** *v/t.* deliver; **2bringer** *m* bearer; **~brücken** *v/t.* bridge; *fig.* bridge over; **~dachen** *v/t.* roof over; **~dauern** *v/t.* outlast, outlive; **~denken** *v/t.* think *s.th.* over.

**überdies** *adv.* besides, moreover.

**Über|druck** *m* overprint; ⊕ *a.* surcharge; ⊕ overpressure; **~druß** *m* satiety; *bis zum* ~ to satiety; **2drüssig** *adj.* disgusted with, weary *od.* sick of; **2eifrig** *adj.* over-zealous.

**übereil|en** *v/t.* precipitate, rush; **~t** *adj.* precipitate, rash.

**übereinander** *adv.* one upon the other; **~schlagen** *v/t.: die Beine* ~ cross one's legs.

**überein|kommen** *v/i.* agree; **2-kommen** *n,* **2kunft** *f* agreement; **~stimmen** *v/i. Person:* agree (*mit* with); *Sache:* correspond (with, to); **2stimmung** *f* agreement; correspondence; *in* ~ *mit* in agreement *od.* accordance with.

**'überfahr|en 1.** *v/i.* cross; **2.** *über-'fahren v/t.* run over; *Signal etc.:* run past; **2t** *f* passage; *Fluß2 etc.:* crossing.

**Überfall** *m* surprise; ✕ raid; ✕ invasion (*auf* of); *Raub2:* hold-up; *gewalttätiger:* assault ([up]on).

**überfallen** *v/t.* surprise; ✕ raid; ✕ invade; hold up; assault.

**über|fällig** *adj.* overdue; **2fall-kommando** *n* flying squad, *Am.* riot squad.

**überfliegen** *v/t.* fly over *od.* across; *fig.* glance over, skim (through).

# überfließen

**überfließen** v/i. overflow.

**überflügeln** fig. v/t. outstrip, surpass.

**Über|fluß** m abundance (an of); *unnötiger*: superfluity (of); ~ **haben an** abound in; **2flüssig** adj. superfluous.

**überfluten** v/t. overflow, flood (a. fig.).

**'über|führen** v/t. 1. *Toten*: convey; 2. *über'führen* s. 1; ⚖ convict (gen. of); **2führung** f e-s *Toten*: conveyance; *Straßenbau*: bridge, Am. overpass; ⚖ conviction.

**Überfülle** f superabundance (an of).

**über|füllen** v/t. overfill; *vollstopfen*: cram; *mit Menschen*: overcrowd; **~füttern** v/t. overfeed.

**Übergabe** f delivery; ⚔ surrender.

**Übergang** m bridge; ⛟ etc.: crossing; fig. transition (a. ♪); **~stadium** n transition stage.

**über|geben** v/t. deliver up, hand over; ⚔ surrender; *sich* ~ vomit, be sick; **~gehen** 1. v/i. pass over; *Pflichten* etc.: devolve (auf [up]on); ~ **in** pass into; ~ **zu** et. proceed to s.th.; 2. *über'gehen* v/t. pass over, ignore.

**Übergewicht** n overweight; fig. preponderance (über over).

**übergießen** v/t.: *mit Wasser* ~ pour water over s.th.; *mit Fett* ~ *Braten*: baste.

**über|greifen** v/i.: ~ **auf** *Feuer, Epidemie*: spread to; *j-s Rechte*: encroach (up)on; **2griff** m encroachment (auf [up]on), inroad (on).

**überhandnehmen** v/i. be rampant.

**überhängen** 1. v/i. overhang; 2. v/t. *Mantel*: put round one's shoulders; *Gewehr*: sling over one's shoulder.

**überhäufen** v/t. swamp, overwhelm.

**überhaupt** adv.: *wenn* ~ if at all; ~ *nicht* not at all; ~ *kein* no ... whatever.

**überheblich** adj. presumptuous, arrogant; **2keit** f presumption, arrogance.

**über|hitzen** v/t. overheat (a. ✝); ⊕ superheat; **~holen** v/t. overtake (a. mot.); bsd. Sport: outstrip (a. fig.); overhaul, bsd. Am. a. service; **~holt** adj. outmoded, out of date; **~hören** v/t. miss; *absichtlich*: ignore.

**überirdisch** adj. supernatural.

**überkleben** v/t. paste over.

**überkochen** v/i. boil over.

**über|kommen** v/t.: *Furcht überkam ihn* he was seized with fear; **~laden** v/t. overload.

**Überlandzentrale** ⚡ f long-distance power-station.

**über|lassen** v/t.: *j-m* et. ~ let s.o. have s.th.; fig. leave s.th. to s.o.; *j-n sich selbst* ~ leave s.o. to himself; *j-n s-m Schicksal* ~ leave od. abandon s.o. to his fate; **~lasten** v/t. overload; fig. overburden.

**'über|laufen** 1. v/i. run over, *Kochendes*: boil over; ⚔ desert (zu to); 2. *über'laufen* v/t.: *es überlief mich kalt* a shudder passed over me; 3. adj. Ort, Beruf etc.: overcrowded; **2läufer** m ⚔ deserter; pol. renegade, turncoat.

**überleben** 1. v/t. survive, outlive; 2. v/i. survive; **2de** m, f survivor.

**überlebensgroß** adj. bigger than life-size(d).

**überlebt** adj. outmoded, out of date.

**'überlegen¹** F v/t. *Kind*: give a spanking.

**über'leg|en²** 1. v/t. u. v/refl. consider, reflect upon, think about; *ich will es mir* ~ I will think it over; *es sich anders* ~ change one's mind; 2. v/i.: *er überlegt noch* he hasn't made up his mind yet; 3. adj. superior (dat. to; an in); **2enheit** f superiority; **~t** adj. deliberate; klug: prudent; **2ung** f consideration, reflection, reflexion.

**überlesen** v/t. read s.th. through quickly, run over s.th.; übersehen: overlook.

**überliefer|n** v/t. hand down od. on (dat. to); **2ung** f tradition.

**überlisten** v/t. outwit, F outsmart.

**Über|macht** f superiority; bsd. ⚔ superior forces pl.; *in der* ~ *sein* be superior in numbers; **2mächtig** adj. superior. [come.]

**übermannen** v/t. overpower, over-|

**Über|maß** n excess (an of); **2mäßig** 1. adj. excessive, immoderate; 2. adv. excessively; ~ *trinken* drink to excess; **2menschlich** adj. superhuman.

**übermitt|eln** v/t. transmit; convey; **2lung** f transmission; conveyance.

**übermorgen** adv. the day after tomorrow.

**übermüd|et** *adj.* overtired; **₂ung** *f* overfatigue.

**Über|mut** *m* wantonness, frolicsomeness; **₂mütig** *adj.* wanton, frolicsome.

**übernächst** *adj. the* next but one; **~e Woche** the week after next.

**übernacht|en** *v/i.* stay overnight (*bei j-m* at s.o.'s [house], with s.o.), spend the night (at, with); **₂ung** *f:* **~ und Frühstück** bed and breakfast.

**Übernahme** *f Anwendungsbereich s.* **übernehmen:** taking over; undertaking; assumption; adoption.

**übernatürlich** *adj.* supernatural.

**übernehmen** *v/t. Geschäft etc.:* take over; *Verantwortung:* undertake; *Führung:* take; *Leitung e-s Geschäftes etc.:* assume; *Gedankengut, Brauch etc.:* adopt; *sich ~* overreach o.s.

**überprüf|en** *v/t.* reconsider; *nachprüfen:* verify, check; *j-n:* screen; **₂ung** *f* reconsideration; checking.

**über|queren** *v/t.* cross; **~ragen** *v/t.* tower over, overtop; *fig.* tower above, surpass.

**überrasch|en** *v/t.* surprise; *ertappen:* catch (*bei* at, in); **₂ung** *f* surprise.

**überred|en** *v/t.* persuade (*zu inf.* to *inf.,* into *ger.*); talk (into *ger.*); **₂ung** *f* persuasion.

**überreich|en** *v/t.* present; **₂ung** *f* presentation.

**überreizt** *adj.* overstrung.

**Überrest** *m* remainder; **~e** *pl.* remains *pl.*

**überrump|eln** *v/t.* (take by) surprise; **₂(e)lung** *f* surprise.

**überrunden** *v/t. Sport:* lap; *fig.* surpass.

**übersät** *adj.* studded, dotted.

**übersättigt** *adj.* surfeited.

**Überschallgeschwindigkeit** *f* supersonic speed.

**über|schatten** *v/t.* overshadow (*a. fig.*); **~schätzen** *v/t.* overrate, overestimate.

**Überschlag** *m Turnen:* somersault; **✈** loop; **⚡** flashover; *Schätzung:* estimate, approximate calculation; **₂en 1.** *v/t. Beine:* cross; **2.** *v/i. Stimme:* become high-pitched; **3.** *über'schlagen v/t. Seiten etc.:* skip; *Kosten:* make a rough estimate of; *sich ~* fall head over heels; *Wagen etc.:* (be) turn(ed) over; **✈** loop

the loop; *Stimme:* become high-pitched; **4.** *adj.* lukewarm, tepid.

**überschnappen** *v/i. Stimme:* become high-pitched; *F Person:* go mad.

**über|schneiden** *v/refl.* overlap (*a. fig.*); *Linien:* intersect; **~schreiben** *v/t.* superscribe, entitle; *Besitz:* make *s.th.* over (*dat.* to); **~schreiten** *v/t.* cross; *fig.* transgress; *Geschwindigkeit, Anweisungen:* exceed.

**Überschrift** *f* heading, title; *Kopfzeile:* headline.

**Über|schuß** *m* surplus; **₂schüssig** *adj.* surplus.

**überschütten** *v/t.:* **~** *mit* pour *s.th.* on; *Fragen:* overwhelm with; *Geschenken:* shower upon.

**überschwemm|en** *v/t.* inundate, flood (*beide a. fig.*); **₂ung** *f* inundation, flood(ing).

**überschwenglich** *adj.* effusive.

**Übersee:** *nach ~* gehen go overseas; **~handel** *m* oversea(s) trade.

**über|sehen** *v/t.* survey; *Fehler:* overlook; *fig.* ignore, disregard; **~senden** *v/t.* send, transmit; *Ware:* consign.

**'übersetzen¹ 1.** *v/i.* cross; **2.** *v/t.* ferry.

**über'setz|en²** *v/t.* translate (*in* into), render (into); **⊕** gear; **₂er** *m* translator; **₂ung** *f* translation (*aus* from; *in* into); rendering; **⊕** gear(ing), transmission.

**Übersicht** *f* survey (*über* of); *Zusammenfassung:* summary; **₂lich** *adj.* clear(ly arranged).

**über|siedeln** *v/i.* remove (*nach* to); **₂sied(e)lung** *f* removal (*nach* to).

**übersinnlich** *adj.* transcendental; **~e Kräfte** psychic forces.

**überspann|en** *v/t.* cover (*mit* with); *den Bogen ~* go too far; **~t** *adj.* extravagant; *Person:* eccentric; **₂theit** *f* extravagance; eccentricity.

**überspitzt** *adj.* exaggerated.

**'überspringen 1.** *v/i. Funke:* jump; **2.** *über'springen v/t.* jump, clear; *Seite etc.:* skip; *Klasse:* jump.

**'überstehen 1.** *v/i.* jut (out, forth), project; **2.** *über'stehen v/t. Unglück:* survive; *Krise:* weather; *Krankheit:* get over.

**über|steigen** *v/t.* climb over; *fig.* exceed; **~stimmen** *v/t.* outvote, vote down.

**über|streifen** v/t. slip s.th. over;
**~strömen** v/i. overflow (vor with).

**Überstunden** f/pl. overtime; **~**
*machen* work overtime.

**überstürz|en** v/t. rush, hurry (up,
on); *sich ~ Ereignisse*: follow in
rapid succession; **~t** adj. precipitate, rash.

**über|teuern** v/t. overcharge; **~**
**tönen** v/t. drown.

**Übertrag** ✝ m carrying forward;
sum carried forward.

**übertrag|bar** adj. transferable; ✝
negotiable; **∦** communicable; **~**
**1.** v/t. ✝ carry forward; *Besitz*:
make over (auf to); **∦** *Blut*: trans-
fuse; *Rechte etc.*: delegate (dat. to);
*Buch*: render (in into); *Kurzschrift
etc.*: transcribe; **∦**, **⊕**, *phys.*, *Rundfunk*: transmit; *Rundfunk*: broad-
cast; *im Fernsehen* ~ televise; *j-m et.*
~ *beauftragen*: charge s.o. with s.th.;
**2.** adj. figurative; **2ung** f *Anwendungsbereich s.* übertragen 1: carrying forward; making over; trans-
fusion; delegation; rendering, free
translation; transcription; transmission; broadcast; ~ *im Fernsehen*
telecast.

**übertreffen** v/t. *j-n*: excel (an in; *in*
in, at); *j-n, et.*: surpass (in), exceed
(in).

**übertreib|en 1.** v/t. *Tätigkeit*: over-
do; *mit Worten*: exaggerate, over-
state; **2.** v/i. exaggerate; **2ung** f ex-
aggeration, overstatement.

**'übertreten¹** v/i. *Sport*: cross the
take-off line; *fig.* go over (zu to);
*zum Katholizismus* ~ turn Roman
Catholic.

**über'tret|en²** v/t. transgress, vio-
late, infringe; **2ung** f transgres-
sion, violation, infringement.

**Übertritt** m going over (zu to); *eccl.*
conversion (to).

**übervölkert** adj. over-populated.

**übervorteilen** v/t. overreach, overreach.

**überwach|en** v/t. supervise, super-
intend, control; *polizeilich*: keep
under surveillance, shadow; **2ung** f
supervision, superintendence, control; surveillance.

**überwältigen** v/t. overcome, over-
power, overwhelm (*alle a. fig.*); **~d**
*fig. adj.* overwhelming.

**überweis|en** v/t. *Geld*: remit (dat.,
an to); *zur Entscheidung*: refer (to);
**2ung** f remittance.

**'überwerfen 1.** v/t. slip s.th. on;
**2.** *über'werfen* v/refl. fall out.

**über|wiegen 1.** v/t. outweigh;
**2.** v/i. preponderate, predominate;
**~wiegend** adj. preponderant, pre-
dominant; **~winden** v/t. overcome
(a. fig.), subdue; *sich* ~ zu inf.
bring o.s. to inf.; **~wintern** v/i.
(pass the) winter.

**Über|wurf** m wrap; **~zahl** f: *in der*
~ superior in numbers; **2zählig** adj.
supernumerary; *übrig*: surplus.

**überzeug|en** v/t. convince (von of);
**2ung** f conviction.

**'überziehe|n** v/t. **1.** put s.th. on;
**2.** *über'ziehen* cover; *Bett*: put
clean sheets on; **~** *Konto*: over-
draw; *sich* ~ *Himmel*: become over-
cast; **2r** m overcoat, topcoat.

**Überzug** m cover; *Bett2*: case, tick.

**üblich** adj. usual, customary;
normal.

**U-Boot** ⚓, ✕ n submarine, *in
Deutschland*: *a.* U-boat.

**übrig** adj. left, remaining; *die* ~*en
pl.* the others *pl.*, the rest; *keine Zeit*
~ *haben* have no time to spare; **~**
**bleiben** v/i. be left, remain; *es
blieb ihm nichts anderes übrig* he
had no alternative (*als* but); **~ens**
adv. by the way; **~lassen** v/t. leave.

**Übung** f exercise, practice; **~shang**
m *Skisport*: nursery slope.

**Ufer** n *Meeres2, See2*: shore; *Fluß2*:
bank.

**Uhr** f clock; *Armband2 etc.*: watch;
*um vier* ~ at four o'clock; **~arm-
band** n watch-strap; **~feder** f
watch-spring; **~macher** m watch-
maker; **~werk** n clockwork; watch-
work; **~zeiger** m hand; **~zeiger-
sinn** m: *im* ~ clockwise; *entgegen
dem* ~ counter-clockwise.

**Uhu** *orn.* m eagle-owl.

**Ulk** m fun, lark; **2ig** adj. funny.

**Ulme** ♣ f elm.

**Ultimatum** n ultimatum; *j-m ein* ~
*stellen* deliver an ultimatum to s.o.

**Ultrakurzwelle** *phys.* f ultra-short
wave, ultra-high frequency.

**um 1.** prp. (acc.) round, about; ~
*vier Uhr* at four o'clock; ~ *sein Leben
laufen* run for one's life; *et.* ~ *einen
Meter verfehlen* miss s.th. by a
metre; **2.** prp. (gen.): ~ *seinetwillen*
for his sake; **3.** cj.: ~ *so besser* all
the better; ~ *zu* (in order) to.

**um|ändern** v/t. change, alter; ~

**arbeiten** v/t. Kleidung: make over; ~ zu make into.

**umarm|en** v/t. hug, embrace; sich ~ embrace; **2ung** f embrace, hug.

**Umbau** m rebuilding, reconstruction; **2en** v/t. rebuild, reconstruct.

**umbiegen** v/t. bend; aufwärts od. abwärts: turn up od. down.

**umbild|en** v/t. remodel; Kabinett: reshuffle; **2ung** f remodel(l)ing; pol. reshuffle.

**um|binden** v/t. put s.th. on; **~blättern** 1. v/t. turn over; 2. v/i. turn over the page; **'~brechen** v/t. 1. ♂ Erde: dig, break up; 2. typ. um-'brechen make up; **~bringen** v/t. kill; sich ~ kill o.s.; **2bruch** m typ. make-up; fig. upheaval, radical change; **~disponieren** v/t. change one's plans.

**umdreh|en** v/t. turn; s. Spieß; sich ~ turn round; **2ung** f turn; phys., ⊕ rotation, revolution.

**'um|fahren** v/t. 1. run down; 2. um'fahren drive round; ⚓ sail round; ⚓ Kap: double; **~fallen** v/i. fall; zusammenbrechen: collapse; tot ~ drop dead.

**Umfang** m circumference; ♐ perimeter; Leibes**2**, e-s Baumstamms: girth; fig. extent; in großem ~ on a large scale; **2reich** adj. extensive; massig: voluminous; geräumig: spacious.

**umfassen** v/t. clasp, embrace (a. fig.); ✂ envelop; fig. comprise, comprehend; **~d** adj. comprehensive, extensive; durchgreifend: sweeping.

**umforme|n** v/t. remodel, transform (a. ♪); **2r** ⚡ m transformer.

**Umfrage** f poll; öffentliche ~ public opinion poll.

**Umgang** m company; ~ haben mit associate with.

**umgänglich** adj. sociable.

**Umgangs|formen** f/pl. manners pl.; **~sprache** f colloquial usage; in der deutschen ~ in colloquial German.

**umgarnen** v/t. ensnare.

**umgeb|en** v/t. 1. surround; mit e-r Mauer ~ wall in; 2. adj. surrounded (von with, by) (a. fig.); **2ung** f e-r Stadt: environs pl.; Milieu: surroundings pl., environment.

**'umgeh|en** 1. v/i. Gerücht: go about, be afloat; ~ mit et.: use; j-m: deal

with; verkehren: keep company with; 2. um'gehen v/t. go round; Stadt etc.: bypass; fig. avoid, evade; Gesetz etc.: circumvent; **~end** adj. immediate; **2ungsstraße** f bypass; ring-road.

**umgekehrt** 1. adj. reverse, inverse, inverted; in ~er Reihenfolge in reverse order; im ~en Verhältnis zu in inverse proportion to; 2. adv. vice versa.

**umgraben** v/t. dig (up).

**umgruppier|en** v/t. regroup; **2ung** f regrouping.

**um|haben** F v/t. have s.th. on; **2-hang** m wrap, cape; **~hängen** v/t. Bilder: rehang; Gewehr: sling over one's shoulder; sich den Mantel ~ put one's coat round one's shoulders; **~hauen** v/t. fell, cut down.

**umher|blicken** v/i. look about (one); **~streifen** v/i. rove.

**umhüll|en** v/t. wrap up (mit in), envelop (in); **2ung** f wrapping, wrapper.

**Umkehr** f return; **2en** 1. v/i. return, turn back; 2. v/t. umstülpen: turn out; invert, reverse; **~ung** f reversal; inversion.

**umkippen** 1. v/t. upset, tilt; 2. v/i. upset, tilt (over); F faint.

**umklammer|n** v/t. clasp; Boxen: clinch; **2ung** f clasp; Boxen: clinch.

**umkleide|n** v/refl. change (one's clothes); **2raum** m dressing-room.

**umkommen** v/i. be killed (bei in), die (in), perish (in); vor Langeweile ~ die of boredom.

**Umkreis** m: im ~ von within a radius of; **2en** v/t. circle round.

**um|krempeln** v/t. Ärmel: tuck up; Plan: change; (völlig) ~ turn s.th. inside out; **~laden** v/t. reload; ✈, ⚓ trans-ship.

**Umlauf** m circulation; phys., ⊕ rotation; circular (letter); in ~ setzen od. bringen circulate, put into circulation; im ~ sein circulate, be in circulation; **~bahn** f orbit; **2en** 1. v/t. knock over; 2. v/i. circulate.

**umlegen** v/t. lay down; ⊕ Hebel: throw; Getreide durch Sturm etc.: beat down; Kabel: re-lay; Mantel: put round one's shoulders; Kosten: apportion; sl. töten: do s.o. in.

**umleit|en** v/t. divert; **2ung** f diversion, detour.

**umliegend** adj. surrounding.

**umnachtet** *adj.*: geistig ~ mentally deranged.

**um|packen** *v/t.* repack; **'~pflanzen** *v/t.* 1. transplant; 2. *um'pflanzen*: ~ mit plant *s.th.* round with; **~pflügen** *v/t.* plough, *Am.* plow.

**umrahmen** *v/t.* frame; *musikalisch* ~ put into a musical setting.

**umrand|en** *v/t.* edge, border; **2ung** *f* edge, border.

**umranken** *v/t.* twine (itself) round.

**umrechn|en** *v/t.* convert (*in* into); **2ung** *f* conversion; **2ungskurs** *m* rate of exchange.

**'umreißen** *v/t.* 1. pull down; *j-n*: knock *s.o.* over; 2. *um'reißen* outline.

**umringen** *v/t.* surround.

**Um|riß** *m* outline (*a. fig.*), contour; **2rühren** *v/t.* stir; **2satteln** 1. *v/t.* resaddle; 2. F *fig. v/i.* change one's studies *od.* occupation; *von ... auf* change from ... to ...; **~satz** *m* turnover; *Absatz*: sales *pl.*; *Einnahme(n)*: return(s *pl.*).

**umschalten** 1. *v/t.* switch; **⚡** commutate; 2. *v/i.* switch over.

**Umschau** *f*: ~ *halten nach* look out for, be on the look-out for; **2en** *v/refl. s.* umsehen.

**Umschichtung** *fig. f* regrouping; *soziale* ~*en pl.* social upheavals *pl.*

**umschiffen** *v/t.* circumnavigate; *Kap*: double.

**Umschlag** *m* *Brief2*: envelope; *Hülle*: cover, wrapper; *Buch2*: jacket; *an der Hose*: turn-up, *Am. a.* cuff; **⚕** *feuchter*: compress; **⚕** *Packung*: poultice; *von Waren*: trans-shipment; *fig. Änderung*: change, turn; **2en** 1. *v/t. Baum*: cut down, fell; *Ärmel*: turn up; *Kragen*: turn down; *Waren*: trans-ship; 2. *v/i.* turn over, upset; **⚓** capsize; upset; *fig.* turn (*in* into); **~hafen** *m* port of trans-shipment.

**um|schließen** *v/t.* embrace, surround (*a.* ⚔), enclose; **~schlingen** *v/t.* embrace, clasp.

**um|schmeißen** F *v/t. s.* umstoßen; **~schnallen** *v/t.* buckle on.

**'umschreib|en** *v/t.* 1. rewrite; *Besitz*: transfer (*auf* to); 2. *um'schreiben* **A** circumscribe; *mit Worten*: paraphrase; **'2ung** *f* 1. rewriting; transfer (*auf* to); 2. *Um'schreibung* **A** circumscription; paraphrase.

**Umschrift** *f e-r Münze*: circumscription; *Phonetik*: transcription.

**umschütten** *v/t.* pour into another vessel; *verschütten*: spill.

**Um|schweife** *pl.*: ~ *machen* beat about the bush; *ohne* ~ point-blank; **~schwung** *m Drehung*: revolution; *der Gesinnung*: revulsion; *Wetter2 etc.*: change; *Umkehrung*: reversal.

**umseg|eln** *v/t.* sail round; *Kap*: double; *Erde*: circumnavigate; **2(e)lung** *f* sailing round; doubling; circumnavigation.

**um|sehen** *v/refl.* look back; look round (*nach* for); look about (for) (*a. fig.*), look about one; **~sein** F *v/i. Zeit*: be up; *Ferien etc.*: be over; **~setzen** *v/t.* transpose (*a. ♪*); transplant; **↑** *Ware*: sell; *in die Tat* realize. [circumspect.]

**Umsicht** *f* circumspection; **2ig** *adj.*]

**umsiedeln** 1. *v/t.* resettle; 2. *v/i.* (re)move (*nach*, *in* to).

**umsonst** *adv.* gratis, free of charge; *vergebens*: in vain; *nicht* ~ not without good reason.

**'umspanne|n** *v/t.* 1. **⚡** transform; 2. *um'spannen* span; *fig. a.* embrace; **2r ⚡** *m* transformer.

**umspringen** *v/i. Wind*: shift, veer (round); ~ *mit* treat (badly).

**Umstand** *m* circumstance; *Tatsache*: fact; *Einzelheit*: detail; *unter diesen Umständen* under the circumstances; *unter keinen Umständen* under no circumstances, on no account; *unter Umständen* possibly; *ohne Umstände* without ceremony; *in anderen Umständen sein* be in the family way.

**umständlich** *adj. Erzählung*: long-winded; *Methode etc.*: roundabout; *Person*: fussy; *das ist (mir) viel zu* ~ that is far too much trouble (for me).

**Umstandswort** *gr. n* adverb.

**Umstehenden** *pl. the* bystanders *pl.*

**umsteigen** *v/i.* change (*nach* for); **🚋** *a.* change trains (for).

**'umstell|en** *v/t.* 1. transpose (*a. gr.*); *Möbel*: shift about *od.* round; *Währung, Produktion*: convert (*auf* to); *sich* ~ adapt o.s. (*auf* to); 2. *um'stellen* surround; **2ung** *f* transposition; *fig.*: conversion; adaptation; *Veränderung*: change.

**um|stimmen** *v/t.*: *j-n* ~ change *s.o.'s* mind; **~stoßen** *v/t.* knock over; upset; *fig.* annul; **🏛** *Urteil etc.*: overrule, reverse; *Plan*: upset.

**umstritten** *adj.* disputed, contested; *strittig*: controversial.

**Um|sturz** *m* subversion, overturn; ≈**stürzen 1.** *v/t.* upset, overturn (*a. fig.*); *fig.* subvert; **2.** *v/i.* upset, overturn; fall down; ≈**stürzlerisch** *adj.* subversive.

**Umtausch** *m* exchange; *in andere Währung*: conversion; ≈**en** *v/t.* exchange (*gegen for*); ✝ convert.

**umtun** F *v/t. Mantel etc.*: put round one's shoulders; *sich ~ nach* look about for.

**umwälz|end** *adj.* revolutionary; ≈**ung** *fig.* revolution, upheaval.

**umwand|eln** *v/t.* transform (*in into*) (*a. ♫*); ⚡, ✝ convert (*into*); ⚖ commute (*into*); ≈**lung** *f* transformation (*a. ♫*); ⚡, ✝ conversion; ⚖ commutation.

**um|wechseln** *v/t.* change; ≈**weg** *m* roundabout way, detour; *auf ~en* in a roundabout way; ≈**wehen** *v/t.* blow over; ≈**welt** *f* environment; ≈**wenden 1.** *v/t.* turn over; **2.** *v/refl.* turn round.

**umwerben** *v/t.* court, woo.

**umwerfen** *v/t.* upset (*a. fig.*), overturn.

**um|wickeln** *v/t.*: *et. mit Draht ~* wind wire round s.th.; ≈**zäunen** *v/t.* fence (in).

**umziehen 1.** *v/i.* (re)move (*nach* to), move house; **2.** *v/refl.* change (one's clothes).

**umzingeln** *v/t.* surround, encircle.

**Umzug** *m* procession; *Wohnungswechsel*: move (*nach* to), removal (to).

**unab|änderlich** *adj.* unalterable; ≈**hängig 1.** *adj.* independent (*von* of); **2.** *adv.*: *~ von* irrespective of; ≈**hängigkeit** *f* independence (*von* of); ≈**kömmlich** *adj.*: *er ist im Moment ~* we cannot spare him at the moment; ≈**lässig** *adj.* incessant, unremitting; ≈**sehbar** *adj.* incalculable; *in ~er Ferne* in a distant future; ≈**sichtlich** *adj.* unintentional, inadvertent; ≈**wendbar** *adj.* inevitable, inescapable.

**unachtsam** *adj.* careless, heedless; ≈**keit** *f* carelessness, heedlessness.

**unan|fechtbar** *adj.* unimpeachable; ≈**gebracht** *adj.* inappropriate; *pred. a.* out of place; ≈**gefochten 1.** *adj.* undisputed, unchallenged; **2.** *adv.* without any hindrance; ≈**gemes-**

**sen** *adj.* unsuitable; *unschicklich*: improper; *unzulänglich*: inadequate; ≈**genehm** *adj.* disagreeable, unpleasant; *peinlich*: awkward; ≈**nehmbar** *adj.* unacceptable (*für* to); ≈**nehmlichkeiten** *f/pl.* trouble, inconvenience; ≈**sehnlich** *adj.* unsightly; *unscheinbar*: plain; ≈**ständig** *adj.* indecent, *stärker*: obscene; ≈**ständigkeit** *f* indecency; obscenity; ≈**tastbar** *adj.* unimpeachable; *Recht*: inviolable.

**unappetitlich** *adj. Essen*: unappetizing; *Anblick*: distasteful, ugly.

**Unart** *f* bad habit; ≈**ig** *adj.* naughty.

**unauf|dringlich** *adj.* unobtrusive, unostentatious; ≈**fällig** *adj.* inconspicuous, unobtrusive; ≈**findbar** *adj.* undiscoverable, untraceable; ≈**gefordert 1.** *adj.* unasked; **2.** *adv.* without being asked, of one's own accord; ≈**hörlich** *adj.* incessant, continuous; ≈**merksam** *adj.* inattentive; ≈**merksamkeit** *f* inattention, inattentiveness; ≈**richtig** *adj.* insincere.

**unaus|löschlich** *adj.* indelible; ≈**sprechlich** *adj.* unutterable, unspeakable; *unbeschreiblich*: inexpressible; ≈**stehlich** *adj.* unbearable.

**unbarmherzig** *adj.* merciless, unmerciful.

**unbe|absichtigt** *adj.* unintentional; ≈**achtet** *adj.* unnoticed; ≈**anstandet** *adj.* unopposed, not objected to; ≈**baut** *adj.* ✔ untilled; *Gelände*: undeveloped; ≈**dacht** *adj.* inconsiderate; *unbesonnen*: imprudent; ≈**denklich 1.** *adj.* unobjectionable; **2.** *adv.* without hesitation; ≈**deutend** *adj.* insignificant; *geringfügig*: *a.* slight; ≈**dingt 1.** *adj.* unconditional; *Gehorsam etc.*: implicit; **2.** *adv.* by all means; under any circumstances; ≈**fahrbar** *adj.* impracticable, impassable; ≈**fangen** *adj. unparteiisch*: unprejudiced, unbias(s)ed; *ohne Hemmung*: unembarrassed; ≈**friedigend** *adj.* unsatisfactory; ≈**friedigt** *adj.* dissatisfied; *enttäuscht*: disappointed; ≈**gabt** *adj.* untalented; ≈**greiflich** *adj.* inconceivable, incomprehensible; ≈**grenzt** *adj.* unlimited, boundless; ≈**gründet** *adj.* unfounded; ≈**hagen** *n* uneasiness, discomfort; ≈**haglich** *adj.* uneasy, uncomfortable; ≈**hel-**

**ligt** *adj.* unmolestec; **~herrscht** *adj.* unrestrained, lacking self-control; **~holfen** *adj.* clumsy, awkward; **~irrt** *adj.* unswerving; **~kannt** *adj.* unknown; **~kümmert** *adj.* unconcerned (*um* about), careless (of, about); **~lebt** *adj.* inanimate; *Straße etc.*: unfrequented; **~lehrbar** *adj.*: *~ sein* take no advice; **~liebt** *adj.* unpopular; **~mannt** *adj.* unmanned; **~merkt** *adj.* unnoticed; **~nutzt** *adj.* unused; **~quem** *adj.* uncomfortable; *lästig*: inconvenient; **~rechtigt** *adj.* unauthorized; *ungerechtfertigt*: unjustified; **~schädigt** *adj.* uninjured, undamaged; **~scheiden** *adj.* immodest; **~schränkt** *adj.* unrestricted; *absolute*; **~schreiblich** *adj.* indescribable; **~sehen** *adv.* unseen; **~siegbar** *adj.* invincible; **~sonnen** *adj.* thoughtless, imprudent; *überstürzt*: rash; **~ständig** *adj.* unsteady (*a.* †); *Person*: inconstant; *Wetter*: changeable, unsettled (*a.* †); **~stätigt** *adj.* unconfirmed; *Brief etc.*: unacknowledged; **~stechlich** *adj.* incorruptible, unbribable; **~stimmt** *adj.* indeterminate, indefinite (*a. gr.*); *unsicher*: uncertain; *Gefühl etc.*: vague; **~streitbar** *adj.* incontestable, indisputable; **~stritten** *adj.* uncontested, undisputed; **~teiligt** *adj.* unconcerned (*an* in); *nicht verwickelt*: not involved; *gleichgültig*: indifferent.

**unbeugsam** *adj.* inflexible.

**unbe|wacht** *adj.* unwatched, unguarded (*a. fig.*); **~waffnet** *adj.* unarmed; *Auge*: naked; **~weglich** *adj.* immovable; *bewegungslos*: motionless; **~wohnt** *adj.* uninhabited; *Gebäude*: unoccupied, vacant; **~wußt** *adj.* unconscious; **~zähmbar** *adj.* indomitable.

**Unbilden** *pl.*: *~ der Witterung* inclemency of the weather.

**un|billig** *adj.* unfair; **~blutig 1.** *adj.* bloodless; **2.** *adv.* without bloodshed; **~brauchbar** *adj.* useless; **~christlich** *adj.* unchristian.

**und** *cj.* and; F: *na ~?* so what?

**Undank** *m* ingratitude; **2bar** *adj.* ungrateful (*gegen* to); *Aufgabe*: thankless; **~barkeit** *f* ingratitude, ungratefulness.

**un|denkbar** *adj.* unthinkable; *un-*

*faßbar*: inconceivable; **~deutlich** *adj.* indistinct; *Sprache*: *a.* inarticulate; *fig.* vague; **~dicht** *adj.* leaky.

**unduldsam** *adj.* intolerant; **2keit** *f* intolerance.

**undurch|dringlich** *adj.* impenetrable; *Gesichtsausdruck*: impassive; **~führbar** *adj.* impracticable; **~lässig** *adj.* impervious, impermeable; **~sichtig** *adj.* opaque; *fig.* mysterious.

**uneben** *adj.* *Gelände*: uneven, broken; *Weg etc.*: bumpy; **2heit** *f* unevenness; *des Weges etc.*: bump.

**un|echt** *adj.* *Schmuck*: imitation; *Geld, Schmuck*: counterfeit; *Haare, Zähne etc.*: false; *Bild etc.*: fake; ♠ *Bruch*: improper; **~ehelich** *adj.* illegitimate; **~ehrenhaft** *adj.* dishono(u)rable; **~ehrlich** *adj.* dishonest; **~eigennützig** *adj.* disinterested, unselfish.

**uneinig** *adj.*: *~ sein* be at variance (*mit* with); *~ disagree* (*über* on); **2-keit** *f* variance, disagreement.

**un|einnehmbar** *adj.* impregnable; **~empfänglich** *adj.* insusceptible (*für* of, to); **~empfindlich** *adj.* insensitive (*gegen* to).

**unendlich** *adj.* endless, infinite (*beide a. fig.*); **2keit** *f* infinitude, infinity (*beide a. fig.*).

**unent|behrlich** *adj.* indispensable; **~geltlich 1.** *adj.* gratuitous, gratis; **2.** *adv.* gratis, free of charge; **~schieden** *adj.* undecided; *~ enden Spiel*: end in a draw *od.* tie; **~schlossen** *adj.* irresolute; **~schuldbar** *adj.* inexcusable; **~wegt** *adv.* untiringly; *unaufhörlich*: continuously.

**uner|bittlich** *adj.* inexorable; *Tatsachen*: stubborn; **~fahren** *adj.* inexperienced; **~findlich** *adj.* incomprehensible; **~freulich** *adj.* unpleasant; **~füllbar** *adj.* unrealizable; **~giebig** *adj.* unproductive (*an* of); **~heblich** *adj.* irrelevant (*für* to); *geringfügig*: inconsiderable; **~hört** *adj.* unheard-of, outrageous; **~kannt** *adj.* unrecognized; **~klärlich** *adj.* inexplicable; **~läßlich** *adj.* indispensable (*für* to, for); **~laubt** *adj.* unauthorized; *verboten*: illegal, illicit; **~ledigt** *adj.* unsettled (*a.* †); **~meßlich** *adj.* immeasurable, immense; **~müdlich** *adj.* *Person*: indefatigable; *Anstrengungen*: untiring; ~**quicklich** *adj.* unpleasant; ~**reicht** *adj.* unrival(l)ed, unequal(l)ed; ~**sättlich** *adj.* insatiable, insatiate; ~**schöpflich** *adj.* inexhaustible.

**unerschrocken** *adj.* intrepid, fearless; 2**heit** *f* intrepidity, fearlessness.

**uner|schütterlich** *adj.* unshakable; ~**setzlich** *adj.* irreplaceable; *nicht wiedergutzumachen*: irreparable; ~**träglich** *adj.* intolerable, unbearable; ~**wartet** *adj.* unexpected; ~**wünscht** *adj. lästig*: undesirable; *unwillkommen*: undesired.

**unfähig** *adj.* incapable (*zu inf.* of *ger.*); *außerstande*: unable (*to inf.*); *untauglich*: inefficient; 2**keit** *f* incapability (*zu inf.* of *ger.*); inability (*to inf.*); inefficiency.

**Unfall** *m* accident; *e-n* ~ *haben* meet with *od.* have an accident.

**un|fehlbar 1.** *adj.* infallible (*a. eccl.*); *Instinkt etc.*: unfailing; **2.** *adv.* inevitably; ~**folgsam** *adj.* disobedient; ~**förmig** *adj.* shapeless; *mißgestaltet*: mis-shapen; ~**frankiert** *adj.* unstamped; ~**frei** *adj.* not free; & unstamped; ~**freiwillig** *adj.* involuntary; *Humor*: unconscious; ~**freundlich** *adj.* unfriendly (*zu* with), unkind (*to*); *Klima, Wetter*: inclement; *Zimmer, Tag*: cheerless; 2**friede(n)** *m* discord.

**unfruchtbar** *adj.* unfruitful, sterile; 2**keit** *f* unfruitfulness, sterility.

**Unfug** *m* mischief.

**Ungar** *m* Hungarian; 2**isch** *adj.* Hungarian.

**ungastlich** *adj.* inhospitable.

**unge|achtet** *prp.* regardless of; *trotz*: despite; ~**ahnt** *adj.* unexpected; ~**bärdig** *adj.* unruly; ~**beten** *adj.* uninvited, unasked; ~**er** *Gast* intruder, *sl.* gate-crasher; ~**bildet** *adj.* uneducated; ~**bräuchlich** *adj.* unusual; ~**bührlich** *adj.* improper; ~**bunden** *fig. adj.* free; *ledig*: single; ~**deckt** *adj. Tisch*: unlaid; *Sport*, ✕, ✝: uncovered.

**Ungeduld** *f* impatience; 2**ig** *adj.* impatient.

**ungeeignet** *adj.* unfit; *Person*: a. unqualified; *Augenblick*: inopportune.

**ungefähr 1.** *adj.* approximate,

rough; **2.** *adv.* approximately, roughly, about, *Am.* F *a.* around; ~**lich** *adj.* harmless; *pred. a.* not dangerous.

**unge|fällig** *adj.* disobliging; ~**halten** *adj.* displeased (*über* at); ~**heuchelt** *adj.* unfeigned.

**ungeheuer 1.** *adj.* vast, huge, enormous; **2.** 2 *n* monster; ~**lich** *adj.* monstrous.

**unge|hindert** *adj.* unhindered, free; ~**hobelt** *fig. adj.* uncouth, rough; ~**hörig** *adj.* undue, improper.

**ungehorsam 1.** *adj.* disobedient; **2.** 2 *m* disobedience.

**unge|künstelt** *adj.* unaffected; ~**kürzt** *adj.* unabridged.

**ungelegen** *adj.* inconvenient, inopportune; 2**heiten** *f/pl.* inconvenience; *j-m* ~ *machen* put s.o. to inconvenience.

**unge|lenk** *adj.* awkward, clumsy; ~**lernt** *adj.* unskilled; ~**mütlich** *adj.* uncomfortable; *Zimmer*: a. cheerless; ~**nannt** *adj.* unnamed; *Person*: anonymous.

**ungenau** *adj.* inaccurate, inexact; 2**igkeit** *f* inaccuracy, inexactness.

**ungeniert** *adj.* free and easy, unceremonious; *ungestört*: undisturbed.

**unge|nießbar** *adj.* uneatable; undrinkable; F *Person*: unbearable, *pred. a.* in a bad humo(u)r; ~**nügend** *adj.* insufficient; ~**pflegt** *adj.* unkempt; ~**rade** *adj.* odd.

**ungerecht** *adj.* unjust (*gegen* to); 2**igkeit** *f* injustice.

**un|gern** *adv.* unwillingly, grudgingly; ~**geschehen** *adj.*: ~ *machen* undo.

**unge|schickt** *adj.* awkward, clumsy; ~**schliffen** *adj.* unpolished, rough (*beide a. fig.*); ~**schminkt** *adj.* not made up; *fig.* unvarnished; ~**setzlich** *adj.* illegal, unlawful, illicit; ~**stört** *adj.* undisturbed, uninterrupted; ~**straft** *adj.*: ~ *davonkommen* get off *od.* escape scot-free; ~**stüm** *adj.* impetuous; ~**sund** *adj. Klima*: unhealthy; *Aussehen*: a. unwholesome; *Essen*: unwholesome; ~**teilt** *adj.* undivided (*a. fig.*); ~**trübt** *adj.* untroubled; ~**waschen** *adj.* unwashed.

**ungewiß** *adj.* uncertain; *j-n im ungewissen lassen* keep s.o. in sus-

# Ungewißheit

**pense; 2heit** f uncertainty; *Spannung*: suspense.

**unge|wöhnlich** adj. unusual, uncommon; **~wohnt** adj. unaccustomed; *Sache*: a. unusual; **~zählt** adj. numberless, countless; **2ziefer** n vermin; **~zogen** adj. ill-bred, rude, uncivil; *Kind*: naughty.

**ungezwungen** adj. easy; **2heit** f ease.

**ungläubig** adj. incredulous, unbelieving (a. eccl.); *heidnisch*: infidel.

**unglaub|lich** adj. incredible; **~würdig** adj. *Person*: untrustworthy; *Sache*: a. incredible; **~e** *Geschichte* cock-and-bull story.

**ungleich 1.** adj. unequal, different; *unähnlich*: unlike; **2.** adv. (by) far, much; **~mäßig** adj. uneven; *unregelmäßig*: irregular.

**Unglück** n misfortune; *Unfall*: accident; *schweres*: calamity, disaster; *Elend*: misery; *Pech*: bad od. ill luck; **2lich** adj. unfortunate, unlucky, unhappy (a. traurig); **2licherweise** adv. unfortunately; **2selig** adj. unfortunate; *Sache*: a. disastrous; **~sfall** m misadventure; *Unfall*: accident.

**ungültig** adj. invalid; *Fahrkarte etc.*: not available; *Geld*: not current; ‡‡ (null and) void.

**Un|gunst** f: *zu meinen ~en* to my disadvantage; **2günstig** adj. unfavo(u)rable; *nachteilig*: disadvantageous.

**un|gut** adj. **~es** *Gefühl* misgiving; *nichts für ~*! no offen|ce, *Am.* -se!; **~haltbar** fig. untenable; **~handlich** adj. unwieldy, bulky.

**Unheil** n mischief; *Katastrophe*: disaster, calamity; **2bar** adj. incurable; **2voll** adj. disastrous; *Unheil verkündend*: sinister, ominous.

**unheimlich** adj. uncanny; *finster*: sinister; F fig. tremendous.

**unhöflich** adj. impolite, uncivil; **2keit** f impoliteness, incivility.

**un|hörbar** adj. inaudible; **~hygienisch** adj. insanitary.

**Uni** f F varsity.

**Uniform** f uniform.

**uninteress|ant** adj. uninteresting, boring; **~iert** adj. uninterested (an in).

**Universität** f university.

**Universum** n universe.

**Unke** f zo. fire-bellied toad; F fig. croaker; **2n** F v/i. croak.

**unkennt|lich** adj. unrecognizable; **2nis** f ignorance.

**unklar** adj. not clear; *Bedeutung etc.*: obscure; *Antwort etc.*: vague; *im ~en sein* be in the dark (über about); **2heit** f want of clearness; vagueness; obscurity.

**unklug** adj. imprudent, unwise.

**Unkosten** pl. costs pl., expenses pl.

**Unkraut** n weed.

**un|kündbar** adj. *Anleihe etc.*: irredeemable; *Stellung*: permanent; **~längst** adv. lately, recently; **~lauter** adj. unfair; **~leserlich** adj. illegible; **~logisch** adj. illogical; **~lösbar** adj. insoluble; **~manierlich** adj. unmannerly; **~männlich** adj. unmanly; **~maßgeblich** adj.: *nach m-r ~en Meinung* in my humble opinion; **~mäßig** adj. immoderate; *bsd. im Trinken*: intemperate; **2menge** f enormous od. vast quantity.

**Unmensch** m monster, brute; **2lich** adj. inhuman, brutal.

**un|mißverständlich** adj. unmistakable; **~mittelbar** adj. immediate, direct; **~möbliert** adj. unfurnished; **~modern** adj. unfashionable, outmoded; **~möglich** adj. impossible; **~moralisch** adj. immoral; **~mündig** adj. under age; **~musikalisch** adj. unmusical; **2mut** m displeasure (über at, over); **~nachahmlich** adj. inimitable; **~nachgiebig** adj. unyielding; **~nachsichtig** adj. strict, severe; **~nahbar** adj. inaccessible, unapproachable; **~natürlich** adj. unnatural; *geziert*: affected; **~nötig** adj. unnecessary, needless; **~nütz** adj. useless; **~ordentlich** adj. untidy; *Zimmer etc.*: a. disorderly; **2ordnung** f disorder, mess; **~parteiisch** adj. impartial, unbias(s)ed; **~passend** adj. unsuitable; *unschicklich*: improper; *unangebracht*: inappropriate; **~passierbar** adj. impassable; **~päßlich** adj. indisposed, unwell; **~persönlich** adj. impersonal (a. gr.); **~politisch** adj. unpolitical; **~praktisch** adj. unpractical, *Am.* a. impractical.

**unrecht 1.** adj. wrong; *~ haben* be wrong; *j-m ~ tun* wrong s.o.;

**2.** Q *n*: mit *od.* zu ~ wrongly; *ihm ist* ~ *geschehen* he has been wronged; **~mäßig** *adj.* unlawful.

**unregelmäßig** *adj.* irregular (*a. gr.*); **Qkeit** *f* irregularity.

**unreif** *adj.* unripe, immature (*beide a. fig.*); **Qe** *fig. f* immaturity.

**un|rein** *adj.* impure, unclean (*beide a. fig.*); **~rettbar** *adv.*: ~ *verloren* irretrievably lost; **~richtig** *adj.* incorrect, wrong.

**Unruh** *e f* restlessness; *pol.* unrest; *fig.* uneasiness; *nervöse Hast*: flurry; *Besorgnis*: alarm; **~n** *pl.* disturbances *pl.*, riots *pl.*; **Qig** *adj.* restless; *Meer*: rough; *fig.* uneasy.

**unrühmlich** *adj.* inglorious.

**uns** *pers. pron.* us; *dat.*: *a.* to us; ~ (*selbst*) ourselves, *nach prp.*: us; *ein Freund von* ~ a friend of ours.

**un|sachgemäß** inexpert; **~sachlich** *adj.* not objective; personal; **~sanft** *adj.* ungentle; **~sauber** *adj.* dirty; *fig. a.* unfair (*a. Sport*); **~schädlich** *adj.* innocuous, harmless; **~scharf** *adj.* blurred; **~schätzbar** *adj.* inestimable, invaluable; **~scheinbar** *adj.* plain, homely; **~schicklich** *adj.* improper, indecent; **~schlüssig** *adj.* irresolute; **~schön** *adj.* unsightly; *fig.* unpleasant.

**Unschuld** *f* innocence; **Qig** *adj.* innocent (*an of*).

**unselbständig** *adj.* dependent (on others); **Qkeit** *f* lack of independence, dependence.

**unser 1.** *poss. pron.* our; *der* (*die, das*) ~e ours; *die* ~*en pl.* our relations *pl.*; **2.** *pers. pron.* of us.

**unsicher** *adj.* unsteady; *gefährlich*: unsafe, insecure; *ungewiß*: uncertain; **Qheit** *f* unsteadiness; insecurity, unsafeness; uncertainty.

**unsichtbar** *adj.* invisible.

**Unsinn** *m* nonsense; **Qig** *adj.* nonsensical; *töricht*: foolish.

**Unsitt|e** *f* bad habit; *Mißbrauch*: abuse; **Qlich** *adj.* immoral, indecent.

**un|sozial** *adj.* unsocial; **~sportlich** *adj.* unsportsmanlike.

**unsterblich** *adj.* immortal; **Qkeit** *f* immortality.

**Un|stimmigkeit** *f* discrepancy; *Meinungsverschiedenheit*: dissension; **Qsympathisch** *adj.* disagreeable; *er ist mir* ~ I don't like

him; **Qtätig** *adj.* inactive; *müßig*: idle; **Qtauglich** *adj.* unfit (*a.* ✗); **Qteilbar** *adj.* indivisible.

**unten** *adv.* below; *im Hause*: downstairs; *von oben bis* ~ from top to bottom.

**unter 1.** *prp.* below, under; *zwischen*: among; ~ *zehn Mark* (for) less than ten marks; ~ *Null* below zero; ~ *aller Kritik* beneath contempt; ~ *diesem Gesichtspunkt* from this point of view; **2.** *adj.* lower; *zweitrangig*: inferior; *die* ~*en Räume* the downstair(s) rooms.

**Unter|abteilung** *f* subdivision; **~arm** *m* forearm.

**unter|bieten** *v/t.* underbid; ✝ undercut, undersell; *Rekord*: lower; **~binden** *fig. v/t.* stop.

**unterbrech|en** (*~*) *v/t.* interrupt; *Reise*: break, *Am. a.* stop over; **Qung** *f* interruption; break, *Am. a.* stopover.

**unterbreiten** *v/t.* submit.

**unterbring|en** *v/t.* place; *beherbergen*: accommodate, lodge; **Qung** *f* accommodation.

**unterdessen** *adv.* (in the) meantime, meanwhile.

**unterdrück|en** *v/t.* suppress; *unterjochen*: oppress; **Qung** *f* suppression; oppression.

**unterernähr|t** *adj.* underfed, undernourished; **Qung** *f* malnutrition.

**Unter|führung** *f* subway, *Am.* underpass; **~gang** *m ast.* setting; ⚓ sinking; *fig.* ruin; **~gebene** *m* inferior, subordinate; *contp.* underling.

**untergehen** *v/i. ast.* set; ⚓ sink, founder; *fig.* be ruined.

**untergeordnet** *adj.* subordinate, inferior; *Bedeutung*: secondary.

**Untergewicht** *n* underweight.

**untergraben** *fig. v/t.* undermine.

**Untergrund** *m* subsoil; *pol.* underground; **~bahn** *f* underground (railway), *in London*: tube; *Am.* subway; **~bewegung** *f* underground movement.

**unterhalb** *prp.* below, underneath.

**Unterhalt** *m* maintenance; *Lebens* Q: subsistence, livelihood; **Qen** *v/t.* maintain; *unterstützen*: a. support; *zerstreuen etc.*: entertain, amuse; *sich* ~ converse (*mit* with; *über* on, about), talk (with; on, about); *sich gut* ~ enjoy o.s.; **~ung** *f* mainte-

nance, upkeep; conversation, talk; entertainment.
**Unter|händler** *m* negotiator; **~haus** *parl. n* House of Commons; **~hemd** *n* vest, undershirt; **~holz** *n* underwood, brushwood; **~hose** *f* (e-e a pair of) drawers *pl. od.* pants *pl.*; 2**irdisch** *adj.* underground (*a. fig.*); 2**jochen** *v/t.* subjugate, subdue; **~kiefer** *m* lower jaw; **~kleid** *n* slip.

**unterkommen 1.** *v/i.* find accommodation; *Anstellung:* find employment; **2.** 2 *n* accommodation; employment, situation.

**Unter|kunft** *f* accommodation, lodging; X quarters *pl.*; **~lage** *f* base; *Schreib*2: pad; *Beleg:* voucher; **~n** *pl.* documents *pl.*; *Angaben:* data *pl.*

**unterlass|en** *v/t.* omit, neglect; 2**ung** *f* omission, neglect.

'**unterlegen** *v/t.* lay *od.* put under; *anderen Sinn:* give.

**unter'legen** [2] *adj.* inferior (*dat.* to); 2**e** *m* loser; *the underdog;* 2**heit** *f* inferiority.

**Unter|leib** *m* abdomen, belly; 2**liegen** *v/i.* be overcome (*dat.* by); be defeated (by), *Sport:* a. lose (to); *fig.* be subject (to), be liable (to); **~lippe** *f* lower lip; **~mieter** *m* lodger, *Am. a.* roomer.

**unternehmen 1.** *v/t.* undertake; **2.** 2 *n* enterprise; † *a.* business; X operation.

**Unternehm|er** † *m* entrepreneur; *vertraglicher:* contractor; *Arbeitgeber:* employer; 2**ungslustig** *adj.* enterprising.

**Unter|offizier** X *m* non-commissioned officer; 2**ordnen** *v/t.* subordinate (*dat.* to); *sich* ~ submit (to).

**Unterredung** *f* conversation.

**Unterricht** *m* instruction, lessons *pl.*; 2**en** *v/t.*: ~ *in* instruct in, teach; ~ *von* inform *s.o.* of; **~sministerium** *n* ministry of education; **~stunde** *f* lesson, (teaching) period.

**Unterrock** *m* slip.

**untersagen** *v/t.* forbid (*j-m et. s.o.* to do *s.th.*).

**Untersatz** *m Gestell:* stand; *für Blumentopf:* saucer.

**unterschätzen** *v/t.* undervalue, underestimate, underrate.

**unterscheid|en 1.** *v/t.* distinguish;

*sich* ~ differ; **2.** *v/i.* distinguish; 2**ung** *f* distinction.

**Unterschenkel** *m* shank.

**Unterschied** *m* difference, distinction; 2**lich** *adj.* different; *schwankend:* variable, varying.

**unterschlag|en** *v/t. Geld:* embezzle; 2**ung** *f* embezzlement.

**Unterschlupf** *m* shelter, refuge.

**unter|schreiben** *v/t. u. v/i.* sign; 2**schrift** *f* signature.

**Untersee|boot** ⏚, X *n s.* U-Boot; **~kabel** *n* submarine cable.

**untersetzt** *adj.* thick-set, squat.

**unterst** *adj.* lowest, undermost.

**Unterstand** X *m* shelter, dug-out.

**unter|stehen 1.** *v/i.* be subordinate to; **2.** *v/refl.* dare; *unterseh dich!* don't you dare!; '**stellen 1.** *v/refl.* take shelter (*vor from*); **2.** *unter-*'*stellen v/t.* assume; *zuschreiben:* impute (*dat.* to); **~streichen** *v/t.* underline.

**unterstütz|en** *v/t.* support; *fig. a.* back (up); 2**ung** *f* support (*a.* X); *fig. a.* assistance, aid; *Beihilfe:* relief.

**untersuch|en** *v/t.* inquire into, investigate (*a.* ⚖); *prüfen:* examine (*a.* ✸); *erforschen:* explore; ⚖ try; *analy|se, Am. -ze* (*a.* ☊); 2**ung** *f* inquiry (*gen.* into), investigation (*a.* ⚖); examination (*a.* ✸); exploration; analysis (*a.* ☊).

**Untersuchungs|gefangene** *m* prisoner on remand; **~gefängnis** *n* remand prison; **~haft** *f* detention on remand; **~richter** *m* investigating judge.

**Unter|tan** *m* subject; **~tasse** *f* saucer; 2**tauchen 1.** *v/i.* dive, duck; *fig.* disappear; **2.** *v/t.* duck; **~teil** *n, m* lower part.

**unterteil|en** *v/t.* subdivide; 2**ung** *f* subdivision.

**Unter|titel** *m* subtitle; *Film: a.* caption; **~ton** *m* undertone; 2**vermieten** *v/t.* sublet; **~wäsche** *f* underclothes *pl.*, underclothing, underwear.

**unterwegs** *adv.* on the *od.* one's way.

**unterweis|en** *v/t.* instruct; 2**ung** *f* instruction.

**Unterwelt** *f* underworld (*a. fig.*).

**unterwerf|en** *v/t.* subject (*dat.* to); *sich* ~ submit (to); 2**ung** *f* subjection; submission (*unter* to).

**unterwürfig** *adj.* subservient.

**unterzeichn|en** v/t. sign; ⸰ete m, f the undersigned; ⸰ung f signature, signing.

'**unterziehen** v/t. **1.** put on underneath; **2.** unter'ziehen subject (dat. to); sich e-r Operation ⸰ undergo an operation.

**Untiefe** f shallow, shoal.

**un|tragbar** adj. unbearable, intolerable; ⸰trennbar adj. inseparable; ⸰treu adj. unfaithful (dat. to); ⸰tröstlich adj. inconsolable, disconsolate; ⸰trüglich adj. unmistakable.

**Untugend** f vice, bad habit.

**unüber|legt** adj. inconsiderate, thoughtless; ⸰sichtlich adj. An- ordnung: badly arranged, difficult to survey; mot. Ecke: blind; ⸰treff- lich adj. unsurpassable; ⸰windlich adj. invincible; Hindernis: insurmountable; Schwierigkeiten: insuperable.

**unum|gänglich** adj. absolutely necessary; ⸰schränkt adj. absolute; ⸰wunden adj. frank, plain.

**ununterbrochen** adj. uninterrupted; unaufhörlich: incessant.

**unver|antwortlich** adj. irresponsible; unentschuldbar: inexcusable; ⸰besserlich adj. incorrigible; ⸰- bindlich adj. not binding; Frage: non-committal; ⸰daulich adj. indigestible (a. fig.); ⸰dient adj. undeserved; ⸰dorben adj. unspoil|ed, -t; fig.: uncorrupted; rein: pure, innocent; ⸰dünnt adj. undiluted; Am. a. straight; ⸰einbar adj. incompatible; ⸰fälscht adj. unadulterated; fig. genuine; ⸰fäng- lich adj. not captious; ⸰froren adj. unabashed, impudent; ⸰gänglich adj. imperishable; ⸰geßlich adj. unforgettable; ⸰gleichlich adj. incomparable; ⸰hältnismäßig adj. disproportionate; ⸰heiratet adj. unmarried, single; ⸰hofft adj. unhoped-for, unexpected; ⸰hohlen adj. unconcealed; ⸰käuflich adj. unsal(e)able; nicht feil: not for sale; ⸰kennbar adj. unmistakable; ⸰- meidlich adj. inevitable; ⸰min- dert adj. undiminished; ⸰mittelt adj. abrupt.

**Unvermögen** n inability, impotence; ⸰d adj. without means.

**unver|mutet** adj. unexpected; ⸰- nünftig adj. unreasonable, absurd;

⸰richteterdinge adv. without having achieved one's object.

**unverschämt** adj. impudent; ⸰heit f impudence.

**unver|schuldet** adj. through no fault of mine, etc.; ⸰sehens adv. unawares, suddenly; ⸰sehrt adj. uninjured; ⸰söhnlich adj. implacable, irreconcilable; ⸰sorgt adj. unprovided for; ⸰ständlich adj. unintelligible; unbegreiflich: incomprehensible; ⸰sucht adj.: nichts ⸰ lassen leave nothing undone; ⸰- wandt adj. steadfast; ⸰wundbar adj. invulnerable; ⸰zagt adj. undaunted; ⸰zeihlich adj. unpardonable; ⸰züglich adj. immediate, instant.

**unvollendet** adj. unfinished.

**unvollkommen** adj. imperfect; ⸰- heit f imperfection.

**unvollständig** adj. incomplete.

**unvor|bereitet** adj. unprepared; ⸰- eingenommen adj. unbias(s)ed, unprejudiced; ⸰hergesehen adj. unforeseen.

**unvorsichtig** adj. incautious; un- klug: imprudent; ⸰keit f incautiousness; imprudence.

**unvor|stellbar** adj. unimaginable; ⸰teilhaft adj. unprofitable; Kleidung etc.: unbecoming.

**unwahr** adj. untrue; ⸰heit f untruth; ⸰scheinlich adj. improbable, unlikely.

**un|wegsam** adj. pathless; ⸰weit prp. (gen. od. von) not far from; ⸰we- sentlich adj. immaterial (für to); ⸰wetter n thunderstorm; ⸰wichtig adj. unimportant.

**unwider|legbar** adj. irrefutable; ⸰ruflich adj. irrevocable; ⸰steh- lich adj. irresistible.

**unwiederbringlich** adj. irretrievable.

**Unwill|e(n)** m indignation (über at); ⸰ig adj. indignant (über at); wider- strebend: unwilling; ⸰kürlich adj. involuntary.

**unwirk|lich** adj. unreal; ⸰sam adj. ineffective, inefficient; Gesetze, Verordnungen: inoperative.

**unwirsch** adj. testy.

**unwirt|lich** adj. inhospitable, desolate; ⸰schaftlich adj. uneconomic(al).

**unwissen|d** adj. ignorant; ⸰heit f ignorance.

un|wohl *adj.* unwell, indisposed; ~würdig *adj.* unworthy (*gen.* of); ~zählig *adj.* innumerable; ~zeitgemäß *adj.* old-fashioned.

unzer|brechlich *adj.* unbreakable; ~reißbar *adj.* untearable; ~störbar *adj.* indestructible; ~trennlich *adj.* inseparable.

Un|zucht *f* lewdness; ꝫꝫ sexual offen|ce, *Am.* -se; ꝫzüchtig *adj.* lewd; *Wort, Literatur etc.*: obscene.

unzufrieden *adj.* discontented (*mit* with), dissatisfied (with, at); ꝫheit *f* discontent, dissatisfaction.

unzu|gänglich *adj.* inaccessible; ~länglich *adj.* insufficient; ~lässig *adj.* inadmissible; *bsd.* ꝫꝫ *Einfluß*: undue.

unzurechnungsfähig *adj.* irresponsible; ꝫkeit *f* irresponsibility.

unzu|reichend *adj.* insufficient; ~sammenhängend *adj.* incoherent; ~verlässig *adj.* unreliable, untrustworthy, uncertain.

un|zweckmäßig *adj.* inexpedient; ~zweideutig *adj.* unequivocal, unambiguous; ~zweifelhaft 1. *adj.* indubitable; 2. *adv.* doubtless.

üppig *adj.* ♀ luxuriant, exuberant, opulent; *Essen:* luxurious, opulent; *Figur:* voluptuous.

ur|alt *adj.* very old; ꝫaufführung *f* (world) première.

Uran *n* uranium.

---

ur|bar *adj.* arable, cultivable; ~ machen reclaim; ꝫbevölkerung *f* aborigines *pl.*; ꝫenkel *m* great-grandson; ꝫgroßeltern *pl.* great-grandparents *pl.*

Urheber *m* author; ~recht *n* copyright; ~schaft *f* authorship.

Urin *m* urine.

Urkund|e *f* document, deed; ꝫlich *adj.* documentary.

Urlaub *m* leave (of absence) (*a.* ✕); *Ferien:* holiday(s *pl.*), *bsd. Am.* vacation; ~er *m* holiday-maker, *bsd. Am.* vacationist, vacationer.

Urne *f* urn; *Wahl*ꝫ: ballot-box.

Ur|sache *f* cause; *Grund:* reason; *keine* ~! don't mention it, you are welcome; ꝫsächlich *adj.* causal; ~schrift *f* original (text); ~sprung *m* origin, source; ꝫsprünglich *adj.* original.

Urteil *n* judg(e)ment; ꝫꝫ *Strafmaß:* sentence; *sich ein* ~ *bilden* form a judg(e)ment (*über* of, on); ꝫen *v/i.* judge (*über j-n* [of] s.o.; *über et.* of s.th.; *nach* by, from); ~skraft *f* discernment.

Ur|text *m* original (text); ~wald *m* primeval *od.* virgin forest; ꝫwüchsig *adj.* original; *fig.:* natural; rough; ~zeit *f* primitive times *pl.*

Utensilien *pl.* utensils *pl.*

utopisch *adj.* Utopian, utopian.

---

# V

Vagabund *m* vagabond, vagrant, tramp, *Am.* hobo, F bum.

Vakuum *n* vacuum.

Vanille *f* vanilla.

variabel *adj.* variable.

Varia|nte *f* variant; ~tion *f* variation.

Varieté *n* variety theatre, music-hall, *Am.* vaudeville theater.

variieren *v/i. u. v/t.* vary.

Vase *f* vase.

Vater *m* father; ~land *n* native country *od.* land, mother country; ~landsliebe *f* patriotism.

väterlich *adj.* fatherly, paternal.

Vater|schaft *f* paternity, fatherhood; ~unser *eccl. n* Lord's Prayer.

Veget|arier *m* vegetarian; ꝫarisch *adj.* vegetarian; ~ation *f* vegetation; ꝫieren *v/i.* vegetate.

Veilchen ♀ *n* violet.

Vene *anat. f* vein.

Ventil *n* valve; ♪ *Orgel*ꝫ: stop; *fig.* vent, outlet; ~ation *f* ventilation; ~ator *m* ventilator, fan.

verab|reden *v/t.* agree upon, arrange; *Ort, Zeit:* appoint, fix; *sich* ~ make an appointment; ꝫredung *f* arrangement; appointment, F date;

~reichen v/t. give; ⚕ administer; ~scheuen v/t. abhor, detest, loathe; ~schieden v/t. dismiss; bsd. ⚔ mil. pass; parl. pass; ~take leave (von of), say good-bye (to); 2schiedung f dismissal; retirement; passing.

ver|achten v/t. despise; ~ächtlich adj. contemptible; 2achtung f contempt; ~allgemeinern v/t. generalize; ~altet adj. antiquated, obsolete, out of date.

Veranda f veranda(h), Am. a. porch.

veränder|lich adj. changeable, variable (a. ⚔, gr.); ~n v/t. u. v/refl. alter, change, vary; 2ung f change, alteration (in in; an to), variation.

verängstigt adj. intimidated.

veranlag|en v/t. assess; ~t adj. talented; 2ung f assessment; fig. talent(s pl.); ⚕ predisposition.

veranlass|en v/t. cause, occasion; 2ung f occasion, cause; auf m-e ~ at my request.

ver|anschaulichen v/t. illustrate; ~anschlagen v/t. rate, value, estimate (alle: auf at).

veranstalt|en v/t. arrange, organize; Konzert etc.: give; 2ung f event; Sport: event, meeting, Am. meet.

verantwort|en v/t. take the responsibility for; ~lich adj. responsible; j-n ~ machen für hold s.o. responsible for.

Verantwortung f responsibility; zur ~ ziehen call to account; 2slos adj. irresponsible.

ver|arbeiten v/t. work up; ⊕ process, manufacture (alle: zu into); fig. digest; ~ärgern v/t. vex, annoy.

verarm|en v/i. become poor; ~t adj. impoverished.

ver|ausgaben v/t. spend; sich ~ run short of money; fig. spend o.s.; ~äußern v/t. sell; ⚖ alienate.

Verb gr. n verb.

Verband m ⚕ dressing, bandage; association, union; ⚔ formation, unit; ~(s)kasten m first-aid box; ~(s)zeug n dressing (material).

verbannen v/t. banish (a. fig.), exile; 2ung f banishment, exile.

ver|barrikadieren v/t. barricade; Straße etc.: block; ~bergen v/t. conceal, hide.

verbesser|n v/t. improve; berich-

tigen: correct; 2ung f improvement; correction.

verbeug|en v/refl. bow (vor to); 2ung f bow.

ver|biegen v/t. twist, distort; ~bieten v/t. forbid, prohibit; ~billigen v/t. reduce in price, cheapen.

verbind|en v/t. ⚕ dress, bind up; link (mit to), join (a. ⚔, fig.); combine (a. 🜊); connect (a. teleph.); teleph. put s.o. through (mit to); j-m die Augen ~ blindfold s.o.; ich bin Ihnen sehr verbunden I am greatly obliged to you; falsch verbunden! teleph. wrong number!; ~lich adj. obligatory; gefällig: obliging; 2lichkeit f obligation, liability; obligingness, civility.

Verbindung f union; alliance; combination (a. 🜊); Gedanken2: association; connexion, (Am. nur) connection (a. teleph., 🚂, ⊕); Verkehrsweg: communication; 🜊 compound; ~ bekommen (haben) teleph. get (be) through; sich in ~ setzen mit get in touch with.

ver|bissen adj. dogged; ~bitten v/refl.: das verbitte ich mir! I won't suffer od. stand that!

verbitter|n v/t. embitter; 2ung f bitterness (of heart).

verblassen v/i. fade (a. fig.).

Verbleib m whereabouts sg., pl.; 2en v/i. be left, remain.

verblend|en fig. v/t. blind, delude; 2ung fig. f blindness, delusion.

verblichen adj. Farbe: faded.

verblüff|en v/t. amaze, perplex; 2ung f amazement, perplexity.

ver|blühen v/i. fade, wither; ~bluten v/i. bleed to death.

verborgen adj. hidden; 2heit f concealment.

Verbot n prohibition; 2en adj.: Rauchen ~ no smoking.

Verbrauch m consumption (an of); 2en v/t. consume, use up; ~er m consumer; 2t adj. Luft: stale.

verbrechen 1. v/t. commit; 2. 2 n crime, offen|ce, Am. -se.

Verbrecher m criminal; 2isch adj. criminal; ~tum n criminality.

verbreit|en v/t. spread, diffuse; Licht etc.: a. shed; sich ~ spread; sich ~ über enlarge (up)on; ~ern v/t. u. v/refl. widen, broaden; 2ung f spread(ing), diffusion.

**verbrenn|en 1.** v/i. burn; **2.** v/t. burn (up); *Leiche:* cremate; 2ung f burning, combustion; cremation; *Wunde:* burn.

**verbringen** v/t. spend, pass.

**verbrüder|n** v/refl. fraternize; 2ung f fraternization.

**ver|brühen** v/t. scald; *sich ~* scald o.s.; **~buchen** v/t. book.

**verbünde|n** v/refl. ally o.s. (*mit* to, with); 2te m, f ally, confederate; *die ~n* pl. the allies pl.

**ver|bürgen** v/t. guarantee, warrant; *sich ~ für* vouch for; **~büßen** v/t.: *e-e Strafe ~* serve a sentence, serve time.       [suspect.\

**Verdacht** m suspicion; *in ~ haben*)

**verdächtig** adj. suspected (*zu inf.* of ger.); suspicious; **~en** v/t. suspect (*gen.* of); 2ung f suspicion.

**verdamm|en** v/t. condemn, damn (*a. eccl.*); 2nis f damnation; **~t 1.** adj. damned; F: *~!* damn (it)!, confound it!; **2.** F adv.: *~ kalt* beastly cold; 2ung f condemnation, damnation.

**ver|dampfen** v/t. u. v/i. evaporate; **~danken** v/t.: *j-m et. ~* owe s.th. to s.o.

**verdau|en** v/t. digest; **~lich** adj. digestible; *leicht ~* easy to digest, light; 2ung f digestion; 2ungsstörung f indigestion.

**Verdeck** n ♣ deck; *mot.* hood, top; 2en v/t. cover; *verbergen:* conceal, hide.

**verdenken** v/t.: *ich kann es ihm nicht ~, daß* I cannot blame him for ger.

**Verderb** m ruin; 2en **1.** v/i. spoil (*a. fig.*); *Fleisch etc.:* go bad; **2.** v/t. spoil; *fig. a.* corrupt; *Aussichten:* ruin; *sich den Magen ~* upset one's stomach; **~en** n ruin; 2lich adj. perishable; *fig.* pernicious; **~nis** f corruptness, depravity; 2t adj. corrupted, depraved.

**ver|deutlichen** v/t. make plain od. clear; **~dichten** v/t. condense; *sich ~* condense; *Verdacht:* grow stronger; **~dicken** v/t. u. v/refl. thicken; **~dienen** v/t. merit, deserve; *Geld:* earn.

**Verdienst 1.** m earnings pl.; *Gewinn:* gain, profit; **2.** n merit; *es ist sein ~, daß* it is owing to him that; 2voll adj. meritorious, deserving; **~spanne** † f profit margin.

**ver|dient** adj. *Person:* of merit; *Strafe:* (well-)deserved; *sich ~ gemacht haben um* deserve well of; **~dolmetschen** v/t. interpret (*a. fig.*); **~doppeln** v/t. u. v/refl. double.

**verdorben** adj. *Fleisch:* tainted; *Magen:* disordered, upset; *fig.* corrupt, depraved.

**ver|dorren** v/i. wither (up); **~drängen** v/t. push away, thrust aside; *fig.* displace; *psych.* repress; **~drehen** v/t. distort, twist (*beide a. fig.*); *Augen:* roll; *fig.* pervert; *j-m den Kopf ~* turn s.o.'s head; **~dreht** F *fig.* adj. crazy; **~dreifachen** v/t. u. v/refl. triple.

**verdrieß|en** v/t. vex, annoy; **~lich** adj. ill-humo(u)red; *Sache:* annoying.

**verdrossen** adj. ill-humo(u)red.

**verdrucken** typ. v/t. misprint.

**Verdruß** m vexation, annoyance.

**verdummen 1.** v/t. make stupid; **2.** v/i. become stupid.

**verdunk|eln** v/t. darken, obscure (*beide a. fig.*); *Fenster:* black out; *sich ~* darken; 2(e)lung f darkening, obscuration; black-out; ⚖ collusion.

**ver|dünnen** v/t. dilute; **~dunsten** v/i. volatilize, evaporate; **~dursten** v/i. die of thirst; **~dutzt** adj. nonplussed.

**vered|eln** v/t. ♀ graft; ⊕ process; 2(e)lung f ♀ grafting; ⊕ processing.

**verehr|en** v/t. admire, adore; *respektvoll:* revere, venerate; *eccl.* worship; 2er m worship(p)er; admirer, adorer; 2ung f reverence, veneration; worship; adoration.

**vereidigen** v/t. swear in; ⚖ *Zeugen:* swear.

**Verein** m society, association; club.

**vereinbar** adj. compatible (*mit* with); **~en** v/t. agree upon, arrange; 2ung f agreement, arrangement.

**vereinen** v/t. s. *vereinigen.*

**vereinfach|en** v/t. simplify; 2ung f simplification.

**vereinheitlichen** v/t. unify.

**vereinig|en** v/t. unite, join, associate; *sich ~* unite, join, associate o.s.; 2ung f union; society, association.

**verein|samen** v/i. grow lonely od.

solitary; **~zelt** adj. isolated; ~ *auf-tretend*: sporadic.

**ver|eiteln** v/t. frustrate; **~ekeln** v/t.: *er hat mir das Essen verekelt* he spoilt my appetite; **~enden** v/i. die, perish; **~enge(r)n** v/t. u. v/refl. narrow.

**vererb|en** v/t. leave, bequeath; *biol.* transmit; *sich ~* be hereditary; *sich ~ auf* descend (up)on; **2ung** f *biol.* transmission; *physiol.* heredity; **2ungslehre** f genetics.

**verewigen** v/t. perpetuate.

**verfahren 1.** v/i. proceed; ~ *mit* deal with; **2.** v/t. mismanage; *sich ~* miss one's way; **3.** 2 n procedure; proceeding(s pl. 🕀); ⊕ process.

**Verfall** m decay (a. fig.); *e-s Hauses etc.*: a. dilapidation; 🖈 forfeiture; ✝ *e-s Wechsels*: maturity; **2en 1.** v/i. decay (a. fig.); *Haus etc.*: a. dilapidate; *ablaufen*: expire; 🖈 lapse; *Kranker*: waste away; ~ *auf* hit upon; ~ *in* fall into; **2.** adj. ruinous; **~tag** m due date.

**ver|fälschen** v/t. falsify; *Nahrungs-mittel*: adulterate; **~fänglich** adj. *Frage*: captious; *Lage*: embarrass-ing; **~färben** v/refl. change colo(u)r.

**verfass|en** v/t. compose, write; **2er** m author.

**Verfassung** f state, condition; *pol.* constitution; *Gemüts2*: disposition; **2smäßig** adj. constitutional; **2s-widrig** adj. unconstitutional.

**ver|faulen** v/i. rot, decay; **~fechten** v/t. defend, advocate.

**verfehl|en** v/t. miss; **2ung** f offen-ce, Am. -se.

**ver|feinden** v/t. make enemies of; *sich ~ mit* make an enemy of; **~feinern** v/t. u. v/refl. refine; **~fertigen** v/t. make, manufacture.

**verfilm|en** v/t. film, screen; **2ung** f film-version.

**ver|flachen** v/i. u. v/refl. (become) shallow (a. fig.); **~flechten** v/t. in-terlace; fig. involve; **~fließen** v/i. *Farben*: blend; *Zeit*: elapse; **~flossen** adj. *Zeit*: past; F *ein ~er Freund* a late friend, an ex-friend.

**verfluch|en** v/t. curse; **~t** adj. damned; ~! damn (it)!, confound it!

**ver|flüchtigen** v/t. volatilize; *sich ~* evaporate (a. fig.); F fig. vanish; **~flüssigen** v/t. u. v/refl. liquefy.

**verfolg|en** v/t. pursue (a. fig.); bsd.

*pol., eccl.* persecute; *Spuren*: follow; *Wild, Verbrecher, Sache*: trace; *Ge-danken, Traum*: haunt; *gerichtlich ~* prosecute; **2er** m pursuer; perse-cutor; **2ung** f pursuit; persecution; *Ausführung*: pursuance; *gericht-liche ~* prosecution; **2ungswahn** 🕊 m persecution mania.

**ver|frachten** v/t. freight, Am. a. ship; **~früht** adj. premature.

**verfüg|bar** adj. available; **~en 1.** v/t. decree, order; **2.** v/i.: ~ *über* have at one's disposal; **2ung** f decree, order; disposal; *j-m zur ~ stehen* (*stellen*) be (place) at s.o.'s disposal.

**verführ|en** v/t. seduce; **2er** m se-ducer; **~erisch** adj. seductive; *ver-lockend*: enticing, tempting; **2ung** f seduction.

**vergangen** adj. gone, past; *im ~en Jahr* last year; **2heit** f past; gr. past (tense).

**vergänglich** adj. transitory.

**vergas|en** v/t. gasify; *töten*: gas; **2er** m mot. carburet(t)or.

**vergeb|en** v/t. *Preis*: award; *Chance*: give away; ✝ *Auftrag*: place; *ver-zeihen*: forgive; **~ens** adv. in vain; **~lich 1.** adj. vain; **2.** adv. in vain; **2ung** f forgiveness, pardon.

**vergegenwärtigen** v/refl. visualize.

**vergehen 1.** v/i. pass (away); *auf-hören*: disappear; ~ *vor* die of; **2.** v/refl.: *sich an j-m ~* violate s.o.; *sich gegen das Gesetz ~* offend against od. violate the law; **3.** 2 n offen|ce, Am. -se.

**vergelt|en** v/t. requite, reward (*j-m et. s.o. for s.th.*); *heimzahlen*: re-taliate; **2ung** f requital; retaliation; retribution.

**vergessen** v/t. forget; *liegenlassen*: leave; **2heit** f: *in ~ geraten* sink od. fall into oblivion.

**vergeßlich** adj. forgetful.

**vergeud|en** v/t. dissipate, squander, waste; **2ung** f waste.

**vergewaltig|en** v/t. violate, rape; **2ung** f violation, rape.

**ver|gewissern** v/refl. make sure (*e-r Sache of s.th.*); **~gießen** v/t. shed; *verschütten*: spill.

**vergift|en** v/t. poison (a. fig.); *sich ~* take poison; **2ung** f poisoning.

**vergittern** v/t. grate.

**Vergleich** m comparison; 🖈 com-promise; **2bar** adj. comparable (*mit* to, with); **2en** v/t. compare (*mit* *prüfend:* with; *gleichstellend:* to); *sich* ~ ‹⁊⁊› compromise; *verglichen mit* as against, compared to; **⊋sweise** *adv.* comparatively.

**vergnügen 1.** *v/t.* amuse; *sich* ~ enjoy o.s.; **2.** ⊋ *n* pleasure, enjoyment; ~ *finden an* take pleasure in.

**vergnügt** *adj.* merry, gay.

**Vergnügung** *f* pleasure, amusement, entertainment; **~sreise** *f* pleasure-trip, tour; **⊋ssüchtig** *adj.* pleasure-seeking.

**ver|golden** *v/t.* gild; **~göttern** *v/t.* idolize, adore; **~graben** *v/t.* bury (*a. fig.*); *sich* ~ bury o.s.; **~greifen** *v/refl.: sich* ~ *an* lay (violent) hands on; *Geld:* embezzle; **~griffen** *adj. Ware:* sold out; *Buch:* out of print.

**vergrößer|n** *v/t.* enlarge (*a. phot.*); *opt.* magnify; *sich* ~ increase; **⊋ung** *f phot.* enlargement; *opt.* magnification; increase; **⊋ungsglas** *n* magnifying glass.

**Vergünstigung** *f* privilege.

**vergüt|en** *v/t.* reimburse; **⊋ung** *f* reimbursement.

**verhaft|en** *v/t.* arrest; **⊋ung** *f* arrest.

**verhalten 1.** *v/t. Atem:* catch, hold; *Lachen etc.:* suppress, check; *sich* ~ *Sache:* be; *Person:* behave; *sich ruhig* ~ keep quiet; **2.** ⊋ *n* behavio(u)r, conduct.

**Verhältnis** *n* proportion, rate; relation(s *pl.*) (*zu* with); F liaison, love-affair; F mistress; **~se** *pl.* conditions *pl.*, circumstances *pl.*; *Mittel:* means *pl.*; **⊋mäßig** *adv.* comparatively; **~wort** *gr. n* preposition.

**Verhaltungsmaßregeln** *f/pl.* instructions *pl.*

**verhand|eln** *v/i.* negotiate (*über, wegen* about); ‹⁊⁊› try (*über et. s.th.*); **⊋lung** *f* negotiation; ‹⁊⁊› trial, proceedings *pl.*

**verhäng|en** *v/t.* cover over; *Strafe:* inflict (*über* upon); **⊋nis** *n* fate; **~nisvoll** *adj.* fatal, disastrous.

**ver|härmt** *adj.* care-worn; **~harren** *v/i.* persist (*auf, bei, in* in); **~haßt** *adj.* hated; *Sache:* hateful, odious; **~hätscheln** *v/t.* coddle, pamper, spoil; **~hauen** *v/t.* thrash.

**verheer|en** *v/t.* devastate, ravage, lay waste; **~end** *fig. adj.* disastrous; **⊋ung** *f* devastation.

**ver|hehlen** *v/t. s. verheimlichen;* **~heilen** *v/i.* heal (up).

**verheimlich|en** *v/t.* hide, conceal; **⊋ung** *f* concealment.

**verheirat|en** *v/t.* marry (*mit* to); *sich* ~ marry; **⊋ung** *f* marriage.

**verheiß|en** *v/t.* promise; **⊋ung** *f* promise; **~ungsvoll** *adj.* promising.

**verhelfen** *v/i.: j-m zu et.* ~ help s.o. to s.th.

**verherrlich|en** *v/t.* glorify; **⊋ung** *f* glorification.

**ver|hetzen** *v/t.* instigate; **~hexen** *v/t.* bewitch.

**verhinder|n** *v/t.* prevent; **⊋ung** *f* prevention.

**verhöhn|en** *v/t.* deride, mock (at); **⊋ung** *f* derision, mockery.

**Verhör** ‹⁊⁊› *n* interrogation, examination; **⊋en** *v/t.* examine, interrogate; *sich* ~ hear it wrong.

**ver|hüllen** *v/t.* cover, veil; **~hungern** *v/i.* starve; **~hüten** *v/t.* prevent.

**verirr|en** *v/refl.* go astray, lose one's way; **⊋ung** *fig. f* aberration.

**verjagen** *v/t.* drive away.

**verjähr|en** ‹⁊⁊› *v/i.* become prescriptive; **⊋ung** *f* limitation, (negative) prescription.

**verjüngen** *v/t.* rejuvenate; *Maßstab:* reduce; *sich* ~ rejuvenate; *Säule:* taper off.

**Verkauf** *m* sale; **⊋en** *v/t.* sell; *zu* ~ for sale; *sich gut* ~ sell well.

**Verkäuf|er** *m* seller; shop-assistant, *Am. a.* (sales)clerk; **~erin** *f* seller; shop-assistant, *Am. a.* (sales)clerk; **⊋lich** *adj.* sal(e)able; *zum Verkauf:* for sale.

**Verkehr** *m* traffic; *Verbindung:* communication; *Brief⊋:* correspondence; ⚓, ✈, ⚒ *etc.:* service; *Handel:* commerce, trade; *Umgang, Geschlechts⊋:* intercourse; *aus dem* ~ *ziehen* withdraw from service; *Geld:* withdraw from circulation; **⊋en 1.** *v/t.* convert (*in* into), turn (into); **2.** *v/i. Bus etc.:* run, ply; *(beide:* zwischen between); *~ in Gasthaus etc.:* frequent; ~ *mit* associate od. mix with.

**Verkehrs|ader** *f* arterial road; **~ampel** *f* traffic lights *pl.*; **~flugzeug** *n* air liner; **~insel** *f* refuge, island; **~minister** *m* minister of transport; **~ministerium** *n* ministry of transport; **~mittel** *n* (means of) conveyance *od.* transport, *Am.* transportation; **~polizist**

*m* traffic policeman *od.* constable, *sl.* traffic cop; **♀reich** *adj.* congested with traffic, busy; **~schild** *n* traffic sign; **~schutzmann** *m s. Verkehrspolizist;* **~stauung** *f,* **~stockung** *f* traffic block, traffic jam; **~straße** *f* thoroughfare; **~teilnehmer** *m* road user; **~unfall** *m* traffic accident; **~vorschrift** *f* traffic regulation; **~wesen** *n* traffic; **~zeichen** *n* traffic sign.

**ver|kehrt** *adj.* inverted, upside down; *fig.* wrong; **~kennen** *v/t.* mistake, misjudge.

**Verkettung** *f* concatenation (*a. fig.*).

**ver|klagen** ⚖ *v/t.* sue (*auf, wegen* for); **~kleben** *v/t.* paste *s.th.* up.

**verkleid|en** *v/t.* disguise; ⊕ face; *Wand etc.:* wainscot; *sich ~* disguise o.s.; **♀ung** *f* disguise; ⊕ facing; wainscot(t)ing.

**verkleiner|n** *v/t.* make smaller, reduce, diminish; *fig.* belittle, derogate; **♀ung** *f* reduction, dimi-nution; *fig.* derogation.

**ver|klingen** *v/i.* die away; **~knoten** *v/t.* knot; **~knüpfen** *v/t.* knot *od.* tie (together); *fig.* connect, combine; **~kohlen** *v/t.* carbonize, char; F: *j-n ~* pull s.o.'s leg; **2.** *v/i.* char; **~kommen 1.** *v/i.* decay; *Person:* go to the dogs; **2.** *adj.* decayed; *sittlich:* depraved, cor-rupt; **~korken** *v/t.* cork (up).

**ver|körper|n** *v/t.* personify, em-body; *thea.* impersonate; **♀ung** *f* personification, embodiment; *thea.* impersonation.

**ver|krachen** F *v/refl.* fall out (*mit* with); **~kriechen** *v/refl.* hide; **~krümmt** *adj.* crooked; **~krüppelt** *adj.* crippled; **~kühlen** *v/refl.* catch (a) cold.

**verkümmer|n** *v/i.* ♀, ⚕ become stunted; ⚕ atrophy; **~t** *adj.* stunted; atrophied.

**verkünd|en** *v/t.,* **~igen** *v/t.* an-nounce; *öffentlich:* proclaim; *Auf-gebot etc.:* publish; *Urteil:* pro-nounce; **♀igung** *f,* **♀ung** *f* announce-ment; proclamation; pronounce-ment.

**ver|kuppeln** *v/t.* ⊕ couple; *fig.* pander; **~kürzen** *v/t.* shorten; *Zeit etc.:* beguile; **~lachen** *v/t.* laugh at; **~laden** *v/t.* load, ship; ⛟ entrain.

**Verlag** *m* publishing house, *the* publishers *pl.*

**verlagern** *v/t.* displace, shift; *sich ~* shift.

**Verlags|buchhändler** *m* publish-er; **~buchhandlung** *f* publishing house; **~recht** *n* copyright.

**verlangen 1.** *v/t.* demand, require; **2.** *v/i.:* *~ nach* ask for; **3.** ♀ *n* demand; *Sehnsucht:* longing (*nach* for); *auf ~* on demand.

**verlänger|n** *v/t.* lengthen; prolong, extend (*beide a. fig.*); **♀ung** *f* lengthening; prolongation, ex-tension (*beide a. fig.*).

**verlangsamen** *v/t.* slacken, slow down.

**verlassen** *v/t.* leave; *im Stich lassen:* forsake, abandon, desert; *sich ~ auf* rely on; **♀heit** *f* loneliness.

**verläßlich** *adj.* reliable.

**Verlauf** *m der Zeit:* lapse, course; *e-s Vorgangs:* progress, develop-ment; *e-r Krankheit etc.:* course; *im ~* (*gen.*) *od. von* in the course of; **♀en 1.** *v/i. Zeit:* pass, elapse; *Vorgang:* go; *Straße etc.:* run; **2.** *v/refl.* lose one's way, go astray; *Menge:* disperse; *Wasser:* subside.

**verlauten** *v/i.:* *~ lassen* give to understand; *wie verlautet* as re-ported.

**verleben** *v/t.* spend, pass.

**verleg|en 1.** *v/t.* mislay; *anders-wohin:* transfer, shift, remove; *Kabel etc.:* lay; *zeitlich:* put off, postpone; *Buch:* publish; **2.** *adj.* embarrassed; *at a loss* (*um* for); **♀enheit** *f* embarrassment; *Klemme:* difficulty; **♀er** *m* publisher; **♀ung** *f* transfer, removal; laying; post-ponement.

**verleiden** *v/t. s. verekeln;* ver-derben.

**verleih|en** *v/t.* lend, *Am. a.* loan; *gegen Miete:* hire *od.* let out; *Recht etc.:* bestow (*j-m on s.o.*); *Preis:* award; **♀ung** *f* lending, loan; be-stowal.

**ver|leiten** *v/t.* mislead (*zu inf.* into *ger.*); **~lernen** *v/t.* unlearn, forget; **~lesen** *v/t.* read out; *Namen:* call over; *sich ~* read wrong.

**verletz|en** *v/t.* hurt, injure; *fig. a.* offend; **~end** *adj.* offensive; **♀te** *m, f* injured person; *die ~n pl.* the injured *pl.*; **♀ung** *f* hurt, injury (*beide a. fig.*).

**verleugn|en** v/t. deny, disown; *Glauben etc.*: renounce; *sich ~ lassen* have o.s. denied (*vor j-m* to s.o.); **2ung** f denial; renunciation.

**verleumd|en** v/t. slander, defame; **~erisch** adj. slanderous; **2ung** f slander, defamation, *schriftlich*: libel.

**verlieb|en** v/refl.: *sich ~ in* fall in love with; **~t** adj. in love (*in* with); *Blick etc.*: amorous; **2theit** f amorousness.

**verlieren 1.** v/t. lose; *Blätter etc.*: shed; **2.** v/i. lose.

**verlob|en** v/refl. become engaged (*mit* to); **2te 1.** m fiancé; *die ~n pl.* the engaged couple; **2.** f fiancée; **2ung** f engagement.

**verlock|en** v/t. allure, entice, tempt; **~end** adj. tempting; **2ung** f allurement, enticement.

**verlogen** adj. mendacious; **2heit** f mendacity.

**verloren** adj. lost; *fig.* forlorn; **~gehen** v/i. be lost.

**verlos|en** v/t. raffle; **2ung** f raffle.

**verlöten** v/t. solder.

**Verlust** m loss; **~e** pl. ✗ casualties pl.

**vermachen** v/t. bequeath, leave.

**Vermächtnis** n legacy, bequest.

**vermähl|en** v/t. marry (*mit* to); *sich ~* (*mit*) marry; **2ung** f wedding, marriage.

**vermehr|en** v/t. increase (*um* by), augment; *sich ~* increase, augment; *zo.* multiply, breed; **2ung** f increase; *zo.* propagation.

**vermeid|en** v/t. avoid; **2ung** f avoidance.

**ver|meintlich** adj. supposed; **~mengen** v/t. mix, mingle, blend.

**Vermerk** m note, entry; **2en** v/t. note down, record.

**vermess|en 1.** v/t. measure; *Land*: survey; **2.** adj. presumptuous; **2enheit** f presumption; **2ung** f measurement; survey.

**vermiete|n** v/t. let, rent; ⚖ lease; *Boote etc.*: hire (out); *zu ~ on od.* for hire; *Haus*: to (be) let; **2r** m landlord; ⚖ lessor; letter, hirer.

**vermindern** v/t. diminish, lessen; *beschränken*: reduce, cut.

**vermisch|en** v/t. mix, mingle, blend; **~t** adj. mixed; *Nachrichten etc.*: miscellaneous; **2ung** f mixture.

**vermi|ssen** v/t. miss; **~ßt** adj. missing.

**vermitt|eln 1.** v/t. procure; *Eindruck etc.*: give; **2.** v/i. mediate (*zwischen* between); intercede (*bei* with; *für* for); **2ler** m mediator, go-between; ✝ agent; **2lung** f mediation; intercession; *teleph.* (telephone) exchange.

**vermodern** v/i. mo(u)lder, decay, rot.

**vermögen 1.** v/t.: *~ zu inf.* be able to *inf.*; **2.** **2** n ability, power; *Besitz*: property; *Geldbesitz*: fortune; ⚖ assets pl.; **2** adj. wealthy; *pred.* well off; **2sverhältnisse** pl. pecuniary circumstances pl.

**vermut|en** v/t. suppose, presume, *Am. a.* guess; **~lich 1.** adj. presumable; **2.** adv. I suppose; **2ung** f supposition, presumption.

**vernachlässig|en** v/t. neglect; **2ung** f neglect(ing).

**vernarben** v/i. scar over.

**vernarrt** adj.: *~ in* infatuated with.

**vernehm|en** v/t. hear, learn; ⚖ examine, interrogate; **~lich** adj. audible, distinct; **2ung** ⚖ f interrogation, examination.

**verneig|en** v/refl. bow (*vor* to); **2ung** f bow.

**vernein|en 1.** v/t. deny; **2.** v/i. answer in the negative; **~end** adj. negative; **2ung** f negation; denial; *gr.* negative.

**vernicht|en** v/t. destroy; **~end** adj. destructive (a. fig.); *Blick*: withering; *Kritik*: scathing; *Niederlage*: crushing; **2ung** f destruction.

**ver|nickeln** v/t. nickel(-plate); **~nieten** v/t. rivet.

**Vernunft** f reason; *~ annehmen* listen to reason; *j-n zur ~ bringen* bring s.o. to reason.

**vernünftig** adj. rational, sensible; *a. Preis etc.*: reasonable.

**veröden 1.** v/t. make desolate; **2.** v/i. become desolate.

**veröffentlich|en** v/t. publish; **2ung** f publication.

**verordn|en** v/t. decree; ✎ order, prescribe (*j-m* to *od.* for s.o.; *gegen* for); **2ung** f decree; ✎ prescription.

**verpachten** v/t. rent, ⚖ lease.

**Verpächter** m landlord, ⚖ lessor.

**verpack|en** v/t. pack (up); *einwickeln*: wrap up; **2ung** f packing; *Material*: a. wrapping.

**ver|passen** v/t. Gelegenheit, Zug etc.: miss; **~patzen** F v/t. s. verpfuschen; **~pesten** v/t. Luft: contaminate; **~pfänden** v/t. pawn, pledge (a. fig.).
**verpflanz|en** v/t. transplant (a. 🎗); **2ung** f transplantation (a. 🎗).
**verpfleg|en** v/t. board; **2ung** f board.
**verpflicht|en** v/t. oblige, engage; **2ung** f obligation; Pflicht: duty; ✝, ⚖ liability; übernommene: engagement, commitment.
**ver|pfuschen** F v/t. bungle, botch; **~pönt** adj. taboo; **~prügeln** F v/t. thrash, flog, sl. wallop; **~puffen** fig. v/i. fizzle out.
**Verputz** △ m plaster; **2en** △ v/t. plaster.
**ver|quicken** v/t. mix up; **~quollen** adj. Holz: warped; Gesicht: bloated; Augen: swollen; **~rammeln** v/t. bar(ricade).
**Verrat** m betrayal (an of); Treulosigkeit: treachery (to); ⚖ Landes2: treason (to); **2en** v/t. betray, give away; sich ~ betray o.s., give o.s. away.
**Verräter** m traitor (an to); **2isch** adj. treacherous; fig. telltale.
**verrechn|en** v/t. set off (mit against); sich ~ miscalculate, make a mistake (a. fig.); sich um e-e Mark ~ be one mark out; **2ung** f setting off; **2ungsscheck** m collection-only cheque od. Am. check.
**verregnet** adj. rainy, rain-spoilt.
**verreis|en** v/i. go on a journey; **~t** adj. out of town; (geschäftlich) ~ away (on business).
**verrenk|en** v/t. 🎗 dislocate, luxate; sich et. ~ 🎗 dislocate s.th.; sich den Hals ~ crane one's neck; **2ung** 🎗 f dislocation, luxation.
**ver|richten** v/t. do, perform; ausführen: execute; **~riegeln** v/t. bolt, bar.
**verringer|n** v/t. diminish, lessen, reduce; sich ~ diminish, lessen; **2ung** f diminution, reduction.
**ver|rosten** v/i. rust; **~rotten** v/i. rot.
**verrück|en** v/t. displace, (re)move, shift; **~t** adj. mad, crazy (beide a. fig.: nach about); wie ~ like mad; j-n ~ machen drive s.o. mad; **2te 1.** m lunatic, madman; **2.** f lunatic, madwoman; **2theit** f madness; foolish action.

**Verruf** m: in ~ bringen bring discredit (up)on; in ~ kommen get into discredit; **2en** adj. disreputable.
**verrutschen** v/i. slip.
**Vers** m verse.
**versagen 1.** v/t. deny (j-m et. s.o. s.th.); sich et. ~ deny o.s. s.th.; **2.** v/i. fail, break down; Waffe: misfire; **3. 2** n failure.
**Versager** m misfire; Person: failure.
**versalzen** v/t. oversalt; F fig. spoil.
**versamm|eln** v/t. assemble; sich ~ assemble, meet; **2lung** f assembly, meeting.
**Versand** m dispatch, Am. a. shipment; durch Post: posting; ~ ins Ausland a. export(ation); **~abteilung** f forwarding department; **~geschäft** n, **~haus** n mail-order business.
**versäum|en** v/t. Pflicht: neglect; verpassen: miss; Zeit: lose; ~ zu inf. fail to inf.; **2nis** n neglect, omission, failure.
**ver|schachern** F v/t. barter (away); **~schaffen** v/t. procure, get; sich ~ obtain, get; Geld: raise; sich Respekt ~ make o.s. respected; **~schämt** adj. bashful; **~schanzen** v/refl. entrench o.s.; sich ~ hinter (take) shelter behind; **~schärfen** v/t. aggravate; Tempo: increase; sich ~ get worse; **~scheiden** v/i. pass away; **~schenken** v/t. give away; **~scherzen** v/t. u. v/refl. forfeit; **~scheuchen** v/t. frighten od. scare away; fig. banish; **~schicken** v/t. send (away), dispatch, forward.
**verschieb|en** v/t. displace, shift, (re)move; zeitlich: put off, postpone; F fig. ✝ sell underhand; sich ~ shift; **2ung** f shift(ing); postponement.
**verschieden** adj. different (von from, to), dissimilar (to); aus ~en Gründen for various reasons; **~artig** adj. of a different kind, various; **2heit** f difference; diversity, variety; **~tlich** adv. repeatedly.
**verschiff|en** v/t. ship; **2ung** f shipment.
**ver|schimmeln** v/i. get mo(u)ldy, Am. mo(u)ld; **~schlafen 1.** v/t. Zeit: sleep away; **2.** v/i. oversleep (o.s.); **3.** adj. sleepy, drowsy.
**Verschlag** m shed; **2en 1.** v/t. board up; vernageln: nail up; **2.** adj. cunning; **~enheit** f cunning.

**verschlechter|n** v/t. deteriorate, make worse; *sich ~* deteriorate, get worse; **2ung** f deterioration; change for the worse.

**verschleiern** v/t. veil (a. fig.).

**Verschleiß** m wear (and tear); **2en** v/t. wear out.

**ver|schleppen** v/t. carry off; *pol.* displace; *in die Länge ziehen:* delay, protract; **~schleudern** v/t. dissipate, waste; † sell at a loss, sell dirt-cheap; **~schließen** v/t. lock; *Haus:* lock up.

**verschlimmern** v/t. make worse, aggravate; *sich ~* get worse.

**verschlingen** v/t. devour (a. fig.), wolf (down); *verflechten:* intertwine, interlace; *sich ~* intertwine, interlace.

**verschlossen** adj. closed, shut; fig. reserved; **2heit** f reserve.

**verschlucken** v/t. swallow; *sich ~* swallow the wrong way.

**Verschluß** m fastener; *Schloß:* lock; *Deckel:* lid; *Pfropfen:* plug; *Stöpsel:* stopper; *phot.* shutter; *unter ~* under lock and key.

**ver|schmachten** v/i. languish, pine away; *vor Durst ~* be parched with thirst; **~schmähen** v/t. disdain, scorn.

**verschmelz|en 1.** v/t. blend; ⊕ fuse (a. fig.); merge (mit in); fig. amalgamate; **2.** v/i. melt, blend; **2ung** f phys. fusion (a. fig.); ⚹ merger; fig. amalgamation.

**ver|schmerzen** v/t. get over (the loss of); **~schmieren** v/t. smear, blur; **~schmitzt** adj. artful; *schalkhaft:* arch; **~schmutzen 1.** v/t. soil, dirty; *Wasser:* pollute; **2.** v/i. get dirty; **~schnaufen** F v/i. u. v/refl. stop for breath; **~schneiden** v/t. cut badly; *Wein etc.:* blend; geld, castrate; **~schneit** adj. snow-covered; *Berggipfel:* a. snow-)

**Verschnitt** m blend. [capped.]

**verschnupft** adj.: *~ sein* ⚕ have a cold; F fig. be piqued.

**ver|schnüren** v/t. tie up, cord; **~schollen** adj. missing; ⚖ presumed dead; **~schonen** v/t. spare; *j-n mit et. ~* spare s.o. s.th.

**verschöne|(r)n** v/t. embellish, beautify; **2rung** f embellishment.

**ver|schossen** adj. *Farbe:* faded; F *~ sein in sl.* have a crush on; **~schränken** v/t. cross, fold.

**verschreiben** v/t. use up (in writing); ⚕ prescribe (gegen for); *sich ~* make a slip of the pen; *sich e-r Sache ~* devote o.s. to s.th.

**ver|schroben** adj. eccentric, queer, odd; **~schrotten** v/t. scrap; **~schüchtert** adj. intimidated.

**verschulden 1.** v/t. be the cause of; **2.** ⚖ n fault.

**ver|schuldet** adj. indebted, in debt; **~schütten** v/t. *Flüssigkeit:* spill; *j-n:* bury alive; **~schwägert** adj. related by marriage; **~schweigen** v/t. conceal (*j-m et. s.th. from s.o.*).

**verschwend|en** v/t. waste, squander; **2er** m spendthrift, prodigal; **~erisch** adj. prodigal, lavish (*beide: mit* of); **2ung** f waste.

**verschwiegen** adj. discreet; *Ort:* secret, secluded; **2heit** f discretion; secrecy.

**ver|schwimmen** v/i. become indistinct od. blurred; **~schwinden** v/i. disappear, vanish; F *verschwinde!* go away!, sl. beat it!; **2schwinden** n disappearance; **~schwommen** adj. vague (a. fig.); *phot.* blurred; *paint.* woolly (a. fig.).

**verschwör|en** v/refl. conspire; **2er** m conspirator; **2ung** f conspiracy, plot.

**versehen 1.** v/t. *Amt:* fill; *Haushalt:* look after; *mit et. ~* furnish od. provide with; *sich ~* make a mistake; **2.** ⚖ n oversight, mistake, slip; *aus ~* = **~tlich** adv. by mistake, inadvertently.

**Versehrte** m disabled person.

**versend|en** v/t. send, dispatch, forward, *Am.* ship; *zu Wasser:* ship; *ins Ausland ~* export; **2ung** f dispatch, shipment, forwarding.

**ver|sengen** v/t. singe, scorch; **~senken** v/t. sink; *sich ~ in* immerse o.s. in; **~sessen** adj.: *~ auf* mad after.

**versetz|en** v/t. displace, remove; ⚘ transplant; *Beamten:* transfer; *Schule:* remove, *Am.* promote; *verpfänden:* pawn, pledge; *antworten:* reply; *~ in Lage etc.:* put od. place into; *j-m e-n Schlag ~* give od. deal s.o. a blow; *in Angst ~* frighten, terrify; *versetzt werden Schule:* go up; *~ Sie sich in m-e Lage* put od. place yourself in my position; **2ung** f removal; transfer; *Schule:* remove, *Am.* promotion.

**verseuch|en** *v/t.* contaminate; **2ung** *f* contamination.

**versicher|n** *v/t.* assure (*a. Leben*); *beteuern*: protest, affirm; *Leben, Eigentum*: insure; *sich ~* insure *od.* assure o.s.; *sich ~(, daß)* make sure (that); **2te** *m, f the* insured; **2ung** *f* assurance, affirmation; insurance; (life-)assurance; insurance company.

**Versicherungs|gesellschaft** *f* insurance company; **~police** *f,* **~schein** *m* policy of assurance, insurance policy.

**ver|sickern** *v/i.* trickle away; **~siegeln** *v/t.* seal (up); **~siegen** *v/i.* dry up, run dry; **~silbern** *v/t.* silver; *F fig.* realize, convert into cash; **~sinken** *v/i.* sink; *s. versunken*; **~sinnbildlichen** *v/t.* symbolize.

**Version** *f* version.

**Versmaß** *n* met|re, *Am.* -er.

**versöhn|en** *v/t.* reconcile (*mit* to, with); *sich (wieder) ~* become reconciled; **~lich** *adj.* conciliatory; **2ung** *f* reconciliation.

**versorg|en** *v/t.* provide (*mit* with), supply (with); take care of, look after; **2ung** *f* supply (*mit* of).

**verspät|en** *v/refl.* be late; **~et** *adj.* belated, late, *Am.* tardy; **2ung** *f* lateness, *Am.* tardiness; *~ haben* be late.

**ver|speisen** *v/t.* eat (up); **~sperren** *v/t.* lock (up); bar, block (up), obstruct (*a. Sicht*); **~spielen** *v/t.* lose; **~spielt** *adj.* playful; **~spotten** *v/t.* scoff at, mock (at), ridicule; **~sprechen** *v/t.* promise; *sich ~* make a mistake in speaking; *sich viel ~ von* expect much of; **2sprechen** *n* promise; **~spüren** *v/t.* feel, perceive.

**verstaatlich|en** *v/t.* nationalize; **2ung** *f* nationalization.

**Verstand** *m* understanding; intelligence, intellect; *Geist*: mind, wits *pl.*; *Vernunft*: reason; *gesunder*: (common) sense.

**Verstandes|kraft** *f* intellectual power *od.* faculty; **2mäßig** *adj.* rational; intellectual; **~mensch** *m* matter-of-fact person.

**verständ|ig** *adj.* intelligent; reasonable, sensible; **~igen** *v/t.* inform (*von* of), notify (of); *sich mit j-m ~* make o.s. understood to s.o.; *fig.* come to an understanding with s.o.;

**2igung** *f* understanding, agreement; *teleph.* communication; **~lich** *adj.* intelligible; understandable; *j-m et. ~ machen* make s.th. clear to s.o.; *sich ~ machen* make o.s. understood.

**Verständnis** *n* comprehension, understanding; *Einsicht*: insight; *~ haben für* appreciate; **2los** *adj.* unappreciative; *Blick etc.*: blank; **2voll** *adj.* appreciative; *Blick*: knowing.

**verstärk|en** *v/t.* reinforce (*a. ⊕, ✕*); *zahlenmäßig*: strengthen (*a. ⊕, f*); *Radio, phys.*: amplify; *steigern*: intensify; **2er** *m* amplifier; **2ung** *f* strengthening; reinforcement; amplification; intensification.

**verstaub|en** *v/i.* get dusty; **~t** *adj.* dusty.

**verstauch|en** *🗲 v/refl.*: *sich den Fuß ~* sprain one's foot; **2ung** *🗲 f* sprain.

**verstauen** *v/t.* stow away.

**Versteck** *n* hiding-place; *~ spielen* play at hide-and-seek; **2en** *v/t.* hide, conceal; *sich ~* hide.

**verstehen** *v/t.* understand, F get; *einsehen*: see; *begreifen*: comprehend; *Sprache*: know; *es ~ zu inf.* know how to *inf.*; *zu ~ geben* intimate; *ich verstehe!* I see!; *falsch ~* misunderstand; *was ~ Sie unter ...?* what do you mean *od.* understand by ...?; *sich ~* understand one another; *sich mit j-m gut ~* get on well with s.o.; *es versteht sich von selbst* it goes without saying.

**versteifen** *v/t.* stiffen; *⊕* strut, brace; *sich ~* stiffen (*a. fig.*); *sich ~ auf* make a point of, insist on.

**versteiger|n** *v/t.* (sell by) auction; **2ung** *f* auction(-sale).

**versteinern** *v/t. u. v/i.* turn into stone, petrify (*beide a. fig.*).

**verstell|bar** *adj.* adjustable; **~en** *v/t.* shift; adjust; *versperren*: bar, block (up), obstruct; *Stimme etc.*: disguise; *sich ~* dissemble, feign; **2ung** *f* disguise; dissimulation.

**ver|steuern** *v/t.* pay duty *od.* tax on; **~stiegen** *fig. adj.* eccentric.

**verstimm|en** *v/t.* put out of tune; *fig.* put out of humo(u)r; **~t** *adj.* out of tune; *fig.* out of humo(u)r, F cross; **2ung** *f* ill humo(u)r.

**verstockt** *adj.* stubborn, obdurate.

**verstohlen** *adj.* furtive.

**verstopf|en** v/t. plug (up); *versperren*: clog; *Straße*: jam, block; ✒ constipate; **2ung** ✒ f constipation.

**verstorben** adj. late, deceased; **2e** m, f the deceased; **die ~n** pl. the deceased pl.

**verstört** adj. bewildered; **2heit** f bewilderment.

**Verstoß** m offen|ce, Am. -se (gegen against), contravention (of); *Übergriff*: infringement (on); **2en 1.** v/t. expel (aus from); *repudiate, disown*; **2.** v/i.: **~ gegen** offend against, contravene; infringe.

**ver|streichen 1.** v/i. *Zeit*: pass, elapse; *Frist*: expire; **2.** v/t. spread; **~streuen** v/t. scatter.

**verstümmel|n** v/t. mutilate; *Text etc.*: garble; **2ung** f mutilation.

**Verstümmlung** f mutilation.

**Versuch** m attempt, trial; *phys. etc.*: experiment; **e-n ~ machen mit** give a trial; **2en** v/t. try, attempt; *kosten*: taste; *j-n ~* tempt s.o.; **es ~ mit** give a trial.

**versuchsweise** adv. tentatively.

**Versuchung** f temptation; *j-n in ~ führen* tempt s.o.

**ver|sündigen** v/refl. sin (an against); **~sunken** fig. adj.: **~ in** absorbed od. lost in; **~süßen** v/t. sweeten.

**vertag|en** v/t. adjourn; *sich ~* adjourn, Am. a. recess; **2ung** f adjournment.

**vertauschen** v/t. exchange (mit for).

**verteidig|en** v/t. defend; *sich ~* defend o.s.; **2er** m defender; ⚖ counsel for the defen|ce, Am. -se; *Fußball*: full-back; fig. advocate; **2ung** f defen|ce, Am. -se.

**Verteidigungsminister** m minister of defence; Brt. Minister of Defence, Am. Secretary of Defense; **~ium** n ministry of defence; Brt. Ministry of Defence, Am. Department of Defense.

**verteil|en** v/t. distribute; *Farbe etc.*: spread; **2er** m distributor; **2ung** f distribution.

**vertief|en** v/t. deepen (a. fig.); *sich ~ deepen (a. fig.); sich ~ in* become absorbed in; **2ung** f hollow; ⊕ recess.

**vertikal** adj. vertical.

**vertilg|en** v/t. exterminate; F consume; **2ung** f extermination.

**vertonen** ♪ v/t. set to music.

**Vertrag** m contract; pol. treaty; **2en** v/t. endure, bear, stand; *diese Speise vertrage ich nicht* this food does not agree with me; *sich ~ Farben*: harmonize; *Personen*: get on with one another; *sich wieder ~* be reconciled, make it up; **2lich 1.** adj. contractual, stipulated; **2.** adv. as stipulated; **~ verpflichtet sein** be bound by contract; *sich ~ verpflichten* contract (zu for; zu inf. to inf.).

**verträglich** adj. sociable.

**vertrauen 1.** v/i. trust (j-m s.o.); **~ auf** trust od. confide in; **2.** **2** n confidence, trust; *im ~* confidentially; **~erweckend** adj. inspiring confidence.

**Vertrauens|frage** parl. f: **die ~ stellen** put the question of confidence; **~sache** f: **das ist ~** that is a matter of confidence; **~stellung** f position of trust; **2voll** adj. trustful, trusting; **~votum** parl. n vote of confidence; **2würdig** adj. trustworthy, reliable.

**vertraulich** adj. confidential; **2keit** f confidence.

**vertraut** adj. intimate, familiar; **2e 1.** m confidant; **2.** f confidante; **2heit** f familiarity.

**vertreib|en** v/t. drive away; expel (aus from); † sell, distribute; *sich die Zeit ~* pass one's time; **2ung** f expulsion.

**vertret|en** v/t. represent; substitute for; *Ansicht*: hold; parl. Wahlkreis: sit for; *j-s Sache ~* ⚖ plead s.o.'s cause; *sich den Fuß ~* sprain one's foot; F *sich die Beine ~* stretch one's legs; **2er** m representative; † a. agent; *Bevollmächtigter*: proxy, agent; *Stell2*: substitute; *Handels2*: commercial travel(l)er, bsd. Am. travel(l)ing salesman; **2ung** f representation (a. pol.); † agency; substitution; *in ~* by proxy; gen.: acting for.

**Vertrieb** † m sale, distribution; **~ene** m, f expellee.

**ver|trocknen** v/i. dry up; **~trödeln** F v/t. dawdle away, waste; **~trösten** v/t. put off; **~tuschen** F v/t. hush up; **~übeln** v/t. take amiss; **~üben** v/t. commit, perpetrate.

**verunglück|en** v/i. meet with od. have an accident; F fig. fail, go wrong; *tödlich ~* be killed in an accident; **2te** m, f casualty.

**verun|reinigen** v/t. soil, dirty;

*Luft*: contaminate; *Wasser*: pollute;
~stalten v/t. disfigure.
**veruntreu|en** v/t. embezzle; 2ung f
embezzlement.
**verursachen** v/t. cause.
**verurteil|en** v/t. condemn (zu to)
(a. fig.), sentence (to); 2ung f con-
demnation (a. fig.).
**ver|vielfältigen** v/t. manifold; ~
**vollkommnen** v/t. perfect; sich ~
perfect o.s.
**vervollständig|en** v/t. complete;
2ung f completion.
**ver|wachsen 1.** v/i.: miteinander ~
grow together; **2.** adj. deformed;
humpbacked, hunchbacked; ~
**wackeln** phot. v/t. blur.
**verwahr|en** v/t. keep; sich ~ gegen
protest against; ~lost adj. uncared-
for, neglected; 2ung f charge,
custody; fig. protest; j-m et. in ~
geben give s.th. into s.o.'s charge;
in ~ nehmen take charge of.
**verwaist** adj. orphan(ed); fig. deserted.
**verwalt|en** v/t. administer, manage;
2er m administrator, manager;
Haus2, Guts2, : steward; 2ung f administration, management.
**verwand|eln** v/t. change, turn,
transform; sich ~ change (alle: in
into); 2lung f change, transforma-
tion.
**verwandt** adj. related (mit to);
Sprachen, Stämme etc.: kindred;
Sprachen, Wissenschaften: cognate
(with); pred. akin (to) (a. fig.); 2e m,
f relative, relation; 2schaft f re-
lationship; Verwandte: relations
pl.; geistige ~ congeniality.
**verwarn|en** v/t. caution; 2ung f
caution.
**verwässern** v/t. water (down),
dilute; fig. water down, dilute.
**verwechs|eln** v/t. mistake (mit for);
durcheinanderbringen: confound,
mix up, confuse (alle: mit with);
2(e)lung f mistake; confusion.
**verwegen** adj. daring, bold; 2heit f
boldness, daring.
**ver|wehren** v/t.: j-m et. ~ (de)bar
s.o. from (doing) s.th.; ~weich-
**licht** adj. effeminate, soft.
**verweiger|n** v/t. deny, refuse; Be-
fehl: disobey; 2ung f denial, refusal.
**verweilen** v/i. stay, linger; bei et. ~
dwell (up)on s.th.

**Verweis** m reprimand; rebuke, reproof; reference (auf to); 2en v/t.:
j-n des Landes ~ expel s.o. from
Germany, etc.; j-n ~ auf od. an refer
s.o. to.
**verwelken** v/i. fade, wither (up).
**verwend|en** v/t. employ, use; apply
(für for); Zeit etc.: spend (auf on);
sich bei j-m ~ für intercede with
s.o. for; 2ung f use, employment;
application; keine ~ haben für have
no use for.
**verwerf|en** v/t. reject; ♫ quash;
~lich adj. abominable.
**verwerten** v/t. turn to account,
utilize.                                      [decay.]
**verwes|en** v/i. rot, decay; 2ung f]
**verwick|eln** v/t. entangle (in in);
sich ~ entangle o.s. (in) (a. fig.); ~elt
fig. adj. complicated; 2(e)lung f
entanglement; fig. a. complication.
**verwilder|n** v/i. run wild; ~t adj.
Garten etc.: uncultivated, weed-
grown; fig. wild, unruly.
**verwinden** v/t. get over s.th.
**verwirklich|en** v/t. realize; sich ~
be realized, bsd. Am. materialize;
2ung f realization.
**verwirr|en** v/t. entangle; j-n ~ con-
fuse s.o.; ~t fig. adj. confused; 2ung
fig. f confusion.
**verwischen** v/t. blur; Spuren:
cover up; fig. efface.
**verwitter|n** geol. v/i. weather; ~t
adj. geol. weather-beaten (a. fig.).
**verwitwet** adj. widowed.
**verwöhn|en** v/t. spoil; ~t adj. fastid-
ious, particular.
**verworren** adj. Ideen etc.: confused;
Situation: intricate.
**verwund|bar** adj. vulnerable (a.
fig.); ~en v/t. wound.
**verwunder|lich** adj. astonishing;
2ung f astonishment.
**Verwund|ete** ⚔ m wounded (sol-
dier), casualty; ~ung f wound, injury.
**verwünsch|en** v/t. curse; 2ung f
curse.
**verwüst|en** v/t. lay waste, devastate,
ravage; 2ung f devastation, ravage.
**verzag|en** v/i. despond; ~t adj. de-
spondent; 2theit f desponden|ce,
-cy.
**ver|zählen** v/refl. miscount; ~zärt-
**eln** v/t. coddle, pamper; ~zaubern
v/t. bewitch, enchant, charm; ~
**zehren** v/t. consume (a. fig.).

**verzeichn|en** v/t. note down; amtlich: record; in e-r Liste: list; fig. distort; Erfolg etc.: score; 2is n list, catalog(ue); register; Stichwort2: index.

**verzeih|en 1.** v/i. pardon, forgive; ~ Sie! excuse me!; **2.** v/t. pardon, forgive (beide: j-m et. s.o. s.th.); **~lich** adj. pardonable; 2ung f pardon; ~! I beg your pardon!, sorry!

**verzerr|en** v/t. distort; sich ~ become distorted; 2ung f distortion.

**verzetteln** v/t. enter on cards; sich ~ fritter away one's energies.

**Verzicht** m renunciation (auf of); 2en v/i. renounce (auf et. s.th.); auskommen ohne: do without (s.th.).

**verziehen 1.** v/i. (re)move (nach to); **2.** v/t. Kind: spoil; das Gesicht ~ make a wry face; keine Miene ~ keep one's countenance; sich ~ Holz: warp; Gewitter etc.: blow over.

**verzier|en** v/t. adorn, decorate; 2ung f decoration, ornament.

**verzins|en** v/t. pay interest on; sich ~ yield interest; 2ung f interest.

**verzöger|n** v/t. delay, retard; sich ~ be delayed; 2ung f delay, retardation.

**verzollen** v/t. pay duty on; haben Sie et. zu ~? have you anything to declare?

**verzück|t** adj. ecstatic; 2ung f ecstasy; in ~ geraten go into ecstasies (wegen over).

**Verzug** m delay; † default; in ~ geraten † come in default; im ~ sein (be in) default.

**verzweif|eln** v/i. despair (an of); **~elt** adj. hopeless; aussichtslos: desperate; 2lung f despair; j-n zur ~ bringen drive s.o. to despair.

**verzweig|en** v/refl. ramify (a. fig.), branch (out); Straße: branch; 2ung f ramification (a. fig.).

**verzwickt** adj. intricate, complicated.

**Veteran** m ⚔ veteran (a. fig.), ex-serviceman.

**Veterinär** m veterinary (surgeon), F vet.

**Veto** n veto; sein ~ einlegen gegen put a veto on, veto.

**Vetter** m cousin; **~nwirtschaft** f nepotism.

**vibrieren** v/i. vibrate.

**Vieh** n livestock, cattle; F fig. brute, beast; **~händler** m cattle-dealer;

**~hof** m stockyard; 2isch adj. bestial, beastly, brutal; **~zucht** f stock-farming, stock-breeding; **~züchter** m stock-breeder, stock-farmer.

**viel 1.** adj. much; ~e pl. many; a lot (of), lots of; reichlich: plenty of; das ~e Geld all that money; sehr ~ a great deal of; sehr ~e pl. a great many pl.; ziemlich ~ a good deal of; ziemlich ~e pl. a good many pl.; ~ zuviel far too much; **2.** adv. much; ~ besser much better; et. ~ lieber tun prefer to do s.th.

**viel|beschäftigt** adj. very busy; **~deutig** adj. ambiguous; **~erlei** adj. of many kinds, many kinds of; **~fach 1.** adj. multiple; **2.** adv. in many cases, frequently; **~fältig** adj. multiple, manifold, multifarious; **~leicht** adv. perhaps, maybe; **~mals** adv.: ich danke Ihnen ~ thank you very much; sie läßt (dich) ~ grüßen she sends you her kind regards; ich bitte ~ um Entschuldigung I am very sorry; **~mehr** cj. rather; **~sagend** adj. significant, suggestive; **~seitig** adj. many-sided, versatile; **~versprechend** adj. promising.

**vier** adj. four; zu ~t four of us od. them; auf allen ~en on all fours; unter ~ Augen confidentially, privately; um halb ~ at half past three; **~beinig** adj. four-legged; 2eck n quadrangle; **~eckig** adj. quadrangular; **~erlei** adj. of four different kinds, four kinds of; **~fach** adj. fourfold; ~e Ausfertigung four copies; 2füßer zo. m quadruped; **~füßig** adj. four-footed; zo. quadruped; 2füßler zo. m quadruped; **~händig** ♪ adv.: ~ spielen play a duet; **~jährig** adj. four-year-old, of four; 2linge m/pl. quadruplets pl., F quads pl.; **~mal** adv. four times; **~schrötig** adj. square-built, thickset; **~seitig** adj. four-sided; ♪ quadrilateral; 2sitzer bsd. mot. m four-seater; **~stöckig** adj. four-storeyed, four-storied; 2taktmotor mot. m four-stroke engine; **~te** adj. fourth; **~teilen** v/t. quarter.

**Viertel** n fourth (part); Stadt2: quarter; ~ fünf, (ein) ~ nach vier a quarter past four; drei ~ vier a quarter to four; **~jahr** n three months pl., quarter (of a year); 2jährlich **1.** adj. quarterly; **2.** adv.

every three months, quarterly; **~note** ♪ *f* crotchet; *Am. a.* quarter note; **~pfund** *n* quarter of a pound; **~stunde** *f* quarter of an hour, *Am.* quarter hour.

**vier|tens** *adv.* fourthly; **2viertel-takt** ♪ *m* common time.

**vierzehn** *adj.* fourteen; **~** *Tage pl.* a fortnight, *Am.* two weeks *pl.*; **~te** *adj.* fourteenth.

**vierzig** *adj.* forty; **~ste** *adj.* fortieth.

**Villa** *f* villa.

**violett** *adj.* violet.

**Violine** ♪ *f* violin.

**virtuos** *adj.* masterly; **2e** *m*, **2in** *f* virtuoso; **2ität** *f* virtuosity.

**Virus** ℀ *n*, *m* virus.

**Vision** *f* vision.

**Visite** ℀ *f* visit; **~nkarte** *f* visiting-card, *Am.* calling card.

**Visum** *n* visa, visé.

**Vitalität** *f* vitality.

**Vitamin** *n* vitamin.

**Vize|kanzler** *m* vice-chancellor; **~präsident** *m* vice-president.

**Vogel** *m* bird; F e-n **~** *haben sl.* have bats in the belfry; **den ~ abschießen** carry off the prize; **~bauer** *n*, *m* bird-cage; **2frei** *adj.* outlawed; **~futter** *n* food for birds, bird-seed; **~kunde** *f* ornithology; **~liebhaber** *m* bird-fancier; **~nest** *n* bird's nest, bird-nest; **~perspektive** *f*, **~schau** *f* bird's-eye view; **~scheuche** *f* scarecrow (*a. fig.*); **~warte** *f* ornithological station; **~zug** *m* passage *od.* migration of birds.                      [cabulary.]

**Vokab|el** *f* word; **~ular** *n* vo-)

**Vokal** *ling. m* vowel.

**Volant** *östr. m s.* Lenkrad.

**Volk** *n* people; nation; *Masse*: populace; *Bienen*2: swarm; *der Mann aus dem* **~e** the man in the street *od. Am.* on the street.

**Völker|kunde** *f* ethnology; **~recht** *n* international law, law of nations; **~wanderung** *f* age of national migrations.

**Volks|abstimmung** *pol. f* plebiscite; **~bücherei** *f* free *od.* public library; **~dichter** *m* popular *od.* national poet; **~entscheid** *pol. m* referendum; **~fest** *n* fun fair, amusement park; national festival; **~gunst** *f* popularity; **~herrschaft** *f* democracy; **~hochschule** *f* adult education (courses *pl.*); **~lied** *n*

folk-song; **~menge** *f* crowd (of people), multitude; **~partei** *f* people's party; **~schule** *f* elementary *od.* primary school, *Am. a.* grade school; **~schullehrer** *m* elementary *od.* primary teacher, *Am.* grade teacher; **~sprache** *f* vernacular; **~stamm** *m* tribe, race; **~tanz** *m* folk-dance; **~tracht** *f* national costume; **2tümlich** *adj.* national; popular; **~versammlung** *f* public meeting; **~wirt** *m* (political) economist; **~wirtschaft** *f* economics, political economy; **~wirtschaftler** *m s.* Volkswirt; **~zählung** *f* census.

**voll 1.** *adj.* full; *gefüllt*: filled; *ganz*: whole, complete, entire; *Figur, Gesicht*: full, round; *Figur*: buxom; **~er** full of; *aus* **~em** *Halse* at the top of one's voice; *aus* **~em** *Herzen* from the bottom of one's heart; *mit* **~em** *Recht* with perfect right; *j-n nicht für* **~** *nehmen* not to take s.o. seriously; **2.** *adv.* fully, in full; **~** *und ganz* fully, entirely.

**voll|auf** *adv.* abundantly, amply, F plenty; **~automatisch** *adj.* fully automatic; **2bad** *n* bath; **2bart** *m* beard; **2beschäftigung** *f* full employment; **2blut(pferd)** *zo. n* thoroughbred (horse); **~bringen** *v/t.* accomplish, achieve; perform; **2dampf** *m* full steam; F: *mit* **~** *at od.* in full blast; **~enden** *v/t.* finish, complete; **~endet** *adj.* perfect; **~ends** *adv.* entirely, wholly, altogether; **2endung** *f* finishing, completion; *fig.* per-)

**Völlerei** *f* gluttony.         [fection.]

**voll|führen** *v/t.* execute, carry out; **~füllen** *v/t.* fill (up); **2gas** *mot. n*: **~** *geben* open the throttle; **~gepfropft** *adj.* crammed, packed; **~gießen** *v/t.* fill (up).

**völlig** *adj.* entire, complete; *Versagen, Gewißheit etc.*: dead.

**voll|jährig** *adj.*: **~** *sein* be of age; **~** *werden* come of age; **2jährigkeit** *f* majority; **~kommen** *adj.* perfect; **2kommenheit** *f* perfection; **~machen** *v/t.* fill (up); F soil, dirty; *um das Unglück vollzumachen* to make things worse; **2macht** *f* full power, authority; **⚖** power of attorney; **~** *haben* be authorized; **2milch** *f* whole milk; **2mond** *m* full moon; **~packen** *v/t.* stuff, cram; ⟨Q⟩**pension** f full board; **~schlank** adj. stout, corpulent; **~ständig** adj. complete; **~stopfen** v/t. stuff, cram; sich die Taschen ~ stuff one's pockets; **~strecken** v/t. execute; ⟨Q⟩**streckung** f execution; **~tönend** adj. sonorous, rich; ⟨Q⟩**treffer** m direct hit; ⟨Q⟩**versammlung** f plenary meeting od. assembly; **~wertig** adj. full; **~zählig** adj. complete; **~ziehen** v/t. execute; bsd. Ehe: consummate; sich ~ take place; ⟨Q⟩**ziehung** f, ⟨Q⟩**zug** m execution.

**Volontär** m unpaid assistant.

**Volt** ⚡ n volt.

**Volumen** n volume.

**von** prp. räumlich, zeitlich: from; für Genitiv: of; beim Passiv: by; ~ Hamburg from Hamburg; ~ nun an from now on; ein Freund ~ mir a friend of mine; ~ dem od. vom Apfel essen eat (some) of the apple; der Herzog ~ Edinburgh the Duke of Edinburgh; ein Gedicht ~ Schiller a poem by Schiller; ~ selbst by itself; ~ sich aus by oneself; e-e Stadt ~ 10 000 Einwohnern a town of 10,000 inhabitants; ~ mir aus as far as I am concerned ...; I don't mind; das ist nett ~ ihm that is nice of him; **~statten** adv.: gut ~ gehen go well.

**vor** prp. räumlich: in front of, before; zeitlich: before; ~ einigen Tagen a few days ago; (heute) ~ acht Tagen a week ago (today); 5 Minuten ~ 12 five minutes to twelve, Am. five minutes of twelve; fig. at the eleventh hour; ~ der Tür stehen be imminent, be close at hand; ~ Zeugen in the presence of witnesses; ~ allen Dingen above all; ~ sich gehen take place, pass off; ~ sich hin lächeln smile to o.s.

**Vor|abend** m eve; **~ahnung** f presentiment, foreboding.

**voran** adv. at the head (dat. of), in front (of), before; Kopf ~ head first; **~gehen** v/i. lead the way, precede (a. fig.); **~kommen** v/i. make progress; im Leben: get on.

**Voran|schlag** m (rough) estimate; **~zeige** f advance notice; Film: trailer.

**vorarbeite|n** v/i. work in advance; ⟨Q⟩**r** m foreman.

**voraus** adv. in front (dat. of), ahead (of); im ~ in advance, beforehand; **~bestellen** v/t. s. vorbestellen; **~bezahlen** v/t. pay in advance, prepay; **~gehen** v/i. go on before; s. vorangehen; ⟨Q⟩**sage** f prediction; prophecy; Wetter⟨Q⟩: forecast; **~sagen** v/t. foretell, predict; prophesy; forecast; **~schicken** v/t. send on in advance; fig. mention beforehand; **~sehen** v/t. foresee; **~setzen** v/t. (pre)suppose, presume, assume; vorausgesetzt, daß provided that; ⟨Q⟩**setzung** f (pre-) supposition, assumption; Vorbedingung: prerequisite; ⟨Q⟩**sicht** f foresight; aller ~ nach in all probability; **~sichtlich** adj. presumable, probable, likely; **~zahlung** f advance payment.

**Vor|bedacht** m: mit ~ deliberately, on purpose; **~bedeutung** f foreboding, omen; **~bedingung** f prerequisite.

**Vorbehalt** m reservation, reserve; ⟨Q⟩**en** 1. v/t.: sich ~ reserve; 2. adj.: Änderungen ~ subject to change (without notice); ⟨Q⟩**los** adj. unreserved, unconditional.

**vorbei** adv. räumlich: along, by, past (alle: an s.o., s.th.); zeitlich: over, gone; 3 Uhr ~ past three (o'clock); **~fahren** v/i. drive past; **~gehen** v/i. pass, go by; Schmerz: pass (off); Gewitter etc.: blow over; ~ an pass; im Vorbeigehen in passing; **~lassen** v/t. let pass.

**Vorbemerkung** f preliminary remark od. note.

**vorbereit|en** v/t. prepare (für, auf for); ⟨Q⟩**ung** f preparation (für, auf for).

**Vorbesprechung** f preliminary discussion od. talk.

**vor|bestellen** v/t. order in advance; Zimmer etc.: book; **~bestraft** adj. previously convicted.

**vorbeug|en** 1. v/i. prevent (e-r Sache s.th.); 2. v/t. u. v/refl. bend forward; **~end** adj. preventive; ⟨Q⟩ a. prophylactic; ⟨Q⟩**ung** f prevention.

**Vorbild** n model; fig. a. pattern; ⟨Q⟩**lich** adj. exemplary; **~ung** f preparatory training.

**vor|bringen** v/t. bring forward; Meinung etc.: advance; aussprechen: utter, say, state; **~datieren** v/t post-date.

**vorder** *adj.* front, fore.

**Vorder|achse** *f* front axle; **~ansicht** *f* front view; **~bein** *n* foreleg; **~grund** *m* foreground (*a. fig.*); **~haus** *n* front building; **~mann** *m* man in front of one; **~rad** *n* front wheel; **~seite** *f* front (side); *Münz*♀: obverse; **♀sitz** *m* front seat; **♀st** *adj.* foremost; **~teil** *n, m* front (part); **~tür** *f* front door; **~zimmer** *n* front room.

**vordrängen** *v/refl.* press forward.

**vordring|en** *v/i.* advance; **~lich** *adj.* urgent.

**Vordruck** *m* form, *Am. a.* blank.

**voreilig** *adj.* hasty, rash, precipitate; **~e** *Schlüsse ziehen* jump to conclusions.

**voreingenommen** *adj.* prejudiced, bias(s)ed; **♀heit** *f* prejudice, bias.

**vor|enthalten** *v/t.* keep back, withhold (*beide*: j-m et. s.th. from s.o.); **♀entscheidung** *f* preliminary decision; **~erst** *adv.* for the present, for the time being.

**Vorfahr** *m* ancestor.

**vorfahr|en** *v/i.* drive up; **♀t(srecht** *n) f* right of way, priority.

**Vorfall** *m* incident, occurrence, event; **♀en** *v/i.* happen, occur.

**vorfinden** *v/t.* find.

**Vorfreude** *f* anticipated joy.

**vorführ|en** *v/t.* ✚ bring (*dat.* before); *zur Schau*: show, display, exhibit; demonstrate; *Film*: show, present; **♀er** *m Kino*: projectionist; **♀ung** *f* presentation, showing; demonstration; *thea., Film*: performance.

**Vor|gabe** *f* odds *pl.*; **~gang** *m* incident, occurrence, event; *Akte*: file, record(s *pl.*); *biol.*, ⊕ process; **~gänger** *m*, **~gängerin** *f* predecessor; **~garten** *m* front garden.

**orgeben** *v/t. Sport*: give (j-m s.o.); *fig.* pretend, allege.

**Vor|gebirge** *n* promontory; *Kap*: cape; **~gefühl** *n* presentiment.

**orgehen 1.** *v/i.* ✗ advance; go on before; *Uhr*: be fast, gain; *wichtiger* *Weise*: precede; *verfahren*: proceed (*a.* ✚: *gegen* against); *sich* *ereignen*: go on, happen, take place; **2. ♀** *n* proceeding.

**or|geschmack** *m* foretaste; **~gesetzte** *m* superior; **♀gestern** *adv.* the day before yesterday;

**♀greifen** *v/i.* anticipate (*j-m od. e-r* *Sache* s.o. *od.* s.th.).

**vorhaben 1.** *v/t.* intend, be going to do s.th.; *haben Sie heute abend et.* *vor?* have you anything on tonight?; *was hat er jetzt wieder vor?* what is he up to now?; **2. ♀** *n* intention; plan; project.

**Vorhalle** *f* (entrance-)hall, lobby.

**vorhalt|en 1.** *v/t.*: j-m et. ~ hold s.th. before s.o.; *fig.* reproach s.o. with s.th.; **2.** *v/i.* last; **♀ung** *f* remonstrance; *j-m ~en machen* remonstrate with s.o. (*wegen* on).

**vorhanden** *adj.* available (*a.* ✚); ✚ on hand, in stock; *~ sein* exist; **♀sein** *n* presence; existence.

**Vor|hang** *m* curtain; **~hänge-schloß** *n* padlock.

**vorher** *adv.* before, previously; *voraus*: in advance, beforehand.

**vorher|bestellen** *v/t.* s. *vorbe-stellen*; **~bestimmen** *v/t.* determine beforehand, predetermine; **~gehen** *v/i.* precede; **~ig** *adj.* preceding, previous.

**Vorherr|schaft** *f* predominance; **♀schen** *v/i.* predominate, prevail; **♀schend** *adj.* predominant, prevailing.

**Vorher|sage** *f* s. *Voraussage*; **♀sa-gen** *v/t.* s. *voraussagen*; **♀sehen** *v/t.* foresee; **♀wissen** *v/t.* know beforehand, foreknow.

**vorhin** *adv.* a short while ago.

**Vor|hof** *m* forecourt; *anat.* auricle; **~hut** ✗ *f* vanguard.

**vor|ig** *adj.* last; **~jährig** *adj.* of last year, last year's.

**Vor|kämpfer** *m* champion, pioneer; **~kehrung** *f* precaution; **~en** *treffen* take precautions; **~kennt-nisse** *f/pl.*: *mit guten ~n* in well grounded in.

**vorkommen 1.** *v/i.* be found; *passieren*: occur, happen; *es kommt* *mir vor* it seems to me; **2. ♀** *n* occurrence.

**Vor|kommnis** *n* occurrence; **~kriegszeit** *f* pre-war times *pl.*

**vorlad|en** ✚ *v/t.* summon; **♀ung** *f* ✚ summons.

**Vorlage** *f* copy; *Muster*: pattern; *parl.* bill; *Unterbreitung*: presentation; *von Dokumenten*: production; *Fußball etc.*: pass.

**vorlassen** *v/t.* let pass, allow to pass; *zulassen*: admit.

**Vorläuf|er** *m*, **~erin** *f* forerunner; **2ig 1.** *adj.* provisional, temporary; **2.** *adv.* for the present, for the time being.

**vorlaut** *adj.* forward, pert.

**Vorleben** *n* past (life), antecedents *pl.*

**vorlege|n** *v/t.* produce; present; *j-m et.* ~ lay *od.* place *od.* put s.th. before s.o.; *zeigen*: show s.o. s.th.; *j-m e-e Frage* ~ put a question to s.o.; *sich* ~ lean forward; **2r** *m* rug.

**vorles|en** *v/t.* read aloud; *j-m et.* ~ read (out) s.th. to s.o.; **2ung** *f* lecture (*über* on; *vor* to); *e-e* ~ *halten* (give a) lecture.

**vorletzt** *adj.* last but one; *~e Nacht* the night before last.

**Vorlieb|e** *f* predilection, preference; **2nehmen** *v/i.* be satisfied (*mit* with).

**vorliegen** *v/i.* lie before *s.o.*; be there, exist; *da muß ein Irrtum* ~ there must be a mistake; *~d adj.* present, in question.

**vor|lügen** *v/t.*: *j-m et.* ~ tell s.o. lies; **~machen** *v/t.*: *j-m et.* ~ show s.o. how to do s.th.; *fig.* humbug s.o.

**Vormarsch** ✕ *m* advance.

**vormerken** *v/t.* note down, make a note of; reserve; *sich* ~ *lassen für* put one's name down for.

**Vormittag** *m* morning; **2s** *adv.* in the morning.

**Vormund** *m* guardian; **~schaft** *f* guardianship.

**vorn** *adv.* in front; *nach* ~ forward; *von* ~ from the front; *ich sah sie von* ~ I saw her face; *noch einmal von* ~ *anfangen* begin anew, make a new start.

**Vorname** *m* Christian name, first name, *Am. a.* given name.

**vornehm 1.** *adj.* distinguished, aristocratic; *edel*: noble; *elegant*: fashionable; *~e Gesinnung* high character; **2.** *adv.*: ~ *tun* give s.o. airs; **~en** *v/t.* carry out; *Änderungen etc.*: make; F *sich j-n* ~ take s.o. to task (*wegen* for, about); *sich* ~ *et.*: resolve (up)on; resolve (*zu inf.* to *inf.*); make up one's mind (*to inf.*); **2heit** *f* refinement; elegance; high-mindedness.

**vorn|herein** *adv.*: *von* ~ from the first *od.* start *od.* beginning.

**Vorort** *m* suburb; **~(s)zug** *m* local (train).

**Vor|posten** *m* outpost (*a.* ✕); **~rang** *m* precedence (*vor* of, over); priority (over); **~rat** *m* store, stock (*an* of); *Vorräte pl. a.* provisions *pl.*, supplies *pl.*; **2rätig** *adj.* available; ✝ *a.* on hand, in stock; **2rechnen** *v/t.* reckon up (*j-m* to s.o.); **~recht** *n* privilege; **~rede** *f* preface, introduction; **~redner** *m* previous speaker; **~richtung** ⊕ *f* contrivance, device; **2rücken 1.** *v/t.* move forward; **2.** *v/i.* advance; **~runde** *f* *Sport:* preliminary round; **2sagen** *v/t.*: *j-m* ~ prompt s.o.; **~saison** *f* off-peak season; **~satz** *m* intention, purpose, design; **2sätzlich** *adj.* intentional, deliberate; *bsd.* ✝ wil(l)ful; **~schein** *m*: *zum* ~ *bringen* bring forward, produce; *zum* ~ *kommen* appear, turn up; **2schieben** *v/t.* push forward; *Riegel:* slip; *s. vorschützen;* **2schießen** *v/t.* advance.

**Vorschlag** *m* proposal, suggestion; **2en** *v/t.* propose, suggest.

**Vor|schlußrunde** *f* *Sport:* semifinal; **2schnell** *adj.* hasty, rash; **2schreiben** *v/t.*: *j-m et.* ~ write s.th. out for s.o.; *fig.* prescribe.

**Vorschrift** *f* direction, instruction; *Dienst2:* regulation(s *pl.*); **2mäßig** *adj.* according to regulations; *~e Kleidung* regulation dress; **2swidrig** *adj. u. adv.* contrary to regulations.

**Vor|schub** *m*: ~ *leisten* ✝ aid and abet; **~schule** *f* preparatory school; **~schuß** *m* advance; **2schützen** *v/t.* pretend, plead; **2schweben** *v/i.*: *mir schwebt et. vor* I have s.th. in mind.

**vorseh|en** *v/t.* design; ✝ provide; *sich* ~ take care, be careful; *sich* ~ *vor* guard against; **2ung** *f* providence.

**vorsetzen** *v/t.* put forward; *anbieten*: offer.

**Vorsicht** *f* caution; *Behutsamkeit* care; *~!* look out!, be careful! ~, *Glas!* Glass, with care!; ~, *Stufe* mind the step!; **2ig** *adj.* cautious careful; *~!* F steady!

**vorsichts|halber** *adv.* as a precaution; **2maßnahme** *f*, **2maßregel** *f* precaution(ary measure) *~n treffen* take precautions.

**Vorsilbe** *gr. f* prefix.
**vorsingen** *v/t.*: j-m et. ~ sing s.th. to s.o.
**Vorsitz** *m* chair, presidency; den ~ führen od. haben be in the chair, preside (*bei* over, at); den ~ übernehmen take the chair; **~ende** *m* chairman, president.
**Vorsorg|e** *f* provision, providence; ~ treffen take precautions; **2en** *v/i.* provide; **2lich 1.** *adj.* precautionary; **2.** *adv.* as a precaution.
**Vorspeise** *f* appetizer, hors d'œuvre.
**vorspieg|eln** *v/t.* pretend; **2(e)lung** *f* preten|ce, *Am.* -se.
**Vorspiel** *n ♪* prelude (*a. fig.*); **2en** *v/t.*: j-m et. ~ play s.th. to s.o.
**vor|sprechen 1.** *v/t.* pronounce (j-m et. s.th. to *od.* for s.o.); **2.** *v/i.* call (*bei* j-m: on; *Amt*: at); **~springen** *v/i.* jump forward; △ project; **2sprung** *m* △ projection; *Sport*: lead; *fig.* start, advantage (*beide*: vor of); **2stadt** *f* suburb; **~städtisch** *adj.* suburban; **2stand** *m* board of directors, managing directors *pl.*
**vorsteh|en** *v/i.* project, protrude; *fig.* direct, manage (*beide*: e-r *Sache* s.th.); **2er** *m* director, manager; head, chief.
**vorstell|en** *v/t.* put forward; *Uhr*: put on; introduce (j-n j-m s.o. to s.o.); *bedeuten*: mean, stand for; *darstellen*: represent; *sich* ~ *bei* have an interview with; *sich* et. ~ imagine *od.* fancy s.th.; **2ung** *f* introduction, presentation; *thea.* performance; *fig.* idea, conception; **2ungsvermögen** *n* imagination.
**Vor|stoß** ✕ *m* thrust, advance; **~strafe** *f* previous conviction; **2strecken** *v/t.* thrust out, stretch forward; *Geld*: advance; **~stufe** *f* first step *od.* stage; **2täuschen** *v/t.* feign, pretend.
**Vorteil** *m* advantage; *Gewinn*: profit; *Tennis*: (ad)vantage; **2haft** *adj.* advantageous (*für* to), profitable (to).
**Vortrag** *m ♪* execution; e-s Gedichts: recitation; ♪ Solo2: recital; lecture; ✝ balance carried forward; e-n ~ halten (give a) lecture (*über* on); **2en** *v/t.* ✝ carry forward; recite; ♪ execute; lecture on; *Meinung*: state, express; **~ende** *m* lecturer.

**vor|trefflich** *adj.* excellent; **~treten** *v/i.* step forward; *fig.* project, protrude, stick out; **2tritt** *m* precedence.
**vorüber** *adv. örtlich*: by, past; *zeitlich*: gone by, over; **~gehen** *v/i.* pass, go by; **~gehend** *adj.* passing; *zeitweilig*: temporary; **2gehende** *m* passer-by; **~ziehen** *v/i.* march past, pass by; *Gewitter etc.*: blow over.
**Vor|übung** *f* preliminary practice; **~untersuchung** ⚖ *f* preliminary inquiry.
**Vorurteil** *n* prejudice; **2slos** *adj.* unprejudiced, unbias(s)ed.
**Vor|verkauf** *thea. m* booking in advance; *im* ~ bookable (*bei* at); **2verlegen** *v/t.* advance; **~wand** *m* pretext, preten|ce, *Am.* -se.
**vorwärts** *adv.* forward, onward, on; ~! go ahead!; **~kommen** *v/i.* (make) progress; *fig.* make one's way, get on.
**vorweg** *adv.* beforehand; **~nehmen** *v/t.* anticipate.
**vor|weisen** *v/t.* produce, show; **~werfen** *v/t.* throw *od.* cast (*dat.* before); j-m et. ~ reproach s.o. with s.th.; **~wiegend 1.** *adj.* predominant, preponderant; **2.** *adv.* predominantly, chiefly, mainly, mostly; **~witzig** *adj.* forward, pert.
**Vorwort** *n des Autors*: preface; foreword.
**Vorwurf** *m* reproach; j-m e-n ~ *od.* Vorwürfe machen reproach s.o. (*wegen* with); **2svoll** *adj.* reproachful.
**Vor|zeichen** *n* omen; **2zeigen** *v/t.* produce, show.
**vorzeitig** *adj.* premature.
**vor|ziehen** *v/t.* Vorhänge: draw; *fig.* prefer; **2zimmer** *n* antechamber, anteroom; *Wartezimmer*: waiting-room; **2zug** *fig. m* preference (*vor* over); *Vorteil*: advantage; *Wert*: merit; *Vorrang*: priority; **~züglich** *adj.* excellent, superior, exquisite.
**Vorzugs|aktie** *f* preference share, *Am.* preferred stock; **~preis** *m* special price; **2weise** *adv.* preferably.
**Votum** *n* vote.
**vulgär** *adj.* vulgar.
**Vulkan** *m* volcano; **2isch** *adj.* volcanic.

# W

**Waag|e** f balance, (e-e a pair of) scales pl.; die ~ halten counterbalance; 2(e)recht adj. horizontal, level; ~schale f scale.

**Wabe** f honeycomb.

**wach** adj. awake; ~ werden awake, wake up; 2e f watch, guard (a. Person); Wachstube: guardhouse, guardroom; Polizei2: police-station; ✗ Posten: sentry; ~ haben be on guard; ~ halten keep watch; ~en v/i. (keep) watch (über over); sit up (bei with); 2hund m watchdog.

**Wachmann** östr. m policeman.

**Wacholder** ♃ m juniper.

**wach|rufen** v/t. rouse, evoke; ~rütteln v/t. rouse (up); fig. rouse, shake up.

**Wachs** n wax.

**wachsam** adj. watchful, vigilant; 2keit f watchfulness, vigilance.

**wachsen¹** v/i. grow; fig. increase.

**wachsen²** v/t. wax.

**wächsern** fig. adj. waxen, waxy.

**Wachs|kerze** f wax candle; ~tuch n waxcloth, oilcloth.

**Wachstum** n growth; fig. increase.

**Wachtel** orn. f quail. [watchman.]

**Wächter** m guard; bsd. Nacht2:]

**Wacht|meister** m sergeant; ~turm m watch-tower.

**wackel|ig** adj. shaky (a. fig.); Möbel: rickety; Zahn: loose; 2kontakt ⚡ m loose connexion od. (Am. nur) connection; ~n v/i. shake; Tisch etc.: wobble; Zahn: be loose; Schwanz etc.: wag; ~ mit wag.

**wacklig** adj. s. wackelig.

**Wade** f calf. [arms pl.]

**Waffe** f weapon (a. fig.); ~n pl. a.]

**Waffel** f waffle; bsd. Eis2: wafer.

**Waffen|gattung** f arm; ~gewalt f: mit ~ by force of arms; 2los adj. weaponless, unarmed; ~schein m firearm certificate, Am. gun license; ~stillstand m armistice (a. fig.), truce.

**wage|halsig** adj. daring, foolhardy; attr. a. daredevil; 2mut m daring.

**wagen** v/t. venture; et. Gefährliches: risk; sich getrauen: dare; sich ~ venture (an [up]on).

**Wagen** m carriage (a. 🚗); Am. 🚗 car; 🚃 coach; Karren: cart; Kraft2: car; 🚛 Last2: lorry, Am. truck; Liefer2, Möbel2: van; ~heber m jack; ~schmiere f grease; ~spur f rut.

**Waggon** 🚃 m (railway) carriage, Am. (railroad) car.

**wag|halsig** adj. s. wagehalsig; 2nis n venture, risk.

**Wahl** f choice; alternative; Auslese: selection; pol. election; e-e ~ treffen make a choice; s-e ~ treffen take one's choice; ich hatte keine (andere) ~ I had no choice; 2berechtigt adj. entitled to vote; ~beteiligung f percentage of voting; ~bezirk m constituency.

**wählen** 1. v/t. choose; pol. elect; teleph. dial; 2. v/i. choose.

**Wahlergebnis** n election return.

**Wähler** m elector, voter; 2isch adj. particular (in in, about, as to), fastidious; ~schaft f constituency, electorate.

**Wahl|fach** n optional subject, Am. a. elective; ~kampf m election campaign; ~kreis m constituency; ~lokal n polling station; 2los adj. indiscriminate; ~recht n franchise; ~rede f electoral speech.

**Wählscheibe** teleph. f dial.

**Wahl|spruch** m device, motto; ~stimme f vote; ~urne f ballotbox; ~versammlung f electoral rally; ~zelle f polling-booth; ~zettel m ballot, voting-paper.

**Wahn** m delusion, illusion; Besessenheit: mania; ~sinn m insanity, madness (a. fig.); 2sinnig adj. insane, mad (vor with) (a. fig.); ~sinnige m madman, lunatic; ~vorstellung f delusion, hallucination.

**wahr** adj. true; wirklich: a. real; echt: genuine; ~en v/t. Interessen: look after; Würde: maintain; den Schein ~ keep up od. save appearances.

**währen** v/i. last.

**während** 1. prp. during; 2. cj. while; Gegensatz: whereas.

**wahrhaft(ig)** adv. really, truly.

**Wahrheit** f truth; 2getreu adj. true, faithful; ~sliebe f truth-

**was**

fulness, veracity; **Ssliebend** *adj.* truthful, veracious.

**wahr|nehmbar** *adj.* perceivable, perceptible; **~nehmen** *v/t.* perceive, notice; *Gelegenheit:* avail o.s. of; *Interessen:* look after; **S-nehmung** *f* perception, observation; **~sagen** *v/i.* tell fortunes; *sich ~ lassen* have one's fortune told; **Ssagerin** *f* fortune-teller; **~scheinlich** *adv.* probably, most *od.* very likely; **Sscheinlichkeit** *f* probability, likelihood; *aller ~ nach* in all probability *od.* likelihood.

**Währung** *f* currency; *Gold2 etc.:* standard.

**Wahrzeichen** *n* landmark.

**Waise** *f* orphan; **~nhaus** *n* orphanage.

**Wal** *zo. m* whale.

**Wald** *m* wood, forest; **Sig** *adj.* wooded, woody; **Sreich** *adj.* rich in forests.

**Walfänger** *m* whaler.

**Wall** *m* ✗ rampart (*a. fig.*); *Erd2:* mound.

**Wallach** *m* gelding.

**wallen** *v/i.* flow; *sieden, kochen:* simmer, boil (*a. fig.*).

**Wallfahr|er** *m* pilgrim; **~t** *f* pilgrimage.

**Wallung** *f:* (*Blut*) *in ~ bringen* make *s.o.'s* blood boil, enrage.

**Wal|nuß** *f* walnut; **~roß** *zo. n* walrus.

**walten** *v/i.: s-s Amtes* ~ attend to one's duties; *Gnade ~ lassen* show mercy.

**Walze** *f* roller (*a. Straßen2, typ.*), cylinder (*a. typ.*); ⊕, ♪ barrel; **Sn** *v/t.* roll (*a. ⊕*).

**wälzen** *v/t.* roll; *Problem:* turn over and over in one's mind; *sich ~* roll; *im Schlamm etc.:* wallow.

**Walzer** ♪ *m* waltz.

**Wand** *f* wall; *Zwischen2:* partition.

**Wandel** *m* change; **Sn 1.** *v/i.* walk; **2.** *v/refl.* change.

**Wander|er** *m* wanderer; *bsd. sportlich:* hiker; **Sn** *v/i.* wander, hike; **~preis** *m* challenge trophy; **~ung** *f* walking-tour, hike.

**Wand|gemälde** *n* mural (painting); **~kalender** *m* wall-calendar; **~karte** *f* wall-map; **~lung** *f* change, transformation; *eccl.* transubstantiation; **~schirm** *m* folding-screen; **~schrank** *m* wall-cupboard; **~tafel**

*f* blackboard; **~teppich** *m* tapestry; **~uhr** *f* wall-clock.

**Wange** *f* cheek.

**Wankelmotor** *m* Wankel rotary piston engine.

**wankelmütig** *adj.* fickle, inconstant.

**wanken** *v/i.* totter, stagger (*a. fig.*); *fig.* waver.

**wann** *adv.* when; *s. dann; seit ~?* how long?, since when?

**Wanne** *f* tub; *bath(-tub)*, F tub; **~nbad** *n* bath, F tub.

**Wanze** *zo. f* bug, *Am. a.* bedbug.

**Wappen** *n* (coat of) arms *pl.*; **~kunde** *f* heraldry; **~schild** *m, n* escutcheon; **~tier** *n* heraldic animal.

**wappnen** *fig. v/refl.: sich ~ gegen* be prepared for; *sich mit Geduld ~* have patience.

**Ware** *f* commodity; **~n** *pl. a.* goods *pl.*, merchandise, wares *pl.*

**Waren|aufzug** *m* hoist; **~bestand** *m* stock (on hand); **~haus** *n* department store; **~lager** *n* stock; *Raum:* warehouse, *Am. a.* stockroom; **~probe** *f* sample; **~zeichen** *n* trade mark.

**warm** *adj.* warm (*a. fig.*); *Essen:* hot; *schön ~* nice and warm.

**Wärm|e** *f* warmth; *phys.* heat; **Sen** *v/t.* warm; *sich die Füße ~* warm one's feet; **~flasche** *f* hot-water bottle.

**warm|herzig** *adj.* warm-hearted; **Swasserversorgung** *f* hot-water supply.

**warn|en** *v/t.* warn (*vor of, against*), caution (*against*); **Sschild** *n* danger sign; **Ssignal** *n* danger-signal (*a. fig.*); **Sstreik** *m* token strike; **Sung** *f* warning, caution.

**warten** *v/i.* wait (*auf for*); *bevorstehen:* be in store (*for s.o.*); *j-n ~ lassen* keep s.o. waiting.

**Wärter** *m* attendant; *Wächter:* guard; *Irren2, Tier2:* keeper; *Pfleger:* (male) nurse.

**Warte|saal** *m*, **~zimmer** *n* waiting-room.

**Wartung** ⊕ *f* maintenance.

**warum** *adv.* why.

**Warze** *f* wart; *Brust2:* nipple.

**was 1.** *interr. pron.* what; *~ kostet das Buch?* how much is this book?; *~ für (ein) ...!* what a(n) ...!; *~ für ein ...?* what ...?; **2.** *rel. pron.* what; *~ (auch immer)*, *alles*

~ what(so)ever; ...; ~ ihn völlig kalt ließ ... which left him quite cold; **3.** F *indef. pron.* something; *ich will dir mal* ~ *sagen* I'll tell you what.

**wasch|bar** *adj.* washable; **2becken** *n* wash-basin, *Am.* washbowl.

**Wäsche** *f* wash(ing); *schmutzige od. frisch gereinigte: the* laundry; *Tisch2, Bett2:* linen (*a. fig.*); *Unter2:* underwear; *in der* ~ *sein* be at the wash; *sie hat heute große* ~ she has a large wash today.

**waschecht** *adj.* washable; *Farben:* fast; *fig.* true-born.

**Wäsche|klammer** *f* clothes-peg, clothes-pin; **~leine** *f* clothes-line.

**waschen** *v/t.* wash; *sich* ~ (have a) wash; *(sich) die Haare* ~ wash od. shampoo one's hair; *sich gut* ~ *(lassen)* wash well.

**Wäsche|rei** *f* laundry; **~schrank** *m* linen closet.

**Wasch|kessel** *m* copper; **~küche** *f* wash-house; **~lappen** *m* face-cloth, *Am.* washcloth; **~maschine** *f* washing machine, washer; **~pulver** *n* washing powder; **~raum** *m* lavatory, *Am. a.* wash-room; **~schüssel** *f* wash-basin, *Am.* washbowl; **~tag** *m* wash(ing)-day.

**Wasser** *n* water; **~behälter** *m* reservoir, water-tank; **~blase** *& f* water-blister; **~dampf** *m* steam; **2dicht** *adj.* waterproof; *bsd.* ⚓ watertight; **~eimer** *m* water-pail, bucket; **~fall** *m* waterfall; **~farbe** *f* water-colo(u)r; **~flugzeug** *n* seaplane; **~graben** *m* ditch; **~hahn** *m* tap, *Am. a.* faucet.

**wässerig** *adj.* watery; *j-m den Mund* ~ *machen* make s.o.'s mouth water.

**Wasser|kessel** *m* kettle; **~klosett** *n* water-closet, W.C.; **~kraft** *f* water-power; **~kraftwerk** *n* hydroelectric power station *od.* plant, water-power station; **~lauf** *m* watercourse; **~leitung** *f* water-pipe(s *pl.*); **~mangel** *m* shortage of water; **2n** *v/i.* alight on water; *Raumfahrzeug:* splash down.

**wässern** *v/t. Salzheringe etc.:* soak.

**Wasser|pflanze** *f* aquatic plant; **~rohr** *n* water-pipe; **~scheide** *f* watershed, *Am. a.* divide; **2scheu** *adj.* afraid of water; **~schlauch** *m*

water-hose; **~spiegel** *m* water-level; **~sport** *m* aquatic sports *pl.*; **~spülung** *f* flushing (system); **~stand** *m.* water-level; **~standsanzeiger** *m* water-gauge; **~stiefel** *m/pl.* waders *pl.*; **~stoff** *& m* hydrogen; **~stoffbombe** *f* hydrogen bomb, H-bomb; **~strahl** *m* jet of water; **~straße** *f* waterway; **~tier** *n* aquatic animal; **~verdrängung** *f* displacement; **~versorgung** *f* water-supply; **~waage** *f* spirit-level, water-level; **~weg** *m* waterway; *auf dem* ~ by water; **~welle** *f* water-wave; **~werk** *n* waterworks *sg., pl.*; **~zeichen** *n* watermark.

**wäßrig** *adj. s.* wässerig.

**waten** *v/i.* wade.

**watscheln** *v/i.* waddle.

**Watt** *& n* watt.

**Watte** *f* cotton-wool; *Verbands2:* surgical cotton; *zum Ausstopfen:* wadding; **~bausch** *m* wad.

**web|en** *v/t. u. v/i.* weave; **2er** *m* weaver; **2erei** *f* weaving-mill; **2stuhl** *m* loom.

**Wechsel** *m* change; *Geldzuwendung:* allowance; † bill (of exchange); **~beziehung** *f* correlation; **~geld** *n* change; **~kurs** *m* rate of exchange; **2n 1.** *v/t.* change; *variieren:* vary; *Worte:* exchange; *den Besitzer* ~ change hands; *die Kleider* ~ change (one's clothes); **2.** *v/i.* change; vary; **2seitig** *adj.* mutual, reciprocal; **~strom** *& m* alternating current; **~stube** *f* exchange office; **2weise** *adv.* alternately, by *od.* in turns; **~wirkung** *f* interaction.

**wecke|n** *v/t.* wake (up), waken, arouse (*a. fig.*); **2r** *m* alarm-clock.

**wedeln** *v/i.:* ~ *mit* wag.

**weder** *cj.:* ~ ... *noch* neither ... nor.

**Weg** *m* way (*a. fig.*); *Straße:* road (*a. fig.*); *Pfad:* path; *Reise2:* route; *Spazier2:* walk; *auf halbem* ~ half-way; *aus dem* ~ *räumen* remove (*a. fig.*); *in die* ~e *leiten* set on foot, initiate.

**weg** *adv.* away, off; ~*gegangen, verloren:* gone; *geh* ~*!* off with you!; ~ *mit ihm!* off with him! *Hände* ~*!* hands off!; F *ich muß* ~ I must be off; **~bleiben** F *v/i.* stay away; *ausgelassen werden:* be omitted; **~bringen** *v/t.* take away *Sachen: a.* remove.

**wegen** *prp.* because of, owing to.

**weg|fahren 1.** v/t. remove, cart away; **2.** v/i. leave; *im Wagen*: drive away; **~fallen** v/i. *ausgelassen werden*: be omitted; *abgeschafft werden*: be abolished; **2gang** m going away, departure; **~gehen** v/i. go away; *Ware*: sell; **~haben** F v/t.: *er hat noch nicht weg, wie man es machen muß* he hasn't got the knack of it yet; **~jagen** v/t. drive away; **~kommen** F v/i. get away; be od. get lost; *gut ~ come off well*; *mach, daß du wegkommst!* off with you!; **~lassen** v/t. let s.o. go; *Sache*: leave out, omit; **~laufen** v/i. run away; **~legen** v/t. put away; **~machen** F v/t. remove; *Flecken*: a. take out; **~müssen** F v/i.: *ich muß weg I must be off*; **~nehmen** v/t. *Zeit*: take up; *Zeit, Raum*: occupy; *j-m et. ~ take s.th. away from s.o.*

**Wegrand** m wayside.

**weg|räumen** v/t. clear away, remove; **~schaffen** v/t. remove; **~schicken** v/t. send away od. off; **~sehen** v/i. look away; **~setzen** v/t. put away; **~streichen** v/t. strike off od. out; **~tun** v/t. put away od. aside.

**Wegweiser** m signpost; *fig.* guide.

**weg|werfen** v/t. throw away; **~werfend** adj. disparaging; **~wischen** v/t. wipe off; **~ziehen 1.** v/t. pull od. draw away; **2.** v/i. (re)move.

**weh 1.** adj. sore; **2.** adv.: *~ tun* ache, hurt; *j-m ~ tun* hurt s.o.; *fig. a.* grieve s.o.; *sich ~ tun* hurt o.s.; *mir tut der Finger ~* my finger hurts.

**Wehen** ♀ f/pl. labo(u)r.

**wehen 1.** v/t. blow; **2.** v/i. blow; *es weht ein starker Wind* it is blowing hard.

**weh|klagen** v/i. lament (*um* for, over); **~leidig** adj. snivel(l)ing; *Stimme*: plaintive; **2mut** f wistfulness; **~mütig** adj. wistful.

**Wehr 1.** f: *sich zur ~ setzen* offer resistance (*gegen* to), show fight; **2.** n weir; **~dienst** ⚔ m military service; **~dienstverweigerer** ⚔ m conscientious objector; **2en** v/refl. defend o.s., offer resistance (*gegen* to); **2fähig** ⚔ adj. able-bodied; **2los** adj. defenceless, Am. defenseless; **~pflicht** ⚔ f compulsory military service, conscription; **2-**

**pflichtig** ⚔ adj. liable to military service.

**Weib** n woman; *Ehefrau*: wife; **~chen** zo. n female; **~ervolk** F n women(folk); **2isch** adj. womanish, effeminate; **2lich** adj. female; *gr.* feminine; *Wesensart*: womanly, feminine.

**weich** adj. soft (*a. fig.*); *Fleisch*: tender; *Ei*: soft-boiled; *~ werden* soften; *fig. a.* relent.

**Weiche**[1] ⛓ f switch; **~n** pl. a. points pl.

**Weiche**[2] anat. f flank, side.

**weichen**[1] v/i. give way, yield (*dat.* to).

**weichen**[2] v/i. soak.

**weich|herzig** adj. soft-hearted, tender-hearted; **~lich** adj. somewhat soft; *fig.* effeminate; **2ling** m weakling, milksop, *sl.* sissy; **2tier** n mollusc.

**Weide**[1] ♀ f willow.

**Weide**[2] 🌾 f pasture; *auf der ~ out at grass*; **~land** n pasture; **2n 1.** v/t. pasture, graze; *sich ~ an gloat over*; *e-m Anblick etc.*: feast one's eyes on; **2.** v/i. pasture, graze.

**Weidenkorb** m wicker basket.

**weiger|n** v/refl. refuse, decline; **2ung** f refusal.

**Weihe** eccl. f consecration; *Priester* 2: ordination; **2n** eccl. v/t. consecrate; *j-n zum Priester ~ ordain s.o. priest*.

**Weiher** m pond.

**weihevoll** adj. solemn.

**Weihnachten** n Christmas, Xmas.

**Weihnachts|abend** m Christmas eve; **~baum** m Christmas-tree; **~fest** n Christmas; **~geschenk** n Christmas present; **~lied** n (Christmas) carol; **~mann** m Father Christmas, Santa Claus; **~markt** m Christmas fair; **~zeit** f Christmas(tide).

**Weih|rauch** eccl. m incense; **~wasser** eccl. n holy water.

**weil** cj. because, since, as.

**Weil|chen** n: *ein ~ a little while*; **~e** f: e-e ~ a while.

**Wein** m wine; *~stock*: vine; **~bau** m vine-growing, viniculture; **~beere** f grape; **~berg** m vineyard.

**weine|n** v/i. weep (*um, vor* for), cry (*vor Freude*: for, *Schmerz*: with); **~rlich** adj. tearful; *Stimme*: whining.

**Wein|ernte** f vintage; **~faß** n wine-cask; **flasche** f winebottle; **geist** m spirit(s pl.); **handlung** f wine-merchant's shop; **hauer** östr. m s. Winzer; **karte** f winelist; **keller** m wine-vault; **kelter** f winepress; **kenner** m connoisseur of od. in wines; **lese** f vintage; **ranke** f vine-tendril; **rebe** f vine; **rot** adj. claret (red); **stock** m vine; **traube** f s. Traube.

**weise 1.** adj. wise, sage (a. iro.); **2.** ♀ m wise man, sage.

**Weise** f ♪ melody, tune; fig. manner, way; auf diese ~ in this way.

**weisen 1.** v/t.: von der Schule ~ expel from school; von sich ~ Gedanken: reject; Beschuldigung: deny; **2.** v/i.: ~ auf point at od. to.

**Weis|heit** f wisdom; am Ende s-r ~ sein be at one's wit's end; **heits-zahn** m wisdom-tooth; **♀machen** v/t.: j-m et. ~ make s.o. believe s.th.

**weiß** adj. white; **♀brot** n white bread; **♀e** m white (man); **~en** v/t. whitewash; **~glühend** adj. white-hot, incandescent; **♀kohl** m white cabbage; **~lich** adj. whitish; **♀waren** pl. linen goods pl.; **♀wein** m white wine.

**Weisung** f direction, directive.

**weit 1.** adj. distant (von from); Welt, Kleidung: wide; Gebiet etc.: vast; Kleidung: loose; Reise, Weg: long; Gewissen: elastic; **2.** adv.: ~ entfernt far away; ~ entfernt von a. a long distance from; fig. far from; ~ und breit far and wide; bei ~em (by) far; von ~em from a distance.

**weit|ab** adv. far away (von from); **~aus** adv. (by) far, much; **♀blick** m far-sightedness; **~en** v/t. u. v/refl. widen.

**weiter 1.** adj. Einzelheiten etc.: further; Kosten etc.: additional, extra; ~e fünf Wochen another five weeks; bis auf ~es until further notice; ohne ~es without any hesitation; aus dem Stegreif: off-hand; alles Weitere the rest; Genaueres: further details pl.; **2.** adv. further-more, moreover; ~! go on!; nichts ~ nothing more; und so ~ and so on; bis hierher und nicht ~ so far and no farther.

**weiter|befördern** v/t. forward; **~bestehen** v/i. continue to exist,

survive; **~bilden** v/t. give s.o. further education; sich ~ improve one's knowledge; continue one's education; **~geben** v/t. pass (dat., an to); **~gehen** v/i. pass od. move on, walk along; fig. continue, go on; **~hin** adv. in (the) future; ferner: furthermore; et. ~ tun continue doing od. to do s.th.; **~kommen** v/i. get on; **~können** v/i. be able to go on; **~leben** v/i. live on, survive (a. fig.); **~machen** v/t. u. v/i. carry on.

**weit|gehend 1.** adj. large; Unter-stützung: generous; **2.** adv. largely; **~läufig** adj. Haus etc.: spacious; Verwandter: distant; **~reichend** adj. far-reaching; **~schweifig** adj. diffuse, prolix; **~sichtig** adj. ♀ far-sighted; fig. a. far-seeing; **♀sprung** m long jump, Am. broad jump; **~verbreitet** adj. widespread.

**Weizen** ♀ m wheat; **~brot** n wheaten bread; **~mehl** n wheaten flour.

**welch 1.** interr. pron. what, aus-wählend: which; **~er?** which one?; **~er von beiden?** which of the two?; **2.** rel. pron. who, that; which, that; **3.** F indef. pron. some, any.

**welk** adj. faded, withered; Haut: flabby; **~en** v/i. fade, wither.

**Wellblech** n corrugated iron.

**Welle** f wave (a. fig.); ⊕ shaft.

**wellen** v/t. u. v/refl. wave; **♀bereich** ♀ m wave range; **~förmig** adj. undulating; **♀länge** ♀ f wave length; **♀linie** f wavy line.

**wellig** adj. wavy.

**Wellpappe** f corrugated cardboard.

**Welt** f world; die ganze ~ the whole world, all the world; auf der ganzen ~ all over the world; zur ~ bringen give birth to.

**Welt|all** n universe, cosmos; **~an-schauung** f Weltanschauung; **~ausstellung** f world fair; **~berühmt** adj. world-famous; **♀fremd** adj. worldly innocent; **~friede(n)** m universal peace; **~geschichte** f universal history; **~krieg** m world war; der zweite ~ World War II; **~lage** f inter-national situation; **♀lich** adj. worldly; diesseitig: secular, tem-poral; **~literatur** f world litera-ture; **~macht** f world-power; **♀männisch** adj. man-of-the-world;

~markt m world market; ~meer n ocean; ~meister m world champion; ~meisterschaft f world championship; ~raum m space; ~reich n universal empire; ~reise f journey round the world; ~rekord m world record; ~ruf m worldwide reputation; ~schmerz m Weltschmerz; ~stadt f metropolis; ²weit adj. world-wide; ~wunder n wonder of the world.

**Wende** f turn (a. Schwimmsport); fig. a. turning-point; ~kreis m geogr. tropic; mot. turning-circle.

**Wendeltreppe** f winding od. spiral staircase.

**wende|n** 1. v/t. turn; Heu: turn about; bitte ~! please turn over!; 2. v/refl.: sich ~ an um Hilfe: turn to; ansprechen: address o.s. to; wegen e-r Auskunft etc.: apply to (wegen for); 3. ♣, mot. v/i. turn; ²punkt m turning-point.

**wend|ig** adj. nimble, agile (beide: a. fig.); mot., ♣ easily steerable; ²ung f turn (a. fig.); fig.: change; Ausdruck: expression; Rede²: idiom.

**wenig** 1. adj. little; ~e pl. few pl.; ~er less; ~er pl. fewer; das ~e the little; 2. adv. little; ~er less; ♣ a. minus; am ~sten least (of all); ~stens adv. at least.

**wenn** cj. zeitlich: when; bedingend: if; ~ ... nicht if ... not, unless; ~ auch (al)though, even though; ~ auch noch so however; und ~ nun ...? what if ...?

**wer** 1. interr. pron. who, auswählend: which; ~ von euch? which of you?; 2. rel. pron. who; ~ auch (immer) who(so)ever; 3. F indef. pron. somebody, anybody.

**Werbe|abteilung** f publicity department; ~film m advertising film.

**werb|en** 1. v/t. Anhänger, Käufer etc.: canvass; ✗ recruit, enlist; 2. v/i.: ~ für advertise, Am. a. advertize; canvass for; ²ung f publicity, advertising, Am. a. advertizing; canvassing.

**Werdegang** m career; ⊕ process of manufacture.

**werden** v/i. become, get; allmählich: grow; plötzlich blaß, sauer etc. ~: turn; was ist aus ihm geworden? what has become of him?; was will

er (einmal) ~? what is he going to be?

**werfen** 1. v/t. throw (nach at); zo. Junge: throw; Schatten, Blick etc.: cast; 2. v/i. throw; ~ mit throw (auf, nach at).

**Werft** ♣ f dockyard, shipyard.

**Werk** n work; Tat: act; Getriebe: works pl.; Fabrik: works sg. od. pl., factory; ans ~ gehen set od. go to work; ~bank ⊕ f work-bench; ~meister m foreman; ~statt f workshop; ~tag m workday; ²tätig adj. working; ~zeug n tool, implement; feines: instrument.

**wert** 1. adj. worth; würdig: worthy (gen. of); ~ getan zu werden worth doing; ²2. im value (a. ♣, ♠, phys., fig.), worth (a. fig.); Briefmarken im ~ von 2 Schilling 2 shillings' worth of stamps; großen ~ legen auf set a high value (up)on.

**Wert|brief** m money-letter; ²en v/t. value; ~gegenstand m article of value; ²los adj. worthless, valueless; ~papiere n/pl. securities pl.; ~sachen pl. valuables pl.; ~ung f valuation; Sport, Spiel: score; ²~voll adj. valuable, precious.

**Wesen** n Lebe²: being, creature; ~skern: essence; Natur: nature, character; viel ~s machen um make a fuss of; ²tlich adj. essential, substantial.

**weshalb** interr. adv. why.

**Wespe** zo. f wasp.

**West** geogr. west; ~en m west; Abendland u. pol.: the West.

**Weste** f waistcoat, ✝ u. Am. vest.

**west|lich** adj. west(erly); Einfluß etc.: western; ²wind m west(erly) wind.

**Wett|bewerb** m competition (a. ✝); ~büro n betting office; ~e f wager, bet; ²eifern v/i. vie (mit with; um for); ²en 1. v/t. wager, bet; 2. v/i.: mit j-m um et. ~ wager od. bet s.o. s.th.; ~ auf wager od. bet on, back.

**Wetter** n weather; ~bericht m weather-forecast; ²fest adj. weather-proof; ~karte f weather-chart; ~lage f weather-conditions pl.; ~leuchten n sheet-lightning; ~vorhersage f weather-forecast; ~warte f weather-station.

**Wett|kampf** m contest, competition; ~kämpfer m contestant; ~lauf m race; ~läufer m racer, run-

ner; 2machen *v/t.* make up for;
~rennen *n* race; ~rüsten *n* armament race; ~spiel *n* match, game;
~streit *m* contest.

wetzen *v/t.* whet, sharpen.

wichtig *adj.* important; 2keit *f*
importance; 2tuer *m* pompous
fellow.

Wickel *m* roll(er); ✻: *Umschlag:*
compress; *Packung:* packing; 2n
*v/t.* wind; *Baby:* swaddle; *ein*~:
wrap (up).

Widder *zo. m* ram.

wider *prp.* against, contrary to; ~
fahren *v/i.* happen (*dat.* to); 2~
haken *m* barb; ~hallen *v/i.* (re-)
echo (*von* with), resound (with);
~legen *v/t.* refute, disprove; ~lich
*adj.* repugnant, repulsive; *ekelhaft:*
disgusting; ~rechtlich *adj.* illegal,
unlawful; 2rede *f* contradiction;
2ruf *m* ᵼᵗᵗ revocation; *e-r Erklärung:* retraction; ~rufen *v/t.* revoke; retract (*a.* ᵼᵗᵗ); 2sacher *m*
adversary; 2schein *m* reflection,
reflexion; ~setzen *v/refl.* oppose,
resist (*e-r Sache* s.th.); ~sinnig *adj.*
absurd; ~spenstig *adj.* refractory;
~spiegeln *v/t.* reflect (*a. fig.*); *sich* ~
in be reflected in; ~sprechen *v/i.*
contradict; 2spruch *m* contradiction; *gegen e-n Vorschlag etc.:* opposition; ~sprüchlich *adj.* con-
tradictory; ~spruchslos *adv.* without contradiction; 2stand *m* resistance (*a. ⚡*), opposition; ~ leisten
offer resistance (*dat.* to); ~stands-
fähig *adj.* resistant (*a.* ⊕); ~stehen
*v/i.* resist (*e-r Sache* s.th.); ~stre-
ben *v/i.*: *es widerstrebt mir, dies zu
tun* I hate doing *od.* to do that; ~
strebend *adv.* reluctantly; ~wär-
tig *adj.* disgusting; 2wille *m* aversion (*gegen* to, for, from), dislike (to,
of, for); *Ekel:* disgust (at, for); *Un-
willigkeit:* reluctance, unwilling-
ness; ~willig *adj.* reluctant, unwilling.

widm|en *v/t.* dedicate; 2ung *f*
dedication.

widrig *adj.* adverse.

wie 1. *adv.* how; ~ *spät ist es?* what
is the time?; 2. *cj. Vergleich:* as (*a.
zeitlich*); like.

wieder *adv.* again, anew; *immer* ~
again and again; 2aufbau *m* reconstruction, rebuilding; ~auf-
bauen *v/t.* reconstruct; ~aufleben

*v/i.* revive; 2aufleben *n* revival;
2aufnahme *f* resumption; ~auf-
nehmen *v/t.* resume; ~bekom-
men *v/t.* get back; ~beleben *v/t.*
resuscitate, revive (*a. fig.*); 2bele-
bungsversuch *m* attempt at re-
suscitation; ~bringen *v/t.* bring
back; *zurückgeben:* restore, give
back; ~einsetzen *v/t.* restore; ~
einstellen *v/t.* re-engage; ~erken-
nen *v/t.* recognize (*an* by); ~er-
statten *v/t.* restore; *Kosten:* reimburse, refund; ~geben *v/t.* give
back, return; *darbieten etc.:* render,
reproduce; ~gutmachen *v/t.* make
up for; 2gutmachung *f* reparation;
~herstellen *v/t.* restore; ~'holen
*v/t.* 1. repeat; 2. *'wiederholen* fetch
back; 2holung *f* repetition; 2kehr *f*
return; *periodische:* recurrence; ~
kehren *v/i.* return; recur; ~kom-
men *v/i.* come back, return; ~se-
hen *v/t. u. v/refl.* see *od.* meet again;
2sehen *n* meeting again; *auf* ~!
good-bye!; ~tun *v/t.* do again, repeat; ~um *adv.* again; 2vereini-
gung *f* reunion; *pol.* reunification;
~wählen *v/t.* re-elect.

Wiege *f* cradle.

wiegen¹ *v/t. u. v/i.* weigh.

wiegen² *v/t.* rock; *in Sicherheit* ~
rock in security, lull into (a false
sense of) security; 2lied *n* lullaby.

wiehern *v/i.* neigh.

Wiese *f* meadow.

wieso *interr. adv.* why (so).

wieviel *adv.* how much; ~ *pl.* how
many *pl.*; ~te *adv.:* *den* ~*n haben
wir heute?* what's the date today?

wild 1. *adj.* wild; *unzivilisiert:* savage; ~e *Ehe* concubinage; ~er *Streik
✝* wildcat strike; 2. 2 *n* game.

Wild|bach *m* torrent; ~bret *n* game;
*Rehwild:* venison.

Wilde *m* savage.

Wilder|er *m* poacher; 2n *v/i.*
poach.

wild|fremd F *adj.* quite strange;
~er *Mensch* complete stranger; 2~
hüter *m* gamekeeper; 2leder *n*
buckskin, doeskin; *Ziegenleder:*
suède; 2nis *f* wilderness, wild; 2~
schwein *zo.* ~ wild boar.

Wille *m* will; *s-n* ~ *durchsetzen*
have one's way; *j-m s-n* ~*n lassen*
let s.o. have his (own) way; 2nlos
*adj.* lacking will-power.

Willens|freiheit *f* freedom of (the)

will; **~kraft** f will-power; ♀**stark** adj. strong-willed.

**will|ig** adj. willing; **~kommen** adj. welcome; **~kürlich** adj. arbitrary.

**wimmeln** v/i. swarm (von with), teem (with).

**wimmern** v/i. whimper, whine.

**Wimpel** m pennant, pennon.

**Wimper** f eyelash.

**Wind** m wind.

**Winde** f windlass; Garn♀: reel.

**Windel** f (baby's) napkin, Am. diaper.

**winden** v/t. wind, twist; Kranz: make, bind; sich ~ vor writhe with.

**wind|ig** adj. windy; ♀**mühle** f windmill; ♀**pocken** ✻ pl. chickenpox; ♀**richtung** f direction of the wind; ♀**rose** ⚓ f compass card; ♀**schutzscheibe** f wind-screen, Am. windshield; ♀**stärke** f wind velocity; **~still** adj. calm; ♀**stille** f calm; ♀**stoß** m blast of wind, gust.

**Windung** f winding, turn; e-s Weges etc.: bend.

**Wink** m sign; mit der Hand: wave; mit den Augen: wink; fig.: hint; tip.

**Winkel** m ⚓ angle; Ecke: corner, nook; ♀**ig** adj. angular; Straße: crooked.

**winken** v/i. make a sign, signal (dat. to); her~: beckon; mit dem Taschentuch ~ wave one's handkerchief.

**winklig** adj. s. winkelig.

**winseln** v/i. whimper, whine.

**Winter** m winter; im ~ in winter; ♀**lich** adj. wintry; **~schlaf** m hibernation; **~sport** m winter sports pl.

**Winzer** m vine-dresser; Traubenleser: vintager.

**winzig** adj. tiny, diminutive.

**Wipfel** m (tree-)top.

**wir** pers. pron. we; ~ drei the three of us.

**Wirbel** m whirl; Wasser♀: eddy; anat. vertebra; ♀**n** v/i. whirl; **~säule** anat. f spinal column; **~sturm** m cyclone, tornado; **~tier** n vertebrate; **~wind** m whirlwind (a. fig.).

**wirk|en 1.** v/t. knit, weave; Wunder: work; **2.** v/i.: ~ als act od. function as; ~ auf produce an impression on; beruhigend ~ have a soothing effect; **~lich** adj. real, actual; echt: true, genuine; ♀**lichkeit** f reality; in ~

in reality; **~sam** adj. effective; ♀**ung** f effect.

**Wirkungs|kreis** m sphere od. field of activity; ♀**los** adj. ineffective; ♀**voll** adj. effective.

**wirr** adj. confused; Rede: incoherent; Haare: dishevel(l)ed; ♀**en** pl. disorders pl., troubles pl.; ♀**warr** m confusion, muddle.

**Wirt** m host; Haus♀, Gast♀: landlord; Gast♀: innkeeper.

**Wirtschaft** f housekeeping; e-s Gemeinwesens: economy; F Durcheinander: mess; s. Wirtshaus; ♀**en** v/i. keep house; sparen: economize; **~erin** f housekeeper; ♀**lich** adj. economic; haushälterisch: economical; **~skrise** f economic crisis.

**Wirtshaus** n public house, F pub.

**wischen** v/t. wipe; Staub ~ dust.

**wispern** v/t. u. v/i. whisper.

**wißbegierig** adj. eager for knowledge.

**wissen 1.** v/t. know; **2.** v/i. know; man kann nie ~ you never know; **3.** ♀ n knowledge; meines ~s to my knowledge, as far as I know.

**Wissenschaft** f science; **~ler** m scholar; bsd. Natur♀: scientist; Forscher: researcher; ♀**lich** adj. scientific.

**wissen|swert** adj. worth knowing; **~tlich** adj. knowing, conscious.

**wittern** v/t. scent, smell.

**Witterung** f weather; hunt. scent.

**Witwe** f widow; **~r** m widower.

**Witz** m Geist: wit; Spaß: joke; ~e reißen crack jokes; ♀**ig** adj. geistreich: witty; komisch: funny.

**wo** adv. where?; **~bei** adv. at what?; at which.

**Woche** f week; heute in e-r ~ today week.

**Wochen|bett** n childbed; **~blatt** n weekly (paper); **~ende** n week-end; ♀**lang 1.** adj.: nach ~em Warten after (many) weeks of waiting; **2.** adv. for weeks; **~lohn** m weekly pay od. wages pl.; **~markt** m weekly market; **~schau** f news-reel; **~tag** m week-day.

**wöchentlich 1.** adj. weekly; **2.** adv. weekly, every week; einmal ~ once a week.

**Wöchnerin** f woman in childbed.

**wo|durch** adv. by what?, how?; by which, whereby; **~für** adv. for what?, what ... for?; (in return) for which.

**Woge** f wave (a. fig.), billow; die ~n glätten pour oil on troubled waters; **2**n v/i. surge (a. fig.), billow; Getreide: wave; schwellend: heave.

**wo|her** adv. from where?, where ... from?; ~ wissen Sie das? how do you (come to) know that?; **~hin** adv. where (... to)?

**wohl 1.** adv. well; vermutend: I suppose; sich nicht ~ fühlen be unwell; leben Sie ~! farewell!; **2.** 2 n: auf Ihr ~! your health!, here is to you!

**Wohl|befinden** n well-being, (good) health; **~behagen** n comfort, ease; **2behalten** adj. safe; **~ergehen** n welfare; **2erzogen** adj. well-bred, well-behaved; **~fahrt** f welfare; **~geruch** m scent, perfume; **2gesinnt** adj. well-disposed (j-m towards s.o.); **2habend** adj. well-to-do; **2ig** adj. comfortable, snug; **2klingend** adj. melodious, harmonious; **2riechend** adj. fragrant; **2schmeckend** adj. savo(u)ry, tasty; **~stand** m prosperity, wealth; **~tat** f kindness, charity; fig. comfort, treat; **~täter** m benefactor; **2tätig** adj. charitable, beneficent; **~tätigkeit** f charity; **2tuend** adj. pleasant, comfortable; **2verdient** adj. well-deserved; **~wollen** n goodwill, benevolence; Gunst: favo(u)r.

**wohn|en** v/i. live (in in, at; bei j-m with s.o.); feiner, länger: reside (in, at; with); **2haus** n dwelling-house; Mietshaus: block of flats, Am. apartment house; **~haft** adj. resident, living; **~lich** adj. comfortable, cosy, snug; **2ort** m dwelling-place, residence, bsd. ⟂⟂ domicile; **2sitz** m residence; ohne festen ~ with od. of no fixed abode; **2ung** f dwelling; Etagen2 etc.: flat, Am. apartment.

**Wohnungs|amt** n housing office; **~not** f housing shortage.

**Wohn|wagen** m caravan, trailer; **~zimmer** n sitting-room, living-room.

**wölb|en** v/t. u. v/refl. arch; **2ung** f vault, arch.

**Wolf** zo. m wolf.

**Wolke** f cloud.

**Wolken|bruch** m cloud-burst; **~kratzer** m skyscraper; **2los** adj. cloudless.

**wolkig** adj. cloudy, clouded.

**Woll|decke** f blanket; **~e** f wool.

**wollen**[1] **1.** v/t. wish, desire; verlangen: want; lieber ~ prefer; nicht ~ refuse; er weiß, was er will he knows his mind; **2.** v/i. want; **3.** v/aux. be willing; beabsichtigen: intend, be going to; im Begriff sein: be about to; lieber ~ prefer; nicht ~ refuse.

**woll|en**[2] adj. wool(l)en; **~ig** adj. wool(l)y; **2stoff** m wool(l)en.

**wollüstig** adj. voluptuous.

**Wollwaren** pl. wool(l)en goods pl.

**wo|mit** adv. with what?, what ... with?; with which; **~möglich** adv. perhaps, maybe.

**Wonne** f delight, bliss.

**wor|an** adv.: ~ denkst du? what are you thinking of?; ich weiß nicht, ~ ich mit ihm bin I don't know what to make of him; ~ liegt es, daß ...? how is it that ...?; **~auf** adv. on what?, what ... on?; danach: whereupon, after which; ~ wartest du? what are you waiting for?; **~aus** adv. from what?; what ... of?; from which; **~in** adv. in what?; in which.

**Wort** n word; Ausdruck: term, expression; ums ~ bitten ask permission to speak; das ~ ergreifen begin to speak; parl. rise to speak, address the House, bsd. Am. take the floor; ~ halten keep one's word; **2brüchig** adj.: er ist ~ geworden he has broken his word.

**Wörter|buch** n dictionary; **~verzeichnis** n vocabulary, list of words.

**Wort|führer** m spokesman; **2getreu** adj. literal; **2karg** adj. taciturn; **~laut** m wording; Inhalt: text.

**wörtlich** adj. literal.

**Wort|schatz** m vocabulary; **~schwall** m torrent of words, verbiage; **~spiel** n pun (über, mit [up]on); **~stellung** gr. f word order; **~stamm** ling. m stem; **~wechsel** m dispute.

**wo|rüber** adv. over od. upon what?, what ... over od. about od. on?; over od. upon which, about which; **~rum** adv. about what?, what ... about?; about od. for which; ~ handelt es sich? what is it about?; **~runter** adv. under od. among what?, what

... under?; under *od.* among which; **~von** *adv.* of *od.* from what?, what ... from *od.* of?; about what?, what ... about?; of *od.* from which; **~vor** *adv.* of what?, what ... of?; of which; **~zu** *adv.* for what?, what ... for?; for which.

**Wrack** *n* ⚓ wreck (*a. fig.*).

**wringen** *v/t.* wring.

**Wucher** *m* usury; **~er** *m* usurer; **2n** *v/i.* grow exuberantly; **~ung** *f* ♀ exuberant growth; ♣ growth.

**Wuchs** *m* growth; *Gestalt*: figure, shape; stature.

**Wucht** *f* weight; *Gewalt*: force; **2ig** *adj.* heavy.

**wühlen** *v/i.* dig; *Schwein*: root; **~** *in* rummage (about) in.

**Wulst** *m, f* pad; *Bauchung*: bulge; **2ig** *adj. Lippen*: thick.

**wund** *adj.* sore; **~e Stelle** sore; **~er Punkt** tender spot; **2e** *f* wound; *alte* **~n** *wieder aufreißen* reopen old sores.

**Wunder** *n* miracle; *fig. a.* wonder, marvel; **~** *wirken* work wonders; *Tabletten etc.*: work marvels; *kein* **~**, *wenn man bedenkt* ... no wonder, considering ...; **2bar** *adj.* miraculous; *fig. a.* wonderful, marvel(l)ous; **~kind** *n* infant prodigy; **2lich** *adj.* queer, odd; **2n** *v/t.* surprise, astonish; *sich* **~** be surprised *od.* astonished (*über at*); **2-schön** *adj.* very beautiful; **2tätig** *adj.* wonder-working; **2voll** *adj.* wonderful; **~werk** *n* marvel, wonder.

**Wundstarrkrampf** ♣ *m* tetanus.

**Wunsch** *m* wish, desire; *Bitte*: request; *auf* **~** by *od.* on request; if desired; *nach* **~** as desired.

**Wünschelrute** *f* divining-rod.

**wünschen** *v/t.* wish, desire; *wie Sie* **~** as you wish; **2swert** *adj.* desirable.

**Würde** *f* dignity; **2los** *adj.* undignified; **~nträger** *m* dignitary; **2voll** *adj.* dignified.

**würdig** *adj.* worthy (*gen.* of); *würdevoll*: dignified; **2en** *v/t.* appreciate; *j-n keines Blickes* **~** ignore s.o. completely; **2ung** *f* appreciation.

**Wurf** *m* throw, cast; *zo.* litter.

**Würfel** *m* cube (*a.* ♣); *Spiel* ♀: die; **2n** *v/i.* (play) dice; **~spiel** *n* game of dice; **~zucker** *m* lump sugar.

**Wurfgeschoß** *n* missile, projectile.

**würgen 1.** *v/t.* choke, strangle; **2.** *v/i.* choke; *beim Erbrechen*: retch.

**Wurm** *zo. m* worm; **2en** F *v/t.* vex; **2stichig** *adj.* wormeaten.

**Wurst** *f* sausage.

**Würstchen** *n* sausage; *heißes* **~** hot sausage, *Am.* hot dog.

**Würze** *f Gewürz*: spice; *Aroma*: seasoning, flavo(u)r; *fig.* salt.

**Wurzel** *f* root (*a. gr.*, ♣); **~** *schlagen* strike *od.* take root (*a. fig.*); **2n** *v/i.*: **~** *in* be rooted in.

**würz|en** *v/t.* spice, season, flavo(u)r; **~ig** *adj.* spicy, well-seasoned.

**Wust** F *m* tangled mass.

**wüst** *adj.* desert, waste; *wirr*: confused; *liederlich*: wild, dissolute; *roh*: rude; **2e** *f* desert, wilderness, waste; **2ling** *m* libertine, rake.

**Wut** *f* rage, fury; *in* **~** in a rage; **~anfall** *m* fit of rage.

**wüten** *v/i.* rage (*a. fig.*); **~d** *adj.* furious, enraged (*über at*; *auf with*), *bsd.* F *Am. a.* mad (*über, auf at*).

**wutschnaubend** *adj.* foaming with rage.

# X, Y

**X-Beine** *n/pl.* knock-knees *pl.*; **X-beinig** *adj.* knock-kneed.

**x-beliebig** *adj.* any (... you please); *jede(r, -s)* **~e** ... any ...

**x-mal** *adv.* many times, *sl.* umpten times.

**X-Strahlen** *m/pl.* X-rays *pl.*

**x-te** *adj.*: *zum* **~n** *Male* for the umpteenth time.

**Xylophon** ♪ *n* xylophone.

**Yacht** ⚓ *f* yacht.

# Z

**Zacke** f s. Zacken.

**Zacken** 1. m (sharp) point; *Zinke*: prong; *e-r Säge etc.*: tooth; *Fels*♀: jag; 2. ♀ v/t. indent, notch.

**zackig** *adj.* indented, notched; *Fels*: jagged; ✕ F *fig.* smart.

**zaghaft** *adj.* timid; **♀igkeit** f timidity.

**zäh** *adj.* tough, tenacious (*beide a. fig.*); s. zähflüssig; *fig.* dogged; **~flüssig** *adj.* viscid, viscous, sticky; **♀igkeit** f toughness, tenacity (*beide a. fig.*); viscosity; *fig.* doggedness.

**Zahl** f number; *Ziffer*: figure, cipher; **♀bar** *adj.* payable.

**zählbar** *adj.* countable.

**zahlen** 1. v/i. pay; *im Restaurant*: ~ (, bitte)! the bill, please!, *Am.* the check, please!; 2. v/t. pay.

**zählen** 1. v/t. count, number; ~ *zu* count among; 2. v/i. count; ~ *auf* count (up)on, rely (up)on.

**zahlenmäßig** 1. *adj.* numerical; 2. *adv.*: j-m ~ überlegen sein outnumber s.o.

**Zähler** m counter; ⚖ numerator; *Gas*♀ *etc.*: meter.

**Zahl|karte** f *appr.* money-order form; **♀los** *adj.* numberless, innumerable, countless; **~meister** ✕ m paymaster; **♀reich** 1. *adj.* numerous; 2. *adv.* in great number; **~tag** m pay-day; **~ung** f payment.

**Zählung** f counting.

**Zahlungs|aufforderung** f request for payment; **~bedingungen** f/pl. terms pl. of payment; **~befehl** m order to pay; **~einstellung** f suspension of payment; **♀fähig** *adj.* solvent; **~fähigkeit** f solvency; **~frist** f term of payment; **~mittel** n currency; *gesetzliches* ~ legal tender; **~schwierigkeiten** f/pl. financial *od.* pecuniary difficulties pl.; **~termin** m date of payment; **♀unfähig** *adj.* insolvent; **~unfähigkeit** f insolvency.

**Zahlwort** gr. n numeral.

**zahm** *adj.* tame (*a. fig.*), domestic(ated).

**zähm|en** v/t. tame (*a. fig.*), domesticate; **♀ung** f taming (*a. fig.*), domestication.

**Zahn** m tooth; ⊕ tooth, cog; *Zähne*

bekommen cut one's teeth; **~arzt** m dentist, dental surgeon; **~bürste** f tooth-brush; **~creme** f toothpaste; ♀en v/i. cut one's teeth; **~fleisch** n gums pl.; **~füllung** f filling, stopping; **~heilkunde** f dentistry; ♀los *adj.* toothless; **~lücke** f gap between the teeth; **~pasta** f, **~paste** f tooth-paste; **~rad** ⊕ n cog-wheel; **~radbahn** f rack-railway; **~schmerzen** m/pl. toothache; **~stocher** m toothpick.

**Zange** f (e-e a pair of) tongs pl.; 🐞, zo. forceps sg., pl.

**Zank** m quarrel, F row; **~apfel** m bone of contention; ♀en 1. v/i. scold (*mit j-m s.o.*); 2. v/refl. quarrel, wrangle.

**zänkisch** *adj.* quarrelsome.

**Zäpfchen** n small peg; *anat.* uvula.

**Zapfen** 1. m plug; *Pflock*: peg, pin; *Spund*♀: bung; *Dreh*♀: pivot; ♀ cone; 2. ♀ v/t. tap; **~streich** ✕ m tattoo, retreat, *Am. a.* taps pl.

**Zapf|hahn** m tap, *Am.* faucet; **~säule** mot. f petrol pump.

**zappel|ig** *adj.* fidgety; **~n** v/i. struggle; *vor Unruhe*: fidget.

**zart** *adj.* tender, soft, delicate; *sanft*: gentle; **~fühlend** *adj.* delicate; ♀gefühl n delicacy (of feeling).

**zärtlich** *adj.* tender, loving; ♀keit f tenderness; *Kosung*: caress.

**Zauber** m spell, charm, magic (*alle a. fig.*); *fig.* enchantment; **~ei** f magic, sorcery, witchcraft; *Taschenspielerei*: conjuring; **~er** m sorcerer, magician; conjurer; **~formel** f spell; ♀haft *adj.* magic(al); *fig.* enchanting; **~kraft** f magic power; **~kunststück** n conjuring trick; ♀n 1. v/i. practise magic *od.* witchcraft; do conjuring tricks; 2. v/t. conjure; **~spruch** m spell; **~stab** m (magic) wand; **~wort** n magic word, spell.

**zaudern** v/i. hesitate.

**Zaum** m bridle; *im* ~ *halten* keep in check.

**zäumen** v/t. bridle.

**Zaumzeug** n bridle.

**Zaun** m fence; **~gast** m deadhead; **~pfahl** m pale.

**Zebrastreifen** m zebra crossing.

**Zech|e** f score, reckoning, bill; ✗ mine; *Kohlen*♀: coal-pit, colliery;

F die ~ bezahlen foot the bill, F stand treat; 2en v/i. carouse, tipple; ~gelage n carousal, carouse.

Zeh m, ~e f toe; ~enspitze f tip of the toe; auf ~n on tiptoe.

zehn adj. ten; ~fach adj. tenfold; ~jährig adj. ten-year-old, of ten (years); 2kampf m decathlon; ~mal adv. ten times; ~te adj. tenth; 2tel n tenth (part); ~tens adv. tenthly.

Zeichen n sign, token; Merk2: mark; Signal: signal; zum ~ as a token of; ~block m drawing-block; ~brett n drawing-board; ~lehrer m drawing-master; ~papier n drawing-paper; ~setzung gr. f punctuation; ~sprache f sign-language; ~stift m pencil, crayon; ~trickfilm m animation, animated cartoon.

zeichn|en 1. v/t. draw; skizzieren: design; Wäsche: mark; unter~: sign; ✝ subscribe for; 2. v/i. draw; 2er m draftsman, draughtsman; designer; ✝ subscriber (gen. for); 2ung f drawing; design; zo. marking; ✝ subscription.

Zeige|finger m forefinger, index (finger); 2n 1. v/t. show, point out; dartun: demonstrate; sich ~ appear; 2. v/i.: ~ auf point at; ~ nach point to; ~r m pointer; Uhr2: hand; ~stock m pointer.

Zeile f line; j-m ein paar ~n schreiben drop s.o. a few lines.

Zeit f time; ~alter: epoch, era, age; ~raum: period, space (of time); freie ~ spare time; mit der ~ in the course of time; von ~ zu ~ from time to time; vor langer ~ long ago, a long time ago; zur ~ gen.: in the time of; at (the) present; das hat ~ there is plenty of time for that; laß dir ~! take your time!

Zeit|abschnitt m epoch, period; ~alter n age; ~aufnahme phot. f time-exposure; ~dauer f length of time, period (of time); ~geist m spirit of the time(s), zeitgeist; 2gemäß adj. modern, up-to-date; ~genosse m contemporary; 2genössisch adj. contemporary; ~geschichte f contemporary history; ~gewinn m gain of time; 2ig 1. adj. early; 2. adv. on time; ~karte f season-ticket, Am. commutation ticket; ~lang f: e-e ~ for some time,

for a while; 2lebens adv. for life, all one's life; 2lich 1. adj. temporal; 2. adv. as to time; ~ zusammenfallen coincide; 2los adj. timeless; ~lupenaufnahme phot. f slow-motion picture; 2nah adj. current, up-to-date; ~punkt m moment; 2raubend adj. time-consuming; ~raum m space (of time), period; ~rechnung f chronology; era; ~schrift f journal, periodical, magazine.

Zeitung f (news)paper, journal.

Zeitungs|abonnement n subscription to a paper; ~artikel m newspaper article; ~ausschnitt m (press od. newspaper) cutting, (Am. nur) (newspaper) clipping; ~kiosk m news-stand; ~notiz f press item; ~papier n newsprint; ~verkäufer m news-vendor, news-man; ~wesen n journalism, the press.

Zeit|verlust m loss of time; ~verschwendung f waste of time; ~vertreib m pastime; zum ~ to pass the time; 2weilig adj. temporary; 2weise adv. at times, occasionally; ~wort gr. n verb; ~zeichen n time-signal.

Zell|e f cell; ~stoff m, ~ulose ⊕ f cellulose.

Zelt n tent; 2en v/i. camp; ~platz m camping-ground.

Zement m cement; 2ieren v/t. cement.

Zenit m zenith (a. fig.).

zens|ieren v/t. censor; Schule: mark, Am. a. grade; 2or m censor; 2ur f censorship; mark, Am. a. grade.

Zentimeter n, m centimet|re, Am. -er.

Zentner m centner.

zentral adj. central; 2e f central office; teleph. (telephone) exchange; 2heizung f central heating.

Zentrum n cent|re, Am. -er.

Zepter n scept|re, Am. -er.

zer|beißen v/t. bite to pieces; ~bersten v/i. burst asunder.

zerbrech|en 1. v/t. break (to pieces); sich den Kopf ~ rack one's brains; 2. v/i. break; ~lich adj. breakable, fragile.

zer|bröckeln v/t. u. v/i. crumble; ~drücken v/t. crush; Kleid: crease.

Zeremon|ie f ceremony; 2iell adj. ceremonial; ~iell n ceremonial.

# zerfahren

**zerfahren** *fig. adj.* scatter-brained.

**Zerfall** *m* decay (*a. phys., fig.*); **Qen** *v/i.* fall to pieces, decay (*a. fig.*); *in mehrere Teile* ~ fall into several parts.

**zer|fetzen** *v/t.* tear in *od.* to pieces; **~fleischen** *v/t.* lacerate; **~fließen** *v/i.* melt (away); *Tinte etc.:* run; **~fressen** *v/t.* eat; 🔥 corrode; **~gehen** *v/i.* melt, dissolve; **~gliedern** *v/t.* melt, dissolve; **~glie-dern** *v/t.* analy|se, *Am.* -ze; **~hacken** *v/t.* cut (in)to pieces; *Fleisch etc.:* mince; *Holz:* chop; **~kauen** *v/t.* chew; **~kleinern** *v/t. s. zerhacken, zermahlen.*

**zerknirsch|t** *adj.* contrite; **Qung** *f* contrition.

**zer|knittern** *v/t.* (c)rumple, wrinkle, crease; **~knüllen** *v/t.* crumple up; **~kratzen** *v/t.* scratch; **~krümeln** *v/t.* crumble; **~lassen** *v/t.* melt; **~legen** *v/t.* take apart *od.* to pieces; *Fleisch:* carve; 🔥, *gr., fig.* analy|se, *Am.* -ze; **~lumpt** *adj.* ragged, tattered; **~mahlen** *v/t.* grind; **~malmen** *v/t.* crush; *mit den Zähnen:* crunch; **~mürben** *v/t.* wear down *od.* out; **~platzen** *v/t.* burst; explode; **~quetschen** *v/t.* crush, squash; *bsd. Kartoffeln:* mash.

**Zerrbild** *n* caricature.

**zer|reiben** *v/t.* rub to powder, pulverize; **~reißen 1.** *v/t.* tear, rip up; *in Stücke* ~ tear to pieces; **2.** *v/i.* tear; *Seil etc.:* break.

**zerren 1.** *v/t.* tug; 💪 strain; **2.** *v/i.:* ~ *an* tug at. [vanish.)

**zerrinnen** *v/i.* melt away; *fig.*)

**Zerrung** 💪 *f* strain.

**zer|rütten** *v/t. geistig:* derange; *Nerven etc.:* shatter; **~sägen** *v/t.* saw up; **~schellen** *v/i.* be smashed; ⚓ be wrecked; **~schlagen 1.** *v/t.* break *od.* smash (to pieces); *sich* ~ come to nothing; **2.** *fig. adj.* knocked up; **~schmettern** *v/t.* smash, dash, shatter; **~schneiden** *v/t.* cut in two; cut up, cut to pieces.

**zersetz|en** *v/t. u. v/refl.* decompose; **Qung** *f* decomposition.

**zer|spalten** *v/t.* cleave, split; **~splittern** *v/t. u. v/i.* split (up), splinter; **~sprengen** *v/t.* burst (asunder); ✗ disperse; **~springen** *v/i.* burst; *Glas:* crack; **~stampfen** *v/t.* pound.

**zerstäub|en** *v/t.* spray; **Qer** *m* sprayer, atomizer.

**zerstör|en** *v/t.* destroy; **Qer** *m* destroyer (*a.* ⚓); **Qung** *f* destruction.

**zerstreu|en** *v/t.* disperse, scatter; *Zweifel etc.:* dissipate; *fig.* divert; *sich* ~ disperse, scatter; *fig.* amuse o.s.; **~t** *fig. adj.* absent(-minded); **Qtheit** *f* absent-mindedness; **Qung** *f* dispersion (*a. phys.*); diversion, amusement.

**zerstückeln** *v/t.* cut up, cut (in)to pieces; *Leiche etc.:* dismember.

**zer|teilen** *v/t. u. v/refl.* divide (*in into*); **~trennen** *v/t.* rip (up); **~treten** *v/t.* tread down; **~trümmern** *v/t.* smash.

**Zerwürfnis** *n* dissension, discord.

**Zettel** *m* slip (of paper); *Preis*2 etc.: ticket; *Klebe*2: label, sticker; *s. Theaterzettel.*

**Zeug** *n* stuff (*a. fig. contp.*), material; *Handwerks*2: tools *pl.*; *Sachen:* things *pl.*

**Zeuge** *m* witness; **Qn 1.** *v/i.:* ~ *von* give *od.* bear evidence of; **2.** *v/t.* beget.

**Zeugen|aussage** 🏛 *f* testimony, evidence; **~bank** *f* witness-box, *Am.* witness stand.

**Zeugin** *f* (female) witness.

**Zeugnis** *n* 🏛 testimony, evidence; *Bescheinigung:* certificate; (school) report, *Am.* report card.

**Zeugung** *f* procreation; **Qsfähig** *adj.* capable of begetting; **~skraft** *f* generative power; **Qsunfähig** *adj.* impotent.

**Zickzack** *m* zigzag; *im* ~ *fahren etc.* zigzag.

**Ziege** *zo. f* (she-)goat, nanny(-goat).

**Ziegel** *m* brick; *Dach*2: tile; **~dach** *n* tiled roof; **~ei** *f* brickworks *sg., pl.*, brickyard; **~stein** *m* brick.

**Ziegen|bock** *zo. m* he-goat; **~leder** *n* kid; **~peter** 💊 *m* mumps.

**Ziehbrunnen** *m* draw-well.

**ziehen 1.** *v/t.* pull, draw (*a. fig.*); 🌱 cultivate; *Hut:* take off; *Graben:* dig; *Zahn:* draw, extract; 🅰 extract; *in Erwägung* ~ take into consideration; *in die Länge* ~ draw out; *fig.* protract; *Nutzen aus* derive profit *od.* benefit from; *Aufmerksamkeit auf sich* ~ attract attention; *sich* ~ extend, stretch; *sich in die Länge* ~ drag on; **2.** *v/i.* (h) pull (*an at*); *Kamin, Zigarre etc.:* draw; puff (*an e-r Zigarre at a* cigar); *Tee*: infuse, draw; es zieht there is a draught, *Am.* there is a draft; **3.** *v/i.* (sein) ✗ *etc.*: march; (re)move (*nach* to); *Vögel*: migrate.

**Zieh|harmonika** ♪ *f* accordion; **~ung** *f* drawing (of lots).

**Ziel** *n* aim (*a. fig.*); *~scheibe*: mark (*a. fig.*), target; *Sport*: winning-post; ✗ objective; *Reise*: destination; *fig.* end, purpose; *sein ~ erreichen* gain one's end(s); *sich zum ~ setzen zu inf.* aim at ger., *Am.* aim to *inf.*; **~band** *n* tape; **2-bewußt** *adj.* purposeful; **2en** *v/i.* (take) aim (*auf* at); **~fernrohr** *n* telescopic sight; **2los** *adj.* aimless, purposeless; **~scheibe** *f* target, butt (*beide a. fig.*); **2strebig** *adj.* purposive.

**ziemlich 1.** *adj.* considerable; **2.** *adv.* pretty, fairly, rather.

**Zier** *f*, **~de** *f* ornament; *fig.* a. hono(u)r (*für* to); **2en** *v/t.* ornament, adorn; decorate; *sich ~* be affected; *bsd. Frau*: be prudish; **2lich** *adj.* dainty; **~lichkeit** *f* daintiness; **~pflanze** *f* ornamental plant. [dial(-plate), face.]

**Ziffer** *f* figure, digit; **~blatt** *n*]

**Zigarette** *f* cigaret(te); **~nautomat** *m* cigaret(te) slot-machine; **~nstummel** *m* stub, *Am. a.* butt.

**Zigarre** *f* cigar.

**Zigeuner** *m*, **~in** *f* gipsy, gypsy.

**Zimmer** *n* room; apartment; **~einrichtung** *f* furniture; **~mädchen** *n* chamber-maid; **~mann** *m* carpenter; **2n 1.** *v/t.* carpenter; *fig.* frame; **2.** *v/i.* carpenter; **~pflanze** *f* indoor plant; **~vermieterin** *f* landlady.

**zimperlich** *adj.* prudish.

**Zimt** *m* cinnamon.

**Zink** ♫ *n* zinc; **~blech** *n* sheet zinc.

**Zinke** *f* tooth; *Gabel*2: prong.

**Zinn** ♫ *n* tin.

**Zinne** *f* △ pinnacle; ✗ battlement.

**Zinnober** *m* cinnabar; **2rot** *adj.* vermilion.

**Zins** *m* rent; *Abgabe*: tribute; *mst* **~en** *pl.* interest; **~en tragen** yield *od.* bear interest; **2bringend** *adj.* bearing interest; **2eszins** *m* compound interest; **~fuß** *m*, **~satz** *m* rate of interest.

**Zipf|el** *m* **e-s** *Taschentuchs etc.*: corner; *Rock*2: lappet; **~elmütze** *f* jelly-bag cap; nightcap.

**Zirkel** *m* circle (*a. fig.*); 𝒜 (ein a pair of) compasses *pl.*

**zirkulieren** *v/i.* circulate.

**Zirkus** *m* circus.

**zirpen** *v/i.* chirp.

**zisch|eln** *v/t. u. v/i.* whisper; **~en** *v/i.* hiss; *schwirren*: whiz(z).

**ziselieren** *v/t.* chase.

**Zit|at** *n* quotation; **2ieren** *v/t. vor-laden*: summon; quote.

**Zitrone** *f* lemon; **~nlimonade** *f* lemonade; **~npresse** *f* lemon-squeezer; **~nsaft** *m* lemon juice.

**zittern** *v/i.* tremble, shake (*beide*: vor with).

**zivil 1.** *adj.* civil, civilian; *Preis*: reasonable; **2.** 2 *n* civilians *pl.*; *s.* **Zivilkleidung**; **2bevölkerung** *f* civilian population, civilians *pl.*; **2isation** *f* civilization; **~isieren** *v/t.* civilize; **2ist** *m* civilian; **2kleidung** *f* civilian *od.* plain clothes *pl.*

**Zofe** *f* lady's maid. [hesitation.]

**zögern 1.** *v/i.* hesitate; **2.** 2 *n*]

**Zoll** *m* inch; *Abgabe*: customs *pl.*, customs duties *pl.*; *Behörde*: the Customs *pl.*; **~abfertigung** *f* customs clearance; **~amt** *n* custom-house; **~beamte** *m* customs official; **~behörde** *f* the Customs *pl.*; **~erklärung** *f* customs declaration; **2frei** *adj.* duty-free; **~kontrolle** *f* customs examination; **2pflichtig** *adj.* liable to duty; **~stock** *m* foot-rule; **~tarif** *m* tariff.

**Zone** *f* zone.

**Zoo** *m* zoo.

**Zoolog|e** *m* zoologist; **~ie** *f* zoology; **2isch** *adj.* zoological.

**Zopf** *m* plait, tress.

**Zorn** *m* anger; **2ig** *adj.* angry.

**Zote** *f* filthy joke, obscenity.

**zottig** *adj.* hirsute.

**zu 1.** *prp. Richtung*: to, towards, up to; *Ort*: at, in; *außerdem*: in addition to; *Zweck*: for; *~ Weihnachten* at Christmas; *zum ersten Mal* for the first time; *~ e-m ... Preise* at a ... price; *~ meinem Erstaunen* to my surprise; *~ Tausenden* by thousands; *~ Wasser* by water; *~ zweien* by twos; *zum Beispiel* for example; **2.** *adv.* too; *Richtung*: towards, to; *F* closed, shut; **3.** *cj.*: *ich habe ~ arbeiten* I have to work.

**Zubehör** *n*, *m* appurtenances *pl.*, fittings *pl.*; ⊕ accessories *pl.*

**zubereit|en** v/t. prepare; **2ung** f preparation.

**zu|billigen** v/t. grant; **~binden** v/t. tie up; **~blinzeln** v/i. wink at; **~bringen** v/t. pass, spend.

**Zucht** f discipline; zo. breeding, rearing; ♀ cultivation; *Rasse:* breed, race.

**zücht|en** v/t. zo. breed; ♀ grow, cultivate; **2er** m breeder; grower.

**züchtig** adj. chaste, modest; **~en** v/t. flog.

**zuchtlos** adj. undisciplined; **2igkeit** f want of discipline.

**zucken** v/i. jerk; twitch (mit et. s.th.); vor Schmerz: wince; Blitz: flash.

**zücken** v/t. draw; F *Geldbeutel etc.:* pull out.

**Zucker** m sugar; **~dose** f sugar-basin, Am. sugar bowl; **2ig** adj. sugary; **2krank** adj. diabetic; **2n** v/t. sugar; **~rohr** ♀ n sugar-cane; **~rübe** ♀ f sugar-beet; **2süß** adj. (as) sweet as sugar; **~wasser** n sugared water; **~zange** f (e-e a pair of) sugar-tongs pl.

**zuckrig** adj. sugary.

**Zuckung** ♀ f convulsion.

**zudecken** v/t. cover (up).

**zudem** adv. besides, moreover.

**zu|drehen** v/t. turn off; j-m den Rücken ~ turn one's back on s.o.; **~dringlich** adj. importunate, obtrusive; **~drücken** v/t. close, shut; **~erkennen** v/t. award, adjudge (beide a. ♌).

**zuerst** adv. first (of all); anfangs: at first; er kam ~ an he was the first to arrive.

**zufahr|en** v/i. drive on; ~ auf drive to(wards); **2t** f approach; **2tsstraße** f approach (road).

**Zufall** m chance; durch ~ by chance, by accident; **2en** v/i. Augen: be closing (with sleep); Tür: shut (of) itself; j-m ~ fall to s.o.('s share).

**zufällig 1.** adj. accidental; attr. a. chance; **2.** adv. by accident, by chance.

**zufassen** v/i. grasp; (mit) ~ lend od. give a hand.

**Zuflucht** f refuge, shelter, resort; s-e ~ nehmen zu have recourse to.

**Zufluß** m influx (a. ♰); Nebenfluß: affluent.

**zuflüstern** v/t.: j-m et. ~ whisper s.th. to s.o.

**zufolge** prp. according to.

**zufrieden** adj. content(ed), satisfied; **2heit** f contentment, satisfaction; **~lassen** v/t. let alone; **~stellen** v/t. satisfy; **~stellend** adj. satisfactory.

**zu|frieren** v/i. freeze up od. over; **~fügen** v/t. add; inflict (j-m [up]on s.o.) (a. fig.); **2fuhr** f supply.

**Zug** m draw, pull; ⊕ traction; ⚔ expedition, campaign; procession; orn. migration; ♎ train; Gesichts2: feature; Charakter2: trait; tendency, trend; Luft2: draught, Am. draft; Schach et.: move; Trinken: draught, Am. draft; Rauchen: puff.

**Zu|gabe** f addition; thea. encore; **~gang** m entrance; access (a. fig.); **2gänglich** adj. accessible (für to) (a. fig.); **2geben** v/t. add; fig. admit.

**zugegen** adj. present (bei at).

**zugehen** v/i. Tür etc.: close, shut; Person: move on, walk faster; auf j-n ~ move od. walk towards s.o.

**Zugehörigkeit** f membership (zu to).

**Zügel** m rein (a. fig.); **2los** fig. adj. unbridled; **2n** v/t. rein (in); fig. bridle, check.

**Zuge|ständnis** n concession; **2stehen** v/t. concede.

**zugetan** adj. attached (dat. to).

**Zugführer** ♎ m guard, Am. con- [ductor.]

**zugießen** v/t. add.

**zugig** adj. draughty, Am. drafty; **2kraft** f ⊕ traction; fig. attraction, draw, appeal; **~kräftig** adj.: ~ sein be a draw.

**zugleich** adv. at the same time; zusammen: together.

**Zug|luft** f draught, Am. draft; **~maschine** f traction-engine, tractor; **~pflaster** ♎ n blister.

**zugreifen** v/i. bei Tisch: help o.s.; s. zufassen.

**zugrunde** adv.: ~ gehen perish; ~ richten ruin.

**zu|gunsten** prp. in favo(u)r of; **~gute** adv.: j-m et. ~ halten give s.o. credit for s.th.; ~ kommen be for the benefit (dat. of).

**Zugvogel** m bird of passage.

**zuhalten** v/t. hold to; sich die Ohren ~ stop one's ears.

**Zuhause** n home.

**zu|heilen** v/i. heal up, skin over; **~hören** v/i. listen (dat. to).

**Zuhörer** m hearer, listener; ~ pl. audience; **~schaft** f audience.

**zu|jubeln** v/i. cheer; **~kleben** v/t. paste od. glue up; **~knallen** v/t. bang, slam; **~knöpfen** v/t. button (up); **~kommen** v/i.: auf j-n ~ come up to s.o.; j-m ~ be due to s.o.; j-m et. ~ lassen let s.o. have s.th.; send s.o. s.th.; **~korken** v/t. cork (up).

**Zu|kunft** f future; gr. future (tense); **2künftig 1.** adj. future; ~er Vater father-to-be; **2.** adv. in future.

**zu|lächeln** v/i. smile at; **2lage** f extra pay, increase; Gehalts2: rise, Am. raise; **~langen** v/i. bei Tisch: help o.s.; **~lassen** v/t. leave shut; j-n: admit (a. fig.); amtlich: license; erlauben: allow, suffer; Deutung etc.: admit of; **~lässig** adj. admissible, allowable; **2lassung** f admission; licen|ce, Am. -se.

**zulegen** v/t. add; F sich et. ~ get o.s. s.th.

**zuleide** adv.: j-m et. ~ tun do s.o. harm, harm od. hurt s.o.

**zu|letzt** adv. finally, at last; er kam ~ an he was the last to arrive; **~liebe** adv.: j-m ~ for s.o.'s sake.

**zumachen** v/t. close, shut; zuknöpfen: button (up).

**zumal** cj. especially, particularly.

**zumauern** v/t. wall up.

**zumut|en** v/t.: j-m et. ~ expect s.th. of s.o.; sich zuviel ~ overtax one's strength; **2ung** fig. f impudence.

**zunächst** adv. first of all; vorerst: for the present.

**zu|nageln** v/t. nail up; **~nähen** v/t. sew up; **2nahme** f increase, growth; **2name** m surname.

**zünden** v/i. kindle; bsd. mot. ignite; fig. arouse enthusiasm.

**Zünd|holz** n match; **~kerze** mot. f spark(ing)-plug, Am. spark plug; **~schlüssel** mot. m ignition key; **~schnur** f fuse; **~stoff** fig. m fuel; **~ung** mot. f ignition.

**zunehmen** v/i. increase (an in); Person: put on weight; Mond: wax; Tage: grow longer.

**zuneig|en** v/refl.: sich dem Ende ~ draw to a close; **2ung** f affection.

**Zunft** f guild, corporation.

**Zunge** f tongue.

**züngeln** v/i. Flamme: lick.

**zungen|fertig** adj. voluble; **2fertigkeit** f volubility; **2spitze** f tip of the tongue.

**zunichte** adv.: ~ machen (werden) bring (come) to nothing.

**zunicken** v/i. nod to.

**zu|nutze** adv.: sich et. ~ machen utilize s.th.; **~oberst** adv. at the top, uppermost.

**zupfen 1.** v/t. pluck; **2.** v/i.: ~ an pluck at.

**zurechnungsfähig** ½ adj. responsible; **2keit** ½ f responsibility.

**zurecht|finden** v/refl. find one's way; **~kommen** v/i. arrive in time; ~ mit et.: manage; **~legen** v/t. arrange; sich e-e Sache ~ think s.th. out; **~machen** F v/t. get ready, prepare, Am. F fix; sich ~ Frau: make (o.s.) up; **~weisen** v/t. reprimand; **2weisung** f reprimand.

**zu|reden** v/i.: j-m ~ encourage s.o.; **~reiten** v/t. break in; **~riegeln** v/t. bolt (up).

**zürnen** v/i. be angry (j-m with s.o.).

**zurück** adv. back; rückwärts: backward(s); hinten: behind; **~behalten** v/t. keep back, retain; **~bekommen** v/t. get back; **~bleiben** v/i. remain od. stay behind; fall behind, lag; **~blicken** v/i. look back; **~bringen** v/t. bring back; **~datieren** v/t. antedate; **~drängen** v/t. push back; fig. repress; **~erobern** v/t. reconquer; **~erstatten** v/t. restore, return; Auslagen: refund; **~fahren** v/i. drive back; fig. start; **2.** v/t. drive back; **~fordern** v/t. reclaim; **~führen** v/t. lead back; ~ auf attribute to; **~geben** v/t. give back, return, restore; **~gehen** v/i. go back, return; **~gezogen** adj. retired; **~greifen** fig. v/i.: ~ auf fall back (up)on; **~halten 1.** v/t. hold back; **2.** v/i.: ~ mit keep back; **~haltend** adj. reserved; **2haltung** f reserve; **~kehren** v/i. return; **~kommen** v/i. come back, return (fig. auf to); **~lassen** v/t. leave (behind); **~legen** v/t. lay aside; Entfernung: cover; **~nehmen** v/t. take back; Worte etc.: withdraw, retract; **~prallen** v/i. rebound; Person: start; **~rufen** v/t. call back; sich ins Gedächtnis ~ recall; **~-**

schicken *v/t.* send back; ~schla-
gen 1. *v/t. Ball:* drive back; ✗
repel; *Bettdecke:* turn back; 2. ✗
strike back; ~schrecken *v/i.*
shrink back (*vor Anblick etc.:* from);
shrink (*vor Arbeit etc.:* from);
~setzen *v/t.* put back; *fig.* slight,
neglect; ~stellen *v/t.* put back
(*a. Uhr*); *fig.* defer, postpone;
~strahlen *v/t.* reflect; ~streifen
*v/t.* turn *od.* tuck up; ~treten *v/i.*
step *od.* stand back; resign (*von
e-m Amt:* from); recede (*von e-m
Vertrag:* from); ~weichen *v/i.*
recede; ~weisen *v/t.* decline,
reject; ✗ repel; ~zahlen *v/t.* pay
back (*a. fig.*); ~ziehen 1. *v/t.*
draw back; *fig.* withdraw; *sich* ~
retire, withdraw; ✗ retreat; 2. *v/i.*
move *od.* march back.

**Zuruf** *m* call; **~en** *v/t.* call, shout
(*beide: j-m et. s.th. to s.o.*).

**Zusage** *f* promise; *Einwilligung:*
assent; **~en 1.** *v/t.* promise; 2. *v/i.*
promise to come; *j-m* ~ suit s.o.;
*Speise etc.:* agree with s.o.

**zusammen** *adv.* together; *gleichzeitig:* at the same time; *alles* ~
(all) in all; ~ *betragen* amount to,
total (up to); **2arbeit** *f* co-operation; *e-r Gemeinschaft:* team-work;
~arbeiten *v/i.* work together; co-
operate; ~beißen *v/t.: die Zähne* ~
set one's teeth; ~brechen *v/i.*
break down; *völlig:* collapse; 2-
bruch *m* breakdown; collapse;
~drücken *v/t.* compress, press together; ~fahren *fig. v/i.* start (*bei*
at; *vor* with); ~fallen *v/i.* fall in,
collapse; *zeitlich:* coincide; ~-
falten *v/t.* fold up; ~fassen *v/t.*
summarize, sum up; **2fassung** *f*
summary; ~fügen *v/t.* join (together); ~halten 1. *v/t.* hold together; 2. *v/i.* hold together;
*Freunde:* F stick together; **2hang** *m*
coherence, coherency; *Beziehung:*
connection; *Text:* context; ~-
hängen 1. *v/i.* cohere; *fig.* be
connected; 2. *v/t.* hang together;
~klappen *v/t.* fold up; *Klapp-
messer:* close; ~kommen *v/i.*
meet; **2kunft** *f* meeting; ~laufen
*v/i.* run *od.* crowd together; ⋏
converge; *Milch:* curdle; ~legen
*v/t.* lay together; *falten:* fold up;
*Geld:* club (together); ~nehmen
*fig. v/t. s-e Gedanken:* collect; *sich* ~

pull o.s. together; ~packen *v/t.*
pack up; ~passen *v/i.* match,
harmonize; ~rechnen *v/t.* add up;
~reißen F *v/refl.* pull o.s. together;
~rollen *v/t. u. v/refl.* coil (up);
~rotten *v/refl.* band together;
~rücken 1. *v/t.* move together;
2. *v/i.* close up; ~schlagen 1. *v/t.*
*Hände:* clap (together); F smash to
pieces; beat *s.o.* up; 2. *v/i.:* ~ *über*
close over; ~schließen *v/refl.* join,
unite; **2schluß** *m* union; ~
schrumpfen *v/i.* shrivel (up),
shrink; ~setzen *v/t.* put together;
⊕ assemble; *sich* ~ *aus* consist of,
be composed of; **2setzung** *f*
composition; ⊕ assembly; ~stellen
*v/t.* put together; *Verzeichnis etc.:*
compile; **2stoß** *m* collision (*a. fig.*);
✗ encounter; *fig.* clash; ~stoßen
*v/i.* collide (*a. fig.*); *fig.* clash; ~ *mit*
knock together; ~stürzen *v/i.*
collapse; *Haus etc.:* fall in; ~tragen
*v/t.* collect; *Material:* compile;
~treffen *v/i.* meet; *zeitlich:* coincide; **2treffen** *n* meeting; ~treten
*v/i.* meet; *parl. a.* convene; ~
wirken *v/i.* co-operate; **2wirken** *n*
co-operation; ~zählen *v/t.* add up,
count up; ~ziehen *v/t.* contract;
✗ *Truppen:* concentrate; *sich* ~
contract.

**Zusatz** *m* addition; *Beimischung:*
admixture, *metall.* alloy; *Ergänzung:* supplement.

**zusätzlich** *adj.* additional.

**zuschau|en** *v/i.* look on (*e-r Sache*
at s.th.); *j-m* ~ watch s.o. (*bei et.*
doing s.th.); **2er** *m* spectator,
looker-on, on-looker; **2erraum**
*thea. m* auditorium.

**zuschicken** *v/t.* send (*dat. to*).

**Zuschlag** *m* extra charge; 🚆 *etc.:*
excess fare; 💰 surcharge; *Auktion:*
knocking down; **2en 1.** *v/t.* (*h*)
strike; 2. *v/i.* (*sein*) *Tür:* slam (*to*);
3. *v/t.* bang, slam (*to*); knock down
(*dat. to*).

**zu|schließen** *v/t.* lock (up); ~
schnallen *v/t.* buckle up; ~
schnappen 1. *v/i.* (*h*) *Hund:*
snap; 2. *v/i.* (*sein*) *Tür:* snap to;
~schneiden *v/t.* cut (*to size*);
**2schnitt** *m* cut; *fig.* style; ~
schnüren *v/t.* lace up; cord up;
~schrauben *v/t.* screw up; ~
schreiben *v/t.: j-m et.* ~ ascribe *od.*

**attribute** s.th. to s.o.; 2**schrift** *f* letter.

**zuschulden** *adv.*: *sich et.* ~ *kommen lassen* make o.s. guilty of s.th.

**Zu|schuß** *m* allowance; *staatlich:* subsidy; 2**schütten** *v/t.* fill up; F add; 2**sehen** *v/i. s.* zuschauen; ~, *daß* see (to it) that; 2**sehends** *adv.* visibly; 2**senden** *v/t. s.* zuschicken; 2**setzen 1.** *v/t.* add; *Geld:* lose; **2.** *v/i.* lose money; *j-m* ~ press s.o. hard.

**zusicher|n** *v/t.*: *j-m et.* ~ assure s.o. of s.th.; 2**ung** *f* assurance.

**zu|spitzen** *v/t.* point; *sich* ~ taper (off); *fig.* come to a crisis; 2**spruch** *m* encouragement; *Trost:* consolation; 2**stand** *m* condition, state.

**zustande** *adv.*: ~ *bringen* bring about; ~ *kommen* come about; *nicht* ~ *kommen* not to come off.

**zuständig** *adj.* competent; 2**keit** *f* competence.

**zustatten** *adv.*: *j-m* ~ *kommen* be useful to s.o.

**zustehen** *v/i.* be due (*dat.* to).

**zustell|en** *v/t.* deliver; ⚖ serve (*j-m* on s.o.); 2**ung** *f* delivery; ⚖ service.

**zustimm|en** *v/i.* agree (*dat.* to *s.th.*; *with s.o.*); consent (to *s.th.*); 2**ung** *f* consent.

**zustoßen** *v/i.*: *j-m* ~ happen to s.o.

**zutage** *adv.*: ~ *treten* come to light.

**Zutaten** *f/pl.* ingredients *pl.*; *e-s Kleides:* trimmings *pl.*

**zuteil|en** *v/t.* allot, apportion; 2**ung** *f* allotment, apportionment; ration.

**zutragen** *v/refl.* happen.

**zutrauen 1.** *v/t.*: *j-m et.* ~ credit s.o. with s.th.; *sich zuviel* ~ overrate o.s.; **2.** 2 *n* confidence (zu in).

**zutraulich** *adj.* confiding, trustful, trusting; *Tier:* friendly, tame.

**zutreffen** *v/i.* be true; come true; ~ *auf* be true of; ~**d** *adj.* right, correct.

**zutrinken** *v/i.*: *j-m* ~ drink to s.o.

**Zutritt** *m* access; *Einlaß:* admission; ~ *verboten!* no admittance!

**zuunterst** *adv.* at the bottom.

**zuverlässig** *adj.* reliable; *sicher:* certain; 2**keit** *f* reliability; certainty.

**Zuversicht** *f* confidence; 2**lich** *adj.* confident.

**zuviel** *adv.* too much; *e-r* ~ one too many.

**zuvor** *adv.* before, previously; *zunächst:* first; ~**kommen** *v/i.*: *j-m* ~ anticipate s.o.; *e-r Sache* ~ anticipate od. prevent s.th.; ~**kommend** *adj.* obliging.

**Zuwachs** *m* increase; 2**en** *v/i.* become overgrown; *Wunde:* close.

**zu|wege** *adv.*: ~ *bringen* bring about; ~**weilen** *adv.* sometimes.

**zu|weisen** *v/t.* assign; ~**wenden** *v/t.* turn to(wards); *sich* ~ turn to (-wards).

**zuwenig** *adv.* too little.

**zuwerfen** *v/t.* slam (to); *j-m* ~ throw to s.o.; *Blick:* cast at s.o.

**zuwider 1.** *prp.* contrary to, against; **2.** *adj.* repugnant, distasteful; ~**handeln** *v/i.* act contrary od. in opposition to; *bsd.* ⚖ contravene; 2**handlung** ⚖ *f* contravention.

**zu|winken** *v/i.* wave to; beckon to; ~**zahlen** *v/t.* pay extra; ~**zählen** *v/t.* add; ~**ziehen 1.** *v/t.* draw together; *Vorhänge:* draw; *Arzt etc.:* consult; *sich* ~ incur; ⚕ catch; **2.** *v/i.* move in; ~**züglich** *prp.* plus.

**Zwang** *m* compulsion, coercion; *moralischer:* constraint; ⚖ duress(e); *Gewalt:* force; *sich* ~ *antun* check od. restrain o.s.

**zwängen** *v/t.* press, force.

**zwanglos** *adj.* informal; 2**igkeit** *f* informality.

**Zwangs|jacke** *f* strait waistcoat od. jacket; ~**lage** *f* embarrassing situation; 2**läufig** *fig. adj.* necessary; ~**maßnahme** *f* coercive measure; ~**vollstreckung** ⚖ *f* distraint, execution; ~**vorstellung** ⚕ *f* obsession, hallucination; 2**weise** *adv.* by force.

**zwanzig** *adj.* twenty; ~**ste** *adj.* twentieth.

**zwar** *cj.* indeed, it is true; *und* ~ and that, that is.

**Zweck** *m* aim, end, purpose; *keinen* ~ *haben* be of no use; *s-n* ~ *erfüllen* answer its purpose; *zu dem* ~ (*gen.*) for the purpose of; 2**dienlich** *adj.* serviceable, useful, expedient.

**Zwecke** *f* tack; *Reiß2:* drawing-pin; *Am.* thumbtack.

**zweck|los** *adj.* aimless, purposeless; *vergeblich:* useless; ~**mäßig** *adj.*

expedient, suitable; 2**mäßigkeit** f expediency.

**zwei** adj. two; ~**beinig** adj. two-legged; 2**bettzimmer** n double (bedroom); ~**deutig** adj. ambiguous; ~**erlei** adj. of two kinds, two kinds of; ~**fach** adj. double, twofold.

**Zweifel** m doubt; 2**haft** adj. doubtful, dubious; 2**los** adj. doubtless; 2**n** v/i. doubt (an e-r Sache s.th.; an j-m s.o.).

**Zweig** m branch (a. fig.); kleiner ~ twig; ~**geschäft** n, ~**niederlassung** f, ~**stelle** f branch.

**zwei|jährig** adj. two-year-old, of two (years); 2**kampf** m duel, single combat; ~**mal** adv. twice; ~**malig** adj. (twice) repeated; ~**motorig** adj. twin-engined; ~**reihig** adj. having two rows; Anzug: double-breasted; ~**schneidig** adj. double- od. two-edged (beide a. fig.); ~**seitig** adj. two-sided; Vertrag etc.: bilateral; Stoff: reversible; 2**sitzer** bsd. mot. m two-seater; ~**sprachig** adj. bilingual; ~**stimmig** adj. for two voices; ~**stöckig** adj. two-stor|eyed, -ied; ~**stufig** ⊕ adj. two-stage; ~**stündig** adj. two-hour.

**zweit** adj. second; ein ~er another; aus ~er Hand second-hand; wir sind zu ~ there are two of us.

**zweitbest** adj. second-best.

**zweiteilig** adj. Anzug: two-piece.

**zweitens** adv. secondly.

**Zwerchfell** anat. n diaphragm.

**Zwerg** m dwarf; 2**enhaft** adj. dwarfish.

**Zwetsch(g)e** f plum.

**Zwick|el** m gusset; 2**en** v/t. u. v/i. pinch, nip; ~**mühle** fig. f dilemma, quandary, fix.

**Zwieback** m rusk, zwieback.

**Zwiebel** f onion; Blumen2: bulb.

**Zwie|gespräch** n dialog(ue); ~**licht** n twilight; ~**spalt** m conflict; 2**spältig** adj. conflicting; ~**tracht** f discord.

**Zwilling|e** m/pl. twins pl.; ~**bruder** m twin brother; ~**schwester** f twin sister.

**Zwinge** f ferrule; ⊕ clamp; 2**n** v/t. compel, constrain; bsd. mit Gewalt: force; 2**nd** adj. forcible; Gründe: cogent, compelling; ~**r** m Hunde2: kennels; bear-pit.

**zwinkern** v/i. wink, blink.

**Zwirn** m thread, cotton; ~**sfaden** m thread.

**zwischen** prp. zweien: between; mehreren: among; 2**bilanz** f interim balance; 2**deck** ⚓ n steerage; ~**durch** F adv. in between; for a change; 2**ergebnis** n intermediate result; 2**fall** m incident; 2**händler** m middleman; 2**landung** ✈ f intermediate landing, stop, Am. a. stopover; (Flug) ohne ~ non-stop (flight); 2**pause** f interval, intermission; 2**raum** m space, interval; 2**ruf** m (loud) interruption; 2**spiel** n interlude; ~**staatlich** adj. international; Am. interstate; 2**station** f intermediate station; 2**stecker** ⚡ m adapter; 2**stück** n intermediate piece, connexion, (Am. nur) connection; 2**stufe** f intermediate stage; 2**wand** f partition (wall); 2**zeit** f interval; in der ~ in the meantime.

**Zwist** m, ~**igkeit** f discord; Uneinigkeit: disunion; Streit: quarrel.

**zwitschern** v/i. twitter, chirp.

**Zwitter** m hermaphrodite.

**zwölf** adj. twelve; um ~ (Uhr) at twelve (o'clock); (um) ~ Uhr mittags (at) noon; (um) ~ Uhr nachts (at) midnight; ~**te** adj. twelfth.

**Zyankali** n potassium cyanide.

**Zyklus** m cycle; von Vorlesungen etc.: course, set.

**Zylind|er** m top hat; ⚡, ⊕ cylinder; 2**risch** adj. cylindrical.

**Zyni|ker** m cynic; 2**sch** adj. cynical; ~**smus** m cynicism.

**Zypresse** ♣ f cypress.

# Britische und amerikanische Eigennamen

**Aberdeen** [æbə'di:n] *Stadt in Schottland.*

**Adam** ['ædəm] *Adam m.*

**Addison** ['ædisn] *engl. Autor.*

**Adelaide** ['ædəleid] **1.** *Adelheid f;* **2.** *Stadt in Australien.*

**Aden** ['eidn] *Hafenstadt in Arabien.*

**Africa** ['æfrikə] *Afrika n.*

**Aix-la-Chapelle** ['eiksla:ʃæ'pel] *Aachen n.*

**Alabama** [ælə'bæmə] *Staat der U.S.A.*

**Alaska** [ə'læskə] *Staat der U.S.A.*

**Albania** [æl'beinjə] *Albanien n.*

**Alberta** [æl'bə:tə] *Provinz in Kanada.*

**Alderney** ['ɔ:ldəni] *e-e der Kanalinseln.*

**Algernon** ['ældʒənən] *männlicher Vorname.*

**Alleghany** ['æligeini] *Fluß und Gebirge in U.S.A.*

**Alsace** ['ælsæs], **Alsatia** [æl'seifjə] *Elsaß n.*

**America** [ə'merikə] *Amerika n.*

**Andrew** ['ændru:] *Andreas m.*

**Ann(e)** [æn] *Anna f.*

**Anthony** ['æntəni] *Anton m.*

**Antilles** [æn'tili:z] *die Antillen.*

**Appalachians** [æpə'leitʃjənz] *die Appalachen (Gebirge in U.S.A.).*

**Arabia** [ə'reibjə] *Arabien n.*

**Arizona** [æri'zounə] *Staat der U.S.A.*

**Arkansas** ['ɑ:kənsɔ:] *Fluß und Staat der U.S.A.*

**Arlington** ['ɑ:liŋtən] *Nationalfriedhof bei Washington.*

**Ascot** ['æskət] *Stadt in England mit berühmter Rennbahn.*

**Asia** ['eifə] *Asien n.*

**Athens** ['æθinz] *Athen n.*

**Auckland** ['ɔ:klənd] *Hafenstadt in Neuseeland.*

**Austen** ['ɔstin] *engl. Autorin.*

**Australia** [ɔs'treiljə] *Australien n.*

**Austria** ['ɔstriə] *Österreich n.*

**Avon** ['eivən] *Fluß in England.*

**Azores** [ə'zɔ:z] *die Azoren.*

**Bacon** ['beikən] *engl. Staatsmann und Philosoph.*

**Bahamas** [bə'hɑ:məz] *die Bahamainseln.*

**Balkans** ['bɔ:lkənz] *der Balkan.*

**Balmoral** [bæl'mɔrəl] *Königsschloß in Schottland.*

**Baltimore** ['bɔltimɔ:] *Hafenstadt in U.S.A.*

**Bath** [bɑ:θ] *Badeort in England.*

**Bavaria** [bə'vɛəriə] *Bayern n.*

**Beaconsfield** ['bi:kənzfi:ld] *Adelstitel Disraelis.*

**Bedford(shire)** ['bedfəd(ʃiə)] *Grafschaft in England.*

**Belfast** [bel'fɑ:st] *Hauptstadt von Nordirland.*

**Belgium** ['beldʒəm] *Belgien n.*

**Belgrade** [bel'greid] *Belgrad n.*

**Bengal** [ben'gɔ:l] *Bengalen n.*

**Ben Nevis** [ben'nevis] *höchster Berg in Großbritannien.*

**Berkeley** ['bɑ:kli] *engl. Philosoph.*

**Berkshire** ['bɑ:kʃiə] *Grafschaft in England.*

**Berlin** [bə:'lin] *Berlin n.*

**Bermudas** [bə:'mju:dəz] *die Bermudainseln.*

**Bern(e)** [bə:n] *Bern n.*

**Bess(y)** ['bes(i)] *Lieschen n.*

**Bill(y)** ['bil(i)] *Willi m.*

**Birmingham** ['bə:miŋəm] *Industriestadt in U.S.A.*

**Biscay** ['biskei]: *Bay of ~ Golf m von Biskaya.*

**Bob** [bɔb] *Kurzform von Robert.*

**Boston** ['bɔstən] *Stadt in U.S.A.*

**Bournemouth** ['bɔ:nməθ] *Seebad in England.*

**Bridget** ['bridʒit] *Brigitte f.*

**Brighton** ['braitn] *Seebad in England.* {land.}

**Bristol** ['bristl] *Hafenstadt in Eng-*

**Britten** ['britn] *engl. Komponist.*

**Brooklyn** ['bruklin] *Stadtteil von New York.*

**Brunswick** ['brʌnzwik] *Braunschweig n.*

**Brussels** ['brʌslz] *Brüssel n.*

**Bucharest** ['bju:kərest] Bukarest *n*.
**Buck** [bʌk] *amer. Autorin.*
**Buckingham** ['bʌkiŋəm] *Grafschaft in England;* ~ **Palace** *Königsschloß in London;* ~**shire** ['~ʃiə] *s.* Buckingham.
**Budapest** ['bju:də'pest] Budapest *n*.
**Bulgaria** [bʌl'geəriə] Bulgarien *n*.
**Burma** ['bə:mə] Birma *n*.
**Burns** [bə:nz] *schott. Dichter.*
**Byron** ['baiərən] *engl. Dichter.*

**Calcutta** [kæl'kʌtə] Kalkutta *n*.
**California** [kæli'fo:njə] Kalifornien *n (Staat der U.S.A.).*
**Cambridge** ['keimbridʒ] *engl. Universitätsstadt; Stadt in U.S.A., Sitz der Harvard Universität; a.* ~**shire** ['~ʃiə] *Grafschaft in England.*
**Canada** ['kænədə] Kanada *n*.
**Canary Islands** [kə'neəri 'ailəndz] *die* Kanarischen Inseln.
**Canberra** ['kænbərə] *Hauptstadt von Australien.*
**Canterbury** ['kæntəbəri] *Stadt in England, Erzbischofssitz.*
**Capetown** ['keiptaun] Kapstadt *n*.
**Cardiff** ['ka:dif] *Hauptstadt von Wales.*
**Carinthia** [kə'rinθiə] Kärnten *n*.
**Carlyle** [ka:'lail] *engl. Autor.*
**Carnegie** [ka:'negi] *amer. Industrieller.*
**Carolina** [kærə'lainə]: **North** ~ Nordkarolina *n (Staat der U.S.A.);* **South** ~ Südkarolina *n (Staat der U.S.A.).*
**Caroline** ['kærəlain] Karoline *f*.
**Carrie** ['kæri] *Kurzform von* Caroline.
**Catherine** ['kæθərin] Katharina *f*.
**Cecil(e)** ['sesl, 'sisl] *männlicher Vorname.*
**Cecilia** [si'siljə], **Cecily** ['sisili, 'sesili] Cäcilie *f*.
**Ceylon** [si'lɔn] Ceylon *n*.
**Chamberlain** ['tʃeimbəlin, ~lein] *Name mehrerer brit. Staatsmänner.*
**Charles** [tʃa:lz] Karl *m*.
**Chaucer** ['tʃɔ:sə] *engl. Dichter.*
**Cheshire** ['tʃeʃə] *Grafschaft in England.*
**Chesterfield** ['tʃestəfi:ld] *Industriestadt in England.*
**Cheviot Hills** ['tʃeviət 'hilz] *Grenzgebirge zwischen England und Schottland.*

**Chicago** [ʃi'ka:gou, *Am.* ʃi'kɔ:gou] *Industriestadt in U.S.A.*
**China** ['tʃainə] China *n*.
**Chrysler** ['kraizlə] *amer. Industrieller.*
**Churchill** ['tʃə:tʃil] *brit. Staatsmann.*
**Cincinnati** [sinsi'næti] *Stadt in U.S.A.*
**Cissie** ['sisi] Cilli *f*.
**Clarendon** ['klærəndən] *Name mehrerer brit. Staatsmänner.*
**Cleveland** ['kli:vlənd] *Industrie- und Hafenstadt in U.S.A.*
**Clyde** [klaid] *Fluß in Schottland.*
**Coleridge** ['koulridʒ] *engl. Dichter.*
**Cologne** [kə'loun] Köln *n*.
**Colorado** [kɔlə'ra:dou] *Name zweier Flüsse und Staat der U.S.A.*
**Columbia** [kə'lʌmbiə] *Fluß in U.S.A.; Bundesdistrikt der U.S.A.*
**Connecticut** [kə'netikət] *Fluß und Staat der U.S.A.*
**Constance** ['kɔnstəns] **1.** Konstanze *f*; **2.** Konstanz *n*; *Lake of* ~ Bodensee *m*.
**Cooper** ['ku:pə] *amer. Autor.*
**Copenhagen** [koupn'heigən] Kopenhagen *n*.
**Cordilleras** [kɔ:di'ljeərəz] *die* Kordilleren (*amer. Gebirge*).
**Cornwall** ['kɔ:nwəl] *Grafschaft in England.*
**Coventry** ['kɔvəntri] *Industriestadt in England.*
**Cromwell** ['krɔmwəl] *engl. Staatsmann.*
**Croydon** ['krɔidn] *ehemaliger Flugplatz von London.*
**Cumberland** ['kʌmbələnd] *Grafschaft in England.*
**Cyprus** ['saiprəs] Zypern *n*.
**Czechoslovakia** ['tʃekousləu'vækiə] *die* Tschechoslowakei.

**Dakota** [də'koutə]: **North** ~ Norddakota *n (Staat der U.S.A.);* **South** ~ Süddakota *n (Staat der U.S.A.).*
**Daniel** ['dænjəl] *männlicher Vorname.*
**Danube** ['dænju:b] Donau *f*.
**Darwin** ['da:win] *engl. Naturforscher.*
**David** ['deivid] David *m*.
**Defoe** [də'fou] *engl. Autor.*
**Delaware** ['deləweə] *Fluß und Staat der U.S.A.*
**Denmark** ['denma:k] Dänemark *n*.

Derby(shire) ['dɑːbi(ʃə)] *Grafschaft in England.*
Detroit [dəˈtrɔit] *Industriestadt in U.S.A.*
Devon(shire) ['devn(ʃiə)] *Grafschaft in England.*
Dick [dik] *Kurzform von Richard.*
Dickens ['dikinz] *engl. Autor.*
Disraeli [dizˈreili] *engl. Staatsmann.*
Dorset(shire) ['dɔːsit(ʃiə)] *Grafschaft in England.*
Dover ['douvə] *Hafenstadt in England.*
Downing Street ['dauniŋ 'striːt] *Straße in London mit der Amtswohnung des Prime Minister.*
Dreiser ['draisə] *amer. Autor.*
Dryden ['draidn] *engl. Dichter.*
Dublin ['dʌblin] *Hauptstadt von Irland.*
Dunkirk [dʌnˈkɔːk] *Dünkirchen n.*
Durham ['dʌrəm] *Grafschaft in England.*

Edinburgh ['edinbərə] *Edinburg n.*
Edison ['edisn] *amer. Erfinder.*
Egypt ['iːdʒipt] *Ägypten n.*
Eire ['ɛərə] *ehemaliger Name der Republik Irland.*
Eisenhower ['aizənhauə] *Präsident der U.S.A.*
Eliot ['eljət] 1. *engl. Autorin;* 2. *engl. Dichter, geboren in U.S.A.*
Elizabeth [iˈlizəbəθ] *Elisabeth f.*
Emerson ['eməsn] *amer. Philosoph.*
England ['iŋglənd] *England n.*
Epsom ['epsəm] *Stadt in England mit Pferderennplatz.*
Erie ['iəri] *Lake ~ Eriesee m (e-r der fünf Großen Seen Nordamerikas).*
Essex ['esiks] *Grafschaft in England.*
Ethel ['eθəl] *weiblicher Vorname.*
Eton ['iːtn] *berühmte Public School.*
Europe ['juərəp] *Europa n.*
Eve [iːv] *Eva f.*

Falkland Islands ['fɔːlklənd 'ailəndz] *die Falklandinseln im Atlantischen Ozean.*
Faulkner ['fɔːknə] *amer. Autor.*
Fawkes [fɔːks] *Haupt der Pulververschwörung (1605).*
Finland ['finlənd] *Finnland n.*
Florida ['flɔridə] *Staat der U.S.A.*
Flushing ['flʌʃiŋ] *Vlissingen n.*
Folkestone ['foukstən] *Seebad in England.*
Ford [fɔːd] *amer. Industrieller.*

France [frɑːns] *Frankreich n.*
Franklin ['fræŋklin] *amer. Staatsmann und Physiker.*
Fulton ['fultən] *amer. Erfinder.*

Gainsborough ['geinzbərə] *engl. Maler.*
Galsworthy ['gɔːlzwəːði] *engl. Autor.*
Galveston(e) ['gælvistən] *Hafenstadt in U.S.A.*
Geneva [dʒiˈniːvə] *Genf n; Lake of ~ Genfer See m.*
George [dʒɔːdʒ] *Georg m.*
Georgia ['dʒɔːdʒjə] *Staat der U.S.A.*
Germany ['dʒəːməni] *Deutschland n.*
Gershwin ['gəːʃwin] *amer. Komponist.*
Gettysburg ['getizbəːg] *Stadt in U.S.A.*
Gibraltar [dʒiˈbrɔːltə] *Gibraltar n.*
Giles [dʒailz] *Julius m.*
Gill [gil] *Julchen n.*
Gladstone ['glædstən] *brit. Staatsmann.* [Schottland.]
Glasgow ['glɑːsgou] *Hafenstadt in]*
Gloucester ['glɔstə] *Stadt in England; a. ~shire ['~ʃiə] Grafschaft in England.*
Goldsmith ['gouldsmiθ] *engl. Autor.*
Great Britain ['greit 'britn] *Großbritannien n.*
Greece [griːs] *Griechenland n.*
Greene [griːn] *engl. Autor.*
Greenland ['griːnlənd] *Grönland n.*
Greenwich ['grinidʒ] *Vorort von London.*
Guernsey ['gəːnzi] *e-e der Kanalinseln.*
Guy [gai] *Guido, Veit m.*

Hague [heig]: *The ~ Den Haag.*
Halifax ['hælifæks] *Name zweier Städte in England und Kanada.*
Hampshire ['hæmpʃiə] *Grafschaft in England.*
Harlem ['hɑːlem] *Stadtteil von New York.*
Harrow ['hærou] *berühmte Public School.*
Harvard University ['hɑːvəd juːˈniːvəːsiti] *amer. Universität.*
Harwich ['hæridʒ] *Hafenstadt in England.*
Hawaii [hɑːˈwaiiː] *Staat der U.S.A.*
Hebrides ['hebridiːz] *die Hebriden.*

564

Heligoland ['heligoulænd] Helgoland *n.*
Helsinki ['helsiŋki] Helsinki *n.*
Hemingway ['hemiŋwei] *amer. Au-\*
Henry ['henri] Heinrich *m.* [*tor.\*]
Hereford(shire) ['herifəd(fiə)] *Grafschaft in England.*
Hertford(shire) ['ha:tfəd(fiə)] *Grafschaft in England.*
Hindustan [hindu'stɑ:n] Hindostan *n.*
Hogarth ['hougɑ:θ] *engl. Maler.*
Hollywood ['hɔliwud] *Filmstadt in Kalifornien, U.S.A.*
Houston ['ju:stən] *Stadt in U.S.A.*
Hudson ['hʌdsn] **1.** *engl. Familienname;* **2.** *Fluß in U.S.A.*
Hugh [hju:] Hugo *m.*
Hull [hʌl] *Hafenstadt in England.*
Hume [hju:m] *engl. Philosoph.*
Hungary ['hʌŋgəri] Ungarn *n.*
Huntingdon(shire) ['hʌntiŋdən-(fiə)] *Grafschaft in England.*
Huron ['hjuərən]: *Lake* ~ Huronsee *m (e-r der fünf Großen Seen Nordamerikas).*
Huxley ['hʌksli] **1.** *engl. Autor;* **2.** *engl. Zoologe.*

Iceland ['aislənd] Island *n.*
Idaho ['aidəhou] *Staat der U.S.A.*
Idlewild ['aidlwaild] *ehemaliger Name von Kennedy Airport.*
Illinois [ili'nɔi] *Fluß und Staat der U.S.A.*
India ['indjə] Indien *n.*
Indiana [indi'ænə] *Staat der U.S.A.*
Indies ['indiz]: *the (East, West)* ~ *(Ost-, West)Indien n.*
Iowa ['aiouə] *Staat der U.S.A.*
Irak, Iraq [i'rɑ:k] Irak *m.*
Iran [i'rɑ:n] Iran *m.*
Ireland ['aiələnd] Irland *n.*
Irving ['ə:viŋ] *amer. Autor.*
Israel ['izreiəl] Israel *n.*
Italy ['itəli] Italien *n.*

Jack [dʒæk] Hans *m.*
James [dʒeimz] Jakob *m.*
Jane [dʒein] Johanna *f.*
Jefferson ['dʒefəsn] *Präsident der U.S.A., Verfasser der Unabhängigkeitserklärung von 1776.*
Jeremy ['dʒerimi] *männlicher Vorname.*
Jersey ['dʒə:zi] *e-e der Kanalinseln;* ~ *City Stadt in U.S.A.*
Jesus (Christ) ['dʒi:zəs ('kraist)] Jesus (Christus) *m.*

Jim [dʒim] *Kurzform von James.*
Joan [dʒoun] Johanna *f.*
Job [dʒoub] Hiob *m.*
Joe [dʒou] *Kurzform von Joseph.*
John [dʒɔn] Johann(es), Hans *m.*
Johnson ['dʒɔnsn] **1.** *engl. Autor;* **2.** *Präsident der U.S.A.*
Joseph ['dʒouzif] Joseph *m.*
Jugoslavia ['ju:gou'slɑ:vjə] Jugoslawien *n.*

Kansas ['kænzəs] *Fluß und Staat der U.S.A.* [*Pakistan.\*]
Karachi [kə'rɑ:tʃi] *Hauptstadt von\*
Kashmir [kæʃ'miə] Kaschmir *n.*
Kate [keit] Käthe *f.*
Keats [ki:ts] *engl. Dichter.*
Kennedy ['kenidi] *Präsident der U.S.A.;* ~ *Airport Flughafen von New York.*
Kent [kent] *Grafschaft in England.*
Kentucky [ken'tʌki] *Fluß und Staat der U.S.A.*
King [kiŋ] *amer. Negerführer.*
Kipling ['kipliŋ] *engl. Dichter.*
Klondike ['klɔndaik] *Fluß und Landschaft in Kanada und Alaska.*
Kremlin ['kremlin] *der Kreml.*

Labrador ['læbrədɔ:] *Halbinsel Nordamerikas.*
Lancashire ['læŋkəʃiə] *Grafschaft in England.*
Lancaster ['læŋkəstə] *Name zweier Städte in England und U.S.A.;* s. *Lancashire.*
Leeds [li:dz] *Industriestadt in England.*
Leicester ['lestə] *Stadt in England;* a. ~shire ['~ʃiə] *Grafschaft in England.*
Leman ['lemən]: *Lake* ~ Genfer See *m.*
Leslie ['lezli] *männlicher Vorname.*
Lewis ['lu:is] Ludwig *m.*
Lincoln ['liŋkən] **1.** *Präsident der U.S.A.;* **2.** *Stadt in U.S.A.;* **3.** *Stadt in England;* **4.** a. ~shire ['~ʃiə] *Grafschaft in England.*
Lisbon ['lizbən] Lissabon *n.*
Liverpool ['livəpu:l] *Hafen- und Industriestadt in England.*
Locke [lɔk] *engl. Philosoph.*
London ['lʌndn] London *n.*
Los Angeles [lɔs 'ændʒili:z] *Stadt in U.S.A.*
Louisiana [lu:izi'ænə] *Staat der U.S.A.*

**Lucerne** [luːˈsəːn]: *Lake of* ~ Vierwaldstätter See *m.*
**Luxemburg** [ˈlʌksəmbəːg] Luxemburg *n.*

**Mabel** [ˈmeibəl] *weiblicher Vorname.*
**Macaulay** [məˈkɔːli] **1.** *engl. Historiker;* **2.** *engl. Autorin.*
**Mackenzie** [məˈkenzi] *Strom in Nordamerika.*
**Madge** [mædʒ] Margot *f.*
**Madrid** [məˈdrid] Madrid *n.*
**Maine** [mein] *Staat der U.S.A.*
**Malta** [ˈmɔːltə] Malta *n.*
**Manchester** [ˈmæntʃistə] *Industriestadt in England.*
**Manhattan** [mænˈhætən] *Stadtteil von New York.*
**Manitoba** [mæniˈtoubə] *Provinz in Kanada.*
**Margaret** [ˈmɑːgərit] Margarete *f.*
**Mark** [mɑːk] Markus *m.*
**Marlborough** [ˈmɔːlbərə] *engl. Feldherr.*
**Mary** [ˈmɛəri] Marie *f.*
**Maryland** [ˈmɛərilənd, *Am.* ˈmerilənd] *Staat der U.S.A.*
**Massachusetts** [mæsəˈtʃuːsits] *Staat der U.S.A.*
**Matilda** [məˈtildə] Mathilde *f.*
**Ma(t)thew** [ˈmæθjuː] Matthäus *m.*
**Maud** [mɔːd] *Kurzform von Matilda.*
**Maugham** [mɔːm] *engl. Autor.*
**Maurice** [ˈmɔris] Moritz *m.*
**May** [mei] *Kurzform von Mary.*
**Melbourne** [ˈmelbən] *Stadt in Australien.*
**Miami** [maiˈæmi] *Badeort in Florida, U.S.A.*
**Michigan** [ˈmiʃigən] *Staat der U.S.A.; Lake* ~ Michigansee *m (e-r der fünf Großen Seen Nordamerikas).*
**Middlesex** [ˈmidlseks] *Grafschaft in England.*
**Miller** [ˈmilə] *amer. Dramatiker.*
**Millicent** [ˈmilisnt] Melisande *f.*
**Milton** [ˈmiltən] *engl. Dichter.*
**Milwaukee** [milˈwɔːkiː] *Stadt in U.S.A.*
**Minneapolis** [miniˈæpəlis] *Stadt in U.S.A.* [U.S.A.\
**Minnesota** [miniˈsoutə] *Staat der*\
**Mississippi** [misiˈsipi] *Strom und Staat der U.S.A.*
**Missouri** [miˈzuəri] *Fluß und Staat der U.S.A.*
**Moll** [mɔl] *Kurzform von Mary.*

**Monmouth(shire)** [ˈmɔnməθ(ʃiə)] *Grafschaft in England.*
**Monroe** [mənˈrou] *Präsident der U.S.A.* [U.S.A.\
**Montana** [mɔnˈtænə] *Staat der*\
**Montgomery** [məntˈgɔməri] *brit. Feldmarschall.*
**Montreal** [mɔntriˈɔːl] *Stadt in Kanada.*
**Moore** [muə] *engl. Bildhauer.*
**Moscow** [ˈmɔskou] Moskau *n.*
**Munich** [ˈmjuːnik] München *n.*
**Murray** [ˈmʌri] *Fluß in Australien.*

**Nancy** [ˈnænsi], **Nanny** [ˈnæni] Ännchen *n.*
**Nebraska** [niˈbræskə] *Staat der U.S.A.*
**Nelson** [ˈnelsn] *engl. Admiral.*
**Netherlands** [ˈneðələndz] *die Niederlande.*
**Nevada** [neˈvɑːdə] *Staat der U.S.A.*
**New Brunswick** [njuː ˈbrʌnzwik] *Provinz in Kanada.*
**Newcastle** [ˈnjuːkɑːsl] *Hafenstadt in England.*
**New Delhi** [njuː ˈdeli] *Hauptstadt von Indien.*
**New England** [njuː ˈiŋglənd] Neuengland *n.* [Neufundland *n.*\
**Newfoundland** [njuːfəndˈlænd]\
**New Hampshire** [njuː ˈhæmpʃiə] *Staat der U.S.A.*
**New Jersey** [njuː ˈdʒəːsi] *Staat der U.S.A.*
**New Mexico** [njuː ˈmeksikou] Neumexiko *n (Staat der U.S.A.).*
**New Orleans** [njuː ˈɔːliəns] *Hafenstadt in U.S.A.*
**Newton** [ˈnjuːtn] *engl. Physiker.*
**New York** [ˈnjuː ˈjɔːk] *Stadt und Staat der U.S.A.*
**New Zealand** [njuː ˈziːlənd] Neuseeland *n.*
**Niagara** [naiˈægərə] Niagara *m (Fluß zwischen Erie- und Ontariosee).*
**Nicholas** [ˈnikələs] Nikolaus *m.*
**Nixon** [ˈniksn] *Präsident der U.S.A.*
**Norfolk** [ˈnɔːfək] *Grafschaft in England.*
**Northampton** [nɔːˈθæmptən] *Stadt in England; a.* ~shire [ˈ~ʃiə] *Grafschaft in England.*
**Northumberland** [nɔːˈθʌmbələnd] *Grafschaft in England.*
**Norway** [ˈnɔːwei] Norwegen *n.*
**Nottingham** [ˈnɔtiŋəm] *Stadt in*

England; a. ~shire ['~ʃiə] Grafschaft in England.
**Nova Scotia** ['nouvə 'skouʃə] Provinz in Kanada.

**Oceania** [ouʃi'einjə] Ozeanien n.
**Ohio** [ou'haiou] Fluß und Staat der
U.S.A.
**Oliver** ['ɔlivə] männlicher Vorname.
**Omaha** ['ouməha:] Stadt in U.S.A.
**O'Neill** [ou'ni:l] amer. Dramatiker.
**Ontario** [ɔn'teəriou] Provinz in Ka-
nada; Lake ~ Ontariosee m (e-r der
fünf Großen Seen Nordamerikas).
**Oregon** ['ɔrigən] Staat der U.S.A.
**Orkney Islands** ['ɔ:kni 'ailəndz] die
Orkneyinseln.
**Osborne** ['ɔzbən] engl. Dramatiker.
**Oslo** ['ɔzlou] Oslo n.
**Ostend** [ɔs'tend] Ostende n.
**Ottawa** ['ɔtəwə] Hauptstadt von
Kanada.
**Oxford** ['ɔksfəd] engl. Universitäts-
stadt; a. ~shire ['~ʃiə] Grafschaft
in England.

**Pakistan** [pɑ:kis'tɑ:n] Pakistan n.
**Paris** ['pæris] Paris n.
**Patricia** [pə'triʃə] weiblicher Vor-
name. [name.]
**Patrick** ['pætrik] männlicher Vor-]
**Paul** [pɔ:l] Paul m.
**Pearl Harbour** ['pə:l 'hɑ:bə] Ha-
fenstadt auf Hawaii.
**Peg(gy)** ['peg(i)] Gretchen n.
**Pennsylvania** [pensil'veinjə] Penn-
sylvanien n (Staat der U.S.A.).
**Peter** ['pi:tə] Peter m.
**Philadelphia** [filə'delfjə] Stadt in
U.S.A.
**Philippines** ['filipi:nz] die Philip-
pinen. [U.S.A.]
**Pittsburg(h)** ['pitsbə:g] Stadt in]
**Plymouth** ['pliməθ] Hafenstadt in
England.
**Poe** [pou] amer. Autor.
**Poland** ['poulənd] Polen n.
**Poll** [pɔl] Mariechen n.
**Portsmouth** ['pɔ:tsməθ] Hafenstadt
in England.
**Portugal** ['pɔ:tjugəl] Portugal n.
**Potomac** [pə'toumək] Fluß in]
**Prague** [prɑ:g] Prag n. [U.S.A.]
**Pulitzer** ['pulitsə] amer. Journalist.
**Purcell** ['pə:sl] engl. Komponist.

**Quebec** [kwi'bek] Provinz und Stadt
in Kanada.

**Ratisbon** ['rætisbɔn] Regensburg n.
**Reykjavik** ['reikjaviːk] Reykjavik n.
**Reynolds** ['renldz] engl. Maler.
**Rhine** [rain] Rhein m.
**Rhode Island** [roud 'ailənd] Staat
der U.S.A.
**Rhodesia** [rou'di:zjə] Rhodesien n.
**Richard** ['ritʃəd] Richard m.
**Robert** ['rɔbət] Robert m.
**Rockefeller** ['rɔkifelə] amer. Indu-
strieller.
**Rocky Mountains** ['rɔki 'mauntinz]
Gebirge in U.S.A.
**Roger** ['rɔdʒə] Rüdiger m.
**Rome** [roum] Rom n.
**Roosevelt** ['rouzəvelt] Name zweier
Präsidenten der U.S.A.
**Rugby** ['rʌgbi] berühmte Public
School.
**Rumania** [ru:'meinjə] Rumänien n.
**Russell** ['rʌsl] engl. Philosoph.
**Russia** ['rʌʃə] Rußland n.
**Rutland(shire)** ['rʌtlənd(ʃiə)]
Grafschaft in England.

**Sam** [sæm] Kurzform von Samuel.
**Samuel** ['sæmjuəl] Samuel m.
**San Francisco** [sænfrən'siskou] Ha-
fenstadt in U.S.A.
**Saskatchewan** [səs'kætʃiwən] Pro-
vinz von Kanada.
**Sayers** ['seiəz] engl. Autorin.
**Scandinavia** [skændi'neivjə] Skan-
dinavien n.
**Scotland** ['skɔtlənd] Schottland n;
~ Yard Polizeipräsidium in London.
**Seattle** [si'ætl] Hafenstadt in U.S.A.
**Shakespeare** ['ʃeikspiə] engl. Dich-
ter.
**Shaw** [ʃɔ:] engl. Dramatiker.
**Shelley** ['ʃeli] engl. Dichter.
**Shetland Islands** ['ʃetlənd 'ailəndz]
die Shetlandinseln.
**Shropshire** ['ʃrɔpʃiə] Grafschaft in
England.
**Singapore** [siŋgə'pɔ:] Singapur n.
**Snowdon** ['snoudn] Berg in Wales.
**Sofia** ['soufjə] Sofia n.
**Somerset(shire)** ['sʌməsit(ʃiə)]
Grafschaft in England.
**Southhampton** [sauθ'æmptən] Ha-
fenstadt in England.
**Spain** [spein] Spanien n.
**Stafford(shire)** ['stæfəd(ʃiə)] Graf-
schaft in England.
**Stevenson** ['sti:vnsn] engl. Autor.
**St. Lawrence** [snt'lɔrəns] der St.
Lorenz-Strom.

**St. Louis** [snt'luis] *Industriestadt in U.S.A.*

**Stockholm** ['stɔkhoum] Stockholm *n.*

**Stratford** ['strætfəd]: .-on-Avon *Geburtsort Shakespeares.*

**Styria** ['stiriə] *die Steiermark.*

**Suffolk** ['sʌfək] *Grafschaft in England.*

**Superior** [sju:'piəriə]: *Lake ~ Oberer See m (e-r der fünf Großen Seen Nordamerikas).*

**Surrey** ['sʌri] *Grafschaft in England.*

**Susan** ['su:zn] Susanne *f.*

**Sussex** ['sʌsiks] *Grafschaft in England.*

**Sweden** ['swi:dn] Schweden *n.*

**Swift** [swift] *engl. Autor.*

**Switzerland** ['switsələnd] die Schweiz.

**Sydney** ['sidni] *Hafen- und Industriestadt in Australien.*

**Tennessee** [tene'si] *Fluß und Staat der U.S.A.*

**Tennyson** ['tenisn] *engl. Dichter.*

**Texas** ['teksəs] *Staat der U.S.A.*

**Thackeray** ['θækəri] *engl. Autor.*

**Thames** [temz] *Themse f.*

**Thomas** ['tɔməs] Thomas *m.*

**Tirana** [ti'rɑ:nə] Tirana *n.*

**Tom(my)** ['tɔm(i)] *Kurzform von Thomas.* [nada.]

**Toronto** [tə'rɔntou] *Stadt in Ka-*

**Toynbee** ['tɔinbi] *engl. Historiker.*

**Trafalgar** [trə'fælgə] *Vorgebirge bei Gibraltar (Seesieg Nelsons 1805).*

**Truman** ['tru:mən] *Präsident der U.S.A.*

**Turkey** ['tə:ki] die Türkei.

**Turner** ['tə:nə] *engl. Maler.*

**Twain** [twein] *amer. Autor.*

**Tyrol** ['tirəl] Tirol *n.*

**United States of America** [ju:'naitid 'steitsəvə'merikə] *die Vereinigten Staaten von Amerika.*

**Utah** ['ju:tɑ:] *Staat der U.S.A.*

**Vancouver** [væn'ku:və] *Stadt in Kanada.*

**Vatican** ['vætikən] *Vatikan m.*

**Vermont** [və:'mɔnt] *Staat der*

**Vienna** [vi'enə] Wien *n.* [U.S.A.]

**Viet-Nam** ['vjet'næm] Vietnam *n.*

**Virginia** [və'dʒinjə] *Virginien n (Staat der U.S.A.); West ~ Staat der U.S.A.*

**Vistula** ['vistjulə] *Weichsel f.*

**Wales** [weilz] Wales *n.*

**Wallace** ['wɔlis] 1. *engl. Autor;* 2. *amer. Autor.*

**Wall Street** ['wɔ:l 'stri:t] *Straße und Finanzzentrum in New York.*

**Warsaw** ['wɔ:sɔ:] Warschau *n.*

**Warwick(shire)** ['wɔrik(ʃiə)] *Grafschaft in England.*

**Washington** ['wɔʃiŋtən] 1. *Präsident der U.S.A.;* 2. *Staat der U.S.A.;* 3. *Bundeshauptstadt der U.S.A.*

**Waterloo** [wɔ:tə'lu:] *Dorf in Belgien (Niederlage Napoleons 1815).*

**Watt** [wɔt] *engl. Erfinder.*

**Wellington** ['weliŋtən] 1. *engl. Feldherr und Staatsmann;* 2. *Hauptstadt von Neuseeland.*

**Westmoreland** ['westmələnd] *Grafschaft in England.*

**White House** ['wait 'haus] *das Weiße Haus (Amtssitz des Präsidenten der U.S.A.).*

**Whitman** ['witmən] *amer. Dichter.*

**Wight** [wait]: *Isle of ~ Insel vor der Südküste Englands.*

**Wilde** [waild] *engl. Dichter.*

**Will** [wil] *Kurzform von William.*

**William** ['wiljəm] Wilhelm *m.*

**Wilson** ['wilsn] 1. *Präsident der U.S.A.;* 2. *brit. Politiker.*

**Wiltshire** ['wiltʃiə] *Grafschaft in England.*

**Wimbledon** ['wimbldən] *Vorort von London (Tennisturniere).*

**Winnipeg** ['winipeg] *See und Stadt in Kanada.*

**Wisconsin** [wis'kɔnsin] *Fluß und Staat der U.S.A.*

**Wolfe** [wulf] *amer. Autor.*

**Woolf** [wulf] *engl. Autorin.*

**Worcester** ['wustə] *Industriestadt in England; a. ~shire ['~ʃiə] Grafschaft in England.*

**Wordsworth** ['wə:dzwə:θ] *engl. Dichter.*

**Yale University** ['jeil ju:ni'və:siti] *amer. Universität.*

**Yellowstone** ['jeloustoun] *Fluß und Naturschutzgebiet der U.S.A.*

**York** [jɔ:k] *Stadt in England; a. ~shire ['~ʃiə] Grafschaft in England.*

**Yosemite** [jou'semiti] *Naturschutzgebiet in U.S.A.*

# Britische und amerikanische Abkürzungen

**abbr.** *abbreviated* abgekürzt; *abbreviation* Abk., Abkürzung *f*.

**A.B.C.** *American Broadcasting Company* Amer. Rundfunkgesellschaft *f*.

**A.C.** *alternating current* Wechselstrom *m*.

**A/C** *account (current)* Kontokorrent *n*, Rechnung *f*.

**acc(t).** *account* Konto *n*, Rechnung *f*.

**A.E.C.** *Atomic Energy Commission* Atomenergie-Kommission *f*.

**AFL-CIO** *American Federation of Labor & Congress of Industrial Organizations (größter amer. Gewerkschaftsverband)*.

**A.F.N.** *American Forces Network (Rundfunkanstalt der amer. Streitkräfte)*.

**Ala.** *Alabama*.

**Alas.** *Alaska*.

**a.m.** *ante meridiem (lateinisch = before noon)* vormittags.

**A.P.** *Associated Press (amer. Nachrichtenbüro)*.

**A.R.C.** *American Red Cross* Amer. Rotes Kreuz.

**Ariz.** *Arizona*.

**Ark.** *Arkansas*.

**arr.** *arrival* Ank., Ankunft *f*.

**ASA** *American Standards Association* Amer. Normungs-Organisation *f*.

**B.A.** *Bachelor of Arts* Bakkalaureus *m* der Philosophie.

**B.B.C.** *British Broadcasting Corporation* Brit. Rundfunkgesellschaft *f*.

**B/E** *Bill of Exchange* Wechsel *m*.

**B.E.A.** *British European Airways* Brit.-Europäische Luftfahrtgesellschaft.

**Beds.** *Bedfordshire*.

**Benelux** *Belgium, Netherlands, Luxemburg (Zollunion)*.

**Berks.** *Berkshire*.

**B.F.N.** *British Forces Network (Sen-*

*der der brit. Streitkräfte in Deutschland)*.

**B.L.** *Bachelor of Law* Bakkalaureus *m* des Rechts.

**B/L** *bill of lading* Seefrachtbrief *m*.

**B.M.** *Bachelor of Medicine* Bakkalaureus *m* der Medizin.

**B.O.A.C.** *British Overseas Airways Corporation* Brit. Übersee-Luftfahrtgesellschaft *f*.

**B.O.T.** *Board of Trade* Handelsministerium *n (in Großbritannien)*.

**B.R.** *British Railways (Eisenbahn in Großbritannien)*.

**Br(it).** *Britain* Großbritannien *n*; *British* britisch.

**Bros.** *brothers* Gebrüder *pl. (in Firmenbezeichnungen)*.

**B.S.** *Bachelor of Science* Bakkalaureus *m* der Naturwissenschaften; *British Standard* Brit. Norm *f*.

**B.S.I.** *British Standards Institution* Brit. Normungs-Organisation *f*.

**B.T.U.** *British Thermal Unit(s)* Brit. Wärmeeinheit(en *pl.*) *f*.

**Bucks.** *Buckinghamshire*.

**C.** *Celsius, centigrade (Thermometereinteilung)*.

**c.** *cent(s)* Cent *m*; *circa* ca., ungefähr, zirka; *cubic* Kubik...

**C/A** *current account* laufendes Konto.

**Cal(if).** *California*. [to.]

**Cambs.** *Cambridgeshire*.

**Can.** *Canada* Kanada *n*; *Canadian* kanadisch.

**C.C.** *continuous current* Gleichstrom *m*.

**cf.** *confer* vgl., vergleiche.

**Ches.** *Cheshire*.

**C.I.C.** *Counter Intelligence Corps (Spionageabwehrdienst der U.S.A.)*.

**C.I.D.** *Criminal Investigation Department (brit. Kriminalpolizei)*.

**c.i.f.** *cost, insurance, freight* Kosten, Versicherung und Fracht einbegriffen.

**Co.** *Company* Gesellschaft *f*; *County* Grafschaft *f*, Kreis *m*.

**c/o** *care of* p.A., per Adresse, bei.

**C.O.D.** *cash (Am. collect) on delivery* Zahlung bei Empfang, gegen Nachnahme.

**Col(o).** *Colorado.*

**Conn.** *Connecticut.*

**cp.** *compare* vgl., vergleiche.

**Cumb.** *Cumberland.*

**c.w.o.** *cash with order* Barzahlung bei Bestellung.

**cwt.** *hundredweight (etwa 1)* Zentner *m*.

**d.** *penny, pence.*

**D.C.** *direct current* Gleichstrom *m*; *District of Columbia (mit der amer. Hauptstadt Washington).*

**Del.** *Delaware.*

**dep.** *departure* Abf., Abfahrt *f*.

**Dept.** *Department* Abt., Abteilung *f*.

**Derby.** *Derbyshire.*

**Devon.** *Devonshire.*

**disc(t).** *discount* Diskont *m*, Abzug *m*.

**div.** *dividend* Dividende *f*.

**dol.** *dollar* Dollar *m*.

**Dors.** *Dorsetshire.*

**doz.** *dozen* Dutzend *n od. pl.*

**Dpt.** *Department* Abt., Abteilung *f*.

**Dur(h).** *Durham.*

**dz.** *dozen* Dutzend *n od. pl.*

**E.** *east* Ost(en *m*); *eastern* östlich; *English* englisch.

**E. & O.E.** *errors and omissions excepted* Irrtümer und Auslassungen vorbehalten.

**E.C.** *East Central* (London) Mitte-Ost *(Postbezirk).*

**E.C.E.** *Economic Commission for Europe* Wirtschaftskommission *f* für Europa *(des Wirtschafts- und Sozialrates der U.N.).*

**ECOSOC** *Economic and Social Council* Wirtschafts- und Sozialrat *m (der U.N.).*

**Ed., ed.** *edition* Auflage *f*; *edited* hrsg., herausgegeben; *editor* Hrsg., Herausgeber *m*.

**E.E., E./E.** *errors excepted* Irrtümer vorbehalten.

**E.E.C.** *European Economic Community* EWG, Europäische Wirtschaftsgemeinschaft.

**E.F.T.A.** *European Free Trade Association* EFTA, Europäische Freihandelsgemeinschaft *od.* -zone.

**e.g.** *exempli gratia (lateinisch = for instance)* z.B., zum Beispiel.

**Enc.** *enclosure(s)* Anlage(n *pl.) f*.

**E.R.P.** *European Recovery Program(me)* Europäisches Wiederaufbauprogramm, Marshall-Plan *m*.

**Esq.** *Esquire* Wohlgeboren *(in Briefadressen).*

**Ess.** *Essex.*

**F.** *Fahrenheit (Thermometereinteilung).*

**f.** *fathom(s)* Faden *m*, Klafter *f, m, n*; *feminine* weiblich; *foot, pl. feet* Fuß *m od. pl.*; *following* folgend.

**F.A.O.** *Food and Agricultural Organization* Organisation *f* für Ernährung und Landwirtschaft *(der U.N.).*

**FBI** *Federal Bureau of Investigation (Bundeskriminalamt der U.S.A.).*

**fig.** *figure(s)* Abb., Abbildung(en *pl.) f*.

**Fla.** *Florida.*

**F.O.** *Foreign Office brit.* Auswärtiges Amt.

**f.o.b.** *free on board* frei Schiff.

**fo(l).** *folio* Folio *n*, Seite *f*.

**f.o.q.** *free on quay* frei Kai.

**f.o.r.** *free on rail* frei Bahn.

**f.o.t.** *free on truck* frei Waggon.

**f.o.w.** *free on waggon* frei Waggon.

**fr.** *franc(s)* Frank(en *m, pl.) m*.

**ft.** *foot, pl. feet* Fuß *m od. pl.*

**g.** *gramme* g, Gramm *n*; *guinea* Guinee *f (21 Schilling).*

**Ga.** *Georgia.*

**gal.** *gallon* Gallone *f*.

**G.A.T.T.** *General Agreement on Tariffs and Trade* Allgemeines Zoll- und Handelsabkommen.

**G.B.** *Great Britain* Großbritannien *n*.

**G.I.** *government issue* von der Regierung ausgegeben; Staatseigentum *n; fig. der amer.* Soldat.

**Glos.** *Gloucestershire.*

**G.M.T.** *Greenwich Mean Time* WEZ, westeuropäische Zeit.

**gns.** *guineas* Guineen *pl.*

**G.P.O.** *General Post Office* Hauptpostamt *n*.

**gr.** *gross* brutto.

**Gt.Br.** *Great Britain* Großbritannien *n*.

570

**h.** *hour(s)* Std., Stunde(n *pl.*) *f.*
**Hants.** *Hampshire.*
**H.B.M.** *His (Her) Britannic Majesty* Seine (Ihre) Britannische Majestät *f.*
**H.C.** *House of Commons* Unterhaus *n.*
**Heref.** *Herefordshire.*
**Herts.** *Hertfordshire.*
**hf.** *half* halb.
**H.I.** *Hawaiian Islands.*
**H.L.** *House of Lords* Oberhaus *n.*
**H.M.** *His (Her) Majesty* Seine (Ihre) Majestät.
**H.M.S.** *His (Her) Majesty's Service* Dienst *m*, & Dienstsache *f*; *His (Her) Majesty's Ship (Steamer)* Seiner (Ihrer) Majestät Schiff *n* (Dampfschiff *n*).
**H.O.** *Home Office* brit. Innenministerium *n.*
**H.P., h.p.** *horse-power* PS, Pferdestärke *f.*
**H.Q., Hq.** *Headquarters* Stab(squartier *n*) *m*, Hauptquartier *n.*
**H.R.** *House of Representatives* Repräsentantenhaus *n* (der *U.S.A.*).
**H.R.H.** *His (Her) Royal Highness* Seine (Ihre) Königliche Hoheit *f.*
**hrs.** *hours* Std., Stunden *pl.*
**Hunts.** *Huntingdonshire.*

**Ia.** *Iowa.*
**I.C.B.M.** *intercontinental ballistic missile* interkontinentaler ballistischer Flugkörper.
**I.D.** *Intelligence Department* Nachrichtenamt *n.*
**Id(a).** *Idaho.*
**i.e.** *id est (lateinisch = that is to say)* d.h., das heißt.
**Ill.** *Illinois.*
**I.M.F.** *International Monetary Fund* Weltwährungsfonds *m.*
**in.** *inch(es)* Zoll *m od. pl.*
**Inc.** *Incorporated* (amtlich) eingetragen; *inclosure* Anlage *f.*
**Ind.** *Indiana.*
**inst.** *instant* d. M., dieses Monats.
**I.O.C.** *International Olympic Committee* Internationales Olympisches Komitee.
**Ir.** *Ireland* Irland *n*; *Irish* irisch.
**I.R.C.** *International Red Cross* Internationales Rotes Kreuz.

**J.P.** *Justice of the Peace* Friedensrichter *m.*
**Jr** *junior* jr., jun., der Jüngere.

**Kan(s).** *Kansas.*
**k.o.** *knock(ed) out* Boxen: k.o. (ge-) schlagen; *fig.* erledigt.
**Ky.** *Kentucky.*

**l.** *litre(s)* l, Liter *n, m od. pl.*
**£** *pound sterling* Pfund *n* Sterling (*Währung*).
**La.** *Louisiana.*
**£A** *Australian pound* australisches Pfund *n* (*Währung*).
**Lancs.** *Lancashire.*
**lb.** *pound(s)* Pfund *n od. pl.* (*Gewicht*).
**L.C.** *letter of credit* Kreditbrief *m.*
**£E.** *Egyptian pound* ägyptisches Pfund *n* (*Währung*).
**Leics.** *Leicestershire.*
**Lincs.** *Lincolnshire.*
**LP** *long-playing* Langspiel...; ~ *record* Langspielplatte *f.*
**L.P.** *Labour Party* (brit. *Arbeiterpartei*).
**Ltd.** *limited* mit beschränkter Haftung.

**m.** *male* männlich; *metre* m, Meter *n*, *m*; *mile* Meile *f*; *minute* Min., Minute *f.*
**M.A.** *Master of Arts* Magister *m* der Philosophie.
**Mass.** *Massachusetts.*
**M.D.** *Medicinae Doctor (lateinisch = Doctor of Medicine)* Dr. med., Doktor *m* der Medizin.
**Md.** *Maryland.*
**Me.** *Maine.*
**mi.** *mile* Meile *f.*
**Mich.** *Michigan.*
**Middx.** *Middlesex.*
**Minn.** *Minnesota.*
**Miss.** *Mississippi.*
**Mo.** *Missouri.*
**M.O.** *money order* Postanweisung *f.*
**Mon.** *Monmouthshire.*
**Mont.** *Montana.*
**MP, M.P.** *Member of Parliament* Parlamentsabgeordnete(r) *m*; *Military Police* Militärpolizei *f.*
**m.p.h.** *miles per hour* Stundenmeilen *pl.*
**Mr** *Mister* Herr *m.*
**Mrs** *Mistress* Frau *f.*
**MS.** *manuscript* Manuskript *n.*
**M.S.** *motorship* Motorschiff *n.*
**Mt.** *Mount* Berg *m.*

**N.** north Nord(en *m*); northern nördlich.

**n.** noon Mittag *m*.

**NASA** National Aeronautics and Space Administration (*amer. Luftfahrt- und Raumforschungsbehörde*).

**NATO** North Atlantic Treaty Organization Nordatlantikpakt-Organisation *f*.

**N.C.** North Carolina.

**N.D(ak).** North Dakota.

**N.E.** north-east Nordost(en *m*); north-eastern nordöstlich.

**Neb(r).** Nebraska.

**Nev.** Nevada.

**N.H.** New Hampshire.

**N.H.S.** National Health Service Nationaler Gesundheitsdienst (*brit. Krankenversicherung*).

**N.J.** New Jersey.

**N.M(ex).** New Mexico.

**Norf.** Norfolk.

**Northants.** Northamptonshire.

**Northumb.** Northumberland.

**Notts.** Nottinghamshire.

**nt.** net netto.

**N.W.** north-west Nordwest(en *m*); north-western nordwestlich.

**N.Y.** New York.       [York.]

**N.Y.C.** New York City Stadt *f* New

**O.** Ohio; order Auftrag *m*.

**o/a** on account of für Rechnung von.

**O.A.S.** Organization of American States Organisation *f* amerikanischer Staaten.

**O.E.E.C.** Organization of European Economic Co-operation Organisation *f* für europäische wirtschaftliche Zusammenarbeit.

**O.H.M.S.** On His (Her) Majesty's Service im Dienste Seiner (Ihrer) Majestät; ☞ Dienstsache *f*.

**O.K.** (*möglicherweise aus:*) all correct in Ordnung.

**Okla.** Oklahoma.

**O.N.A.** Overseas News Agency Überseenachrichtenagentur *f* (*ein amer. Pressedienst*).

**O.N.S.** Overseas News Service Überseenachrichtendienst *m* (*ein brit. Pressedienst*).

**Ore(g).** Oregon.

**Oxon.** Oxfordshire.

**Pa.** Pennsylvania.

**p.a.** per annum (*lateinisch = yearly*) jährlich.

**P.A.A.** Pan-American Airways Pan-amer. Luftfahrtgesellschaft *f*.

**P.C.** police constable Schutzmann *m*; post-card Postkarte *f*.

**p.c.** per cent %, Prozent *n od. pl.*

**pd.** paid bezahlt.

**P.E.N., mst PEN Club** Poets, Playwrights, Editors, Essayists, and Novelists Pen-Club *m*, (*Internationale Vereinigung von Dichtern, Dramatikern, Redakteuren, Essayisten und Romanschriftstellern*).

**Penn(a).** Pennsylvania.

**per pro(c).** per procurationem (*lateinisch = by proxy*) pp(a)., per Prokura.

**Ph.D.** Philosophiae Doctor (*lateinisch = Doctor of Philosophy*) Dr. phil., Doktor *m* der Philosophie.

**p.m.** post meridiem (*lateinisch = after noon*) nachmittags, abends.

**P.O.** Post Office Postamt *n*; postal order Postanweisung *f*.

**P.O.B.** Post Office Box Postschließfach *n*.

**p.o.d.** pay on delivery Nachnahme *f*.

**P.O.S.B.** Post Office Savings Bank Postsparkasse *f*.

**P.S.** Postscript P.S., Nachschrift *f*.

**P.T.O., p.t.o.** please turn over b.w., bitte wenden.

**PX** Post Exchange Verkaufsläden *pl.* (*der amer. Streitkräfte*).

**quot.** quotation Preisnotierung *f*.

**R.A.F.** Royal Air Force Königlich-Brit. Luftwaffe *f*.

**rd** road Straße *f*.

**ref(c).** (*In*) reference (to) (mit) Bezug *m* (auf); Empfehlung *f*.

**regd.** registered eingetragen; ☞ eingeschrieben.

**reg. tn.** register ton RT, Registertonne *f*.

**resp.** respective(ly) bzw., beziehungsweise.

**ret.** retired i.R., im Ruhestand.

**Rev.** Reverend Hochwürden.

**R.I.** Rhode Island.

**R.N.** Royal Navy Königlich-Brit. Marine *f*.

**R.P.** reply paid Rückantwort bezahlt (*bei Telegrammen*).

**R.R.** Railroad Am. Eisenbahn *f*.

**Rutland.** Rutlandshire.

**Ry.** Railway Eisenbahn *f*.

**S.** *south* Süd(en *m*); *southern* südlich.

**s.** *second(s)* Sek., Sekunde(n *pl.*) *f*; *shilling(s)* Schilling *m od. pl.*

**$** *dollar* Dollar *m*.

**S.A.** *South Africa* Südafrika *n*; *South America* Südamerika *n*; *Salvation Army* Heilsarmee *f*.

**Salop** *Shropshire*.

**S.C.** *South Carolina*; *Security Council* Sicherheitsrat *m* (*der U.N.*).

**S.D(ak).** *South Dakota*.

**S.E.** *south-east* Südost(en *m*); *south-eastern* südöstlich; *Stock Exchange* Börse *f*.

**SEATO** *South East Asia Treaty Organization* Südostasienpakt-Organisation *f*.

**sh.** *shilling(s)* Schilling *m od. pl.*

**Soc.** *society* Gesellschaft *f*; Verein *m*.

**Som.** *Somersetshire*.

**sov.** *sovereign* Sovereign *m*.

**Sq.** *Square* Platz *m*.

**sq.** *square* ... Quadrat...

**Sr** *senior* sen., der Ältere.

**S.S.** *steamship* Dampfer *m*.

**Staffs.** *Staffordshire*.

**St(.)** *Saint* ... Sankt ...; *Station* Bahnhof *m*; *Street* Straße *f*.

**St.Ex.** *Stock Exchange* Börse *f*.

**stg.** *sterling* Sterling *m* (*brit. Währungseinheit*).

**Suff.** *Suffolk*.

**suppl.** *supplement* Nachtrag *m*.

**Sur.** *Surrey*.

**Suss.** *Sussex*.

**S.W.** *south-west* Südwest(en *m*); *south-western* südwestlich.

**t.** *ton(s)* Tonne(n *pl.*) *f*.

**T.D.** *Treasury Department* Finanzministerium *n* (*der U.S.A.*).

**Tenn.** *Tennessee*.

**Tex.** *Texas*.

**T.M.O.** *telegraph money order* telegraphische Geldanweisung.

**T.O.** *Telegraph* (*Telephone*) *Office* Telegraphen- (Fernsprech)amt *n*.

**T.U.** *Trade(s)* *Union(s)* Gewerkschaft(en *pl.*) *f*.

**T.U.C.** *Trade(s)* *Union Congress* brit. Gewerkschaftsverband *m*.

**T.W.A.** *Trans World Airlines* Amer. Luftfahrtgesellschaft *f*.

**U.K.** *United Kingdom* Vereinigtes Königreich (*England, Schottland, Wales und Nordirland*). [nen *pl.*\]

**U.N.** *United Nations* Vereinte Natio-\

**UNESCO** *United Nations Educational, Scientific, and Cultural Organization* Organisation *f* der Vereinten Nationen für Wissenschaft, Erziehung und Kultur.

**U.N.S.C.** *United Nations Security Council* Sicherheitsrat *m* der Vereinten Nationen.

**U.P.I.** *United Press International* (*amer. Nachrichtenagentur*).

**U.S.(A.)** *United States* (*of America*) Vereinigte Staaten *pl.* (von Amerika).

**Ut.** *Utah*.

**v.** *verse* Vers *m*; *versus* (*lateinisch = against*) gegen; *vide* (*lateinisch = see*) s., siehe.

**Va.** *Virginia*. [nämlich.\]

**viz.** *videlicet* (*lateinisch = namely*)\

**vol(s).** *volume(s)* Band *m* (Bände *pl.*).

**Vt.** *Vermont*.

**V.T.O.(L.)** *vertical take-off* (*and landing*) (*aircraft*) Senkrechtstart(er) *m*.

**W.** *west* West(en *m*); *western* westlich.

**War.** *Warwickshire*.

**Wash.** *Washington*.

**W.C.** *West Central* (London) Mitte-West (*Postbezirk*).

**W.F.T.U.** *World Federation of Trade Unions* Weltgewerkschaftsbund *m*.

**W.H.O.** *World Health Organization* Weltgesundheitsorganisation *f* (*der U.N.*).

**W.I.** *West Indies* Westindien *n*.

**Wilts.** *Wiltshire*.

**Wis.** *Wisconsin*.

**Worcs.** *Worcestershire*.

**wt.** *weight* Gewicht *n*.

**W.Va.** *West Virginia*.

**Wyo.** *Wyoming*.

**Xmas** *Christmas* Weihnachten *n*.

**yd.** *yard(s)* Elle(n *pl.*) *f*.

**Yorks.** *Yorkshire*.

**Y.M.C.A.** *Young Men's Christian Association* CVJM, Christlicher Verein Junger Männer.

**Y.W.C.A.** *Young Women's Christian Association* Christlicher Verein Junger Mädchen.

# Die Stammformen
## der unregelmäßigen Verben

Mit Stern (*) gekennzeichnete unregelmäßige Stammformen können auch durch die regelmäßig gebildete Form ersetzt werden.

abide (*bleiben*) - abode* - abode*
arise (*sich erheben*) - arose - arisen
awake (*erwachen*) - awoke - awoke*
be (*sein*) - was - been
bear (*tragen; gebären*) - bore - getragen: borne - *geboren* - born
beat (*schlagen*) - beat - beat(en)
become (*werden*) - became - become
beget (*zeugen*) - begot - begotten
begin (*anfangen*) - began - begun
bend (*beugen*) - bent - bent
bereave (*berauben*) - bereft* - bereft*
beseech (*ersuchen*) - besought -]
bet (*wetten*) - bet* - bet* [besought]
bid ([*ge*]*bieten*) - bade, bid - bid(den)
bide (*abwarten*) - bode* - bided
bind (*binden*) - bound - bound
bite (*beißen*) - bit - bitten
bleed (*bluten*) - bled - bled
blend ([*sich*] [*ver*]*mischen*) - blent* - blent*
blow (*blasen; blühen*) - blew - blown
break (*brechen*) - broke - broken
breed (*aufziehen*) - bred - bred
bring (*bringen*) - brought - brought
build (*bauen*) - built - built
burn (*brennen*) - burnt* - burnt*
burst (*bersten*) - burst - burst
buy (*kaufen*) - bought - bought
cast (*werfen*) - cast - cast
catch (*fangen*) - caught - caught
chide (*schelten*) - chid* - chid(den)*
choose (*wählen*) - chose - chosen
cleave ([*sich*] *spalten*) - cleft, clove* - cleft, cloven*
cling (*sich* [*an*]*klammern*) - clung - clung [clad*]
clothe ([*an-, be*]*kleiden*) - clad* -]
come (*kommen*) - came - come
cost (*kosten*) - cost - cost
creep (*kriechen*) - crept - crept
crow (*krähen*) - crew* - crowed
cut (*schneiden*) - cut - cut
deal (*handeln*) - dealt - dealt

dig (*graben*) - dug - dug
do (*tun*) - did - done
draw (*ziehen*) - drew - drawn
dream (*träumen*) - dreamt* - dreamt*
drink (*trinken*) - drank - drunk
drive (*treiben; fahren*) - drove - driven
dwell (*wohnen*) - dwelt - dwelt
eat (*essen*) - ate, eat - eaten
fall (*fallen*) - fell - fallen
feed (*füttern*) - fed - fed
feel (*fühlen*) - felt - felt
fight (*kämpfen*) - fought - fought
find (*finden*) - found - found
flee (*fliehen*) - fled - fled
fling (*schleudern*) - flung - flung
fly (*fliegen*) - flew - flown
forbid (*verbieten*) - forbade - forbidden [gotten]
forget (*vergessen*) - forgot - for-]
forsake (*aufgeben; verlassen*) - forsook - forsaken
freeze ([*ge*]*frieren*) - froze - frozen
get (*bekommen*) - got - got, *Am.* gotten
gild (*vergolden*) - gilt* - gilt*
gird ([*um*]*gürten*) - girt* - girt*
give (*geben*) - gave - given
go (*gehen*) - went - gone
grave ([*ein*]*graben*) - graved - graven*
grind (*mahlen*) - ground - ground
grow (*wachsen*) - grew - grown
hang (*hängen*) - hung - hung
have (*haben*) - had - had
hear (*hören*) - heard - heard
heave (*heben*) - hove* - hove*
hew (*hauen, hacken*) - hewed - hewn*
hide (*verbergen*) - hid - hid(den)
hit (*treffen*) - hit - hit
hold (*halten*) - held - held
hurt (*verletzen*) - hurt - hurt
keep (*halten*) - kept - kept
kneel (*knien*) - knelt* - knelt*
knit (*stricken*) - knit* - knit*
know (*wissen*) - knew - known

574

lay (*legen*) - laid - laid
lead (*führen*) - led - led
lean ([*sich*] [*an*]*lehnen*) - leant* - leant*
leap ([*über*]*springen*) - leapt* - leapt*
learn (*lernen*) - learnt* - learnt*
leave (*verlassen*) - left - left
lend (*leihen*) - lent - lent
let (*lassen*) - let - let
lie (*liegen*) - lay - lain
light (*anzünden*) - lit* - lit*
lose (*verlieren*) - lost - lost
make (*machen*) - made - made
mean (*meinen*) - meant - meant
meet (*begegnen*) - met - met
mow (*mähen*) - mowed - mown*
pay (*zahlen*) - paid - paid
pen (*einpferchen*) - pent - pent
put (*setzen, stellen*) - put - put
read (*lesen*) - read - read
rend ([*zer*]*reißen*) - rent - rent
rid (*befreien*) - rid* - rid
ride (*reiten*) - rode - ridden
ring (*läuten*) - rang - rung
rise (*aufstehen*) - rose - risen
rive ([*sich*] *spalten*) - rived - riven*
run (*laufen*) - ran - run
saw (*sägen*) - sawed - sawn*
say (*sagen*) - said - said
see (*sehen*) - saw - seen
seek (*suchen*) - sought - sought
sell (*verkaufen*) - sold - sold
send (*senden*) - sent - sent
set (*setzen*) - set - set
sew (*nähen*) - sewed - sewn*
shake (*schütteln*) - shook - shaken
shave ([*sich*] *rasieren*) - shaved - shaven*
shear (*scheren*) - sheared - shorn
shed (*ausgießen*) - shed - shed
shine (*scheinen*) - shone - shone
shoe (*beschuhen*) - shod - shod
shoot (*schießen*) - shot - shot
show (*zeigen*) - showed - shown*
shred ([*zer*]*schnitzeln; zerfetzen*) - shred* - shred*
shrink (*einschrumpfen*) - shrank - shrunk
shut (*schließen*) - shut - shut
sing (*singen*) - sang - sung
sink (*sinken*) - sank - sunk
sit (*sitzen*) - sat - sat
slay (*erschlagen*) - slew - slain
sleep (*schlafen*) - slept - slept
slide (*gleiten*) - slid - slid
sling (*schleudern*) - slung - slung
slink (*schleichen*) - slunk - slunk
slit (*schlitzen*) - slit - slit

smell (*riechen*) - smelt* - smelt*
smite (*schlagen*) - smote - smitten, smote
sow ([*aus*]*säen*) - sowed - sown*
speak (*sprechen*) - spoke - spoken
speed (*eilen*) - sped* - sped*
spell (*buchstabieren*) - spelt* - spelt*
spend (*ausgeben*) - spent - spent
spill (*verschütten*) - spilt* - spilt*
spin (*spinnen*) - spun - spun
spit ([*aus*]*spucken*) - spat - spat
split (*spalten*) - split - split
spoil (*verderben*) - spoilt* - spoilt*
spread (*verbreiten*) - spread - spread
spring (*springen*) - sprang - sprung
stand (*stehen*) - stood - stood
stave (*den Boden einschlagen*) - stove* - stove*
steal (*stehlen*) - stole - stolen
stick (*stecken*) - stuck - stuck
sting (*stechen*) - stung - stung
stink (*stinken*) - stank - stunk
strew ([*be*]*streuen*) - strewed - strewn*
stride (*über-, durchschreiten*) - strode - stridden
strike (*schlagen*) - struck - struck
string (*spannen*) - strung - strung
strive (*streben*) - strove - striven
swear (*schwören*) - swore - sworn
sweat (*schwitzen*) - sweat* - sweat*
sweep (*fegen*) - swept - swept
swell ([*an*]*schwellen*) - swelled - swollen
swim (*schwimmen*) - swam - swum
swing (*schwingen*) - swung - swung
take (*nehmen*) - took - taken
teach (*lehren*) - taught - taught
tear (*ziehen*) - tore - torn
tell (*sagen*) - told - told
think (*denken*) - thought - thought
thrive (*gedeihen*) - throve* - thriven*
throw (*werfen*) - threw - thrown
thrust (*stoßen*) - thrust - thrust
tread (*treten*) - trod - trodden
wake (*wachen*) - woke* - woke(n)*
wear ([*Kleider*] *tragen*) - wore - worn
weave (*weben*) - wove - woven
weep (*weinen*) - wept - wept
wet (*nässen*) - wet* - wet*
win (*gewinnen*) - won - won
wind (*winden*) - wound - wound
work (*arbeiten*) - wrought* - wrought*
wring ([*aus*]*wringen*) - wrung - wrung
write (*schreiben*) - wrote - written

# Anwendung wichtiger Präpositionen

*Vorbemerkungen*: Die Präpositionen regieren den Akkusativ. — Die folgenden Ziffern können hinter den betreffenden Präpositionen erscheinen: **1.** = räumlich; **2.** = zeitlich; **3.** = bildlich.

**about 1.** *um* (... *herum*): the fields ~ Oxford; *um*: look ~ you; (*irgendwo*) *in*: be ~ the house; *in* (... *umher*): walk ~ the garden; **2.** *ungefähr, etwa*: ~ 8 o'clock; ~ 40 years; stay ~ a week; **3.** *über*: what do you know ~ him?; *bei*: I haven't any money ~ me.

**above 1.** *über* (... *hinaus*): the sun rose ~ the horizon; **3.** be ~ suspicion (*erhaben über*).

**across 1.** (*quer*) *über*, (*mitten*) *durch*: walk ~ the street; *über* (*e-e Fläche hinaus*): be ~ the Channel; **3.** come ~ a friend (*zufällig treffen*).

**after 1.** *nach*: they ran ~ the thief; **2.** *nach*: ~ 2 o'clock; ~ dinner; one ~ the other; *für*: day ~ day; **3.** *nach*: ~ this fashion; a painting ~ Rembrandt; strive ~ s.th.; inquire ~ s.o.; look ~ s.o. (*sich kümmern um*).

**against 1.** *gegen*: he was rowing ~ the current; *an*: place s.th. ~ the wall; **3.** *gegen*: be ~ s.th.

**around** *s.* round.

**at 1.** *an*: ~ the door; *in*: ~ Oxford; *in*: ~ a distance (*a. von weitem*); *auf*: ~ sea level; **2.** *um*: ~ 10 o'clock; *zu*: ~ Easter; *bei*: ~ daybreak; **3.** *bei*: ~ work; *in*: ~ war; *über*: be surprised ~ s.th. *od.* s.o.

**before 1.** *vor*: *s. in front of*; be brought ~ the judge; **2.** *vor*: ~ 8 o'clock; two days ~ Christmas; **3.** death ~ dishonour (*lieber als*).

**behind 1.** *hinter*: ~ a tree; close ~ me; **2.** be ~ time (*Verspätung haben*); **3.** he left nothing but debts ~ him (*hinter sich lassen, hinterlassen*); ~ other boys of his age (*zurückgeblieben*).

**below 1.** *unter*(*halb*): ~ the knees; ~ the surface; 5 degrees ~ freezing point; **3.** *unter*: ~ s.o. in rank; ~ the average.

**by 1.** *an*: write ~ the window; side ~ side; *über*: travel to London ~ Hamburg; *an vorbei*: walk ~ s.o.; **2.** *in*: work ~ night; (*spätestens*) *bis*: finish work ~ tomorrow; return ~ 10 o'clock; **3.** *von*: a poem ~ Keats; ~ birth; *mit*: ~ post; ~ name (*namentlich*).

**down 1.** *hinab, hinunter*: run ~ a hill; *entlang*: walk ~ a street; *weiter unten*: farther ~ the river.

**for 1.** ~ miles (*meilenweit*); **2.** *für*: ~ a moment; ~ ever; *seit* (*Zeitraum*): ~ a month; **3.** *für*: I have s.th. ~ you; *an*: it is ~ you to decide; *für*: be tall ~ one's age; *nach*: train ~ London; *zu*: it's done ~ your best; read ~ pleasure; *für, auf*: prepare ~ an examination; *um*: ask ~ money; *nach*: look ~ a job; *vor*: ~ joy; *um*: tremble ~ s.o.

**from 1.** *von*: jump down ~ a wall; travel ~ London to Rome; 10 miles ~ the coast; **2.** *von*: ~ the first of May; ~ childhood; **3.** *von*: a letter ~ my father; *nach*: painted ~ life; *aus*: quotation ~ Shakespeare; *vor*: die ~ fatigue.

**in 1.** *in*: ~ the room; ~ London; *auf*: ~ the street; ~ the country; **2.** *an*: ~ the morning; *in*: ~ the 20th century; ~ 10 minutes; **3.** *in*: be ~ danger; *auf*: ~ this way; ~ English.

**in front of 1.** *vor*: some trees ~ the house.

**into 1.** *in* (... *hinein*): run ~ the house; **2.** *bis*: work far ~ the night; **3.** *zu*: make ~ leather; *in*: translate ~ English; *nach*: look ~ the matter.

**off 1.** (*weg*) *von*: ~ the main road; **3.** *aus*: take the responsibility ~ s.o.'s hands; be ~ duty (*dienstfrei haben*).

**on 1.** *auf*: ~ the table; ~ the road; sit ~ a chair; **2.** *an*: ~ Saturday; ~ March 28th; *bei*: ~ my return; **3.** *auf*: ~ application; *von*: live ~ s.th.; *über*: a speech ~.

**out of 1.** *außerhalb, aus* (... *hinaus*): be ~ the house; he walked ~ the shop; **3.** *aus*: made ~ wood; *außer*(*halb*): ~ sight; *außer*: ~ danger; ~ breath; *von*: in nine cases ~ ten; *aus*: ~ kindness.

**over 1.** *über*: leap ~ a wall; look ~ s.o.'s shoulder; *über* (*e-e Fläche*): a bridge ~ the river; walk ~ a field; **2.** *über*: ~ the week-end; ~ night; ~ a century; **3.** *über*: ~ 50 miles; he went to sleep ~ his work; *bei*: ~ a glass of wine.

**round 1.** *um* (... *herum*): sit ~ a table; (*rings*)*umher*: look ~ the room; *um* (... *herum*): walk ~ a corner; *in* (... *umher*): walk ~ the garden; **3.** *ungefähr*: pay ~ £ 10.

**since 2.** *seit* (*Zeitpunkt*): ~ Easter; ~ his father's death.

**through 1.** *durch*: come in ~ the window; **2.** *hindurch*: all ~ my life; ~ the night; **3.** *durch*: pass ~ his mind; learn the news ~ a friend; go ~ the accounts (*durchgehen, durchsehen*); get ~ an examination (*durchkommen, bestehen*); see ~ the trick (*durchschauen*).

**till 2.** *bis*: ~ Monday; ~ late at night; the train will not start ~ ten (*nicht vor*).

**to 1.** *zu*: ~ the station; ~ school; ~ the left; *nach*: ~ London; ~ the north; *an*: be tied ~ a post; **2.** *bis*: from eight ~ five; *vor*: 10 minutes ~ 8; *zu*: from day ~ day; *bis* (*zu*): ~ this day; **3.** *für*: blind ~; *gegen*: deaf ~; be faithful ~ s.o. (*j-m treu sein*); give s.th. ~ s.o. (*j-m et. geben*).

**toward(s) 1.** *auf* ... *zu*: sail ~ the island; *nach*: ~ the west; **2.** *gegen*: ~ evening; **3.** *zu*: contribution ~ the expenses; *zu*: be polite ~ s.o.; *gegenüber*: s.o.'s attitude ~ s.th.

**under 1.** *unter*: ~ the table; **2.** *weniger als*: ~ 12 seconds; *unter*: be ~ 20; ~ the Stuarts; **3.** *unter*: living ~ an assumed name; *bei*: ~ sentence of death; road ~ repair (*Straßenarbeiten*).

**until** s. **till**.

**up 1.** *auf, hinauf*: climb ~ a tree; *entlang*: walk ~ the road; sail ~ a river (*flußaufwärts*); travel ~ country (*ins Landesinnere*).

**with 3.** *mit*: fill ~ water; a coat ~ two pockets; write ~ a pen; he went ~ his friends; rise ~ the sun; sympathize ~ her; agree ~ s.o.; ~ a smile; ~ care; *bei*: leave the child ~ me; stay ~ s.o.; I have no money ~ me; *bei, an*: it rests ~ you to decide; *gegen, mit*: fight ~ s.o.; *vor*: silent ~ shame; shaking ~ cold; *von*: part ~ s.o.; *mit*: break ~ a friend.

# Der Duden in 10 Bänden
## Das Standardwerk zur deutschen Sprache

### Band 1: Die Rechtschreibung
Dieses Werk ist für unsere Rechtschreibung maßgebend: über 160 000 Stichwörter und Beispiele für rechtschreibliche und grammatische Schwierigkeiten, über 300 000 Angaben zu Silbentrennung, Aussprache, Etymologie, Wortbedeutung und Wortgebrauch. 793 Seiten.

### Band 2: Das Stilwörterbuch
An mehr als 100 000 praktischen Beispielen werden die stilistischen Möglichkeiten und die richtige Verwendung der Wörter im Satz erläutert. 846 Seiten.

### Band 3: Das Bildwörterbuch
Über 25 000 Wörter aus allen Bereichen des Lebens, vor allem aus dem Bereich der Fachsprachen, werden durch Bilder definiert. Dabei stehen sich, nach Sachgebieten gegliedert, Bildtafel und entsprechende Wortliste gegenüber. 792 Seiten mit 368 Bildtafeln, davon 8 vierfarbig.

### Band 4: Die Grammatik
Wer sich über den Aufbau unserer Sprache unterrichten will oder Deutsch als Fremdsprache lernt, kann sich auf dieses Werk verlassen. Es ist umfassend, klar und wissenschaftlich zuverlässig. 763 Seiten mit Sach- und Wortregister und einem Register für Zweifelsfragen.

### Band 5: Das Fremdwörterbuch
Dieses Buch gibt nicht nur die Schreibung und Bedeutung von rund 45 000 Fremdwörtern an, sondern unterrichtet auch über deren Aussprache, Beugung und Geschlecht. 781 Seiten mit 90 000 Bedeutungsangaben.

### Band 6:
### Das Aussprachewörterbuch
Mit etwa 130 000 Stichwörtern unterrichtet es umfassend über Betonung und Aussprache sowohl der heimischen als auch der fremden Namen und Wörter. 791 Seiten.

### Band 7:
### Das Herkunftswörterbuch
Woher kommt die Redensart „In der Kreide stehen?", woher die Wörter „Pumpernickel" oder „Radar"? Dieser „Etymologieduden" sagt alles über die Herkunft und die Geschichte der deutschen Wörter und der Fremdwörter. 816 Seiten.

### Band 8: Die sinn- und sachverwandten Wörter und Wendungen
Wer für den gegebenen Sachverhalt den passenden Ausdruck sucht, der greift zu diesem Wortwahl- und Worterinnerungsbuch. Es enthält etwa 80 000 Wörter und Wendungen, in Gruppen gegliedert, mit Stilangaben und Bedeutungshinweisen. 797 Seiten.

### Band 9: Die Zweifelsfälle der deutschen Sprache
Dieses Wörterbuch der sprachlichen Hauptschwierigkeiten klärt grammatische, stilistische und rechtschreibliche Zweifelsfragen. Es enthält Kurzartikel zu Einzelfragen sowie systematische Übersichtsartikel zur Erklärung der Zusammenhänge, in denen die Einzelfragen stehen. 784 Seiten.

### Band 10:
### Das Bedeutungswörterbuch
Die Bedeutung von mehr als 24 000 Stichwörtern des deutschen Wortschatzes wird erläutert. Durch die Kombination von Worterklärung, Anwendungsbeispielen und Bildern wird gezeigt, was ein Wort wirklich bedeutet und wie es sinnvoll eingesetzt werden kann. 815 Seiten.

**Bibliographisches Institut · Mannheim/Wien/Zürich**